Directeur de collection et auteur
Philippe GLOAGUEN

Cofondateurs
Philippe GLOAGUEN
et Michel DUVAL

Rédacteur en chef
Pierre JOSSE

Rédacteurs en chef adjoints
Amanda KERAVEL
et Benoît LUCCHINI

Directrice de la coordination
Florence CHARMETANT

Directrice administrative
Bénédicte GLOAGUEN

Direction éditoriale
Catherine JULHE

Rédaction
Isabelle AL SUBAIHI
Mathilde de BOISGROLLIER
Thierry BROUARD
Marie BURIN des ROZIERS
Véronique de CHARDON
Gavin's CLEMENTE-RUÏZ
Fiona DEBRABANDER
Anne-Caroline DUMAS
Géraldine LEMAUF-BEAUVOIS
Olivier PAGE
Alain PALLIER
Anne POINSOT
André PONCELET

Administration
Carole BORDES
Éléonore FRIESS

2015

hachette

Remarque importante aux hôteliers et restaurateurs

Les enquêteurs du *Routard* travaillent dans le plus strict anonymat. Aucune réduction, aucun avantage quelconque, aucune rétribution n'est jamais demandé en contre-partie. Face aux aigrefins, la loi autorise les hôteliers et restaurateurs à porter plainte.

Avis aux lecteurs

Le Routard, ce n'est pas comme le bon vin, il vieillit mal. On ne veut pas pousser à la consommation, mais évitez de partir avec une édition ancienne. Les modifications sont souvent importantes.
Les réductions accordées à nos lecteurs ne sont jamais demandées par nos rédacteurs afin de préserver leur indépendance. Les hôteliers et restaurateurs sont sollicités par une société de mailing, totalement indépendante de la rédaction, qui reste donc libre de ses choix. De même pour les autocollants et plaques émaillées.

Avec routard.com choisissez, organisez, réservez et partagez vos voyages !

✓ Rejoignez la plus grande communauté francophone de voyageurs : plus de **2 millions** de visiteurs !
✓ Échangez avec les routarnautes : forums, photos, avis d'hôtels.
✓ Retrouvez aussi toutes les informations actualisées pour choisir et préparer vos voyages : plus de 200 fiches pays, une centaine de dossiers pratiques et un magazine en ligne pour découvrir tous les secrets de votre destination.
✓ Enfin, comparez les offres pour organiser et réserver votre voyage au meilleur prix.

Pictogrammes du *Routard*

Établissements

- Hôtel, auberge, chambres d'hôtes
- Camping
- Restaurant
- Boulangerie, sandwicherie
- Glacier
- Café, salon de thé
- Café, bar
- Bar musical
- Club, boîte de nuit
- Salle de spectacle
- Office de tourisme
- Poste
- Boutique, magasin, marché
- Accès internet
- Hôpital, urgences

Sites

- Plage
- Site de plongée
- Piste cyclable, parcours à vélo

Transports

- Aéroport
- Gare ferroviaire
- Gare routière, arrêt de bus
- Station de métro
- Station de tramway
- Parking
- Taxi
- Taxi collectif
- Bateau
- Bateau fluvial

Attraits et équipements

- Présente un intérêt touristique
- Recommandé pour les enfants
- Adapté aux personnes handicapées
- Ordinateur à disposition
- Connexion wifi
- Inscrit au Patrimoine mondial de l'Unesco

Le *Routard* est imprimé sur un papier issu de forêts gérées.

I.S.B.N. 978-2-01-001816-9

TABLE DES MATIÈRES

COMMENT Y ALLER ?

ARGENTINE UTILE

HOMMES, CULTURE, ENVIRONNEMENT

BUENOS AIRES ET SES ENVIRONS

LA RÉGION DU NORD-EST

Les chutes d'Iguazú

Les missions jésuites

LA RÉGION DU NOROESTE ARGENTINO (NOA)

VERS LE NORD, DE SALTA À LA FRONTIÈRE BOLIVIENNE

La quebrada de Humahuaca

Aux confins de l'Argentine et de la Bolivie

VERS LE SUD, DE SALTA À TUCUMÁN

LA RÉGION DU CUYO

LA PATAGONIE

LE NORD-OUEST DE LA PATAGONIE

LA CÔTE NORD-EST DE LA PATAGONIE

LE SUD DE LA PATAGONIE

LA TERRE DE FEU

IMPORTANT : DERNIÈRE MINUTE

Sauf rare exception, le *Routard* bénéficie d'une parution annuelle à date fixe. Entre deux dates, des événements fortuits (formalités, taux de change, catastrophes naturelles, conditions d'accès aux sites, fermetures inopinées, etc.) peuvent intervenir et modifier vos projets de voyage. Pour éviter les déconvenues, nous vous recommandons de consulter la rubrique « Guide » par pays de notre site • ***routard.com*** • et plus particulièrement les dernières ***Actus voyageurs.***

☎ **112 :** c'est le numéro d'urgence commun à la France et à tous les pays de l'UE, à composer en cas d'accident, agression ou détresse. Il permet de se faire localiser et aider en français, tout en améliorant les délais d'intervention des services de secours.

NOS NOUVEAUTÉS

CANARIES (septembre 2014)

Un air de perpétuel printemps, du sable blond et des criques anthracite, quatre parcs nationaux somptueux... Voici à peine les hors-d'œuvre qu'offrent les sept îles des Canaries. Du soleil (même en hiver) et, bien plus encore, une riche palette de couleurs, d'odeurs et de paysages, née de l'activité volcanique. La nature se pare ici de tous les visages : aridité sauvage et dunes solaires de Fuerteventura, forêts humides alimentées par les alizés sur La Palma et La Gomera, majestueux sommet du Teide à Ténérife, côtes déchiquetées et profonds ravins à Gran Canaria, délires de couleurs sur El Hierro... La main de l'homme a parsemé le tout de multiples sentiers, de villes coloniales et d'églises baroques. Sans compter les étonnantes fantaisies architecturales de César Manrique à Lanzarote. Loin des clichés et si proche de nous, un univers à part entière, à la croisée de l'Europe et de l'Afrique, où le farniente se savoure entre randonnées et plongées.

MADÈRE (mai 2015)

Madère réunit, au milieu de l'océan, un climat à la douceur légendaire et une flore exubérante – bougainvillées, mimosas, amaryllis, oiseaux de paradis (symboles de l'île), flamboyants, jacarandas – qui lui vaut son surnom bien mérité d'« île aux fleurs ». Et aussi des montagnes volcaniques déchirées par l'érosion et de vertigineux à-pics. Le paradis des randonneurs, le long de l'ingénieux système d'irrigation des *levadas,* ces canaux récupérant les eaux de pluie. L'île de Madère est une citadelle entaillée de toutes parts, avec ses parcelles de vigne indomptables accrochées aux pentes et travaillées à la main. À Funchal, capitale anglophile, on se rue dans les églises et les musées, entre deux arrivées de paquebots venus goûter aux tropiques et aux barriques. Au-delà des vagues s'ancre le reste de l'archipel : la petite Porto Santo, réputée pour sa longue plage de sable clair. L'avènement du tourisme, puis l'entrée du Portugal dans l'Union européenne ont toutefois modifié bien des choses et, surtout, inversé la tendance à l'émigration. On vient désormais de toute l'Europe à la recherche d'une vie aussi douce que l'air.

??? LES QUESTIONS QU'ON SE POSE LE PLUS SOUVENT

Quels sont les documents nécessaires pour se rendre en Argentine ?
Un passeport en cours de validité est suffisant. Pas besoin de visa pour un séjour inférieur à 3 mois.

Quel est le décalage horaire avec la France ?
4h de moins qu'en France pendant l'hiver européen et 5h de moins en été.

Quelle est la monnaie du pays ?
C'est le « peso argentin » dont le symbole utilisé en Argentine est $ (et que l'on indique $Ar dans le guide). À ne pas confondre avec le dollar américain (symbolisé US$). L'euro et le dollar se changent facilement dans les villes touristiques.

Quelle est la meilleure saison pour y aller ?
De mai à septembre, quand il ne fait pas trop chaud et hors saison des pluies, mieux vaut aller dans le Nord, qui a un climat tropical. En revanche, préférez la période de novembre à mars pour la Patagonie où les températures sont les plus clémentes et les jours les plus longs. Si vous voulez parcourir le pays en un seul voyage, privilégiez les saisons intermédiaires : mars, avril, octobre ou novembre.

La vie est-elle chère ?
Depuis ces dernières années, le pays connaît une très forte inflation, mais on peut limiter l'addition en logeant dans les auberges de jeunesse et en voyageant en bus. Prévoir tout de même une moyenne de 80-100 € par jour pour 2. À Buenos Aires et en Patagonie, le budget à prévoir est assez conséquent.

Quel est le meilleur moyen pour se déplacer ?
Il existe un très bon réseau de bus, ponctuels, bon marché et confortables de surcroît. Pour les longs trajets, on vous conseille soit de prendre l'avion, soit de faire des étapes courtes, histoire de ne pas passer votre temps dans les transports. L'idéal est de louer une voiture à partir d'un aéroport provincial pour sillonner la région. Si vous comptez visiter le pays en un seul voyage, prenez les vols intérieurs et prévoyez 3 semaines minimum pour les principaux sites. En voyageant en bus, comptez 5 à 6 semaines.

L'Argentine est-elle un pays sûr ?
C'est un des pays les moins dangereux d'Amérique latine. Néanmoins, on déplore de plus en plus de vols dans la capitale et certains de ses quartiers, comme La Boca, demandent de la prudence.

Est-il facile de voyager avec des enfants ?
Oui, grâce à la (relative) fiabilité des transports, à l'excellent réseau routier (sauf dans certains coins reculés) et aux conditions d'hygiène presque équivalentes à celles que l'on connaît en Europe.

Aller jusqu'à Ushuaia vaut-il vraiment la peine ?
Si vous rêvez d'aller dans la ville la plus australe du monde (enfin presque !), ne manquez pas la capitale de la Terre de Feu. En revanche, si vous n'avez pas le temps de tout voir lors d'un voyage en Argentine et que vous devez faire des choix, préférez El Calafate (et ses glaciers) ou Salta (les Andes indiennes).

LES COUPS DE CŒUR DU ROUTARD

Nous tenons à remercier tout particulièrement Loup-Maëlle Besançon, Thierry Bessou, Gérard Bouchu, François Chauvin, Grégory Dalex, Stéphanie Déro, Fabrice Doumergue, Cédric Fischer, Carole Fouque, Michelle Georget, David Giason, Claude Hervé-Bazin, Emmanuel Juste, Dimitri Lefèvre, Fabrice de Lestang, Romain Meynier, Éric Milet, Pierre Mitrano, Jean-Sébastien Petitdemange, Thomas Rivallain et Dominique Roland pour leur collaboration régulière.

Emmanuelle Bauquis
Mathilde Blanchard
Jean-Jacques Bordier-Chêne
Michèle Boucher
Mathilde Bouron
Sophie Cachard
Jeanne Cochin
Agnès Debiage
Jérôme Denoix
Joséphine Desfougères
Tovi et Ahmet Diler
Clélie Dudon
Sophie Duval
Alain Fisch
Bérénice Glanger
Adrien et Clément Gloaguen
Bernard Hilaire
Sébastien Jauffret
Blanche-Flore Laize
Virginie Leibel
Jacques Lemoine
Julien Léopold
Jacques Muller
Caroline Ollion
Martine Partrat
Odile Paugam et Didier Jehanno
Julia Pouyet
Émile Pujol
Anaïs Rougale
Prakit Saiporn
Jean-Luc et Antigone Schilling
Alicia Tawil
Caroline Vallano
Juliana Verdier

Direction : Nathalie Bloch-Pujo
Contrôle de gestion : Jérôme Boulingre et Virginie Laurent-Arnaud
Secrétariat : Catherine Maîtrepierre
Direction éditoriale : Catherine Julhe
Édition : Matthieu Devaux, Géraldine Péron, Olga Krokhina, Gia-Quy Tran, Julie Dupré, Pauline Fiot, Camille Loiseau, Béatrice Macé de Lépinay, Emmanuelle Michon, Martine Schmitt et Marion Sergent
Préparation-lecture : Véronique Rauzy
Cartographie : Frédéric Clémençon et Aurélie Huot
Fabrication : Nathalie Lautout et Audrey Detournay
Relations presse France : COM'PROD, Fred Papet. ☎ 01-70-69-04-69. • *info@comprod.fr* •
Direction marketing : Adrien de Bizemont, Lydie Firmin et Laure Illand
Contacts partenariats : André Magniez (EMD). • *andremagniez@gmail.com* •
Édition des partenariats : Élise Ernest
Informatique éditoriale : Lionel Barth
Couverture : Clément Gloaguen et Seenk
Maquette intérieure : le-bureau-des-affaires-graphiques.com, Thibault Reumaux et npeg.fr
Relations presse : Martine Levens (Belgique) et Maureen Browne (Suisse)
Régie publicitaire : Florence Brunel-Jars

Remerciements

- Vincent Chevalier et l'équipe d'Equinoxe à Buenos Aires ;
- Sophie Guillouche, notre *tanguera* officielle, pour ses bonnes adresses à Buenos Aires ;
- Aurélia Coulaty et Olivia de Maleville, pour leur lecture éclairée et leurs remarques judicieuses ;
- Guido Indij, pour cette virée mémorable à Buenos Aires ;
- Philippe Cheminade, pour sa disponibilité ;
- Nathalie de Lessan, pour son flair et son aide indéfectible ;
- Dolores Yomha, *alma porteña y bohemia siempre eficaz.*

ITINÉRAIRES CONSEILLÉS

ITINÉRAIRES

Difficile de passer moins de 3 semaines dans cet immense pays, et vous devrez de toute façon vous résoudre à faire des choix. Pour éviter une trop grande fatigue et que les vacances ne se transforment en marathon, quelques trajets en avion s'imposent. Voici deux suggestions d'itinéraires, qui peuvent évidemment s'enchaîner. Bien entendu, en fonction du mode de transport et des excursions choisis, les parcours peuvent rapidement s'allonger. Nous, on ne vous parle que du strict minimum ! Quinze jours suffisent pour parcourir un extrait d'Argentine, mais toute la vie serait nécessaire pour la connaître.
Si vous voyagez en voiture, le site • *guiaypf.com.ar* • peut vous aider dans l'organisation de votre itinéraire. Équivalent de Mappy, il calcule les distances et temps de parcours entre les différentes villes du pays. Pratique.

BUENOS AIRES ET LE NORD DE L'ARGENTINE

➢ *1er au 3e jour :* Buenos Aires. À ne pas manquer :
– les principaux monuments du Microcentro (plaza de Mayo, avenida 9 de Julio, Teatro Colón...) ;
– San Telmo pour ses antiquaires et ses danseurs de tango ;
– le cimetière de Recoleta où repose Eva Perón ;
– excursion sur le Tigre (excursion d'une journée en plus) ;
– excursion à Colonia en Uruguay (excursion de 1 ou 2 j.).
➢ *4e jour :* vol Buenos Aires-Iguazú (ou 16h de bus).
➢ *5e et 6e jours :* Iguazú. Prévoir une journée entière pour voir les chutes côté argentin ; consacrer la matinée du lendemain pour la balade côté brésilien, plus rapide.
Pour ceux qui ont le temps et qui prévoient de rentrer à Buenos Aires en bus, escale possible à Posadas pour faire le tour des missions jésuites :
➢ *7e jour :* missions jésuites. Prévoir une journée pour l'ensemble du circuit. La mission la mieux conservée est celle de San Ignacio, à voir en priorité.
➢ *8e jour :* vol ou bus jusqu'à Buenos Aires. Ceux qui continuent le voyage en direction du nord-ouest doivent repasser par Buenos Aires. Correspondance pour Salta en avion ou en bus (20h environ).
➢ *9e jour :* visite de la ville coloniale de Salta.
➢ *10e jour :* route vers le nord en abordant la montagne et la quebrada de Humahuaca, vallée des peintres, jusqu'à Purmamarca.
➢ *11e jour :* Tilcara et sa *pucara,* forteresse précolombienne.
➢ *12e jour :* Humahuaca et les confins de la Bolivie.
➢ *13e jour :* Salta.
➢ *14e jour :* Cachi et les villages des Calchaquí.

➢ *15e jour :* Cafayate, visite de la Quebrada de las Conchas. Extension (1 jour) aux ruines de Quilmes.
➢ *16e jour :* retour sur Buenos Aires depuis Salta (avion ou bus). Vol jusqu'à Trelew.

LA PATAGONIE ET LA TERRE DE FEU

➢ *1er au 3e jour :* Buenos Aires.
➢ *4e jour :* vol jusqu'à Trelew et navette pour Puerto Madryn.
➢ *5e jour :* Puerto Madryn. En bord de mer, c'est le point de départ idéal pour aller visiter la péninsule Valdés et toute la région.
➢ *6e jour :* péninsule Valdés. À 100 km de Puerto Madryn, une extraordinaire concentration d'éléphants de mer, manchots, lions de mer et baleines. On peut retourner dormir à Puerto Madryn ou rester à Puerto Pirámides.
➢ *7e jour :* Punta Tombo. À 170 km de Puerto Madryn, c'est la plus grande colonie de manchots de Magellan du monde.
➢ *8e jour :* de Puerto Madryn, retour sur Buenos Aires (3 vols par semaine ou 20h de bus, au choix...) ou prolongation du séjour en prenant un vol pour El Calafate (attention, seulement un vol par semaine), ou extension possible jusqu'à Esquel et le parc Los Alerces ou Bariloche (bus direct ou avion via Buenos Aires).
➢ *9e et 10e jours :* El Calafate. Compter 2 j. minimum. Point de départ incontournable pour visiter le fabuleux parc national des Glaciers. Le must : le Perito Moreno, à découvrir à pied (éventuellement en bateau). Le deuxième jour est à consacrer au lago Argentino, au glacier Upsala. Lago Roca en excursion supplémentaire d'une journée.
Pour ceux qui ont un peu de temps :
➢ *11e et 12e jours :* El Chaltén. Compter 3h30 de route depuis El Calafate. Merveilleux paysages dominés par le Fitz Roy. En raison des distances, passer au moins une nuit à El Chaltén. Nombreuses possibilités de treks (extension de plusieurs jours).
➢ *13e jour :* vol El Calafate-Ushuaia.
➢ *14e et 15e jours :* Ushuaia. La ville la plus australe du monde mérite une halte de 2 j. minimum pour profiter des larges possibilités d'excursions.
➢ *16e jour :* vol direct pour Buenos Aires.

SI VOUS ÊTES...

En famille

La péninsule Valdés, pour sa faune marine visible le long des côtes et les baleines qui abondent au large en saison. Sans oublier les lions de mer et les manchots qui batifolent sur les îles du canal de Beagle pendant l'été austral. El Calafate, pour admirer le glacier Perito Moreno, ou à l'extrême nord-est du pays, les chutes d'Iguaçu. Des spectacles naturels accessibles de 7 à 77 ans... et plus ! Et pour les cow-boys en herbe, rien ne vaut un séjour dans une *estancia,* pour vivre comme un authentique *gaucho* et sillonner la pampa à cheval.

Plutôt nature

Vous aurez l'embarras du choix ! Du nord au sud et d'est en ouest, le pays abonde de parcs naturels et d'espaces sauvages propices aux randonnées et autres « activités nature ». De la Terre de Feu en passant par le Perito Moreno, des montagnes et lacs de la région de Bariloche et San Martín de los Andes aux canyons du Noroaeste (quebrada de Humahuaca, valle de la Luna...) des chutes d'Iguazú au delta de Tigre... On peut même skier à Bariloche en hiver.

Plutôt plages

Circulez, y'a rien à voir ! Non, sérieusement, peu de possibilités en Argentine, malgré un littoral important. Les eaux de l'Atlantique sont en outre très froides. Pour les inconditionnels, on trouve quand même quelques plages fréquentées en été (l'hiver pour nous), notamment à Puerto Madryn, proche de la péninsule Valdés, ou autour de Mar del Plata.

Plutôt culture et « vieilles pierres »

Dans ce domaine, Buenos Aires est certainement une des capitales d'Amérique du Sud les plus attractives. Outre les musées d'une grande richesse, la ville abonde de centres culturels, galeries et évènements tout au long de l'année. Côté « vieilles pierres », Salta reste un bijou d'architecture coloniale et la région du Noroaste permet de découvrir de superbes vestiges archéologiques (ruines de Quilmes). Sans oublier les *estancias* jésuites autour de Córdoba et les missions du nord-est, à la frontière du Paraguay.

Amateur de bonne chair

Vous ne manquerez pas de découvrir les merveilles viticoles argentines en alliant dégustation de cépages originaux dans les *bodegas* de Cafayate et Mendoza, et nouvelle cuisine andine dans la région Noroaste. Sans oublier de déguster la fameuse viande argentine, celle de bœuf ou d'agneau de Patagonie par exemple, un régal !

COMMENT Y ALLER ?

LES LIGNES RÉGULIÈRES

▲ AIR FRANCE

Rens et résas au ☎ 36-54 (0,34 €/mn – tlj 6h30-22h), sur • airfrance.fr •, dans les agences Air France et dans ttes les agences de voyages. Fermées dim.

➢ Air France assure 1 vol quotidien entre Roissy-Charles-de-Gaulle et Buenos Aires.

Air France propose toute l'année une gamme de tarifs accessibles à tous. Pour les moins de 25 ans, Air France offre des tarifs spécifiques, ainsi qu'une carte de fidélité *(Flying Blue Jeune)* gratuite et valable sur l'ensemble des compagnies membres de *Skyteam*. Cette carte permet de cumuler des *miles*.

Sur Internet, possibilité de consulter les meilleurs tarifs du moment directement sur la page « Meilleures offres et promotions ».

▲ AEROLINEAS ARGENTINAS

– Paris : 2, rue de l'Oratoire, 75001. ☎ 01-53-29-92-30. • aerolineas.com.ar • Ⓜ Louvre-Rivoli. Lun-ven 9h-17h.

➢ Assure 1 vol quotidien pour Buenos Aires partant de Paris-Orly, avec escale à Rome. Depuis Buenos Aires, nombreuses liaisons avec les villes de province : Iguazú, Trelew, Salta, Jujuy, El Calafate, Bariloche, Posadas, Ushuaia... Également des connexions avec les principales villes d'Amérique du Sud (Santa Cruz, Lima, Rio de Janeiro, São Paulo, Santiago du Chili...).

▲ AIR EUROPA

– Paris : 58A, rue du Dessous-des-Berges, 75013. ☎ 01-45-84-68-20. Ⓜ Bibliothèque-François-Mitterrand. Bureau ouv lun-ven 9h-18h. Résa par tél 24h/24. • aireuropa.com •

➢ Assure 4 à 5 vols/sem entre Paris (Orly-Ouest ou Roissy-Charles-de-Gaulle T2) et Buenos Aires via Madrid. En partage de codes avec Air France, la compagnie assure aussi des départs depuis Lyon via Madrid à destination de Buenos Aires.

▲ IBERIA

– Orly-Ouest hall 1 et Roissy-Charles-de-Gaulle T2D. ☎ 0825-800-965 (0,15 €/mn). • iberia.com.fr •

➢ Assure env 5 vols/j. pour Buenos Aires via Madrid (et Londres/Barcelone) depuis Paris, Lyon, Marseille, Nantes, Nice, Toulouse et Strasbourg.

▲ LAN

☎ 0821-23-15-54 (0,15 €/mn). • lan.com • Rens par tél slt, lun-ven 9h30-17h30.

➢ Assure 1 vol quotidien vers Buenos Aires via Sao Paulo sur vol opéré par TAM Airlines.

La compagnie nationale chilienne est représentée en France par Tam Airlines.

▲ TAM

☎ 01-53-75-80-00. • tam.com.br • Lun-ven 9h30-17h (17h30 par tél).

➢ Assure 2 vols/j. entre Paris (Roissy-Charles-de-Gaulle T2) et Buenos Aires via São Paulo.

LES ORGANISMES DE VOYAGES

– Ne pas croire que les vols à tarif réduit sont tous au même prix pour une même destination à une même époque : loin de là. On a déjà vu, dans un même avion partagé par deux organismes, des passagers qui avaient payé 40 % plus cher que les autres. De plus, une agence bon marché ne l'est pas forcément toute l'année (elle peut n'être compétitive qu'à certaines dates bien précises). Donc, contactez tous les organismes et jugez vous-même.

– Les organismes cités sont classés par ordre alphabétique, pour éviter les jalousies et les grincements de dents.

EN FRANCE

▲ AGUILA VOYAGES PHOTO

Atelier 10 : 270, rue Thomas-Edison, 34400 Lunel. ☎ 04-67-13-22-32. • aguila-voyages.com •

Fondée par trois photographes professionnels et grands voyageurs, Aguila offre l'opportunité de partir en voyage avec un photographe-reporter. Lors des séjours, celui-ci livre ses techniques de la photographie de reportage et sa connaissance du territoire. Il apprend aux participants, par petits groupes de 3 à 10 personnes, à repérer les scènes et les lumières, et leur fait bénéficier de ses relations privilégiées avec les populations. Le catalogue offre une large gamme de destinations dans le monde avec par exemple l'Équateur, l'Islande, la Patagonie, la Toscane, le Maroc ou le Vietnam. Des séjours sont également organisés en France. Aguila propose aussi un cycle de conférences-formations sur le thème de la photo dans différentes villes de France. Inscriptions sur le site internet.

▲ ALLIBERT

– Paris : 37, bd Beaumarchais, 75003. ☎ 01-44-59-35-35. • allibert-trekking.com • Ⓜ Chemin-Vert ou Bastille. Lun-ven 9h-19h ; sam 10h-18h. Agences également à Chamonix, Nice, Chapareillan et Toulouse.

Née en 1975 d'une passion commune entre trois guides de montagne, Allibert propose aujourd'hui 1 100 voyages aux quatre coins du monde tout en restant une entreprise familiale. Découvrir de nouveaux itinéraires en respectant la nature et les cultures des régions traversées reste leur priorité. Pour chaque pays, différents niveaux de difficulté. Allibert est le premier tour-opérateur certifié Tourisme responsable par ATR.

▲ ALTIPLANO

– Annecy-le-Vieux : 18, rue du Pré-d'Avril, 74940. ☎ 04-50-46-00-44. • altiplano.org • Lun-ven 9h-13h, 14h-19h.

Depuis plus de 10 ans, Géraldine conçoit des voyages en Argentine de A à Z (billets d'avion, excursions, guides, transports, hébergements...) chez Altiplano Voyage, spécialiste français des circuits sur mesure. Elle connaît parfaitement le pays du tango et propose d'en découvrir les plus belles régions : de la Terre de Feu aux chutes d'Iguazú en passant par la Patagonie, Salta et bien sûr Buenos Aires ! Avec la formule de votre choix (location de voiture, excursions organisées, navigation...) et selon vos envies, Géraldine compose le voyage qui vous ressemble.

▲ ARGENTINE AUTHENTIQUE

• argentine-authentique.com •

– Paris : 1, rue d'Hauteville, 75010. ☎ 01-53-34-92-78. Ⓜ Bonne-Nouvelle. Lun-ven 9h30-19h (mer 14h-20h), ou à domicile sur Paris et sa région (avec supplément).

Spécialiste reconnu de la destination depuis 2003, Argentine Authentique compose votre voyage sur mesure, selon vos goûts et votre budget. Ses conseillers experts de la destination attachent une importance particulière à vos envies pour vous proposer des itinéraires hors des sentiers battus et vous conseiller les hébergements de charme adaptés à chacun.

▲ CERCLE DES VACANCES – VACANCES AMÉRIQUE LATINE

• cercledesvacances.com •

– Paris : 4, rue Gomboust (angle 31, av. de l'Opéra), 75001. ☎ 01-40-15-15-15. Lun-ven 8h30-20h ; sam 10h-18h30.

Préparer un voyage seul n'est pas facile, l'Argentine étant un vaste pays qui nécessite des vols ou transports intérieurs. Vacances Amérique Latine, une équipe de passionnés au service de tous ceux qui souhaitent préparer leur voyage ou simplement obtenir des conseils, propose d'aider à découvrir l'Argentine en circuits

individuels privés, en autotours, etc. Également des billets d'avion à des prix très intéressants. Ces spécialistes ont une connaissance pointue de leur destination et y sont allés à de nombreuses reprises.

▲ COMPTOIR DES PAYS ANDINS

• comptoir.fr •
– Paris : 2, rue Saint-Victor, 75005. ☎ 01-53-10-70-90. Ⓜ Cardinal-Lemoine. Lun-ven 9h30-18h30 ; sam 10h-18h30.
– Lyon : 10, quai de Tilsitt, 69002. ☎ 04-72-44-13-40. Ⓜ Bellecour. Lun-sam 9h30-18h30.
– Marseille : 12, rue Breteuil, 13001. ☎ 04-84-25-21-80. Ⓜ Estrangin. Lun-sam 9h30-18h30.
– Toulouse : 43, rue Peyrolières, 31000. ☎ 05-62-30-15-00. Ⓜ Esquirol. Lun-sam 9h30-18h30.

Tout au long de la mythique cordillère des Andes, de nombreux voyages itinérants vous feront aller de la Terre de Feu à l'Équateur, de la Patagonie aux chemins incas du Pérou. Quelles que soient vos envies, une équipe de spécialistes des Pays andins sera à votre écoute pour créer votre voyage sur mesure.

21 Comptoirs, plus de 60 destinations, des idées de voyages à l'infini. Comptoir des Voyages s'impose depuis 20 ans comme une référence incontournable pour les voyages sur mesure, accessible à tous les budgets. Membre de l'association ATR (Agir pour un tourisme responsable), Comptoir des Voyages a obtenu la certification Tourisme responsable AFAQ AFNOR.

▲ COMPTOIRS DU MONDE (LES)

– Paris : 84, rue Amelot, 75011. ☎ 01-44-54-84-54. • comptoirsdumonde.fr • Ⓜ Saint-Sébastien-Froissart. Lun-ven 9h30-19h ; sam 11h-18h.

C'est dans ses nouveaux locaux que l'équipe des Comptoirs du Monde traitera personnellement tous vos désirs d'évasion : circuits et prestations à la carte pour tous les budgets sur toute l'Asie, le Proche-Orient, les Amériques, les Antilles, Madagascar, l'île Maurice et maintenant l'Italie. Vous pouvez aussi réserver par téléphone et régler par carte de paiement, sans vous déplacer.

▲ EQUINOXIALES

☎ 01-77-48-81-00. • equinoxiales.fr •

25 ans d'expérience et une passion inépuisable sont les clés de l'expertise d'Equinoxiales. Pour des voyages sur mesure au long cours à prix *low cost*, assortis des meilleurs conseils. Un simple appel, un simple mail, et les conseillers sont à l'écoute pour créer avec les candidats au départ le périple qui leur convient au meilleur prix.

▲ EVANEOS.COM

☎ 01-84-17-73-35. Lun-ven 8h-12h, 13h30-17h30. • evaneos.com •

Evaneos.com permet d'entrer directement en contact avec des agences de voyages locales, en Argentine et partout dans le monde. Vous échangez sur Internet avec une agence locale sélectionnée par Evaneos.com, qui construira avec vous un voyage unique (possibilité de faire établir un devis). Evaneos.com apporte ainsi une proximité, une expertise et une liberté nouvelle dans l'organisation du voyage. Les bénéfices sont immédiats : un prix sans intermédiaires, une prestation sur-mesure de qualité.

▲ FRANCE AMÉRIQUE LATINE

– Paris : 37, bd Saint-Jacques, 75014. ☎ 01-45-88-20-00. • franceameriquelatine.fr • Ⓜ Saint-Jacques. Lun-jeu 9h30-13h, 14h-18h ; ven 10h-13h, 14h-16h.

Présent depuis 1986 sur les terrains de la culture, de la solidarité et de la défense des Droits de l'homme, le service voyage de France Amérique Latine propose de découvrir les richesses naturelles et surtout humaines du continent latino-américain à travers des circuits uniques et authentiques. Toute l'Amérique latine et les Caraïbes sont programmées afin de montrer la réalité des peuples d'Amérique latine, sous diverses formes de voyage : séjours organisés ou à la carte, treks, mais aussi chantiers internationaux dans de nombreux pays, avec plusieurs associations et organisations de jeunesse, notamment des voyages solidaires. Sur place, les voyageurs pourront remettre eux-mêmes les médicaments et le matériel scolaire qu'ils auront réunis avant leur départ.

▲ HUWANS CLUB AVENTURE

Rens : ☎ 04-96-15-10-20. • huwans-clubaventure.fr •
– Paris : 18, rue Séguier, 75006. ☎ 01-44-32-09-30. Ⓜ Saint-Michel ou Odéon. Lun-sam 10h-19h.
– Lyon : 38, quai Arloing, 69009. ☎ 04-96-15-10-52. Ⓜ Bellecour ou Ampère. Mar-ven 9h30-13h, 14h-18h30 ; sam 10h-13h, 14h-18h.
– Marseille : Bureau des guides Huwans en Provence, RN 8 - La Petite Bastide - Village Oxylane, 13320 Bouc-Bel-Air. ☎ 04-88-66-48-93. Lun-sam 9h-19h.
Spécialiste du voyage d'aventure, ce tour-opérateur privilégie la randonnée en petits groupes, en famille ou entre amis pour parcourir le monde hors des sentiers battus. Son site offre 1 000 voyages dans 90 pays différents, à pied, en pirogue ou à dos de chameau. Ces voyages sont encadrés par des guides locaux et professionnels.

▲ IMAGES DU MONDE

– Paris : 14, rue de Siam, 75116. ☎ 01-44-24-87-88. • images-du-monde.com • info@images-du-monde.com •
À deux pas de la tour Eiffel, l'équipe de spécialistes d'Images du Monde vous recevra sur rendez-vous dans son Espace Voyage : maté argentin servi dans le salon de l'agence, puis projection sur grand écran des sites incontournables de l'Argentine et des différentes possibilités d'hébergement. Votre conseiller « construira » votre voyage en Argentine selon vos envies : croisière d'exception, sélection d'écolodges inédits, rencontres authentiques, séjours thématiques (œnologie, polo, tango...). Extension possible au Chili, en Bolivie et au Brésil.

▲ JEUNESSE ET RECONSTRUCTION

– Paris : 10, rue de Trévise, 75009. ☎ 01-47-70-15-88. • volontariat.org • Ⓜ Cadet ou Grands-Boulevards. Lun-ven 10h-13h, 14h-18h.
Jeunesse et Reconstruction propose des activités dont le but est l'échange culturel dans le cadre d'un engagement volontaire. Chaque année, des centaines de jeunes bénévoles âgés de 17 à 30 ans participent à des chantiers internationaux en France ou à l'étranger (Europe, Asie, Afrique et Amérique), et s'engagent dans un programme de volontariat à long terme (6 mois ou 1 an).
Dans le cadre des chantiers internationaux, les volontaires se retrouvent autour d'un projet d'intérêt collectif (1 à 4 semaines) et participent à la restauration du patrimoine bâti, à la protection de l'environnement, à l'organisation logistique d'un festival ou à l'animation et l'aide à la vie quotidienne auprès d'enfants ou de personnes handicapées.

▲ NOMADE AVENTURE

• nomade-aventure.com •
– Paris : 40, rue de la Montagne-Sainte-Geneviève, 75005. ☎ 01-43-54-76-12. Ⓜ Maubert-Mutualité. Lun-sam 9h30-18h30.
– Lyon : 10, quai de Tilsitt, 69002. ☎ 04-72-44-13-59. Ⓜ Bellecour. Lun-sam 9h30-18h30.
– Marseille : 12, rue Breteuil, 13001. ☎ 04-91-33-22-13. Ⓜ Estrangin. Lun-sam 9h30-18h30.
– Toulouse : 43, rue Peyrolières, 31000. ☎ 05-62-30-10-80. Lun-sam 9h30-18h30.
Nomade Aventure propose des circuits inédits partout dans le monde à réaliser en famille, entre amis, avec ou sans guide. Également hors de groupes constitués, ils organisent des séjours libres en toute autonomie et sur mesure. Spécialiste de l'aventure avec plus de 600 itinéraires (de niveau tranquille, dynamique, sportif ou sportif +) faits d'échanges et de rencontres avec des hébergements chez l'habitant, Nomade Aventure donne la priorité aux expériences authentiques à pied, à VTT, à cheval, à dos de chameau, en bateau ou en 4x4.

▲ NOSTALATINA

– Paris : 19, rue Damesme, 75013. ☎ 01-43-13-29-29. • ann.fr • Ⓜ Tolbiac. Permanence lun-ven 10h-13h, 15h-18h ; sam sur rdv slt.
Parce qu'il n'est pas toujours aisé de partir seul, NostaLatina propose des voyages sur mesure en Amérique latine, notamment en Argentine, du séjour classique jusqu'aux contrées les plus reculées, en individuel ou en groupe déjà constitué. Plusieurs

formules au choix dont deux qui sont devenues des formules de référence depuis quelques années pour les voyageurs indépendants : les *Estampes* avec billets d'avion, logement, transferts entre les étapes en mixant avec avion, bus, train, ou encore location de voitures ; ou bien *Les Aquarelles,* avec en plus un guide et un chauffeur privé à chaque étape. Vous trouverez sur le site internet des idées d'itinéraires que vous pourrez ensuite personnaliser et adapter selon vos envies avec Ylinh, la chaleureuse directrice qui connaît parfaitement le terrain et son équipe de jeunes passionnés qui vous donneront des conseils avisés pour découvrir le continent sud-américain dans ses moindres recoins.

▲ ROUTE DES VOYAGES (LA)

• route-voyages.com •
– Paris : 10, rue Choron, 75009. ☎ 01-55-31-98-80. Ⓜ Notre-Dame-de-Lorette.
– Annecy : 4 bis, av. d'Aléry, 74000. ☎ 04-50-45-60-20.
– Bordeaux : 10, rue du Parlement-Saint-Pierre, 33000. ☎ 05-56-90-11-20.
– Lyon : 59, rue Franklin, 69002. ☎ 04-78-42-53-58.
– Toulouse : 9, rue Saint-Antoine-du-T, 31000. ☎ 05-62-27-00-68.
Agences ouvertes lun-jeu 9h-19h, ven 18h ; sam sur rdv.

20 ans d'expérience de voyage sur mesure sur les 5 continents ! Cette équipe de voyageurs passionnés a développé un vrai savoir-faire du voyage personnalisé : écoute, conseils, voyages de repérage réguliers et des correspondants sur place soigneusement sélectionnés avec qui elle travaille en direct. Son engagement à promouvoir un tourisme responsable se traduit par des possibilités de séjours solidaires à insérer dans les itinéraires de découverte individuelle. Elle a aussi créé un programme de compensation territoriale qui permet de financer des projets de développement locaux.

▲ TERRES D'AVENTURE

Infos : ☎ 0825-700-825 (0,15 €/mn).
• terdav.com •
– Paris : 30, rue Saint-Augustin, 75002. Ⓜ Opéra ou Quatre-Septembre. Lun-sam 9h30-19h.
– Agences également à Bordeaux, Chamonix, Grenoble, Lille, Lyon, Marseille, Nantes, Rennes, Rouen, Strasbourg et Toulouse.

Depuis 1976, Terres d'Aventure, spécialiste du voyage à pied, propose aux voyageurs passionnés de marche et de rencontres des randonnées hors des sentiers battus à la découverte des grands espaces de notre planète. Voyages à pied, à cheval, en bateau, avec raquettes... Sur tous les continents, des aventures en petits groupes ou en individuel encadrées par des professionnels expérimentés. Les hébergements dépendent des sites explorés : camps d'altitude, bivouacs, refuges ou petits hôtels. Les voyages sont conçus par niveaux de difficulté : de la simple balade en plaine à l'expédition sportive, en passant par la course en haute montagne.
En province, certaines de leurs agences sont de véritables *Cités des Voyageurs* dédiées au voyage : librairies spécialisées, boutiques d'accessoires de voyage, expositions-vente d'artisanat et cocktails-conférences. Consultez le programme des manifestations sur leur site internet.

▲ TERRES LOINTAINES

• terres-lointaines.com •
– Issy-les-Moulineaux : 2, rue Maurice-Hartmann, 92130. ☎ 01-84-19-44-45. Sur rdv slt ou par tél : ☎ 01-84-19-44-45. Lun-ven 8h30-19h30 ; sam 9h-18h.

Véritable créateur de voyages sur mesure, Terres Lointaines est un spécialiste reconnu du long-courrier sur plus de 30 destinations en Amérique, en Afrique et en Asie. Prix compétitifs et discours de transparence. Grâce à une sélection rigoureuse de partenaires sur place et un large choix d'hébergements de petite capacité et de charme, Terres Lointaines propose des voyages de qualité et hors des sentiers-battus. Les circuits itinérants sont déclinables pour coller parfaitement à toutes les envies et tous les budgets. En plus d'un contact privilégié avec un expert du pays, le site internet, illustré par de nombreuses photos, des cartes

Voyageurs
DU MONDE

interactives et informations pratiques, commencera à vous faire voyager.

▲ VOYAGES-SNCF.COM

– Infos et résas depuis la France : • voyages-sncf.com • et sur tablette et mobile avec l'appli V. Hôtels (toute l'offre hôtels).
– Réserver un vol, un hôtel, une voiture : ☎ 0899-500-500 (1,35 € l'appel puis 0,34 €/mn).
– Une question sur le site ou sur votre commande ? Rubrique Contact ou au ☎ 09-70-60-99-60 (n° non surtaxé).

Voyages-sncf.com, distributeur de voyages en ligne de la SNCF, vous propose ses meilleurs prix d'avion, d'hôtel, de séjours et de location de voitures dans le monde entier. Accédez aussi à ses services exclusifs : billets à domicile, des offres de dernière minute, promotions...

▲ VOYAGEURS DU MONDE – VOYAGEURS EN AMÉRIQUE DU SUD

• voyageursdumonde.fr •
– Paris : La Cité des Voyageurs, 55, rue Sainte-Anne, 75002. ☎ 01-42-86-17-70. Ⓜ Opéra ou Pyramides. Lun-sam 9h30-19h. Avec une librairie spécialisée sur les voyages.
– Également des agences à Bordeaux, Grenoble, Lille, Lyon, Marseille, Montpellier, Nantes, Nice, Rennes, Rouen, Strasbourg et Toulouse.

Parce que chaque voyageur est différent, que chacun a ses rêves et ses idées pour les réaliser, Voyageurs du Monde conçoit, depuis plus de 30 ans, des projets sur mesure. Les séjours proposés sur 120 destinations sont élaborés par ses 180 conseillers voyageurs. Spécialistes par pays et même par région, ils vous aideront à personnaliser les voyages présentés à travers une trentaine de brochures d'un nouveau type et sur le site internet où vous pourrez également découvrir des hébergements exclusifs et consulter votre espace personnalisé. Au cours de votre séjour, vous bénéficiez des services personnalisés Voyageurs du Monde, dont la possibilité de modifier à tout moment votre voyage, l'assistance d'un concierge local, la mise en place de rencontres et de visites privées, et l'accès à votre carnet de voyage via une application iPhone et Androïd.

Chacune des 15 Cités des Voyageurs est une invitation au voyage : accessoires de voyage, expositions-vente d'artisanat et conférences. Voyageurs du Monde est membre de l'association ATR (Agir pour un tourisme responsable) et a obtenu sa certification Tourisme responsable AFAQ AFNOR.

Comment aller à Roissy et à Orly ?

Bon à savoir :
– le ***pass Navigo*** est valable pour Roissy-Rail (RER B, zones 1-5) et Orly-Rail (RER C, zones 1-4). Les week-ends et j. fériés, le *pass Navigo* est dézoné, ce qui permet à ceux qui n'ont que les zones 1 à 3 d'aller tout de même jusqu'aux aéroports sans frais supplémentaires ;
– le ***billet Orly-Rail*** permet d'accéder sans supplément aux réseaux métro et RER.

À Roissy-Charles-de-Gaulle 1, 2 et 3

Attention : si vous partez de Roissy, pensez à vérifier de quelle aérogare votre avion décolle, car la durée du trajet peut considérablement varier en fonction de cette donnée.

En transports collectifs

Les cars Air France : *☎ 0892-350-820 (0,34 €/mn). • lescarsairfrance.com • Paiement par CB possible à bord.*

Le site internet diffuse les informations essentielles sur le réseau (lignes, horaires, tarifs...) permettant de connaître en temps réel le trafic afin de mieux planifier son départ. Il permet d'acheter et d'imprimer les billets électroniques pour accéder aux bus.

➢ *Paris-Roissy :* départ pl. de l'Étoile (1, av. Carnot), avec un arrêt pl. de la Porte-Maillot (bd Gouvion-Saint-Cyr). Départs ttes les 30 mn, 5h45-23h. Durée du trajet : env 1h. Tarifs : 17 € l'aller simple, 29 € l'A/R ; réduc enfants 2-11 ans.

Autres départs depuis la gare Montparnasse (arrêt rue du Commandant-Mouchotte, face à l'hôtel *Pullman*), ttes les 30 mn, 6h-22h, avec un arrêt gare de Lyon (20 bis, bd Diderot). Tarifs : 17 € l'aller simple, 28,50 € l'A/R ; réduc enfants 2-11 ans.

➢ *Roissy-Paris :* les cars *Air France* desservent la pl. de la Porte-Maillot, avec un arrêt bd Gouvion-Saint-Cyr, et se rendent ensuite au terminus de l'av. Carnot. Départs ttes les 20-30 mn, 5h45-23h, des terminaux 2A et 2C (porte C2), 2E et 2F (niveau « Arrivées », porte 3 de la galerie), 2B et 2D (porte B1), et du terminal 1 (porte 34, niveau « Arrivées »).
À destination de la gare de Lyon et de la gare Montparnasse, départs ttes les 30 mn, 6h-22h, des mêmes terminaux. Durée du trajet : env 1h15.

Roissybus : ☎ *32-46 (0,34 €/mn).* • *ratp.fr* • Départs de la pl. de l'Opéra (angle rues Scribe et Auber) ttes les 15 mn (20 mn à partir de 20h, 30 mn à partir de 22h), 5h15-0h30. Durée du trajet : 1h. De Roissy, départs 6h-0h30 des terminaux 1, 2A, 2B, 2C, 2D et 2F, et à la sortie du hall d'arrivée du terminal 3. Tarif : 10,50 €.

Bus RATP n° 351 : de la pl. de la Nation, 5h35-20h20. Solution la moins chère mais la plus lente. Compter 3 tickets ou 5,70 € et 1h40 de trajet. Ou ***bus n° 350,*** de la gare de l'Est (1h15 de trajet). Arrivée Roissypôle-gare RER.

RER ligne B + navette : ☎ *32-46 (0,34 €/mn).* Départs ttes les 15 mn, 4h53-0h20 depuis la gare du Nord et à partir de 5h26 depuis Châtelet. À Roissy-Charles-de-Gaulle, descendre à la station (il y en a 2) qui dessert le bon terminal. De là, prendre la navette adéquate. Compter 50 mn de la gare du Nord à l'aéroport (navette comprise), mais mieux vaut prendre de la marge. Tarif : 10,90 €. *Pass Navigo* valable sans frais supplémentaires pour les aéroports.

Si vous venez du Nord, de l'Ouest ou du Sud de la France en train, vous pouvez rejoindre les aéroports de Roissy sans passer par Paris, la gare SNCF Paris-Charles-de-Gaulle étant reliée aux réseaux TGV.

En taxi

Pensez aussi aux nouveaux services de transport qui se développent dans la capitale, et qui pourraient être adaptés à vos besoins :
– ***WeCab :*** ☎ *01-41-27-66-77.* • *wecab.com* • *Remise de 10 % pour nos lecteurs avec le code « routard2015 » au paiement.* Une formule de taxi partagé (avoir un peu de souplesse horaire donc, max 2 arrêts), uniquement entre les aéroports parisiens et Paris, ainsi qu'une quarantaine de villes en Île-de-France, tarifs forfaitaires (paiement à l'avance en ligne).
– ***LeCab :*** ☎ *01-76-49-76-49.* • *lecab.fr* • Tarifs forfaitaires (paiement à l'avance en ligne), pas de facturation des bagages, réservation gratuite sur Internet, payante par téléphone. Le chauffeur vient vous chercher dans l'aéroport...
Maintenant, à vous de voir !

En voiture

Chaque terminal a son propre parking. Compter 36 € par tranche de 24h. Également des parkings longue durée (PR et PX), plus éloignés des terminaux, qui proposent des tarifs plus avantageux (forfait 24h 26 €, forfait 7 j. 158 €). Possibilité de réserver sa place de parking via le site • *aeroportsdeparis.fr* • Stationnement au parking Vacances (longue durée) dans le P3 Résa (terminaux 1 et 3) situé à 2 mn du terminal 3 à pied, ou dans le PAB (terminal 2). Formules de stationnement 1-30 j. (115-230 €) pour le P3 Résa. Résa w-e 4 j. au PAB : 49 €. Réservation sur Internet uniquement. Les P1, PAB et PEF accueillent les deux-roues : 15 € pour 24h.

Comment se déplacer entre Roissy-Charles-de-Gaulle 1, 2 et 3 ?

Les rames du CDG-VAL font le lien entre les 3 terminaux en 8 mn. Fonctionne tlj, 24h/24. Gratuit. Accessible aux personnes à mobilité réduite. Départs ttes les 4 mn, et ttes les 20 mn minuit-4h. Desserte gratuite vers certains hôtels, parkings, gares RER et gares TGV. *Infos au ☎ 39-50.*

autoescape
partout dans le monde
Louez votre voiture au meilleur prix, partout en Argentine
-5%
de remise pour les Routards*
Pour toute réservation par Internet, avec le code de réduction : GDR15
assistance téléphonique pour vous conseiller à tout moment
0 892 46 46 10*
*0,34€/min
www.antidote-design.com - Crédit photos : Fotolia
Depuis 13 ans, nous sélectionnons les meilleurs loueurs et négocions des prix discount, en Argentine et partout dans le monde.
SIXT Hertz Europcar AVIS National Budget Alamo
*réduction valable jusqu'au 31/12/2015, non cumulable avec toute remise ou promotion
le CERCLE des VACANCES
VACANCES AMÉRIQUE LATINE
Choisissez votre voyage sur mesure en Argentine :
Voyages en groupe - Séjours
Autotours - Circuits privés
Nos experts Stéphanie, Fabiana et Cyrille à votre écoute
4 rue Gomboust - 75001 Paris
www.vacancesameriquelatine.com
01 40 15 15 03

À Orly-Sud et Orly-Ouest

En transports collectifs

Les cars Air France : ☎ *0892-350-820 (0,34 €/mn).* • *lescarsairfrance.com* • *Tarifs : 12,50 € l'aller simple, 21 € l'A/R ; réduc 2-11 ans. Paiement par CB possible dans le bus.*
➢ *Paris-Orly :* départs de l'Étoile, 1, av. Carnot, ttes les 30 mn, 5h-22h40. Arrêts au terminal des Invalides, rue Esnault-Pelterie (Ⓜ Invalides), gare Montparnasse (rue du Commandant-Mouchotte, face à l'hôtel *Pullman* ; Ⓜ Montparnasse-Bienvenüe, sortie « Gare SNCF ») et porte d'Orléans (arrêt facultatif uniquement dans le sens Orly-Paris). Compter env 1h.
➢ *Orly-Paris :* départs ttes les 20 mn, 6h30-23h40, d'Orly-Sud, porte L, et d'Orly-Ouest, porte H, niveau « Arrivées ».

RER C + navette : ☎ *01-60-11-46-20.* • *transdev-idf.com* • Prendre le RER C jusqu'à Pont-de-Rungis (un RER ttes les 15-30 mn). Compter 25 mn depuis la gare d'Austerlitz. Ensuite, navette pdt 15-20 mn pour Orly-Sud et Orly-Ouest. Compter 6,65 €. Très recommandé les jours où l'on piétine sur l'autoroute du Sud (w-e et jours de grands départs) : on ne sera jamais en retard. Pour le retour, départs de la navette ttes les 15 mn depuis la porte G à Orly-Ouest (5h40-23h14) et la porte F à Orly-Sud (4h45-0h55).

Orlybus : • *ratp.fr* •
Compter 20-30 mn pour rejoindre Orly (Ouest ou Sud) et 7,50 € l'aller simple.
➢ *Paris-Orly :* départs ttes les 15-20 mn de la pl. Denfert-Rochereau. Orlybus fonctionne tlj 5h35-23h, jusqu'à minuit ven, sam et veilles de fêtes.
➢ *Orly-Paris :* départ d'Orly-Sud, porte H, quai 4, ou d'Orly-Ouest, porte J, niveau « Arrivées ». Fonctionne tlj 6h-23h30, jusqu'à 0h20 ven, sam et veilles de fêtes. Compter 7,50 € l'aller simple.

Orlyval : ☎ *32-46 (0,34 €/mn).* • *ratp.fr* • Compter 11,65 € l'aller simple entre Orly et Paris. La jonction se fait à Antony (ligne B du RER) sans aucune attente. Permet d'aller d'Orly à Châtelet et vice versa en 40 mn env, sans se soucier de la densité de la circulation automobile.
➢ *Paris-Orly :* départs pour Orly-Sud et Ouest ttes les 6-8 mn, 6h-23h.
➢ *Orly-Paris :* départs d'Orly-Sud, porte K, zone livraison des bagages, ou d'Orly-Ouest, porte A, niveau 1.

En taxi

Pensez aussi aux nouveaux services de transport de personnes qui se développent dans la capitale et pourraient être adaptés à vos besoins (voir plus haut les solutions en taxi proposées pour se rendre à Roissy).

En voiture

– ***Parkings aéroports :*** à proximité d'Orly-Ouest, parkings P0 et P2. À proximité d'Orly-Sud, P1, P2 et P3 (à 50 m du terminal, accessible par tapis roulant). Compter 28,50 € pour 24h de stationnement. Les parkings P0 et P2 (Orly-Ouest) et P6 (Orly-Sud), à proximité immédiate des terminaux, proposent des forfaits intéressants, dont le « Week-end » aux P0 et P2 pour Orly-Ouest et P6 pour Orly-Sud. Forfaits disponibles aussi pour les P4 et P5 (éloignés) : 24-27 € pour 24h. Il existe des forfaits « Vacances » intéressants à partir de 6 j. et jusqu'à 45 j. (100-300 €) aux P2 et P6.
Les P4, P7 (en extérieur) et P5 (couvert) sont des parkings longue durée, plus excentrés, reliés en 10 mn par navettes gratuites aux terminaux. *Rens :* ☎ *01-49-75-56-50.* Comme à Roissy, possibilité de réserver en ligne sa place de parking (P0 et P7) sur • *aeroportsdeparis.fr* • Les frais de résa (en sus du parking) sont de 8 € pour 1 j., de 12 € pour 2-3 j. et de 20 € pour 4-10 j. de stationnement pour le P0. Les parkings P0-P2 à Orly-Ouest et P1-P3 à Orly-Sud accueillent les deux-roues : 6,20 € pour 24h.
– À proximité, ***Econopark*** : possibilité de laisser sa voiture à Chilly-Mazarin *(13, rue Denis-Papin, ZA La Vigne-aux-Loups, 91380 ; à env 10 mn d'Orly ; proche A6 et A10).* De 1 à 28 j., compter 30-166 €. Trajet A/R vers Orly en minibus (sans supplément). Option parking couvert possible. Réservation et paiement en ligne • *econopark.fr* • ou ☎ *01-60-14-85-62.*

TERRES LOINTAINES
LE SPÉCIALISTE
DU VOYAGE EN ARGENTINE
L'Argentine sur Mesure ou en Petit Groupe
QUALITÉ - EXPERTISE - COMPETITIVITÉ
Votre voyage conçu sans intermédiaire par des experts
qui connaissent le terrain.
Commencez à voyager sur
www.terres-lointaines.com
Contactez-nous
01 84 19 44 45

WWW.ANN.FR
Véritable voyage sur mesure
Les meilleures
astuces
pour
aller en
Amérique
latine,
dans les
meilleures
conditions.
Sur rendez-vous :
NostaLatina - NostalAsie,
19, rue Damesme, Paris 13è
Métro : Tolbiac
Tél. : 01.43.13.29.29
Fax : 01 43 13 30 60
NostaLatina
www.ann.fr
courriel : infos@ann.fr

Liaisons entre Orly et Roissy-Charles-de-Gaulle

Les cars Air France : *☎ 0892-350-820 (0,34 €/mn).* ● *lescar sairfrance.com* ● Départs de Roissy-Charles-de-Gaulle depuis les terminaux 1 (porte 32), 2A et 2C, 2B et 2D, 2E et 2F (galerie de liaison entre les terminaux 2E et 2F) vers Orly 5h55-22h30. Départs d'Orly-Sud (porte K) et d'Orly-Ouest (porte H) vers Roissy-Charles-de-Gaulle 6h30 (7h le w-e)-22h30. Ttes les 30-45 mn (dans les 2 sens). Durée du trajet : env 1h30. Tarif : 21 €, 35,50 € A/R ; réduc.

RER B + Orlyval : *☎ 32-46 (0,34 €/mn).* Depuis Roissy, navette puis RER B jusqu'à Antony et enfin Orlyval entre Antony et Orly, 6h-22h15. Tarif : 19,50 €.

EN BELGIQUE

▲ AIRSTOP

Pour ttes les adresses Airstop, un seul numéro de tél : ☎ 070-233-188. ● *airstop.be* ● *Lun-ven 9h-18h30 ; sam 10h-17h.*

– Bruxelles : bd E.-Jacquemain, 76, 1000.

– Anvers : Jezusstraat, 16, 2000.

– Bruges : Dweersstraat, 2, 8000.

– Gand : Vlaanderenstraat, 70, 9000.

– Louvain : Mgr-Ladeuzeplein, 33, 3000.

Airstop offre une large gamme de prestations, du vol sec au séjour tout compris à travers le monde.

▲ CONNECTIONS

Rens et résas : ☎ 070-233-313. ● *connections.be* ● *Lun-ven 9h-19h ; sam 10h-17h.*

Fort d'une expérience de plus de 20 ans dans le domaine du voyage, Connections dispose d'un réseau de 30 *travel shops* dont un à Brussels Airport. Connections propose des vols dans le monde entier à des tarifs avantageux et des voyages destinés à des voyageurs désireux de découvrir la planète de façon autonome et de vivre des expériences uniques. Connections propose une gamme complète de produits : vols, hébergements, location de voitures, autotours, vacances sportives, excursions, assurances « protection »...

▲ CONTINENTS INSOLITES

– Bruxelles : rue César-Franck, 44A, 1050. ☎ 02-218-24-84. ● *continent sinsolites.com* ● *Lun-ven 10h-18h ; sam 10h-13h.*

Continents Insolites, organisateur de voyages lointains sans intermédiaires, propose une gamme étendue de formules de voyage détaillée dans son guide annuel gratuit sur demande.

– *Voyages découverte sur mesure :* à partir de 2 personnes. Un grand choix d'hébergements soigneusement sélectionnés : du petit hôtel simple à l'établissement luxueux et de charme.

– *Circuits découverte en minigroupes :* de la grande expédition au circuit accessible à tous. Des circuits à date fixe dans plus de 60 pays en petits groupes francophones de 7 à 12 personnes. Avant chaque départ, une réunion est organisée. Voyages encadrés par des guides francophones, spécialistes des régions visitées.

▲ FAIRWAY TRAVEL

– Bruxelles : rue Abbé-Heymans, 2, 1200. ☎ 02-762-78-78. ● *fairwaytra vel.be* ● *Lun-ven 10h-18h.*

Spécialiste de l'Amérique latine du Mexique au Chili en passant par les fjords de Patagonie ou la cordillère des Andes. Au programme, des circuits en individuel avec location de voiture, un service à la carte, des croisières en Amazonie, en Antarctique, aux îles Galápagos et en Terre de Feu, des randonnées sur le chemin de l'Inca, et les plus beaux trains d'Amérique latine.

▲ HUWANS – CLUB AVENTURE

● *huwans-clubaventure.fr* ●

– Bruxelles : Nomades Voyages, pl. Saint-Job, 27, 1180.

Voir le texte dans la partie « En France ».

▲ LATINO AMERICANA DE TURISMO

– Bruxelles : av. Brugman, 250, 1180. ☎ 02-211-33-50. ● *latinoamericana. be* ● *Lun-ven 9h30-18h30 ; sam sur rdv.*

Son expérience sur l'Amérique latine permet à cet organisateur de voyages de proposer des formules

personnalisées sur mesure au Pérou, au Chili, au Mexique, en Équateur, en Argentine, au Guatemala et en Bolivie... Départs garantis quelle que soit la date prévue, en tenant compte des paramètres climatiques du pays. Tarifs compétitifs sur vols réguliers.

▲ PAMPA EXPLOR

• pampa.be •
– Bruxelles : av. Brugmann, 250, 1180. ☎ 02-340-09-09. Lun-ven 9h-19h ; sam 10h-17h. Également sur rdv, dans leurs locaux, ou à votre domicile.
Spécialiste des voyages « à la carte », Pampa Explor propose plus de 70 % de la « planète bleue », selon les goûts, attentes, centres d'intérêt et budget de chacun. Du Costa Rica à l'Indonésie, de l'Afrique australe à l'Afrique du Nord, de l'Amérique du Sud aux plus belles croisières, Pampa Explor privilégie des découvertes authentiques et originales. Pour ceux qui apprécient la jungle et les Pataugas ou ceux qui préfèrent les cocktails en bord de piscine et les voyages de luxe, en individuel ou en petits groupes, mais toujours « sur mesure ».

▲ SUDAMERICA TOURS

Brochures disponibles dans les agences de voyages en Belgique et au Luxembourg, ou au ☎ 02-772-15-34 (Bruxelles). • sudamericatours.be •
Tour-opérateur belge spécialisé sur l'Amérique latine, Sudamerica Tours propose une brochure comprenant les « Circuits et séjours individuels » et les « Circuits en groupes accompagnés » avec départs garantis de Bruxelles. Sudamerica Tours réalise également des circuits à la carte avec location de voitures, des séjours plage, des safaris, des croisières en Amazonie, aux îles Galápagos, sur le lac Titicaca... Logement en haciendas et hôtels de charme.

▲ TERRES D'AVENTURE

• terdav.com • Lun-sam 10h-19h.
– Bruxelles : chaussée de Charleroi, 23, 1060. ☎ 02-543-95-60.
Voir texte dans la partie « En France ».

▲ VOYAGEURS DU MONDE

– Bruxelles : chaussée de Charleroi, 23, 1060. ☎ 02-543-95-50. • voyageursdumonde.com •
Voir texte dans la partie « En France ».

EN SUISSE

▲ ÈRE DU VOYAGE (L')

• ereduvoyage.ch •
– Nyon : Grand-Rue, 21, CH-1260. ☎ 022-365-15-65. Mar-ven 9h-18h ; sam sur rdv.
Agence fondée par 4 professionnelles qui ont la passion du voyage. Elles pourront vous conseiller et vous faire part de leur expérience sur plus de 80 pays. Des itinéraires originaux testés par l'équipe de l'agence : voyages sur mesure pour découvrir un pays en toute liberté grâce à une voiture privée avec chauffeur, guide local et logements de charme ; petites escapades pour un week-end prolongé et voyages en famille.

▲ HUWANS – CLUB AVENTURE

• huwans-clubaventure.fr •
– Genève : rue Prévost-Martin, 51.
Voir le texte dans la partie « En France ».

▲ JERRYCAN

• jerrycan-travel.ch •
– Genève : rue Sautter, 11, 1205. ☎ 022-346-92-82. Lun-ven 9h-18h.
Tour-opérateur de la Suisse francophone spécialisé dans l'Afrique, l'Asie et l'Amérique latine. Trois belles brochures proposent des circuits individuels et sur mesure. L'équipe connaît bien son sujet et peut vous construire un voyage à la carte.

▲ NOUVEAUX MONDES

• nouveauxmondes.com •
– Mies : route Suisse, 7, 1295. ☎ 022-950-96-60.
Spécialiste de l'Amérique du Sud depuis plus de 15 ans, Nouveaux Mondes propose des circuits originaux, voyages sur mesure et voyages à thème dans toute l'Amérique du Sud. Nouveaux Mondes mise sur le logement de charme et sur des excursions hors des circuits touristiques traditionnels.

▲ STA TRAVEL

Rens : ☎ 058-450-49-49. • statravel.ch •
– Fribourg : rue de Lausanne, 24, 1701. ☎ 058-450-49-80.
– Genève : rue de Rive, 10, 1204. ☎ 058-450-48-00.
– Genève : rue Vignier, 3, 1205. ☎ 058-450-48-30.

– Lausanne : bd de Grancy, 20, 1006. ☎ 058-450-48-50.
– Lausanne : à l'université, Anthropole, 1015. ☎ 058-450-49-20.
Agences spécialisées notamment dans les voyages pour jeunes et étudiants. 150 bureaux STA et plus de 700 agents du même groupe répartis dans le monde entier sont là pour donner un coup de main *(Travel Help)*.
STA propose des tarifs avantageux : vols secs *(Blue Ticket)*, hôtels, écoles de langues, *work & travel*, circuits d'aventure, voitures de location, etc. Délivre la carte internationale d'étudiant et la carte Jeune.

▲ TERRES D'AVENTURE

– Genève : Neos Voyages, rue des Bains, 50, 1205. ☎ 022-320-66-35. • geneve@neos.ch •
– Lausanne : Neos Voyages, rue Simplon, 11, 1006. ☎ 021-612-66-00. • lausanne@neos.ch •
Voir texte dans la partie « En France ».

AU QUÉBEC

▲ EXOTIK TOURS

Infos sur • exotiktours.com • ou auprès de votre agence de voyages.
Exotik Tours offre une importante programmation en été comme en hiver. Dans la rubrique « Grands Voyages », le voyagiste suggère des périples en petits groupes ou en individuel, notamment en Argentine.

▲ EXPÉDITIONS MONDE

• expeditionsmonde.com •
– Ottawa : ☎ 800-567-2216.
– Montréal : ☎ 1-866-606-1721 ou (514) 844-6364.
Expéditions Monde propose depuis 35 ans des voyages d'aventures dans plus de 60 pays à travers le monde. Que ce soit en petits groupes ou en individuels, les voyages sont créés par des spécialistes pour découvrir le monde hors des sentiers battus, et offrir une expérience enrichissante et authentique. Trois facteurs distinguent Expéditions Monde : la valeur tout-incluse de ses voyages, ses équipes locales dont l'expérience et la passion garantissent une aventure mémorable et des politiques concrètes pour proposer des voyages responsables et durables. Que ce soit à pied, à vélo, en bateau, en kayak ou en véhicule privé, le tour-opérateur offre un éventail de voyages variant de découverte culturelle à alpinisme.

▲ EXPLORATEUR VOYAGES

Rens : ☎ (514) 847-1177. • exploratour.qc.ca •
Cette agence de voyages montréalaise propose une intéressante production maison, axée sur les voyages d'aventure en petits groupes (5 à 12 personnes) ou en individuel. Ses itinéraires originaux, en Amérique latine notamment, se veulent toujours respectueux des peuples et des écosystèmes. Au programme : treks, camping et découvertes authentiques, guidés par un accompagnateur de l'agence. Intéressant pour se familiariser avec ces différents circuits : les soirées Explorateur (gratuites), avec présentation audiovisuelle.

▲ KARAVANIERS

• karavaniers.com •
Rens : 4035, rue Saint-Ambroise, local 220N, Montréal, H4C 2E1. ☎ (514) 281-0799. Lun-ven 9h-18h ; sam 10h-16h.
L'agence québécoise Karavaniers du Monde a pour but de rendre accessible des expéditions aux quatre coins de la planète. Toujours soucieuse de respecter les populations locales et l'environnement, Karavaniers favorise la découverte d'une quarantaine de destinations à pied, et en kayak de mer, en petits groupes accompagnés d'un guide francophone et d'un guide local, avec hébergement en auberge ou sous la tente. Pour sa part, Détours Nature, propose sur de nombreuses destinations au Québec et en Amérique du Nord, des excursions d'une journée ainsi que des voyages à pied, à vélo, en kayak mais aussi en raquette et ski de fond. Le transport est fourni au départ de Montréal.

▲ TOURS CHANTECLERC

• tourschanteclerc.com •
Tours Chanteclerc est un tour-opérateur qui publie différentes brochures de voyages : Europe, Amérique du Nord, Amérique du Sud, Asie

et Pacifique Sud, Afrique et le Bassin méditerranéen en circuits ou en séjours. Il s'adresse aux voyageurs indépendants qui réservent un billet d'avion, des excursions ou une location de voiture.

▲ **VACANCES AIR CANADA**
• *vacancesaircanada.com* •
Vacances Air Canada propose des forfaits loisirs (golf, croisières, voyages d'aventure, ski, et excursions diverses) flexibles vers les destinations les plus populaires des Antilles, de l'Amérique centrale et du Sud, de l'Asie, de l'Europe, et des États-Unis. Vaste sélection de forfaits incluant vol aller-retour et hébergement. Également des forfaits vol + hôtel/vol + voiture.

▲ **VOYAGES CAMPUS – TRAVEL CUTS**
• *voyagescampus.com* •
Voyages Campus – Travel Cuts est un réseau national d'agences de voyages spécialisées pour les étudiants et les voyageurs qui disposent de petits budgets. Le réseau existe depuis 40 ans et compte plus de 50 agences, dont 6 au Québec. Voyages Campus propose des produits exclusifs comme l'assurance « Bon voyage », le programme de Vacances-Travail (SWAP), la carte d'étudiant internationale (ISIC) et plus. Ils peuvent aider à planifier un séjour autant à l'étranger qu'au Canada et même au Québec.

UNITAID

UNITAID a été créé pour lutter contre le VIH/sida, le paludisme et la tuberculose, les trois principales maladies meurtrières dans les pays en développement. UNITAID intervient dans 94 pays en facilitant l'accès aux médicaments et aux diagnostics, et en en baissant les prix, dans les pays en développement. Le financement d'UNITAID provient principalement d'une contribution de solidarité sur les billets d'avion mise en place par six pays membres dont la France. Les financements d'UNITAID ont permis à près d'un million de personnes atteintes du VIH/sida de bénéficier d'un traitement et de délivrer plus de 19 millions de traitements contre le paludisme. Moins de 5 % des fonds sont utilisés pour le fonctionnement du programme, 95 % sont utilisés directement pour les médicaments et les tests. Pour en savoir plus : • *unitaid.eu* •

ARGENTINE UTILE

Pour la carte de l'Argentine, se reporter au cahier couleur.

ABC DE L'ARGENTINE

- *Population :* 42,6 millions d'habitants.
- *Superficie :* 2 766 890 km², soit cinq fois la France.
- *Densité :* 15,3 hab./km² (8 fois moins qu'en France !).
- *Capitale :* Buenos Aires, dite *Capital Federal.* Elle a tout d'une grande européenne, avec la folie latina.
- *Religions :* catholique à plus de 92 %, 2 % de protestants, 2 % de juifs.
- *Langue officielle :* espagnol *(castellano),* parlé par 100 % de la population (quelques langues indigènes de moins en moins usitées : le quechua dans le Nord-Ouest et le guaraní dans le Nord-Est).
- *Monnaie :* peso argentin, divisé en 100 centavos.
- *Régime politique :* démocratie présidentielle, État fédéral.
- *Chef de l'État :* Cristina Fernández de Kirchner, « péroniste de gauche », réélue présidente pour un 2nd mandat le 24 octobre 2011.
- *Emblèmes du pays :* le *ceibo,* magnifique fleur rouge. Le drapeau est bleu et blanc avec un soleil en son centre.
- *Sports nationaux :* le football ! Sans oublier le rugby et le polo, pour les classes supérieures.
- *Indice de développement humain (espérance de vie, éducation, niveau de vie) :* 0,811. Rang mondial : 45e.

AVANT LE DÉPART

Adresses et infos utiles

En France

- ***Consulat d'Argentine :*** *6, rue Cimarosa, 75116 Paris. ☎ 01-44-34-22-00. • efran.mrecic.gov.ar • Ⓜ Boissière. Lun-ven 9h-14h.*
- ***Ambassade d'Argentine :*** *6, rue Cimarosa, 75116 Paris. ☎ 01-44-05-27-00. • efran.mrecic.gov.ar • Ⓜ Boissière. Lun-ven 10h-16h. Service culturel : ☎ 01-44-05-27-38.* Peu d'infos touristiques.
- ***Bureau du tourisme argentin :*** *6, rue Cimarosa, 75116 Paris. Ⓜ Boissière. ☎ 01-47-27-01-76. • argentina.travel • efran.mrecic.gov.ar • Lun-ven 10h-16h ; prendre rdv pour un accueil personnalisé.* Informations générales sur l'Argentine et les possibilités d'activités à faire sur place. Doc, cartes, brochures de chaque région. Bons conseils et bon accueil.

En Belgique

- ***Ambassade et consulat d'Argentine :*** *av. Louise, 225, boîte 3, Bruxelles 1050. ☎ 02-647-78-12. • ebelg.mrecic.gov.ar •*

En Suisse

- ***Ambassade et consulat d'Argentine :*** *Jungfraustrasse, 1, 3005 Berne. ☎ 031-356-43-42 (ambassade) ; ☎ 031-356-43-43 (consulat). • esuiz.mrecic.gov.ar • Lun-ven*

9h-17h (ambassade) et lun-ven 9h30-13h (consulat).

Au Canada

■ ***Ambassade d'Argentine :*** *81 Metcalfe St, Suite 700, Ottawa (Ontario) K1P 6K7. ☎ 1-613-236-2351. • ecana.mrecic.gov.ar • Lun-ven 9h-17h.*

■ ***Consulat général :*** *2000 Peel St, Suite 600, Montréal (Québec) H3A 2W5. ☎ (514) 842-6582. • cmrea.mrecic.gov.ar • Lun-ven 9h-17h.*

Formalités

– Passeport en cours de validité (valable plus de 6 mois après la sortie d'Argentine). Pas de visa pour un séjour touristique inférieur à 3 mois pour les Suisses, Belges, Canadiens et Français. On peut prolonger sur place cette autorisation de 3 mois en se présentant à une délégation de la Direction nationale des migrations avant expiration du premier visa (compter 20 €). Sinon, l'amende est de 10 € ! Une autre astuce est de sortir du territoire (en faisant un aller-retour en Uruguay, par exemple).

– *Un conseil :* pensez à scanner passeport, visa, carte bancaire, etc. Ensuite, adressez-les-vous par e-mail, en pièces jointes. Faites suivre également vos billets d'avion électroniques. En cas de perte ou vol, rien de plus facile pour les récupérer dans un cybercafé. Les démarches administratives en seront bien plus rapides. Et tâchez de ne pas transférer tous ces documents sur une clé USB, car si quelqu'un de mal intentionné tombait dessus, il aurait toutes ces infos à disposition...

Assurances voyage

■ ***Routard Assurance :*** *c/o AVI International, 40-44, rue Washington, 75008 Paris. ☎ 01-44-63-51-00. • avi-international.com • Ⓜ George-V.* Depuis 20 ans, Routard Assurance en collaboration avec AVI International, spécialiste de l'assurance voyage, propose aux voyageurs un contrat d"assurance complet à la semaine qui inclut le rapatriement, l'hospitalisation, les frais médicaux, le retour anticipé et les bagages. Ce contrat se décline en différentes formules : individuel, senior, famille, light et annulation. Pour les séjours longs (2 mois à 1 an), consultez le site. L'inscription se fait en ligne et vous recevrez, dès la souscription, tous vos documents d'assurance par email.

■ ***AVA :*** *25, rue de Maubeuge, 75009 Paris. ☎ 01-53-20-44-20. • ava.fr • Ⓜ Cadet.* Un autre courtier fiable pour ceux qui souhaitent s'assurer en cas de décès-invalidité-accident lors d'un voyage à l'étranger, mais surtout pour bénéficier d'une assistance rapatriement, perte de bagages et annulation. Attention, franchises pour ses contrats d'assurance voyage.

■ ***Pixel Assur :*** *18, rue des Plantes, BP 35, 78601 Maisons-Laffitte. ☎ 01-39-62-28-63. • pixel-assur.com • RER A : Maisons-Laffitte.* Assurance de matériel photo et vidéo tous risques dans le monde entier. Devis basé sur le prix d'achat de votre matériel. Avantage : garantie à l'année.

Carte internationale d'étudiant (carte ISIC)

Elle prouve le statut d'étudiant dans le monde entier et permet de bénéficier de tous les avantages, services et réductions dans les domaines du transport, de l'hébergement, de la culture, des loisirs, du shopping... C'est la clé de la mobilité étudiante !

La carte ISIC permet aussi d'accéder à des avantages exclusifs sur le voyage (billets d'avion spécial étudiants, hôtels et auberges de jeunesse, assurances, cartes SIM internationales, location de voiture, navette aéroport...).

Pour l'obtenir en France

- ***Commandez-la en ligne :*** • *isic.fr* •
- ***Rendez-vous dans la boutique ISIC*** *(2, rue de Cicé, 75006 Paris ; ☎ 01-40-49-01-01)* muni de votre certificat de scolarité, d'une photo d'identité et de 13 € (12 € + 1 € de frais de traitement).

Émission immédiate sur place ou envoi à domicile le jour même de la commande en ligne.

En Belgique

Elle coûte 12 € (+ 1 € de frais d'envoi) et s'obtient sur présentation de la carte d'identité, et de la carte d'étudiant auprès de l'agence ***Connections*** : *rens au ☎ 070-23-33-13.* • *isic.be* •

En Suisse

Dans toutes les agences ***S.T.A. Travel*** *(☎ 058-450-40-00 ou 49-49),* sur présentation de la carte d'étudiant, d'une photo et de 20 Fs. Commande de la carte en ligne : • *isic.ch* • *statravel.ch* •

Au Canada

La carte coûte 20 $Ca (+1,50 $Ca de frais d'envoi). Disponible dans les agences ***Travel Cuts/Voyages Campus,*** mais aussi dans les bureaux d'associations étudiantes. Pour plus d'infos : • *voyagescampus.com* •

Carte d'adhésion internationale aux auberges de jeunesse (carte FUAJ)

Cette carte vous ouvre les portes des 4 000 auberges de jeunesse du réseau *HI-Hostelling International* en France et dans le monde. Vous pouvez ainsi parcourir 90 pays à des prix avantageux et bénéficier de tarifs préférentiels avec les partenaires des auberges de jeunesse *HI*. Enfin, vous intégrez une communauté mondiale de voyageurs partageant les mêmes valeurs : plaisir de la rencontre, respect des différences et échange dans un esprit convivial. Il n'y a pas de limite d'âge pour séjourner en auberge de jeunesse. Il faut simplement être adhérent.

Pour l'obtenir en France

- ***En ligne,*** avec un paiement sécurisé, sur le site • *hifrance.org* •
- ***Dans toutes les auberges de jeunesse,*** points d'informations et de réservations en France. Liste des AJ sur • *hifrance.org* •
- ***Par correspondance*** auprès de l'antenne nationale *(27, rue Pajol, 75018 Paris ; ☎ 01-44-89-87-27),* en envoyant une photocopie d'une pièce d'identité et un chèque à l'ordre de la FUAJ du montant correspondant à l'adhésion. Ajoutez 2 € pour les frais d'envoi. Vous recevrez votre carte sous 15 j.

Les tarifs de l'adhésion 2015

- ***Carte internationale individuelle FUAJ - de 26 ans :*** 7 €. Pour les personnes de 16 à 25 ans (veille des 26 ans) – Français ou étrangers résidant en France depuis plus de 12 mois –, les étudiants français et les demandeurs d'emploi sur présentation d'un justificatif. Pour les mineurs, une autorisation parentale et la carte d'identité du parent tuteur sont nécessaires pour l'inscription.
- ***Carte internationale individuelle FUAJ + de 26 ans :*** 11 €.
- ***Carte internationale FUAJ Famille :*** 20 €. Pour les familles ayant un ou plusieurs enfants de moins de 16 ans. Les enfants de plus de 16 ans devront acquérir une carte individuelle FUAJ.
- *Carte internationale FUAJ partenaire :* gratuite. Réservée aux personnes licenciées, aux adhérents d'une association ou fédération sportive partenaire de la FUAJ, sur présentation de leur licence. Liste complète des associations et fédérations sportives sur • *hifrance.org* •, rubrique « Partenaires ».

En Belgique

Réservée aux personnes résidant en Belgique. La carte d'adhésion est obligatoire. Son prix varie selon l'âge : entre 3 et 15 ans, 4 € ; entre 16 et

25 ans, 10 € ; après 25 ans, 16 €.
Votre carte de membre vous permet d'obtenir des réductions auprès de nombreux partenaires en Belgique.

Renseignements et inscriptions

■ ***À Bruxelles :*** **LAJ,** *rue de la Sablonnière, 28, 1000.* ☎ *02-219-56-76.* ● *lesaubergesdejeunesse.be* ●

En Suisse (SJH)

Réservée aux personnes résidant en Suisse. Le prix de la carte dépend de l'âge : 22 Fs pour les - de 18 ans, 33 Fs pour les adultes et 44 Fs pour une famille avec des enfants de - de 18 ans.

Renseignements et inscriptions

■ ***Schweizer Jugendherbergen (SJH) :*** *service des membres, Schaffhauserstr. 14, 8006 Zurich.* ☎ *044-360-14-14.* ● *youthhostel.ch* ●

Au Canada

La carte coûte 35 $Ca pour une durée de 16 à 28 mois et 175 $Ca pour une validité à vie (tarifs hors taxes). Gratuit pour les enfants de - de 18 ans.

■ ***Auberges de jeunesse du Saint-Laurent / St Laurent Youth Hostels :*** *3514, av. Lacombe, Montréal (Québec) H3T 1M1.* ☎ *(514) 731-1015. N° gratuit (au Canada) :* ☎ *1-800-663-5777.*

■ ***Canadian Hostelling Association :*** *301-20 James St, Ottawa (Ontario) K2P OT6.* ☎ *613-237-7884* ● *hihostels.ca* ●

Pour réserver votre séjour en auberge de jeunesse HI

– ***En France :*** ● *hifrance.org* ● Réservez vos séjours dans 120 auberges de jeunesse. Accès aux offres spéciales et dernières minutes.

– ***En France et dans le monde :*** ● *hihostels.com* ● Si vous prévoyez un séjour itinérant, vous pouvez réserver plusieurs auberges en une seule fois !

ARGENT, BANQUES, CHANGE

Monnaie et change

Par souci de lisibilité par rapport aux autres devises, l'abréviation dans le guide du peso argentin est « $Ar » (US$ pour le dollar), mais sur place en Argentine, le symbole « $ » signifie peso argentin, et « US$ » signifie dollar US.

À l'été 2014, 1 $Ar valait environ 0,10 €. Avec 1 €, on obtenait environ 10 $Ar. Mais attention, le taux reste toutefois très fluctuant.

Bien que l'euro et le dollar soient des monnaies de référence pour les Argentins, il est recommandé de payer en pesos. Cela vous évitera d'avoir une image de « touriste riche et facile à plumer » et de vous voir appliquer des taux de change rarement favorables (surtout pour les euros).

Méfiez-vous des faux billets de 50 et 100 $Ar, largement en circulation à Buenos Aires (voir plus loin la rubrique « Dangers et enquiquinements »). Dollars et euros se changent facilement sur place, les francs suisses et les dollars canadiens moins aisément. Vous pourrez le faire soit dans une banque (elles sont en général ouvertes du lundi au vendredi, de 10h à 13h, et souvent bondées), soit dans un bureau de change (*casa de cambio,* ouvert aussi en fin d'après-midi et le samedi matin). Mais certains bureaux n'acceptent de changer qu'à partir de 100 €. Évitez de changer dans les aéroports (taux peu intéressant), ou changez une petite somme, histoire d'avoir quelques pesos pour les premières dépenses. Et pensez à conserver les reçus de transaction.

Chèques de voyage et cartes de paiement

Nous déconseillons les chèques de voyage. Certes, ils vous seront remboursés en cas de vol, mais ils vous feront perdre du temps (trouver une banque ou un bureau de change qui les accepte et faire la queue) et de l'argent (taux de change moins intéressant). Beaucoup plus simple : retirez de l'argent avec votre carte de paiement. On trouve un peu partout des distributeurs accessibles 24h/24, même dans certains villages. Pensez toutefois à vérifier la date d'expiration de votre carte avant le départ.

Les cartes sont acceptées par de nombreux commerces, mais ils facturent souvent un *recargo* (« supplément ») de 5 à 15 %. Il vaut donc mieux retirer de l'argent au préalable et payer en espèces. Optez pour des retraits assez importants car il faut compter à chaque fois une commission bancaire argentine (env 20 $Ar). N'oubliez pas aussi que pour toute transaction, votre banque prélèvera des frais bancaires (en général, entre 3 et 5 % du montant total du retrait ou du règlement). Pensez donc à vous renseigner au préalable auprès de votre banque. Si vous avez la chance d'avoir un compte dans une grande banque internationale (HSBC, par exemple), vous n'aurez aucune commission sur vos retraits. Pensez aussi à relever le plafond de votre carte de paiement avant de partir : en cas de pépin, vous ne serez pas bloqué. Sachez enfin que les retraits en Argentine sont plafonnés à 1 000 $Ar dans les distributeurs *Banelco* et *Link* (qui couvrent la majorité du pays). Seules les succursales *Citibank* disposent d'un distributeur avec un plafond de retrait à 4 000 $Ar. On peut aussi aller à la banque avec sa carte bancaire et demander un *adelante en efectivo,* soit un dépannage en argent liquide, sans frais d'agence, si l'on ne dispose pas d'un code secret (avis aux lecteurs suisses).

Quelle que soit la carte, chaque banque gère elle-même le processus d'opposition. Avant de partir, notez donc bien le numéro de téléphone propre à votre banque (il figure souvent sur votre contrat, au dos des tickets de retrait ou à côté des distributeurs de billets), ainsi que le numéro à 16 chiffres de votre carte. Bien entendu, conservez ces informations en lieu sûr, et séparément de votre carte. Par ailleurs, l'assistance médicale se limite aux 90 premiers jours du voyage, et l'assistance véhicule aux cartes haut de gamme (renseignez-vous auprès de votre banque).

– **Carte Visa :** *assistance médicale et véhicule incluse. Numéro d'urgence (Europ Assistance) : ☎ 00-33-1-41-85-85-85. • visa.fr • Pour faire opposition, contactez le numéro communiqué par votre banque.*

– **Carte MasterCard :** *assistance médicale incluse. Numéro d'urgence (Europ Assistance) : ☎ 00-33-1-45-16-65-65. • mastercardfrance.com • En cas de perte ou de vol, composez le numéro communiqué par votre banque pour faire opposition.*

– **Carte American Express :** *en cas de pépin, appelez le ☎ 00-33-1-47-77-72-00 ; numéro accessible tlj 24h/24. • americanexpress.fr •*

– Pour toutes les cartes émises par **La Banque postale,** *composez le ☎ 00-33-5-55-42-51-96.*

Besoin urgent d'argent liquide

En cas de besoin urgent d'argent liquide (perte ou vol de billets, chèques de voyage, carte de paiement), vous pouvez être dépanné en quelques minutes grâce au système ***Western Union Money Transfer.*** Pour cela, demandez à quelqu'un de déposer pour vous de l'argent en euros dans l'un des bureaux *Western Union* ; les correspondants en France de *Western Union* sont *La Banque postale (fermée sam ap-m, n'oubliez pas ! ☎ 0825-00-98-98)* et la *Société financière de paiements (SFDP ; ☎ 0825-825-842, 0,15 €/mn).* L'argent vous est transféré en moins d'un quart d'heure. La commission, assez élevée, est payée par l'expéditeur. Possibilité d'effectuer un transfert en ligne 24h/24 par carte de paiement (*Visa* ou *MasterCard* émise en France). *• westernunion.com •*

En Argentine, se présenter à une agence *Western Union (☎ 11-43-23-42-70 ; • westernunion.com •)* avec une pièce d'identité.

ACHATS

D'une manière générale, on trouve moins de souvenirs à rapporter d'Argentine que des autres pays d'Amérique du Sud. Il faut dire que, exception faite des régions du Nord-Ouest, l'artisanat se fait rare et les prix sont assez élevés. Cependant, vous trouverez de beaux tissus, en particulier sur les marchés. Nous vous signalons ceux de Purmamarca et Humahuaca où les prix sont intéressants. On y trouve de beaux ***pulls*** en laine de vigogne (petit lama), des ***couvertures, poteries, masques, instruments de musique, boîtes et objets en bois de cactus...*** et beaucoup d'***accessoires en cuir,*** ceintures, sacs, etc. N'hésitez pas à faire vos achats dans les régions de production, où les prix sont inférieurs à ceux des grandes villes.
Encore assez méconnus en France, les ***vins*** argentins (6e producteur mondial, rien que ça !) sont pourtant de plus en plus réputés, et il serait bien dommage de s'en priver ! Rapportez donc un petit malbec local bien fruité ou, dans les blancs, un *torrontés* bien parfumé (voir la rubrique « Boissons » dans « Hommes, culture, environnement »). Attention, n'oubliez pas que les bouteilles devront être enregistrées en soute et ne pourront voyager en cabine. À Mendoza, la capitale vinicole du pays, vous pourrez faire le tour des caves et profiter de l'excursion pour acheter une bouteille ou deux.
Parmi les classiques, le ***mate*** (récipient pour prendre le maté) et la ***bombilla*** (pipette pour boire le maté) sont des souvenirs incontournables, peu encombrants et assez décoratifs (en calebasse, en bois, en argent ou en alpaca), qui vous permettront de retrouver des saveurs bien locales.

BUDGET

IMPORTANT : l'inflation est galopante en Argentine (en 2014, 30 % de plus qu'en 2013), et on constate chaque année une augmentation régulière et importante des tarifs d'hébergement, restauration, transports et excursions touristiques.

Difficile pour le *Routard* de suivre les prix au plus près. La rédaction a pris soin d'utiliser un taux de conversion peso argentin/euro assez élevé, mais prévoyez aussi pas mal de marge entre les prix indiqués au moment de l'impression de ce guide et la réalité constatée en saison...
– D'une façon générale, les prix sont plus élevés (de 20 à 100 %) à Buenos Aires, en Patagonie et dans les grandes villes touristiques (région de Salta, Mendoza, Iguazú).
– Un surcoût de 5 à 15 % (rarement plus de 10 %) s'ajoute pour un paiement par carte dans certains hôtels et agences.
– Dans certains hôtels chic ou pour des prestations diverses (agences de voyages notamment), les prix sont exprimés en US$. En général, quand le billet vert sert de référence, c'est plutôt mauvais signe pour le portefeuille !
– Les prestations touristiques sont chères (notamment les excursions avec les agences). Le transport aérien reste onéreux également, d'autant plus que les compagnies nationales pratiquent des tarifs « étrangers » et « nationaux ». Et l'essence est très chère, particulièrement en Patagonie.
Voici les fourchettes de tarifs que nous avons appliquées à l'ensemble du guide, avec un taux de change moyen de 0,10 € pour 1 $Ar (soit environ 10 $Ar pour 1 €), et en arrondissant les prix à la hausse. Étant donné l'inflation galopante, nous avons préféré nous baser sur une conversion un peu moins avantageuse que le cours officiel (en juillet 2014), mais qui sera probablement

plus proche de la réalité sur le terrain. Car entre le moment où nous bouclons ce guide et le moment où vous le lirez, nul doute que les prix se seront encore envolés...

Hébergement (pour 2 personnes)

- ***Très bon marché :*** moins de 140 $Ar, soit env 14 €. Concerne essentiellement les lits en dortoir dans les auberges de jeunesse. Toutefois on classe la plupart de ces adresses dans les catégories de prix supérieures (« Bon marché » et « Prix moyens »), en fonction des tarifs appliqués pour les chambres doubles.
- ***Bon marché :*** moins de 350 $Ar, soit env 35 €.
- ***Prix moyens :*** 350-650 $Ar, soit env 35-65 €.
- ***Chic :*** 650-1 000 $Ar, soit env 65-100 €.
- ***Plus chic :*** 1 000-1 400 $Ar, soit env 100-140 €.
- ***Beaucoup plus chic :*** plus de 1 400 $Ar, soit plus de 140 € (env 195 US$).

Nourriture (prix par personne)

À savoir : pas mal de restos pratiquent la vente à emporter. Les prix sont dans ce cas minorés.
- ***Très bon marché :*** moins de 80 $Ar/pers, soit env 8 €.
- ***Bon marché :*** 80-120 $Ar, soit env 8-12 €.
- ***Prix moyens :*** 120-180 $Ar, soit env 12-18 €.
- ***Chic :*** 180-220 $Ar, soit env 18-22 €.
- ***Plus chic :*** plus de 220 $Ar, soit plus de 22 €.

Sorties

Boire une bière à la terrasse d'un café à Buenos Aires coûte plus cher qu'en province, sauf en Patagonie. Mais cela reste bien meilleur marché que chez nous. Le prix d'entrée des lieux nocturnes est très variable en fonction du soir et de la notoriété de la boîte.

Transports

La ***hausse du prix*** des carburants couplée à l'***inflation galopante*** a quasiment fait ***doubler le prix des billets*** sur le réseau des bus en 2 ans. Essayez donc de connaître à l'avance le montant des trajets sur le site internet des compagnies pour adapter votre budget à cette réalité et ne pas rencontrer de trop mauvaises surprises. Le site ● *plataforma10.com* ●, très pratique, permet de comparer les prix de plusieurs compagnies de bus.

CLIMAT

Un rappel : dans l'hémisphère austral, les saisons sont à l'inverse de l'Europe. On fête donc Noël sur la plage et on va skier en juillet-août !
Les Argentins ont l'habitude de dire que leur pays a les pieds en Antarctique et la tête dans les Tropiques. L'Argentine offre, par son étendue du 22e au 56e degré de latitude sud et son altitude, une grande variété climatique : de subtropical dans le Nord-Est à subarctique dans le Sud. On peut mourir de chaud dans les zones désertiques des Andes du Nord-Ouest et grelotter en Terre de Feu. On trouve de la neige au nord et au sud de la Patagonie et dans quelques stations près de Mendoza, sur la route des Andes (Las Leñas, Los Penitentes).
Le ***Nord-Est*** (appelé aussi Mésopotamie) jouit d'un climat semi-tropical, chaud, avec une saison sèche et une saison humide (de novembre à mars). La province

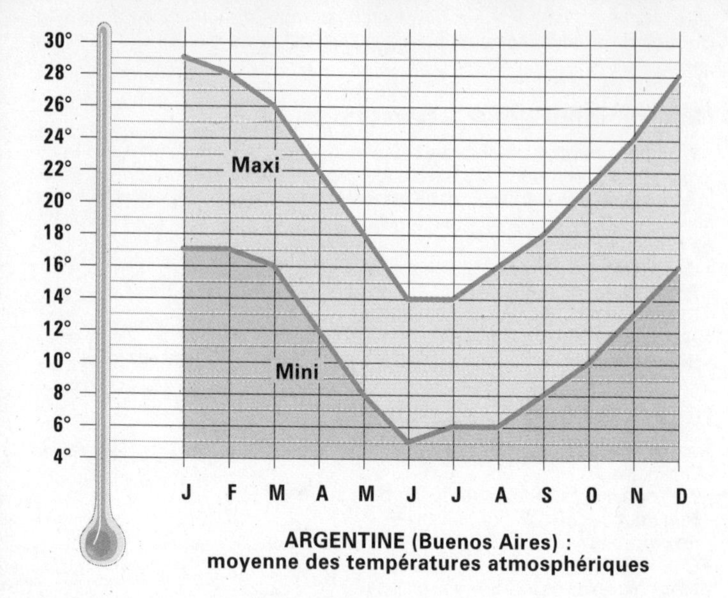

ARGENTINE (Buenos Aires) : moyenne des températures atmosphériques

de Misiones (zone des chutes d'Iguazú) est une des provinces les plus pluvieuses de la région, même si les précipitations se traduisent surtout par des orages de courte durée. De mai à septembre, les températures sont agréables le jour, un peu fraîches la nuit.

À ***Buenos Aires,*** en janvier, les températures peuvent atteindre 40 °C et le taux d'humidité est élevé ; la meilleure période pour séjourner dans la capitale se situe entre fin septembre et début décembre : c'est le printemps !

Les ***Andes du Nord-Ouest*** sont en zone semi-désertique, très chaude et sujette à des orages violents en été (saison des pluies), douce et sèche en hiver (mais il faut penser au duvet pour les nuits qui sont très fraîches en altitude).

La ***Pampa*** connaît peu de précipitations, les températures moyennes y sont de 24 °C en été et de 11 °C en hiver (mais ça peut descendre jusqu'à 0 °C).

Durant la meilleure période pour visiter le sud de la Patagonie et la Terre de Feu (novembre à mars), la température est d'environ 10 à 15 °C. Eh oui ! Mais l'été austral ne met pas à l'abri d'une journée de vent très froid. Il faut donc être bien équipé en vêtements chauds (coupe-vent, gros pull et bonnet) dans cette région, même en été.

Pour récapituler, on peut visiter l'Argentine toute l'année, mais il vaut mieux :
- savoir qu'il fait très chaud et qu'il pleut beaucoup de décembre à mars dans le Nord-Est (Iguazú) et le Nord-Ouest (Salta) ;
- savoir que la ***Patagonie andine*** (Bariloche, San Martín de los Andes) et la ***Terre de Feu*** sont propices de juin à septembre pour le ski et de novembre à mars pour faire du trekking en évitant le froid, et la ***Patagonie atlantique*** (péninsule Valdès) d'août à décembre pour observer la faune marine sur des côtes souvent balayées par les vents. Pour ceux qui veulent tout voir en un seul voyage, il n'y a pas de période idéale pour visiter l'ensemble du pays, mais nous conseillons mars-avril ou octobre-novembre, mois au cours desquels il ne fait pas trop chaud dans le Nord et pas trop froid dans le Sud.

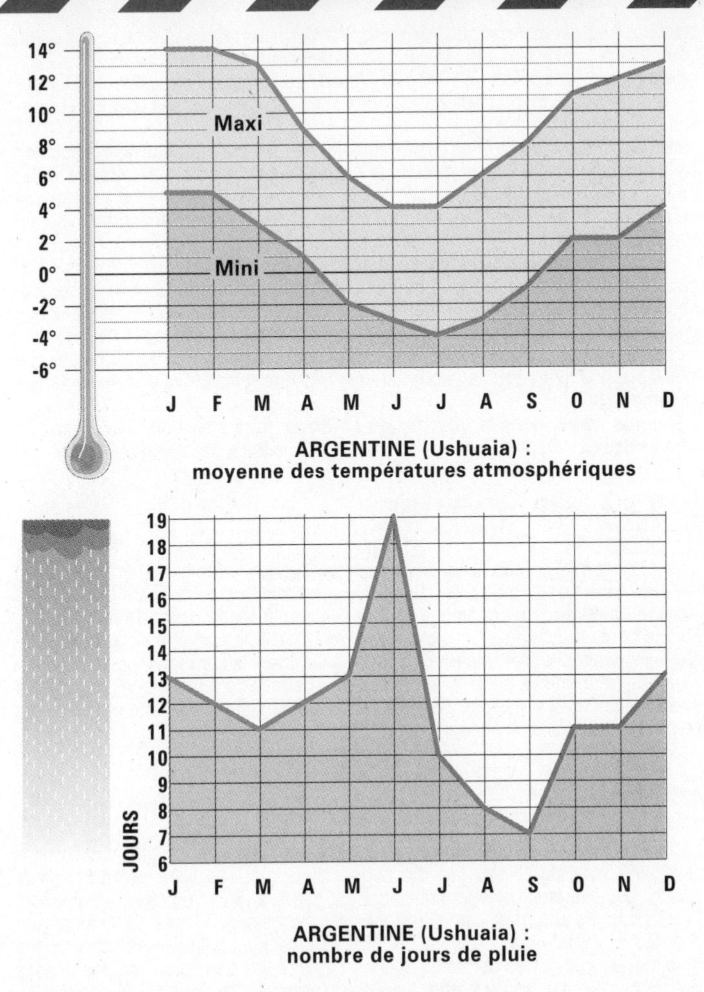

ARGENTINE (Ushuaia) :
moyenne des températures atmosphériques

ARGENTINE (Ushuaia) :
nombre de jours de pluie

DANGERS ET ENQUIQUINEMENTS

L'Argentine compte parmi les pays les moins dangereux d'Amérique latine, même si, avec la profonde crise, les violences, corollaires de la pauvreté, s'intensifient dans tout le pays. Toutefois, à la faveur des touristes, un Européen se distingue moins facilement au milieu des Argentins (eux aussi d'origine européenne) que dans des pays où la population est bien plus métissée.

Cela dit, ce n'est pas une raison pour jouer au touriste facile à plumer ! Comme partout, évitez les signes ostentatoires de richesse, et évidemment, ne laissez pas traîner vos affaires sans surveillance. Les routards bien rodés savent également qu'il est préférable de garder de côté un peu d'argent de secours ainsi que les photocopies de ses papiers d'identité... Une technique classique des pickpockets

consiste à verser de la peinture ou un liquide visqueux sur sa victime tandis qu'un complice détourne son attention en faisant semblant de l'aider.
Attention aux faux billets de 50 et 100 $Ar, en circulation principalement à Buenos Aires et à l'aéroport international où chacun essaie de refiler ses bouts de papier sans valeur avant le départ.
La vigilance s'impose auprès des chauffeurs de taxi, qui ont mauvaise réputation en la matière (le mieux étant de donner l'appoint), et des commerçants. La règle : toujours vérifier les billets rendus. Ils doivent être souples et arborer le même personnage en filigrane. Dans certains restos, mieux vaut vérifier l'addition quand elle est manuscrite.
Concernant les taxis, il est toujours conseillé de prendre des *Radio Taxi,* que l'on peut commander par téléphone ou reconnaître dans la rue par le numéro de téléphone qui apparaît sur leur portière. Les *remis* sont également une bonne option pour des distances plus longues. Jetez un coup d'œil à la licence du conducteur en prenant place, et si vous avez une idée du prix du trajet, vérifiez qu'on ne vous le surtaxe pas ; l'arnaque au compteur est très rare mais arrive encore de temps en temps.
À ***Buenos Aires,*** dans le ***quartier de La Boca,*** faire attention, car on nous a signalé des cas d'agression par des bandes de malfrats, même en plein jour.

DÉCALAGE HORAIRE

Lorsqu'il est midi à Paris, il est 8h du matin en Argentine (en hiver), et 7h du matin (en été). Il y a donc 4h de décalage par rapport à la France pendant l'hiver européen et 5h en été. En principe, il n'y a qu'un seul fuseau horaire. Mais attention, l'heure peut changer (parfois juste localement), pour des raisons de gains d'énergie, sans vraiment prévenir. Bien se renseigner une fois sur place, ce serait dommage de rater un bus ou un avion à cause de cela... Et n'oubliez pas : comme les saisons sont inversées, les jours sont très courts en juin-juillet-août et plus longs en décembre-janvier. À Noël, à Ushuaia, il fait jour jusqu'à minuit.

DROGUE

La loi argentine est stricte : tout usage et toute possession de drogue, y compris la marijuana, sont strictement interdits et passibles de peines allant de 3 à 12 ans de prison. Les citoyens étrangers n'échappent pas à la règle : en cas d'inculpation, l'extradition ne joue pas, car le contrevenant tombe sous le coup de la loi argentine. Dans ce cas, « le consulat de l'inculpé étranger peut uniquement apporter une aide morale » (sic). Ces dernières années, l'effectif des pensionnaires des prisons de Buenos Aires a gonflé, certes à cause du nombre croissant d'Européens voulant jouer aux *mulas* (mules), mais aussi et surtout du fait de l'insécurité, de la précarité et du nombre d'agressions en recrudescence dans les banlieues pauvres.

« La coca no es droga »

La fameuse coca (c'est-à-dire les feuilles de l'arbuste du même nom), considérée comme une herbe médicinale, est parfaitement tolérée en Amérique du Sud. Elle est présente depuis environ 5 000 ans dans les civilisations amérindiennes, que ce soit dans les rites sociaux, religieux ou à des fins médicinales. Selon les légendes incas, le dieu Soleil créa la coca pour étancher la soif, diminuer la faim et combattre la fatigue des hommes (notamment pour le travail laborieux dans les mines au XVIe s !). Les Indiens aymaras (civilisation précédant celle des Incas) lui ont donné le nom de « khoka » qui signifie « arbre par excellence ». Consommée symboliquement et pour ses véritables bienfaits sur la santé, elle permet une

meilleure digestion, diminue les caries, augmente la résistance physique et tonifie, lutte contre le mal d'altitude, apporte les besoins journaliers en calcium, fer, phosphore, vitamines A et B2, et élimine, paraît-il, migraines et douleurs diverses...
Elle est pleinement intégrée au circuit économique par les colons espagnols au XVIIe s, car considérée comme un aliment facilement cultivable, bon marché, et donc une source de revenus non négligeable. Espagnols, métis et certains Indiens (appelés « Cocanis ») propriétaires terriens s'enrichissent. L'usage de la coca devient contesté lorsque le clergé la dénonce comme ayant des vertus « sataniques », puis, au XXe s, lorsque l'on découvre la cocaïne, qui est extraite de la feuille par un processus chimique. La feuille de coca est incluse dans la convention sur les stupéfiants de 1961, qui vise à en limiter la production et le commerce.
La coca est cultivée principalement dans les régions andines au Pérou, en Bolivie, en Colombie, mais aussi en Argentine, où l'on en trouve facilement en vente à un prix dérisoire, sur les marchés et dans certaines épiceries. Aujourd'hui encore, les Indiens en mâchent toute la journée. Pour éviter le goût d'herbe, on ne la mastique pas comme un chewing-gum, mais on forme rapidement une petite chique que l'on cale ensuite entre la gencive et la joue. C'est le suc se dégageant des feuilles sous l'action de la salive qui donne tout son intérêt à l'opération. Bien sûr, ne pas avaler les feuilles : on recrache la chique quand elle ne fournit plus de suc. Son effet est bénéfique pour lutter contre le mal d'altitude.
– ***Avis à nos lecteurs :*** même si elle n'est pas considérée comme une drogue sous sa forme brute, sachez qu'il est strictement interdit de rapporter des feuilles de coca en France. Selon le Journal officiel de juin 1990 du Code français de la Santé publique, « toute possession de feuilles de coca en France est passible d'une amende et d'une peine d'emprisonnement ».

ÉLECTRICITÉ

La tension électrique est de 220 volts. Les anciennes prises de type européen à deux trous sont progressivement remplacées par des prises argentines à trois broches plates (dont deux en biseau), mais elles permettent généralement d'y glisser une prise européenne. Si vous n'avez pas d'adaptateur, sachez que l'on en trouve facilement sur place, y compris à la réception des hôtels.

HÉBERGEMENT

Généralement de qualité dans tout le pays. On retrouve grosso modo les mêmes catégories qu'en Europe. Nous indiquons les prix sur la base d'une chambre double, donc pour 2 personnes, excepté pour les auberges de jeunesse qui facturent les lits en dortoir par personne et par nuitée.

Camping

On trouve des terrains autour des grandes villes comme Mendoza, Córdoba ou Bariloche, mais ne vous attendez pas à des miracles : il arrive que l'équipement soit un peu sommaire. Les campings municipaux sont soit correctement entretenus, soit négligés et à la limite de l'abandon ; ils disposent généralement de douches, parfois froides, parfois chaudes. Dans les parcs nationaux, on trouve trois types de campings, du plus simple, le camping *libre* (sans commodités, hormis l'indispensable barbecue) et gratuit, au mieux équipé, le camping *organizado* (nombreux services, eau chaude 24h/24, emplacements ombragés et spacieux, électricité...). Dans le Nord-Ouest, les options sont moins nombreuses. Apporter son matériel, car on trouve peu de magasins spécialisés. Prévoir des réserves de gaz et, pour la Patagonie et le Nord-Ouest, des duvets et vêtements chauds.

Auberges de jeunesse *(albergues de juventud)* et *hostales*

Ils sont nombreux dans les grandes villes et aux abords des principaux sites touristiques, comme Iguazú, Salta, Humahuaca, Mendoza, Bariloche, El Calafate... De nombreux *hostales* ressemblent davantage à une pension qu'à une AJ. À Buenos Aires, c'est le quartier de San Telmo qui offre la plus grande concentration d'auberges et d'*hostales* bon marché. En général, ils proposent des lits en dortoir et des chambres doubles avec salle de bains privée ou commune. La plupart dispose d'une cuisine équipée et de casiers. Attention, en Patagonie, certains ferment en hiver (juillet-septembre). La carte n'est pas obligatoire, mais elle offre une petite réduction chez les membres d'*Hostelling International.* Il n'y a pas de limite d'âge pour y séjourner.

Pensions (*pensiones, hospedajes* ou *residenciales*)

On en trouve de toutes sortes, de la pension pour travailleurs migrants à l'hôtel de passe ripou ! Il est préférable de visiter une chambre avant de se décider : le confort peut être rudimentaire, la décoration sommaire, même si, généralement, la salle de bains est privée. Parfois, on a d'heureuses surprises, comme dans ces anciennes villes coloniales (Salta) où certains *residenciales* ont le charme suranné de petits palais d'antan.

Logement chez l'habitant (*casas de familia* et *B & B*)

Tout comme les *hostales,* les hébergements de type *Bed & Breakfast* (chambres d'hôtes) offrent parfois d'excellentes prestations. On en trouve de plus en plus, surtout dans les sites naturels, un peu moins en ville. C'est un très bon moyen de faire connaissance avec les Argentins et de découvrir leur mode de vie. Accueil le plus souvent chaleureux. Il est bien sûr préférable d'affûter son vocabulaire espagnol. Attention, les meilleures adresses sont connues, petites et donc vite complètes. S'y rendre de préférence le matin. Certaines *casas de familia* ont des tarifs et des prestations comparables aux *residenciales,* par exemple à Ushuaia. D'autres sont extrêmement bon marché.

– ***Bedycasa.com :*** BedyCasa offre une manière différente de voyager en Argentine, plus authentique et plus économique. La chambre chez l'habitant permet aux voyageurs de découvrir une ville, une culture et des traditions à travers les yeux des locaux. En quelques clics sur BedyCasa, il est possible de réserver un hébergement grâce au moteur de recherche ainsi que des témoignages d'autres voyageurs pour guider votre choix. BedyCasa, c'est aussi un label communautaire, une assurance et un service client 7j./7 gratuit.

Hôtels

Il y en a dans toutes les villes (et ailleurs), forcément. En ville, les chambres sont le plus souvent petites, voire très petites, et affrontent l'éternelle dualité : sombres à l'arrière mais plus calmes, ou plus lumineuses à l'avant mais bruyantes en raison de la rue... Dans les catégories supérieures, la tendance est au *boutique hotel,* concept américain de petit établissement remarquable pour son caractère design ou innovant. Malheureusement, le plus souvent, les hôtels se contentent d'apposer le terme *boutique* sans changer

LES *LOVE HOTELS*

Dans les grandes villes, on peut trouver des albergues transitorios, *affectueusement surnommées* telos *(c'est du verlan local). On les reconnaît à l'élairage rouge sur la façade. Ces hôtels très spéciaux ont été astucieusement conçus pour les jeunes couples dont les parents puritains ne veulent pas abriter les amours sous leur toit ! Ils sont également utilisés pour les aventures extraconjugales ou par les couples mariés qui veulent pimenter leur vie sexuelle... On y trouve des miroirs pour admirer ses ébats, des vidéos pornos et des préservatifs à volonté !*

NOUVEAUTÉS

LA LOIRE À VÉLO (février 2015)

Eh oui, 600 km de pistes cyclables aménagées des portes de la Bourgogne à la côte Atlantique ; l'occasion de pédaler le long des berges d'un fleuve encore sauvage, au rythme de la petite reine. Découvrez, le nez au vent, les richesses des régions Centre et Pays de la Loire. Lavoirs anciens, îles éphémères, villages troglodytiques, châteaux Renaissance, mais aussi réserves naturelles abritant toute une faune et une flore spécifiquement ligériennes. Le fleuve royal ne ménage pas ses effets pour vous séduire d'étapes en étapes. Un trajet qui serpente aussi à travers des vignobles réputés et permet ainsi de goûter aux richesses d'un terroir béni des dieux.

Un guide pratique : à chaque étape sa carte en couleurs et les sites à visiter. Accompagné d'un carnet d'adresses labelisées « Loire à vélo » pour se loger, se restaurer, louer des vélos et bichonner sa monture à deux-roues.

grand-chose à leurs prestations... Mais il existe encore des adresses de charme et de vraies bonnes surprises.
Chaque année à Buenos Aires et dans les grandes villes, de nouveaux hôtels de charme (demeures de caractère, vieux palais...) ou des hôtels design (décoration et esthétique recherchées, parfois sophistiquées) ouvrent leurs portes. On les signale dans ce guide quand le rapport qualité-prix est justifié, mais ils ne sont pas toujours à la portée de tous.

LANGUE

La langue officielle de l'Argentine est l'***espagnol,*** appelé ici *castellano.* Mais il y a quelques différences notoires entre l'espagnol d'Espagne ou du reste de l'Amérique latine et celui d'Argentine. En Argentine, le *castellano* fait penser à de l'italien par sa cadence et ses intonations. Au quotidien, la confusion la plus embarrassante que vous pourriez faire entre l'espagnol d'Espagne et celui d'Argentine consiste à utiliser le verbe *coger* pour dire « prendre » comme en Espagne *(coger el autobus)* alors qu'il est surtout utilisé en Argentine pour dire « baiser » (dans le sens de « faire l'amour ») ! Attention aux gaffes ! Soyez toutefois rassuré, vous serez parfaitement compris si vous pratiquez le *castellano* d'Espagne...

Prononciation

Le plus étonnant, c'est que le « ll » et le « y » se prononcent comme un « [j] » légèrement chuinté dans la plupart de l'Argentine et comme un « ch » français à Buenos Aires. Ainsi, pour dire *yo ya llame ayer,* les Argentins prononcent *« jo ja jame ajer ».* Au début, ça surprend. Puis on s'y fait. Et que serait le *Che* sans cet accent qui lui a donné son surnom ? Plus on va vers les Andes du Nord (de Mendoza jusqu'à la frontière bolivienne), plus on s'éloigne de la prononciation « italienne » de la capitale et on se rapproche d'un accent plus latino. Chez les Indiens, le « ll » et le « y » se prononcent de manière presque classique... En revanche, on y déforme le « r » en début de mot, ou le double « r »... On se souvient encore de cette *« choca choja »* de la vallée de la Lune... Ah, *roca roja,* la roche rouge... C'était donc ça ! Certains, notamment dans les Andes, mangent les « s » en fin de mot comme les Andalous. Pour *dos pesos,* ils disent *do peso.*

CHE BIZARRE !

C'est à Cuba qu'Ernesto Guevara s'est vu affubler du sobriquet de « Che ». En bon Argentin, il ponctuait souvent ses phrases de cette onomatopée apportée en Amérique du Sud par les immigrants italiens. Dans les bas-fonds de Buenos Aires, ce simple « ce » (« c'est ») est devenu « che », interjection destinée à interpeller. Un peu comme le « hombre *» espagnol.*

Grammaire

Comme dans une grande partie de l'Amérique du Sud, le « vosotros » est remplacé par « ustedes » + 3e personne du pluriel. « Vosotros sois franceses » devient « Ustedes son de Francia ». Par ailleurs, les Argentins ont remplacé le « tu » par le « vos », ce qui change un peu la conjugaison : « tu tienes, puedes, vienes » devient « vos tenés, podés, venís »... Ça peut servir, car les Argentins ont le tutoiement très facile.

Vocabulaire espagnol de base utilisé en Argentine

Pour vous aider à communiquer, n'oubliez pas notre ***Guide de conversation du routard en espagnol.***

Politesse

Merci	*gracias*
S'il vous plaît	*por favor*
Bonjour	*buenos días* (matin) / *buen día* *buenas tardes* (à partir de midi)
Bonsoir	*buenas noches*
Au revoir	*chau* (entre copains), dérivé du *ciao* italien *hasta luego*

Expressions courantes

D'où venez-vous ?	*¿ de dónde viene ?*
Je suis français(e)	*soy francés, francesa*
Je ne comprends pas	*no entiendo*
Comment t'appelles-tu ?	*¿ cómo te llamas ?*

Vie pratique

Ville	*ciudad*
Centre	*centro*
Bureau de poste	*correos*
Office de tourisme	*oficina de turismo*
Banque	*banco*

Transports

Gare des bus	*terminal de colectivos / ómnibus*
Gare des trains	*estación de ferrocarriles*
Billet (train, bus, avion)	*boleto, billete ;* billet d'avion *billete, pasaje*
À quelle heure y a-t-il un bus pour... ?	*¿ a qué hora hay un colectivo para... ?*

Argent

Argent	*dinero, plata*
Payer	*pagar*
Prix	*precio*
Combien ça coûte ?	*¿ cuánto vale ? ¿ cuánto sale ?* *¿ cuánto cuesta ?*

À l'hôtel et au restaurant

Hôtel	*hotel, hostal*
Puis-je voir une chambre ?	*¿ se puede ver una habitación ?*
Nourriture, repas	*comida*
Manger	*comer*
Le petit déjeuner	*el desayuno*
Le déjeuner	*el almuerzo, la colación*
Le dîner	*la cena*

Jours de la semaine

Lundi	*lunes*
Mardi	*martes*
Mercredi	*miércoles*
Jeudi	*jueves*
Vendredi	*viernes*
Samedi	*sábado*
Dimanche	*domingo*

Nombres

1 *uno*
2 *dos*
3 *tres*
4 *cuatro*
5 *cinco*
6 *seis*
7 *siete*
8 *ocho*
9 *nueve*
10 *diez*
20 *veinte*
50 *cincuenta*
100 *cien (ou ciento)*
200 *doscientos*
1 000 *mil*
2 000 *dos mil*

Petit lexique argentin

La façon de tchatcher à Buenos Aires est rapide et rappelle celle de l'Espagne, y compris par l'emploi de jurons...
Auto : voiture.
Bárbaro, espectacular : super, génial.
Berreta, trucho : de mauvaise qualité.
Bondi (à Buenos Aires), *colectivo* (alias « *cole* ») *:* bus urbain.
Camioneta : 4x4.
Cana, botón : flic.
Me copa/es copado : je kiffe. Les Espagnols emploient *me mola* et les Mexicains *me late.*
Currar : un autre verbe utilisé à contre-emploi. En Argentine, il signifie voler, en Espagne travailler ! *Es un curro !* (on l'entend souvent dans les supermarchés) : c'est du vol !
Chamullero : « mytho ». *Que chamullero !* (Quel mytho !) pour quelqu'un qui exagère, prend ses désirs pour des réalités, ment avec malice mais sans mauvais esprit.
Chanta : Es un chanta ! C'est un baratineur, quelqu'un de mauvaise foi.
Che : l'expression la plus typique du pays. C'est une manière d'attirer l'attention de son interlocuteur, comme le *oye* espagnol. Exemple : *Che Carlos vení !* se traduit par « Eh toi Carlos, viens ici ! ».
Fiaca : flemme.
Flaco, chabón : mec. Une version plus courante est *boludo* (couillon). Les Marseillais s'y reconnaîtront...
Ser gaucho : être solidaire. Rendre un service se dit : *hacer una gauchada.*
Guita : fric.
Hincha (de *fútbol,* bien sûr) *:* supporter.
Joder : verbe assez polysémique, sauf dans le sens qu'il prend en Espagne. En Argentine, il signifie usuellement « déranger, perturber ». Attention aux emplois avec *ser* et *estar* : *Carlos está jodido* (il est mal en point), *Carlos es un jodido* (c'est un sale type).
Laburar, laburo : bosser, boulot.
Levantar : draguer.
Macana : galère, dommage.
Mango : peso (l'unité).
Micro, omnibus : bus interurbain.
Mina, flaca : nana, minette.
Mozo : garçon de bar ou resto.
Nafta : essence.
Pibe/piba : gamin/gamine.
Piola : malin.
Re + adjectif : super/très + adjectif. Exemple : *re interesante* se traduit par « super intéressant ». Les Argentins n'hésitent pas à exagérer en doublant, voire triplant l'usage du *re.* Exemple : *re re rico* (très très bon).
Signalons aussi l'emploi du verlan comme en français : *gotán* (tango), *gomía* (amigo)...

Le tango possède son propre argot : le ***lunfardo,*** très complexe à déchiffrer pour un étranger mais très imagé et d'une grande richesse. Certaines expressions sont encore employées par les *Porteños,* qui ne manquent pas de gouaille. Exemples : *chorear, afanar* (voler), *el bulo, el bulín* (garçonnière, mais désigne la maison par extension), *un berretín* (ambition, passion), *un metejón* (perdre la tête pour quelqu'un, quelque chose)...

LOS PIROPOS

Littéralement « compliments », ce terme désigne les phrases flatteuses que les hommes proclament aux femmes, dans la rue ou ailleurs. Souvent humoristiques et jamais blessantes, il s'agit juste de rendre hommage à leur beauté, sans vraiment d'arrière-pensée.

Buenos Aires étant l'une des villes phares de la psychanalyse avec Paris et New York, beaucoup de tournures courantes y font allusion : un mec ou une nana peuvent être désignés comme *loco* et *loca* (un fou, une folle), *histéricas* pour « jalouses, exagérées », ce que disent souvent les Argentins de leurs femmes, *hacer un psicodrama* (jouer une comédie fortement teintée d'émotivité), *psicopatear* (manipuler l'autre en le culpabilisant)...
Pas mal de références au foot : *un golazo* (une réussite), *quedar empatados* (trouver un compromis). Quelques mots dérivent de langues indiennes comme la *cancha* (le stade).
Et enfin, l'influence des États-Unis, qui s'étend désormais de Tijuana à Ushuaia et à laquelle les Argentins n'échappent pas : *el delivery* (la livraison à domicile), *el combo* (les formules fast-food), *la laptop, el compact, el dividí* (l'ordinateur portable, le CD, le DVD)...

LIVRES DE ROUTE

Difficile de parler de l'Argentine sans évoquer ses écrivains, dont les plus importants font partie du panthéon des auteurs d'Amérique latine, et par là même de la littérature mondiale. Voici quelques ouvrages que nous vous recommandons :
– ***L'Aleph,*** de Jorge Luis Borges (Gallimard, « L'Imaginaire », 1967). Après Gardel et Perón, Borges est aujourd'hui un véritable mythe et il incarne la mémoire collective de cet insondable pays de vent et de lune. *L'Aleph* est un recueil de 17 nouvelles et contes étranges où la mythologie rejoint le quotidien. Du même auteur, *Fictions, Le Livre de sable,* et beaucoup d'autres.
– ***Contes d'amour, de folie et de mort,*** d'Horacio Quiroga (Metailié-Unesco, « Suites », 1984). Uruguayen d'origine, ce sera en Argentine que Horacio Quiroga écrira la majeure partie de son œuvre. Une vie personnelle tragique le conduira dès 1912 à trouver refuge dans la jungle de Misiones où il rédigera la quasi-totalité de ses contes. Aujourd'hui, il est reconnu comme le maître incontesté de la nouvelle latino-américaine. Quiroga livre ici 15 écrits lumineux comme l'enfer. D'une écriture forte, dépouillée, presque froide, il explore un monde mystérieux où le fantastique flirte complaisamment avec l'horreur. Comme il n'y a ici-bas de seule faiblesse que celle d'être vivant, Indiens Guaraní, colons et animaux doués de raison vont s'affronter dans un étrange sabbat où la forêt dicte ses lois. Un livre d'une beauté inquiétante.
– ***Le Baiser de la femme-araignée,*** de Manuel Puig (Le Seuil, « Points Roman », 1979). Deux hommes à l'ombre d'un cachot. Un homosexuel inculpé de détournement de mineur et un jeune révolutionnaire, dissident politique actif. L'espace de quelques nuits, l'un raconte à l'autre les films qu'il a aimés. L'autre écoute et rêve. De ce lien onirique va renaître l'espoir. C'est tout, l'amour et la tendresse jusqu'à la joie qu'ils vont réinventer loin des barreaux, de la peur et des manigances d'une société qui les condamne. Une leçon de tolérance et d'intégrité. Superbement

adapté au cinéma par Hector Babenco, le roman de Manuel Puig, tout vibrant d'émotion, a la violence d'un cri d'amour désenchanté.

– ***Argentina,*** de Dominique Bona (Gallimard, « Folio », 1986). Un roman historique minutieusement documenté et brillamment écrit. Jean Flamant, migrant sans le sou, issu d'une famille pauvre de Roubaix, tente sa chance dans le Buenos Aires flamboyant des années 1920. Ambitieux, tenace, séducteur, il deviendra un magnat du commerce et connaîtra une vie amoureuse passionnée sur cette terre qui l'inspire. Excellente reconstitution du monde des migrants et de la grande bourgeoisie *porteña* à l'époque de l'âge d'or.

– ***Luz ou le Temps sauvage,*** d'Elsa Osorio (Métailié, 2002). Un roman haletant et superbement construit, qui relate le parcours de Luz, jeune héroïne de 20 ans en quête d'identité. On revit à travers ce récit l'histoire sombre de la dictature argentine de 1976 à 1983, lorsque la junte militaire sévissait dans le pays. Ou comment des bébés nés en prison et arrachés à leur mère ont été adoptés et élevés dans le secret, par les familles de militaires. Un roman poignant, à la fois tragique, tendre et émouvant, qui alterne les époques et les personnages avec virtuosité.

– ***Mapuche,*** de Caryl Ferey (Gallimard, 2012). Quand le détective Ruben se lance sur les traces d'un double meurtre, faisant, malgré lui, équipe avec une Mapuche qui n'a plus rien à perdre, on ne se doute pas encore qu'ils exhument et remuent le bourbier de la *guerra sucia* (sale), avec toute la rage des rescapés. Un polar bien documenté, à l'écriture sans concession, où le sang et la colère suintent à chaque page. En toile de fond, la ville de Buenos Aires et la dictature militaire, un sujet toujours brûlant.

– ***L'Appel de la Pampa,*** de Sylvie Anne (Presses de la Cité, 2005). Fin XIXe s, Élise Cassagne et quelques poignées de compatriotes aveyronnais émigrent dans la Pampa, en caressant le rêve de devenir propriétaires terriens. La petite communauté est vite confrontée aux obstacles prévisibles d'une vie rude et d'une terre qui ne se laisse pas si facilement domestiquer.

– ***Cronopes et Fameux,*** de Julio Córtazar (Gallimard, « Folio », 1977). Né à Bruxelles, Córtazar a vécu la moitié de sa vie en Argentine, l'autre moitié à Paris. Son œuvre cosmopolite tend des ponts entre l'Amérique et l'Europe. Précédant les romans et les nouvelles fantastiques qui ont fait sa réputation, ces minitextes éclairent le comportement de tant de personnages farfelus et graves qui sont les protagonistes des œuvres maîtresses de Córtazar. Avec ces nouvelles conjuguant la vie quotidienne et le fantastique, le « grand Cronope » Julio a révolutionné la littérature argentine, sud-américaine et internationale. Du même auteur, *Un certain Lucas, Les Armes secrètes, Marelle...*

– ***Mafalda,*** de Joaquín Salvador Lavado, alias Quino (*L'Intégrale,* Glénat, 1999). Tout un classique, bah oui ! Mafalda est certainement une des Argentines les plus influentes du XXe s. Depuis les années 1960, cette petite fille ne vieillit pas. Et sa bande non plus ! Manolito, le capitaliste, Liberté, la plus petite, Felipe, l'idéaliste... Toujours rebelle et pacifiste endurcie, elle porte un regard enfantin et lucide sur le monde... N'hésitez pas à découvrir les traits caractéristiques des dessins de Quino sur le site officiel de l'auteur : • *quino.com.ar* •

– ***Les Déjantées,*** de Maitena Burundarena, alias Maitena (quatre tomes, Métailié, 2002-2005). L'auteur est une blonde oxygénée, autodidacte et très fière d'être une déjantée. Au début, elle collabore pour diverses publications en faisant des dessins érotiques ou des illustrations pour enfants. Et puis un jour, tac, un magazine féminin de Buenos Aires lui confie une page hebdomadaire : ses « femmes altérées » vont connaître un énorme succès. Elles voyagent d'abord en Europe *(Le Figaro, El País...),* et aujourd'hui, elles parlent plus de 12 langues ! Découvrez l'univers de Maitena sur • *maitena.com.ar* •

Sur la Patagonie et la Terre de Feu

– ***En Patagonie,*** de Bruce Chatwin (Grasset, « Les Cahiers Rouges », 1979). Une touffe de poils de brontosaure aperçue dans une vitrine chez sa grand-mère, et le petit Chatwin n'a dès lors qu'un seul but dans la vie : partir pour la Patagonie. Voici comment naissent les vocations... et, plus rarement, les meilleurs récits de voyage. Sans le savoir, l'écrivain britannique, avec cette première livraison, a renouvelé un genre : le *travel writing*. Voyageur modèle (curieux et érudit), Chatwin enquête comme un privé maniaque. Partant de son mystérieux fragment de peau aux poils roux, il traque le moindre détail, recoupe chaque témoignage susceptible de faire revivre un pays inconnu, parvenant finalement à reconstituer des tranches de vies humaines, des légendes bien vivaces, des pans entiers d'une vie sociale truculente et magique.

– ***En Magellanie,*** de Jules Verne (Gallimard, « Folio », 1897). La Magellanie était le nom donné aux terres situées au sud de la Patagonie (Terre de Feu incluse) avant leur partage entre le Chili et l'Argentine. Une nuit de 1881, un quatre-mâts chargé d'un millier d'immigrants fait naufrage près du cap Horn. Un certain *Kaw-djer,* transfuge du monde occidental, protecteur des Indiens, sauve les passagers du bateau et devient le chef d'une petite république autonome, placée sous le signe de l'utopie. Ce livre posthume fut achevé par Michel Verne, fils de Jules. À la fois un roman d'aventures et une belle parabole humaniste.

– ***Fuegia,*** d'Eduardo Belgrano Rawson (Actes Sud, « Babel », 1997). En cette région du bout du monde, Fuegia suit une famille indienne il y a moins d'un siècle. Une épopée romanesque avec, pour fond, le génocide qui toucha les Indiens de Patagonie au début du siècle dernier.

– ***Adiós, Tierra del Fuego,*** de Jean Raspail (Le Livre de Poche, 2001). À la fois récit de voyage en Patagonie et chronique historique du bout du monde, écrit avec panache et ferveur par l'auteur de *Moi, Antoine de Tounens, roi de Patagonie.*

– ***Magellan,*** de Stefan Zweig (Grasset, « Les Cahiers Rouges », 2003). La bio du célèbre navigateur portugais, que l'on prend plaisir à lire tant pour se rendre compte de l'audace de son projet de circumnavigation qui avait convaincu Charles Quint, que pour la langue toujours aussi admirable d'élégance et de fluidité de l'auteur autrichien.

Et sur Buenos Aires...

– ***Héros et tombes,*** d'Ernesto Sabato (Le Seuil, « Points Roman », 1996). Ancienne édition parue sous le titre d'*Alejandra.* Ernesto Sabato est l'une des figures maîtresses de la littérature argentine. Homme de lettres et homme d'action, il fut chargé par le gouvernement démocratique de mener une enquête sur les disparitions lors de la dictature militaire. Maître de l'envoûtement, Sabato signe ici un de ses plus beaux romans. Martín, un adolescent, aime Alejandra, fille quasi surnaturelle qui l'initiera à tous les secrets et sortilèges d'un Buenos Aires inattendu. De la société sacrée et maléfique des aveugles aux dédales souterrains de la ville, le récit s'émaille d'anecdotes historiques qui renforcent l'effet trompe-l'œil de cette fresque fulgurante.

– ***Le Quintette de Buenos Aires,*** de Manuel Vásquez Montalbán (Le Seuil, « Points Policier », 2000). Le sympathique détective Pepe Cavalho quitte Barcelone pour enquêter à Buenos Aires sur la disparition de son cousin Raoul. Un beau portrait de la capitale du tango, actuel, drôle et lucide.

– ***Le Chanteur de tango,*** de Tomás Eloy Martínez (Gallimard, « Folio », 2006). Bruno Cadogan, jeune doctorant new-yorkais, part pour Buenos Aires à la recherche d'un mystérieux et insaisissable chanteur de tango, Julio Martel, qui n'a jamais enregistré de disques mais que l'on compare souvent au fameux Carlos Gardel. Mais les émeutes de décembre 2001 révèlent soudainement un lien profond entre Martel, sa voix et sa ville. Buenos Aires livre alors au protagoniste ses secrets, ses méandres et ses mythes.

– ***Le Goût de Buenos Aires,*** de Jeanine Baude (Mercure de France, 2009). On aime beaucoup cette collection de recueils de textes courts, présentant ici la

capitale argentine sous différents angles (l'histoire, le tango, le maté...), avec pour guides Paul Morand, Camus, Córtazar... Idéal à glisser dans la poche du sac à dos.
- ***Tango,*** d'Hugo Pratt (Castermann, 1998). Le ténébreux Corto Maltese est de retour à Buenos Aires après 15 ans d'absence, à la recherche d'une ancienne amie. Préface d'Hugo Pratt sur Buenos Aires et le quartier de La Boca.

Beaux livres

- ***Patagonie, Visions d'un caballero,*** de Marc-Antoine Calonne (Transboréal, 2000). En 1996, l'auteur, conseiller juridique et fiscal à Paris, part pour un voyage en bateau sur les canaux pluvieux des Andes chiliennes, puis poursuit seul à cheval et traverse 2 000 km de cordillère et de steppes venteuses de la Patagonie argentine sans itinéraire précis. Captivé par ce monde vierge, le conseiller devient cavalier, le fiscaliste apprend la loi de la nature et décide enfin de s'installer dans cette Patagonie élue de son cœur. Cet album richement illustré raconte son périple solitaire qui marqua un tournant dans sa vie.
- ***Courriers de nuit,*** d'Olivier et Patrick Poivre d'Arvor (Place des Victoires, 2003). Au total, 240 pages illustrées et une version roman (Mengès, 2002). Un récit qui rend hommage à la bravoure et à la fraternité des héros du ciel : Saint-Exupéry, Mermoz et Guillaumet. L'épopée fantastique de ces pionniers de l'Aéropostale qui ont traîné leurs ailes jusqu'en Patagonie et au-delà des sommets andins. Une poignée d'hommes au-dessus de la mêlée, prêts à risquer leur vie pour acheminer le courrier. Un destin de haute volée pour ces hommes lancés à la conquête de l'Amérique du Sud, dont l'Argentine.
- ***Sin Palabras, Gestiario argentino,*** de Guido Indij (La Marca Editora, 2006). Petit guide de la gestuelle argentine, prolixe, en photos (et en grimaces). Les explications sont à la fois en espagnol et en anglais. Pratique et rigolo !

Pour préparer votre voyage

■ ***Maison de l'Amérique latine :*** *217, bd Saint-Germain, 75007 Paris.* ☎ *01-49-54-75-00.* • *mal217.org* • Ⓜ *Rue-du-Bac.* Séminaires et espace culturel.

■ ***Librairie espagnole Aparicio :*** *Alice Média Store, av. des Quarante-Journaux, 33300 Bordeaux.* ☎ *05-56-69-18-09. Lun-sam 9h-20h.*

POSTE

Partiellement privatisé, le *Correo Argentino* est présent dans toutes les villes. Les bureaux les plus importants observent un horaire continu, généralement de 8h à 20h du lundi au vendredi, de 8h à 13h le samedi. Partout ailleurs, les bureaux ouvrent en semaine de 8h à 12h30-13h30 et de 16h-17h30 à 20h-20h30, ainsi que le samedi de 9h-9h30 à 12h-13h. Dans certains, étonnamment, les timbres ne sont vendus que le matin ! En plus, il faut faire la queue parfois longtemps.
Une carte postale pour l'Europe coûtait près de 15 $Ar à l'été 2014. Ne vous attendez pas à trouver des timbres chez les marchands de cartes postales et dans les kiosques.
Les boîtes aux lettres de rue *(buzones)* sont rares, mais il y en a dans de nombreux magasins. Rapidité du service plutôt aléatoire mais assez fiable. Certains hôtels disposent d'un service de levée du courrier, on peut laisser le sien à la réception en versant le montant correspondant aux timbres.
On trouve d'autres « postes », comme la messagerie *DHL*. Attention, une lettre estampillée *Correo Argentino* dans une boîte aux lettres *DHL* (de couleur jaune) finit souvent... à la poubelle. Par ailleurs, les cartes postales envoyées avec des timbres *DHL* arrivent bien plus tard (2 mois !) que par la poste argentine.

POURBOIRE *(PROPINA)*

Chers routards, à votre bon cœur ! Dans les restaurants, le service n'est généralement pas inclus. Il est d'usage d'ajouter environ 10 % de la note, si vous êtes satisfait du service, bien entendu. La personne qui porte votre bagage à l'hôtel appréciera également un petit geste.

SANTÉ

Vaccinations

Pour l'Argentine, aucun vaccin obligatoire n'est demandé, et cela quelle que soit la provenance du voyageur.
Il n'y avait plus de fièvre jaune depuis bien longtemps, mais en 2008, c'est la catastrophe : une grave épidémie survient dans le nord du pays, de même qu'au Paraguay et dans le sud du Brésil. Pour l'instant, ces pays recommandent très fortement la vaccination en attendant qu'une modification du règlement sanitaire international l'impose – ce qui est toujours très long.
Il est également recommandé d'être à jour de ses vaccinations « universelles » : diphtérie, tétanos, polio, coqueluche, rougeole, oreillons, hépatite B. Et comme en Argentine subsistent encore des zones de basse hygiène, il est vivement conseillé de se faire vacciner contre deux maladies encore communes, transmises par l'alimentation et le manque d'hygiène :
– hépatite A (Havrix 1440® ou Avaxim®) ;
– fièvre typhoïde (Typhim Vi®).
On peut aussi se faire vacciner contre les deux en une seule fois avec Tyavax®.
En cas de séjours ruraux prolongés, la vaccination préventive contre la rage est fortement conseillée.

Principaux désagréments

En comparaison de la plupart des pays d'Amérique latine (Pérou, Bolivie, Brésil...), l'Argentine est un pays sans grands risques sanitaires.
– ***Diarrhée :*** les maladies diarrhéiques, des plus bénignes aux plus graves, sont cependant suffisamment fréquentes pour que les voyageurs s'en protègent. Respecter les règles d'hygiène élémentaires : boire de l'eau « sécurisée » – boissons industrielles, eau bouillie, désinfectée (Micropur DCCNa®) ou microfiltrée (Katadyn®) –, éviter les crudités, les produits laitiers non industriels, les fruits de mer, et se laver les mains régulièrement.
Pour de simples selles molles et fréquentes, utiliser un antibiotique en une seule prise, type *Ciflox, Oflocet®* ou *Zithromax®* (2 comprimés en une prise), allié à un ralentisseur du transit intestinal, le *Lopéramide (Imodium)* : 2 gélules puis une gélule après chaque selle non moulée, sans dépasser les 6 par 24h. En cas de diarrhée avec des vomissements violents ou fièvre ou émission de sang, glaires ou pus, consulter un spécialiste sans tarder.
– ***Paludisme :*** il n'y a pas de paludisme grave *(Plasmodium falciparum)* en Argentine ; il ne subsiste que de petits foyers de paludisme mineur, très limités, dans l'extrême nord-est du pays : mais même dans ces zones, aucune prévention médicamenteuse n'est recommandée.
– ***Autres maladies :*** le fait qu'il n'y ait pas de paludisme ne signifie pas pour autant qu'il n'y ait pas en Argentine d'autres maladies transmises par les insectes : diverses « arboviroses » (virus transmis par les arthropodes) dont des épidémies de dengue dans la moitié nord du pays, leishmaniose, maladie de Chagas (punaises), etc. Pour les séjours ruraux, il convient donc de dormir sous moustiquaire imprégnée d'insecticides et d'utiliser des répulsifs antimoustiques

réellement efficaces, notamment une gamme fiable et conforme aux recommandations ministérielles : *Insect Ecran®* (adulte, enfant, spray et trempage pour tissus).
À noter enfin qu'il est très déconseillé de caresser les chiens, qui peuvent transmettre l'***hydatidose,*** une très grave maladie qui est encore très fréquente en Argentine (et dans beaucoup de pays d'Amérique du Sud), sans parler de la rage, omniprésente sur le continent.
– Autre problème éventuel, le ***soroche*** (mal des montagnes) pour ceux qui comptent s'offrir quelques émotions dans les Andes. Sensible à partir de 3 000 m d'altitude, le *soroche* devient aigu à partir de 4 500 m et d'autant plus que l'ascension est rapide. Céphalées, grande fatigue doivent donner l'alerte ; redescendre d'au moins 500 m dans un premier temps. Une règle fondamentale : monter progressivement par paliers (pas plus de 400 m par jour au-delà de 3 000 m) pour laisser au corps le temps de s'acclimater. Éviter de fumer, de boire de l'alcool et, bien sûr, de courir. Si les symptômes sont très légers, l'aspirine et le médicament local (les feuilles de coca) peuvent aider. La mastication et la retenue en bouche des feuilles de coca apportent un complément de santé non négligeable : l'oxygénation du sang se fait grâce aux alcaloïdes présents dans les feuilles qui augmentent le taux de globules rouges.
Mais ***le seul véritable remède est de redescendre vers la plaine le plus rapidement possible.*** À noter, la consommation élevée d'ail pendant la période précédant les expéditions en montagne permettrait de mieux préparer le corps au manque d'oxygène (en augmentant la quantité de globules rouges)... D'une façon générale, ne plaisantez pas avec le mal des montagnes, il coûte la vie à de nombreuses personnes chaque année, en particulier dans l'ascension de l'Aconcagua.
– Contre le ***mal des transports,*** mieux vaut s'équiper, avant de partir, d'un antinauséeux et antivomissements, à prendre une demi-heure avant le départ, tel que la *Nautamine®*.
– Pensez aussi à vous protéger du ***soleil,*** qui tape fort au nord comme au sud du pays.
Les pharmacies sont assez nombreuses et bien approvisionnées. Celles des grandes villes rivalisent sans problème avec les pharmacies européennes. Attention cependant aux nombreuses contrefaçons. Les médecins sont généralement compétents. L'Argentine a d'ailleurs la réputation d'avoir le meilleur service médical de toute l'Amérique du Sud. En cas de maladie grave, adressez-vous au consulat de France, qui vous fournira les adresses utiles.

■ ***Catalogue Santé Voyage :*** ☎ *01-45-86-41-91 (lun-ven 14h-19h).* Les produits et matériels utiles aux voyageurs, assez difficiles à trouver, peuvent être achetés par correspondance sur le site de *Santé Voyages* • *astrium.com* • Infos complètes toutes destinations, boutique web paiement sécurisé, expéditions Colissimo Expert ou Chronopost.

SITES INTERNET

• ***routard.com*** • Rejoignez la plus grande communauté francophone de voyageurs ! Échangez avec les routarnautes : forums, photos, avis d'hôtels. Retrouvez aussi toutes les informations actualisées pour choisir et préparer vos voyages : plus de 200 fiches pays, une centaine de dossiers pratiques et un magazine en ligne pour découvrir tous les secrets de votre destination. Enfin, comparez les offres pour organiser et réserver votre voyage au meilleur prix.
• ***turismo.gov.ar*** • Site officiel du ministère du Tourisme très complet sur le pays, en espagnol et anglais. Nombreuses photos, cartes routières et autres infos pour préparer son itinéraire.

• ***alianzafrancesa.org.ar*** • Site de l'Alliance française à Buenos Aires. Informations pratiques et conseils pour les Français vivant sur place.
• ***paginasamarillas.com.ar*** • Site des pages jaunes argentines.
• ***ruta0.com*** • Site argentin (en espagnol) regroupant de nombreux récits de voyage. Forum intéressant, car visité par les Argentins eux-mêmes.
• ***abc-latina.com*** • Pratique (en français) pour voyager en Amérique du Sud. Concernant l'Argentine, infos pratiques, nombreux renseignements sur l'environnement géo-socio-économico-culturel, photos, récits de voyage, etc.
• ***argentine-info.com*** • Site en français très bien fait, conçu comme un magazine touristique en ligne. Plein d'infos actualisées et des reportages sur l'Argentine.
• ***buenosairesconnect.com*** • Site en français réalisé par une équipe de jeunes expatriés vivant à Buenos Aires. Vie des quartiers (cafés, bars, restaurants...), sorties musicales et expos culturelles, découvertes insolites, petites annonces pour des logements...
• ***musicargentina.com*** • Musique, art et culture. Infos foisonnantes sur la musique argentine, le tango, bien sûr, mais aussi la musique jazz, folklorique, le rock... Également un agenda détaillé des événements dans toute l'Europe et l'Argentine.
• ***lasalida.info*** • Le magazine du tango argentin. Info pour pratiquer et/ou apprécier le tango en France.
• ***bocajuniors.com.ar*** • Tout sur le plus mythique des clubs de foot *porteños.*
• ***uar.com.ar*** • Site officiel de l'*Unión Argentina de Rugby.* Et oui, il n'y a pas que le foot en Argentine.

TÉLÉCOMMUNICATIONS

Communications nationales

Les numéros de téléphone se décomposent de la manière suivante :
– l'indicatif des villes (ou de la province) qui comporte de 3 à 5 chiffres (à composer seulement si vous appelez d'une autre province) ;
– le numéro du correspondant qui se compose de 6 à 8 chiffres selon les régions.
– ***Nº national d'urgences :*** ☎ *911.*
– ***Pour appeler un portable depuis un fixe,*** il faut composer l'indicatif de la zone dans laquelle la carte SIM du correspondant a été achetée, suivi du 15 puis du numéro du correspondant (là encore, de 6 à 8 chiffres). Exemple : 0291-15-XXX-XX-XX.
– ***Pour appeler de portable à portable,*** même chose mais sans composer le 15.
– Pour les ***renseignements,*** faites le ☎ *110,* c'est gratuit.
– Trois compagnies couvrent le pays : *Telecom* (*Personal* pour les portables), *Telefonica (Movistar)* et *Telmex* avec la marque *Claro.* Le réseau téléphonique est dense et de très bonne qualité.

Communications internationales

– ***Argentine → France :*** 00 + 33 + numéro du correspondant sans le 0 initial.
– ***France → Argentine :*** 00 + 54 + indicatif de la province (sans le 0) + numéro local du correspondant.
– ***Pour appeler un portable en Argentine depuis l'étranger,*** il faut rajouter un 9 avant le code de la ville ou de la province (sans le 0) en supprimant le 15. Exemple : 0054-9-291-XXX-XX-XX.
– ***Pour appeler l'étranger,*** une solution consiste à se rendre dans les *locutorios* ou *telecentros,* ces nombreux centres téléphoniques. Éviter, bien sûr, d'appeler à l'étranger depuis un hôtel, la commission prélevée étant souvent

disproportionnée. Les communications internationales sont 50 % moins chères en semaine de 21h à 8h, le samedi à partir de 13h, et les dimanches et jours fériés toute la journée.
- Sinon, on trouve des ***cabines téléphoniques*** à tous les coins de rue, et on peut acheter des télécartes dans les kiosques *(tarjetas)*.
- ***Les appels en PCV*** ne sont pas acceptés dans tous les centres téléphoniques. En cas de refus réitéré, munissez-vous d'une carte de téléphone, composez le 000 et suivez les instructions (après le message vocal, tapez le 1 pour le service international et demandez à passer un PCV à l'opératrice). La formule magique est : *« Hacer una llamada por cobrar »* ou *« Hacer una llamada en pago revertido »*.

Le téléphone portable en voyage

Les téléphones portables captent dans toutes les villes et les zones peuplées. Les coins isolés, en revanche, sont assez mal couverts. Par exemple, dans la cordillère des Andes ou dans certains secteurs de la Patagonie.

Utiliser son propre téléphone

On peut utiliser son propre téléphone portable en Argentine avec l'option « Monde ».
- ***À savoir :*** un téléphone tri-bande ou quadri bande est nécessaire pour les USA et le Canada. C'est également le cas dans plusieurs pays d'Amérique Latine, mais aussi au Japon, où seuls les mobiles 3G/4G fonctionnent. Pour être sûr que votre appareil est compatible avec votre destination, se renseigner auprès de votre opérateur.
- ***Activer l'option « international » :*** pour les abonnés récents, elle est en général activée par défaut. En revanche, si vous avez souscrit à un contrat depuis plus de 3 ans, pensez à contacter votre opérateur pour souscrire à l'option (gratuite). Attention toutefois à le faire au moins 48 h avant le départ.
- De plus en plus de fournisseurs de téléphonie mobile offrent des ***journées incluses dans votre forfait,*** avec appels téléphoniques, SMS, voire MMS et même connexion internet en 3G limitée pour communiquer de l'étranger vers la France. Il s'agit de l'offre *Origami Play* et *Origami Jet* chez Orange, des forfaits *Sensation 3Go, 8Go, 16Go* ou encore du *Pack Destination* chez Free. Les destinations incluses dans votre forfait évoluant sans cesse, ne manquez pas de consulter le site de votre fournisseur.
- ***Tarifs :*** ils sont propres à chaque opérateur et varient en fonction des pays (le globe est découpé en plusieurs zones tarifaires). N'oubliez pas qu'à l'international, vous êtes facturé aussi bien pour les appels sortants que les appels entrants. Ne papotez donc pas des heures en imaginant que c'est votre interlocuteur qui payera !
- ***Internet mobile :*** utiliser la wifi à l'étranger et non les réseaux 3G ou 4G. Sinon on peut faire exploser les compteurs, avec au retour de voyage des factures de plusieurs centaines d'euros ! Le plus sage consiste à ***désactiver la connexion*** « données à l'étranger » (dans « Réseau cellulaire »). Il faut également penser à ***supprimer la mise à jour automatique de votre messagerie*** qui consomme elle aussi des octets sans vous avertir (option « Push mail »). Opter pour le mode manuel.

Bons plans pour utiliser son téléphone à l'étranger

- ***Acheter une carte SIM/puce sur place :*** si vous restez assez longtemps en Argentine, cela peut être une option avantageuse. Il suffit d'acheter une carte SIM/puce locale prépayée *(chip prepago)* et de l'insérer dans son téléphone – préalablement débloqué. On vous attribue alors un numéro de téléphone local et un petit crédit de communication. Avant de signer le contrat et de

payer, essayez si possible la carte SIM/puce du vendeur dans votre téléphone – préalablement débloqué – afin de vérifier si celui-ci est compatible. Ensuite, vous pouvez le recharger selon le montant désiré.
– ***Se brancher sur les réseaux wifi*** est le meilleur moyen de se connecter au Web gratuitement ou à moindre coût. De plus en plus d'hôtels, restos et bars disposent d'un réseau, payant ou non.
– Une fois connecté grâce au wifi, à vous les joies de la ***téléphonie par Internet*** ! Le logiciel ***Skype,*** le plus répandu, vous permet d'appeler vos correspondants gratuitement s'ils sont eux aussi connectés, ou à coût très réduit si vous voulez les joindre sur leur téléphone. Autre application qui connaît un succès grandissant, ***Viber*** permet d'appeler et d'envoyer des SMS, des photos et des vidéos aux quatre coins de la planète, sans frais. Il suffit de télécharger – gratuitement – l'appli sur son smartphone, celle-ci se synchronise avec votre liste de contacts et détecte automatiquement ceux qui ont *Viber*. Même principe, mais sans la possibilité de passer un coup de fil, ***Whatsapp Messenger*** est une messagerie pour smartphone qui permet de recevoir ou envoyer des messages photos, notes vocales et vidéos. La 1re année d'utilisation est gratuite, ensuite elle coûte 0,99 US$/an.

En cas de perte ou de vol de votre téléphone portable

Suspendre aussitôt sa ligne permet d'éviter de douloureuses surprises au retour du voyage ! Voici les numéros des quatre opérateurs français, accessibles depuis la France et l'étranger :
– ***SFR :*** *depuis la France,* ☎ *1023 ; depuis l'étranger,* 📱 *+ 33-6-1000-1023.*
– ***Bouygues Télécom :*** *depuis la France comme depuis l'étranger,* ☎ *0-800-29-1000 ; depuis l'étranger* ☎ *+ 33-1-46-00-86-86.*
– ***Orange :*** *depuis la France comme depuis l'étranger,* 📱 *+ 33-6-07-62-64-64.*
– ***Free :*** *depuis la France,* ☎ *3244 ; depuis l'étranger,* ☎ *+ 33-1-78-56-95-60.*
Vous pouvez aussi demander la suspension de votre ligne depuis le site internet de votre opérateur.

Internet

La grande majorité des hébergements propose un accès Internet et wifi gratuit à ses clients. Dans de rares cas, l'accès est payant. Sinon, vous trouverez des centres Internet que l'on appelle des *locutorios* (où l'on trouve à la fois des cabines téléphoniques et presque toujours des postes d'ordinateur avec connexion Internet) dans toute ville de moyenne importance. Prix d'une connexion : de 5 $Ar de l'heure à une vingtaine de $Ar en Patagonie (El Chaltén notamment !).

TRANSPORTS

▸ Pour la carte des distances, se reporter au cahier couleur.

Avion

Étant donné les distances, l'avion est, pour ceux qui en ont les moyens, la meilleure solution pour se déplacer en Argentine et en voir un maximum. Les grandes villes sont assez bien desservies, la plupart du temps quotidiennement. *Aerolineas Argentinas* et *LAN Argentina,* les deux principales compagnies, couvrent la totalité du pays. Revers de la médaille : elles pratiquent des tarifs « nationaux » et « étrangers », les seconds étant bien plus chers sur certaines liaisons. Il est parfois préférable d'acheter les billets d'avion pour les vols intérieurs en France, en même temps que le vol transatlantique.

– Une précision importante : il n'est pas rare que les vols aient du retard. Mieux vaut prévoir large si vous avez prévu de poursuivre votre voyage par un vol international. En cas de retard pour la connexion avec votre vol de retour vers l'Europe, prenez la précaution d'appeler la compagnie utilisée pour ce vol afin d'obtenir un siège sur un vol suivant.
– ***Les taxes d'aéroport :*** elles sont désormais toutes incluses dans le prix du billet d'avion. Il reste néanmoins quelques exceptions comme les taxes des aéroports à El Calafate (38 $Ar), Ushuaia (30 $Ar) et Trelew (32 $Ar).

■ ***Aerolineas Argentinas-Austral :*** *plusieurs bureaux à Buenos Aires ; agence centrale sur Perú, 2. ☎ 43-20-20-00. Lun-ven 9h-18h ; sam 9h-12h. Résa individuelle : ☎ 081-02-22-86-52 (24h/24) ou 43-40-77-77. • aerolineas.com.ar •* Depuis les années 1990, la compagnie nationale a été privatisée et a subi maintes crises et rachats. En 2011, l'état de la compagnie semble meilleur et plus stable. Les prix des vols domestiques sont encore élevés. La compagnie propose néanmoins un *pass* (moins cher pour les ressortissants argentins) plus avantageux si le vol transatlantique est effectué sur Aerolineas.
■ ***LAN Argentina :*** *Cerrito, 866, angle Paraguay, Buenos Aires. ☎ 43-78-22-00 (call center). Lun-ven 9h-18h. Représenté en France par TAM Airlines. ☎ 0821-23-15-54 (0,15 €/mn). Lun-ven 9h30-17h30. Slt par tél. • lan.com •* Flotte moderne. Meilleur service que sur Aerolineas. Réseau de plus en plus dense en Argentine. Propose aussi des liaisons avec les principales villes d'Amérique du Sud et les pays limitrophes, ainsi que le South America Airpass, qui permet de voyager sur l'ensemble du réseau LAN Airlines (90 destinations en Amérique du Sud). Vendu en France avant le départ.
■ ***Andes :*** *Córdoba, 755, Buenos Aires. Ou à l'aéroport Jorge Newbery (vols domestiques). ☎ 0810-777-26-337 (depuis l'Argentine) ou ☎ (011) 45-08-67-50 ou 48-45-01-10 (bureau à Aeroparque Jorge Newbery). • andesonline.com •* Tarifs compétitifs entre Buenos Aires, Iguazú, Bariloche, Córdoba, Puerto Madryn et Salta.
■ ***LADE (Lineas Aereas del Estado) :*** *Perú, 714, San Telmo, Buenos Aires. ☎ 53-53-23-87 ou 0810-810-52-33. • lade.com.ar •* Liaisons dans toute la Patagonie à des prix attractifs, mais les horaires ne sont pas toujours fiables.

Bus

▲ BUSBUD.COM

• busbud.com •
Busbud est un service en ligne et sur mobile qui permet de rechercher, comparer et réserver des billets de bus à travers le monde. Pour obtenir une réduction exclusive sur votre trajet, rendez-vous sur *• busbud.com •* ou sur l'application mobile Busbud et tapez le code promo « ROUTARD2015 » lors de votre commande (code à usage unique).
Les Argentins l'appellent *bondi* (à Buenos Aires) ou *colectivo* pour les bus urbains et *micro* ou *ómnibus* pour les moyennes ou longues distances. Comme on s'en rend rapidement compte, c'est un moyen de transport très utilisé pour les grandes et moyennes distances. En effet, les bus sont en général sûrs et confortables, avec des fauteuils larges et plus ou moins inclinables (on les appelle alors *coche cama* ou *semi-cama*). Certaines compagnies servent des en-cas froids ou de véritables repas avec, parfois, café et jus d'orange en libre-service (généralement en supplément). Les bus sont fiables et on peut y dormir pendant les trajets de nuit. Bien que les tarifs aient augmenté ces derniers temps, ils permettent de réaliser jusqu'à 50 % d'économie par rapport aux vols *Aerolineas Argentinas*. La plupart des bus effectuant de longues distances font leur trajet de nuit, il y en a peu qui partent en journée. Les routes sont assez bonnes, mais on risque de se

Distances en km	BARILOCHE	BUENOS AIRES	CÓRDOBA	EL CALAFATE	LA RIOJA	MENDOZA	POSADAS	PUERTO MADRYN	RÍO GALLEGOS	SALTA	SAN JUAN	SAN M. DE TUCUMÁN	USHUAIA
BARILOCHE		1 575	1 575	1 425	1 720	1 215	2 505	930	1 605	2 399	1 385	2 090	1 535
BUENOS AIRES	1 575		701	2 760	1 159	1 044	1 006	1 325	2 484	1 508	1 106	1 202	3 070
CÓRDOBA	1 575	701		2 300	453	675	1 207	1 576	2 583	850	585	546	3 169
EL CALAFATE	1 425	2 760	2 300		3 145	2 640	3 920	1 445	305	3 825	2 810	3 520	565
LA RIOJA	1 720	1 159	453	3 145		580	1 314	1 850	3 036	693	449	389	3 622
MENDOZA	1 215	1 044	675	2 640	580		1 794	1 485	2 715	1 268	168	964	3 301
POSADAS	2 505	1 006	1 207	3 920	1 314	1 794		2 335	3 476	1 147	1 763	1 070	4 062
PUERTO MADRYN	930	1 325	1 576	1 445	1 850	1 485	2 335		1 225	2 435	1 650	2 128	1 360
RÍO GALLEGOS	1 605	2 484	2 583	305	3 036	2 715	3 476	1 225		3 437	2 799	3 129	586
SALTA	2 399	1 508	850	3 825	693	1 268	1 147	2 435	3 437		1 136	304	4 019
SAN JUAN	1 385	1 106	585	2 810	449	168	1 763	1 650	2 799	1 136		832	3 385
SAN M. DE TUCUMÁN	2 090	1 202	546	3 520	389	964	1 070	2 128	3 129	304	832		3 715
USHUAIA	1 535	3 070	3 169	565	3 622	3 301	4 062	1 360	586	4 019	3 385	3 715	

lasser de ce moyen de transport, vu les distances à parcourir et la monotonie des trajets ! Sachez également que la climatisation est assez forte, il faut donc prévoir des vêtements chauds au cas où... Pensez aussi à prendre des boules Quies, car la télé est souvent omniprésente. Comme les bus sont très utilisés par les Argentins, mieux vaut réserver en période de week-ends et de vacances scolaires. C'est souvent possible par Internet, profitez-en.
Tous les bus sont non-fumeurs, et les places numérotées. Si la ponctualité n'est pas un des grands traits de l'Amérique latine, les bus y font exception puisqu'ils partent et arrivent à l'heure... en général ! Lorsqu'on fait un aller-retour longue distance, il faut acheter les deux billets au même moment, ce qui permet d'économiser parfois jusqu'à 30 % du prix. La carte internationale d'étudiant ISIC peut également permettre d'économiser jusqu'à 20 % auprès de certaines compagnies. Enfin, sachez que le prix varie du simple au presque double en fonction du confort du bus (surtout pour les grandes distances). Les compagnies les plus confortables proposent une connexion wifi à bord. Dernier point, pour ne pas être foudroyé du regard et gratifié d'un « tsst » méprisant, mieux vaut garder des petites pièces au fond de ses poches pour le bagagiste qui, une fois arrivé à destination, sort votre valise de la soute. Il est d'usage que chacun lui remette une *moneda.*

Infos utiles

– Les ***guides Turistel,*** édités en espagnol et en vente dans certaines librairies et kiosques à journaux, découpent l'Argentine en morceaux et vous seront d'une aide précieuse dans tous vos déplacements.
– L'*ACA (Automóvil Club Argentina)* ainsi que *Argenguide* et *Automapa* éditent également des guides et cartes détaillées qu'on trouve généralement dans les kiosques. Infos également sur les sites : • *aca.org.ar* • et • *mapasargenguide.com.ar* •
– Pour connaître les différentes compagnies, les horaires et tarifs : • *plataforma10.com* • Toutes les compagnies n'y figurent pas, mais la liste présentée sur ce site est déjà un bon début pour construire votre itinéraire selon votre budget. Possibilité de réserver en ligne, et liaisons vers la Bolivie, le Brésil, le Chili, le Pérou... Très pratique, même si les réductions qu'on peut obtenir au guichet ne sont pas en ligne.

Quelques sites de compagnies nationales

■ ***Andesmar :*** • *andesmar.com* •
■ ***Cata :*** • *catainternacional.com* •
■ ***Chevallier :*** • *nuevachevallier.com* •
■ ***Crucero del Norte :*** • *crucerodelnorte.com.ar* •
■ ***Flecha Bus :*** • *flechabus.com.ar* •
■ ***San Juan Mar del Plata :*** • *sanjuanmardelplatasa.com* •
■ ***Urquiza :*** • *generalurquiza.com.ar* •

Train

Depuis la privatisation des chemins de fer (en 1992), il ne reste plus que quelques grandes lignes ouvertes en plus des nombreuses lignes de banlieue. Le transport des voyageurs n'a de toute façon jamais été très performant, et la lenteur des trains est vraiment un handicap. La principale ligne de passagers qui subsiste relie la capitale à Mar del Plata et la nouvelle ligne, Córdoba à Buenos Aires. Le *tren patagonico* enfin, relie la côte atlantique (Viedma) à Bariloche. Le choix est donc particulièrement réduit. En fait, même pour ces destinations, on conseille plutôt le bus. Reste la *Trochita,* pour les amateurs, qui va d'Esquel à El Maitén (petit village mapuche) en Patagonie, un train touristique – plus qu'un moyen de transport – effectuant un circuit très court et pittoresque.
Le projet de « tren bala » (TGV) reliant Buenos Aires à Córdoba et Rosario reste fortement controversé. Chaque année, il est évoqué dans la presse, mais rien de

concret n'aboutit sur le terrain. Outre son coût astronomique pour un intérêt relatif, il se murmure que le couple présidentiel, signataire de l'accord, était aussi propriétaire des terrains tout autour de la future gare, avec en projet la construction de casinos... Une question d'intérêts qui choque en Argentine. Crise financière oblige, le projet, signé en avril 2008, a été en suspens quelques années, mais les premiers coups de pioche ont démarré fin 2013 et la ligne devrait avoir vu le jour en 2015. À suivre...

Location de voitures

Les grandes compagnies sont présentes dans de nombreuses grandes villes. Si cette solution est pratique, elle est tout de même chère (presque les mêmes prix qu'en France). Si vous êtes épris de liberté ou inconditionnel de la voiture, la meilleure solution consiste à faire les grandes distances en avion et à prendre des voitures louées au niveau de vos différents points de chute (de préférence, en ayant réservé à l'avance). Les formules à kilométrage illimité tendent à s'étendre mais ne sont pas encore la règle. En revanche, les frais de *drop-off* peuvent être très élevés, surtout quand on passe d'une province à l'autre. Il faudra donc souvent estimer les distances à parcourir pour obtenir un prix. Pour aller au Chili et au Brésil, prévenez l'agence pour qu'elle fasse les démarches nécessaires et vous délivre un document de sortie du territoire (prévoir un surcoût). Les démarches prennent de 1 jour à près de 3 semaines selon les lieux et les compagnies ; mieux vaut donc anticiper !

Conduire en Argentine ne pose aucun problème majeur. Même si le comportement de certains chauffards et la rareté de la signalisation (dans le Nord-Ouest en particulier) peuvent demander un temps d'adaptation. Il est d'usage de rouler avec ses ***feux de croisement allumés,*** même en plein jour. Quant aux ***limitations de vitesse,*** elles sont fantaisistes. Des policiers nous en ont même fait l'aveu ! Les autorités mettent « 30 » ou « 40 » en espérant que les gens ne dépasseront pas le double. Officiellement, c'est 40 en ville, 90 sur les nationales et 110 km/h sur les doubles voies. Bon à savoir, ***la priorité à droite n'existe pas*** ! Sinon, quelques péages sur les nationales (par exemple à l'entrée de Salta) et entre certaines provinces. Pensez aussi à vérifier l'état des essuie-glaces, essentiels en cas de fortes pluies.

- ***Formalités et pièces requises :*** le permis international est en principe demandé, ainsi que le passeport et une carte de paiement internationale.
- ***Stations-service :*** très nombreuses. Compter environ 12 $Ar/l pour le carburant sans plomb *(especial)* et 10 $Ar/l pour le diesel. Prix toutefois indicatifs, crise du pétrole oblige...
- Le ***GPS*** peut être utile, surtout dans les grandes villes, mais il est parfois en panne d'ondes satellite, par exemple dans les régions isolées. Assurez-vous d'avoir la carte-mémoire de l'Argentine dans votre appareil.

■ ***Auto Escape :*** ☎ *0892-46-46-10 (0,34 €/mn).* • *autoescape.com* • *Vous trouverez également les services d'*Auto Escape *sur* • *routard.com* • *Auto Escape offre 5 % de remise sur la location de voiture aux lecteurs du* Routard *pour toute réservation par Internet avec le code de réduction « GDR15 ». Résa à l'avance conseillée.* L'agence *Auto Escape* réserve auprès des loueurs de véhicules de gros volumes d'affaires, ce qui garantit des tarifs très compétitifs.

■ ***BSP Auto :*** ☎ *01-43-46-20-74 (tlj 9h-21h30).* • *bsp-auto.com* • Les prix proposés sont attractifs et comprennent le kilométrage illimité et les assurances. *BSP Auto* vous propose exclusivement les grandes compagnies de location sur place, vous assurant un très bon niveau de services. Les plus : vous ne payez votre location que 5 jours avant le départ + réduction spéciale aux lecteurs de ce guide avec le code « routard ».

Et aussi :

■ ***Avis,*** ☎ *0821-230-760 (0,12 €/mn).* • *avis.com.ar* •

■ ***Europcar,*** ☎ *0825-358-358 (0,15 €/mn).* • *europcar.com.ar* •

■ ***Hertz,*** ☎ *0825-861-861 (0,15 €/mn).* • *hertz.com* •

Taxis

Un excellent mode de déplacement pour la capitale, surtout quand on veut changer de quartier. Même si les tarifs augmentent régulièrement, la course est relativement bon marché. En prime, on est sûr de dégoter un taxi dans la minute, ils abondent à Buenos Aires ! Les taxis argentins sont facilement identifiables car ils sont tous peints en noir et jaune. En province, si vous voulez visiter les environs d'une ville ou un site isolé, envisagez la location d'un taxi *remis* à la journée. Prix à négocier. Veillez seulement à respecter quelques règles de prudence (reportez-vous plus haut à la rubrique « Dangers et enquiquinements »).

HOMMES, CULTURE, ENVIRONNEMENT

Tango, gauchos, Pampa, Patagonie, Terre de Feu, Ushuaia, Maradona, Eva Perón, Fangio, Borges... Tant de noms évocateurs de l'Argentine. Son nom même vient du latin *argentum,* qui signifie « argent », *plata* en espagnol. À l'époque de la conquête, l'usage de ce nom s'est étendu pour désigner un territoire à l'embouchure du fleuve découvert par Solís, postérieurement appelé *río* de la Plata en raison de la prolifération d'objets en argent offerts par les autochtones aux conquistadores.
Quand on suit du doigt sur une mappemonde les contours de ce pays, on sent déjà le goût et la magie de l'aventure. De la cordillère des Andes aux chutes d'Iguazú, en passant sur les steppes de Patagonie et le littoral atlantique, les éléments naturels en Argentine possèdent une dimension théâtrale. Des premiers explorateurs aux touristes modernes, en passant par les aventuriers comme Bruce Chatwin, tous ont fait sur cette terre du bout du monde l'ultime voyage... celui de la confrontation avec la terre et l'esprit de l'Amérique latine.

BOISSONS

– ***L'eau*** est potable dans tout le pays. Cependant, pour éviter de prendre des risques, vous pouvez boire de l'eau en bouteille, dont de très bonnes eaux minérales, plates ou gazeuses (« *sin gas* » ou « *con gas* »).
– En Argentine, le ***soda*** désigne une eau gazeuse non minérale que l'on sert au restaurant dans une bouteille appelée *sifón,* lequel *sifón de soda* a d'ailleurs été inventé par un Argentin du nom de Drago (1965). C'est un système de pression, aujourd'hui encapuchonné de plastique. On en trouve de merveilleux exemplaires anciens en verre teinté, tout harnachés de métal, dans les brocantes, notamment à San Telmo, quartier de Buenos Aires. Les Argentins l'utilisent souvent pour couper leur vin... ce qui ne manquera pas de choquer nos lecteurs œnophiles !
– ***Les boissons gazeuses*** *(gaseosas),* dont les Argentins sont grands consommateurs, se trouvent également partout. Au resto, on les commande souvent par bouteille de 2 l, pour toute la tablée ! Outre les Coca-Cola (le chouchou), Pepsi, Seven Up, Sprite, Fanta, etc., on trouve aussi des boissons « locales » à base de jus de pamplemousse *(Quatro Pomelos, Paso de los Toros).* De fait, les mêmes multinationales se cachent derrière ces noms exotiques.
– Autre boisson répandue, le ***licuado,*** mélange de fruits et de lait (ou d'eau). Les plus répandus sont ceux à la banane. Délicieux. En outre les ***jus de fruits*** sont souvent naturels.
– On trouve aussi des poudres que l'on dilue dans de l'eau fraîche, pour préparer des boissons rafraîchissantes. La marque la plus connue est ***Ser*** (celle des yaourts), et le résultat plutôt réussi pour du purement chimique... Il existe également une sorte de sirop (plus amer) à base de plantes ou d'agrumes que les Argentins mélangent avec de l'eau plate ou gazeuse, vendu sous la marque ***Terma.***

– Le ***café*** est souvent de bonne qualité, influence italienne oblige ! D'ailleurs, comme en Italie, il est toujours servi avec un verre d'eau, parfois gazeuse, et même souvent avec un biscuit. On le prend *corto (espresso), cortado* (court avec une goutte de lait) ou bien *con leche* (au lait). Si vous préférez plus de lait que de café, demandez *una lágrima.* Enfin sachez qu'en auberge de jeunesse ou chez l'habitant, vous ne trouverez généralement que du café soluble.
– Les consommateurs de ***bière*** *(cerveza)* seront contents, on en trouve partout, à des prix raisonnables. Les plus répandues : la *Quilmes,* qui porte les couleurs du drapeau argentin, et la *Andes* que l'on trouve tout au long de la Cordillère. Dans le Nord-Ouest, on boit plutôt de la *Salta.* Les marques américaines *(Budweiser)* et brésiliennes *(Brahma)* sont également présentes. Et puis, il y a les européennes *Stella Artois* ou *Weinert.* Méfiez-vous seulement de la taille des bouteilles servies : dans bien des endroits, on ne trouve que des grandes bouteilles de 75 cl. Demandez *chica* pour une petite bouteille (s'il y en a) ou encore *lata* pour une canette et *chop* pour une bière pression de 30 cl. À plusieurs, optez pour *una grande.* Quelques bières régionales également : *El Bolsón* (souvent garantie bio !) et *Araucana* en Patagonie, *Andes* à Mendoza, *Cape Horn* à Ushuaia, *Antares* produite à Mar del Plata, *Munster* et *Los Cardos* à Buenos Aires.
– ***Le vin :*** le vin argentin n'est pas seulement un produit d'exportation à succès avec 240 *bodegas* reconnues qui produisent 12 millions d'hectolitres sur 215 000 ha de vignobles. C'est une boisson populaire consommée avec modération, certes, mais couramment. Au resto ou chez soi, entre amis ou en famille, blanc ou rouge. Signe extérieur de cette tradition bien ancrée : au plus fort de la crise, tous les commerces proposaient des demi-bouteilles. Qu'on se restreigne, d'accord, mais de là à se priver d'un bon vin, c'est une autre histoire !
Les deux tiers des vins argentins proviennent de la région de Mendoza, dans l'ouest du pays. Les rouges se taillent la part du lion, soit 60 % de la production : syrah, bonarda, criolla, tempranillo, sanglovese, merlot, pinot noir, cabernet-sauvignon et surtout, le plus connu et le plus savoureux, le ***malbec,*** implanté en Argentine en 1868 par Michel Pouguet, un agronome français. À l'origine, ce cépage provient de la région de Cahors (France). Aujourd'hui l'Argentine représente la plus grande surface viticole au monde pour la production de vin issu du malbec.
Les blancs ensuite, avec 40 % de la production : muscat d'Alexandrie, pedro ximénez, chenin, ugni blanc, sémillon, chardonnay et surtout torrontés, dans la région de Salta.
San Juan et La Rioja produisent d'excellents vins, tandis que les blancs et rouges de Cafayate sont les meilleurs du pays. On distingue le *vino de mesa* (vin de table, alias *vino común*), très moyen, et le *vino fino,* qui est excellent, y compris du point de vue de son rapport qualité-prix. Les *vinos pateros* sont produits en petite quantité et sans aucun conservateur (d'où leur courte durée de vie).
Attention, lourd et gorgé de soleil, avec une belle robe, du nez et une bonne attaque, même s'il manque parfois de longueur en bouche, le vin argentin tourne vite la tête. Quand il fait chaud, le *vino común* est parfois allongé d'eau gazeuse – oui ! –, quand il n'est pas servi avec des glaçons. Dans tous les cas, le climat et le soleil des Andes accordent une saveur caractéristique au vin.
– Enfin, essayez de goûter à la boisson nationale : la ***yerba mate*** (voir la rubrique « *Mate* » que nous lui consacrons plus loin).

CINÉMA

Le cinéma argentin est l'un des plus dynamiques d'Amérique du Sud, connaissant un renouveau depuis le début des années 1990, avec quelques réalisateurs (Carlos Sorín et Fabian Bielinski en tête) reconnus sur la scène internationale et invités dans tous les grands festivals. Voici une liste non exhaustive de films à voir – ou à revoir – avant ou au retour d'un périple en Argentine.

– ***El Secreto de sus ojos*** *(Dans ses yeux)*, de Juan José Campanella, 2009. Adapté du roman policier d'Eduardo Sacheri, *La Pregunta de sus ojos*. Oscar du meilleur film étranger 2010. En 1974, à Buenos Aires, le juge Benjamin Esposito (Ricardo Darín) enquête sur le meurtre violent d'une jeune femme. Vingt-cinq ans plus tard, il décide d'écrire un livre basé sur cette affaire classée qui le hante toujours. Un polar doublé d'une véritable histoire d'amour, efficace, passionnant, superbement joué et filmé. L'occasion aussi d'une nouvelle immersion dans l'Argentine des années noires de dictature militaire.

– ***Carancho,*** de Pablo Trapero, 2010. Sosa est un *carancho* (« rapace »), un avocat spécialisé dans les accidents de la circulation à Buenos Aires. Sur fond d'arnaque aux assurances et de corruption, il profite sans scrupules des nombreuses victimes et part tous les soirs à la recherche de clients potentiels. Une nuit, il fait la connaissance de Luján, une urgentiste toxicomane, qui enchaîne les heures de travail. Leur histoire d'amour commence là, dans la rue. Un thriller social sur fond de romance, à la fois âpre, violent et désespéré. Du même réalisateur, avec toujours l'actrice Martina Gusman, l'excellent ***Leonera*** (2008).

– ***Nueve reinas*** *(Les Neuf Reines)*, de Fabian Bielinski, 2000. Grand Prix et Prix Première du public au Festival de Cognac 2002. À Buenos Aires, Juan et Marcos, deux petits filous, font connaissance un matin et se voient impliqués dans le même cambriolage. Durant 24h, ils décident de s'associer pour voler une planche de neuf timbres très rares, les neuf reines, qu'ils doivent revendre à un collectionneur vénézuélien. Mais dans cette jungle d'escrocs, qui arnaque vraiment l'autre ?

– ***El Abrazo partido*** *(Le Fils d'Elias)*, de Daniel Burman, 2003. Ours d'argent, Grand Prix du jury et Prix d'interprétation à Berlin (2004). Buenos Aires, quartier juif. Elias, la trentaine, n'a jamais vu son père, installé en Israël. Comme tous les jeunes de son âge, il rêve de décrocher un passeport pour aller travailler en Europe. Fuyant autrefois l'Holocauste, ses grands-parents quittèrent la Pologne pour se réfugier en Argentine. L'occasion pour Elias de renouer avec ses racines polonaises et, qui sait, son père.

– ***El Hijo de la novia*** *(Le Fils de la mariée)*, de Juan José Campanella, 2001. Nominé pour l'oscar du meilleur film étranger en 2002. Rafael, divorcé et père d'une fille dont il a la garde, traverse la crise de la quarantaine. Patron d'un petit resto familial à Buenos Aires, au bord de la faillite, on suit ses histoires toujours compliquées avec les femmes, la maladie d'Alzheimer de sa mère... Il devra aider son père à accomplir le rêve de sa mère : un mariage en blanc à l'église !

– ***Bombón el perro,*** de Carlos Sorín, 2004. Prix de la critique internationale à San Sebastián en 2004 et prix de la Critique argentine en 2005. Juan vient d'être viré d'une station-service paumée en Patagonie où il a travaillé la moitié de sa vie. Un homme seul qui se donne du mal pour gagner sa vie (interprétation épatante de l'ancien chauffeur de Sorín !). Mais un jour, il reçoit un beau dogue argentin comme récompense pour son boulot. Le chien changera sa vie personnelle et professionnelle. Une histoire à la fois dure et tendre, sur des instincts qui ne se commandent pas.

– ***La Historia oficial*** *(L'Histoire officielle)*, de Luis Puenzo, 1985. Prix d'interprétation féminine à Cannes en 1985 et oscar du meilleur film étranger en 1986. Au lendemain de la dictature militaire, la vie d'Alicia bascule avec le retour d'une amie exilée et sa rencontre avec une grand-mère de la *Plaza de Mayo*. Qui sont les vrais parents de la fille qu'elle et son mari, Roberto, ont adoptée ? Une enquête qui la mènera à une douloureuse prise de conscience de l'histoire récente de l'Argentine.

– ***Carnets de voyage,*** de Walter Salles, 2003. Meilleure musique et meilleur film en langue étrangère au BAFTA en 2005. En 1952, Ernesto Guevara a 23 ans et entreprend un périple, en moto d'abord, puis à pied, à travers l'Argentine, le Chili, le Pérou, le Venezuela... Basé sur les carnets du Che et d'Alberto Granado, son

compagnon de route, le film raconte une étape peu connue de la vie d'Ernesto Guevara, qui a initié son engagement politique.
– ***Che,*** de Steven Soderbergh, 2008. Prix d'interprétation masculine à Cannes (Benicio del Toro). L'adaptation cinématographique de la biographie du guérillero argentin écrite par le journaliste Pierre Kalfon aborde les événements qui ont marqué la vie du Che. Pendant environ 4h30, Benicio del Toro incarne avec ferveur les passions et les vicissitudes du *comandante.*
– ***Evita,*** d'Alan Parker, 1996. Oscar de la meilleure chanson originale en 1997 et trois Golden Globes en 1997, notamment de la meilleure comédie musicale. Pour nos lecteurs(trices) fleur bleue. Version hollywoodienne du mythe Eva Perón. Madonna et Antonio Banderas sont les stars de cette comédie musicale sucrée.

EVITA-MADONNA ?

Alan Parker a adapté son histoire au cinéma avec Madonna dans le premier rôle, ce qui a provoqué quelques remous pendant le tournage, les Argentins ne voyant pas d'un très bon œil le fait qu'une « punkette » américaine incarne leur sainte Evita... L'équipe a donc pris la fuite pour finir le film à Budapest.

– ***Mission,*** de Roland Joffé, 1986. Palme d'Or à Cannes en 1986. Une formidable fresque épique inspirée des faits réels de la colonisation au XVIIIe s, au Paraguay, au Brésil et en Argentine. Alors que l'Espagne et le Portugal se disputent les territoires, le jésuite Gabriel (Jeremy Irons) croise Mendoza (Robert de Niro), un marchand d'esclaves repenti dans la province tropicale du Nord-Est argentin. Cherchant à expier le meurtre de son frère, Mendoza s'allie au jésuite pour essayer de sauver les Guaraní, une communauté indienne pacifiste en péril.
– ***Infancia clandestina,*** de Benjamín Avila, 2013. 1979, l'Argentine est gouvernée par la junte militaire de Videla. Juan, un garçon de 12 ans, et sa famille, membre de l'organisation Montoneros, sont de retour à Buenos Aires sous une fausse identité après des années d'exil à Cuba. Alors que sa famille s'organise activement dans la résistance, Juan tente de trouver sa place dans ce quotidien clandestin et de vivre son amour naissant avec la jeune Maria. Une jolie histoire traitée avec justesse et tendresse. L'occasion de découvrir la dictature de Videla à travers les yeux d'un enfant.

CUISINE

La gastronomie est l'une des pierres angulaires de la culture argentine, et les restaurants pullulent littéralement. Ils sont globalement assez abordables, en tout cas si on s'en tient aux classiques de la cuisine locale. En outre, même les établissements les plus modestes ne lésinent pas sur la quantité... Certains bénéficient même des « 3B », pour *bueno, bonito, barato* (bon, beau, bon marché).
Un rappel, dans les restos, le service n'est pas toujours inclus, et il est d'usage d'ajouter environ 10 % au total. ***Les couverts et le pain sont souvent facturés (el cubierto).***
À noter : les Argentins mangent tard. Ils déjeunent entre 13h et 16h et dînent rarement avant 21h30, voire plus tard à Buenos Aires.

La viande

Lecteurs végétariens, en Argentine, vous risquez l'anorexie ! Le légume est l'ennemi public numéro 1, tout juste toléré pour la décoration (on ne compte pas les frites !). L'élément principal de la cuisine argentine, c'est bien évidemment la viande, et en particulier la viande de bœuf. Les plaines immenses de la Pampa ont favorisé l'élevage extensif de troupeaux bovins. Le bœuf argentin n'a pas grand-chose à voir avec la viande que nous connaissons. Elle est vraiment très tendre, « viandeuse », comme disent les bouchers, puisque les troupeaux se nourrissent de l'herbe grasse de la Pampa (et de céréales OGM !).

– Les morceaux servis dans les restaurants sont en général bien plus gros que ceux que l'on sert en Europe. Le meilleur choix, à notre avis : le ***bife de lomo,*** talonné par le ***bife de chorizo.*** Un régal ! Attention, un *baby-beef* fait souvent autour de 500 g ! Les viandes d'agneau ***(cordero)*** et de mouton ***(carnero)*** sont également bonnes, mais on n'en trouve théoriquement que de novembre à mars. Coup de cœur également pour le ***cabrito,*** le chevreau, souvent cuisiné en ragoût, et, dans le nord-est, pour le lama, vraiment succulent. On pourra aussi déguster du gibier, du sanglier, de la perdrix, du cerf... Une formule originale que vous rencontrerez de temps à autre dans les villes : le ***tenedor libre,*** un buffet de viande « à volonté ». De quoi se gaver de protéines (pour pas trop cher, en plus) !

Le plat de base argentin (l'équivalent de notre steak-frites) est la ***milanesa,*** sorte d'escalope (de bœuf ou de poulet) panée très fine et large. On en propose dans tous les restos et c'est souvent le plat le moins cher de la carte. On trouve aussi la *milanesa a la napolitana* : elle est alors recouverte d'une omelette et sauce tomate. La *milanesa a la suiza* est recouverte d'une fine tranche de jambon, sauce tomate et fromage râpé. De quoi caler son homme !

Les abats – ***tripa gorda*** (gros intestin), ***chinchulines*** (intestin grêle), ***ubre*** (mamelle), ***riñones*** (rognons) et ***molleja*** (ris de veau) – sont de vraies gourmandises pour les Argentins, qui en raffolent.

Les différents ***types de cuisson*** sont *bien hecho* (bien cuit), *a punto* (à point), *jugoso* (saignant) et *vuelta y vuelta* (bleu). La viande se mange en général très cuite, vous avez donc intérêt à demander un degré de cuisson en dessous de celui que vous demandez habituellement. Insistez en particulier si vous la voulez bleue, car les Argentins n'y sont pas habitués.

– La cuisine des gauchos est la plus répandue. Il s'agit de viande cuite à la braise, le célèbre ***asado*** *(grillade party).* C'est une institution en Argentine : pas une famille qui n'ait un barbecue dans son jardin ! On va jusqu'à les indiquer dans les descriptifs des maisons en location *(el quincho)* et des hôtels... Si vous êtes invité à un *asado* chez des Argentins, n'oubliez pas de féliciter le cuisinier au début du repas : *« un aplauso para el asador ! »*

Dans la plupart des restaurants, on vous propose la ***parrillada*** (assortiment de viandes cuites à la braise). On vous apporte une sorte de minigril (la *parrilla*) pour maintenir la viande au chaud. On vous sert alors essentiellement des filets de bœuf *(lomo),* entrecôtes *(bife ancho),* boudins *(morcilla),* faux-filet *(bife angosto),* abats et chorizo, cette délicieuse saucisse qu'on ne trouve que là-bas. Sans oublier le très populaire *asado de tira,* (« côtes levées » canadiennes ou *ribs* américaines), coupé transversalement en fines lanières. Curieusement, le poulet peut être tranché dans le sens de la longueur et aplati sur le grill ! Tous les morceaux de viande de bœuf sont marinés dans une sauce forte mais savoureuse, à base d'huile d'olive, ail et persil, appelée ***chimichurri.***

CHIMICHURRI (PRONONCEZ « TCHI-MI-TCHOU-RI »)

On dit que cette sauce locale à base de tomates, huile d'olive, origan, thym, laurier, piment, persil, ail, parmi d'autres condiments et épices, accompagnant l'asado (barbecue), tient son origine des Écossais venus s'installer en Patagonie. Ces derniers, pour accompagner leur plat de viande, demandaient l'assaisonnement par une composition de différents mots : « che » *(l'incontournable expression argentine),* « me » *(« moi » en anglais) et* « curry » *se seraient transformés en* « chimichurri ». *Cette sauce s'achète aussi toute faite au supermarché.*

Une *parrillada* est un plat plus que consistant et mieux vaut avoir de l'appétit ! Si vous ne vous sentez pas d'attaque pour tout avaler, n'hésitez pas à commander une *parrillada* pour deux *(a compartir)*, personne ne sera offusqué (c'est d'ailleurs une pratique courante en Argentine).
Enfin, le ***choripán,*** hot-dog argentin, est vendu dans la rue, notamment aux abords des stades les soirs de match.

Les légumes

La viande est souvent servie sans garniture ; il faut donc commander les légumes en supplément. Au choix : des salades (la *ensalada mixta* comprend laitue, tomates et oignons), des frites *(papas fritas)* ou des purées. On vous conseille les purées de citrouille *(puré de calabaza)* et de patate douce *(puré de batata),* tout simplement délicieuses. Attention au moment de la commande, car parfois, les serveurs ont tendance à pousser à la consommation. Et tout comme pour la viande, les légumes cuits sont souvent laissés un peu trop longtemps dans la marmite... Si vous aimez le craquant, optez donc pour les feuilles vertes, et demandez l'huile et le vinaigre à part *(oliva y aceto)* afin d'assaisonner vous-même votre salade.

Le poisson

Même si l'Argentine présente une façade maritime importante, le poisson y est assez peu consommé et cher. Les poissons de rivière et de lac font parfois exception, comme la truite ***(trucha)*** en montagne – dans le *Noroeste* et vers Bariloche en particulier. Le saumon blanc de mer est à goûter au nord-est de la Patagonie, dans la région de Puerto Madryn. En Terre de Feu, on se régale d'araignée de mer ***(centolla).*** Gare aux sauces, qui ont tendance à dangereusement noyer le poisson ! Si vous n'en voulez pas, précisez-le à la commande ou demandez le poisson *a la parrilla*.

Les plats régionaux

Il existe de nombreux plats typiques (les ***criollos***) dont le must est l'***empanada,*** sorte de chausson fourré au choix de bœuf *(carne),* de poulet *(pollo),* de jambon et fromage *(jamón y queso)* ou de maïs *(choclo),* pour ne citer que les plus connues. En fait, il en existe une variété infinie ; celles au « queso azul » sont plus savoureuses dans le Nord que partout ailleurs dans le pays, plus petites aussi, avec parfois des combinaisons différentes (fromage de chèvre, miel, etc.). Les *empanadas* sont cuites au four *(al horno)* ou frites (les premières sont plus légères) et vendues chaudes dans de nombreuses échoppes comme des crêpes ou des sandwichs. Consistantes, elles sont aussi une manière très économique de se nourrir.
Les Argentins sont tellement fous de leurs *empanadas* qu'il existe même un site qui leur est entièrement consacré : • *empanadascriollas.com.ar* •
Les ***tortillas*** (omelettes espagnoles) et ***provoletas*** (morceau de fromage cuit à la *parrilla*) sont conseillées. Dans la rubrique des cuisines du Nord-Ouest, vous trouverez le ***pastel de choclo,*** sorte de gratin cuit au four composé de viande hachée, raisins secs et maïs. Vous pourrez aussi déguster le ***locro,*** soupe de haricots préparée avec du maïs blanc et de la viande de porc qui rappelle un peu le cassoulet. L'***humita*** est une purée de maïs, d'oignons et de poivrons. Les ***tamales,*** connus du nord au sud de l'Amérique latine et présentés dans des feuilles de maïs, sont constitués de farine de maïs et d'œufs. Lentilles et haricots rouges sont beaucoup utilisés dans les potées, plats traditionnels et populaires.

L'héritage italien

– Les ***pâtes*** font partie de l'art culinaire argentin. On les appelle ici ***fideos*** ou ***tallarines*** (les nouilles). À la carte, on trouve le plus souvent des ***raviolis*** et des

sorrentinos (plus grands). La sauce est proposée en supplément, mais noie littéralement les pâtes qu'elles sont censées agrémenter. Qu'elles soient au roquefort, à la tomate ou aux champignons, elles ont à peu près le même goût partout. Demander des pâtes nature paraît incongru ! Un des plats les moins chers, les ***ñoquis*** (gnocchis), se mange traditionnellement le 29 de chaque mois, quand on est un peu à sec. On glisse un billet sous l'assiette en espérant qu'il fera des petits le mois prochain. Dans certains restos, ils sont d'ailleurs gratuits à cette date ! Signalons que dans de nombreux restaurants, les pâtes et les gnocchis sont faits maison, avec une pâte artisanale, légèrement collante, beaucoup plus blanche que celle des pâtes européennes.
- Enfin, essayez les ***pizzas,*** autre plat traditionnel très prisé. La pâte est plus épaisse que celle que l'on consomme d'habitude, un peu plus rigide et « spongieuse » à la fois. Vous verrez que, même si c'est une tradition italienne, les Argentins ont une façon bien à eux de les préparer.
- Influence italienne oblige, les ***fromages*** sont surtout doux et à pâte molle. Quelques fromages secs ont plus de goût et, râpés, ils accompagnent à merveille les pâtes (*reggianito, cascara negra, sardo, provolone,* etc.). Avouons tout de même que ce n'est pas leur spécialité !

Les desserts

- Les Argentins adorent les sucreries et les desserts, au premier rang desquels on trouve le ***dulce de leche,*** une confiture de lait très sucrée (ressemblant assez au *toffee* anglais). C'est vraiment excellent, mais un peu écœurant en trop grande quantité. En fait, les Argentins en raffolent tellement qu'ils s'en servent pour accompagner à peu près tout : crêpes ***(panqueques),*** gâteaux (notamment le ***budín de pan***), salades de fruits, glaces, etc. Nous, on vous le conseille particulièrement avec un flan aux œufs : le très populaire ***flan con dulce de leche*** (ou *flan casero*). Comble de la gourmandise, avec de la chantilly vous obtiendrez un *flan mixto.* Les meilleures marques de *dulce de leche* sont *La Salamandra* et *La Paila.* Celui de *Havanna* est aussi très bon et plus facile à trouver car cette marque possède ses propres cafétérias un peu partout à Buenos Aires. Les ***alfajores,*** sortes de petits gâteaux fourrés au *dulce de leche* et enrobés de sucre glace ou de chocolat, sont un vrai danger pour votre ligne. Vous en trouverez une grande variété dans les *kioscos* (un concept argentin entre le kiosque et la mini-épicerie). *Havanna* est la référence en la matière. Sinon, on trouve le *dulce de leche* et les *alfajores* dans les supermarchés.

QUELQUES GRAMMES DE DOUCEUR...

Composé de lait et de sucre cuits longuement à feu doux, le dulce de leche *est élevé au rang de plat national en Argentine. Il remonte à 1829 selon les Argentins, qui l'attribuent à la cuisinière d'un gouverneur. L'étourdie aurait oublié sur le feu la boisson sucrée qu'elle lui préparait quotidiennement.*

D'autres gourmandises sont à essayer, comme les ***masas,*** des pâtisseries recouvertes de sucre glace et fourrées soit au *dulce de leche,* soit au *dulce de cayote* (confiture de courge), soit au *turrón* (surtout dans le Nord-Ouest). Parmi les ***facturas*** (viennoiseries), très souvent glacées ou couvertes d'une couche de sucre, les ***medialunas*** sont des minicroissants, moins savoureux, plus sucrés et qui collent aux doigts. Mentionnons encore les ***dulces de membrillo*** (pâte de coings), qui ont un goût très « fait maison ». Le ***queso y dulce,*** qui combine un fromage mou de type Port-Salut et une pâte de fruits (généralement de coings ou de patates douces - *batata*), est à ne pas manquer. Tous les restaurants dits « populaires » incluent ce dessert dans leurs menus.

– À Bariloche, la « Suisse argentine », vous pourrez manger de la fondue au fromage, bourguignonne... et même au chocolat !
– Vous ne pouvez pas quitter le pays sans avoir goûté aux glaces ***(helados),*** autre tradition italienne qui s'est enracinée en Argentine. On en répertorie une très grande variété, avec notamment les glaces au *dulce de leche* et au *sambayón* (crème à base d'œuf et de vin *marsala*). Les glaciers *Freddo, Volta* et *Persicco* sont particulièrement renommés.
– Quant aux ***fruits,*** ils sont chers et rarement proposés dans les restos, ou alors... en boîte. La mangue est toutefois récoltée dans le nord du pays, tandis que pommes, poires et fruits rouges (cerises et framboises notamment) sont cultivés en Patagonie.

DROITS DE L'HOMME

La joie des Argentins catholiques de voir un des leurs accéder au Saint-Siège a été quelque peu douchée par les révélations sur le comportement qu'aurait eu durant la dictature l'archevêque de Buenos Aires – pourtant surnommé « l'archevêque des pauvres » en raison de son engagement auprès des démunis. Au pire, Mgr Bergoglio aurait collaboré avec la junte ; au mieux, il se serait tu sur les crimes commis pendant des années. Car l'Argentine n'en finit pas de régler ses comptes avec le passé. Les principaux responsables du régime des militaires ont désormais tous été jugés. Mort en mai 2013, l'ancien dictateur Jorge Videla avait ainsi été condamné à perpétuité, tout comme l'un de ses successeurs Reynaldo Bignone. Au total, ce sont près de 400 anciens responsables qui ont été condamnés, et plusieurs centaines d'autres sont actuellement poursuivis. Un nouveau dossier vient de s'ouvrir, avec le procès du plan « Condor », sorte de coopération régionale interdictatoriale contre la dissidence de gauche en Amérique latine, qui a vu le jour dans les années 1970. Mais les procès ne règlent pas tout et les affaires d'enfants de « disparus » adoptés par des familles proches du régime continuent d'alimenter les chroniques des journaux. 500 d'entre eux auraient ainsi été retrouvés par les « Grands-Mères de la place de Mai ». Aujourd'hui encore, beaucoup de problèmes demeurent en Argentine. Les ONG dénoncent notamment les actes de harcèlement perpétrés par des groupes privés, ainsi que les discriminations ou les expropriations illégales subies par les populations autochtones. Les Mapuches se sont ainsi révoltés il y a peu pour protester contre des projets d'exploitation de gaz de schiste sur leurs terres. D'une manière générale, le climat politique et médiatique se tend dans le pays, Cristina Kirchner étant soupçonnée de vouloir à terme modifier la constitution pour briguer un troisième mandat. La réforme de la justice continue par ailleurs de susciter des résistances, certains estimant qu'elle aboutira à une mise sous contrôle du système judiciaire par l'exécutif. Dans un autre registre, le droit à l'avortement en cas de viol a progressé, avec une décision de la Cour suprême autorisant des femmes à y avoir recours, même sans avis judiciaire. Mais les freins politiques et religieux demeurent très puissants. Une loi historique adoptée par le Sénat en juillet 2010 a néanmoins vu l'Argentine devenir le premier pays d'Amérique latine à adopter le mariage homosexuel, mais là encore, non sans une résistance farouche de la part de l'Église... et de celui qui n'était pas encore pape.

■ ***Amnesty International, section française :*** *76, bd de la Villette, 75940 Paris Cedex 19.* ☎ *01-53-38-65-65.* ● *amnesty.fr* ● Ⓜ *Belleville ou Colonel-Fabien.*

■ ***Fédération internationale des Droits de l'homme :*** *17, passage de la Main-d'Or, 75011 Paris.* ☎ *01-43-55-25-18.* ● *fidh.org* ● Ⓜ *Ledru-Rollin.*

N'oublions pas qu'en France aussi, les organisations de défense des Droits de l'homme continuent de se battre contre les discriminations, le racisme et en faveur de l'intégration des plus démunis.

ÉCONOMIE

L'économie argentine repose traditionnellement sur l'agriculture (10 % du PIB et près de 55 % des exportations). L'élevage bovin a longtemps mené la danse, jusqu'à ce qu'il soit détrôné, ces dernières années, par les cultures (blé, maïs, tournesol et surtout soja OGM), entraînant l'expansion de la frontière agricole sur des zones de jachère, de bois natif ou d'élevage – un souci écologique et social majeur. Aujourd'hui, le soja est la première culture du pays, et l'Argentine s'est imposée comme le 3e exportateur mondial (le 1er pour l'huile de soja). Les cultures se répandent tant et si bien que récemment le pays dut importer de la viande du Brésil voisin pour satisfaire sa demande intérieure !
Le secteur industriel (près de 20 % du PIB) se concentre sur l'agroalimentaire, les textiles, la raffinerie et la pétrochimie et un peu de mécanique lourde.
Le tourisme, qui représente un peu moins de 10 % du PIB, occupe une place croissante dans l'économie.
Depuis 2011 et la crise économique, l'Argentine se classe parmi les pays les plus protectionnistes du monde, bien que les autorités s'en défendent. Le gouvernement a alors pris 121 mesures pour limiter les importations étrangères afin de favoriser la production industrielle intérieure.

Chronique d'une méchante crise

Crises à répétition, déficits abyssaux, inflation galopante, fuite des capitaux, l'Argentine a connu une succession de difficultés tout au long de son histoire économique moderne. La dernière en date, en 2000-2002, a été la plus sévère de toutes. Ses racines plongent au cœur de l'époque Menem : malgré son étiquette d'héritier du péronisme, le caudillo de La Rioja, au profil entaché de multiples scandales de corruption, a imposé une politique économique ultralibérale qui a enrichi quelques Argentins et jeté des millions d'autres dans les rues – au propre comme au figuré. Son choix d'une parité peso/dollar a entravé les exportations et déséquilibré la balance commerciale. La spirale de la déflation s'enclenche. La dette atteint un niveau record. Le successeur de Menem, Fernando De la Rúa, s'en remet aux mêmes recettes libérales pour tenter de rassurer le FMI et les exportateurs. Fin 2001, les banques sont au bord de la banqueroute, y compris la Banque centrale. L'État ne peut plus payer ses fonctionnaires. Pour éviter la faillite du système bancaire, les retraits des particuliers sont alors plafonnés à 1 000 $Ar par mois ! Des manifestations géantes débouchent sur la chute de De la Rúa (plus exactement sa fuite en hélicoptère depuis le toit de la Casa Rosada...). Le président par intérim, Adolfo Rodriguez Saa, interrompt le remboursement de la dette extérieure, provoquant la colère du FMI, et démissionne presque immédiatement. Son successeur, Eduardo Duhalde, dévalue le peso (qui perd 75 % de sa valeur en quelques mois). Du coup, le prix de certains produits augmente considérablement (hausse de 200 % du prix des médicaments en un an !). La situation atteint son paroxysme en 2002 : plus de la moitié des Argentins se retrouve sous le seuil de pauvreté.

Retour en grâce

En mai 2003, Néstor Kirchner reprend les rênes d'un pays en déroute et, progressivement, redonne espoir aux Argentins. Malgré quelques errements typiques des politiques argentins, il poursuit le travail amorcé par Duhalde : déclaration de la cessation de paiement, puis discussions avec le FMI et les créanciers pour réduire l'endettement. Après d'âpres négociations, près de 70 % de la dette est effacée (soit 60 milliards de dollars), et les délais de paiement sont rééchelonnés. En contrepartie, le pays s'engage à rembourser la totalité des intérêts

de la dette publique. Seuls quelques créanciers privés (notamment les « fonds vautours ») refusent l'accord et réclament la totalité du remboursement de la dette argentine...
Grâce à la dévaluation de 2001, les exportations, relancées, atteignent en 2005 un record avec une balance commerciale positive supérieure à 10 milliards de dollars. Parmi les secteurs privilégiés se trouvent ceux des matières premières agricoles (notamment le soja), du pétrole, des industries agroalimentaires, de la sidérurgie et des industries du cuir.
La lutte contre la fraude fiscale devient un axe fort de la politique gouvernementale. La bonne santé économique du Brésil (premier partenaire économique de l'Argentine) donne un sacré coup de pouce au pays. L'économie se restructure. L'embellie est nette. Dès 2003, selon les chiffres officiels, le taux de croissance décolle et gravite autour de 7,5 % (taux qui se maintiendra jusqu'à la fin des années 2000). La valeur de la dette publique par rapport au PIB décroît de manière continue.

Un pays sur la sellette ?

Malgré le redressement spectaculaire de son économie, le pays n'en a pas fini avec les zones de turbulences...
Arrivée au pouvoir en 2007, à la suite de son mari, Cristina Fernández de Kirchner entame une politique économique moins favorable aux investisseurs. Elle propose d'augmenter les taxes à l'exportation (jusqu'à 45 %) sur le soja, nouvel or vert du pays, mais est contrainte de faire machine arrière face à la pression des grands propriétaires, soutenus par les classes moyennes. Durant l'année 2008, plusieurs entreprises sont re-nationalisées. C'est le cas des compagnies aériennes *Aerolineas Argentinas* et *Austral*, ainsi que des fonds de pension privés – une manière détournée de récupérer leurs avoirs, affirme l'opposition. Le milieu des affaires s'inquiète et l'investissement se tarit en partie.
En 2009, lorsque la crise internationale frappe, l'économie du pays trouve un ballon d'oxygène grâce à la manne du soja (chaque tonne exportée est taxée à hauteur de 35 %). Mais le soja ne doit pas être l'oléagineux qui cache la forêt.
Depuis la fin des années 2000, l'économie connait une très forte inflation. Selon les chiffres officiels, elle avoisine les 10 % par an, chiffre largement minoré. La plupart des économistes indépendants s'accordent à dire qu'elle atteint, dans la réalité, 25 à 30 %. Au début de l'année 2013, le FMI a d'ailleurs fortement haussé le ton en accusant l'Argentine de falsifier les données économiques en matière de croissance et d'inflation, et a demandé, sanctions à la clé, des chiffres transparents...
Autre sujet de préoccupation pour Cristina Fernández de Kirchner : les quelques créanciers qui n'ont jamais accepté les accords du début des années 2000 concernant l'annulation partielle de la dette publique. Suite à un procès gagné par ces mêmes créanciers en 2012, l'Argentine pourrait bien être contrainte de rembourser l'intégralité des sommes dues (intérêts compris). Cette décision d'un tribunal de New York pourrait faire jurisprudence et réveiller les fantômes du passé...
En 2013, la France se range du côté de l'Argentine pour la soutenir contre les « fonds vautours ». Mais le pays est au bord du précipice, et la fuite des capitaux n'arrange rien. En 5 ans, 70 milliards d'euros ont quitté le pays. En janvier 2014, le peso a brusquement été dévalué de 14 %, jetant la population dans l'angoisse de ne plus pouvoir acheter les produits alimentaires et ménagers de base, dont les prix augmentent tous les jours. Le spectre de la crise de 2001 plane dans les esprits, et les Argentins ayant encore quelques économies s'accrochent au dollar comme à une bouée de secours. Le billet vert s'échange dans la rue au marché noir (le « blue dollar »), à un taux largement plus avantageux que dans les banques. Et ce n'est pas le symbolique gel des prix sur un certain nombre de produits, lancé par Mme Kirchner, qui endiguera la forte inflation. Par ailleurs, l'excédent de la

balance commerciale est tombé à 35 millions de dollars en janvier 2014 contre 279 millions en 2013 et les réserves de devises de la Banque centrale sont tombées sous les 30 millions de dollars.
Les Argentins, eux, continuent à payer les pots cassés : le quart de la population vivrait sous le seuil de pauvreté (4,7 millions officiellement). L'indemnité de chômage ne dépasse pas, elle, 100 US$ par mois : de quoi provoquer une crise cardiaque à un syndicaliste français !

ENVIRONNEMENT

Une déforestation majeure

Des données récentes ont révélé que les forêts argentines ont perdu 70 % de leur superficie en un siècle. Dans la province de Misiones, la splendide forêt tropicale qui sert d'écrin aux chutes d'Iguazú ne subsiste plus qu'à hauteur de 10 %. C'est surtout le développement des cultures et la frénésie du soja (voir notre rubrique ci-après) qui ont contribué à une déforestation sans cesse accrue. Mais d'autres activités ont leur rôle dans ce désastre, comme l'industrie minière.
Certains tentent de réagir, comme le milliardaire américain Douglas Tompkins, fondateur des marques *North Face* et *Esprit,* reconverti dans l'écologie active. Selon une stratégie déjà utilisée au Chili, il rachète des pans entiers de territoire pour les préserver de tout développement. Son dernier « investissement » ? Un beau domaine de 1,3 million d'ha dans les marais de l'Iberá, la plus grande zone marécageuse du continent avec le Pantanal brésilien. Les anciennes rizières et terres d'élevage sont abandonnées, de sorte à ce qu'elles retrouvent peu à peu leur physionomie originelle. Il propose aujourd'hui de céder une partie de ses terres au gouvernement argentin à condition que soit créé un parc national. Tompkins se fait le chantre d'un écotourisme respectueux et pourvoyeur d'emplois. Mais il se heurte à de nombreux opposants, inquiets de voir un étranger s'accaparer de tels territoires. D'autres ont créé des précédents fâcheux, comme Benetton en Patagonie (voir « Populations. Les Indiens de Patagonie et de Terre de Feu ») ou le financier britannique Joseph Lewis, qui interdisent l'accès public aux rivières de leurs domaines – alors même que la loi l'exige. Benetton a même détourné une rivière pour améliorer l'irrigation des pâturages de ses moutons...

Soja

Le soja, c'est le nouvel or vert de l'Argentine, sa revanche sur la crise passée, sa principale ressource. Le pays est aujourd'hui le premier exportateur mondial de farine et d'huile de soja, et le troisième de graines, derrière les États-Unis et le Brésil. Le soja a ses admirateurs, il a aussi ses détracteurs. Au rang des premiers, bien sûr, figurent les grands propriétaires terriens, qui s'enrichissent en cultivant à grande échelle ce soja transgénique principalement exporté vers l'Europe et la Chine pour nourrir bétail et poulets. De 1997 à 2007, la surface cultivée a plus que doublé, passant de 6 à 16 millions d'hectares ; elle avoisine aujourd'hui les 18 millions d'hectares, soit plus de la moitié des terres cultivées du pays ! Tout cela au détriment des plus fragiles. Communautés autochtones et paysans pauvres sans droits de propriété sont expulsés, légalement ou illégalement – peu importe, pourvu que l'intimidation marche.
Durant cette période, plusieurs dizaines de milliers de petites fermes ont disparu, victimes de la voracité des plus grands. Autant de familles jetées à la rue, souvent violemment et avec la complicité des autorités locales – police, voire même de la justice. Dans la seule province de Córdoba, un des bastions du soja, plus de 2 millions d'hectares ont été intégralement déboisés. Le problème est identique au Paraguay et dans le sud du Brésil, où la forêt recule partout – bien

plus encore que dans les années 1980-1990, restées dans les mémoires grâce aux combats de Sting et Raoni.
Le *Roundup Ready* de Monsanto représente près de 99 % du soja cultivé en Argentine. Il ne peut être utilisé qu'en corrélation avec sa dose d'herbicides *Roundup*, aussi fournis par l'entreprise – qui tuent tout, sauf le soja génétiquement modifié. La terre est arrosée à l'aide de tracteurs et par avion. Les agriculteurs veulent croire à l'innocuité du *Roundup* et à sa biodégradabilité – même si Monsanto a été condamné en France pour publicité mensongère à ce propos. Les doses utilisées sont souvent beaucoup plus massives que ce qui était annoncé par le fabricant, et la dispersion dans l'environnement est alarmante. Dans les zones de forte culture, les associations relèvent une augmentation effrayante de malformations de fœtus, cancers et leucémies. Un test réalisé en 2006 sur 30 enfants par la municipalité de Córdoba révèle que tous avaient des traces de pesticides dans le sang, 23 d'entre eux au-dessus de la norme autorisée...
L'épandage a été interdit à moins de 1 500 m des habitations. Des associations luttent, déposent des recours. Mais l'État freine des quatre fers : il tire l'essentiel de ses ressources de la taxe de 35 % appliquée sur chaque tonne de soja exportée. En attendant, l'Argentine doit désormais importer lait et viande du Brésil voisin pour nourrir sa population, faisant grimper les prix en flèche et réveillant l'inflation, bête noire du pays. Eh oui, le soja a tout pris, même la vaste Pampa synonyme d'Argentine éternelle.

Le Riachuelo pollué

Ce quartier situé en banlieue sud de la capitale est considéré comme un des bassins les plus pollués d'Argentine et même d'Amérique latine. Cette zone couvre une superficie de 2 240 km². Tout a commencé dans la deuxième moitié du XIXe s mais, 150 ans plus tard, un pôle pétrochimique continue de déverser ses déchets toxiques et ses fumées dans la nature. Métaux lourds, eaux usées, maladies respiratoires empoisonnent la vie des habitants du Riachuelo. Et comme si ça ne suffisait pas, pas de tout-à-l'égout, ni d'eau potable. Un vrai scandale humain et écologique. Plusieurs projets d'assainissement ont été mis sur le tapis à chaque changement de présidence mais, au final, tous sont restés lettre morte. La Cour suprême de justice de la Nation s'est récemment saisie de l'affaire. Un nouvel espoir pour les habitants de la zone aujourd'hui surnommée « *Villa Inflamable* » ? Il est encore trop tôt pour le dire.

Une faune menacée

La Patagonie n'est pas épargnée par les caprices climatiques, et les petits manchots en sont malheureusement victimes, comme l'a révélé une étude menée pendant 27 ans par des chercheurs américains. Des phénomènes météorologiques extrêmes ont entraîné la mort de nombreux manchots de Magellan, notamment à Punta Tombo, dans le nord-est de la Patagonie. Tempêtes, pluies torrentielles, chaleur accablante... Autant d'éléments dont les conséquences sont fatales pour les plus jeunes. D'où l'idée de création d'une réserve marine protégée. À suivre...

L'envol de l'éolien ?

En septembre 2011, a été inaugurée près de Rawson, dans la province de Chubut en Patagonie, la première tranche d'un important parc éolien. Et ce n'est qu'un début. Avec un deuxième projet prévu près de Puerto Madryn, l'Argentine disposera de l'un des plus grands parcs éoliens du continent !
– Pour en savoir plus sur l'état de l'environnement : *Fundación Vida Silvestre Argentina*, ● *vidasilvestre.org.ar* ●

FAUNE ET FLORE

Par la diversité de ses reliefs et par son étendue entre le tropique du Capricorne et la région Antarctique, l'Argentine offre une grande variété végétale et animale. Elle possède une vingtaine de parcs nationaux, de grandes forêts dans les zones humides du pays (provinces de Misiones et de Tucumán) et 4 000 km de côte marine. Toutefois, les aires protégées représentent seulement 5 % du territoire national, dont 1 % appartient au registre des parcs nationaux ; le reste, ce sont des réserves privées, provinciales et municipales... Bien peu, donc.

– ***Noroeste Argentino :*** c'est la partie la plus occidentale, constituée de *quebradas* rouges, à la végétation désertique (cactus), entrecoupée de belles vallées fertiles. Les amplitudes thermiques entre le jour et la nuit, et entre l'été et l'hiver sont importantes. Chinchilla, lama, vigogne, condor des Andes sont les espèces les plus courantes. On y croise aussi renards, nandous (cousins américains de l'autruche) et *maras* (lapins géants). Le super prédateur absolu et exclusif de la zone est le puma (contrairement à ce que laisse penser leur nom, les *Pumas,* la célèbre équipe argentine de rugby, ont pour emblème un jaguar !).

LAMA-STORY

Issu de la famille des camélidés, le lama est domestiqué par les Amérindiens depuis 5 000 ans. Doté d'un triple estomac, il absorbe 3-4 kg d'herbe par jour, mais boit très peu. La femelle met au monde un seul petit, après 12 mois de gestation. Amical, docile et curieux, il fournit laine et viande et sert de bête de bât, pouvant transporter jusqu'à 30 kg. On ne le monte donc pas. Et comme le capitaine Haddock le sait, il crache quand il est contrarié !

– ***Chaco :*** cette plaine subtropicale du Centre-Nord, à la végétation touffue et aux forêts exploitées pour le bois de quebracho (arbre riche en tanin), connaît une saison sèche hivernale et une saison des pluies estivale. Parmi les spécimens locaux, félins prédateurs (jaguars, pumas), tapirs, fourmiliers, paresseux, tatous et guanacos. Dans le Chaco humide, région orientale en bordure du *río* Paraguay, les espèces comme le nandou et la *chuña* (sorte de grue de couleur grise) possèdent de longues pattes qui leur permettent de se déplacer facilement dans les hautes savanes de graminées et dans les zones inondées.

– ***Mésopotamie argentine (Nord-Est) :*** région des grands fleuves, alternant végétation tropicale humide, terre rouge, forêts resplendissantes et plaines fertiles. Son climat souvent chaud et pluvieux bénéficie à une flore et une faune très riches, surtout aux abords du *río* Paraná et de son affluent le *río* Paraguay : présence de reptiles comme l'anaconda et de dangereuses espèces de *pirañas* (!), variété d'oiseaux comme le perroquet, l'oiseau-mouche, le toucan et l'aigle harpie – le plus grand des aigles de la planète. On croise un peu partout l'adorable coati, gros gourmand à la jolie queue annelée, cousin du raton laveur.

RÊVONS UN PEU

Le canard mâle argentin « Erismature ornée » a la particularité d'avoir un sexe aussi grand que lui (20 cm, équivalent à celui de l'autruche !). Sans compter qu'il atteint l'érection en moins d'une seconde.

– ***Pampa :*** elle se caractérise par ses prairies, où s'ébattent les légendaires *gauchos* et les fameuses vaches argentines à la viande tendre ! Sous l'effet de la production agraire et de l'expansion urbaine, il reste peu de la faune et de la flore autochtone originelle. Comme partout en Argentine, l'avifaune est très variée : *hornero* – fournier devenu grâce à son curieux nid l'oiseau national de l'Argentine –, perdrix, tinamous, hérons, poules d'eau, canards créoles, zorzals.

– ***Patagonie :*** plus d'un tiers de la superficie du pays ! Côté cordillère, c'est un spectacle de montagnes aux sommets volcaniques, de glaciers, de grands lacs et de forêts australes aux bois d'araucarias. La steppe buissonnante du Sud se transforme plus au nord en un tapis d'arbustes xérophiles (adaptés à l'aridité), de cactées et de graminées. Les côtes patagoniennes abondent d'espèces de mammifères et d'oiseaux marins (voir le chapitre « La Patagonie ») : colonies de manchots, lions de mer (*lobos marinos,* une espèce de phoques), otaries et éléphants de mer, jeunes phoques crabiers. Dans les eaux subantarctiques, la baleine franche australe, la gigantesque baleine bleue (le plus grand des animaux connus sur terre) et l'orque.
Les amateurs de paléontologie seront heureux d'apprendre que le sol de l'Argentine recèle un filon exceptionnel d'ossements de dinosaures qui ont permis aux scientifiques de compléter les chaînons manquants pour expliquer l'évolution de plusieurs espèces de reptiles, tant du côté des petits carnivores ancêtres des tyrannosaures que du côté des gigantesques sauropodes herbivores.

FÊTES ET JOURS FÉRIÉS

Depuis l'adoption d'une loi, à l'initiative de la présidente Cristina Fernández de Kirchner, l'Argentine compte à présent 17 jours fériés, soit 5 de plus que ces dernières années. L'objectif étant de développer la consommation intérieure et de favoriser le tourisme.
– ***1er janvier :*** Jour de l'an. ***Jour férié.***
– ***Janvier-février :*** le carnaval de *Gualeguaychu* n'avait pas à ses débuts, fin XIXe s, l'ampleur qu'il a aujourd'hui. Il est devenu le plus grand et le plus festif carnaval d'Argentine. Cette petite ville thermale de la province d'Entre Ríos (240 km au nord de Buenos Aires) vit à un rythme endiablé en janvier-février. Défilés de chars, musiciens ambulants *(murgas)* et toutes sortes de festivités, couronnés par la traditionnelle élection de la reine du carnaval.
– Autre carnaval les 11 et 12 février. ***Jours fériés.*** Célébré dans la région de Misiones, à Corrientes et dans le Nord-Ouest où la fête dure plus d'une semaine et est singulièrement colorée. Dans la région de Mendoza se déroule la *fiesta de la Vendimia* (Vendanges) pour célébrer la récolte. Musique, défilés, danses folkloriques et élection d'une reine dans chaque département de la province.
– ***24 et 25 mars :*** depuis 2005, *día Nacional de la Memoria por la Verdad y la Justicia* (Journée nationale de la Mémoire pour la Vérité et la Justice). ***Jours fériés.*** Commémoration des victimes de la dictature.
– ***Mars ou avril :*** désormais, suite à une décision du gouvernement, le Jeudi saint et le Vendredi saint sont des ***jours fériés,*** qui s'ajoutent donc au samedi et au dimanche de Pâques (28, 29, 30 et 31 mars 2013).
– ***2 avril :*** *día de Las Malvinas,* commémoration des vétérans de la guerre des Malouines. ***Jour férié.***
– ***1er mai :*** fête du Travail. ***Jour férié.***
– ***25 mai :*** *fiesta Patria,* fête nationale, commémoration de la révolution de mai 1810. ***Jour férié.***
– ***20 juin :*** *día de la Bandera* (fête du drapeau), commémoration de la mort de Manuel Belgrano qui le premier hissa le drapeau argentin. ***Jour férié.***
– ***9 juillet :*** *día de la Independencia,* fête nationale, commémoration de l'Indépendance (1816). ***Jour férié.***
– ***15 ou 17 août :*** commémoration de la mort du « père de la patrie », le général José de San Martín (1850). ***Jour férié.***
– ***14 octobre :*** *día del Respeto de la Diversidad cultural* (jour du Respect de la Diversité culturelle), commémoration de la découverte du Nouveau Monde. ***Jour férié.*** Attention, la date peut changer d'une année à l'autre.
– ***25 novembre :*** journée de la Souveraineté argentine. ***Jour férié.***

– ***8 et 9 décembre :*** fête de la Vierge Marie et pont. ***Jours fériés.***
– ***11 décembre :*** le jour du Tango, qui est fêté surtout à Buenos Aires.
– ***25 décembre :*** Noël. ***Jour férié.***

Tous les prétextes sont bons pour inventer des fêtes (qui ne donnent pas pour autant des jours fériés), et les Argentins y tiennent beaucoup. On notera : la fête des Pères (3e dimanche de juin), des Mères (3e dimanche d'octobre), des Grands-Mères, des Enfants (*día del Niño :* 1er dimanche d'août), des Amis (*día del Amigo* : le 20 juillet), à laquelle les Argentins accordent une grande importance. Le 1er avril n'existe pas ; en revanche, on fait des blagues le 28 décembre, jour des Innocents *(día de los Inocentes).* Le 21 septembre, on fête le printemps et les étudiants, et surtout... on offre des fleurs aux femmes !
Les anniversaires donnent également lieu à de grandes réceptions, spécialement pour les 15 ans des jeunes filles *(la Quince),* pour fêter le passage à l'adolescence. Beaucoup de familles populaires s'endettent pour ces grands tralalas en robe de princesse.
Enfin, si vous avez l'occasion de passer dans le Microcentro de Buenos Aires un 31 décembre après-midi, vous serez noyé sous une pluie de feuilles blanches, car tous les employés de bureau jettent leurs papiers de brouillon et archives pour fêter la fin de l'année !

FÊTES SURPRENANTES !

7 janvier : fête des collectionneurs.
25 mars : fête des femmes enceintes.
29 avril : fête des animaux.
11 juin : fête des voisins (on connaît).
23 septembre : fête du sourire.
26 octobre : fête des belles-mères.

GÉOGRAPHIE

L'Argentine, avec ses 2 767 000 km² (5 fois la France !), est le 2e pays d'Amérique du Sud par la taille. Dans sa longueur, il s'étire sur 3 700 km !
On distingue cinq grandes régions naturelles : la Patagonie, la Pampa, les Andes du Nord-Ouest, les Andes centrales (Cuyo) et les plaines du Nord-Est.
Plus de 50 % de la population argentine se trouve dans les grands centres urbains de Santa Fe, Córdoba, Rosario, Mendoza et bien sûr Buenos Aires, autour desquels toute l'économie nationale est concentrée.
– ***La Patagonie*** comprend cinq provinces : Neuquén, Río Negro, Chubut, Santa Cruz et, bien sûr, Tierra del Fuego. C'est la plus vaste région du pays (30 % du territoire) mais aussi la moins peuplée (moins d'un habitant au kilomètre carré). Le détroit de Magellan sépare l'île de Terre de Feu du continent. Paysages d'immensités, de plateaux battus par des vents secs et froids, qui feront le bonheur des grands solitaires. On y trouve une faune d'une incroyable richesse (sans compter les moutons que l'on compte par milliers !) et Ushuaia, la ville la plus australe du monde. Ces terres mythiques demeurent une « frontière » à conquérir pour les Argentins. Pour l'instant, ils ne s'y bousculent guère...

LE DRAPEAU : UNE FIERTÉ ARGENTINE

Le drapeau de l'Argentine est constitué de deux bandes bleu ciel horizontales séparées par une bande blanche. En son centre est placé un soleil doré, rappelant le dieu inca Inti. Le général Belgrano conçut ce drapeau en 1912 en référence à la cocarde blanc et bleu portée par les opposants au régime colonial espagnol. Le drapeau se décline dans chaque province argentine, qui y appose ses propres symboles à la place du soleil inca.

– ***La Pampa,*** immense plaine monotone de 600 000 km², soit plus de 20 % du territoire, est le centre économique du pays et compte quatre provinces : Buenos Aires, la Pampa, Santa Fe et Córdoba. Région de contrastes démographiques : bien qu'elle réunisse les deux tiers de la population, elle reste essentiellement peuplée de 50 millions de bovins et de 35 millions de moutons à laine et à viande. C'est la région des *bifes* et *churrascos* par excellence, ces succulentes viandes de bœuf cuites au gril ou au feu de bois dont on ne se lasse pas ! Dans la région de Córdoba, ces immenses plaines laissent place à une chaîne de montagnes *(las Sierras de Córdoba).*

– ***Les Andes du Nord-Ouest,*** appelées NOA, s'opposent en tout point à la Pampa. Comprenant cinq provinces (Jujuy, Salta, Tucumán, La Rioja et Catamarca) et environ 15 % de la population, cette région, véritable choc culturel, marque la fin de l'Argentine européenne et des grandes plaines. Une population métissée et indienne, des petites villes coloniales, la grandiose *Quebrada* (vallée encaissée) de Humahuaca située à plus de 2 000 m d'altitude, des champs de cactus, des lamas, des villages en pisé, des populations incas fidèles à leurs traditions, des montagnes dont les camaïeux de rouge sont dignes de la palette d'un peintre, un ciel d'une incroyable pureté et le rythme lent de la vie en font une région fascinante. Mais c'est aussi celle où les inégalités sociales sont les plus criantes.

– ***Les Andes centrales*** (Cuyo) correspondent aux trois provinces de Mendoza, San Luis et San Juan. C'est la région qui possède le plus de vignobles et les plus hauts sommets, dont certains sont des volcans, comme l'Aconcagua, qui culmine à 6 962 m.

– ***Les plaines du Nord-Est*** comprennent six provinces : Entre Ríos (« Entre les Fleuves »), Corrientes, Misiones, Formosa, Santiago del Estero et Chaco. Elles se caractérisent par de vastes zones de marécages et de savanes à l'ouest, et par la région humide et forestière des grands fleuves, *río* Paraná et *río* Uruguay à l'est, que les Argentins appellent la Mésopotamie (« Entre les Fleuves » en grec ancien). La province de Misiones est connue pour ses ruines jésuites (notamment San Ignacio) et ses spectaculaires chutes (Iguazú). La très belle forêt tropicale atlantique que l'on y trouvait a été réduite à une peau de chagrin.

HISTOIRE

Les premiers immigrants : les Indiens

Venus d'Amérique du Nord environ ***16 000 ans av. J.-C.,*** ils sont les descendants de chasseurs d'origine sibérienne qui ont traversé le détroit de Béring quelque 30 000 ans auparavant, puis emprunté l'isthme de Panamá, pour finalement s'implanter en Amérique du Sud. Environ 5 000 ans av. J.-C., ils se sédentarisent et bâtissent les premiers villages qui donneront naissance aux grandes civilisations que les Espagnols pilleront plus tard. La vie s'organise autour de l'agriculture (pomme de terre au Pérou et maïs au Mexique). Mais plus au sud, dans le cône andin, les Indiens ne se fixent pas en dehors de quelques agglomérations. C'est donc une société très primitive, fondée sur la chasse et la cueillette, que découvrent les premiers conquistadores espagnols. Il reste ainsi peu de vestiges de l'Argentine précolombienne : sites de Tilcara, Quilmes et Tastil près de Salta, Cueva de las Manos (peintures rupestres) en Patagonie.

La découverte et la « Conquista » (XVIe et XVIIe s)

Le tout premier Européen à aborder l'Argentine est un Espagnol, ***Juan Díaz de Solís.*** Il découvre le río de la Plata – le plus grand estuaire du monde – en février 1516 et prend possession de la contrée au nom du roi d'Espagne. Il l'appelle ***Mar Dulce,*** ce qui veut dire « Mer d'eau douce ». Solís est tué par des Indiens sur le sol uruguayen, mais son équipage rentre sain et sauf en Espagne.

De nombreuses expéditions convergent vers le Nouveau Monde. ***Sebastián Cabot,*** obnubilé par la découverte espérée de métaux précieux (mythe de la Cité d'Argent), donne à l'estuaire le nom de ***río de la Plata*** (rivière d'Argent), espérant que celui-ci les mènerait dans cet Eldorado mythique : puis il donne au pays celui d'Argentum (pas besoin de traduction). Une autre expédition, celle de ***Pedro de Mendoza,*** débarque avec une force de 1 200 hommes et 100 chevaux. En février 1536, il fonde Puerto Nuestra Señora Santa María del Buen Ayre (la future Buenos Aires, nom qui est tout de même plus facile à retenir !). Mais la famine et la maladie ont raison de cette expédition, et Mendoza périt en mer sur la route du retour. Il laisse sur place ***Domingo Martínez de Irala*** qui organise la première colonie permanente du delta *(Asunción)* en 1537. En s'enfonçant dans l'arrière-pays, il trouve des Indiens sédentaires, avec suffisamment de notions d'agriculture pour survivre.
Faute de femmes espagnoles, Irala encourage les mariages interraciaux avec les Indiennes (d'ailleurs très belles), ce qui ne facilite pas les rapports avec les autochtones. Irala et une partie de ses hommes sont massacrés, et Buenos Aires devient intenable dès 1541.
Malgré ces déboires, dès 1573, la colonie finit par contrôler tout le territoire situé entre l'actuel Uruguay et la rivière Paraná. Quelques chevaux, vaches, moutons et chèvres importés par les Espagnols prolifèrent en liberté et profitent du climat clément, de l'herbe abondante et de l'absence de prédateurs. Quelques années suffisent pour que cet état de fait s'étende jusque dans la Pampa, jetant ainsi les bases de l'élevage de l'Argentine moderne.
En revanche, les espoirs placés dans les mines d'or et d'argent ne se réalisent pas. En 1580, un vétéran basque de la conquête du Pérou, ***Juan de Garay,*** s'établit de manière permanente à Buenos Aires. Forts des leçons de leurs échecs précédents, les colons choisissent de devenir des agriculteurs autonomes plutôt que d'espérer assujettir les populations locales réfractaires.
On massacre donc les Indiens qui ne sont d'aucune utilité aux conquérants, prenant prétexte de quelques moutons dérobés de temps en temps au milieu de troupeaux qui en comptent des milliers. L'extermination est totale ; pour faire d'une pierre deux coups, on envoie les Noirs en première ligne, qui sont eux-mêmes décimés.
L'Espagne considérant ses colonies comme territoire personnel du roi, leur exploitation devait être à son seul bénéfice. Toute l'Amérique du Sud – sauf le Brésil, à la suite du partage du monde par le pape entre le Portugal et l'Espagne – dépend alors du vice-roi du Pérou. Seul le nord-ouest du pays connaît la prospérité autour de la fondation des villes de ***Tucumán*** et de ***Córdoba,*** et au début du XVIIe s, ce sont les ***jésuites*** qui assurent le développement de la partie nord-est dans les régions supérieures des fleuves Uruguay et Paraná en y établissant 30 missions au sein de la ***nation guaraní.***
Conséquence pour les implantations sur la côte atlantique : toute exportation ou importation est formellement interdite dans le port de Buenos Aires. C'est une absurdité géographique : le trafic de et vers l'Europe passe alors à travers les terres jusqu'à Panamá, et les bateaux, même espagnols, sont quasiment interdits dans le río de la Plata. Les Créoles d'Amérique du Sud prennent évidemment ombrage de cette mesure qui complique injustement leur vie et hypothèque tout espoir de prospérité. Le trafic illicite et la contrebande se développent malgré les lourdes pénalités encourues. Il faut dire que certains gouverneurs royaux ferment les yeux au profit de leurs administrés dont la vie reste rudimentaire. Les Hollandais et les Anglais, quant à eux, font fortune, notamment grâce à la traite d'esclaves noirs.

La création de la « vice-royauté du Río de la Plata » (XVIIIe s)

La frontière entre les colonies espagnoles et portugaises reste longtemps floue, et la proximité de Colonia, la colonie portugaise, située juste de l'autre côté de la

rivière en face de Buenos Aires, offre de grandes opportunités de contrebande. En 1617, ***Philippe III*** divise les terres de l'extrémité américaine en deux gouvernements *(gobernación)* du Paraguay et du Río de la Plata. En 1767, la Couronne fait expulser les jésuites de leurs missions qui sont démantelées, renvoyant 100 000 Indiens sédentarisés dans la forêt : énorme gâchis qui profite aux marchands d'esclaves portugais.
Finalement, en 1776, la vice-royauté du Río de la Plata est créée par le roi d'Espagne ***Charles III*** pour faire obstacle à la pression portugaise. Cette décision reconnaît aussi l'importance de la ville de Buenos Aires, qui devient capitale de la vice-royauté. La Couronne nomme ***don Pedro de Cevallos*** au poste de premier vice-roi. La présence militaire dans la région assure désormais au territoire une certaine sécurité. Les Portugais sont chassés de Colonia, et la frontière définitive est tracée. En plus de l'Argentine, le territoire de la nouvelle vice-royauté comprend alors les républiques actuelles de Bolivie, d'Uruguay, du Paraguay et les mines d'argent de Potosí.
À cette époque, la plupart des colons sont établis dans le Nord et Buenos Aires n'est qu'une petite ville de 20 000 habitants, mais le libre commerce avec l'Espagne a pour conséquence de faire doubler la population de Buenos Aires avant la fin du siècle.

Le *gaucho*

Aujourd'hui, les vrais *gauchos* ont disparu et il ne reste plus que des *paisanos,* des gardiens de troupeaux appointés, relativement casaniers et sans aucun rapport avec ces brutes magnifiques qui ont vécu en marge de toute légalité jusqu'à la fin du XIXe s. Comme aux États-Unis pour les cow-boys, c'est le fil de fer barbelé qui a causé leur disparition.
À ne pas manquer : un village au nord de Buenos Aires, *San Antonio de Areco,* qui perpétue la mémoire des *gauchos* (voir « Dans les environs de Buenos Aires »).

À « LASSO »...

À la fin du XVIIIe s, la Pampa voit arriver le gaucho *(de* guacho *: orphelin). Il est le symbole de l'homme libre qui se moque des conventions et des préjugés sociaux. À l'origine, il s'agit d'un métis hispano-indien, rejeté par la société. Avec sa* bombacha *(pantalon de toile plissée, serré à la cheville), sa large ceinture* (tirador), *son* boladora *(lasso argentin) et son* facón *(couteau), ce gardien de bétail régnait sur les vastes étendues de la Pampa. Avec son esprit d'indépendance et sa force de caractère, c'était un révolutionnaire-né.*

Vers l'indépendance

Buenos Aires a donc prospéré, et les contacts avec la culture européenne se multiplient. Les jeunes gens prometteurs sont envoyés en Europe pour peaufiner leur éducation. Les écrits de Voltaire, Montesquieu et Rousseau leur sont familiers ; la révolte des colonies anglaises en Amérique du Nord et la Révolution française sont suivies avec intérêt et sympathie. Le ressentiment traditionnel envers l'Espagne cède peu à peu la place au constat que celle-ci n'a plus aucun droit de possession ou d'oppression... Arrivent les Britanniques.
En 1806, une force anglaise de 1 600 hommes débarque sous le commandement de ***Sir Home Popham.*** Apprenant la nouvelle, le vice-roi ***Sobremonte*** rassemble l'argent du trésor et s'enfuit vers Córdoba. Aucune résistance n'est d'abord opposée aux Britanniques, puis elle s'organise autour d'un soldat français, Liniers, avec l'aide financière d'un marchand espagnol nommé Martín Álzaga et d'un Argentin, ***Rivadavia,*** qui deviendra par la suite président. Les Créoles obtiennent la victoire à deux reprises avec une armée populaire. Le 12 août de la même année, le peuple de Buenos Aires chasse les Anglais de la ville, et quand le courageux vice-roi

rentre de Córdoba, il est sommé de démissionner. L'expédition militaire anglaise contribue ainsi à mettre un terme à la période coloniale du pays. En Espagne, ***Napoléon*** s'est emparé du pays au profit de son frère Joseph. Trafalgar décime la flotte espagnole engagée aux côtés des Français.
Dans le Nouveau Monde, la fièvre ***indépendantiste*** gagne du terrain et le 18 mai 1810, à Buenos Aires, une assemblée d'hommes en armes obtient enfin la démission du vice-roi et la convocation du *cabildo Abierto.* Une semaine plus tard, une nouvelle junte de neuf Créoles gouverne, soi-disant au nom du roi d'Espagne pourtant exilé par Napoléon. Le ***25 mai*** est donc la date officielle de la fête nationale argentine, bien qu'en réalité, la vraie sécession avec l'Espagne ait eu lieu le 9 juillet 1816, quand des députés venus de tous les coins de l'ancien vice-royaume ont proclamé l'indépendance. En revanche, plus aucun représentant d'Espagne n'a siégé à Buenos Aires depuis la fameuse date du 25 mai 1810.
La paix ne règne pas pour autant entre les Créoles et les Espagnols. Des conflits d'une violence inouïe éclatent, et des prisonniers sont fusillés sommairement. Ainsi périssent les libérateurs de Buenos Aires, ***Liniers*** et ***Martín Álzaga.*** Durant toute cette période de troubles, la métropole aurait peut-être pu se libérer plus tôt du joug colonial, s'il n'y avait eu la volonté farouche du général créole ***San Martín*** d'expulser tout pouvoir espagnol du continent sud-américain.

San Martín : un « père de la patrie » longtemps oublié

Dans toutes les villes d'Argentine, il existe une place ou une statue dédiée au ***général San Martín.*** Pour les Argentins, c'est le « père de la patrie ». Il représente pour les républiques du Sud l'équivalent de Simón Bolívar pour celles du Nord : le *libertador.* Né à Yapeyú, dans la province de Corrientes, de père et mère espagnols, ce Créole reçoit une formation militaire en Espagne (Murcie), où il fait carrière au service de la Couronne, notamment dans les batailles menées contre les Anglais et les Français. En 1812, il décide de se mettre au service de la cause libératrice de son pays, et crée à Buenos Aires le régiment des grenadiers, les fameux *granaderos a caballo,* qui connaît son baptême du feu lors du combat de San Lorenzo, un peu au nord de Rosario, sur les rives du Paraná. Rompu aux nouvelles tactiques de combat en Europe, il réorganise l'armée à Mendoza, dans le nord du pays, pour mieux faire face aux troupes royalistes fortement ancrées dans les Andes centrales. De cette base, il orchestre une incroyable expédition vers le Pérou : son armée traverse les Andes jusqu'à Santiago pour libérer le Chili. Il part ensuite du port de Valparaiso pour accoster sur les côtes péruviennes. Arrivé à Lima, il procède à la *Jura de la Independencia* avec les députés des différentes provinces du Pérou. La suite est moins heureuse : à Buenos Aires, on se dispute le pouvoir. Dégoûté par ces luttes intestines, après avoir libéré l'Argentine des Espagnols, San Martín renonce à une carrière politique et choisit l'exil en France. Seul et oublié de tous, après une vie vouée à la cause indépendantiste, il meurt à Boulogne-sur-Mer (où l'on peut visiter son musée). L'Argentine ne lui a jamais versé sa retraite de général. On est bien peu de chose... Les générations suivantes ont néanmoins reconnu sa valeur héroïque : son mausolée se trouve aujourd'hui dans la cathédrale de Buenos Aires.

Le premier dictateur

Pendant ce temps, les troubles déchirent toujours le pays, deux mouvances s'opposent : les ***Fédéralistes*** et les ***Unitaristes.*** Les Fédéralistes sont composés des ***gauchos*** et des habitants des provinces, alors que les Unitaristes puisent leurs forces parmi les habitants aisés de Buenos Aires. La réunification du pays est la grande œuvre de ***Juan Manuel de Rosas,*** le premier « *gaucho* politique », qui règne en tyran et maintient son pouvoir par la terreur, avec une cruauté féroce et « joyeuse ». Il peut compter sur une police secrète appelée *Mazorca* (« l'oreille du maïs »). Des historiens affirment que plus de 15 000 personnes ont été exécutées durant cette période. Son fidèle lieutenant ***Justo José de Urquiza*** le trahit et met fin à la dictature en s'alliant avec le Parti unitariste, les Brésiliens et certains éléments anti-Rosas en Uruguay. L'Angleterre, avec cette fois la complicité de la France, a donné sa bénédiction au coup d'État... tout en assurant un sauf-conduit à Rosas qui quitte le pays sur un navire anglais.

L'œil du cyclone, Bartolomé Mitre

Il faut attendre l'arrivée du président ***Bartolomé Mitre*** en 1862 pour que l'Argentine connaisse enfin une période de relative stabilité. Historien, il a relaté l'histoire de San Martín et de Belgrano tout en fondant le journal *La Nación*. Comme président, il signe de nombreux traités, ouvre la rivière Paraná à la navigation et encourage l'immigration.
Son successeur, le président ***Sarmiento,*** gouverne dans le calme et la sérénité, et entreprend l'alphabétisation du prolétariat. Le suivant, ***Avellaneda,*** nomme ***Julio A. Roca*** ministre de la Guerre... Celui-ci organise l'extermination systématique des populations natives de Patagonie (les Indiens) ; les propriétaires terriens et l'armée scellent une alliance, et les territoires conquis sont répartis parmi les envahisseurs par la Sociedad Rural Argentina ; de l'argent était donné pour chaque paire d'oreilles ou de testicules d'Indiens. L'immigration atteint alors les 40 000 entrées par an (dont 50 % d'Italiens). Roca finit par accéder à la présidence. Ce dernier reste l'ennemi symbolique des Indiens d'Argentine. Sa statue est régulièrement taguée d'un Asesino rouge sang (on a beau la nettoyer, elle est de nouveau vandalisée chaque nuit) et des posters circulent dans les bureaux de la cause indigène avec l'inscription Julio A (sesino) Roca. Une députée a même proposé il y a peu de remplacer l'effigie de Roca sur les billets par celle d'une révolutionnaire indienne. À suivre...

L'âge d'or

Dans ce climat de relative stabilité politique où les présidents se succèdent en laissant leur nom à des avenues, deux faits marquants vont permettre à l'Argentine de connaître la richesse. D'abord l'éradication complète des Indiens, repoussés très loin vers les montagnes, qui favorise la ***création d'immenses domaines, les* estancias.** Les propriétaires de terrains, parfois grands comme la Belgique, vont prospérer en toute liberté. À la différence des États-Unis où l'on donnait une parcelle de terre à chaque arrivant, ici, les *landlords* ou *terratenientes* vont bien se garder de partager. Cela explique que, encore aujourd'hui, le pouvoir et la richesse soient entre les mains de quelques centaines de familles richissimes.
Le deuxième événement qui permet à l'Argentine de connaître la prospérité, c'est l'invention du réfrigérateur. ***L'exportation de la viande,*** que le pays produit à profusion, favorise l'essor économique du pays. Les bateaux partent vers l'Europe chargés de carcasses, tandis que les *landlords* embarquent pour passer leurs vacances sur la Riviera. Pour maintenir cette activité en plein développement, il faut des travailleurs. De grandes masses d'immigrants majoritairement européens colorent la nouvelle identité nationale. Un fait historique qu'Octavio Paz résume à sa manière : « Les Mexicains descendent des Aztèques, les Péruviens des Incas et les Argentins des bateaux ! » La plupart de ces immigrés s'installent à la campagne, mais au début du XXe s, ils commencent à fuir les mauvaises conditions de travail pour venir peupler les grandes villes, notamment Buenos Aires. Le prolétariat ouvrier argentin voit le jour dans une atmosphère peu favorable aux revendications. Pourtant, la vie démocratique argentine avance à petits pas.
En 1916, 100 ans après l'indépendance, ont lieu les ***premières élections au suffrage universel*** pour la présidence du pays. Le représentant du Parti radical, ***Hipólito Yrigoyen,*** est élu par le tout jeune prolétariat argentin et domine la scène politique pendant une quinzaine d'années. La crise mondiale des années 1930

passe par là, et Yrigoyen est chassé par le général Uriburu, lui-même renversé en 1942 par d'autres militaires, dont ***Juan Domingo Perón.***

« Evita » Perón... et son mari

Née à Los Toldos, à 250 km de Buenos Aires, Eva est la fille illégitime d'une couturière et d'un homme marié. D'où sa haine des riches et des hypocrites. Élevée sans connaître le luxe, elle use de ses charmes pour venir à Buenos Aires, où elle perce vite sous le nom d'***Eva Duarte.*** Elle devient actrice de cinéma (de second ordre), mais se fait connaître par des émissions de radio, où elle dénonce avec flamme l'injustice et la misère. Lors d'une collecte de fonds en faveur des victimes du tremblement de terre de San Juan, elle rencontre ***Juan Perón,*** un jeune officier ambitieux. Passionnée autant qu'inspirée, Evita abandonne sa carrière artistique pour se livrer corps et âme à la défense des pauvres. Elle soutient politiquement son futur mari devenu ministre et le pousse à entreprendre des réformes sociales révolutionnaires pour l'époque.

VIVA BUENOS AIRES !

Quand Paris fut libéré le 25 août 1944, Buenos Aires fit une fête insensée dans les rues. La municipalité offrit même une boîte de corned-beef *à chaque Parisien !*

Le ***17 octobre 1945,*** alors que Juan Perón est emprisonné, Eva orchestre sa libération à l'aide d'une armada de syndicats, ce qui lui vaudra son statut mythique d'héroïne éternelle. Suite à cela, ils se marient et ***Perón devient président.***
C'est à partir de ce moment-là que leur histoire d'amour devient aussi le patrimoine de chaque Argentin, puisqu'elle rejoint les grandes lignes de l'histoire politique. Après l'élection de Perón à la présidence de la République, le couple met en place un ***programme social*** utilisant les créances d'après-guerre de l'Argentine et l'argent collecté de manière autoritaire auprès de riches entrepreneurs : création d'écoles, d'hôpitaux, de centres de vacances, instauration d'un salaire minimum, réduction du temps de travail, renforcement des syndicats. La ***madone des descamisados*** (les sans-chemises) se rend chère au cœur des Argentins avec des déclarations telles que : « La violence aux mains du peuple n'est pas de la violence, mais la justice. » Perón l'impose comme directrice de la Fondation sociale, et dès lors, on la voit dans les usines, les hôpitaux et les quartiers populaires, prononçant des discours à la gloire du président Perón. Evita réussit même à faire accorder le ***droit de vote aux femmes*** argentines avant que de Gaulle ne le donne aux Françaises...

LA FOLIE DES GRANDEURS

En 1947, Perón fit bâtir une ville nouvelle qu'il nomma modestement Ciudad Evita. Les bâtiments sont construits de telle façon que les contours, vus du ciel, évoquent le visage de sa célèbre épouse, chignon compris !

Cependant, la société aristocratique argentine *(la Oligarquía)* ne lui pardonne pas ses origines, même si elle s'habille surtout en Chanel ou en Dior. Aux élections de 1951, elle pose sa candidature à la vice-présidence, mais l'armée y met son veto : ce sera son premier et seul échec.
Eva annonce à la radio sa décision de se soumettre à la volonté du peuple, mais elle se sait déjà condamnée : rongée par la leucémie, elle n'a plus que quelques mois à vivre. Elle s'éteint le 27 juillet 1952, la trentaine à peine entamée. Intensément pleurée, elle portait en elle ce don extraordinaire de se faire aimer à la fois comme mythe et comme membre intime de la famille. Son empreinte laissée dans ce pays catholique est telle que même aujourd'hui, près de 60 ans après sa mort, ce peuple si orgueilleux, si latin, cherche dans chaque femme proche du pouvoir l'ombre d'Eva.

Pérennité du péronisme

Le ***péronisme*** marque encore profondément la vie politique argentine. Arrivé au pouvoir en ***1946,*** Perón met en œuvre ses réformes sociales en utilisant les richesses que le rôle de fournisseur de l'Europe en guerre a procurées à l'Argentine. Il finance aussi son programme en nationalisant de nombreuses entreprises auparavant entre les mains de capitalistes étrangers. Personne n'a osé pousser les réformes aussi loin dans ce pays aux traditions ultraconservatrices. Il crée des écoles, des HLM, des hôpitaux, et les plus démunis le soutiennent sans réserve. Ses partisans (qui le surnomment « Pocho ») restent omniprésents bien après son départ, et ce, malgré les purges.

En revanche, il faut admettre que Perón ne souffre pas la contestation, en muselant la presse sans toutefois la censurer. Et surtout, il ne cache pas ses ***sympathies nazies,*** nouées lors de son séjour comme conseiller militaire à Berlin dans les années 1930. L'Argentine n'est entrée en guerre contre l'Allemagne que le 6 mai 1945, et Perón ne s'est pas empêché de distribuer quelque 10 000 cartes d'identité vierges à un groupe d'Allemands désireux de s'installer dans son pays ! Mengele, le médecin du camp d'Auschwitz, a connu en Argentine une retraite (presque) tranquille. Au total, 60 000 nazis y ont trouvé refuge, avec la complicité de la Croix-Rouge et du Vatican...

L'OR DES NAZIS

On sait que Juan Perón a reçu beaucoup d'or et d'argent d'environ 4 000 nazis fugitifs après 1945, pour qu'ils se cachent en Argentine. Mais on ne sait pas ce qu'est devenu le magot. Perón s'était fait enterrer avec une grosse bague dont on dit qu'elle contenait le code secret du compte bancaire abritant la fortune des nazis. Son cadavre fut déterré par des inconnus, qui coupèrent le doigt portant la fameuse bague afin de trouver le code secret... Mais depuis, pas de nouvelles de cet argent sale.

Exil et come-back

Perón est renversé en ***1955*** et exilé en Espagne (accueilli par son ami Franco), laissant derrière lui une situation économique désastreuse. Après presque 20 ans d'une vie politique chaotique alternant gouvernements militaires et constitutionnels, la pression populaire renverse en ***1973*** la dictature militaire en place et rappelle ce colonel socialo-autoritaire veuf d'une femme de légende. Le retour de Perón est marqué par un massacre sanglant à ***Ezeiza,*** signe que le péronisme accueille en son sein des partisans d'extrême droite et d'extrême gauche. Mais Evita n'est plus là pour ressusciter les rêves, et l'appareil péroniste se décompose dans la violence sous l'effet des règlements de comptes. Perón meurt 1 an plus tard, en 1974, laissant le pouvoir à sa troisième femme, la vice-présidente ***Isabel.***

Isabelita, pâle copie du modèle

Sa formation de danseuse professionnelle n'aide pas vraiment la pauvre ***Isabelita,*** qui tente de se couler dans l'ombre d'Eva. Elle se fait seconder par un groupe fascisant (la triple A – Alliance anticommuniste argentine) dirigé par ***José López Rega*** – surnommé « el brujo » (le sorcier) –, ancien secrétaire particulier de Perón ; adepte des sciences occultes et véritable manipulateur, il avait un très fort ascendant sur Perón et Isabelita, et travaillait dans l'ombre au démantèlement des forces de l'opposition de gauche. C'est sous son influence que les *Montoneros* et toutes les forces de la gauche ont été systématiquement combattues. Disparitions et tortures sans nombre commencent à être attribuées à la triple A. Le gouvernement de la veuve de Perón est décidément loin des idéaux de jeunesse. Le pays sombre dans le chaos.

La longue nuit des généraux

C'est dans ce contexte de crise économique et au bord de la guerre civile qu'une nouvelle junte militaire menée par le ***général Videla*** renverse presque sans heurts Isabelita en 1976. Les Argentins ne savent pas encore que s'ouvre pour eux une des périodes les plus noires de leur histoire. C'est le début de la ***Guerra Sucia*** (la guerre sale). L'armée a recours à tous les moyens pour éliminer les *Montoneros*, l'*ERP* et autres mouvements. Elle parvient à ses fins, au prix d'une guerre extrêmement brutale et de la mort de nombreux innocents. La répression s'étend à tous les opposants au régime. Les « éléments subversifs » (une définition très vague...) sont arbitrairement séquestrés, torturés, et des milliers d'entre eux « disparaissent » mystérieusement – ce sont eux, les *desaparecidos* (« disparus »). L'École de mécanique de la Marine, située en plein cœur de Buenos Aires, est l'un des principaux centres de détention et de torture. Une fois par semaine, une trentaine de prisonniers en sont « transférés » pour un dernier voyage, le vol de la mort – drogués, déshabillés et jetés dans l'océan du haut d'un avion. C'est ce qu'on a également appelé ***« l'Opération Condor »,*** cette campagne d'élimination systématique et sans frontières des opposants par les services secrets complices de l'Argentine, du Brésil, de la Bolivie, du Paraguay et de l'Uruguay.

VOLS DE BÉBÉS

Pendant la dictature, de 1976 à 1981, le général Videla a organisé le vol de centaines d'enfants (on parle de 500 !) d'opposants politiques, qu'il a confiés à des familles stériles « bien pensantes ». Des mères ont été jetées à la mer, droguées mais vivantes, d'un avion militaire en plein vol... Depuis, Videla a été jugé dans quatre procès différents et condamné à perpétuité pour cette affaire en 2012. Il est décédé en prison en mai 2013.

En tout, quelque ***30 000 personnes ont disparu*** entre 1976 et 1983. Régulièrement (encore en 2009), des ossements apparaissent au hasard des constructions... Le témoignage d'Adolfo Pérez Esquivel, défenseur des Droits de l'homme et Prix Nobel de la paix en 1980, entraîne, entre autres, une inculpation par la justice pour huit pilotes de ces vols de la mort, enfin !

Des actions judiciaires sont toujours en cours pour poursuivre les responsables encore vivants de cette répression féroce (voir chapitre « Droits de l'homme »). Selon certains chercheurs, sous la présidence de Valéry Giscard d'Estaing, d'anciens responsables militaires pendant la guerre d'Algérie, des ex-membres de l'OAS et des membres de la DST auraient apporté leur concours en formant les cadres de la lutte anticommuniste dans les pays du cône andin.

LES MÈRES DE LA PLACE DE MAI

Dès 1977, ces femmes dont les enfants avaient disparu défilaient tous les jeudis sur la plaza de Mayo au centre de Buenos Aires. Elles portaient des foulards blancs (les langes de leurs bébés) en guise de signe de ralliement. Plus tard, lorsque plusieurs d'entre elles disparurent à leur tour, ce furent les grands-mères qui prirent le relais.

Maggie contre les généraux

La guerre des Malouines, déclenchée par les généraux, détourne le regard populaire des sursauts et scandales du régime et de la situation financière catastrophique du pays afin de rallier l'opinion publique autour d'une « grande » cause. Elle est une véritable plaie pour l'Argentine, et bien que tout le monde s'entende sur la folie de l'attaque argentine, sur la démence d'un despote qui aurait dû savoir que l'Argentine n'avait aucune chance, le coût humain (de très jeunes hommes sont morts au combat, et tout autant se sont suicidés à la suite de la guerre) et le trauma psychologique sont terribles. Dernier sursaut d'un régime militaire aux abois, elle ne fait que précipiter sa chute.

Un archipel du bout du monde

Les Malouines – ou plutôt les ***Falklands,*** comme les Anglais les appellent – sont une poignée d'îles inhospitalières situées à plus de 500 km des côtes de l'Argentine. Elles ont été découvertes en 1592 par un Anglais, Lucius Cary, alors Lord Falkland. La première et seule présence argentine ne date que de 1829, lorsque ***Louis Vernet*** implante une petite colonie au nom de la république d'Argentine. Pendant la Première Guerre mondiale, les Falklands instaurent un commerce maritime avec l'Europe, et ils font les choux gras de l'Argentine pendant la Seconde Guerre mondiale. Les hostilités britannico-argentines n'avaient pas encore commencé...
En 1982, l'Argentine occupe la petite colonie britannique, essentiellement composée de colons d'origine écossaise éleveurs de moutons. Cette agression arrange tout le monde : les militaires argentins bien sûr, mais aussi feue Maggie Thatcher, dont la politique d'austérité a sérieusement fait baisser la cote de popularité. Les Anglais montent sur leurs grands chevaux... de mer et dépêchent leur flotte (avec le prince Edward en pilote d'hélicoptère) pour châtier les auteurs de cette offense impardonnable. La cote de Maggie monte en flèche (elle gagnera les élections suivantes sans problème). La guerre dure 2 mois et coûte 850 millions de dollars. Ce fut le baptême de feu de l'aviation argentine. Des *Exocet* fabriqués par Matra sont tirés sur les navires de Sa Majesté, faisant glousser en douce les Français. Mais malgré l'armement sophistiqué des Argentins, dont les *Super-Étendards* de l'Aéronavale, la Grande-Bretagne sort victorieuse.
La défaite est très mal vécue en Argentine. Les militaires acceptent de tenir des élections en 1983. Exit la junte au pouvoir, bonjour la ***démocratie. Raúl Alfonsín*** remporte les élections. Les principaux leaders de la dictature (notamment Videla et Massera) sont jugés et condamnés. Mais lorsque le pouvoir veut étendre le procès jusqu'aux plus hauts dirigeants, plusieurs mutineries éclatent à travers le pays. Le pouvoir cède à la pression militaire et fait voter des lois d'amnistie : « loi du point final » (1986) et « loi de l'obéissance due » (1987). Cette impunité est enfin remise en question aujourd'hui. Il faut dire que cette sombre période reste ô combien présente dans la vie privée de ceux dont l'un des proches fut un *desaparecido.*

Dix ans de « menemisme »

En ***mai 1989,*** l'élection du *caudillo* provincial ***Carlos Menem*** s'apparente au retour triomphant du péronisme dans la vie politique. C'est dans un contexte de ***crise économique,*** d'hyperinflation et d'opposition violente des syndicats que Raúl Alfonsín passe le flambeau à Menem. À la surprise générale, celui-ci adopte un plan économique ultralibéral, sévère pour les salaires. Arriviste et entouré de conseillers cyniques et pragmatiques, Menem a la ruse, par la suite, de rallier à sa cause cette armée encore capable de kidnapper la démocratie du jour au lendemain. L'ouverture des archives nazies en 1992 est un acte courageux de sa part ; mais d'un autre côté, l'amnistie des dirigeants de la junte militaire condamnés sous Alfonsín (dont Videla et Massera) choque les démocrates. Ceux qui, en 1976 et 1977, embarquaient des prisonniers politiques en avion pour les jeter dans l'océan se retrouvent en liberté. Même si, pour s'allier les forces populaires, Menem continue de brandir le drapeau péroniste, sa politique économique n'a plus grand-chose à voir avec celle de son modèle. Les ***privatisations*** vont bon train (l'Argentine octroie alors de gros secteurs à la France, comme l'eau et la téléphonie) et l'***hyperinflation*** est jugulée par le changement de monnaie. ***Domingo Cavallo,*** ministre de l'Économie jusqu'en juillet 1996, est le maître d'œuvre de cette politique. Ancien de Harvard, pragmatique, il réussit à dépoussiérer sérieusement l'administration. Mais ce superlibéral a supprimé aussi près de 3 millions d'emplois à coups de privatisations sauvages, de pactes avec des syndicalistes véreux et de suppressions de lois sociales, étranglant au passage les classes moyenne et basse...

L'après-Menem

Après 10 ans de pouvoir, le bilan que laisse derrière lui Menem est désastreux. Il a certes jugulé l'inflation et donné au pays une fierté artificielle en alignant le cours du peso sur celui du dollar, mais le revers de la médaille est douloureux : près de 10 millions d'Argentins vivent au-dessous du seuil de pauvreté, la plupart entassés dans des bidonvilles. L'administration Menem a été ternie par des scandales, abondamment commentés par la presse.
Fernando De la Rúa lui succède en 1999. Il est aussi austère et ennuyeux que Menem était frivole et provocateur ! Indécis, il rappelle Cavallo comme ministre de l'Économie. Ce dernier, esclave du FMI, fait fi des problèmes sociaux des Argentins et met en place un plan d'austérité assorti d'un blocage des comptes en banque. En quelques jours, fin 2001, les manifestations, concerts de casseroles *(cacerolazos)* et pillages renversent le gouvernement. Cinq présidents se succèdent durant 3 semaines de chaos qui plongent l'Argentine dans une profonde crise économique, politique et sociale. Au-delà de l'idéologie, le problème naît de la manière d'administrer le pouvoir. Chaque nouveau gouvernement s'applique à détruire les acquis du précédent sans chercher à distinguer le positif du négatif.
Président intérimaire à partir de janvier 2002, Eduardo Duhalde dévalue le peso et confirme le moratoire sur la dette. Même si le pays s'appauvrit beaucoup en quelques mois, il applique une politique de transition qui permet à l'Argentine de relever peu à peu la tête. Aux élections d'avril 2003, Carlos Menem réussit un come-back au premier tour (qu'il remporte) malgré sa récente inculpation et son assignation à résidence dans une affaire illicite de vente d'armes... Il se retire avec fracas au second tour, évitant ainsi la déculottée qui lui pendait au nez.

Le temps des Kirchner 1

C'est ***Néstor Kirchner*** qui est élu à la présidence de la république. Ce fils de facteur d'origine suisse, péroniste dans sa jeunesse, est amicalement surnommé « le Pingouin », une allusion à sa fonction de gouverneur de l'État de Santa Cruz (en Patagonie). Kirchner a pour principales qualités sa discrétion et sa rigueur budgétaire – quoique la rigueur soit toute relative si l'on en croit les journalistes de sa province, qui ont découvert la « disparition » d'un bon milliard de dollars de fonds provinciaux en 2000... Il préside à une renégociation ardue mais victorieuse de la colossale dette argentine : celle-ci est réduite des deux tiers et rééchelonnée. Le processus détruit le peu de crédit que l'Argentine pouvait encore avoir dans les sphères économiques internationales, mais il permet de lever un poids colossal des épaules du pays. Les taxes sur l'exportation massive de soja transgénique, en plein boom grâce à la faiblesse du peso, permet de financer de nombreux programmes sociaux dont le pays a besoin. Le taux de pauvreté diminue ainsi de moitié, entretenant la popularité de Kirchner. Les Argentins l'associent aussi à la révocation par la Cour suprême, en juin 2005, des lois d'amnistie votées sous Raúl Alfonsín protégeant les militaires responsables des répressions commises sous la dictature (1976-1983) – qui pourront désormais être jugés pour terrorisme d'État (voir plus haut la rubrique « Droits de l'homme »).

Le temps des Kirchner 2

Sénatrice de Buenos Aires depuis 2005, ***Cristina Fernández de Kirchner*** succède aisément à son mari au poste suprême en 2007, en obtenant près de 45 %

des voix dès le premier tour. Elle devient ainsi la première femme élue à la présidence de l'Argentine. L'ombre d'Evita plane... Femme et péroniste, jeune et belle... Plus « militante » que son mari, Cristina Kirchner poursuit la mission du gouvernement précédent : consolider l'élan de croissance économique. Mais voilà que, 100 jours à peine après son investiture, *el campo* se révolte, refusant de voir la taxe sur les exportations de soja passer de 35 % à 46 %. La présidente, qui basait son discours électoral sur le dialogue, maintient une position inflexible. Les manifestations grossissent et le ton monte. Le vote négatif de son vice-président et président du Sénat argentin, Julio Cobos, contre le projet, fait pencher la balance. L'alliance au pouvoir se fissure, menant à une nouvelle forme de cohabitation au sein même de l'exécutif... Certains péronistes prennent leurs distances et la cote de popularité de Cristina Kirchner s'effondre (moins de 30 %) : les Argentins supportent mal ce qu'ils considèrent comme de l'autoritarisme.

Une politique de grands travaux est lancée pour contrer les effets de la crise, mais elle se heurte aux difficultés de financement. Plusieurs entreprises d'envergure sont nationalisées, dont les fonds de pension créés par Carlos Menem. La retraite par répartition est restaurée. Parallèlement, plus de 144 000 sans-papiers venant des pays pauvres voisins sont régularisés, et des lois ambitieuses sont adoptées en terme de liberté de la presse et de modernisation du système judiciaire. Toutes les archives concernant la période de la dictature sont déclassifiées.

Malgré ces notables avancées, le Front pour la Victoire de Kirchner sort très affaibli des ***élections législatives de juin 2009.*** Les Kirchner, à force d'agiter le spectre de la crise, ont lassé. Et puis les Argentins s'inquiètent de l'inflation qui s'envole. Les statistiques l'affichent à moins de 8 %, mais elles mentent ; le prix de la viande a doublé, celui de l'électricité quadruplé.

Cristina Kirchner s'oppose, en ***janvier 2010,*** au président de la Banque centrale, qu'elle limoge pour avoir refusé d'utiliser les réserves pour rembourser la dette publique. Elle a finalement gain de cause, mais certains menacent d'entamer une procédure de destitution à son encontre pour abus de droit. Les péronistes, eux, semblent déjà lui chercher un successeur crédible.

Petite révolution sociologique, sans tambours ni trompettes malgré l'hostilité de l'Église, le ***15 juillet 2010,*** un texte de loi a été adopté à 33 voix contre 27 pour le ***mariage homosexuel.*** L'Argentine est donc le premier pays d'Amérique latine à autoriser le mariage entre deux personnes de même sexe.

– ***24 octobre 2011 :*** Cristina Fernández de Kirchner est réélue dès le 1er tour des élections présidentielles avec plus de 54 % des voix.

– ***2 avril 2012 :*** commémoration à Ushuaia du 30e anniversaire du conflit des Malouines.

– ***5 mars 2013 :*** début d'un « procès historique » pour juger les responsables de « l'Opération Condor ».

– ***8 mars 2013 :*** l'ancien président Carlos Menem (82 ans) est condamné pour trafic d'armes à destination de l'Équateur et de la Croatie. Étant sénateur, il bénéficie d'une immunité jusqu'en 2017.

– ***13 mars 2013 :*** surprise à Rome ! Suite à la démission du pape Benoît XVI, c'est un cardinal argentin qui émerge du vote du conclave. Jorge Bergoglio, qui prend le nom de François, est le premier pape non-européen (bien que d'ascendance italienne) depuis le VIIIe s et également le premier pape issu des rangs de la compagnie de Jésus.

– ***17 mai 2013 :*** l'ancien dictateur Jorge Rafael Videla meurt en prison à 87 ans. Il était condamné à perpétuité.

– ***Octobre 2013 :*** revers électoral lors des élections législatives partielles. Le parti FPV (Front pour la victoire) de Cristina Kirchner cède du terrain, notamment à Buenos Aires, mais reste la première force politique du pays.

– ***Mars 2014 :*** l'Argentine est à l'honneur au salon du Livre de Paris. *Mafalda* fête alors ses 50 ans. Malgré son demi-siècle, l'humour impertinent de la populaire héroïne de B.D., dessinée par Quino, n'a pas pris une ride.

– ***Juillet 2014 :*** l'équipe d'Argentine atteint la 2e place de la Coupe du Monde de football, vaincue en finale par l'Allemagne.
– ***2015 :*** prochaines élections présidentielles et fin du mandat de Cristina Kirchner.

MALVINAS ARGENTINAS

Provocation ? Nullement. Pour les Argentins, de tous bords et classes sociales confondues, les Malouines sont argentines. Plus on descend vers la Terre de Feu, plus on trouve de murs tagués d'inscriptions : « Ingleses = piratas, las Malvinas son argentinas ». Une certaine antipathie envers les Anglais est encore tenace aujourd'hui – d'autant plus depuis la découverte de pétrole dans les eaux des Malouines... Il faut dire que l'Argentine n'a eu de cesse de revendiquer l'archipel depuis son occupation par les Britanniques en 1833.
En 1995, l'Argentine a accepté de ne plus tenter de s'établir dans l'archipel par la force et de s'en remettre à la médiation du comité de décolonisation des Nations unies. Chaque année, celui-ci propose à la Grande-Bretagne de discuter de sa suprématie sur ces territoires terrestres et maritimes... en vain. La main tendue d'Hillary Clinton a elle aussi été rejetée par Londres. Le conflit n'est donc toujours pas réglé juridiquement. La proximité relative de l'Argentine (à 500 km), et le fait que les îles reposent sur sa plaque continentale semblent désigner un propriétaire de « bon droit ». Mais cela serait négliger une forte réalité : la population des Falklands, puisque c'est bien ainsi qu'il faut les appeler, est exclusivement british. Question droit à l'autodétermination, le choix qu'ils feraient est donc évident.
Reste, pour les Argentins, une blessure à vif, un nationalisme outragé. Leur attachement à ce territoire, que si peu ont foulé, se manifeste parfois étrangement. Par d'innombrables monuments aux morts de la guerre des Malouines, constamment ornés de fleurs et de couronnes. Par des milliers de rues baptisées du doux nom de *calle Islas Malvinas.* Par un souci notable de communiquer, à la météo nationale, le temps (frisquet) qu'il fera le lendemain à Port Stanley... En 2008, la présidente argentine, Cristina Kirchner, s'est même violemment opposée au Vatican, car elle exigeait que les Malouines soient nominalement rattachées à l'un des nouveaux diocèses que l'Église voulait créer en Patagonie ! Et en décembre 2011, le gouvernement argentin a sciemment fait monter la pression en demandant aux pays du Mercosur d'interdire l'accès de leurs ports aux navires battant pavillon des Malouines. Deux mois plus tard, la présidente Kirchner a déposé une plainte à l'ONU, accusant Londres de « militariser » la région. Les enjeux autour de l'exploitation du pétrole au large de l'archipel ne fait que raviver les tensions...
Le 2 avril, date de l'invasion argentine, est devenu fête commémorative nationale. L'occasion pour les vétérans de scander sur la place de Mai, à Buenos Aires, des slogans destinés à ne pas voir leurs pensions fondre au soleil.

MATE (YERBA MATE OU YERBA)

Le *mate* (prononcer « maté ») est une véritable institution en Argentine. On en boit partout : pendant les repas, au travail, dans les taxis, sur les plages. D'ailleurs, vous verrez souvent les gens avec des bouteilles thermos contenant l'eau chaude nécessaire au précieux breuvage, et des distributeurs d'eau chaude à côté des pompes à essence dans les stations-service. Du *gaucho* au *tanguero,* il est le symbole même de l'amitié, de la communication et du bon accueil. Ne refusez jamais un *mate* offert de bon cœur ! On s'habitue bien à sa saveur herbeuse et à son amertume.
Originaire du Paraguay, le *mate,* recensé sous le nom très scientifique d'*Ilex Paraguariensis,* est principalement cultivé sur les terres du nord-est de l'Argentine,

dans les provinces subtropicales de Corrientes et Misiones. Cet arbuste (de l'espèce du houx) peut atteindre 3 à 6 m de hauteur et se caractérise par des fleurs blanchâtres et des baies abondantes de couleur rouge. À l'aide de ses feuilles persistantes et luisantes, on élabore une infusion que l'on verse dans une calebasse évidée (ou *mate*) et que l'on boit avec une pipette de métal (ou *bombilla*).
En terre d'Amérique, l'usage du *mate* remonte à la nuit des temps. Les Indiens Guaraní mâchaient ses feuilles et concoctaient une boisson très énergétique en les faisant macérer.
Venus pour évangéliser les natifs, les missionnaires jésuites furent étonnés de constater qu'après avoir bu du *mate* (appelé *caa* en guarani), les Indiens pouvaient pagayer sur le fleuve pendant des heures et présentaient soudain une résistance à l'effort hors du commun ! Il faut dire que cette infusion possède des vertus très toniques : excitante (contient 2,5 % de caféine), elle stimule les fonctions de l'estomac et intensifie les mouvements respiratoires. Le *mate* réveille, supprime la sensation de faim et chasse les migraines. Séduits par ses fonctions et propriétés, les jésuites se mirent aussitôt à l'exploiter et à développer sa culture de façon intensive (d'où son ancien nom de « thé des jésuites »).

POUR MATER LE CHOLESTÉROL !

Une étude menée en 2007 par la très sérieuse université de l'Illinois observe une augmentation d'un antioxydant cardio-protecteur naturel chez les buveurs de mate. *Or, cette enzyme accroît le taux de bon cholestérol et lutte contre le mauvais ! Préparer cette boisson de manière traditionnelle, en versant d'abord un peu d'eau froide, puis de l'eau chaude à plusieurs reprises sur 50 à 70 g de feuilles de* mate, *permet d'extraire les antioxydants – dont l'enzyme en question – en préservant leurs propriétés. Si vous avez abusé des bonnes viandes des* churrascos, *vous savez ce qu'il vous reste à faire !*

MÉDIAS

Votre TV en français : TV5MONDE partout avec vous

Votre TV en français : TV5MONDE est reçue partout dans le monde par câble, satellite et sur IPTV. Dépaysement assuré au pays de la francophonie avec du cinéma, du divertissement, du sport, des informations internationales et du documentaire.
En voyage ou au retour, restez connecté ! Le site internet • *tv5monde.com* • et son application iPhone, sa déclinaison mobile *(• m.tv5monde.com •)*, offrent de nombreux services pratiques pour préparer son séjour, le vivre intensément et le prolonger à travers des blogs et des visites multimédia.
Demandez à votre hôtel le canal de diffusion de TV5MONDE et n'hésitez pas à faire part de vos remarques sur le site • *tv5monde.com/contact* •

Euronews

Restez connecté à l'actualité internationale à tout moment de la journée via Euronews TV, les applications mobiles Euronews disponibles sur IOS, Androïd, Windows Phone, Blackberry et • *euronews.com* • 450 journalistes, de 30 nationalités différentes, parcourent le monde pour vous informer en temps réel, 24h/24 et en 13 langues !
Euronews, la chaîne d'information la plus regardée en Europe, est accessible dans les hôtels, à bord des plus grandes compagnies aériennes, des bateaux de croisière, des gares et aéroports internationaux.

Presse

Côté presse quotidienne nationale, on trouve la même sorte de clivage que dans toutes les démocraties modernes. Le journal le plus important est *Clarín,* assez populaire, qui tire à plus d'un million d'exemplaires et édite des suppléments week-end. Ses petites annonces sont très prisées. Sinon, à ma droite, *La Nación,* équivalent du *Figaro* en plus conservateur, et à ma gauche, le très engagé *Página 12,* à mi-chemin entre *Libération* et *Le Canard enchaîné.* S'ajoutent à ceux-là une quantité de journaux régionaux, où l'international est traité en deux colonnes. Deux grands magazines se partagent le marché hebdomadaire : *Gente,* frère jumeau de *Paris-Match,* et *Caras,* fils spirituel (si l'on peut s'exprimer ainsi) de *Voici.*

Télévision

La télé est une véritable échappatoire ! C'est une distraction bon marché, et les jeux qui permettent de gagner facilement de l'argent connaissent un succès fou, ainsi que les émissions au ton olé olé, qui offrent un peu d'évasion. Faute de vrais programmes éducatifs ou tout simplement informatifs et de bon goût, les *telenovelas,* sortes de feuilletons à l'eau de rose, connaissent un très grand succès. Les animateurs sont véritablement adulés ; les présentatrices reçoivent des dizaines de propositions par jour. Le record de longévité revient sans conteste à Mirtha Legrand. Chirurgie esthétique aidant, elle anime depuis plus de 35 ans (!) un genre de talk-show *(Almorzando con Mirtha Legrand)* à midi, où toutes les grandes personnalités argentines – sportives, artistiques ou politiques – sont invitées.
Pour un pays où la religion est tellement présente au point d'interdire l'avortement, on a l'impression d'être passé de la religion catholique à un fanatisme cathodique. Le nombre d'heures que passe en moyenne un Argentin devant son poste de télé est phénoménal. La télé est souvent allumée dans les restos, et même parfois chez les gens qui vous invitent. Alors que sous la dictature, toutes les émissions étaient archi-censurées et se trouvaient toujours au-dessus de la ceinture, la télé aborde aujourd'hui le sexe et les tabous sans craindre de choquer, bien au contraire. On a comme l'impression qu'elle s'est libérée d'un seul coup et a explosé, voulant (trop ?) décliner sa liberté sous toutes ses formes.

MUSIQUE

Si l'Argentine n'est ni le Brésil ni Cuba, la musique berce également la vie quotidienne, joies et peines, naissances et deuils. Des ruelles de Buenos Aires où perce la plainte d'un *bandonéon* aux terres reculées de province où le folklore s'enracine comme un *quebracho* centenaire, les chants ne sont jamais loin. Pour nous y retrouver dans cette ronde d'airs latins, nous avons divisé les productions musicales argentines en cinq catégories.
– ***Tango*** (voir la rubrique qui lui est consacrée plus loin).
– ***Folklore :*** le néophyte a de quoi en avaler son poncho ! L'Argentine est traversée de mille mouvances très typiques : la *chacarera,* la *vidala,* la *zamba,* la *cueca...* Pour mettre ce joli monde au diapason, un seul nom : Mercedes Sosa (dite « la Negra »). Souveraine incontestée du genre, la Negra Sosa (Indienne originaire de Tucumán) chantait l'Argentine d'une voix unique et démesurée, avec la grâce luxueuse d'un talent pleinement exportable. Autre nom incontournable, celui qui fut à l'origine de presque tout : Atahualpa Yupanqui (1908-1992). Une carrière fascinante où l'homme et sa guitare se firent les complices d'une poésie en apesanteur.
Le chant d'une Argentine métisse, d'une fulgurance et d'une beauté exceptionnelles. Le groupe Los Chalchaleros a, quant à lui, contribué à mettre le folklore à la mode pendant plusieurs décennies. On citera ensuite pêle-mêle : Horacio

Guaraní, Eduardo Falú, José Larralde (le Brassens argentin), Peteco Carabajal, Jorge Cafrune, León Gieco ou Los Cantores del Alba. En ce qui concerne les rythmes plus mélancoliques du *chamamé,* Teresa Parodi, Raúl Barboza et Antonio Tarragó Ros (superbe) en demeurent les plus précieux ambassadeurs.
N'oublions pas non plus un certain... Jairo. Malgré son image, chez nous, de chanteur à minettes, le petit hidalgo a sorti un disque de chansons traditionnelles : *25 años-Vol. II.*

– ***Rock :*** depuis le début des années 1960, un grand nombre de groupes et d'artistes rock fleurit sur la terre du río de la Plata. L'ancienne génération est brillamment représentée par Charly García (et Luis Alberto Spinetta, mort en février 2012) un papy rocker qui ne s'est pas encore lassé des salles de concert. Les années 1980 ont vu émerger Sumo (qui a révolutionné le rock argentin en quelques années, jusqu'à la mort tragique de son chanteur en 1987), Los Abuelos de la Nada, Soda Stereo (irréprochable, dissous en 1988) ou encore Virus (hélas défunt). De la même génération, le groupe Patricio Rey y sus Redonditos de Ricota continue de jouir aujourd'hui encore d'une popularité véritablement exceptionnelle, et touche toutes les couches de la population (les albums *Oktubre* et *Luzvelito* sont fantastiques). Phénomène inexplicable, des éléments violents perturbent régulièrement ses concerts et rendent ses apparitions publiques de plus en plus rares. Les années 1990 ne sont pas en reste avec les Ratones Paranoicos (en première partie des concerts des Rolling Stones en 1995), Divididos (dont le guitariste et le bassiste sont issus de Sumo), Bersuit Vergarabat et Fito Páez.

– ***Música popular :*** ce qualificatif est attribué en Argentine à des musiciens inclassables qui se sont essayés à des styles différents mais dont le seul point commun reste des thèmes et paroles engagés et contestataires. Les maîtres du genre sont sans conteste Victor Heredia (époustouflant ! Écoutez son *Taki Ongoy,* subtil mélange de modernité et de folklore, retraçant la chute tragique de l'Empire inca) et León Gieco (issu du rock). Mais le qualificatif de « popular » englobe aussi des genres aussi répandus que la *cumbia villera* (*cumbia* des bidonvilles), qui possède de multiples adeptes. Grosso modo, il s'agit à la base de la *cumbia* colombienne fortement revue par les synthétiseurs et récupérée par les classes populaires avec une thématique plus sexo-sociale que romantique. Les *bailantas,* ou bals populaires, constituent les lieux de rassemblement d'une population venue des quartiers périphériques (GBA : Gran Buenos Aires, la grande banlieue).
Même si les provinciaux vivant dans la capitale possèdent chacun leur propre répertoire folklorique (en particulier ceux des provinces du Nord), ils se retrouvent souvent lors de ces manifestations. À Buenos Aires, les boîtes de *bailanta* les plus connues s'appellent *Metrópolis* et *Fantástico Bailable.* Les groupes les plus populaires étant Pibes Chorros (les gamins chapardeurs), Damas Gratis, Yerba Brava (herbe forte), Supermerk2 ou encore Meta Guacha (pour la traduction, demandez à un local...). Leurs fans arborent un look semblable aux groupes de rap du Bronx new-yorkais ou des banlieues européennes.

– ***Melódicos :*** on trouve un peu de tout dans cette catégorie très roucoulante, intimiste et bâtarde. On retiendra Marilina Ross, Sandra Mihanovich, Patricia Sosa ou encore (dans un registre vocal proche de Céline Dion ou de Lara Fabian) Valeria Lynch et Maria Marta Serra Lima... Pour le reste, à vos risques et périls !

PERSONNAGES

Politique

– ***Che Guevara*** *(Ernesto Guevara ; 1928-1967)* **:** l'Argentine a enfanté le symbole de toute une génération qui voulait changer le monde. Eh oui ! le Che n'était ni cubain ni bolivien... mais bel et bien argentin. Il est né en 1928 à Rosario, dans une famille bourgeoise. Beau comme le Christ, les posters le montrent avec ce regard tourné vers un monde meilleur. Dans une lettre adressée à Fidel Castro, il déclara : « Dans une révolution, on doit triompher ou mourir. » Il en est mort.

– ***Eva Perón*** *(María Eva Duarte de Perón ; 1919-1952)* **:** voir plus haut le paragraphe qui lui est consacré dans la rubrique « Histoire ».

– ***Isabel Perón*** *(María Estela Martínez Cartas de Perón ; née en 1931)* **:** la troisième épouse de Juan Perón était la seule femme, jusqu'à l'élection de Cristina Kirchner, à avoir jamais gouverné l'Argentine. Danseuse dans une troupe folklorique, elle a rencontré Perón durant son exil panaméen, avant d'œuvrer à son retour en Argentine. En septembre 1973, le couple est élu triomphalement avec plus de 60 % des voix, mais Perón meurt peu après, laissant Isabel au pouvoir en sa qualité de vice-présidente. Influencée par les courants conservateurs, elle est finalement déposée par la junte en mars 1976 et embastillée. Vivant en exil en Espagne depuis 1981, elle est interpellée par la justice en 2007 dans le cadre d'une enquête sur la disparition de l'un de ses opposants politiques durant sa présidence.

Homme d'église

– ***Le pape François*** *(Jorge Mario Bergoglio ; né en 1936)* **:** à la surprise générale, le 13 mars 2013, l'archevêque de Buenos Aires est élu pape (c'est le 266e de l'Église catholique romaine) à l'âge de 76 ans. Premier pape issu du Nouveau Monde, né à Buenos Aires de parents d'origine italienne, il séduit par son discours direct et nouveau. Il prend le nom de François en hommage à saint François d'Assise dont il s'inspire en se déclarant « pape des pauvres et des démunis ». À Buenos Aires, un bidonville a même été baptisé « Pape François ».

Sport

– ***Juan Manuel Fangio*** *(1911-1995)* **:** ce fou du volant, cinq fois champion du monde de Formule 1 dans les années 1950, est la référence en terme de courses automobiles. Aucun pilote n'a remporté autant de grands prix : 24 sur 51 disputés ! Mécanicien dans un atelier de Buenos Aires qui prépare des voitures de course, il s'essaie à la conduite dès l'âge de 16 ans, mais doit attendre 39 ans pour remporter sa première grande épreuve, une course entre Lima et Buenos Aires. Il faut dire qu'il se finance essentiellement lui-même et par souscription ! Il bénéficie, après-guerre, de l'engouement de Perón pour ce sport et de la création d'une équipe d'Argentine de la discipline.

– ***Diego Maradona*** *(né en 1960)* **:** l'icône sombre du football argentin, ex-champion du monde, a entraîné jusqu'il y a peu l'équipe nationale. Il est repéré dans sa banlieue dès l'âge de 11 ans et déclare peu après : « J'ai deux rêves, disputer une Coupe du Monde et la remporter pour l'Argentine ! » Tout le monde s'amuse alors déjà de sa capacité à jongler avec les ballons. Professionnel à 16 ans, le *Pibe de Oro* (Gamin d'Or) fait le bonheur des stades argentins, puis européens, tout au long des années 1980, culminant avec la victoire argentine lors du Mondial de 1986 (celle de la fameuse « main de Dieu » !). Mais son autre histoire d'amour, avec la cocaïne, entamée dès son exil barcelonais (1982-1984), ternit peu à peu sa réputation et sa carrière. Exit la longue connivence avec le public napolitain (1984-1991), bonjour le retrait forcé des terrains. Son rôle même de sélectionneur argentin (depuis 2008) a été très controversé et les

LE FILS PRODIGE

L'église maradonienne, créée en 1998, est un culte voué à l'ancien joueur de football Diego Maradona. Elle compte près de 100 000 fidèles dans 60 pays. On y fête Noël le 29 octobre, veille du jour de naissance de l'idole aux crampons !

résultats mitigés de l'*albiceleste* à la dernière Coupe du Monde a eu raison de sa courte carrière à ce poste.

– ***Lionel Messi*** *(né en 1987)* **:** considéré comme le digne successeur de Maradona et le meilleur joueur du monde en activité, il est né dans la ville du Che, à Rosario. Il a dû se résoudre à quitter son club de Newell's Old Boys dès l'âge de 13 ans, pour rejoindre le centre de formation de Barcelone, après qu'on lui a détecté une maladie hormonale nécessitant un traitement coûteux. En finançant le développement physique de ce surdoué, le FC Barcelone a réalisé le plus bel investissement de l'histoire du football. Premier footballeur au monde à obtenir 4 titres consécutifs du Ballon d'Or (1999-2012), celui que l'on surnomme *La Pulga* (la Puce) a déjà remporté une cinquantaine de distinctions sportives individuelles et collectives (dont les Jeux olympiques en 2008) avec son club du FC Barcelone et la sélection argentine. Ce lutin des stades (1,69 m et 64 kg) sème la panique au sein des défenses adverses, grâce à une conduite de balle et une spontanéité exceptionnelles. Dernière consécration en date, le titre de Meilleur Joueur attribué par la FIFA lors de la Coupe du Monde de football au Brésil, en juillet 2014, et ce, malgré la défaite de l'Argentine en finale face à l'Allemagne. Ce titre a d'ailleurs fait polémique, certains jugeant que Messi ne s'était pas illustré au mieux de sa forme et que le titre était donc usurpé. Il reste malgré tout l'un des meilleurs joueurs actuels, de façon incontestable.

– ***Carlos Monzón*** *(1942-1995)* **:** boxeur des seventies, 14 fois champion du monde des poids moyens (WBA et WBC), Monzón était considéré comme quasiment invincible. Sur 100 combats, il s'est imposé à 87 reprises (dont 59 par KO) et n'a concédé que trois authentiques défaites ! Accusé d'avoir défenestré sa fiancée, il est mort sur la route alors qu'il rentrait au pénitencier après une permission de sortie. Il est statufié devant sa tombe au cimetière de la Recoleta à Buenos Aires.

– ***Gabriela Beatriz Sabatini*** *(née en 1970)* **:** la meilleure joueuse de tennis argentine s'est imposée sur le circuit après sa victoire aux championnats du monde junior en 1984. Régulière du top ten, elle remporte cependant peu de grands tournois. Sa seule victoire en Grand Chelem a lieu en 1990 à l'US Open.

– ***Guillermo Vilas*** *(né en 1952)* **:** régulier du circuit dans les années 1970, le play-boy des courts de tennis est le premier Argentin à avoir remporté un titre du Grand Chelem. Mieux que ça, dans la seule année 1977, il en a remporté deux, Roland-Garros et l'US Open, ainsi que 14 autres tournois – et 45 matchs d'affilée, un record longtemps inégalé. Il ne fut cependant jamais numéro 1 mondial, mais « seulement » numéro 2 (un classement contesté).

Littérature

– ***Jorge Luis Borges*** *(Jorge Francisco Isidoro Luis Borges Acevedo ; 1899-1986)* **:** sibyllin et brillant homme de lettres (voir plus haut la rubrique « Livres de route »), Borges s'est imposé comme un littérateur infatigable, pétri d'une culture remarquable. Issu d'une famille de notables polyglottes, élevé en partie en Europe, il a commencé sa carrière en traduisant Kafka et Faulkner. Ont suivi contes, nouvelles, poèmes, essais, critiques littéraires en pagaille, articles, réflexions philosophiques. Des textes souvent mêlés d'une dimension fantastique qui en fait, pour certains, un des pontes du réalisme magique sud-américain. Devenu aveugle avant même de connaître une renommée internationale, Borges n'a jamais appris le braille et comptait sur sa vieille mère, puis son assistante, pour lui lire presse et livres. Il dictait ses textes. Son antipathie pour le péronisme et son silence sur le régime des colonels lui ont valu de nombreuses critiques.

– ***Adolfo Bioy Casares*** *(1914-1999)* **:** cet ami proche de Borges, avec lequel il a étroitement collaboré, est l'une des grandes plumes de l'Argentine du XXe s. Il a été couronné en 1990 par le prestigieux prix Cervantès pour l'ensemble de son œuvre. Puisant comme Borges au rayon du fantastique, il s'est imposé grâce à *L'Invention de Morel* (1940), mettant élégamment en scène un homme face à la solitude de son destin.

– ***Julio Cortázar*** *(1914-1984)* **:** professeur de littérature française, inspiré dans ses jeunes années par le surréalisme, Cortázar quitte l'Argentine dès 1951 pour échapper au péronisme. Installé en France, il traduit Marguerite Yourcenar, Poe, Defoe, etc. Engagé à gauche, il puise son inspiration dans le réalisme social teinté d'une touche fantastique typiquement *latina*.

– On oublie souvent que ***Joseph Kessel** (1898-1979),* grand écrivain-voyageur et journaliste, est né en 1898 dans la colonie Clara, près de Concordia. Il y passa les sept premières années de sa vie avant de se voir propulsé par son père médecin dans le froid glacial de l'Oural russe, puis en France...

– ***Hector Bianciotti** (1930-2012)* **:** italien de sang, argentin de naissance, français depuis sa naturalisation en 1981, Bianciotti s'est installé à Paris en 1961, où il a peu à peu gravi les échelons du monde littéraire. D'abord simple rédacteur de rapports de lecture pour Gallimard, il devient critique au *Nouvel Observateur,* puis au *Monde,* et publie en parallèle une succession de romans – dans sa langue maternelle, puis en français. *L'amour n'est pas aimé* obtient le prix du Meilleur livre étranger en 1983 et *Sans la miséricorde du Christ* le prix Femina deux ans plus tard. Il siège à l'Académie française à partir de 1996. Il est mort à Paris le 12 juin 2012.

– ***Ernesto Sabato** (1911-2011)* **:** fils d'émigrés italiens, physicien, romancier, essayiste et critique littéraire, c'est un des derniers géants de la littérature argentine qui s'est éteint à l'âge respectable de 99 ans. Son œuvre a mêlé réalisme et métaphysique, en témoignant de la difficulté de vivre dans le monde moderne. Son premier roman, *Le Tunnel,* lui a valu une notoriété internationale. Pour la petite histoire, exilé à Paris et fuyant la dictature, Ernesto Sabato a vécu à l'École normale supérieure de la rue d'Ulm, hébergé par un concierge trotskyste. Tout en étant boursier à l'institut Curie, il fréquentait alors les surréalistes de Montparnasse.

– ***Quino** (Joaquín Salvador Lavado ; né en 1932)* **:** le papa de *Mafalda* est l'un des dessinateurs humoristiques les plus réputés d'Amérique latine. Créée en 1964, sa jeune héroïne, championne de toutes les bonnes causes, se débat dans un univers peuplé de personnages caricaturaux, incarnant tour à tour les méfaits du capitalisme incurable et de la religion oppressante. Elle-même se fait un chantre du féminisme. Quino s'est exilé durant la dictature militaire pour échapper à la répression.

– ***Maitena** (née en 1962)* **:** la sœur argentine de Bretécher parsème les pages des plus prestigieux canards hispaniques de ses *Femmes déjantées.* Un reflet de sa propre libération ? Mariée à 19 ans, avec deux enfants, elle explose à 24 ans, en quête d'une liberté nouvelle. « Ma vie manquait un peu de sexe, de drogues et de rock'n'roll », déclare-t-elle...

Théâtre, cinéma, spectacle

– ***Carlos Gardel** (1890-1935)* **:** Charles Romuald Gardès serait né à Toulouse et arrivé avec sa famille à Buenos Aires à l'âge de 3 ans. D'autres sources affirment cependant qu'il serait né 3 ans avant (en 1887), en Uruguay... Sous le nom de Carlos Gardel, il démarre sa carrière en poussant la ritournelle dans les cabarets sordides avant de se produire dans des établissements plus bourgeois. Le cinéma muet s'empare de lui (un comble pour un chanteur !). Une grande carrière s'ouvre alors à lui. Il devient très vite « le plus grand chanteur de tango de tous les temps », une figure nationale encore adulée aujourd'hui par tous les aficionados de tango. Il meurt tragiquement le 24 juin

GARDEL GARDE SON MYSTÈRE

Mystère de ses origines : est-il français ou uruguyen ? On le dit né à Toulouse de père inconnu. Mystère de son succès immense, qui serait lié notamment à une amitié dans sa jeunesse avec un Indien araucan doué de pouvoirs surnaturels. Mystère de sa mort : cet artiste que l'on croyait éternel disparaît en juin 1935 dans un accident d'avion en Colombie. Il s'était disputé violemment avec son parolier Alfredo Le Pera. A-t-il voulu le tuer et, par erreur, atteint le pilote de l'appareil ? Ses obsèques à Buenos Aires furent dignes d'un héros national.

1935, dans un accident d'avion. On peut visiter sa maison d'enfance, reconvertie en musée, dans le quartier de Balvanera et aller fleurir sa tombe ou orner sa statue d'une clope au bec au cimetière de Chacarita (lire plus loin « Buenos Aires. À voir. Palermo »).

– ***Alfredo Arias*** *(né en 1944)* **:** encore un Argentin expatrié en France sous la dictature... Metteur en scène, il se fait remarquer à son arrivée en 1970 (après un crochet par New York) par sa mise en scène de *Eva Perón* de Copi. Durant toute sa carrière, il jongle entre pièces contemporaines, œuvres classiques réinterprétées, opéras et parodies de comédies musicales. Son ton bien particulier, fait d'humour et d'un sens aiguisé du spectacle, lui vaut une reconnaissance nationale (plusieurs Molière) et internationale. Parmi ses grands succès : *Peines de cœur d'une chatte anglaise* (1977) et *Mortadela* (1992).

– ***Fernando Ezequiel Solanas*** *(Pino Solanas ; né en 1936)* **:** l'un des plus grands réalisateurs argentins contemporains, très engagé, il s'est fait connaître en 1968 par *L'Heure des brasiers,* un long métrage documentaire en 16 mm tourné clandestinement. Solanas s'exile en France sous la dictature et revient avec *Tangos, l'exil de Gardel* (1985), pour lequel il reçoit le Grand prix spécial du jury au Festival de Venise. En 1988, *Le Sud* lui vaut un prix de mise en scène à Cannes. Trois ans plus tard, il est blessé par balle deux jours après avoir publiquement attaqué Carlos Menem. Élu député du centre gauche, il s'est présenté en 2007 à l'élection présidentielle, face à Cristina Kirchner – qu'il juge trop libérale, économiquement parlant. Lors des législatives de 2009, il place son parti *Proyecto Sur* à la deuxième place à Buenos Aires.

– ***Gaspar Noé*** *(né en 1963)* **:** cinéaste originaire de Buenos Aires, il fait des études de cinéma en France où il tourne ses premiers courts métrages. Il crée sa société de production, Les cinémas de la zone, en 1991 et choque le public avec des films aux sujets plus que sensibles, comme *Carne* (1991) ou encore *Irréversible* (2002), avec Vincent Cassel et Monica Bellucci.

– ***Jérôme Savary*** *(né en 1942)* **:** qui l'eut cru ? Jérôme Savary est argentin. Né en 1942 à Buenos Aires d'un père français et d'une mère américaine (fille du gouverneur de l'État de New York), il a fait ses études en France, rencontré toutes les pointures jazzy de la Beat Generation aux États-Unis, puis travaillé comme dessinateur de B.D. et illustrateur de dictionnaires en Argentine ! Il revient en France en 1965 pour créer sa compagnie de théâtre.

– Et pour le cinéma, citons encore... ***Bernard Blier,*** né en 1916 en Argentine au hasard d'une affectation de son père, biologiste à l'Institut Pasteur !

POPULATION

« Les Mexicains descendent des Aztèques, les Péruviens des Incas et les Argentins... des bateaux ! » Ce dicton d'Octavio Paz est une certitude bien ancrée dans les mentalités. Pourtant, elle confine au mythe : la population argentine est beaucoup plus métissée qu'on ne le pense. Les conquérants espagnols sont arrivés seuls et ont épousé des Amérindiennes. Conséquence : 65 % des Argentins ont conservé des traces de gènes amérindiens dans leur ADN. En raison du transfert important d'esclaves africains, un Argentin sur six a également des origines sub-sahariennes. L'émigration massive d'Européens aux XIXe et XXe s, puis des populations des pays limitrophes, ont encore accentué le métissage de la population. Mais revenons aux origines, en détaillant les populations « natives », comme il convient de les appeler.

Avant la conquête espagnole, l'Argentine était peuplée par un grand nombre d'ethnies amérindiennes. Aujourd'hui, c'est le pays d'Amérique latine qui, officiellement, en compte le moins (environ 3 %) ! Un chiffre toutefois contestable car il faut différencier les Indiens reconnus comme tels par le gouvernement, par l'INAI, et ceux qui se désignent eux-mêmes comme Amérindiens.

Il se pourrait donc qu'il y en ait beaucoup plus. À la Jefatura de Cabinete del Gobierno de la Nación, par exemple, le bureau « Pueblos Indigenas » estime déjà à 10 % de la population argentine le nombre d'Indiens Mapuche... D'ailleurs, les Indiens d'Argentine crient depuis longtemps au « génocide statistique ».
La soudaine reconnaissance dont ils bénéficient au niveau international et le renouveau d'une fierté communautaire dans la quête identitaire permettent, par contrecoup, d'observer une augmentation des populations natives dans les recensements provinciaux.

Les Guaraní

Les Indiens les plus célèbres d'Argentine, grâce aux « missions » et au film du même nom... On les retrouve dans les provinces actuelles du Nord-Est : Corrientes, Misiones, Formosa, Chaco... Présents également au Paraguay, au Brésil, en Bolivie et en Uruguay, les Guaraní (*Guaraníes* au pluriel en espagnol) sont, de tous les peuples de la souche tupi, les Indiens les plus anciens qui existent aujourd'hui. Ils représentent l'un des groupes semi-nomades les plus importants d'Amérique latine.
Dès le début du XVIIe s, colonisés et évangélisés par les missionnaires jésuites, les Guaraní se révèlent de valeureux guerriers, d'une intelligence très pieuse. Au fur et à mesure que les missions se développent, ils font preuve d'une habileté et d'un sens artistique hors du commun : boudant les travaux de force, ils préfèrent copier à grande échelle les instruments de musique européens, deviennent d'excellents musiciens et chanteurs, et s'initient à la sculpture, à la peinture et au tissage avec une grande virtuosité.
Aujourd'hui, quelques Indiens Guaraní survivent misérablement sur la terre écarlate de Misiones. Ils taillent pour les touristes ces émouvants animaux de bois (jaguars, toucans, tortues, coatis...), réalisent des pipes d'argile, tressent des paniers et constatent tristement l'exploitation que les *juruás* (les étrangers) font de leur nature autrefois luxuriante.
Leur langue (avec de nombreuses variantes) est pratiquée dans tout le Paraguay et au nord de l'Argentine. Leurs mots sont beaux, d'une incroyable douceur. Entre Corrientes et Misiones, une partie du folklore local, appelé *chamamé* (prononcez « tchamamé »), étonnant mélange de mazurka, polka et valse, perpétue la mémoire indienne en poésie guaraní.
Et puis, il reste, crevant la jungle, des ruines jésuites majestueuses où l'on peut se confronter au passé (San Ignacio).

Les Indiens des Andes

À l'origine, on comptait dans ces majestueuses vallées et montagnes un grand nombre d'ethnies florissantes : les ***Diaguitas,*** les ***Calchaquíes,*** les ***Omaguacas,*** les ***Capayanes,*** les ***Tonocotés,*** les ***Atacamas...*** Aujourd'hui (successivement phagocytées par les invasions incas et espagnoles), ces cultures ont hélas disparu. Reste la mémoire qui habite et hante encore de nombreux habitants de ces régions. Les habitants actuels des Andes argentines du Nord sont les Coyas (ou Koyas), généralement agriculteurs et bergers. La tête dans les nuages, ils promènent avec leurs troupeaux de moutons, de chèvres et de lamas les accents nostalgiques et précieux de leur splendeur déchue...

Les Indiens du Chaco

C'est principalement dans ce territoire encore sauvage du Nord que survivent les derniers fils légitimes d'Argentine. Après la disparition des Abipones et des Lule-Vilelas, on y rencontre encore les ***Tobas,*** les ***Mocovíes,*** les ***Pilagás,*** les ***Matacos,*** les ***Chorotes,*** les ***Chulupíes,*** les ***Chiriguanos*** et les ***Chanés.*** Après la

conquête militaire du Chaco, de 1881 à 1884, un épisode particulièrement sanglant de l'histoire latino-américaine, ces ethnies s'éteignent peu à peu dans l'indifférence générale, rongées par la tuberculose, la malnutrition et la misère. Mais n'oublions pas un des pires ennemis des Indiens du Gran Chaco aujourd'hui : la déforestation (un des problèmes les plus graves en Argentine, tant sur le plan humain qu'environnemental).
Le Chaco est un écosystème fragile et luxuriant, couvert de forêt tropicale. Mais l'avancée de la frontière agricole sur les terres de bois natifs, facilement acquises auprès des provinces, a réduit considérablement ce sanctuaire de la vie sauvage. Les Indiens Tobas et Witchis sont chassés du jour au lendemain de leurs terres, n'ayant souvent aucun titre de propriété à montrer pour arrêter les tractopelles.
La *ley de bosques,* votée en 2007 grâce à l'intervention de Greenpeace, n'empêche pas les magouilles d'avoir lieu dans l'ombre des bureaux, et comme les provinces sont propriétaires de leurs ressources naturelles selon la Constitution de 1994, il est très difficile de contrôler au niveau national l'avancée du soja et le respect des droits indigènes qu'elle met à mal.

Les Indiens de la Pampa

Ce territoire de lune et de vent fut peuplé jusqu'au XVIIIe s par les Indiens Pampas, qui lui donnèrent leur nom. L'ethnie pampa la plus célèbre – celle des Querandíes, installée dans l'actuelle province de Buenos Aires – impressionna fortement les premiers conquistadors par la vigueur et la beauté de ses individus. Dans le sud de l'actuelle province de Córdoba, on rencontrait les Indiens Ranqueles. Enfin, les Araucanos subirent (comme leurs voisins) les atroces ravages de ce qu'on appela « la conquête du Désert », une campagne d'extermination et de désintégration culturelle menée dès 1879 par le général Julio A. Roca.

Les Indiens de Patagonie et de la Terre de Feu

Les « Patagons » (Tehuelches) ont beau avoir donné leur nom à un territoire gigantesque, il n'en reste plus un seul ! Ils furent décimés par les éleveurs, qui leur reprochaient de piller leurs troupeaux ! On les chassait encore dans les années 1930. Les derniers ont péri à cause de l'alcool ou des maladies importées. Depuis, les moutons ont bien prospéré...
Au nord, on trouve les Mapuches. Il n'en reste plus qu'un millier côté argentin, alors qu'on en dénombre encore un million au Chili. Aussi peu nombreux qu'ils soient, les voilà désormais contraints de vivre dans l'ombre du géant *Benetton* : l'Italien a acheté pas moins de 900 000 ha de terres en Patagonie, y faisant paître 280 000 moutons ! Un véritable État dans l'État, qui entrave la liberté des Mapuches – avec la bienveillance du gouverneur.
En Tierra del Fuego, on rencontrait des chasseurs-cueilleurs, les Selk'nam (ou Onas), et deux peuples de marins nomades, les Alakalufs (ou Kaweskars) et les Yámanas (ou Yaghans) – ces derniers n'hésitant pas à naviguer sur les eaux du cap Horn. Ce sont les Kaweskars, semble-t-il, qui ont donné leur nom à la Terre de Feu : c'est en observant des flammes se déplaçant sur l'eau – des feux destinés à se réchauffer, à bord des embarcations, dans ce climat glacial –, que Magellan choisit le terme.

CHASSE AUX INDIENS...

Les Indiens chassaient le guanaco (sorte de lama) pour se nourrir. En installant des clôtures dans la pampa, les colons empêchaient les Indiens de chasser librement. Parfois, ils tuaient donc un mouton pour survivre. En 1879, le gouvernement décida d'éliminer cette population « gênante »... On embaucha des tueurs professionnels qui recevaient 1 livre sterling pour chaque paire d'oreilles coupées. Ce fut une véritable extermination.

Pour plus de renseignements concernant les communautés amérindiennes d'Argentine, se référer à l'excellent ouvrage de Carlos Martínez Sarasola : *Nuestros Paisanos Los Indios* (éditions Emecé, Buenos Aires, 1992).

RELIGIONS ET CROYANCES

Les Argentins sont très majoritairement catholiques (92 % de la population), mais le pays abrite aussi une importante communauté juive, majoritairement installée à Buenos Aires.

On trouve d'innombrables petits autels le long des routes, illustrant le culte des *santos,* ces saints populaires consacrés par le peuple, devenus légendaires parce qu'ils étaient humains, pauvres, coléreux ou encore insoumis. On leur attribue des actions miraculeuses et on peut tout demander aux *santos,* car ils sont là pour faire justice, c'est-à-dire le bien... ou le mal. Très visibles, ces centaines d'autels dressés le long des routes, souvent dans des régions reculées (le Nord, la Patagonie, la région de Corrientes), sont devenus paysage. L'Église elle-même a su accepter ces nouvelles icônes et les intégrer au culte catholique (certains sacerdoces leur ont même dédié autels et messes). C'est ici l'un des cas les plus emblématiques du syncrétisme religieux. Parmi les *santos* préférés des Argentins : le Gauchito Gil (le Robin des Bois de Corrientes, dont l'autel, une niche rouge recouverte de fleurs et de foulards rouges claquant au vent, est le plus récurrent sur les routes) et la Difunta Correa, de San Juan, dont l'autel est entouré de bouteilles remplies d'eau, en souvenir de sa mort (elle est morte de soif dans le désert, à la recherche de son mari parti en guerre ; on a retrouvé sur son sein, vivant, l'enfant qu'elle allaitait).

Sinon, dans le nord-ouest du pays, le culte de la *Pachamama,* la terre-mère, est encore respecté et mélangé aux croyances chrétiennes, comme au Pérou et en Bolivie, par exemple. Dans les provinces de Jujuy, Salta et Tucumán, les processions sont nombreuses, mais il n'existe pas de dates fixes.

SITES INSCRITS AU PATRIMOINE MONDIAL DE L'UNESCO

Pour figurer sur la liste du Patrimoine mondial, les sites doivent avoir une valeur universelle exceptionnelle et satisfaire à au moins un des dix critères de sélection. La protection, la gestion, l'authenticité et l'intégrité des biens sont également des considérations importantes.

Le patrimoine est l'héritage du passé dont nous profitons aujourd'hui et que nous transmettons aux générations à venir. Nos patrimoines culturel et naturel sont deux sources irremplaçables de vie et d'inspiration. Ces sites appartiennent à tous les peuples du monde, sans tenir compte du territoire sur lequel ils sont situés. Pour plus d'informations : ● *whc.unesco.org* ●

Les sites traités dans le guide sont :

- Los Glaciares (1981).
- Missions jésuites des Guaraní : San Ignacio Mini, Santa Ana, Nuestra Señora de Loreto et Santa Maria Mayor (1983).
- Parc national d'Iguazú (1984).
- Péninsule Valdés (1999).
- *Estancias* jésuites de Córdoba (2000).
- Parcs naturels d'Ischigualasto-Talampaya (2000).
- Quebrada de Humahuaca (2003).

SPORTS ET LOISIRS

Football

Le *fútbol* en Argentine est une religion dont les joueurs sont les dieux vivants. Maradona fut la Sainte-Trinité à lui tout seul, avant d'être promu entraîneur de l'équipe nationale fin 2008, et Lionel Messi, qui évolue à Barcelone, est aujourd'hui considéré par la presse internationale comme le nouveau... messie !
Socialement, pour les déshérités, le football tient le même rôle que le basket pour les jeunes Noirs américains : le seul espoir de promotion. Chaque Argentin est un fervent supporter de l'équipe nationale, et au niveau local, il choisit le club de son quartier, de sa classe sociale ou de sa communauté ethnique... à moins que son père ne l'y ait inscrit d'office, comme c'est souvent le cas, avant sa naissance ! Car les Argentins sont formels, « on peut changer de religion, de parti politique, de profession ou d'épouse, mais jamais de couleur de maillot ».
Essayez de voir un match à Buenos Aires, où jouent les meilleurs clubs du pays : Boca Juniors (Maradona y a porté le brassard de capitaine), River Plate, Velez Sarsfield, San Lorenzo... Les stades *(canchas)* sont immenses. Il y en a au moins trois à Buenos Aires, qui offrent plus de 60 000 places. Le plus impressionnant est sans conteste la *Bombonera,* le stade vétuste de l'équipe de Boca Juniors, qui accueille chaque année le derby le plus bouillant de la planète contre le rival de River Plate. Ambiance démente mais assez violente. Chaque club possède ses groupes de supporters *(hinchas),* bruyants et exubérants et, malheureusement, ses *hooligans (barras bravas).* Allez-y en groupe, et évitez toute provocation inutile en encourageant bien la même équipe que les gens qui vous entourent...

MATCH TRUQUÉ ?

Une enquête a été ouverte en 2012 pour vérifier les dires d'un ancien leader politique péruvien. Celui-ci affirme que le match décisif contre le Pérou qui a permis à l'équipe argentine d'accéder à la finale et de gagner la Coupe du Monde de 1978 aurait été truqué. L'Albiceste devait impérativement l'emporter par plus de 4-0, le match se termina par un 6-0 ! En fait, Videla, qui avait besoin de cette victoire pour redorer le blason de sa dictature, aurait rendu un service aux Péruviens en les débarrassant d'opposants politiques encombrants.

Tennis

Le tennis a connu bien des heures de gloire depuis la création en 1892 du *Buenos Aires Lawn Tennis Club.* Dans les années 1930, les joueurs éminents sont les frères Zappa (la fameuse marque de sport), Alberto Basaldúa, Hector Etchart, Heraldo Weiss ou encore Alejo Rusell. En 1944, le pays trouve son favori : Enrique Morea, qui rayonnera jusqu'en 1960 et remportera de nombreux titres internationaux, dont la médaille d'or aux Jeux Panaméricains de 1951, en Argentine.
Dans les années 1970, Guillermo Vilas fait la gloire de l'Argentine et de toute l'Amérique du Sud (un musée porte son nom à Mar del Plata). Puis ce fut au tour de Gabriela Sabatini de révolutionner le tennis argentin en devenant à 14 ans la première junior professionnelle mondiale. Elle remporte notamment la seule médaille d'argent argentine des Jeux olympiques de Séoul et bat en 1990 la numéro un mondiale Steffi Graff, à l'US Open. Paola Suarez, avec une quarantaine de titres remportés en double, dont huit en Grand Chelem, mérite aussi sa place parmi les favoris du pays. Tout comme Guillermo Coria, surnommé « l'Agassi latino-américain », ou encore Nalbandian, premier Argentin à atteindre la finale de Wimbledon en 2002. Blessé à l'épaule, ce joueur brillant met fin à sa carrière en 2013, après avoir été battu en finale de l'open du Brésil par Rafaël Nadal.

Quant à Juan Martín Del Potro, originaire de Tandil dans la province de Buenos Aires, il a tout d'un prodige : le plus grand (1,95 m) et le plus jeune (né en 1988) du Top ten des tennismen mondiaux totalisait à la mi-saison 2009 une trentaine de victoires. Il a remporté en septembre 2009 la finale de l'US Open face à Roger Federer. Malheureusement, une blessure au poignet et la rééducation qui suit le mettent hors circuit pendant 8 mois en 2010... Il commence l'année 2011 à la 485e place mais il se hisse dès l'année suivante dans le top 5 ! Juan Monaco est aussi un joueur à garder à l'œil. Si vous souhaitez assister à des matchs, toutes les infos sont disponibles (en espagnol) auprès de l'*Asociación Argentina de Tenis* : • *aat.com.ar* •

Polo

Dans la terre des *gauchos,* le plus ancien des jeux à cheval a trouvé un terrain de prédilection. Le polo, ce sport élégant mais difficile, où des cavaliers poussent une boule de bois dans le camp adverse avec un maillet à long manche, est devenu le symbole de la bourgeoisie argentine. Il arrive avec les Anglais, vers la fin du XIXe s, et se développe d'abord dans les *estancias,* ces grandes fermes tenues par des propriétaires terriens, pour la plupart européens. Le premier club voit le jour en 1888, et prend le nom de *Hurlingham Club,* influence anglaise oblige ! Signalons qu'il existe aujourd'hui plus de 250 clubs.
Assister à un *partido,* un match de polo, reste une expérience riche en sensations. Le *Championnat argentin ouvert de polo* se tient vers la fin de la saison officielle au stade de Palermo pendant tout le mois de novembre. La finale a lieu généralement pendant le premier week-end de décembre. D'autres tournois sont prévus tout au long de l'année ; se renseigner auprès de l'*Asociación argentina de Polo* : *Arévalo, 3065, Buenos Aires.* ☎ *(54-11) 47-77-64-44.* • *aapolo.com* •

Boxe

On a tous entendu parler de Carlos Monzón, idole des Argentins dans les années 1970. Il conserva durant 7 ans son titre de champion du monde des poids moyens. Natif d'un bidonville de Santa Fe et surnommé « El Macho », il est considéré comme l'un des meilleurs boxeurs du monde avec 89 victoires et 15 championnats du monde victorieux.
Aujourd'hui, le pays reste bien classé avec, dans la catégorie poids mouche, « El Huracán » (l'ouragan), Omar Andrés Narvaez, qui a battu le record de Monzón en défendant son titre 15 fois de 2002 à début 2009. En 2008, Hugo Hernán Garay remporte le titre sacré dans la catégorie mi-lourds. Quant à Sergio Gabriel Martinez, qui répond au doux surnom de « Maravilla » (Merveille), il est l'un des deux derniers champions argentins en date, avec Victor Emilio Ramirez, « El Tyson del Abasto », sacré champion en janvier 2009.

Course automobile

Qui n'a jamais entendu parler de Juan-Manuel Fangio, sacré cinq fois champion du monde du Grand Prix de F1 dans les années 1950 et considéré comme l'un des plus grands pilotes de l'histoire du sport automobile ? L'expression « conduire comme un Fangio » est d'ailleurs passée à la postérité.
Dans un autre registre, Federico Villagra a remporté cinq fois le Rallye d'Argentine, une des épreuves du Championnat du monde des rallyes, de 2001 à 2005.

FANGIO LE « MAESTRO »

Né en 1911 en Argentine, il sera le premier pilote de F1 vraiment célèbre. Au total, il disputera 51 Grands Prix et alignera 24 victoires au compteur. Il se retire des courses en 1958. Une fois à la retraite, il décide enfin de passer... son permis de conduire, qu'il obtient en 1961 !

Malgré une pétition contre le rallye Dakar pour ses effets néfastes sur l'environnement, notamment avec la traversée du désert d'Atacama – à l'écosystème fragile – et de plusieurs sites archéologiques, le rallye a pris ses quartiers en janvier 2009 en Argentine et au Chili. Une course de plus de 9 500 km à travers des paysages très divers, des terrains variés, de nouvelles difficultés pour les concurrents... Le Dakar 2012 a été suivi par des foules d'Argentins, l'engouement ayant été aussi fort que les deux années précédentes.

Autres sports

L'Argentine a aussi ses adeptes de ***basket-ball,*** l'équipe nationale a d'ailleurs remporté la médaille d'or aux J.O. d'Athènes en 2004. Quant au ***rugby,*** il a fait les beaux jours de l'Argentine lors de la Coupe du Monde 2007, l'équipe nationale des *Pumas* ayant terminé à la 3e place derrière l'Afrique du Sud et l'Angleterre.

TANGO

L'histoire du tango nous fascine car c'est aussi celle de la naissance de Buenos Aires en tant que grande ville.
Dans les années 1880, des immigrants arrivent de toute l'Europe. Ce sont souvent des hommes seuls, venus d'Espagne, de Pologne, d'Allemagne, d'Italie surtout, où ils ont tout abandonné, en quête d'une réussite sociale. Installés dans les quartiers pauvres, à la périphérie de la ville, ils constituent le petit peuple de la capitale fédérale. Et c'est en son sein que naît le tango, dans cette atmosphère d'hommes seuls, de difficulté à communiquer, de mal de vivre, de nostalgie du bonheur de la vie laissée là-bas, au pays. Le tango se dansait donc entre hommes, le plus souvent dans des bordels. Le premier recensé s'intitule d'ailleurs « donne-moi le jeton »... celui qui permettait de payer la passe ! C'est le rêve de trouver et de posséder sa belle. C'est la danse de la force virile, du désir sexuel, de la nostalgie. Le tango est « une pensée triste qui se danse ». C'est une danse d'une grande pureté de sentiments, bien qu'elle soit née d'un étrange mélange venant de toutes parts. N'a-t-il pas la puissance d'un rythme africain, le déterminisme d'un flamenco, la rigueur codée des danses de salon européennes ? Ce savant mixage en fait certainement la danse la plus sensuelle qui soit. Les pieds s'entrelacent, les jambes s'entrouvrent, les corps s'emmêlent, les têtes chavirent. Ce ne sont pas seulement les pieds qui dansent, mais tout le corps, du gros orteil jusqu'au lobe de l'oreille. Bien sûr, la bourgeoisie rejette alors totalement cette nouvelle danse qui n'existe que par la musique (il n'y a pas encore de textes de tango chantés), cette virilité ambiguë que les femmes ne viendront troubler que plus tard. Les classes aisées de Buenos Aires restent indifférentes au tango jusqu'au moment où la réussite et le succès fou de cette danse en Europe le rendent assez crédible pour que l'aristocratie le considère comme un symbole de l'identité nationale.
À l'origine, la guitare, la flûte et le violon étaient les seuls instruments utilisés pour interpréter le tango. Au début du XXe s, on importe en Argentine un instrument d'origine germanique : le *bandoneón.* Cet accordéon miniature va dramatiser l'accent des compositions existantes. Mais le tango n'acquiert vraiment son identité définitive qu'avec l'intégration du piano, beaucoup plus tard. On compose alors des textes en argot local, le *lunfardo.* Chantés d'une voix poignante, les thèmes privilégiés sont ceux de la vie portuaire : violence et fatalité, nostalgie et révolte, pauvreté et amours difficiles. D'abord cri modulé des voyous, le tango devient une authentique expression populaire. Un art de vivre.
En 1913, on découvre une voix sans précédent, celle d'un Toulousain résidant à Buenos Aires, qui répond au patronyme très latino de Carlos Gardel (voir plus haut « Personnages. Théâtre, cinéma, spectacle »). Il devient très vite « le plus grand chanteur de tango de tous les temps ». Horrifiée devant un tel engouement,

l'Église interdit le tango en 1929 (jugé trop érotique). Mais le vrai déclin viendra surtout avec la mort tragique du chanteur, en 1935.

Avec la Seconde Guerre mondiale, qui, paradoxalement, enrichit l'Argentine, le tango repart de plus belle jusqu'au coup d'État militaire de 1955 qui fera taire sa voix. Il entame alors une longue descente aux enfers dont il ne s'est jamais vraiment remis. Comme l'accordéon en France, le tango a une réputation un peu vieillotte. Et quitte à briser quelques illusions, tous les Argentins (notamment les jeunes) sont bien loin de le danser !

En 2009, le tango est inscrit par l'Unesco au patrimoine immatériel mondial, afin de préserver cette danse devenue emblématique.

Le tango connaît certes un léger regain d'intérêt depuis quelques années. Mais dans les lieux où il se danse, les 35-55 ans sont curieusement absents ; les grands-parents expérimentés côtoient les petits-enfants débutants. Reste que la tombe de Carlitos est fleurie constamment et une cigarette allumée est placée en permanence entre ses doigts...

Aujourd'hui, la relève est assurée par des groupes aux influences électro, à l'image du fameux Gotan Project – d'origine franco-argentine – et son dernier album *Tango 3.0,* ou encore Bajo Fondo-Supervielle, groupe métissé (Argentine, Uruguay et États-Unis), et le groupe Otros Aires.

Pour vous, cher lecteur, un petit tour dans l'un des cabarets de la capitale sera une étape obligée de votre séjour.

Afin de vous repérer dans l'univers très codifié du tango, prendre des cours et vous tenir au courant des sorties tango dans les *milongas* de la capitale, consultez par exemple le site ● *tangovacances.com* ● et le blog ● *2xtango.com* ●, fruit du travail d'une Française férue de tango et installée à Buenos Aires.

BUENOS AIRES ET SES ENVIRONS

BUENOS AIRES

env 13 millions d'hab. IND. TÉL. : 011

Pour les plans de Buenos Aires I à III et le plan du métro, se reporter au cahier couleur.

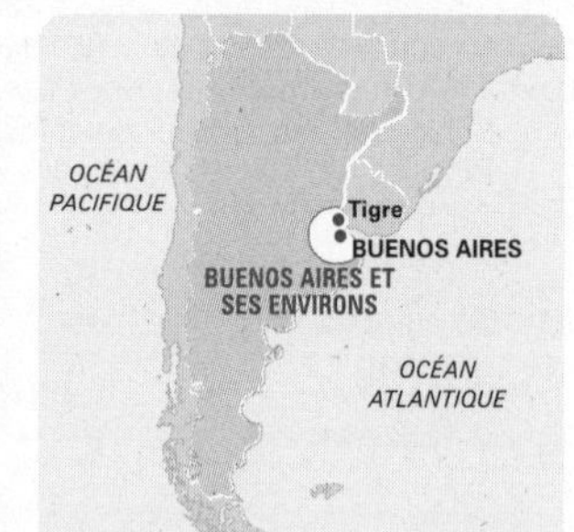

Buenos Aires... Immense ville perdue au bord d'un large estuaire, entre océan et terres australes. Cité légendaire du tango, cette danse née dans les bas-fonds du port, ville cosmopolite qui a vu se succéder, à l'instar de New York, des générations d'immigrants venus d'outre-mer, ce qui en fait autant une cité du Vieux Continent que du Nouveau Monde... Buenos Aires fascine, et devant ce flot d'images, on ne sait pas à quoi s'attendre. Tant mieux !

Pour un Européen qui découvre Buenos Aires, la première impression n'est pas vraiment dépaysante. La population nous rappelle nos voisins d'Europe du Sud... et ce n'est pas un hasard. Ses habitants, les *Porteños* (« ceux du port »), descendent des Espagnols puis des Italiens, qui ont formé le gros du contingent débarqué sur les rives du *río* de la Plata depuis la fin du XIXe s. L'architecture du centre évoque furieusement Madrid sur l'avenida de Mayo, Paris dans le quartier chic de Recoleta ou encore Naples dans le quartier populaire de La Boca. À tel point que les *Porteños* aiment se considérer comme des Européens en raison de leurs origines, de leur prospérité passée... une certaine arrogance qui fait grincer des dents leurs voisins argentins ou latino-américains aux origines plus métissées ! Ne dit-on pas d'eux qu'ils sont « des Italiens qui se prennent pour des Anglais et qui parlent l'espagnol » ?

Dans les années 1920-1940, les capitaux étrangers, notamment anglais, ont accompagné le formidable essor de ces terres argentines d'élevage et de culture. De nombreux Européens fortunés fréquentaient les grands hôtels et les casinos. Cette époque faste fut immortalisée dans le film *Gilda,* où la merveilleuse Rita Hayworth chante la célèbre chanson *Put the Blame on Mame...*

Aujourd'hui, Buenos Aires la prospère s'est transformée en une ville à deux vitesses. Les quartiers de Recoleta, Palermo et Belgrano peuvent donner l'illusion de la richesse et du dynamisme, mais la pauvreté se tapit à quelques kilomètres du cœur de la capitale, dans les maisons de tôle des *villas miserias* où s'entassent des milliers de laissés-pour-compte. Même dans

le centre-ville, à la tombée de la nuit, la misère sort dans les rues sous les traits des dizaines de *cartoneros* qui trient les ordures afin de récupérer les fameux cartons recyclables.
Tout en contrastes, c'est une ville tentaculaire qui s'étale sur près de 200 km le long de l'estuaire auquel elle semble tourner le dos. Ses attraits qui plaisaient tant à l'écrivain Borges et au chanteur Luis Gardel ne se limitent pas à ses aspects architecturaux, souvent hétéroclites, mais émanent plutôt d'un mode de vie, une atmosphère, un parfum indiciblement envoûtants. Chaque quartier recèle un caractère bien marqué et incite à la flânerie... Selon votre humeur et vos aspirations de voyageur, on fait le pari que vous aurez un coup de cœur pour l'un ou l'autre des quartiers de cette capitale cosmopolite qui ne manque pas de caractère(s) ni de personnalité(s) !
En outre, Buenos Aires est l'une des reines de la nuit latino-américaine. La ville s'anime autant de jour que de nuit, et une chose est sûre : c'est une capitale qui sait vivre après le coucher du soleil. Le soir, ne rentrez pas vous coucher à 22h à l'hôtel en pensant qu'il n'y a pas grand monde dans les rues : la soirée ne fait que commencer ! En été, profitez des terrasses ombragées. Et surtout, en toute circonstance, n'hésitez pas à engager la conversation. La communication est facile !

OÙ SUIS-JE ?

Si vous vous promenez dans le quartier chic de Recoleta, vous aurez la drôle d'impression d'être dans certaines rues cossues de Paris. D'où vient cette similitude ? Des pierres utilisées pour la construction des immeubles. Les pierres de taille auraient été rapportées de France dans les bateaux revenant à vide après avoir livré des céréales et du bétail.

BUENOS AIRES... ET LE DÉSERT ARGENTIN !

« Entre le *río* de la Plata et le détroit de Magellan, il n'y aura pas d'autre ville avant le XIXe s, mais un désert, terme au demeurant impropre, puisque la plaine est traversée par des fleuves et peuplée de tribus d'Indiens. » (Carmen Bernand, *Histoire de Buenos Aires,* Fayard). Pour un habitant de Buenos Aires, pendant longtemps, voyager, c'était d'abord se rendre à Paris, Londres ou Madrid, et non pas en Patagonie, synonyme de vide ou de sauvagerie (les choses ont bien changé depuis) !
Buenos Aires (appelée par les Argentins *Capital Federal*) et ses habitants ont toujours une relation complexe et parfois tendue avec le reste du pays (dénommé *el interior*). Certes, les conflits entre la capitale et la province ne sont pas une spécificité argentine, mais Buenos Aires domine vraiment sans partage la vie économique, politique et culturelle du pays, en dépit d'une constitution fédérale. Elle rassemble (avec sa grande banlieue) près du tiers de la population argentine sur à peine 1 % de son territoire et concentre 75 % de la richesse du pays. Comme dit le dicton : « Dieu est partout, mais reçoit seulement à Buenos Aires. »
De nombreux *Porteños* ont les yeux rivés vers l'*exterior* (l'étranger : surtout l'Europe et les États-Unis) et ignorent quelque peu l'*interior* du pays (la Province) et ses habitants. Ceux qui peuvent se permettre de voyager vers des destinations lointaines choisissent plutôt Miami ou Madrid qu'Ushuaia, Salta ou Mendoza. Néanmoins, on voit de plus en plus d'Argentins – parmi les classes aisées – visiter leur pays.

PARLEZ-VOUS *LUNFARDO* ?

C'est l'argot de Buenos Aires, popularisé par le tango et les mauvais garçons. On ne dit pas un colectivo *(bus), mais un* bondi. *Ni* policía, *mais* cana. *Pour la femme, c'est* mina *(au lieu de* mujer*), et pour manger :* manjar *! De quoi y perdre son latin...*

Outre la domination économique et politique, les gens de l'intérieur ressentent vivement la condescendance qu'affichent parfois les habitants de Buenos Aires envers eux. Les provinciaux trouvent les *Porteños* trop occidentalisés, trop stressés, trop extravagants, et Buenos Aires trop bruyante et polluée. Quant aux *Porteños,* ils plaisantent souvent sur leurs compatriotes provinciaux qu'ils estiment lents, peu cultivés et trop rivés à leurs traditions. Essayez d'aborder le sujet : les langues se délient très vite.

UN PEU D'HISTOIRE

Aux origines, une immense plaine qui se dilue dans l'horizon et un fleuve boueux, le *río* de la Plata, qui se jette dans l'Atlantique. « Un paysage amorphe et anodin, uniforme et ennuyeux », comme l'écrit Ernesto Sabato, qui y verra l'attraction pour la métaphysique dans la littérature argentine. Des Indiens de la grande famille Tehuelche y vivent avant l'arrivée des conquistadors espagnols. Tout commence par un petit village construit en 1536 près du *río* de la Plata, et baptisé par Pedro de Mendoza *Nuestra Señora del Buen Ayre* (Notre-Dame-du-Bon-Vent), en l'honneur de cette sainte très populaire parmi les marins de Méditerranée, et des vents heureux qui avaient poussé le bateau des premiers colons espagnols jusqu'au fleuve. Ce nom s'est transformé plus tard jusqu'à devenir aujourd'hui *Buenos Aires.* Très vite, ce hameau est détruit par les tribus indiennes nomades qui peuplent alors la Pampa environnante. Les survivants remontent un peu les rives du *río* de la Plata vers le nord et fondent la deuxième Buenos Aires.

À cette époque, la Pampa, mot indien signifiant « terre plate », est une contrée sauvage ; outre ces tribus d'Indiens, ses seuls occupants sont les *guanacos* (cousins des lamas) et les *ñandús* (cousins des autruches). Les premiers colons espagnols se lancent dans l'élevage des chevaux et des bovins, avec un réel succès, tant les grasses pâtures de la Pampa sont propices à cette activité. Les natifs, eux sont quasiment exterminés, et Buenos Aires reste longtemps un bourg agricole.

Vers l'indépendance : le vice-royaume de la Plata

En 1776, suite à un redécoupage de l'Amérique latine, la vice-royauté du Río de la Plata est créée et s'affranchit de la tutelle de Lima (Pérou). L'administration coloniale espagnole prend la décision d'ouvrir le port de Buenos Aires au commerce international. Jusqu'alors, celui-ci transitait obligatoirement par Lima au Pérou et provoquait non seulement le développement et la prolifération de la contrebande, mais aussi la méfiance grandissante des colons envers la métropole. Tout change à partir de ***1778,*** quand ***Buenos Aires devient la capitale de ce vice-royaume de la Plata.*** Le vice-roi est un homme puissant, il contrôle la Bolivie (avec les mines de Potosí), le Paraguay, l'Uruguay et bien sûr l'Argentine. Le marin Bougainville, envoyé par Louis XV, en route pour les Malouines, fait escale à Buenos Aires, peuplée seulement de 24 000 habitants. Il se demande alors « comment dompter une nation errante dans un pays immense et inculte »...

VOLTAIRE À BUENOS AIRES

Dans Candide, *le chef-d'œuvre de Voltaire, le capitaine Candide et la belle Cunégonde arrivent en plein XVIII*[e] *s à Buenos Aires. Bien informé sur le Nouveau Monde, Voltaire y dénonce la violence, l'intolérance religieuse, les abus de pouvoir, les horreurs de l'esclavage... Pour illustrer son propos, il affuble le très prétentieux gouverneur de la ville d'un nom ridicule pour montrer le formalisme de sa classe sociale : Don Fernando d'Ibarra y Figueora y Mascarenes y Lampourdos y Souza...*

Cœur et moteur du développement, la cité connaît un essor fulgurant. Les idéaux de la France révolutionnaire sont populaires auprès d'une caste de marchands désireux de se libérer de la tutelle espagnole.
À deux reprises (1806 et 1807), les troupes britanniques occupent Buenos Aires, mais sont défaites par les milices locales et contraintes à une capitulation humiliante. ***Le 25 mai 1810,*** alors que l'Espagne se trouve affaiblie par les guerres napoléoniennes, ***les Argentins proclament la sécession.*** Après une semaine de manifestations pacifiques, les *Criollos* (Espagnols nés sur place) chassent le vice-roi et installent un gouvernement provincial (le 25 mai est, depuis, jour férié). Au terme de conflits qui ont secoué tout le pays et abouti à son unification, Buenos Aires est choisie pour héberger le siège du gouvernement national. ***L'indépendance définitive n'est proclamée qu'en 1816.***

« Le Paris de l'Amérique du Sud »

De 12 000 habitants en 1740, la population est passée à 90 000 en 1850. C'est alors que les habitants de Buenos Aires sont appelés les *Porteños,* « ceux du port ». Après un demi-siècle de luttes internes entre fédéralistes et unitaristes (voir la rubrique « Histoire » dans « Hommes, culture, environnement »), l'Argentine choisit enfin, vers 1880, Buenos Aires comme capitale de la Confédération. Et La Plata est promue capitale de la province de Buenos Aires pour alléger le poids politique de cette dernière.
À la fin du XIXe s, le gouvernement décide de moderniser le pays sur le modèle européen, encourageant l'immigration pour faire prospérer son économie. Les immigrants affluent dans les quartiers de La Boca, San Telmo et Balvanera. Les Italiens constituent la collectivité la plus nombreuse, mais on trouve aussi des Galiciens, des Basques, des juifs de Russie ayant fui les pogroms, et des Syro-Libanais de l'Empire ottoman, qu'on appelle « Turcs ». On y trouve très peu de migrants noirs d'Afrique, contrairement au Brésil voisin.
Les migrants s'entassent dans des taudis appelés *conventillos,* refuges de misère mais aussi de fraternité.
La ville étouffe dans le carcan du XVIIIe s. Alors les urbanistes visionnaires rêvent de Paris et transforment Buenos Aires en une réplique d'une ville européenne. Encore aujourd'hui, Buenos Aires porte la trace génétique de ses origines : elle ne ressemble en rien aux autres capitales d'Amérique du Sud. À Lima, à Bogotá, à Quito et à La Paz, on est au cœur du monde andin marqué par l'empreinte de l'époque coloniale. À Buenos Aires, on dit souvent que l'on se sent à la fois à Paris, à Milan et à Barcelone, en plus grand, bien sûr...
À la fin du XIXe s, la construction de lignes de chemin de fer permet à Buenos Aires d'accroître sa puissance industrielle, les matières premières arrivant en quantité dans ses usines. La ville devient une grande métropole multiculturelle et rivalise avec les grandes capitales européennes.
Symbole culturel entre tous, le théâtre Colón (conçu par un architecte français) fait partie des opéras les plus fréquentés du monde. N'a-t-on pas surnommé la ville « la Shanghai de l'Amérique du Sud » ou même « Ville Lumière de l'Amérique latine » et « réplique australe de Paris » ? C'est durant cette période que sont construites ses larges avenues, ainsi que le premier métro en 1913, puis les plus hauts buildings d'Amérique du Sud, comme l'immeuble Kavanagh. À cette époque, avant la fermeture des maisons closes en 1919, le reporter Albert Londres enquête sur la traite des blanches à Buenos Aires. Séjournant dans la capitale, il constate son immensité, « un interminable champ où l'on a planté des maisons ». Pour lui, « parcourir Buenos Aires, ce n'est pas marcher, c'est jouer aux dames avec ses pieds »...
La Première Guerre mondiale enrichit Buenos Aires et profite au commerce. Le port expédie chaque semaine des tonnes de viande argentine vers les pays européens en guerre. Dans les années 1920, l'immigration continue. Buenos

Aires est le point de chute préféré des émigrants européens. Mais cette immigration massive entraîne l'apparition de bidonvilles ou de quartiers ouvriers très pauvres *(villas miserias)* autour des zones industrielles, générant de graves problèmes sociaux avec leurs conséquences politiques : populisme, dictatures militaires, mouvements révolutionnaires, instabilité chronique et précarité accrue pour une grande partie de la population.

SALE GOSSE !

Réfugié en Argentine sous une fausse identité, Adolf Eichmann, responsable de la mort de millions de juifs, a été arrêté le 11 mai 1960 par le Mossad, services secrets israéliens. Capturé devant son domicile à Buenos Aires, calle Garibaldi (quartier de Virreyes), il avait été repéré grâce à son fils qui vantait ses actes dans les camps de concentration, auprès de sa petite amie. Manque de chance... elle était juive ! Après un procès retentissant en Israël, il sera exécuté par pendaison le 1er juin 1962.

Buenos Aires, capitale de la sinistrose (1976-1983)

Pendant la dictature militaire (1976-1983), la ville se couvre du manteau noir de la terreur organisée par les généraux. Elle n'est plus que l'ombre d'elle-même. Sous l'effet de la peur, de la répression et de la censure, les élites intellectuelles et artistiques craignent pour leur vie et quittent le pays. Beaucoup d'artistes et de militants de gauche se réfugient en Europe. Une chape de plomb s'abat sur cette brillante capitale. Jamais Buenos Aires n'a connu des heures aussi sombres. Après les années Tango, ce sont les années de la Honte. Peut-être la période la plus sinistre de son histoire...

Les années de crise et de « renaissance » (1990-2012)

Les immeubles modernes des années 1980 côtoient des édifices XIXe s (dont certains sont bien décrépits). À voir pousser des tours hideuses en plein milieu de quartiers coloniaux, on ne peut que comprendre les habitants de Buenos Aires qui vous diront leur crainte de voir s'effriter un patrimoine architectural exceptionnel, du fait de la spéculation immobilière et de l'absence de plan d'urbanisme. Néanmoins, cette grande ville latino-américaine est encore jeune et pleine d'énergie, malgré les chocs et les vicissitudes de l'histoire. Elle possède la force et les défauts de sa relative jeunesse et les inconvénients de sa taille. Touchée fortement par la crise économique des années 1990-2000, Buenos Aires a été capable de recycler l'obsolète pour en faire du neuf, de transformer des terrains vagues en quartiers branchés et aérés, à l'instar de Puerto Madero, qui illustre la renaissance d'un secteur portuaire à l'abandon. C'était une rémission de courte durée. Aujourd'hui, derrière les terrasses de café bondées de Palermo et les nombreux restos qui ne désemplissent pas, se cache une réalité implacable : Buenos Aires est secouée de plein fouet par la crise qui secoue le pays. Avec une inflation vertigineuse et un peso qui dévisse face au dollar, l'Argentine frôle la déroute économique. Quel avenir pour la capitale argentine, métropole immense de 3 millions d'habitants, environ 13 millions si l'on ajoute les 19 banlieues regroupées qui forment le Gran Buenos Aires ?

Arrivée à l'aéroport international

✈ Il y a deux aéroports à Buenos Aires : l'***aéroport international Ministro Pistarini,*** dit ***Ezeiza*** *(à env 35 km au sud-ouest du centre-ville ; hors plan d'ensemble),* qui relie Buenos Aires aux cinq continents, et l'***aéroport national Jorge Newbery,*** dit ***Aeroparque*** *(dans la ville, sur le bord du fleuve à*

Costanera Norte ; hors plan couleur II par G5) pour les vols domestiques et vers l'Uruguay. Désormais, on ne se référera plus dans ce guide qu'à *Ezeiza* et *Aeroparque* pour faire simple.
Les vols internationaux arrivent désormais au nouveau terminal C d'Ezeiza.
À savoir : à l'arrivée à l'aéroport, le service des douanes vous fait remplir un formulaire de déclaration attestant que vous ne possédez ni fromages, ni fruits, ni fleurs, ni graines ou plantes... En bref, évitez le camembert coulant apporté aux amis et qui pourrait vous être confisqué.

Pour aller vers le centre-ville

➢ ***La ligne de bus urbains (colectivo 8)*** dessert le centre-ville (Congreso, Plaza de Mayo) depuis Ezeiza. Certes, c'est de loin la solution la moins onéreuse (prévoir de la monnaie), mais il faut être prêt pour un trajet de 2h environ, desservant toutes les localités de la banlieue sud-ouest de Buenos Aires, après 13h de vol en classe sardine !
➢ ***Les bus Manuel Tienda León*** *(☎ 43-15-51-15 ou 0810-888-53-66 ; • tiendaleon.com.ar •)* assurent des liaisons d'Ezeiza au centre-ville. Ils marquent un arrêt au terminal Madero, à l'angle de Madero et de San Martín *(plan couleur I, D1,* ***9****)*, près de l'hôtel *Sheraton* et de la gare ferroviaire et routière de Retiro, et 1 bus sur 2 continue ensuite vers Aeroparque. Trajet d'Ezeiza au terminal Madero en 40 mn env. Au terminal Madero, une petite navette *Tienda León* vous conduit directement à votre hôtel (dans les quartiers Centro, Recoleta, Puerto Madero et San Telmo ; Palermo n'est pas inclus). Même chose pour le retour, la navette vient vous chercher à votre hôtel. Les bus partent tlj, ttes les 30 mn 6h-23h, puis ttes les heures. Compter env 100 $Ar pour un trajet Ezeiza-Terminal Madero et env 130 $Ar avec le service de navette hôtel.
On paie au guichet à gauche en sortant de la douane, ou au kiosque à l'extérieur du terminal (moins de monde) ; CB acceptées. Bonne solution quand on est seul(e). À deux, le *remis* est au même prix mais plus rapide et pratique (voir ci-après). Encore un plus : pour ceux qui arrivent tôt à Ezeiza (ce qui est le cas pour la plupart des compagnies aériennes) et ont un vol l'après-midi d'Aeroparque, possibilité de laisser ses bagages au terminal Madero (consigne), à condition bien sûr de prendre le bus *Tienda León* pour s'y rendre.
➢ ***Les remis :*** avec *Transfer Express* (le moins cher) ou *Manuel Tienda León* (il existe 1 ou 2 autres prestataires à la sortie de la douane). Compter env 350 $Ar payables par CB, incluant les 2 péages sur l'*autopista,* pour relier un hôtel du Centro ou de Palermo. On peut aussi payer le *remis* en euros, ce qui évite de faire la queue au bureau de change à l'arrivée et permet de changer ses euros en ville, à un taux plus intéressant. Certains offrent des réducs si on fait appel à eux au retour, notamment *Transfer Express* ou *World Car.* Ce sont des services de voitures privées avec chauffeur (le *remisero*). Utile aussi pour se déplacer en ville : commandés par téléphone, ils offrent en général plus de confort que les autres taxis et donnent un prix en fonction de la distance sans tenir compte du temps (sans compteur), ce qui coûte en général moins cher. Les voitures ne portent pas les traditionnelles couleurs noir et jaune.
➢ ***Les taxis :*** on les trouve en sortant, dans une petite guérite située juste derrière la foule venue accueillir les proches. Là, vous pouvez vous informer des prix (ils ont un compteur ; bien se faire préciser si les péages sont inclus ou non) et en commander un. Il sera facilement reconnaissable à ses couleurs noir et jaune. Également un kiosque de taxis à l'intérieur du terminal *(Taxi Ezeiza),* voitures blanches et bleues, prix fixes. Compter env 300 $Ar jusqu'au centre-ville.
Attention aux taxis pirates : malgré les mesures prises, on vous proposera encore oralement ce service. Refusez poliment, car de nombreux problèmes graves ont été signalés par le passé.
Pour vous déplacer en ville, les taxis noir et jaune sont très nombreux et on en trouve en général partout. Sinon, commandez un *Radio Taxi* par téléphone. On vous demande l'adresse

où l'on doit venir vous chercher, on vous signale le temps d'attente, et le chauffeur possède votre nom pour vous identifier. Il est facile de les reconnaître : les *Radio Taxi* ont le numéro de téléphone écrit sur la portière. En voici quelques-uns : *Porteño (☎ 45-66-57-77), Citytax (☎ 45-85-55-44), Premier (☎ 48-58-08-88), Gold (☎ 43-05-50-50), Del Plata (☎ 45-05-11-11).* Le forfait jusqu'au centre-ville oscille autour de 280 $Ar. Les 2 péages sont inclus ou pas selon les compagnies. Bien demander. Bon plan si on est plus de deux, plus avantageux que les bus. Pour le retour, réduc si vous réservez au moins 24h à l'avance (personnel parlant l'anglais au téléphone).

➢ ***Location de voitures :*** on vous la déconseille franchement si vous séjournez dans la capitale. D'une part, le réseau de transports de Buenos Aires est excellent (métro, bus, taxis, *remis*). D'autre part, la conduite *porteña* est un peu sportive. Sinon, *Hertz, Avis, Alamo* et *Localiza* possèdent un bureau au terminal A, niveau « Arrivées ».

Transports d'Ezeiza vers Aeroparque

➢ ***Les bus Tienda León*** (voir plus haut) assurent cette liaison. Liaison directe d'Ezeiza à Aeroparque tlj, env ttes les heures, 6h30-minuit, avec un court arrêt au terminal Madero (coût : env 150 $Ar pour un Ezeiza-Aeroparque ; trajet : env 1h30). Autre possibilité, prendre un *remis* avec *Transfer Express* (le moins cher) ou *Manuel Tienda León* ; compter env 300 $Ar. Sinon, en taxi.

À noter : si vous voyagez avec *Aerolinas Argentinas,* le transfert est gratuit mais il faut, au préalable, se procurer un *voucher* auprès du bureau de la compagnie situé dans l'aéroport.

Le délai officiel minimum de correspondance entre 2 vols est de 3h entre Ezeiza et Aeroparque ou vice versa. Et les bagages ne suivent pas, il faut les récupérer et les réenregistrer. Comme ça prend parfois une heure pour les récupérer, ajouter 1h au délai (soit 4h) pour être tranquille.

Change

- Pour les ***chèques de voyage,*** mieux vaut les changer en ville plutôt qu'à l'aéroport. Commission moins élevée.
- Pour les ***espèces,*** la *Banco de la Nación Argentina,* tout de suite à droite en sortant de la zone des arrivées, a un bureau de change, mais la queue peut y être longue. Également un bureau de change à l'étage. Taux quasi identique à celui pratiqué en ville. On peut changer ses euros sans problème ou choisir de payer son *remis* en euros, et changer plus tard en ville.
- Pour les ***cartes de paiement,*** il vaut mieux retirer dès votre arrivée à l'aéroport. Cela évite de chercher un distributeur au centre. On trouve trois distributeurs au terminal A, un seul au terminal B, à gauche en sortant. Attention, distributeurs souvent non approvisionnés le week-end. Et on ne peut retirer que de petites sommes. Donc, bonjour les commissions au retour...

Topographie de la ville

Comment s'orienter ?

Se repérer à Buenos Aires est assez facile, malgré la taille de la ville. En principe, les rues se croisent à angle droit, formant des blocs appelés *manzanas,* dont chaque côté s'appelle *cuadra.* Chaque *cuadra* du bloc mesure une centaine de mètres, la numérotation allant de 1 à 99, puis de 100 à 199, etc. Comme beaucoup de capitales d'Amérique latine, Buenos Aires est donc construite en damier. Seules quelques avenues diagonales (Diagonal Norte, avenida de Mayo) viennent rompre cette parfaite régularité.

Les rues est-ouest sont numérotées à partir du fleuve, donc à partir du port. Les artères nord-sud sont numérotées à partir de l'avenue Rivadavia qui coupe symboliquement la ville en deux.

BUENOS AIRES – Plan d'ensemble

Les différents quartiers

Pour faciliter la visite de la ville, on retiendra le découpage classique en sept quartiers majeurs, qui s'alignent le long du *río* de la Plata. Ces quartiers représentent 20 % de la superficie de *Capital Federal,* et à peine 5 % du *Gran Buenos Aires* (qui s'écrit « GBA »).

– Le ***Centro*** (centre-ville), où se concentrent la majorité des monuments. Le *Microcentro* en est une subzone où se trouvent les banques et bureaux de change. Pas la partie la plus intéressante.

– ***Puerto Madero*** et ses anciens docks portuaires réhabilités et bordés de bassins intérieurs. Un haut lieu de promenades très agréables et de sorties nocturnes version Miami. Au sud-est de Puerto Madero, la ***Costanera Sur.***

– ***Recoleta,*** au nord-ouest, le quartier ultra-chic qui concentre les animations culturelles en tout genre. L'architecture des immeubles évoque surtout Paris, mais aussi Milan et Barcelone.

– ***Palermo,*** au nord-ouest de Recoleta. Il se divise en sous-quartiers : *Palermo Chico* (résidentiel et exclusif), *Palermo Viejo* ou *Soho* (avec ses rues pavées et ombragées de platanes, ses maisons basses, ses restos et boutiques) et *Palermo Hollywood,* quartier à la mode, peuplé de restos et de bars branchés, cette fois-ci version New York ou Barcelone. Effervescence garantie ! Par endroits, l'enfilade de boutiques chic et de bars néo-branchés frise la caricature... Un esprit *Palermo Bobo* plutôt que populo !

– Plus loin, vers l'ouest, ***Belgrano*** offre quelques lieux intéressants dont le microquartier nocturne de ***Las Cañitas*** et le magnifique musée d'Art espagnol.

– ***San Telmo,*** depuis la plaza de Mayo jusqu'au parque Lezama, est le cœur historique de la ville. San Telmo était le quartier des grandes familles (d'où les belles maisons), mais celles-ci ont laissé la place aux artisans et se sont maintenant installées dans les quartiers Nord (Recoleta, Palermo et Belgrano, ou bien San Isidro, en banlieue). C'est le dimanche que ce quartier doit être visité, il s'y tient alors une méga-brocante. La plupart des hôtels bon marché pour routards s'y trouvent.

– ***La Boca,*** au sud de la ville, est le quartier où s'est formé le prolétariat de Buenos Aires au début du XXe s. Il y flotte encore l'image nostalgique du port avec barques et bateaux, sans oublier la construction typique en tôle. Très touristique, mais attention dans la journée, on constate des problèmes de sécurité...

Se déplacer

– Séjourner dans le centre est le plus pratique, on peut ainsi combiner métro et trajets ***à pied.*** Procurez-vous le *Guia « T » de Bolsillo,* un plan de la ville (de poche) avec les noms de rues, les numéros, les stations de métro et les bus à emprunter (déjà moins évident à comprendre). La bible de tout trekkeur urbain ! Autre outil pratique : le site • *comoviajo.com* • Il suffit d'entrer son point de départ et d'arrivée pour qu'apparaissent les différents moyens de transport possibles.

– ***Le métro :*** prix d'un billet 5 $Ar. On peut acheter des cartes pour 2, 5 et 10 trajets, mais les prix ne sont pas dégressifs. Le *subte* fut le premier métro de l'hémisphère Sud. Le premier train est parti de la plaza de Mayo le 1er décembre 1913, deux ans après le premier coup de pioche. Témoin nostalgique d'un passé de développement économique récent mais révolu, il est aujourd'hui incapable de satisfaire les besoins de la mégalopole. Les lignes A, B, D et E parcourent parallèlement la capitale d'est en ouest, convergeant vers la plaza de Mayo, tandis que les lignes C et H les coupent perpendiculairement. D'autres lignes nouvelles sont en chantier depuis plusieurs années : ligne F (Barracas-Plaza Italia), ligne G (Retiro-Villa del Parque), ligne I. Avancement des travaux sur le site : • *sbase.com.ar* •
Ne manquez pas les vieux wagons en bois qui circulent encore sur la ligne A, ou les murs d'azulejos des stations de la ligne C. Enfin, attention aux horaires, le *subte* fonctionne approximativement du lundi au samedi de 5h à 22h30-23h et le dimanche de 8h à 22h pour le dernier train (horaires variables selon les lignes ; plus d'infos sur • *metrovias.com.ar* •). Après, bus ou taxi !

– ***Les bus*** (*colectivos* ou *bondis*) ont une conduite sportive, voire dangereuse. On trouve un arrêt tous les 200 m ; des petits panneaux indiquent les principaux circuits de chaque ligne. Au moment de monter, indiquez votre destination au chauffeur, le prix du billet dépendra du trajet à parcourir (en général, de 2,50 à 5 $Ar pour un trajet ordinaire). Prévoyez toujours de la monnaie sur vous car la machine qui délivre le ticket n'accepte pas les billets. Les bus ont l'avantage de circuler 24h/24. Cependant, leur utilisation n'est guère pratique pour les novices. Itinéraires des lignes sur • *xcolectivo.com.ar* • Également un plan détaillé *(Multiguía)* des lignes dans un petit guide très pratique, vendu dans tous les kiosques (ou presque).

– ***Les bus touristiques :*** *avec* ***Buenos Aires bus,*** *av. Roque Sáenz Peña, à l'angle de Florida.* ☎ *52-38-46-00.* • *buenosairesbus.com* • *Tlj 9h-17h20 (8h40-17h20 en hiver). Fréquences ttes les 20 mn env. Compter 170 $Ar/24h, 85 $Ar 4-12 ans, audioguide (en français) inclus, avec la possibilité de descendre du bus quand vous le souhaitez et d'en reprendre un autre sur l'itinéraire* (hop on, hop off). *Tour complet en 3h15 env.* Les bus à impériale à l'anglaise se sont exportés à Buenos Aires. Une vingtaine d'arrêts pour sillonner la ville le long des principaux axes touristiques depuis la plaza de

Mayo jusqu'à Las Cañitas en passant par la Boca, Puerto Madero, la plaza San Martín, le Malba, barrio Chino, Las Cañitas, le jardin zoologique, la Recoleta et le teatro Colón.

– ***Le tramway :*** Buenos Aires dispose d'un *transvia* (tram) du côté de Puerto Madero Ouest. Une ligne expérimentale de quatre stations entre le *dique* 2 et le *dique* 4. Avec sa couleur jaune, impossible de le louper ! Un court voyage, mais l'occasion d'économiser quelques *cuadras* à pied tout en longeant les *diques*.

– ***Les taxis*** de Buenos Aires (les *tachos*) sont bon marché. On conseille les ***Radio Taxi,*** noir et jaune, car il s'agit d'une entreprise et non de particuliers. Ce qui réduit le nombre d'entourloupes mais ne les annule pas pour autant. Tous possèdent un compteur, ce qui ne vous empêche pas d'y jeter un œil de temps en temps, au cas où il ferait un bond inspiré (rare, mais ça nous est arrivé !). Compter environ 50 $Ar pour une course, par exemple entre le Centro et San Telmo ou La Boca, ou bien entre le Centro et Palermo. Essayez de donner l'appoint (en arrondissant en guise de pourboire) ; il y a aussi moins de risque de se faire refiler des faux billets... Prise en charge : 11 $Ar, de jour et 13 $Ar de nuit. Les chauffeurs, les *tacheros,* sont généralement ouverts et engagent vite la conversation.

– ***Le vélo :*** davantage pour flâner dans les ruelles que pour sillonner les grands axes ; ceci dit, avec l'extension du réseau de pistes cyclables, l'utilisation du vélo se développe considérablement ! Une bonne adresse : ***La Bicicleta Naranja,*** *pasaje Giuffra, 308, San Telmo ; Nicaragua, 4825, Palermo et Shopping Buenos Aires design, Recoleta, tt proche du cimetière.* ☎ *43-62-11-04.* • *labicicletanaranja.com.ar* • *Compter env 125 $Ar/h.* Location à l'heure, à la journée ou à la semaine. Organise aussi des promenades guidées à vélo dans la capitale.

Par ailleurs, la ville de Buenos Aires s'est dotée d'un système de transports public à vélo, gratuit la première heure. Sur présentation de son passeport (original + photocopie), on enfourche un vélo après s'être enregistré. Possibilité de prolonger gratuitement une 2e heure en faisant escale dans une station du réseau. *Infos sur* • *ecobici.buenosaires.gob.ar* • *et application EcoBici à télécharger depuis le site.* • *turismo.buenosaires.gob.ar* • *Ouv 8h-20h en sem, jusqu'à 15h sam.* Une trentaine de stations dont : Plaza Italia, Puerto Madero, Plaza San Martín... Vélos tout simples, sans vitesse, reconnaissables à leur couleur jaune.

Adresses et infos utiles

Infos touristiques

ℹ ***Oficio de turismo*** *(plan couleur I, C2,* ***12****) : Santa Fe, 883.* ☎ *43-12-22-32 ou 0800-555-0016.* • *turismo.gov.ar* • *Entre Suipacha et Esmeralda. Lun-ven 9h-19h.* Pauvre en infos. Également des annexes aux aéroports Aeroparque et Ezeiza *(tlj 8h-20h).* Donnent des infos sur tout le pays.

– ***La ville de Buenos Aires a également son propre numéro d'infos :*** ☎ *43-15-42-65 ou 48-06-09-04 (lun-ven 7h30-18h ; w-e 11h-18h) et son site web* • *turismo.buenosaires.gob.ar* • Plus axé sur les aspects pratiques et les événements dans la capitale que celui du secrétariat national.

ℹ ***Centres d'infos touristiques*** *(CIT) :* ☎ *0800-555-0016 (gratuit).* On en trouve plusieurs aux quatre coins touristiques de la ville. Accueil charmant. *Calle Florida, 100 (plan couleur I, C2), en plein centre-ville. Lun-ven 13h-18h ; sam 10h-15h. Un autre bien situé sur la gare routière de Retiro (lun-sam 7h30-13h) ; un sur le quai de Puerto Madero, dique 4 (plan couleur I, D2,* ***13****), sous une ancienne grue (tlj 11h-18h) et un autre av. Quintana, 596 à Recoleta.*

ℹ ***Administración de los Parques nacionales*** *(plan couleur I, C2,* ***14****) : Santa Fe, 690.* ☎ *43-11-03-03.* • *parquesnacionales.gov.ar* • *Il faut entrer par la porte principale, puis descendre* *d'un étage.* Bureau d'information sur les parcs nationaux argentins depuis Iguazú jusqu'à la Patagonie. Nombreux prospectus à disposition.

■ ***Cartelera de espectaculos*** *(billetterie de dernière minute)* **:** *Lavalle, 742.* ☎ *43-22-15-59 ou 43-22-43-31.* • *carteleralavalle.com.arg* • 50 % de réduction sur toutes les pièces de théâtre du jour, et jusqu'à 6 jours avant la date de représentation. Pour avoir le plus de choix possible, venir dès le lundi.

Poste et télécommunications

✉ ***Poste centrale*** *(Correos ; plan couleur I, D2)* **:** *Sarmiento, 151 (entrée également sur Corrientes). Lun-ven 9h-20h ; sam 9h-13h.*

■ ***Téléphone :*** on peut appeler l'étranger avec une carte téléphonique à gratter (*tarjeta* de type *Llamada Directa* ou *Hable Más*) à partir de nombreuses cabines situées partout en ville. Pour un appel local, les téléphones dans la rue acceptent aussi les pièces (minimum 20 centavos). C'est un tout petit peu moins cher que d'un centre téléphonique (*locutorio* ou *telecentro*). Mais le *locutorio* est bien plus agréable. Plusieurs *locutorios* restent ouverts 24h/24 sur les grands axes : avenue Santa Fe, avenue Corrientes, avenue de Mayo...

@ Accès Internet dans la plupart des *locutorios* de *Telefónica.* Toutes les *hostales* ont aussi une connexion, en général gratuite.

Argent, banques, change

À Buenos Aires, on peut sans problème changer toutes les devises (euros, dollars canadiens, francs suisses) dans les bureaux de change *(casas de cambio).* Attention, les banques ferment tôt (souvent vers 13h).

– Les ***distributeurs automatiques*** sont nombreux dans le Centro et Microcentro (concentration de banques oblige), autour de la place de Mayo, sur les rues piétonnes Florida et Lavalle, ainsi que sur les avenues 9 de Julio, de Mayo, Corrientes, Córdoba et Santa Fe. Un peu moins faciles à dénicher à San Telmo et à peu près inexistants à La Boca. Prévoyez des retraits en semaine, les distributeurs sont moins fournis le week-end. Sommes maximum de retrait souvent peu élevées.

– Les ***bureaux de change*** *(casas de cambio)* sont nombreux dans le Microcentro *(plan couleur I, C-D2-3),* notamment dans le carré compris entre les avenues Corrientes, San Martín, Perón et 25 de Mayo. *Lun-ven 9h-16h (certains ferment vers 17h).*

■ ***American Express*** *(plan couleur I, C-D1-2)* **:** *Arenales, 707, sur la pl. San Martín.* ☎ *43-10-30-00. Lun-ven 9h-15h (horaires des banques).* On vous conseille de changer ici vos chèques de voyage *American Express* pour économiser certaines commissions.

■ ***Centre des cartes Visa :*** ☎ *43-79-34-00 (infos ou en cas de perte).*

Représentations diplomatiques

■ ***Consulat de France*** *(plan couleur I, C1,* ***1****)* **:** *Basavilbaso, 1253.* ☎ *45-15-69-00.* • *embafrancia-argentina.org/consulat-general-a-buenos-aires* • *Lun-ven sur rdv 9h-12h30, 14h-16h.* Visas et renseignements.

■ ***Ambassade de France*** *(plan couleur I, C1,* ***2****)* **:** *Cerrito, 1399.* ☎ *45-15-70-30.* • *embafrancia-argentina.org* • Il n'est malheureusement pas possible de visiter ce superbe pavillon. Et on vous renvoie en général vers le consulat.

■ ***Alliance française :*** *Córdoba, 936-946.* ☎ *43-22-00-68. D'autres alliances à Buenos Aires, notamment Billingurst, 1926 (Palermo),* ☎ *48-22-50-84 ; 11 de Septiembre, 950 (Belgrano),* ☎ *47-72-16-07 ; Granaderos, 61 (Flores),* ☎ *46-31-51-66.* • *alianza francesa.org.ar* • Même si le français a perdu du terrain face à l'anglais, il reste une langue appréciée et étudiée. Médiathèque, cours d'espagnol et ateliers de tango en français. Il existe plusieurs antennes à travers la ville et en province.

■ ***Ambassade de Belgique*** *(plan couleur I, D3,* ***3****)* **:** *Defensa, 113 (esq.*

pl. de Mayo), 8e étage. ☎ 43-31-00-66/67/68/69. ● diplomatie.be/buenoairesfr ● Lun-ven 8h-13h, 14h-15h.

■ ***Ambassade de Suisse*** *(plan couleur I, C2,* ***11****) : Santa Fe, 846, 12e étage. ☎ 43-11-64-91. ● eda.admin.ch/buenosaires ● Lun-ven 9h-12h.*

■ ***Ambassade du Canada*** *(plan couleur II, H5,* ***4****) : Tagle, 2828. ☎ 48-08-10-00. ☎ 48-08-10-00. ● argentine.gc.ca ● Lun-jeu 14h-16h30 (services consulaires).*

■ ***Consulat du Brésil :*** *Carlos Pellegrini, 1363. ☎ 45-15-65-00. ● conbrasil.org.ar ● Lun-ven 9h-13h.*

■ ***Consulat du Chili :*** *Diagonal Norte, av. Pte Roque Sáenz Peña, 547, 2e étage. ☎ 43-31-62-28. ● consuladodechile.org.ar ● Lun, mer et ven 9h-13h.*

Santé, urgences

■ ***En cas de perte ou de vols (aide aux touristes) :*** *☎ 43-46-57-48. Tlj 9h-20h en français. Commissariat à Buenos Aires : av Corrientes, 436.*

■ ***Police :*** *☎ 101 ou 911.*

■ ***Pompiers :*** *☎ 100.*

✚ ***Urgences médicales :*** *☎ 107*

✚ ***Hospital Alemán :*** *Pueyrredon, 1640. ☎ 48-27-70-00 (accueil téléphonique 24h/24). ● hospitalaleman.com.ar ● Sur rdv 8h-20h.* Très cher, mais compétence assurée. Le meilleur de la ville. Votre assistance-voyage, si vous en avez une, prend les frais en charge.

✚ ***Hospital Británico :*** *Perdriel, 74. ☎ 43-09-64-00. ● hospitalbritanico.com.ar ●*

✚ ***Hospital Fernández :*** *Cerviño, 3356. ☎ 48-08-26-00. ● hospitalfernandez.org.ar ●* Hôpital public, donc gratuit. Valable pour une maladie simple à soigner.

■ ***Pharmacies ouvertes 24h/24 :*** nombreuses. Par exemple, *Farmacity* a une cinquantaine de boutiques dans Buenos Aires. Il suffit d'appeler *(no central : ☎ 57-89-21-00)*, de donner son emplacement, et on vous dira où se trouve la pharmacie la plus proche. Également sur le site : *● farmacity.com.ar ●* Ou encore les chaînes *Vantage, TKL, Las Farmacias del Dr. Ahorro, Farmacias del Dr. Simi...*

Librairies, presse

■ ***Librairie El Ateneo*** *(plan couleur I, B2,* ***5****) : Santa Fe, 1860, entre Callao et Riobamba. ☎ 48-11-61-04. Lun-jeu 9h-22h ; ven et sam 9h-minuit ; dim 12h-22h.* Une librairie parmi les plus belles du monde, dans un ancien théâtre. Voir aussi « Achats. Centro ».

■ ***Journaux :*** *calle Florida, près de la pl. San Martín.* Il est aujourd'hui très difficile de se procurer la presse internationale, donc française, qui n'est quasiment plus importée...

■ ***ACA*** *(Automóvil Club Argentino) : siège central sur Libertador, 1850. ☎ 48-02-40-00. ● aca.org.ar ●* Une véritable institution. Assureur automobile, éditeur de cartes routières et guides, mais aussi chaîne de stations-service et d'hôtels. C'est un gage de sécurité... et de prix plutôt élevés.

Aéroports et compagnies aériennes

Attention, la taxe d'aéroport est souvent à payer en plus du billet. À Ezeiza (aéroport international de Buenos Aires), elle s'élève à 18 US$, mais est normalement incluse dans le prix du billet (se faire confirmer à l'achat). Córdoba, Mendoza, Salta, Ushuaia, El Calafate, Bariloche et Trelew ont aussi leurs taxes d'aéroport (moins élevées).

✈ ***Ezeiza*** *(aéroport international ; hors plan d'ensemble) : ☎ 54-80-25-00 (infos). ● aa2000.com.ar ●* Pour se faire confirmer un vol, s'adresser directement à la compagnie.

✈ ***Aeroparque Jorge Newbery*** *(aéroport national ; hors plan couleur II par G5) : ☎ 54-80-61-11. ● aa2000.com.ar ●* Même topo que pour Ezeiza.

■ ***Air France*** *(plan couleur I, D2,* ***6****) : San Martín, 344, 23e étage. ☎ 43-17-47-11 (centre d'appel lun-ven 9h-19h ; sam 10h-17h). ● airfrance.com.ar ● Ouv lun-ven 10h-16h.* Air France dessert Ezeiza tous les jours en vol direct.

■ ***Alitalia*** *(plan couleur I) : ☎ 43-10-99-10. ● alitalia.com ●* Vols via Rome.

■ ***British Airways*** *(plan couleur I) : ☎ 0800-222-0075. ● britishairways.com ●*

Vols via Londres.

■ ***Iberia*** *(plan couleur I)* **:** *Carlos Pellegrini, 1163, 1er étage, ainsi qu'à l'aéroport Ezeiza.* ☎ *59-84-01-22.* • *iberia.com* • Vols via Madrid.

■ ***Air Europa*** *(plan couleur I)* **:** *Santa Fe, 850.* ☎ *0810-222-4546 ou 54-80-52-26 (aéroport Ezeiza).* • *aireuropa.com* • Vols depuis Madrid.

■ ***Air Canada*** *(plan couleur I)* **:** *Córdoba, 656.* ☎ *0800-444-2007.* • *aircanada.com* • Vols depuis Toronto.

■ ***TAM*** *(plan couleur I)* **:** *Cerrito, 1030. Infos et résas :* ☎ *0810-333-3333.* • *tam.com.br* • Vols depuis Paris via São Paulo.

■ ***Aerolineas Argentinas*** *(plan couleur I, D3,* ***7****)* **:** ☎ *0810-222-86-527.* • *aerolineas.com.ar* • En Europe, Aerolineas ne dessert que Madrid, Barcelone et Rome en direct. En revanche, son réseau domestique est très étendu. Surbooking fréquent. Pour éviter de se faire refouler à l'aéroport, faire sa résa sur Internet et imprimer sa carte d'embarquement au moins 24h à l'avance.

■ ***LAN*** *(plan couleur I, C2,* ***8****)* **:** *Cerrito, 866, angle Paraguay.* ☎ *0810-999-95-26 (call center).* • *lan.com* • LAN Argentina est une filiale de LAN Chile. Meilleur rapport confort-ponctualité qu'Aerolineas pour les principales destinations du pays.

■ ***Andes*** **:** *Florida, 656, oficina 3.* ☎ *0810-777-26-337.* • *andesonline.com* • Compagnie desservant Salta et Puerto Madryn.

■ ***Sol*** **:** *infos au* ☎ *0810-444-4765.* • *sol.com.ar* • Vols pour Rosario, Mar del Plata et Montevideo (Uruguay) et, entre autres.

Agences de voyages

■ ***Equinoxe*** *(plan couleur I, B2-3,* ***10****)* **:** *Callao, 384, 3e étage, bureau 8.* ☎ *51-73-50-50.* • *equinoxe.com.ar* • *tailormade@equinoxe.com.ar* • *À l'angle de Corrientes. Lun-ven 9h30-18h.* Dirigée par un Français dynamique et amoureux du pays, entouré par une équipe qui lui ressemble, cette agence est devenue l'une des plus sérieuses et professionnelles de Buenos Aires, et à juste titre. Elle propose toutes sortes de services : location de chambres d'hôtel (avec réduc de prix) et de voitures, organisation de raids sportifs et d'aventure, vols intérieurs au meilleur prix. Il concocte également d'excellents itinéraires hors des sentiers battus, notamment pour le Nord-Ouest.

■ ***Argentina Excepción*** *(plan couleur II, E6)* **:** *Costa Rica, 5546 ; bureau 606 - C1414.* ☎ *47-72-66-20.* • *argentina-excepcion.com* • *Lun-ven 9h-18h, et suivi 24h/24 lors du voyage.* Cette agence franco-argentine propose des voyages sur mesure et innovants. Différents circuits à personnaliser, autotours, petites escapades, croisières ou encore des séjours à thèmes : entre autres, la route des vins argentins, la vie des gauchos, safari baleines... Tout ça organisé par une équipe compétente, dynamique et francophone qui connaît très bien le pays. Proposent aussi le Chili et la Bolivie.

■ ***Asociación argentina de turismo estudiantil y juvenil*** *(ASATEJ)* **:** *Santa Fe, 2206 ; dans la Galería Americana, au 1er étage.* ☎ *48-21-21-26. Lun-ven 10h-19h ; sam 10h-13h. Également près de la pl. San Martín, Florida, 835, 3e étage, bureau 320.* ☎ *41-14-76-00 et 37-21-02-09 Lun-ven 10h-19h ; et Yrigoyen 820.* ☎ *43-45-72-27.* • *asatej.com* • Pour acheter des billets et être conseillé par de jeunes Argentins qui connaissent bien leur pays.

■ ***Say Hueque*** **:** *Viamonte, 749, 6e étage, bureau 1.* ☎ *51-99-25-17 ou 20.* • *sayhueque.com* • Jeune équipe d'Argentins (non francophones). Cette petite agence propose des tours organisés dans tout le pays et au Chili, ainsi que des voyages sur mesure à prix très attractifs. Annexes à San Telmo et à Palermo.

■ ***Instituto fueguino de turismo*** **:** *Esmeralda, 783.* ☎ *43-28-70-40/41/42.* • *tierradelfuego.org.ar* • *Lun-ven 9h-17h.* Spécialiste de la Terre de Feu. Accueil pro et efficace.

Divers

■ ***Laverie automatique*** **:** les laveries *Laverap* sont présentes partout en ville. Pour le nettoyage à sec, essayez les très exotiques *5 à Sec* (!). Mais tous les *hostels* et hôtels peuvent laver votre linge.

Où dormir ?

Location d'appartements

Mon Appartement à Buenos Aires : *☎ 09-72-27-55-30 (prix d'un appel local en France). À Buenos Aires : ☎ 47-74-92-71. 911-64-75-62-22. • monappartementabuenosaires.com • Env 59 €/j. et 296 €/sem pour 2-3 pers ; duplex env 70 €/j. et 360 €/sem. Possibilité de transfert aéroport.* Harry et Anjelica ont soigneusement sélectionné des appartements de charme dans les quartiers centraux les plus branchés comme Palermo Hollywood ou Soho, San Telmo, la Recoleta... Excellent rapport qualité-prix-charme. Le tout géré par une sympathique équipe francophone, attentive aux besoins de la clientèle.

Dans le Centro

C'est dans ce quartier, entre l'avenida de Mayo et l'avenida Santa Fe, que sont concentrés la plupart des hôtels et des restaurants. Pratique si on est tributaire des bus d'excursion, qui ne passent pas vous chercher à l'hôtel ailleurs que dans le Centro. À condition de n'être pas trop sensible au bruit, le Centro est un camp de base commode pour arpenter la ville, même si on préfère de loin le charme de San Telmo ou de Palermo. À la nuit tombée, soyez prudent : sans être foncièrement dangereux, le quartier n'est pas des plus sûr le soir. De toute façon, pour dîner, ce n'est pas là que sont nichées les meilleures adresses.

Bon marché (moins de 350 $Ar / env 35 €)

Hostel Suites Obelisco *(plan couleur I, C2,* ***20****) : Corrientes, 830. ☎ 43-28-40-40. • hostelsuitesobelisco.com • Membre du réseau HI. Dortoirs 4-8 lits 100-120 $Ar/pers ; doubles sans sdb 300-400 $Ar. Petit déj inclus. (réception).* Très bien situé, dans une grande maison avec ascenseur, au calme malgré l'animation de l'avenue. L'ensemble est agréable et bien entretenu, comme dans les autres AJ du réseau. Chambres doubles plaisantes avec salles de bains sur le palier. *Lockers* dans les dortoirs, 2 petites cuisines par étage et service de laverie. Pas mal d'activités organisées (cours d'espagnol, match de foot, films, navette pour l'aéroport, etc.), billard, et même une agence de voyages. Bon accueil.

Hotel Parada *(plan couleur I, C3,* ***21****) : Rivadavia, 1291. ☎ 43-81-63-99. • hostelparada.com • Double avec sdb env 270 $Ar, petit déj (frugal) inclus.* Ne vous fiez pas à la façade, qui ne paie pas de mine. Les chambres, organisées autour d'un vaste patio aux murs peints, sont spacieuses, propres et propices à la détente, à l'image des parties communes, qui mêlent pierre, brique et touches industrielles. Dans les suites, à peine plus chères (séchoir à cheveux et balcon en plus de la TV), les toilettes sont séparés de la douche. On peut aussi préparer son frichti à la cuisine, nickel. Une adresse à mi-chemin entre l'auberge de jeunesse (le calme en plus) et l'hôtel traditionnel.

Hostel Colonial *(plan couleur I, D2,* ***22****) : Tucumán, 509 (presque à l'angle de San Martín). ☎ 43-12-64-17. • hostelcolonial.com.ar • Lit en dortoir env 100 $Ar, réduc à partir de 3 nuits ; doubles 250-300 $Ar selon confort. Petit déj inclus.* Petit *hostel* dans une jolie bâtisse coloniale (seulement 2 étages), ce qui n'est pas si courant en plein centre. Couleurs pétantes, balcon en fer forgé à l'étage. L'ensemble est convivial, mais le confort reste sommaire. Des dortoirs, triples et quadruples, avec ventilo ou AC. Également quelques doubles avec salle de bains commune ou privée. Fournit draps ; possibilité de louer les serviettes. *Lockers*, TV avec DVD... Bon resto au pied de l'hôtel (voir plus bas « Où manger ? »).

Hotel Uruguay *(plan couleur I, C3,* ***23****) : Tacuarí, 83. ☎ 43-34-27-88. À deux pas de l'av. de Mayo. Double env 300 $Ar avec ou sans sdb. Pas de petit déj.* Une survivance du passé que ce petit hôtel au style démodé, loin du village mondial (pas d'Internet, pas de wifi), qui abrite des chambres sans prétention mais correctes pour le prix (ventilo et téléphone). Aménagement très simple, mais c'est propre, et les chambres quadruples permettront aux familles de se loger à moindre frais. Préférer les chambres donnant sur le patio, plus calmes que côté rue. Bon accueil.

Gran Hotel España *(plan couleur I, C3, **24**) : Tacuarí, 80. ☎ 43-43-55-41. Doubles 220-260 $Ar. Pas de petit déj.* Vieillot à souhait, avec un ascenseur historique (on choisit soi-même l'étage avec la manivelle !) et des chambres simplissimes.

Prix moyens (350-650 $Ar / env 35-65 €)

B.A. Stop *(plan couleur I, C3, **25**) : Rivadavia, 1194. ☎ 43-82-74-06. • bastop.com • Dortoirs 4-8 lits 120-150 $Ar/pers ; double avec ou sans sdb env 400 $Ar. Petit déj inclus.* Belle réception haute de plafond, décorée de grandes fresques. Un peu plus cher que nos adresses bon marché mais c'est justifié : on est dans le standing supérieur, charme inclus. Services habituels (TV, DVD, cuisine à dispo...) et quelques activités sur place : billard, ping-pong, et même un piano. En prime, 8 chambres doubles à l'étage, lumineuses et avec salle de bains privée, plus une petite terrasse. Double vitrage pas superflu. L'ensemble est bien tenu et l'accueil très chaleureux. Propose aussi diverses excursions et sorties. Un bon rapport qualité-prix.

Hostel Suites Florida *(plan couleur I, C-D2, **26**) : Florida, 328. ☎ 43-25-09-69 ou 43-93-13-97. • hostelsuites.com • Dépend du réseau* Hostelling International. *Dortoirs 4-8 lits 150-160 $Ar/pers (réduc pour les membres) ; doubles 400-550 $Ar selon confort ; également des triples et quadruples. Petit déj inclus.* Plus de 300 lits et une ambiance du tonnerre dans cette imposante AJ. On se croirait presque sur un campus ! Toutes les chambres ont leur salle de bains et la clim. Cuisine pour mitonner tranquille. Soirées fréquentes, bar, DVD et retransmissions de matchs de foot, billard. Laverie et *lockers*, ainsi que des grands placards dans les doubles. Excellente ambiance au resto et au bar (sous-sol), où se mélangent Argentins et touristes. Bonne aubaine : 3 fois par semaine, on y sert gratuitement à dîner. À noter, les amateurs de calme ou les couche-tôt préféreront le 10e et dernier étage. Personnel efficace et sympa.

ChillHouse *(hors plan couleur I par A2, **27**) : Agüero, 781. ☎ 48-61-61-75. • chillhouse.com.ar • Ⓜ Carlos Gardel (ligne B). Dans le quartier d'Abasto. Dortoirs 4-6 lits env 120-140 $Ar/pers ; doubles avec sdb 400-500 $Ar selon confort. Petit déj inclus.* Belle demeure du tout début du XXe s, restaurée avec goût et décorée sobrement. Patios, terrasse, salle de bains en béton brut. Très bon accueil des proprios franco-argentins.

Milhouse Hostel *(plan couleur I, C3, **28**) : H. Yrigoyen, 959. ☎ 43-45-96-04 et 43-43-50-38. • milhousehostel.com • Très bien situé, entre l'av. 9 de Julio et la pl. de Mayo. Lit en dortoir env 150 $Ar (plus cher w-e) avec ou sans sdb ; doubles avec sdb et clim env 430-470 $Ar ; petit déj inclus. Résas par mail slt.* Grande auberge de jeunesse animée dans une maison ancienne habilement restaurée, avec des dortoirs de 4, 6 ou 8 lits, de belles terrasses et des balcons pour les chambres sur rue. Bien décorées mais un peu sombres, les chambres doubles donnent sur un patio. Cuisine, salle TV, billard, laverie. Cours de tango gratuits 2 fois par semaine et tous les soirs, des soirées organisées ici ou au *Milhouse Avenue*, leur autre *hostel* à 3 *cuadras* *(av. de Mayo, 1245)*. Ambiance jeune et internationale de mise.

Pension Yira Yira *(plan couleur I, C2, **29**) : Uruguay, 911 (1er étage B). ☎ 48-12-40-77. • yirayiraba.com • Double env 50 €, petit déj inclus.* À la limite de Recoleta et du Retiro. La gentille Señora Paz loue 4 chambres simple, doubles et triple dans son appartement familial rénové avec soin. Ventilateurs dans les chambres, clim dans le salon, 2 salles de bains à partager, mais c'est confortable (double vitrage côté rue) et très propre. Sans oublier l'accueil jovial de la maîtresse de maison.

Portal del Sur *(plan couleur I, C3, **24**) : H. Yrigoyen, 855. ☎ 43-42-87-88. • portaldelsurba.com.ar • Dortoirs 4-6 lits 68-150 $Ar/pers, avec ou sans clim ; double env 450 $Ar. Petit déj compris.* Chambres assez grandes, colorées, avec ventilo. Les dortoirs les plus chers ont même leur salle de bains. Bonne ambiance, et du charme à revendre. Tout le monde se retrouve dans le joli patio intérieur, ou au bar sur le toit autour d'un barbecue. Cuisine, babyfoot, cours de tango, et moult activités. Laverie.

Buenos Aires V & S Hostel Club *(plan couleur I, C2, **30**) : Viamonte, 887. ☎ 43-22-09-94. • hostelclub.com • Dortoirs 4-8 lits 130-200 $Ar/pers ; doubles env 500-600 $Ar ; petit déj inclus.* Face à une place ombragée, une auberge centrale, dans un immeuble ancien restauré. Chambres assez vastes, bien décorées, certaines disposant même de vitraux ou de la clim. Grand salon accueillant avec vidéothèque, bibliothèque, TV, consigne. Cuisine à disposition. Petite terrasse. Animations et possibilité d'excursions à Buenos Aires et dans la région.

Grand Hotel Hispano *(plan couleur I, C3, **31**) : av. de Mayo, 861. ☎ 43-45-20-20. • hhispano.com.ar • Double env 550 $Ar, petit déj inclus.* Hôtel à l'ancienne idéalement placé, en face du métro. Une soixantaine de chambres doubles avec frigo et TV, autour d'un patio couvert par une verrière. Préférer ces dernières à celles donnant sur la rue, bien sûr. Ambiance un peu rétro, mais on s'y sent très vite à l'aise. Accueil affable.

Hotel Waldorf *(plan couleur I, D2, **32**) : Paraguay, 450. ☎ 43-12-20-71. • waldorf-hotel.com.ar • Doubles à partir de 540 $Ar, petit déj inclus.* Aucun rapport avec son homonyme new-yorkais. Façade moderne et désuète. Chambres standard climatisées, correctes et plutôt bien équipées mais bruyantes côté rue. Si l'hôtel est vieillissant, il reste une étape pratique pas loin du terminal de bus pour l'aéroport.

Chic (650-1 000 $Ar / env 65-100 €)

Castelar Hotel *(plan couleur I, C3, **33**) : av. de Mayo, 1152. ☎ 43-83-50-00 (jusqu'à 09). • castelarhotel.com.ar • Ⓜ Lima (ligne A). Double env 800 $Ar, petit déj inclus.* Palace du XIXe s patiné par le temps. Le poète Federico García Lorca y séjourna en 1929, et sa chambre, la nº 704, a été aménagée en musée (se visite de temps à autre). Escalier en marbre, vieux meubles, lustres et stucs. Chambres relativement confortables, certaines presque d'époque (visitez-en plusieurs !). Grand bar en bois et resto à prix abordables. Préférez les chambres les plus éloignées de la salle de danse, et gare au bruit côté rue. Spa. Très fréquenté par les groupes.

Plus chic (plus de 1 000 $Ar / env 100 €)

Moreno Hotel Buenos Aires *(plan couleur I, D3, **34**) : Moreno, 376. ☎ 60-91-20-00 et 01. • morenobuenosaires.com • Double à partir de 80 US$ en tarif non remboursable, petit déj inclus.* À côté de la plaza de Mayo, à la lisière de San Telmo, un hôtel moderne, chic et discret installé dans un immeuble Art déco, qui abrita en son temps une imprimerie. Les chambres, sur 6 étages (ascenseur), offrent un confort optimal auquel on est peu accoutumé : spacieuses, cosy et parfaitement équipées, ont pour certaines une kitchenette ou une terrasse (voire 2 !). Pour tous, celle aménagée sur le toit avec chaises longues et canapés est vraiment sympa pour prendre son petit déj en surplombant San Telmo. Au rez-de-chaussée, le resto bar à vins *Aldo's (ouv tlj midi et soir)* propose plus de 600 références de vins vendues à prix caviste. Sur les murs, les bouteilles sont alignées comme à la parade ! Légèrement plus cher qu'ailleurs pour y prendre un repas, mais on peut se contenter d'un verre au bar.

À Recoleta

Un quartier chic et branché, pour les activités culturelles ou les sorties nocturnes. Le prix du mètre carré étant cher, peu d'hôtels, mais tout de même quelques adresses bien agréables...

De bon marché à prix moyens (moins de 650 $Ar / env 65 €)

Hi Recoleta Hostel *(plan couleur I, C1-2,* ***35****) : Libertad, 1216-1218.* ☎ *48-12-44-19. • hirecoleta.com.ar • Membre du réseau* Hostelling International. *Dortoirs 4-8 lits avec ou sans sdb 100-150 $Ar ; doubles 300-400 $Ar selon confort (ventilo, AC, sdb) et période de la sem ; un peu plus cher sans la carte* HI. *Petit déj inclus, avec pain maison.* Située dans la partie chic de Recoleta, l'atmosphère de cette grande maison aux couleurs pimpantes, avec patio intérieur, n'en est pas moins décontractée. Chambres propres et spacieuses avec clim ou ventilo (évitez celles donnant sur la calle Libertad), cuisine, TV, coffres, laverie et terrasse sur le toit. Attention, pas de serviette de toilette (à louer sur place) ni de cadenas pour fermer les casiers. Accueil simple et chaleureux.

Hotel Lion d'Or *(plan couleur I, B1,* ***36****) : Pacheco de Melo, 2019.* ☎ *48-03-89-92. • hotel-liondor.com.ar • Doubles avec sdb 400-500 $Ar avec ventilo ou AC (selon taille).* Une ancienne ambassade reconvertie en hôtel. Façade blanche et intérieur Belle Époque avec son entrée en marbre et un ascenseur en bois sculpté. À l'étage, une trentaine de chambres un peu défraîchies mais propres avec TV, certaines avec de petites fenêtres, d'autres plus lumineuses. Celles du rez-de-chaussée sont trop sombres. Salles de bains vraiment petites. Petite cuisine à dispo et téléphone public près de la réception. Conviendra à ceux qui se contentent d'y dormir.

Prince Hotel *(plan couleur I, B2,* ***37****) : Arenales, 1627.* ☎ *48-11-80-04. • princehotel.com.ar • À quelques pas de la pl. Vicente Lopez. Double env 500 $Ar.* Cette grande bâtisse de 1917 n'a pas échappé au modèle français caractéristique du quartier. Une quarantaine de chambres un peu petites et vieillottes, mais bien tenues et équipées (TV câblée, AC). Les chambres intérieures sont un peu étriquées, mais aussi moins bruyantes. Évitez celles du rez-de-chaussée, vraiment sombres.

De chic à plus chic (650-1 400 $Ar et plus / env 65-140 €)

Ayacucho Palace Hotel *(plan couleur I, B1,* ***38****) : Ayacucho, 1408.* ☎ *48-06-18-15. • ayacuchohotel.com.ar • À 500 m du cimetière de la Recoleta. Double env 600 $Ar, petit déj inclus.* Entrée moderne sans grand charme, représentative de cet hôtel qui n'a rien d'un palace. Chambres un peu vieillottes, mais propres et claires, avec salle de bains. AC, TV. Certaines pas grandes, mais beaux parquets en bois. En fin de compte, un bon rapport qualité-prix. Les chambres les plus claires sont au 5e étage. Accueil courtois. Attenante à l'hôtel, une cafétéria lumineuse et animée.

Art Hotel *(plan couleur I, A1,* ***39****) : Azcuénaga, 1268.* ☎ *48-21-47-44. • arthotel.com.ar • Doubles à partir de 1 000-1 400 $Ar, avec petit déj-buffet.* Un immeuble d'architecture parisienne du début du XXe s, tout en hauteur, avec ses balcons de fer forgé. Entièrement restauré et aménagé dans un style ethnico-contemporain par une équipe pleine d'idées. L'hôtel abrite une trentaine de chambres à la déco personnalisée, bien agencées et confortables (douche, w-c et clim), parquetées et sous de hauts plafonds. Les plus romantiques et fortunés opteront pour le lit *king size* en prenant soin de choisir leur emplacement, sur rue (pas les plus calmes) ou cour (un peu limite côté lumière). Sur le toit, terrasse avec jacuzzi en été. Au rez-de-chaussée, salle d'expo de peintures.

À Palermo (Palermo Soho et Palermo Hollywood)

Palermo Soho et Palermo Hollywood sont des quartiers traditionnels devenus bobos, juxtaposés et séparés par une vieille ligne de chemin de fer longée par l'avenue J. B. Justo. Ils abritent des *hostels* nouvelle génération très agréables et des *cama y desayuno,* version argentine du *Bed & Breakfast.* C'est ici qu'on trouvera plein de tuyaux sur la suite du périple en Argentine, entre routards de tous pays. Quartier dynamique alliant branchitude et commerce, Palermo est à notre avis le quartier le plus agréable pour un séjour, même s'il est un peu moins bien desservi par les transports que le Centro. Mais ici, tout se fait à pied (ou d'un coup de taxi, pour une poignée de pesos), et la concentration de restos sympa est impressionnante. En plus, le quartier est sûr : à n'importe quelle heure du jour ou de la nuit, on s'y promène sans appréhension. Bien situé aussi par rapport à l'aéroport national *(aeroparque),* tout proche.

De bon marché à prix moyens (moins de 650 $Ar / env 65 €)

■ ***Hostel Suites Palermo*** *(plan couleur II, F5,* ***40****)* **:** *Charcas, 4752. ☎ 43-93-13-97. • hostelsuites.com • Dortoirs 4-6 pers env 150 $Ar/pers ; doubles 450-600 $Ar ; réduc avec la carte HI. Petit déj inclus. (réception).* Une ancienne maison restaurée, au cachet indéniable. On n'est pas trop empilés dans cette AJ de 60 lits répartis en chambres doubles ou en dortoirs, avec ou sans clim. La salle de bains n'est pas systématiquement dans la chambre, mais tout est impeccable. Dans les dortoirs, *lockers* sous les lits, cuisine, laverie, agence de voyages avec les services habituels. Pour plus de tranquillité, évitez les chambres donnant sur le patio, propice aux conversations animées autour d'un verre.

■ ***Eco Pampa Hostel*** *(plan couleur II, F6,* ***41****)* **:** *Guatemala, 4778. ☎ 48-31-24-35. • hostelpampa.com.ar • Dortoirs 6-8 lits 150 $Ar/pers ; double avec sdb env 700 $Ar, petit déj inclus.* Jolie façade couleur anis. Le 1er éco-*hostel* de la ville, conçu pour optimiser l'utilisation des ressources naturelles dans le respect du credo des 3 R : réduire, recycler, réutiliser. Panneaux solaires, éclairage basse tension, aération naturelle, mobilier de récup', etc., ce qui ne signifie pas absence de confort ou de créativité... au contraire ! Les lieux sont très agréables à vivre et les chambres sont même climatisées. Les doubles sont simples mais au calme. Terrasse et cuisine à dispo. Location de vélos. Bar attenant, avec musique certains soirs. Très bon accueil. Un établissement « jumeau » est situé dans le quartier de Belgrano *(sur Ibera, 2858 ; ☎ 45-44-22-73).*

■ ***Hostel de la Liberté*** *(hors plan couleur II par F6,* ***42****)* **:** *Lavelleja, 1352. ☎ 48-32-56-21. Dortoirs 4 ou 6 pers 120 $Ar/pers ; double env 340 $Ar. Petit déj inclus.* À quelques rues des bars et restos branchés de Palermo, les routards qui débarquent à B.A. trouveront dans cette maison conviviale une atmosphère détendue. Le jeune gérant a réhabilité les lieux lui-même, à grands coups de pinceaux, en insistant sur le salon et le patio lumineux, de manière à ce que chacun se sente comme chez soi. Il reste encore des aménagements à faire, notamment du côté des salles de bains, mais on fait confiance à la motivation de Renato. Aussi une chambre double à l'étage, proche de la terrasse. Cuisine commune.

De chic à plus chic (650-1 400 $Ar et plus / env 65-140 €)

À partir de cette gamme de prix, sachez qu'il est fréquent d'obtenir une réduction en payant cash ou/et en réservant à l'avance sur Internet. Une remise de 20 % est en général facilement accordée, parfois plus.

■ ***Hotel Costa Rica*** *(plan couleur II, F6,* ***43****)* **:** *Costa Rica, 4137/39. ☎ 48-64-73-90. • hotelcostarica.com.ar • Doubles avec sdb env 95-150 US$*

selon confort. Également des chambres avec sdb commune à 70 US$. En plein Palermo Viejo, un hôtel de charme installé dans une maison ancienne. Une vingtaine de chambres de tailles différentes avec des lits moelleux à souhait, toutes décorées avec goût. Personnel attentionné. Escaliers très étroits pour accéder à une jolie terrasse sur le toit, avec fauteuils pour se détendre après une journée de balade. Sauna. Un vrai coup de cœur !

***Rendez-Vous Hotel** (plan couleur II, E6, **44**) : Bonpland, 1484. ☎ 39-64-52-22. • rendezvous hotel.com.ar • Doubles standard 150-200 US$, petit déj inclus. Promos sur Internet.* Au cœur de Palermo Hollywood, un hôtel de maître à la française, datant de 1904. Rénové par Frédéric, un ex-danseur adepte du feng shui. Il propose 11 chambres toutes différentes, au mobilier choisi avec beaucoup de goût, où chaque détail est pensé (emplacement, couleurs, etc.). On aime beaucoup celles qui disposent d'un jacuzzi sur la terrasse. Jardinet ombragé sous les platanes. Tous les membres de l'équipe du *Rendez-Vous* se font un devoir d'être attentifs aux désirs de leurs hôtes, et les renseignent avec plaisir sur l'actualité culturelle. Une adresse assez exceptionnelle.

***Rugantino Hotel Boutique** (plan couleur II, F6, **45**) : Uriarte, 1844. ☎ 47-73-28-91. • rugantinohotelboutique.com • Double avec sdb et AC env 100 US$, petit déj plantureux inclus ! CB refusées.* Belle demeure des années 1920 dans Palermo Soho. Les 7 chambres, plus ou moins grandes, s'articulent autour d'une courette d'où dégringole la vigne vierge. Les meubles chinés accentuent encore le charme de la maison qui allie confort et cachet. Du coup, on se sent vite comme chez soi dans cet hôtel aux allures de maison d'hôtes ! On peut aussi lézarder au soleil sur les transats de la terrasse. Accueil très chaleureux des patrons italiens, qui parlent aussi le français.

***Duque Hotel Boutique** (plan couleur II, F6, **46**) : Guatemala, 4364. ☎ 48-32-03-12. • duquehotel.com • Doubles 120-170 US$, petit déj inclus.* Encore un de ces hôtels charmants dont Palermo Soho regorge ! On ne se lasse pas de ces demeures du début du XXe s intelligemment reconverties en hôtels, dans un esprit chic et tendance. Seulement 14 chambres à la déco personnalisée, tout comme l'accueil, toujours à l'écoute des clients. Confort irréprochable, lits aussi larges que confortables, clim, TV écran plat. Petite piscine sur un carré de pelouse, spa et sauna.

***Vain Boutique hotel** (plan couleur II, F6, **47**) : Thames, 2226. ☎ 47-76-82-46. • vainuniverse.com • Doubles 135-270 US$, petit déj inclus.* Au cœur de Palermo Soho, 2 immeubles ont été réunis pour abriter 15 chambres confortables et fonctionnelles. Les *standard* sont regroupées au rez-de-chaussée. Si elles sont calmes (elles donnent sur un patio, à l'arrière), ce ne sont ni les plus lumineuses, ni les plus spacieuses, on s'en doute. Les chambres supérieures, certaines avec terrasse privée, sont situées aux 1er et 2e étages (ascenseur). Bon petit déj, et belle terrasse sur le toit.

***Che Lulu Guest House** (plan couleur II, F6, **48**) : pasaje Emilio Zola, 5185 ; entre Godoy Cruz et Santa María de Oro. ☎ 47-72-02-89. • chelulu.com • Ⓜ Plaza Italia (ligne D). Dortoir 8 lits env 180 $Ar/pers ; doubles 800-1 000 $Ar selon confort. Petit déj inclus. Également un appart de 70 m².* C'est l'une de ces maisons colorées dans la ruelle, au calme. Décoration hétéroclite, un peu maison de poupée, avec des chambres pas bien grandes. Dortoir coloré sous les toits. Chambres avec ou sans douche/w-c (à partager entre 3 chambres) et ventilo ou clim, donnant sur la rue ou sur le patio intérieur. Bar, cuisine à disposition, mais le rapport qualité-prix reste médiocre.

Très chic (plus de 1 400 $Ar / env 140 €)

***BoBo Hotel** (plan couleur II, F6, **49**) : Guatemala, 4882 ; entre Borges et Thames. ☎ 47-74-05-05. • bobohotel.com • Double env 250 US$, plus taxes, délicieux petit déj compris.*

Souvent des promos. Cette maison cossue de 1927 a été admirablement arrangée en boutique-hôtel de charme. L'ensemble ne manque ni d'allure ni de coins chaleureux pour se retrouver à 2 ou entre amis. Chacune des 15 chambres a sa thématique, allant du pop art à l'Art déco, en passant par la tecno. Selon la catégorie, différentes tailles de chambres et de lits (*king size* dans les suites qui ont même un balcon-terrasse privatif). Chacune marie harmonieusement les tons et possède un joli mobilier. Salle de resto très classe et bonne cuisine, dont on a déjà un aperçu lors de l'excellent petit déjeuner. Jardin-terrasse. Accueil stylé.

Legado Mitico *(plan couleur II, F6,* ***50****) : Gurruchaga, 1848. ☎ 48-33-13-00. • legadomitico.com • Doubles 250-350 US$ selon saison, taxes en sus, copieux petit déj-buffet inclus. Promos sur Internet.* Bien placé, en plein quartier branché, ce petit boutique-hôtel (encore un !) se niche dans une maison du début du XXe s, entièrement rénovée. Salon-bibliothèque de grande allure, avec fauteuils confortables, canapé chesterfield, et peintures aux murs qui confèrent à la pièce une atmosphère chic et feutrée. Sols en béton ciré (très classe). Une dizaine de chambres élégantes (plancher, clim, TV avec DVD...), évoquant chacune une personnalité de l'histoire du pays (Evita, le Che, Borges, Gardel...), offrent un confort cossu. Rien ne manque. Agréable patio dans la verdure et terrasse sur le toit. Personnel amical et serviable. Pour une clientèle à l'aise dans son portefeuille.

Home *(plan couleur II, E6,* ***51****) : Honduras, 5860. ☎ 47-78-10-08. • homebuenosaires.com • Doubles standard 165-240 US$. Les suites peuvent flirter avec les 450 US$, plus les taxes de 21 % !* La façade fait penser à un hôtel californien ou à une maison en bois imaginée par Mies Van Der Roe. Pourtant, on est ici dans l'une des parties les plus animées de Palermo Hollywood, dans un environnement de maisons de type colonial. Ce contraste est d'autant plus marqué que ce bâtiment récent, avec son grand jardin et ses boiseries claires, donne une impression d'élégante légèreté. Une vingtaine de chambres, toutes dans un code chromatique très étudié, rehaussées aux murs d'un papier peint style Arts & Craft. Le design continue jusqu'à la piscine (une *vraie* piscine !), le spa et le bar. Et que dire du jardin fleuri, ultra paisible, où est servi le petit déjeuner ? Luxe, calme et volupté... qu'on paie au prix fort.

Malabia House *(plan couleur II, F6,* ***52****) : Malabia, 1555. ☎ 48-33-24-10. • malabiahouse.com.ar • Doubles 145-160 US$, petit déj inclus ; réduc de 30 % en payant cash (€ ou US$).* Cet ancien couvent du quartier de Palermo Soho ne préfigure en rien une austère retraite : les 14 chambres y sont spacieuses, hautes de plafond et modernes (clim, minibar, peignoir). Salles de bains privées, mais souvent extérieures à la chambre, et exigües : voilà le compromis à faire pour loger dans un lieu atypique... Personnel charmant. Au coin de la rue, les nostalgiques des viennoiseries françaises iront se ravitailler chez le boulanger français Cocu.

À San Telmo

Ce vieux quartier plein de charme est le coin des auberges de jeunesse. Elles proposent tous les services utiles : laverie, cuisine équipée pour préparer sa tambouille (mais petit déj inclus), accès Internet gratuit, salon avec TV câblée, prêt ou échange de bouquins, et même des cours de tango. L'hébergement se fait la plupart du temps en dortoir, mais il y a toujours quelques chambres doubles pour ceux qui ont eu la riche idée de réserver assez tôt.

De très bon marché à bon marché (moins de 350 $Ar / env 35 €)

Asterion House Hostel *(plan couleur III, J7,* ***53****) : Perú, 1043. ☎ 43-61-20-50. • asterionhouse.com.ar • Lit en dortoir env 120 $Ar, double env 280 $Ar.* Sympa comme tout, cet *hostel* de charme, vaste et ordonné, aux allures de loft new-yorkais. Dortoirs simples mais agréables avec leurs lits superposés en bois et clim. Salles de bains propres sur le palier. Touristes de passage et voyageurs au long cours s'y croisent dans une ambiance chaleureuse sans être agitée, qui permet à chacun d'avoir sa dose de tranquillité ! Immense terrasse pour fraterniser avec ses voisins autour d'un BBQ. Aussi une cuisine à disposition, absolument nickel. Accueil pro.

Che Lagarto Hostel *(plan couleur III, I7, **54**) : Venezuela, 857. ☎ 43-43-48-45. • chelargato.com • Lits en dortoir 12-20 US$, double env 75 US$; petit déj inclus (doubles moins chères en réservant via leur site internet).* Une vaste auberge, avec des dortoirs de 10 personnes où les lits sont alignés comme au pensionnat. Ceux de 6 lits sont un peu plus chers. Ils sont répartis dans 2 bâtiments, sur la rue ou sur la cour. Les chambres doubles ou triples sont simples et honnêtes si on ne les paie pas le prix affiché. Très bon accueil et propreté impeccable. Joli patio pour se délasser au calme. Ping-pong, location de vélos...

Prix moyens (350-650 $Ar / env 35-65 €)

America del Sur Hostel *(plan couleur III, I7, **55**) : Chacabuco, 718. ☎ 43-00-55-25. • americahostel.com.ar • Nuitée en dortoir 4 pers 130-180 $Ar ; double avec sdb env 500 $AR, petit déj inclus.* Une fois passée la réticence de l'immeuble en béton armé (c'est vrai qu'on a connu plus charmant), les appréhensions se dissipent. À l'intérieur, c'est un hôtel pimpant, spacieux, bien équipé et ultrafonctionnel. Dortoirs confortables et bien agencés, tous avec salle de bains et clim (lavabos séparés des toilettes, c'est rare ; sèche-cheveux). Les doubles, impeccables et avec TV, sont sans bavures elles aussi. Sympathique terrasse avec son dessin de Lichtenstein au mur. BBQ le vendredi soir, et plein d'activités à prix modiques. Et côté accueil, c'est comme l'ambiance, ça dépote !

Circus Hostel & Hotel *(plan couleur III, I-J7, **56**) : Chacabuco, 1020. ☎ 43-00-49-83. • hostelcircus.com • Nuit en dortoir 4 ou 6 pers 180-220 $Ar. Doubles env 500-700 $Ar, petit déj inclus. Également des triples et quadruples.* Un hôtel récent d'architecture moderne. Chambres propres, confortables (clim), mais déco plutôt banale. Petite piscine dans la cour intérieure, sympa quand il fait chaud. Les chambres donnent de ce côté-là ou sur la rue. Billard et salle TV au rez-de-chaussée.

Art Factory *(plan couleur I, C3, **57**) : Piedras, 545. ☎ 43-43-14-63. • artfactoryba.com.ar • À deux pas du métro Belgrano. Lits en dortoir 4-8 pers 110-130 $Ar ; doubles 350-400 $Ar, avec ou sans sdb. Petit déj, draps et serviettes inclus.* Une maison à l'atmosphère bobo, avec une déco étonnante : des murs recouverts de graphs ! Une sympathique ambiance *arty*. Parties communes spacieuses, cheminée dans le salon ; chambres plus exiguës mais propres et lumineuses. On a bien aimé le dortoir nº 4 sur le toit, au bord de la terrasse ensoleillée. TV, cuisine commune, location de vélos...

Hostel Ostinatto *(plan couleur III, I7, **58**) : Chile, 680. ☎ 43-62-96-39. • ostinatto.com • Dortoirs 4-8 lits 50-150 $Ar/pers ; doubles 350-500 $Ar avec ou sans sdb ; petit déj compris.* La maison date des années 1920 mais a été réhabilitée en greffant sur la structure ancienne art contemporain et style minimaliste et en alliant matériaux bruts, béton, acier et verre. L'ensemble, ouvert sur un puits de lumière, est réussi. Cuisine spacieuse à disposition. Les chambres sont petites mais disposent de tout le confort : ventilateurs ou clim et armoires à clef. La plus grande chambre donne sur la terrasse commune au dernier étage. Sympa, mais pas forcément recommandée aux couche-tôt ! Piano-bar, ping-pong, cours de tango, d'espagnol et location de vélos. Un bel endroit, un peu bruyant toutefois.

Chic (650-1 000 $Ar / env 65-100 €)

Telmho Hotel Boutique *(plan couleur III, J7, **59**) : Defensa, 1086. ☎ 41-16-54-67. • telmho-hotel.com.ar • Double env 750 $Ar, petit déj* *inclus.* Difficile de rêver meilleur emplacement que la mythique plaza Dorrego, où bat le pouls du quartier ! Une dizaine de chambres seulement, avec lit en mezzanine, bureau et banquette convertible, à la propreté impeccable. Une fois les marches de l'escalier franchies (la réception est à l'étage), aucune des commodités usuelles ne fait défaut (TV, clim, séchoir, change).

Tiana Buenos Aires *(plan couleur III, J7,* ***60****) : Humberto Primo, 629. ☎ 43-62-86-63 et 43-00-81-77. • tianabuenosaires.com.ar • Double env 1 000 $Ar, copieux petit déj compris.* Très belle adresse de charme au cœur de San Telmo. Dans une demeure traditionnelle *porteña* de 1895, fort joliment rénovée. Un boutique-hôtel de 10 chambres personnalisées, spacieuses, claires et disposant de tout le confort (literie ++, TV écran plat, AC, coffre, minibar). Elles donnent sur un joli patio garni de plantes. La déco mêle avec goût des touches contemporaines aux éléments anciens. En prime, on est parfaitement au calme et l'accueil est à l'image des lieux, discret et attentionné.

Patios de San Telmo *(plan couleur III, I7,* ***61****) : Chacabuco, 752. ☎ 43-07-04-80. • patiosdesantelmo.com.ar • Doubles env 100-130 US$, petit déj inclus.* L'architecture coloniale de cet ancien *conventillo* (foyer pour les migrants) a été élégamment préservée, et l'enfilade de patios, autour desquels les chambres sont disposées, offre un dégagement très plaisant. Le sol en damier, la balustrade en fer forgé, le café ouvert sur l'entrée, les balancelles dans les jardins : les matériaux traditionnels et les touches modernes se marient habilement et donnent un chic incontestable à l'hôtel. Chambres simples et confortables malgré des salles de bains petites. Le bonus, c'est la jolie petite piscine sur le toit.

Mansion Dandi Royal *(plan couleur III, I7,* ***62****) : Piedras, 922. ☎ 43-07-76-23. • mansiondandiroyal.com • Doubles à partir de 500-1 500 $Ar, petit déj inclus.* Un « tango hôtel » établi dans une vénérable et charmante maison du quartier. Les fresques autour du tango, les salons de danse... Le ton est donné dans ce lieu où le temps semble s'être arrêté. L'ensemble n'est pas du dernier cri mais les chambres, confortables, ont leur cachet dans un style un peu ancien. Certaines très vastes peuvent loger jusqu'à 4 personnes. Pour ceux qui recherchent le caractère, le charme, la nostalgie, sans être millionnaires en pesos. Cours de tango presque tous les jours. Petite piscine sur la terrasse.

Casa Bolívar *(plan couleur III, J8,* ***63****) : Bolívar, 1701. ☎ 43-00-36-19. • casabolivar.com • À quelques* cuadras *derrière le parc Lezama. Lofts et studios env 90-110 US$. Min 2 nuits. Également loc à la sem ou au mois.* Face à l'université, cette demeure des années 1900 joliment restaurée s'organise autour d'un patio intérieur avec vitraux et boiseries. Chacun des 14 appartements a son propre style, très soigné (baroque, Art déco, Belle Époque, pop, zen, oriental...). Entièrement équipés (cuisine, salle de bains, TV câblée, chaîne hi-fi, AC), spacieux, et certains sur 2 niveaux, style loft. Très cosy, mais un peu loin du métro. Également un resto sur place, ouvert pour déjeuner en semaine.

À Belgrano

Toujours sur l'axe nord (avenue Santa Fe et son prolongement avenue Cabildo), le quartier résidentiel de Belgrano est un mélange d'immeubles années 1970, de tours et de quelques belles et vieilles maisons qui résistent tant bien que mal aux assauts des promoteurs immobiliers. Tout comme Palermo (divisé en Soho et Hollywood), Belgrano est un *barrio* très étendu, avec des subzones tour à tour chic (Barrancas, Belgrano R) ou commerçantes (le long de l'avenue Cabildo). La ligne D du métro le dessert bien, ainsi que plusieurs lignes de bus circulant sur Cabildo.

Chic (650-1 000 $Ar / env 65-100 €)

Caserón Porteño *(plan couleur II, E5,* ***64****) : Ciudad de la Paz,*

344. ☎ *45-54-63-36.* • *caseron porteno.com* • Ⓜ *Olleros (ligne D). Doubles 600-700 $Ar selon confort et saison, petit déj inclus. CB refusées.* Ce *caserón,* en fait une grande maison de quartier, a fait le pari du tango pour attirer les voyageurs. Chambres avec ou sans salle de bains et coffre-fort, clim ou ventilo. Préférer les nos 9 ou 10, avec terrasse et qui donnent sur l'arrière (rue bruyante). Cuisine équipée et cours de tango quotidiens en groupe inclus dans le prix, ça change du reste ! Très beau jardin pour se prélasser, après avoir « ciré le parquet » avec vos *polainas* et vos escarpins vernis. Tenu par un jeune couple secondé par une équipe de choc fort aimable.

🏠 ***Tango Cozy Home*** *(hors plan couleur II par E4,* ***65****) : Blanco Encalada, 2272.* ☎ *47-88-39-60.* • *tangobedan dbreakfast.com* • *Compter 50-60 US$ pour 2 pers selon confort ; studio env 70 US$/nuit (4 nuits min). CB refusées.* Sympathique maison traditionnelle dans un coin très calme, proche du *Chinatown porteño.* La déco est très simple mais gaie ; dans chaque chambre, on trouve un tableau de Jorge, le proprio, et plein de petits détails. Très propre. Chambres avec ou sans salle de bains. En supplément, cours de tango, de dessin et sorties dans des *milongas.* Accueil chaleureux.

Où manger ?

Vous vous rendrez vite compte que les *Porteños* adorent vivre et manger dehors. Buenos Aires possède d'ailleurs un grand nombre de bons restaurants. Reflet de la variété de sa population, un large éventail culinaire s'offre à vous, avec tout de même une prépondérance européenne (notamment italienne et espagnole) ainsi que les très *criollas* « parrillas » (barbecues). Attention, ici on vit à l'heure espagnole. On déjeune vers 14h et on dîne vers 22h. À noter : les restaurants sont non-fumeurs (hormis ceux disposant d'une salle séparée).

Dans le Centro et le Microcentro

Sur le pouce

🍴 ***La Americana*** *(plan couleur I, B3,* ***100****) : Callao, 83, angle Mitre.* ☎ *43-71-02-02. Tlj 7h-2h.* À deux pas du *Congreso,* l'une des plus vieilles pizzerias de la ville, avec son salon un peu convenu et ses comptoirs où l'on déguste *de dorapa* (debout, en verlan) des parts de pizza à peine sorties du four, des *empanadas criollas* (goûtez à la *cuyana,* soufflée et fourrée à la viande) ou bien une *empanada gallega* (au poulet, au thon et aux poivrons). Les tourtes de ricotta achèveront de vous lester pour la journée. Dans le genre fast-food popu, on n'a pas trouvé mieux !

🍴 ***Vita Eco Deli Market*** *(plan couleur I, D3,* ***101****) : H. Yrigoyen, 1390.* ☎ *43-82-84-92. Ouv, lun-sam 8h-20h (10h sam) et dim 12h-19h. CB refusées.* À côté de la place de Mai, une halte rafraîchissante pour grignoter sur le pouce (mais on peut aussi prendre son temps !) une cuisine végétarienne équilibrée. Comme au marché, on choisit directement au comptoir parmi les sandwichs appétissants, les grandes salades ou des plats du jour type lasagnes. Bien aussi pour boire un jus, histoire de se remettre d'aplomb après la visite des musées.

🍴 ***Natura*** *(plan couleur I, C3,* ***102****) : Rivadavia, 1321. Lun-ven 11h-15h.* Un local tout en longueur avec quelques tables et un comptoir souvent occupés par les employés de bureau du coin. Cuisine végétarienne ou, mieux, « naturiste », car on y trouve des légumes, du poisson *a la plancha,* des salades et des tartes. Plat du jour très bon marché, un bon plan à emporter pour aller le déguster sur la plaza del Congreso.

🍴 ***Pizzeria Guerrin*** *(plan couleur I, C2,* ***103****) : Corrientes, 1368.* ☎ *43-71-81-41. Tlj 9h-1h. Pizza géante env 100 $Ar.* Une des plus anciennes pizzerias de la capitale, patinée par le temps et fréquentée par les habitués. Les *empanadas* sont aussi réalisées sous vos yeux avec dextérité. Au rez-de-chaussée, au comptoir ou à l'étage pour apprécier l'agitation de la rue dans un joyeux brouhaha. Petits desserts pas mal non plus.

Bon marché (80-120 $Ar / env 8-12 €)

|●| ***Sattva*** *(plan couleur I, B2,* ***104****)* **:** *Montevideo, 446.* ☎ *43-74-51-25. Lun-ven 12h-16h ; mar-dim, ouv aussi 20h30-1h du mat. CB refusées.* Étrange paradoxe, les restos végétariens ont le vent en poupe à B.A. ! Au pays de la viande, cela peut paraître insolite. Signe des temps, en voici un, en plein centre, qui sert des sandwichs, des salades appétissantes et des plats végétariens sains à base de tofu ou de seitan, inspirés de la cuisine indienne ou mexicaine.

|●| ***El Patio*** *(plan couleur I, D3,* ***105****)* **:** *Reconquista, 269.* ☎ *43-43-02-90. Lun-ven 12h-16h.* Caché derrière les façades d'immeubles, cet ancien couvent abrite sous ses arcades antiquaires et restaurants. Unique ! *El Patio,* le plus populaire (et le moins cher), type cantine, se trouve au fond. À la salle sans cachet, on préfère les arcades du cloître, véritable havre de paix verdoyant au cœur de la ville. Bonne cuisine locale : *tortilla de papas, ensaladas,* mais aussi *bife de lomo* ou *milanesa.* Tout simple et service aimable.

|●| ***Lalo de Buenos Aires*** *(plan couleur I, B3,* ***106****)* **:** *Montevideo, 353.* ☎ *43-73-96-96. Tlj midi et soir.* Déco très soignée de resto-bistrot rétro chic, patiné par le temps : tables en bois aux nappes blanches et photos sur le thème du tango. Savoureuse cuisine (viandes, pâtes...) servie copieusement et très bon accueil.

|●| ***Chan Chan*** *(plan couleur I, C3,* ***107****)* **:** *H. Yrigoyen, 1390.* ☎ *43-82-84-92. Tlj sf lun. CB refusées.* Une cuisine péruvienne épatante ! À en juger par la simplicité du cadre, on se doutait que ce n'est pas à lui que l'établissement devait son succès ! Les classiques de la cuisine andine sont excellents, et vraiment pas chers, comme ce remarquable *ceviche.* Servi avec un *pisco sour,* pour ressortir comblé !

|●| ***Doña*** *(hors plan couleur I par A2,* ***108****)* **:** *Bulnes, 802.* ☎ *48-62-92-78. Dans le quartier d'Almagro. Ouv mar-sam midi et soir, dim-lun le soir slt. CB refusées.* L'adresse a changé de trottoir, mais pas de proprios, et régale toujours, dans une ambiance bistrot, les habitués du quartier. Spécialités italiennes garanties maison, avec quelques lueurs de créativité. Intéressant menu au déjeuner.

|●| ***Filo*** *(plan couleur I, D2,* ***109****)* **:** *San Martín, 975.* ☎ *43-11-03-12. Tlj 12h-3h.* Immense pizzeria fréquentée par les cadres d'entreprises du quartier, qui préfèrent à la salle le long bar pour un déjeuner rapide. La galerie d'art moderne au sous-sol est plutôt décalée ! Carte longue comme le bras, à dominante italienne, et pizzas correctes.

|●| ***Los Inmortales*** *(plan couleur I, C2,* ***110****)* **:** *Lavalle, 746.* ☎ *43-22-54-93. Tlj jusqu'à 1h. Autre adresse sur Corrientes, 1369.* Ce restaurant célèbre, baptisé ainsi par le poète cubain Rubén Dario, se veut la mémoire vivante des « immortels » argentins, ces artistes de légende dont les photos couvrent les murs : Carlos Gardel, Fangio, Piazzolla. Service courtois, salle élégante et nappes blanches bien mises. Les tables sur la droite sont les plus tranquilles, avec leurs bancs en bois aux dossiers hauts qui séparent des voisins. Pizzas plutôt bonnes cuites au feu de bois, mais aussi des pâtes (sauce au choix, à payer en plus) et des viandes.

Prix moyens à chic (120-220 $Ar / env 12-22 €)

|●| ***La Posada de 1820*** *(plan couleur I, D2,* ***22****)* **:** *Tucumán, 501 (angle San Martín).* ☎ *43-14-45-57. Tlj 11h-1h.* Presque 2 siècles que la *posada* nourrit son homme, ce dont elle n'est pas peu fière... À 1 *cuadra* seulement des *galerias* Pacifico, cette bâtisse ocre à l'architecture coloniale abrite de surcroît une bonne adresse, qui ne fait l'impasse sur aucune des spécialités : viandes *a la parrilla,* mouton de Patagonie, pâtes maison et bar à salades varié... À savourer dans l'une des 3 chaleureuses salles, avec pierre aux

murs et poutres au plafond. Un bon rapport qualité-prix.

|●| ***El Palacio de la Papa Frita*** *(plan couleur I, C2, **111**) : Lavalle, 735. ☎ 43-93-58-49. Autres adresses : Corrientes, 1612 ; et Laprida, 1339. Tlj 12h-1h. Plat env 120 $Ar.* Style grande brasserie-bistrot, avec des serveurs en nœud pap' dans une ambiance bien réglée. L'accompagnement fétiche de tous les plats : les *papas fritas* soufflées, sortes de chips gonflées (qu'on paie en plus du plat) et qui sont servies copieusement, contrairement à la viande. Le midi, c'est un peu la cantine des employés de bureau du quartier.

|●| ***Centro Vasco Francés*** *(plan couleur I, C3, **112**) : Moreno, 1370. ☎ 43-82-02-44. Tlj sf dim soir. Plats 100-200 $Ar.* Une institution de la gastronomie à Buenos Aires, implantée dans une maison centenaire. La belle salle est à l'étage, traditionnelle, avec beaux parquets et hauts plafonds. Carte longue comme le bras. Entrées à base de poulpe, huîtres... Un endroit réputé pour ses poissons et fruits de mer d'une grande fraîcheur. Service efficace et stylé.

|●| ***El Imparcial*** *(plan couleur I, C3, **113**) : H. Yrigoyen, 1350. ☎ 43-83-29-19.* Le plus ancien restaurant de Buenos Aires (1860) n'a pas le charme qu'on attendait d'une institution. La salle est trop grande pour être chaleureuse, mais la cuisine se défend. Les présidents Carlos Pellegrini et Hipólito Yrigoyen venaient y manger. La paella servie avec des fruits de mer et du poulet est encore préparée selon la recette du XIXe s. La liste des plats est très complète et de la plus pure tradition espagnole, dont le *puchero* (pot-au-feu).

|●| ***Palacio Español*** *(plan couleur I, C3, **114**) : B. de Yrigoyen, 180. ☎ 43-34-48-76. Tlj midi et soir.* Façade Art nouveau et superbe salle de restaurant ornée de jolies fresques navales. Dans ce *Palacio,* on met les petits plats dans les grands car c'est une adresse véritablement gastronomique, à la cuisine variée. Service efficace et diligent, carte d'excellents vins... Une adresse chic qu'on vous recommande chaleureusement.

À Recoleta

Recoleta n'est pas le coin meilleur marché, mais il est bien agréable d'aller y manger le soir pour s'y promener ensuite. Si l'on s'éloigne à quelques *cuadras* de la plaza Francia, on peut trouver de bonnes adresses pour toutes les bourses.

Sur le pouce

|●| ***El Cuartito*** *(plan couleur I, C2, **115**) : Talcahuano, 937, entre M. T. de Alvear et Paraguay. ☎ 48-16-17-58. Tlj sf lun 12h30-2h.* Depuis 1934, l'une des meilleures pizzerias de Buenos Aires et un sacré débit ! 2 salles à la déco bistrot, chaises et tables en bois, posters de footballeurs et de boxeurs aux murs. On peut aussi manger sa part de pizza ou des *empanadas* à même les petites tables du comptoir. Les plus grosses peuvent rassasier 2 appétits normaux ! Ambiance populaire et réputation méritée.

|●| ***La Cocina*** *(plan couleur I, A1, **116**) : Pueyrredón, 1506. ☎ 48-25-31-71. Tlj sf dim 11h-16h, 18h-minuit. Autre adresse sur Florida, 142.* Un vieux local, une seule table en marbre, quelques tabourets autour du comptoir, et des *empanadas* divines, que les habitués emportent par douzaines ! On a un faible pour la *Carne picante,* à la manière de Catamarca (province du Nord-Ouest), qu'on peut accompagner d'un délicieux *locro*. Un endroit typique et informel !

Bon marché (80-120 $Ar / env 8-12 €)

|●| ***La Querencia*** *(plan couleur I, B1, **117**) : Junín y Juncal. ☎ 48-21-18-88. Tlj sf lun 12h-16h, 19h-minuit.* Un resto de cuisine régionale du Noroeste argentin (vers Salta, Jujuy). Cadre agréable avec sa jolie salle lumineuse à l'angle de la rue, décorée de quelques objets traditionnels. Bien sympa pour une pause déjeuner : de bonnes salades originales, un menu du jour complet et pas cher ou des plats bien tournés *(locro, humitas...)*. Produits frais, soigneusement cuisinés,

et service attentionné. Les *empanadas* sont aussi un must ! Pas mal de desserts également. La bonne petite adresse pour goûter une cuisine typique sans se ruiner.

🍽 ***La Rambla*** *(plan couleur I, B1,* ***118****) : Posadas, 1602, angle Ayacucho.* ☎ *48-04-69-58. Près de la pl. San Martín et du palais des Glaces. Tlj sf lun 7h-1h. Sandwich de* lomo *env 90 $Ar.* Ce vénérable *whisky-bar* est une institution dans le quartier, connu pour ses sandwichs de *lomo,* bien tendres, sur pain grillé. Idéal pour l'apéro à toute heure, mais le *sánguche* se déguste avec plus de plaisir les soirs d'été lorsqu'une légère brise venant du fleuve vient rafraîchir l'atmosphère. On vous conseille de l'accompagner avec une *tortilla de papas.* Authentique ambiance *porteña,* c'est un peu le Q.G. des dandys du quartier, gominés et élégants dans leurs mocassins bien cirés. Petite mezzanine pour plus de tranquillité.

🍽 ***Piola*** *(plan couleur I, C2,* ***119****) : Libertad, 1078, à l'angle de Santa Fe.* ☎ *48-12-06-90. Ouv tlj midi et soir en sem, slt le soir le we.* Par sa modernité, l'endroit révolutionna le paysage des pizzerias *porteñas* dans les années 1990. Aujourd'hui, c'est devenu un classique, mais la qualité persiste. Plusieurs salles en enfilade avec les fours à bois tout au fond. Bar-comptoir pour patienter, déco très colorée, boule à facettes, peintures en expo, DJ la nuit, et surtout, des pizzas fines et croustillantes, qui sont les vedettes de la carte.

🍽 ***Los Pinos*** *(plan couleur I, B1,* ***120****) : Azcuénaga, 1500.* ☎ *48-22-87-04. Tlj sf mar jusqu'à minuit.* Ancienne pharmacie de quartier transformée en restaurant. De ce premier usage, elle a gardé les armoires d'apothicaire. Petite salle bien où l'on sert essentiellement des *parillas,* spécialité de la maison. Service aimable et sans chichis.

🍽 ☕ ***Tea Connection*** *(plan couleur I, B1,* ***121****) : Uriburu, 1597.* ☎ *48-05-06-16. Tlj 8h (9h dim)-minuit.* 📶 Un peu en dehors de la cohue de Recoleta. La pause détente dans un décor simple et naturel. Bonne adresse pour un thé (sélection de thés rouges, verts et noirs), mais aussi choix varié de jus frais, sandwichs, salades. Très bons *licuados.*

Prix moyens (120-180 $Ar / env 12-18 €)

🍽 ***Restaurante Teodoro*** *(plan couleur I, B2,* ***122****) : Arenales, 1424.* ☎ *48-15-40-04. Ouv tlj.* Belle maison *porteña* à la déco hétéroclite très réussie : plaques publicitaires, photos noir et blanc, miroirs et antiquités. Ambiance de bistrot. Très fréquenté midi et soir. On s'installe à l'entrée dans la salle avec de grandes baies vitrées, sur les banquettes en bois ou dans la petite salle du fond. Toute une variété de plats classiques *(milanesa, parrilla)* bien tournés, mais aussi de savoureuses pâtes maison avec diverses sauces au choix. Le tout est servi par une brigade très efficace. Beaucoup de cachet en somme, à des tarifs très décents.

🍽 ☕ ***Santé Bar*** *(plan couleur I, B1,* ***123****) : Peña, 2300, angle Azcuénaga.* ☎ *48-05-67-94. Tlj sf dim 10h-minuit.* Néobistrot entre le bar de quartier et le *diner* à l'américaine, avec ses bocaux posés sur le bar. Petits déj, menu le midi ou sélection succincte de plats éclectiques et réussis, comme des *ceviche* ou des *burgers*. Gâteaux maison, également servis au goûter. Service efficace.

🍽 ***Brut Nature*** *(plan couleur I, B1,* ***124****) : Peña, 2066.* ☎ *48-06-12-37. À deux pas du cimetière de la Recoleta. Ouv ts les soirs à partir de 20h30 et au déj en sem.* Avec ses murs de brique, la salle n'est pas déplaisante et les viandes sont délicieuses, cuites à la perfection. En outre, les prix restent maîtrisés, et le menu du déjeuner se révèle une excellente affaire. Très bon accueil.

Chic (180-220 $Ar / env 18-22 €)

🍽 ***Oviedo*** *(plan couleur I, A1,* ***125****) : Beruti, en face du 2601, à l'angle d'Ecuador.* ☎ *48-21-37-41. Tlj sf dim midi et soir (tard).* L'un des restos chic du quartier, qui déçoit rarement ; une carte à dominante espagnole mais avec une solide sélection de viandes et plats locaux. La salle du rez-de-chaussée donne sur la rue et la déco de bistrot mêle classicisme et touches de couleurs douces (dessins de l'illustrateur Brascó au mur). À l'étage, plus d'intimité et moins de bruit. Beaucoup de cachet dans l'ensemble, avec des tables joliment dressées de nappes blanches. Excellent poisson, desserts à ne pas négliger, cave très, très fournie. Clientèle d'affaires et de bonne bourgeoisie chic.

À Puerto Madero

Le quartier des anciens docks du port a été entièrement réhabilité après des décennies d'abandon. C'est désormais l'un des endroits les plus cotés de la ville. On y vient pour les restos bien propres sur eux le long des quais, fréquentés par les classes moyennes-sup' et les étudiants pas trop pauvres. Ambiance relax pour un dîner mais un peu ennuyeuse le midi.

Prix moyens (120-180 $Ar / env 12-18 €)

|●| *Siga la Vaca* *(plan couleur III, J7,* ***126****) :* *Alicia Moreau de Justo, 1714. ☎ 43-15-68-01. Tlj 12h-1h (2h ven-sam). Formule salade, grillade, dessert et boisson à prix sages.* Beaucoup de monde dans cette *parrilla,* surtout le week-end. Fait aussi *tenedor libre* (à volonté), incluant la viande à gogo et un large choix d'accompagnements et de salades aussi fraîches que colorées. Assez bruyant (un haut-parleur vous appelle pour « suivre la vache », le nom du resto), mais assez plaisant et au final, l'addition reste maîtrisée. La formule plaît : d'autres établissements à la tête de vache dans la ville !

|●| *Madero Buenos Aires* *(plan couleur I, D2,* ***127****) :* *Alicia Moreau de Justo, 580, dique 4. ☎ 45-14-44-44. Tlj 12h-16h, 20h-1h.* Emplacement agréable, le long du port. Cadre de brasserie animée prolongée d'une terrasse sur les quais. Spécialités de *parrilla* accompagnées d'un plantureux buffet. Bonnes viandes et poissons grillés, grande variété de salades. Un peu plus cher le soir et le week-end.

Chic (180-220 $Ar / env 18-22 €)

|●| *Cabaña Las Lilas* *(plan couleur I, D2,* ***128****) :* *Alicia Moreau de Justo, 516, dique 4. ☎ 43-13-13-36. Tlj 11h30-0h30.* Une des meilleures viandes de la capitale. Le long du port, un très grand restaurant rustico-chic, avec de nombreuses tables et, malgré l'affluence, un service rapide. Sur ces tables faites à partir d'immenses troncs, préparez-vous à déguster une excellente viande, à accompagner d'un bon malbec. Rien d'étonnant : le patron est un éleveur de bétail et vend sa propre viande. Portions généreuses et carte des vins bien fournie.

À Palermo

Deux pôles gastronomiques s'y disputent les faveurs de tous celles et ceux qui font à l'heure actuelle le succès du quartier. D'abord, Palermo Viejo (ou Palermo Soho) autour de la plaza Cortázar (*plan couleur II, E-F6* ; appelée aussi plaza Serrano, plus renommée peut-être pour ses bars tout autour) et Palermo Hollywood s'étendant à l'est de la voie de chemin de fer, de l'autre côté de l'avenida Juan B. Justo.

Sur le pouce

|●| ☕ *Mark's* *(plan couleur II, F6,* ***129****) :* *El Salvador, 4701, à l'angle d'Armenia, à Palermo Viejo. ☎ 48-32-62-44. Lun-sam 8h30-21h30 ; dim 10h30-21h.* Endroit joyeux et lumineux, où l'on se hisse sur les tabourets hauts ou à une table classique si le canapé est déjà occupé. Bons petits déj, les meilleurs sandwichs du coin (tous les ingrédients sont marqués sur l'ardoise), et aussi cookies, muffins, brownies, cakes. Agréable terrasse. Éviter le week-end si on est pressé car pas mal d'attente, assez bruyant et clientèle de *shoppers* qui débriefe longuement ses achats dans une ambiance animée.

Bon marché (80-120 $Ar / env 8-12 €)

|●| ☕ ***Cusic*** *(plan couleur II, E5,* ***130****) : El Salvador, 6016. ☎ 41-39-91-73. Mer-ven 12h30-15h30, ainsi que jeu-ven 21h-minuit ; sam et dim 11h-20h.* À Parlermo Hollywood, une petite adresse bien cachée, comme on les aime. Tirer la cuillère en bois pour se faire ouvrir l'huis ; on débouche sur une cour-jardin. Déco brute, brique peinte, ambiance toute féminine. Petits déjeuners sains et bons, avec yaourts, granola et fruits frais. Petits plats à dominante végétarienne : *wraps,* salades, *cheese-cakes,* soupe de chocolat.

|●| ☕ ***Farinelli*** *(plan couleur II, H5,* ***131****) : Bulnes, 2707, à Palermo Chico. ☎ 48-02-20-14. Lun-sam 8h-20h.* L'une de ces petites adresses informelles dont Buenos Aires a le secret, aussi sympa pour un brunch, un déjeuner équilibré ou une pause sucrée. Les suggestions, qui sont présentées sous vos yeux, varient d'un jour sur l'autre. Ici, c'est la fraîcheur qui prime, comme l'attestent les savoureuses salades, les sandwichs, les tartes salées ou les soupes en hiver.

|●| ***Las Cabras*** *(plan couleur II, E6,* ***132****) : Fitz Roy, 1795, à Palermo Hollywood. ☎ 51-97-53-04. Tlj 12h-1h (2h ven-dim).* Notre chouchou dans le quartier. Pas branché pour deux sous, avec sa terrasse ombragée aux chaises paillées, son auvent rouge vif et sa grande cuisine ouverte où grillent poissons et viandes. Le midi, ambiance cantine de quartier. Le soir, idéal entre amis pour un bon repas à partager. Les couteaux affûtés prouvent qu'on n'est pas là pour chipoter ! Pas de la haute gastronomie, mais de quoi nourrir généreusement les troupes sans avoir à se serrer la ceinture. La spécialité de la maison : le *gran bife Las Cabras,* composé (tenez-vous bien) d'une pièce de bœuf tendre, d'œufs frits, de provolone fondu, de pommes de terres frites, de légumes et de quelques petits piments. On tient facile à 2 dessus ! D'autres plats moins costauds. Excellent rapport qualité-prix.

|●| ☕ ***Oui Oui*** *(plan couleur II, E5,* ***133****) : Nicaragua, 6068, à Palermo Hollywood. ☎ 47-78-96-14. Mar-ven 8h-20h, w-e 10h-20h. Brunch le w-e.* Wi-fi Petite salle animée et quelques tables sur le trottoir. Déco de bonbonnière esprit salon de thé campagnard à l'anglaise. Sur les grandes ardoises, on choisit parmi les suggestions du moment, les bonnes salades et les sandwichs généreux, qui font le bonheur des nombreux étudiants qui s'y pressent. Plusieurs formules de petit déj, intéressant menu du déj et alléchante sélection de gâteaux et viennoiseries pour le *five o'clock tea.* Accueil exquis. Un endroit charmant !

|●| ***Artemisia*** *(plan couleur II, E6,* ***134****) : à l'angle de Gorriti et Arevalo, à Palermo Hollywood. ☎ 47-76-54-84. Tlj sf dim soir et lun.* À en juger par les mines réjouies, nous n'avons pas été les seuls à être séduits par cette adresse végétarienne et gourmande. Béton ciré au sol, tables en bois clair, la petite salle a son cachet. Une cuisine saine et bio, d'humeur voyageuse, qui sort volontiers des sentiers battus, et laisse la part belle aux légumes.

|●| ***Morelia*** *(plan couleur II, E6,* ***135****) : Humboldt, 2005, angle Nicaragua, à Palermo Hollywood. ☎ 47-72-59-79. Tlj le soir, ainsi qu'au déj le w-e.* Au pied des immenses tours qui ne sont pas la plus grande réussite du quartier. Un très bon rapport qualité-prix avec différentes formules pour ce resto au décor de grand bistrot animé, où l'on patiente assis sur des canapés moelleux. Artistes et modèles du quartier y viennent pour déguster une cuisine savoureuse à prix sages (fameuses pizzas *a la parrilla,* de différentes tailles, pâtes). Une autre adresse dans le quartier de Las Cañitas *(Báez, 260 ; ☎ 47-72-03-29).*

|●| ***1893 Pizza & Pasta*** *(hors plan couleur II par F6,* ***136****) : Scalabrini Ortiz, angle Loyola, à Villa Crespo, à la lisière de Palermo Viejo. ☎ 47-73-29-51. Mar-dim, slt le soir.* Déco éclectique avec lustres de grand-mère et miroirs de tatie Rosita. L'autre pizzeria du coin, avec *Morelia,* où déguster la pizza cuite à la braise. On a un faible pour la *napolitana* bien croustillante accompagnée d'une bière quasi glacée. Service rapide.

|●| ***La Lechuza*** *(plan couleur II, F6,* ***137****) : Uriarte, 1980, à Palermo Viejo. ☎ 47-73-27-81. Tlj sf dim soir et lun,*

12h-16h et de 20h30 jusqu'à tard. Un resto original. Vous en doutez ? Allez donc jeter un œil sur la 2e salle où les jeunes touristes des *hostels* se mélangent aux habitués (plus tout jeunes, eux) : peintures et dessins de chouettes recouvrent les murs, en référence au nom du resto. Belles photos noir et blanc. Plats classiques, servis généreusement. Une vraie bonne adresse populaire, tenue par une famille qui pratique des prix d'avant Perón, foi de hibou !

|●| ***El Preferido*** *(plan couleur II, F6,* ***138****) : Borges, 2108, à l'angle de Guatemala ; Palermo Viejo.* ☎ *47-74-65-85. Tlj sf dim jusqu'à minuit.* Le décor de cette ancienne épicerie de 1885 a gardé son charme pittoresque avec ses rangées de conserves, ses bouteilles alignées comme à la parade et ses jambons suspendus. Dans un joyeux brouhaha, perché sur une chaise haute, on commande tapas, tortillas, charcuteries *para picar* entre amis, le tout servi sans chichis, et très copieusement. Pas de la grande cuisine, mais vous l'aurez compris, on vient d'abord pour l'ambiance *bodega* ! Ici, on a le verbe haut, et si on partage les copieuses assiettes (à 2 ou 3 facile), c'est autant par convivialité que par nécessité, pour en venir à bout !

Prix moyens (120-180 $Ar / env 12-18 €)

|●| ***Don Julio*** *(plan couleur II, F6,* ***139****) : Guatemala, 4691, à l'angle de Gurruchaga, à Palermo Viejo.* ☎ *48-31-95-64. Tlj midi et soir.* Déco rustique avec murs en brique apparente et peaux de vache en guise de nappes. L'une des meilleures *parrillas* de Palermo pour déguster une viande à la braise. Ici, on sait ce que le mot bidoche veut dire ! Malgré leur succès, les propriétaires du *Don Julio* (originaires de Rosario) gardent la tête sur les épaules. Toutes les viandes sont excellentes, mais l'*entraña* est la spécialité du lieu. Tendre, juteuse... humm, on en rêve encore ! Service pro, comme il se doit. Rançon du succès, il est préférable de réserver.

|●| 🍸 ***Olsen*** *(plan couleur II, E6,* ***140****) : Gorriti, 5870, entre Carranza et Ravignani, à Palermo Hollywood.* ☎ *47-76-76-77. Mar-dim midi et soir ; dim mat, brunch.* Un des plus beaux décors et des plus rigolos du quartier : au fond d'un jardin, un ancien garage réaménagé, zen et chaleureux à la fois, avec des planchers en bois, un design finlandais stylé, une haute cheminée métallique qui s'élance sur plusieurs mètres jusqu'au toit, le glouglou de la sculpture aquatique murale, le tout à apprécier dans de délicieux sofas. Cuisine fusion d'inspiration scandinave, créative, avec des plats étonnants et des desserts succulents. Plateau d'apéritifs à base d'aquavit ou de vodkas originales. Clientèle de jeunes bobos, mannequins et couples gay. Bon accueil et service impeccable.

|●| 🍸 ***Miranda*** *(plan couleur II, E6,* ***141****) : Costa Rica et Fitz Roy, Palermo Hollywood.* ☎ *47-71-42-55. Ouv tlj.* Situé à un angle de rue, un resto à la mode vraiment plaisant avec sa terrasse qui déborde largement sur le trottoir. Pas besoin d'être dans le vent pour apprécier l'ambiance décontractée, les savoureuses *parrillas* à accompagner d'un verre de vin, les pâtes, les cocktails et le menu du déjeuner pas bien cher. Une adresse très fréquentée par les *Porteños,* aussi sensibles à l'agrément du quartier que du lieu.

|●| ***Lelé de Troya*** *(plan couleur II, F6,* ***142****) : Costa Rica, 4901.* ☎ *48-32-27-26. Tlj midi et soir. Menu du jour avantageux le midi.* Resto-bar sur plusieurs niveaux avec terrasse sur le toit, ouverte le week-end. Déco colorée, chaque étage a son ambiance : au rez-de-chaussée, tables basses et banquettes en velours. Également quelques tables sous la trille en extérieur. Cuisine méditerranéenne qui ratisse large, du Levant au Maroc en passant par l'Italie. Plats plus ou moins bien réussis, selon l'inspiration du chef.

|●| ***La Dorita*** *(plan couleur II, E6,* ***143****) : Humboldt, 1892, Palermo Hollywood.* ☎ *47-76-56-53 Ouv tlj midi et soir.* Plusieurs formules au choix et un menu intéressant au déjeuner. Fûts de vin au-dessus du bar, trophées sportifs, toiles cirées sur les tables, l'adresse est dans son jus. Un grand resto toutefois (par sa taille), réputé pour ses *parrillas*

– bien préciser « jugosa » si vous aimez la viande saignante –, mais il y a pas mal de choix à côté.

|●| ***La Flor Azteca*** *(plan couleur II, E6,* ***144****)* **:** *Thames, 1472 ; non loin de la pl. Cortázar.* ☎ *48-31-66-27. Mar-dim 20h jusqu'à tard.* Déco comme au pied des pyramides (aztèques, bien sûr !), couleurs vives, nappes rayées, salles en enfilade, cour-jardin à l'arrière et King-Kong qui trône en mezzanine ! Plats mexicains pimentés à divers degrés. Classiques *tacos, fajitas, quesadillas* ou *cerdo con salsa de chile ancho y naranjas,* bien piquant... Rien d'exceptionnel, mais le cadre est sympa et les plats s'avèrent plutôt bien tournés.

|●| ☕ ***Voulez Bar*** *(plan couleur II, G5,* ***145****)* **:** *Cerviño, 3802, à Palermo Chico.* ☎ *48-02-48-17. Tlj sf dim 8h-1h du mat.* Petite halte bistrotière mais branchée-chic, à deux pas du bois. Cuisine de marché élaborée, bien présentée et généreuse, servie en terrasse ou en salle. Plat du jour intéressant, et au déjeuner, une carte simple (sandwichs, salades), moins onéreuse que le soir, où les prix deviennent un peu chic. Petit bémol sur le service, gentil mais débordé. Les Argentines aiment venir y prendre le thé l'après-midi et pourquoi pas après une balade dans le parc de Palermo ?

Chic (180-220 $Ar / env 18-22€)

|●| ***Campo Bravo*** *(plan couleur II, E6,* ***146****)* **:** *Honduras, 5600, à l'angle de Fitz Roy.* ☎ *45-76-54-60. Également une autre adresse à Las Cañitas, Báez 292. Tlj midi et soir.* Un vaste resto situé sur un carrefour animé de Palermo Hollywood. *Campo Bravo* a réussi son dosage entre bonne musique, viande de qualité et fameux cocktails. Forcément, l'ambiance suit, et l'humeur est à la fête, dans un esprit naturellement branchouille. À la terrasse sur la rue, on a nettement préféré celle perchée sur le toit, bien plus agréable. La salle de resto n'est pas du genre intime, mais vous aviez compris qu'on ne venait pas ici pour se susurrer des mots doux au calme.

|●| ***La Cabrera*** *(plan couleur II, E6,* ***147****)* **:** *J. A. Cabrera, 5099 et 5127.* ☎ *48-31-70-02 ou 48-32-57-54. Ouv tlj midi et soir.* L'un des restos les plus courus de Buenos Aires, et pour cause : délicieuse viande évidemment cuite *a la parilla,* le cadre rustico-chic agréable sans être guindé et service toujours courtois même si l'on partage son plat. En accompagnement, des petites purées, des sauces divines. Avis aux carnivores peu prévoyants : tous les gringos se refilent cette bonne adresse, et à moins d'avoir réservé ou d'arriver comme les poules, il vous faudra patienter pour décrocher une table dans l'un des 2 restos, à quelques mètres d'écart.

Plus chic (plus de 220 $Ar / env 22 €)

|●| ***Osaka*** *(plan couleur II, E5,* ***148****)* **:** *Soler, 5608.* ☎ *47-75-69-64. Ouv tlj sf dim.* Une cuisine fusion détonante, à cheval entre le Pérou et le Japon ! Un exercice de style, sur lequel se concentrent les cuisiniers appliqués. Le mélange de *ceviche* et de sushis, servis dans une salle épurée, est vraiment délicieux ; les plats raffinés justifient des prix au dessus de la moyenne. En bref, les palais curieux apprécieront ce voyage gustatif.

|●| ***Unik*** *(plan couleur II, F6,* ***149****)* **:** *Soler, 5132.* ☎ *47-72-22-30. Ouv tlj sf dim et lun midi.* Pour se dégrossir un peu, il ne faut pas manquer ce resto ultra branché, créé par un architecte franco-argentin qui a l'esprit toujours en ébullition. Une armada de designers a pris en main la déco et dans l'assiette, la cuisine inventive, réalisée avec les produits de saison, allie fraîcheur et raffinement.

À San Telmo

Sur le pouce

|●| ***La Parrilla de Freddy*** *(plan couleur III, J7,* ***150****)* **:** *Carlos Calvo, 471.* Une minuscule échoppe ouverte sur la rue où, pour quelques dizaines de pesos, on vous sert un *choripan* fumant

(la version locale du hot-dog) ou une grillade pour un billet de plus. Bon, pas cher et revigorant.

🍽 🍸 ***Hierbabuena*** *(plan couleur III, J8,* ***151****) : Caseros, 454.* ☎ *43-62-25-42. Tlj sf lun soir.* À côté du musée historique, un de ces restos végétariens à la *green attitude,* tout indiqué pour un repas digeste ou une pause sucrée. Cadre champêtre, à mi-chemin entre le resto et l'épicerie, et une petite terrasse où il fait bon prendre un délicieux jus de fruits, un plat du jour ou un sandwich. C'est bon, frais et sain.

Bon marché (80-120 $Ar / env 8-12 €)

🍽 ***El Refuerzo*** *(plan couleur III, I7,* ***152****) : Chacabuco, 872.* ☎ *43-61-30-13. Tlj sf lun 10h-2h, voire plus le w-e.* Une petite *bodega* vivante en diable. Murs vert et rouge, carrelage blanc, photos d'époque, cette ancienne épicerie a gardé son petit comptoir rétro qui présente les produits du cru, bien alléchants. Plats du jour affichés à l'ardoise, un joli choix de salades fraîches ultracopieuses et des sandwichs. On peut aussi se contenter d'y prendre un verre. Seulement quelques tables pour profiter de l'ambiance, encore moins en terrasse, bref, c'est vite plein et animé jusque tard.

🍽 ***Territorio*** *(plan couleur III, J7,* ***153****) : Estados Unidos, 501, à l'angle de Bolívar.* ☎ *43-00-97-56.* Un bar-snack sans prétention, bien dans l'esprit bohème du quartier. Vieux carrelage, meubles en bois, murs colorés ; des bouteilles sur le mur du fond. Sympathique sélection de sandwichs plutôt savoureux et copieux. Aussi des salades, quelques bons vins et des bières artisanales.

🍽 Sur Chile, une longue enfilade de restos, du mexicain à l'uruguayen : rien de vraiment typique mais c'est animé et pas cher. Quant à la qualité, disons qu'elle est variable ! Notre préféré : ***Via Via*** *(plan couleur III, J7,* ***154****), Chile, 324.* ☎ *43-00-72-59. Ouv tlj dès 8h30 (18h sam) et jusqu'à tard le soir. CB refusées.* 📶 Réseau international de *Traveller's Café* fondé à Louvain, en Belgique, et qui compte près de 6 succursales du Mexique à l'Indonésie. Ardoise géante pour piocher dans une carte très variée de salades, sandwichs et plats plutôt généreux. Également quelques chambres, pour les noctambules qui préfèrent sortir que dormir ou pour ceux qui ont le sommeil profond !

De prix moyens à chic (120-220 $Ar / env 12-22 €)

🍽 ***L'Atelier de Céline*** *(plan couleur III, J7,* ***155****) : Carlos Calvo, 242.* ☎ *43-61-12-69. Mar-ven, le soir slt ; sam-dim, midi et soir.* Dans la partie basse de San Telmo, en descendant vers le grand boulevard. Un resto de caractère, dans une maison blanche de 1807. On se croirait au Portugal, chez des amis. Cuisine bien mitonnée par une Française attentionnée et amoureuse de Buenos Aires. *Delicatessen,* tartes, *picadas...* Si le temps le permet, optez pour la terrasse à l'étage. Un charme fou.

🍽 ***Naturaleza Sabia*** *(plan couleur III, J7,* ***156****) : Balcarce, 958.* ☎ *43-00-64-54. Mar-sam 12h-15h30, 20h-minuit ; dim 12h-16h30. Fermé lun.* Dans une maison traditionnelle haute de plafond, une grande salle à la déco moderne et assez design, bien aérée. Encore un resto végétarien qui offre une belle alternative aux *parrillas* ! Contrairement aux tables carrées très géométriques, la cuisine, elle, est tout en rondeur, et la carte varie en fonction du marché. Belles salades également. Les portions sont très copieuses et le service charmant. Bref, une halte reposante pour faire le plein de verdure à prix honnête.

🍽 ***El Desnivel*** *(plan couleur III, J7,* ***157****) : Defensa, 855.* ☎ *43-00-90-81. Ouv tlj sf lun midi, jusqu'à 1h.* Resto populaire de quartier, célèbre pour sa viande. Pour quelques pesos, on vous sert des steaks fondants, arrosés d'un bon vin de table. Le patron est un bon vivant et les portions sont généreuses (à peu près un demi-bœuf par assiette !). Très bon rapport qualité-prix. Petits vins maison pas mauvais du tout. Atmosphère conviviale dans une salle très simple éclairée au néon. Réservez une table dans la 1re salle, animée, et non dans celle du fond.

La Brigada *(plan couleur III, J7, **158**) : Estados Unidos, 465. ☎ 43-61-55-57. Tlj 12h-15h, 20h-minuit (plus tard le w-e). Résa indispensable.* Certains la considèrent comme un piège à touristes, ce qui n'est pas tout à fait faux, mais il faut reconnaître qu'on y mange encore une des meilleures viandes de la ville. Sa réputation n'est donc plus à faire : en témoigne sur les murs le déluge de photos de vedettes du sport, de la politique et du show-biz. Il n'y a plus un centimètre carré de libre ! Mais la vraie star ici, c'est le bœuf ! Le *bife de lomo* se tranche à la fourchette et fond dans la bouche. Arrosé d'un malbec bien tannique, c'est un vrai bonheur de carnivore. Une adresse incontournable du circuit argentin, cela va sans dire.

Brasserie Pétanque *(plan couleur III, J7, **159**) : Defensa, 596. ☎ 43-42-79-30. Tlj sf lun 12h30-15h30, 20h30-minuit.* Une jolie adresse au nom évocateur ! Haut plafond, long bar, banquettes contre le mur parsemé de vieilles enseignes françaises que les nostalgiques apprécieront ! À la carte, les classiques de brasserie ont la part belle : bœuf bourguignon, confit, choucroute, vol-au-vent... Réussis dans l'ensemble. Quelques plats originaux prouvent qu'on n'est pas obligé de calquer au terroir français pour faire bien. Un peu cher à la carte mais le menu du midi (en semaine) vaut la peine.

Casal de Catalunya *(plan couleur III, I7, **160**) : Chacabuco, 863. ☎ 43-61-01-91. Tlj sf lun midi.* Centre culturel de la Catalogne avec une jolie façade d'inspiration gothique. En dehors de ses activités sérieuses (salles de réception, théâtre, bibliothèque...), le centre propose aussi un bar à tapas et une salle de restauration lambrissée et couverte de faïence, où l'on peut profiter d'une cuisine catalane classique axée sur les produits de la mer comme la paella. Service stylé dans un cadre élégant pour une soirée habillée.

Taberna Baska *(plan couleur III, I7, **161**) : Chile, 980. ☎ 43-34-09-03. Tlj sf dim soir et lun.* Grande salle, tables impeccablement dressées, lustres en fer forgé, serveurs ceinturés de rouge, drapeau de l'*Euskadi* qui flotte fièrement, on est bel et bien ici en terre basque, et ça tombe bien : c'est l'un des rares endroits dans la ville où le poisson est traité selon ses mérites. En assiette de soupe fumante, en paella, en sauce ou *a la plancha*. Aussi de bonnes tapas.

Café San Juan *(plan couleur III, J7-8, **162**) : av. San Juan, 452. ☎ 43-00-11-12. Tlj sf lun 12h30-16h, 20h-2h (1h ven-sam). CB refusées.* Le long d'un grand boulevard au sud de San Telmo. Allez-y en taxi si vous hésitez. Un restaurant recommandé partout et par tous, par le bouche à oreille, et conseillé par la presse locale. Une salle avec une quinzaine de tables seulement, déco propre et nette. Carte courte, mais cuisine exquise : tapas, *cazuelas, empanadas gallegas...* Un coup de cœur !

Antigua Tasca de Cuchilleros *(plan couleur III, J7, **163**) : Carlos Calvo, 319. ☎ 43-00-57-98. Ouv slt sam et dim midi, et ven soir sept-avr. Ouv en sem slt pour les groupes.* Parrilladas *env 250 $Ar (à partager à 2 ou 3). CB refusées.* Dans une ancienne maison coloniale de 1729, classée monument historique, un des derniers témoins des origines de la ville. Avec un magnifique patio ombragé couvert de glycine, une belle salle aux murs blanchis sous une vénérable charpente, une cuisine fraîche et de savoureuses viandes. Longue carte : bonnes *parrilladas* et *pasta*.

À La Boca

Le soir, nous vous rappelons la nécessité de vous rendre dans ce quartier et d'en repartir en taxi, mais également de ne pas vous y promener après le coucher du soleil.

Bon marché (jusqu'à 120 $Ar / env 12 €)

El Obrero *(plan couleur III, K8, **164**) : Caffarena, 64. ☎ 43-62-99-12. Juste en face de la Cité de la musique.*

Tlj sf dim 12h-16h et le soir jusqu'à minuit. Résa conseillée le soir. CB refusées. Comme son nom l'indique, un bon vieux resto ouvrier, un peu plus classe quand même, fondé par 2 Barcelonais. C'est une institution à laquelle on tient, malgré son isolement. Salle haute de plafond, et murs recouverts de tableaux et de photos, souvenirs de foot et de boxe. Une bonne ambiance populaire, où se côtoient gens du cru et people de passage (photos de Bono de U2 et de Wim Wenders). Et dans l'assiette ? Le traditionnel *puchero* (pot-au-feu), le bœuf *mariposa* (qui n'est pas une variété de papillon, mais la façon de le cuire !), l'*arroz con calamares*, les pièces de bœuf cuites à la perfection, etc. D'autres plats au tableau noir.

Prix moyens (120-180 $Ar / env 12-18 €)

🍴 ***Don Carlos*** *(plan couleur III, K9,* ***165****) : Brandsen, 699, angle Del Valle Iberlucea. ☎ 43-62-24-33. Tlj sf dim et lun. CB refusées.* Déco banale, grand comptoir en inox. Bar à tapas à la formule originale : au fur et à mesure que les portions sortent de la cuisine, le patron vous les présente sur de petites assiettes, à un rythme soutenu. Vous pouvez dire oui ou non selon votre envie et jusqu'à satiété.

🍴 ***Il Matterello*** *(plan couleur III, K9,* ***166****) : Martín Rodriguez, 517. ☎ 43-07-05-29. Mar-dim midi et soir.* Très coloré à l'extérieur et une partie de la façade en tôle ondulée, comme il sied à La Boca. Noter, sur la grille, le rouleau à pâtisserie en cuivre, l'emblème de la maison, idéal pour aplatir la *pasta.* Dans votre assiette, l'Italie et sa ribambelle de pâtes divines.

🍴 ***La Perla*** *(plan couleur III, K9,* ***167****) : Pedro de Mendoza, 1899. ☎ 43-01-29-85. Tlj 8h-20h (aussi le soir le w-e).* Pas difficile à trouver : sur la place principale du petit quartier touristique ! C'est un des seuls cafés-restos du quartier ayant gardé du caractère. Derrière sa façade colorée, comptoir en bois patiné et vieille brique qui apparaît sous les tableaux et les photos de films. Petite restauration classique et bon marché : sandwichs, *pasta, empanadas.* Vaste sélection de vins.

À Las Cañitas

À l'image de Puerto Madero, Las Cañitas est devenu un lieu de sortie incontournable à Buenos Aires. Les nombreux restaurants, répartis sur deux ou trois rues, rassemblent le soir une population aisée et enthousiaste. L'agitation urbaine du quartier durant la journée ne laisse pas supposer qu'il devient le soir un havre cosmopolite de saveurs et d'odeurs. La plupart des restos étant situés le long de la rue Báez, il vous suffit de la parcourir et de faire votre choix !

Prix moyens (120-180 $Ar / env 12-18 €)

🍴 ***Parrilla El Primo*** *(plan couleur II, E5,* ***168****) : Báez, 302 (angle Arevalo). ☎ 47-72-84-41. Tlj le soir et au déj le w-e.* Situé à un angle de rues animé, cette *parrilla* bien *gauchesca* sert, dans une ambiance décontractée, les morceaux vedettes de la bidoche *(bife de lomo, de chorizo...)*, à accompagner de l'inévitable sauce *chimichurri.* Aussi des plats sous influence italienne, comme il se doit dans la tradition portègne. Sympa en terrasse pour humer l'atmosphère du quartier.

🍴 ***Eh ! Santino*** *(plan couleur II, F5,* ***169****) : Báez, 194. ☎ 47-79-90-60. Tlj le soir jusqu'à 1h ; fermé dim.* Déco sans prétention, mais un italien bon teint à prix corrects pour le coin. De quoi partir le ventre plein pour guincher dans les parages.

🍴 ***Las Cholas*** *(plan couleur II, E4-5,* ***170****) : à l'angle d'Arevalo et d'Arce. ☎ 48-99-00-94. Tlj à partir de 10h. CB refusées.* Façade couleur brique, tables et chaises en bois rouge ; un cadre chaleureux pour déguster un plat de viande accompagné d'une salade. Aussi quelques plats régionaux du Nord (*locros, tamales,* pour les soirées frisquettes...), des snacks à manger « *con la mano* » et plusieurs sortes de *milanga* (escalope milanaise). Un détail sympa : de 17h à 19h, on peut y aller pour le traditionnel *mate con bizcochitos,* un cérémonial auquel les locaux ne dérogeraient pour rien au monde. Service cordial.

Où s'offrir une glace ?

Héritage italien oblige, les glaciers de Buenos Aires se disputent les faveurs des gourmands avec maintes versions du *chocolate* (aux amandes, aux noisettes, au *dulce de leche*), du *sambayón* (le *zabaoine* italien, décliné ici en version *a la italiana,* avec des raisins secs...) et du *dulce de leche* (dont le *granizado* avec des pépites de chocolat).
Presque tous disposent d'un numéro vert pour le *delivery* (livraison à domicile) 24h/24, car il ne faut pas forcément être une femme enceinte pour succomber à toute heure à ces tentations glacées... Aujourd'hui ultra connu, le glacier ***Freddo*** reste un incontournable. Plusieurs adresses, notamment sur Florida (au nº 737, Galerías Pacífico), à Palermo (Arenales, 3360) ou encore avenida del Libertador, 5200.

Volta *(plan couleur I, B2,* ***229****) : Santa Fe, 1826, presque à l'angle de Callao. Tlj 10h-minuit (plus tard ven-sam).* Le plus chic et le plus design des glaciers à l'italienne de toute la capitale. Il réussit à merveille toutes les variétés de chocolat, le super *sambayón.* Petits miracles aussi du côté des glaces au *dulce de leche.* Fait aussi salon de thé. Petit jardin très zen au fond de la boutique. Plusieurs succursales en ville, notamment *sur Callao (angle Melo), sur Libertador et à Belgrano.*

Persico *(plan couleur II, G5-6,* ***230****) : à l'angle de Salguero et Cabello.* ☎ *0810-333-73-77.* Encore une bonne adresse de glacier, qui sert d'excellentes crèmes glacées et des gaufres (pas données) qu'on peut manger assis avec un café.

El Vesuvio *(plan couleur I, C2,* ***231****) : Corrientes, 1181, à deux pas de l'Obelisco.* Si *Volta* excelle dans les crèmes, *El Vesuvio* propose des sorbets très savoureux. Le look de l'endroit est vieillot, mais les glaces sont excellentes. Portraits d'artistes et de célébrités qui font partie du panthéon de la calle Corrientes.

Jauja *(plan couleur II, G5,* ***249****) : Cerviño, 3901, à l'angle de Lafinur, Palermo Chico.* ☎ *48-01-81-26. Tlj sf dim 10h-1h du mat.* La fameuse enseigne patagonne a investi la capitale. Marque de fabrique : ni colorants ni produits chimiques, seulement des parfums naturels. Qu'on se le dise ! Beaucoup de fruits rouges, et même des glaces au lait de brebis. Terrasse. Une autre adresse à Belgrano.

Où boire un verre ? Où écouter de la musique ? Où sortir ?

Une association française recense tous les bons plans de la capitale, sorties, expos, concerts, spectacles, etc. Site internet très complet et bien fait : ● *fr.buenosairesconnect.com* ●

Dans le Centro

Il y a évidemment des centaines de bars, mais nous avons préféré sélectionner les vieilles institutions pleines de charme plutôt que les adresses trop branchées qui n'ouvrent que l'espace d'une saison.

Bar nocturne et musical

The Sensi *(plan couleur I, D2,* ***201****) : Tucumán, 422.* ☎ *52-19-08-58. Tlj sf lun à part 18h.* Happy hours *1h-20h.* Dans une ancienne demeure argentine, un bar à l'ambiance tamisée, musique *lounge,* et clientèle à l'aise dans son portefeuille, qui ne se bouscule pas au portillon. Agréable quand on est déjà accompagné, mais ce n'est pas là que l'on vient briser sa solitude. Cocktails chérots.

Cafés littéraires et dansants

🍸 ***Café Tortoni*** *(plan couleur I, C3,* ***202****) : av. de Mayo, 829.* ☎ *43-42-43-28. Tlj jusqu'à 1h.* Depuis sa fondation en 1858 par un cafetier français, c'est le plus célèbre des grands cafés de Buenos Aires. Il a gardé le charme suranné de la Belle Époque : de belles verrières au plafond, de petites tables en marbre, des fauteuils recouverts de cuir rouge. C'était le lieu de rendez-vous des intellectuels et des artistes, comme le rappellent les nombreux tableaux et dessins. De nos jours, c'est devenu une attraction de la ville pour touristes amateurs de vieux clichés. L'attente est quelquefois longue avant de dégoter une table... Pour plus d'intimité, vous pouvez également vous installer dans le « cabinet de travail » *Cesar Tiempo,* au fond, près des billards. Goûtez donc aux spécialités, le *chocolate con churros* en hiver, la *leche merengada* (glace pour les fans de cannelle) en été. Au fond, une petite salle où l'on joue parfois du tango.

🍸 ♫ ***Confitería Ideal*** *(plan couleur I, C2,* ***203****) : Suipacha, 384.* ☎ *43-28-77-50. Lun-sam jusqu'à 23h.* Voici l'un des derniers grands cafés dansants de Buenos Aires. Depuis 1912, ce lieu magique cultive une atmosphère élégante et raffinée dans un cadre Belle Époque. Vaste confiserie-pâtisserie rétro avec de hauts plafonds en stuc, soutenus par de superbes colonnes. Les murs sont habillés de bois avec de grands miroirs anciens et les boiseries tiennent encore le coup. Une *cafetería divina* (géniale), comme disent les Argentins, avec musique et ambiance d'époque (voir « Où faire ses premiers pas ? Où pratiquer ? Jeudi. *Tango Ideal* » plus loin).

Cafés « rétro » classiques

🍸 ***Gato Negro*** *(plan couleur I, B2,* ***204****) : Corrientes, 1669.* ☎ *43-74-17-30. Lun-sam 9h-23h ; dim à part de 16h.* Construit au début du siècle dernier, ce magasin est à l'origine l'épicerie la mieux approvisionnée de Buenos Aires. Aujourd'hui, il conserve beaucoup de charme avec ses rayons de grands flacons de verre et ses meubles anciens. On peut y déguster de très bons cafés ainsi que des repas dans la partie restaurant. Ambiance cosy à souhait.

🍸 ***Café La Caravelle*** *(plan couleur I, C2,* ***205****) : Lavalle, 726.* ☎ *43-22-16-73. Fermé dim.* Dans un quartier touristique, un classique à ne pas manquer. On pourrait passer cent fois devant ce vieux troquet sans le voir. Un souvenir du Buenos Aires de l'après-guerre. Déco des années 1950, avec son double bar en formica, ses rangées de néons et de vieux Italiens qui se retrouvent autour d'un excellent *cappuccino* pour commenter la télévision.

🍸 ***Mar Azul*** *(plan couleur I, B2,* ***199****) : Tucumán, 1700, angle Rodriguez Peña. Tlj jusqu'à 21h30 (16h sam).* Un des bars classés au patrimoine de la ville *(bares notables)* pour leur charme et leur caractère historique. Décoration sobre et patinée, avec de vieux vitraux peints. Les fenêtres ouvrent sur la rue. Bon service. On peut aussi y manger des tartes et des salades.

🍸 ***Los 36 Billares*** *(plan couleur I, C3,* ***206****) : av. de Mayo, 1265.* ☎ *43-81-56-96. • los36billares.com.ar • Tlj jusqu'à 3h.* Superbe café tout en bois et à la déco épurée. Les vieux Argentins viennent y siroter un café dans la journée en jouant aux dames, aux échecs, aux dés ou au... billard, bien entendu.

🍸 ***La Puerto Rico*** *(plan couleur I, D3,* ***207****) : Alsina, 416.* ☎ *43-31-22-15. • lapuertoricocafe.com.ar • Entre Bolívar et Defensa. Ouv tlj 7h-20h.* À Montserrat, à l'ombre de la basilique de San Francisco y San Ignacio, un de ces cafés sans âge, débit de café en grains et pâtisserie où il fait bon se poser quelques minutes pour humer cette indicible nostalgie du Buenos Aires d'antan. À la sortie de ce guide, peut-être que les spectacles de danse (tango, flamenco) auront repris ?

Lieu associatif

🍸 ***El Revolucionario*** *(asociación Madres de Plaza de Mayo ; plan couleur I, B3,* ***200****) : H. Yrigoyen, 1584.* ☎ *43-83-03-77. • madres.org • Ouv* *lun-sam 8h-minuit.* Depuis 1977, les « Mères de la Place de Mai » réclament justice pour leurs disparus sous la dictature de Videla. Tous les jeudis à 15h30, elles se rassemblent sur la plaza de Mayo. Organisées au sein d'une grande association, leurs activités sont multiples... Journal, radio, édition. Ce café-librairie placé sous le protectorat du Che, et qui est aussi le siège de l'association est un bon endroit pour se tenir informé des actions du mouvement.

À Recoleta

Recoleta est le quartier à la fois chic et branché de Buenos Aires. On trouve quelques bars très B.C.B.G. mais pas dans le mauvais sens du terme (au contraire), et des restos chic et choc très fashion sur la rue Ortiz, entre Quintana et Vicente Lopez. Les bars donnant sur la plaza Francia sont très agréables pour boire un verre en début de soirée.

🍸 ♩ ***Milion*** *(plan couleur I, B2,* ***209****)* **:** *Paraná, 1048, entre Santa Fe et Marcelo T. de Alvear.* ☎ *48-15-99-25.* • *milion.com.ar* • *Lun-ven de 12h jusqu'à tard dans la nuit ; w-e à partir de 20h.* Un des plus beaux bars « chic rétro » de la ville pour boire un verre et grignoter quelques tapas, avant de se lancer dans la nuit. Superbe immeuble de style parisien, d'époque 1900, aménagé en bar-resto à la mode. Rendez-vous des *beautiful people* et des yuppies du quartier de Recoleta. Essayez le jardin, ou attendez sur les marches des escaliers en pierre jusqu'à ce que les salons hauts de plafond et répartis sur plusieurs étages libèrent un peu de place après 18h. Ambiance sonore éclectique, expos et événements artistiques fréquents. Le top du raffinement.

🍸 ♩ ***Gran Bar Danzón*** *(plan couleur I, C2,* ***210****)* **:** *Libertad, 1161, entre Santa Fe et Arenales.* ☎ *48-11-11-08.* • *granbardanzon.com.ar* • *Au 1er étage. Lun-ven 19h-2h ; w-e 20h-4h. Y venir vers 22h.* Happy hours *tlj en début de soirée.* Le pionnier des *wine bars* de Buenos Aires, avec une large sélection de malbecs et autres cabernets. *Lounge bar* très branché, avec des cadres *nightclubbers,* des jolies filles, une bonne musique d'ambiance, de délicieux cocktails et des vins au verre. Décor postmoderne d'inspiration new-yorkaise : sofas moelleux, lumières tamisées, bougies partout, long bar animé. On peut se contenter de grignoter quelques sushis au bar.

🍸 ***La Biela*** *(plan couleur I, B1,* ***211****)* **:** *av. Quintana, 600, angle Ortiz.* ☎ *48-04-04-49. Tlj jusqu'à 4h.* Voilà un grand café élégant, quasi historique, toujours bondé. Le rendez-vous des *Porteños* d'âge moyen (et plus) qui adorent se montrer. À la grande époque, c'était le cercle des coureurs automobiles argentins, d'où le nom de l'endroit : la bielle... Mais les gens de plume l'aimaient aussi : de grands écrivains argentins y sont passés. Noter que la terrasse est ombragée par le plus gros arbre à caoutchouc de Buenos Aires, *el Gomero,* planté en 1800 par les frères Recoleta et dont les branches doivent être à présent soutenues.

🍸 ♩ ***Notorious*** *(plan couleur I, B2,* ***212****)* **:** *Callao, 966.* ☎ *48-13-68-88.* • *notorious.com.ar* • *Lun-ven 8h-1h ; sam 17h-3h ; dim 17h-minuit.* En face de la plaza Peña, dans une décoration moderne, un premier couloir vous permet d'écouter gratuitement des CD en sirotant un café. Une aubaine ! Une salle au fond accueille régulièrement, après 21h30, des petits concerts payants (souvent de jazz) dont on peut profiter au prix d'une consommation. Fait aussi resto... Programme sur le site.

🍸 ♫ ***The Shamrock*** *(plan couleur I, B2,* ***213****)* **:** *Rodriguez Peña, 1220.* ☎ *48-12-35-84. Entre Juncal et Arenales. Tlj 18h (20h sam et dim) jusqu'à l'aube.* Happy hours *18h-minuit (les plus longues de la ville !). Entrée payante pour la boîte.* Très apprécié par la jeunesse *porteña,* cet *Irish pub* réputé est le rendez-vous d'une faune cosmopolite venue prendre une bière au rythme d'une excellente musique de fond (qui a dit trop bruyante ?). DJ en fin de semaine dans la boîte au sous-sol.

🍸 🍴 ***Floreria Atlantico*** *(plan couleur I, C1,* ***214****)* **:** *Arroyo, 872.*

☎ *43-13-60-93. Ouv tlj à part de 20h.* Qui se douterait qu'au sous-sol de ce fleuriste se cache le meilleur bar à cocktails du quartier ? À siroter sur un fond musical très jazz. Également de quoi dîner sans être déçu.

Clásica y Moderna Libros *(plan couleur I, B2,* ***208****) : Callao, 892.* ☎ *48-12-87-07. • clasicaymoderna.com • Tlj jusqu'à 2h. Spectacle à 21h. Concerts payants.* Effectivement classique et moderne, mais aussi très agréable, ce resto-librairie (on y trouve la presse étrangère) a été déclaré lieu d'intérêt culturel par la Ville de Buenos Aires. Tables aux nappes élégantes pour s'attabler du petit déj au dîner (en semaine uniquement). Tous les soirs, chanteurs, musiciens et autres artistes égaient le lieu.

À Palermo Viejo

Bars de la plaza Cortázar *(plan couleur II, F6) : aussi connue sous le nom de plaza Serrano.* Rivale de Las Cañitas à Belgrano, elle possède ses farouches partisans. En fait, il faut investir les deux lieux pour apprécier leur caractère bien différent. La plaza Cortázar est la plus jeune, plutôt branchée bohème que branchée chicos. Il y a plus de bars que de restos, d'ailleurs ! Ils empiètent les uns sur les autres et il y a un tel amoncellement de tables et chaises qu'il est difficile de discerner où commence l'un et où s'arrête l'autre. Parmi les institutions : ***Crónico*** *(Borges, 1646),* impressionnant avec ses portions géantes de cacahuètes.

Caracas *(plan couleur II, F6,* ***217****) : Guatemala, 4802 (à l'angle de Borges). Ouv lun-sam 19h30-4h.* Difficile de se douter que les escaliers mènent à une terrasse décontractée, avec canapés, plantes et table de ping-pong ! Vraiment agréable en été. Ambiance cool et boute-en-train, sur une bonne musique éclectique. Lumières tamisées au rez-de-chaussée. Essayez les *arepas,* un en-cas vénézuélien qui requinque entre 2 cocktails.

Terrazas del Este : *av. Costanera Norte Rafael Obligado, 2221 ; près de l'aeroparque.* ☎ *48-07-10-10. • terrazasdeleste.com • Sam à partir de minuit. Entrée : env 80 $Ar.* Avec plusieurs pistes de danse et 2 terrasses au bord du *río,* voici l'un des *boliches* les plus branchés de Buenos Aires. Côté musique, il y en a pour tous les goûts ! À l'intérieur, on danse la cumbia et la salsa tandis qu'à l'extérieur, la musique est plus généraliste, des années 1990 à aujourd'hui. Les couche-tard pourront assister au lever du soleil sur le *río.*

À Palermo Hollywood

Dans un genre plus chicos, ***Olsen*** *(voir « Où manger ? » ; plan couleur II, E6,* ***140****)* possède un bar bien fourni en alcools du monde entier, notamment des vodkas, et un cadre sympa.

Único *(plan couleur II, E6,* ***215****) : Honduras, 5602 (et Fitz Roy).* ☎ *47-75-66-93. Tlj.* Excellents cocktails qu'on déguste en terrasse ou dans la salle entre bons vivants ! Possibilité de se restaurer (sandwichs, *pasta,* salades diverses). Super ambiance le soir, où tout le monde se retrouve sur le trottoir, un verre à la main. Idéal pour trouver un(e) fiancé(e) express !

Carnal *(plan couleur II, E6,* ***216****) : Niceto Vega, 5511.* ☎ *47-72-75-82. Fermé lun.* Un bar de référence sur 2 étages, qui doit sa popularité à sa terrasse verdoyante sur le toit. Bons cocktails (visez l'*happy hour* en début de soirée), musique, grignotage et très bonne ambiance.

Ferona Club Social *(plan couleur II, E6,* ***218****) : Humboldt, 1445. Ouv mer-sam dès 22h.* Le lieu est déjà stupéfiant : une belle maison de Palermo, on se croirait invité chez des amis (pas trop pauvres, on s'en doute) qui ont recruté leurs potes via une agence de mannequins ! Au fur et à mesure qu'on avance dans la nuit, les *clubbers* envahissent le salon du rez-de-chaussée, l'étage et la terrasse. Pas snob, le *Ferona,* juste incroyable ! Excellente musique et délicieux cocktails.

Frank's *(hors plan couleur II par E6,* ***227****) : Arevalo, 1445, entre Niceto Vega et Cabrera. Ouv mer-sam à part de 21h.* Voici le secret le plus éventé de Buenos Aires : un bar à la mode qui s'est démarqué en reprenant le concept des *speakeasy,* ces bars clandestins répandus aux États-Unis sous la prohibition.

L'entrée se fait par une cabine téléphonique, dont une porte s'ouvre sur le bar une fois le code secret composé. Jolie salle avec sa mezzanine et canapés chesterfield, mais il faut s'accrocher pour trouver une place assise. Un beau décor, mais au bout du compte, on espérait plus de fantaisie.

À Puerto Madero

Il y a une multitude de bars le long des docks de Puerto Madero, et un *turn over* assez impressionnant. C'est un quartier à la mode, donc autant savoir que la majorité des bars, tout comme les restos du quartier, sont assez chers. La plupart sont situés sur l'av. Alicia M. de Justo.

À San Telmo

La petite plaza Dorrego, ombragée, a conservé son charme provincial et son petit côté village. Les terrasses occupent une bonne partie de l'espace, et les enfants jouent sur ce qu'il reste. Ambiance très agréable, souvent égayée par des musiciens et des danseurs de tango. Le dimanche, tout ce beau monde cède sa place à une brocante un peu touristique mais qui vaut néanmoins le détour.

🍸 🍽 ***Café El Féderal*** *(plan couleur III, J7,* ***222****) : Carlos Calvo, 595, angle Perú.* ☎ *43-00-43-13. Tlj midi et soir.* Un des plus vieux cafés de Buenos Aires, classé dans les « bars remarquables » du patrimoine de la ville. Une grande salle patinée par le temps, un monumental comptoir en bois sculpté avec arche en vitrail et horloge enchâssée. Beaucoup de style et de personnalité, avec des antiquités et des gravures. Idéal pour une bière pression (faite maison) ou un café. On y sert aussi les meilleures *picadas* du quartier, des planches de fromage et de charcuteries, servies avec du pain maison ! Quelques tables sur le trottoir.

🍸 ***Plaza Dorrego Bar*** *(plan couleur III, J7,* ***219****) : Defensa, 1098, sur la place.* ☎ *43-61-01-41.* D'accord, la terrasse est envahie par les touristes, mais l'intérieur a un charme fou. Décor de bois sombre et bien patiné. Vénérable comptoir, vieux meuble à épices, portraits de Carlos Gardel. Les murs sont recouverts de messages laissés par des visiteurs inspirés, les tables couvertes de graffitis, et le bar est sans cesse bercé par les tangos qui s'improvisent juste devant l'entrée. Un bistrot sud-américain comme on n'en fait plus.

🍸 ♩ ***El Balcón*** *(plan couleur III, J7,* ***220****) : Humberto Primo, 461. À 10 m de la pl. Dorrego.* Son principal intérêt réside dans ses balcons surplombant la place. Malheureusement, toutes les places sont souvent prises. C'est un bar à la déco branchée, plus jeune et moins touristique que les autres bars du coin. Au rez-de-chaussée, ***Todo Mundo,*** bar sympa également. On peut aussi s'y restaurer.

🍸 ♩ ***Bar Seddon*** *(plan couleur III, J7,* ***221****) : Defensa, 695.* ☎ *43-42-37-00.* Un ancien cabaret, puis un magasin d'antiquités, habilement transformé en bar avec boiseries aux tablées sympatoches. La salle s'ordonne autour du comptoir central. Selon les jours, on y écoute une musique électronique d'ambiance, de la soul, du jazz, de la bossa-nova... Petite restauration.

🍸 ♩ ***La Trastienda*** *(plan couleur I, D3,* ***223****) : Balcarce, 460.* ☎ *43-42-76-50.* • *latrastienda.com* • Grand bar aux couleurs bariolées de l'Amérique latine, haut de plafond ; décor minimal, AC. La programmation musicale est très variée, l'ambiance café-concert sympa. Terrasse.

🍸 ***Doppelgänger*** *(plan couleur III, J8,* ***228****) : Juan de Garay, 500 (angle Bolívar).* ☎ *43-00-02-01. Ouv mar-sam à partir de 19h (20h sam).* Sympathique bar au décor délicieusement rétro, qui pourrait se situer entre Berlin et New York. Côté cocktails, le patron y connaît un rayon et les réalise avec une précision de chimiste. On vient d'ailleurs pour ces « tragos » originaux, si possible avant 21h pour profiter de l'*happy hour*.

🍸 ♩ ♫ ***Rey Castro*** *(plan couleur I, D3,* ***224****) : Perú, 342.* ☎ *43-42-99-98.* Happy hours *au bar mer-ven 18h-20h30.* Bar-resto-disco à la gloire du vieux *barbudo* et son épopée révolutionnaire. Salles aux voûtes en brique, longues tables, rumbas et salsas endiablées, *daiquiris, mojitos* et *cuba libre* sous les volutes de cigares. Plats cubains pas terribles au resto. Venir le week-end pour le spectacle délirant de travestis.

🍸 🍽 ***Bar Britanico*** *(plan couleur III, J8,* ***225****) : Brasil, 399. En face du parque Lezama.* L'un des plus vieux bars de Buenos Aires est sauvé. Grâce aux pétitions des fidèles, ce monument de la Belle Époque ne fermera pas. Il fait désormais partie des « bars remarquables » de B.A. Tables en bois d'une autre époque, clientèle d'habitués. Idéal pour le petit déj ou, le soir, pour un dernier petit canon. Fait aussi restauration (menu sur l'ardoise).

🍸 ***La Poesía*** *(plan couleur III, J7,* ***226****) : Chile, 502. ☎ 43-00-73-40. Tlj.* Le vieux bistrot-resto comme on n'en fait plus, avec les jambons qui pendent au-dessus du comptoir et une atmosphère bohème qui flotte dans l'air. Ancien café littéraire, c'est dans cet enchevêtrement de tables en bois patinées que les artistes et poètes (il porte bien son nom) aimaient à se retrouver dans les années 1980.

🍸 Voir aussi ***El Refuerzo*** *(plan couleur III, I7,* ***152****),* cité plus haut dans « Où manger ? ».

À Las Cañitas

🍸 ***Antares*** *(plan couleur II, E5,* ***230****) : Arévalo, 2876. Tlj à partir de 18h.* Happy hour *jusqu'à 20h (21h w-e).* Un pub sombre, jeune et bruyant où l'on joue des coudes au bar pour se faire servir l'une des bières artisanales, servies à la pression. Super sélection et des cuves qui en disent long sur le débit ! Si l'on tient à s'asseoir, il faut prendre son mal en patience ou arriver tôt.

🍸 ***La Bodeguita del Medio*** *(plan couleur II, F5,* ***231****) : Andrés Arguibel, 2851. ☎ 47-78-02-55. Tlj sf lun.* Le célèbre bar de la Havane a son homologue à Buenos Aires ! Dans une ancienne maison, avec terrasse verdoyante éclairée aux loupiotes et patio pour siroter un *mojito* en plein air. À l'intérieur, on retrouve les gènes cubains, la photo du Che, et des graffitis sur les murs, empreintes des clients du monde entier. L'ambiance ? Forcément gaie et musicale. Fait aussi resto.

À Abasto

🍸 ♩ ***La Bomba de Tiempo*** *(plan couleur I, A3,* ***242****) : Sarmiento, 3131 au Ciudad Cultural Konex. Ⓜ Carlos Gardel (ligne B). ☎ 48-64-32-00. • labombadetiempo.blogspot.fr • Ts les lun 19h-22h. Entrée : 60-70 $ (interdit au moins de 18 ans).* Tous les lundis soir depuis presque 10 ans, les percussionnistes de *La Bomba de Tiempo* se réunissent dans cette ancienne usine transformée en centre culturel. Chaque semaine, un nouvel invité est convié. Le tout donne un mélange surprenant et imprévisible. Pendant 2h, ils improvisent, encadrés par le chef de troupe, dans une ambiance qui monte crescendo. Quand tout le public danse frénétiquement au rythme des instruments, impossible de rester de marbre ! À ne pas manquer !

Où voir un spectacle de tango ?

Le tango a mille (ou presque) facettes et se compose de trois danses : le tango, la valse argentine et la milonga, aux rythmes rapides et entraînants. Différents tangos aussi : ***tango de concours*** avec fanfreluches, strass, plumes et championnats ; ***tango de salon*** (européen) à l'élégance rigide et aux figures rythmées ; ***tango canyengue*** des années 1910, rieur et sautillant ; ***tango de spectacle*** *(fantasia)* où la danseuse vole d'un pas à un autre, se cabre démesurément et danse avec une sensualité virtuose ; ***tango milonguero*** où les deux partenaires dansent collés, presque appuyés l'un sur l'autre ; et le ***tango nuevo,*** version plus moderne, plus électronique, qui a eu plus de succès en Europe. Bref, il y en a pour tous les goûts. Dans ces différents lieux, vous pourrez admirer un mélange des deux derniers genres, les plus « argentins ». Vous en aurez plein les yeux et partirez libéré de nombreux préjugés !

Il existe en gros deux types d'établissements. Les cabarets à groupes de touristes et les vieux bars qui vivotent, où les touristes égarés côtoient les vieux *Porteños* qui viennent ici retrouver le parfum de leur jeunesse. Les deux types d'établissements sont parfaitement complémentaires. Certains touristes ont tendance à dédaigner les cabarets avec shows de danses et tout le tralala. Ils ont tort. En effet, la plupart du temps, si le spectacle manque d'authenticité, il est pourtant d'une qualité indiscutable et exécuté par des artistes professionnels de haut niveau. Bref, on en a vraiment pour son argent. Les anciens bars à tango sont plus simples (et moins chers), encore fréquentés par des amateurs et des habitués. L'ambiance y est plus authentique. C'est dans ces derniers que vous aurez le plus de chance de goûter la quintessence de cet art et, par la même occasion, de saisir l'âme *porteña,* curieux mélange de nostalgie et de joie de vivre... Un soir, il y aura trois péquins dans la salle, et sur la piste un vieux couple ratatiné, et un autre soir, ce sera la folie, une ambiance forte, pleine de vibrations... C'est toute la magie du tango, où rien n'est jamais certain. Il existe encore d'autres adresses beaucoup plus confidentielles, où les soirées tango s'improvisent. Impossible de les indiquer car ce sont au départ des troquets assez banals où déboulent sans crier gare un chanteur et un musicien. Alors, de même que le fado à Lisbonne, le tango s'immisce dans l'atmosphère... et c'est parti pour une nuit de mélancolie et de frissons.

Pour vous guider, on vous recommande le blog • *2xtango.com* •, qui donne toute l'actualité du tango et les meilleurs endroits où sortir, en fonction du jour de la semaine, ainsi que le site • *latidobuenosaires.com/milongasbuenosairestango.html* • Vous pouvez aussi vous adresser à Sophie Guillouche, une Française passionnée de tango, installée à Buenos Aires depuis de nombreuses années (☎ *48-32-19-37 ;* • *tangovacances.com* •). Elle connaît tous les lieux de la ville et organise des sorties ou tours adaptés à vos envies.

Les bars à tango

On n'est pas obligé de dîner dans les 3 établissements suivants.

♩ ***Torquato Tasso*** *(plan couleur III, J8,* ***232****) : Defensa, 1575.* ☎ *43-07-65-06.* • *torquatotasso.com.ar* • *Ouv tlj, concerts de tango mer-sam à partir de 22h,* milonga *dim. Compter 50-150 $Ar selon programmation.* Un centre culturel doté d'une très belle salle de concert, où se produisent les meilleurs orchestres de tango.

♩ ***Tango-bar La Cumparsita*** *(plan couleur III, J7,* ***233****) : Chile, 302, angle Balcarce.* ☎ *43-61-68-80 et 43-02-33-87.* • *lacumparsitatango.com.ar* • *Mer-sam 22h30-3h. Env 200 $Ar/pers.* Les propriétaires sont d'une autre génération, comme la déco d'ailleurs, mais l'ambiance est si bon enfant que tout passe. Les 2 jeunes danseurs invitent les spectateurs à danser. De petits spectacles se succèdent, dans des tours de chant où la passion, la grâce, le déchirement partagent l'affiche avec la frénésie ou la mélancolie. Bien mais touristique.

♩ ***Sanata Bar*** *(hors plan couleur I par A3,* ***234****) : Sarmiento, 3501.* ☎ *48-61-57-61.* • *sanatabar.com* • *Ouv tlj à partir de 20h30 (20h le w-e) ; entrée libre et gratuite. Concerts de tango lun-sam à partir de 21h30,* milonga *dim après un cours de tango.* Typique et chaleureux, ce bar a pour devise : « Passez un bon moment ! »... Et c'est vrai !

Les spectacles de tango

Les prix des spectacles sont bien souvent chers. Mais vous y trouverez des shows de grande qualité et surtout les meilleurs danseurs du pays. Dans pratiquement tous les dîners-spectacles de tango de Buenos Aires, le dîner commence à 20h et le spectacle à 22h (durée : 2h). Vous avez la possibilité d'assister uniquement au show de tango. Certains assurent également un service de navette jusqu'à votre hôtel.

ꝏ ***Esquina Carlos Gardel*** *(plan couleur I, A2,* ***235****) : Carlos Gardel, 3200, Barrio del Abasto.* ☎ *48-67-63-63.* • *esquinacarlosgardel.com.ar* •

BUENOS AIRES ET SES ENVIRONS

Tlj 21h-minuit. Dîner-spectacle 140 US$. Spectacle seul 96 US$. C'est l'un des plus beaux spectacles de la ville, dirigé par le grand maestro Carlos Copello. Il débute par une projection sur la vie de Carlos Gardel, dans une ambiance très feutrée et raffinée. On vous prévient : on partage sa table avec les voisins.

Piazzolla Tango *(plan couleur I, D3,* ***237****) : Florida, 165, dans le Microcentro. ☎ 43-44-82-00. • piazzollatango.com • Tlj 20h-23h30. Dîner-spectacle 700 $Ar. Spectacle seul env 300 $Ar.* Certainement le plus beau théâtre de Buenos Aires. Dans un ancien cabaret à l'ambiance très feutrée, on dîne et on assiste à un spectacle de haute qualité. Bonne surprise, c'est un peu moins cher qu'ailleurs.

Rojo Tango *(hors plan couleur III par K7,* ***238****) :* Faena Hotel, *Martha Salotti, 445. ☎ 49-52-41-11. • rojotango.com • Tlj 20h30-minuit. Dîner-spectacle 250 US$ (!) ou 185 US$ sans le dîner, mais boissons et transport inclus depuis votre hôtel (ouf !).* Le chic du chic, dans le fameux hôtel *Faena*. Beaucoup plus intime que les autres dîners spectacles, mais beaucoup plus cher aussi.

Où faire ses premiers pas ? Où pratiquer ?

En fait, très souvent, les deux sont liés. En début de soirée, on peut prendre des cours dans les *milongas* citées ci-dessous. Ils démarrent en général 2h avant l'ouverture, soit vers 20h. Se renseigner. On apprend à écouter la musique, on essaie le pas de base... bref, on y va... pas à pas, justement ! Avis aux impatients : le tango se mérite, mais ensuite, c'est un réel plaisir !

L'étape suivante, pour qui veut mettre en pratique ses cours, c'est la *milonga*. Il y en a une cinquantaine à Buenos Aires. On a fait un semainier avec une sélection des meilleures. Pour être bien placé, on vous recommande de réserver une table par téléphone. Il existe aussi les *milongas* « matinée », ouvertes en fin d'après-midi seulement. Elles permettent aux Argentins d'aller danser juste après le travail et de ne pas rentrer trop tard.

Chaque année au mois d'août, Buenos Aires célèbre le Mondial du tango (gratuit).

Lundi

♫ **Parakultural** *(Salón Canning ; hors plan couleur II par F6,* ***239****) : Scalabrini Ortiz, 1331 ; Palermo. ☎ 48-32-67-53. • parakultural.com.ar • Ouv 23h-4h.* L'une des plus belles *milongas* de Buenos Aires. Chaque lundi, mardi et vendredi, il y a une démonstration de tango vers 2h du mat.

♫ **El Motivo Tango** *(plan couleur II, E6,* ***244****) : Club Villa Malcolm, Córdoba, 5064. ☎ 47-72-59-93. • elmotivotango.com • Ouv 20h30 pour la classe de tango,* milonga *22h-3h.* Plus cool, plus jeune aussi. Version *tango nuevo*.

♫ **Milonga en Rojo** *(plan couleur I, C2,* ***245****) : Maipú, 365. ☎ 47-55-76-20. Lun 19h-4h.* Les hommes d'un côté, les femmes de l'autre, c'est le lieu idéal pour se faire inviter... Possibilité de manger sur place.

Mardi

♫ **Parakultural :** *voir ci-dessus.* Orchestre de tango et démonstration de danseurs pros à partir de 1h du mat.

♫ **Porteño y Bailarín** *(Club Castel ; plan couleur I, B3,* ***241****) : Riobamba, 345. 📱 15-53-51-86-26. Ouv 22h30-4h.* Le lieu n'a pas autant de charme que *Parakultural*, mais tous les Argentins s'y retrouvent néanmoins. 2 pistes de danse.

♫ **Milonga 10** *(El Club Fulgor ; hors plan couleur II par E6,* ***236****) : Loyola, 828. 📱 15-40-66-58-31. Cours de tango à 20h. Entrée libre.* Le rendez-vous des jeunes. Ici, codes et traditions restent à la porte.

Mercredi

♫ **Fruto Dulce Tangos** *(plan couleur II, E6,* ***244****) : Club Villa Malcolm, Córdoba, 5064. 📱 15-38-77-48-88. • frutodulcetangos.blogspot.fr • Ouv 21h pour la classe de tango,* milonga *22h30-3h.*

Ambiance romantique et tamisée, c'est la *milonga* du mercredi soir pour les *Porteños* ! Là aussi, démonstration de danseurs vers 1h du mat.

♫ **La Viruta** *(hors plan couleur II par F6,* ***239****)* **:** *Centro Armenio, Armenia, 1366.* ☎ *47-74-63-57.* • *lavirutatango.com* • *Ouv à partir de 18h30-19h.* Milonga *mer-dim 23h30-4h.* Salle de bal au charme suranné. Classes de tango *(tlj sf lun)* avec des profs pleins d'énergie, *milonga,* mais aussi rock'n'roll et salsa.

Jeudi

♫ **Milonga de los Zucca** *(plan couleur III, I7,* ***247****)* **:** *Humberto Primo, 1462. Ouv 22h30-4h. À 21h, cours de tango.* Une *milonga* mythique plus connue sous le nom de *Niño Bien* qui a rouvert ses portes récemment. À 2h du matin, démonstration de tango.

♫ **Tango Ideal** *(plan couleur I, C2,* ***203****)* **:** Confitería Ideal, *Suipacha, 384.* ☎ *43-28-77-50.* • *confiteriaideal.com* • *Ouv 22h30-3h.* Traditionnel et plus touristique, mais un classique du circuit. Idéal pour faire de belles photos.

♫ **La Viruta** *(hors plan couleur II par F6,* ***239****)* **:** *voir ci-dessus.* Il y a souvent des orchestres de tango le jeudi à partir de 1h du mat.

Vendredi

♫ **ZUM** *(plan couleur II, E6,* ***244****)* **:** *Club Villa Malcolm, Córdoba, 5064.* 📱 *15-62-84-45-68.* • *zumtango.com* • *Ouv 20h30 pour la classe de tango,* milonga *23h30-3h.* Le *Club Villa Malcolm* ouvre ses portes aux *milongas* plusieurs fois par semaine. Démonstrations de tango pratiquement à chaque fois.

♫ **Yira Yira** *(plan couleur III, I7,* ***247****)* **:** *Humberto Primo, 1462.* 📱 *15-33-59-67-10. Ouv 20h30 pour la classe de tango,* milonga *23h-4h.* Un des incontournables de Buenos Aires. Démonstrations de tango à 1h du mat.

♫ **Club Gricel** *(hors plan couleur III par I8,* ***246****)* **:** *La Rioja, 1180.* ☎ *49-57-71-57.* • *clubgriceltango.com.ar* • *Ouv 22h30-5h.* Une des plus typiques et traditionnelles *milongas* de Buenos Aires. Peut-être même notre préférée du vendredi ! Cours de danse à partir de 20h.

♫ **Parakultural :** *voir plus haut (« Lundi »).* Démonstration de *maestros* de tango vers 2h du mat.

Samedi

♫ **Cachirulo** *(hors plan couleur III par I8,* ***246****)* **:** *av. Entre Ríos, 1056.* 📱 *15-45-77-04-34. Ouv 21h-4h.* LE *tango milonguero* classique, dans sa plus belle tradition.

♫ **La Glorieta** *(hors plan couleur II par E4,* ***248****)* **:** *11 de Septiembre y Echeverría.* ☎ *46-74-10-26. Ouv 17h-19h pour la classe de tango,* milonga *19h-23h.* Histoire de danser en plein air.

♫ **Las Morochas** *(plan couleur I, B2,* ***240****)* **:** *El Beso, Riobamba, 416.* 📱 *15-49-38-81-08. Ouv 22h30-4h.* Ambiance tamisée, les hommes d'un côté, les femmes de l'autre... *Las Morochas* affiche complet toute l'année !

♫ **El Morán** *(hors plan couleur I par A3,* ***229****)* **:** *Pedro Morán, 2446.* 📱 *15-59-62-31-95. À partir de 21h30. Se renseigner car ouv slt un sam par mois.*

Dimanche

♫ **Viva La Pepa** *(plan couleur II, E6,* ***244****)* **:** *Club Villa Malcolm, Córdoba, 5064 ; Palermo.* ☎ *11-67-61-18-99. Ouv 19h pour la classe de tango,* milonga *22h-2h.* Très à la mode, très jeune et décontracté.

♫ **La Glorieta** *(hors plan couleur II par E4,* ***248****)* **:** *voir « Samedi ».*

♫ **El Beso** *(plan couleur I, B2,* ***240****)* **:** *Riobamba, 416.* 📱 *15-67-92-58-88. Ouv 22h30-4h.* Le classique du dimanche.

♫ **La Viruta** *(hors plan couleur II par F6,* ***239****)* **:** *voir « Mercredi ».*

♫ **Porteño y Bailarín** *(Club Castel ; plan couleur I, B3,* ***241****)* **:** *voir « Mardi ».*

Et tous les jours sauf dimanche

♫ **La Catedral** *(hors plan couleur I par A3,* ***229****)* **:** *Sarmiento, 4006 ; à l'angle de Medrano.* 📱 *15-53-25-16-30.* • *lacatedralclub.com* • Ⓜ *Medrano* *(ligne B). Tlj dès 19h30 pour les cours de tango ; 23h-4h pour la* milonga. En haut de l'escalier décrépit de cet incroyable squat se trouve une immense salle de bal au plafond en forme de coque de bateau retournée. Murs décorés d'œuvres d'art brut, banquettes et tables rustiques installées autour de la piste. En haut d'un amoncellement d'objets trône le portrait de Carlos Gardel. On peut y manger (plats végétariens).

Quelques conseils

– *S'informer :* se procurer les deux journaux dédiés au tango, *El Tangauta* (partiellement traduit en anglais) et *La Milonga Argentina,* sur les lieux de spectacles ou dans les points d'informations touristiques. Vous y trouverez toutes les adresses et les horaires des cours et des bals.
– *Une tradition artistique et sociale :* la tradition du tango à Buenos Aires s'est beaucoup perdue (mondialisation oblige...). Mais, pour ceux qui le pratiquent encore, c'est un vrai acte social. On vient dans les *milongas* (bals) pour s'amuser et rencontrer les habitués, mais aussi pour se regarder et attiser les convoitises ! Aussi, mieux vaut connaître certains codes en usage. Si les bals de « tango de salon » attirent les jeunes, les vieux *Porteños* maintiennent la tradition de l'antique tango *milonguero* dans des *milongas* traditionnelles. C'est un spectacle exceptionnel qui semble suspendre le cours du temps.
– *Tenue vestimentaire :* avant de vous y rendre, habillez-vous élégamment. Pour vous procurer les chaussures adéquates, on vous indique quelques bonnes adresses plus loin, dans la rubrique « Achats ».
– *Comment se placer, où s'asseoir ?* Les établissements possèdent en général une personne qui place les nouveaux arrivants. N'hésitez pas à demander où vous installer et précisez si vous souhaitez rester en couple ou non. Les *milongas* réservent en effet certaines tables aux couples, d'autres aux hommes et d'autres encore aux femmes. En vous asseyant en couple, vous indiquez ne pas vouloir danser avec d'autres personnes que votre partenaire. Les hommes n'inviteront que les femmes se trouvant aux tables des femmes.
– *Avant de danser :* autre particularité de ces *milongas,* l'invitation s'y fait par un jeu de regards. Celui-ci consiste à accrocher le regard de celui/celle avec qui on souhaite danser et à lire dans ses yeux s'il/elle répond ou non à l'invitation. C'est à la fois un art... et un spectacle.
– *Sur la piste :* une fois sur la piste, prenez votre temps. Ne commencez pas à danser dès le début du tango, mais attendez que le couple de danseurs devant vous ait commencé. Les *Porteños* restent souvent à discuter en plein milieu de la piste à la fin d'un morceau, jusqu'au milieu du suivant !
– *Séduction :* c'est vrai, les danseuses peuvent être très attirantes et les danseurs très dignes, mais ce n'est pas une raison pour leur sauter au cou, même si vous êtes déjà dans leurs bras ! Le tango argentin est sentiment, sensualité, séduction, certes, mais il n'est qu'une parenthèse où tout est permis et qui se ferme dès la dernière note jouée.

Où danser ?

Les *Porteños* sortent beaucoup et tard... très tard même. Les soirées chez des particuliers commencent rarement avant 23h, et à l'extérieur, il faut compter minuit-1h ou même davantage suivant les lieux et les jours de la semaine. À tel point que les Argentins vont parfois carrément dormir avant de sortir, vers 2h du matin... pour ne rentrer qu'à l'aube ou au milieu de la matinée ! À ce petit jeu, ils démontrent une endurance qui vous étonnera.

♫ Parmi les hauts lieux des nuits *porteñas,* le **Niceto Club** *(plan couleur II, E6 ; Niceto Vega, 5510, angle Humboldt ; ☎ 47-79-93-96 ; • nicetoclub.com • ; mar-dim 21h-7h)* est sans doute le plus alternatif. Sorte de salle polyvalente avec un grand espace pour la discothèque et les concerts, plus un coin *chill-out* au fond. Salle VIP en fer à cheval à l'étage. Groupes de jazz, house, électro et reggae s'y produisent régulièrement. *Reggaeton* colombien fréquent. Divers shows le samedi, aux ambiances folles.

♫ Les clubbers habitués à Barcelone ou à Ibiza dirigeront leurs pas vers la Costanera Norte où se trouve le très international ***Pachá*** *(av. Rafael Obligado, 6151 ; ☎ 47-88-42-80 ; ven et sam à partir de minuit),* la plus grosse boîte de Buenos Aires, qui peut contenir près de 2 000 personnes ! On y vient pour les rythmes house, transe et techno. Dans un genre plus cosmopolite, mais tout aussi « DJs célèbres et *beautiful people* », tentez le ***Rumi*** *(av. Figueroa Alcorta, 6442, angle La Pampa ; mer-sam dès minuit)* dans le quartier de Belgrano.

♫ Si vous êtes attiré par des sonorités plus latines, ne manquez pas ***Maluco Beleza*** *(plan couleur I, B3)* : *Sarmiento, 1728, entre Callao et Rodriguez Peña. ☎ 43-72-17-37. • malucobeleza.com.ar • Mer-dim à partir de 1h30. Ts les mer, soirée avec concert et dîner inclus. Également des soirées zouk avec cours de danse ven à 22h30 et dim à 21h.* Le temple de la musique brésilienne. *Axé,* samba et *forró* se succèdent à une cadence infernale... à vous faire tourner la tête.

♫ Ambiance bien plus gay (mais très open) au club ***Bahrein*** *(plan couleur I, D2)* **:** *Lavalle, 345. ☎ 43-15-24-03. • bahreinba.com • Tlj sf lun et mar 0h30 (22h dim)-4h.* Électro, house et caïpirinha, dans 3 atmosphères, XXS (discothèque électronique), *Funky room* ou au *Yellow Bar* (bar et resto).

♫ Le quartier de Puerto Madero n'est pas en reste, avec le très branché ***Asia de Cuba*** *(Pierina Dealessi, 750 ; plan couleur I, D3).*

Où assister à un concert ?

Il y en a pour tous les goûts. D'un côté, les salles de concert et théâtres plutôt haut standing *(Gran Rex, Opera)* où se produisent des artistes nationaux et internationaux de grande qualité comme ***Luna Park*** *(Madero, 420, entre Corrientes et Lavalle ; plan couleur I, D2 ; ☎ 52-79-52-79 ; • lunapark.com.ar •).* De l'autre, des lieux plus alternatifs qui accueillent notamment des chanteurs latino-américains ou des groupes de rock locaux comme ***La Trastienda*** *(Balcarce, 460 ; plan couleur I, D3).*

Il existe de multiples autres bars donnant des concerts de qualité pour des prix modiques ; consultez les revues gratuites comme *Wipe, Llegás...* Et puis, vous aurez peut-être la chance de passer à Buenos Aires lors de l'un de ces concerts géants dans le stade de *River* ou à *Obras Sanitarias.*

Achats

Centro

Librairie El Ateneo *(plan couleur I, B2,* ***5****)* **:** *Santa Fe, 1860, entre Callao et Riobamba. ☎ 48-13-60-52. Lun-jeu 9h-22h ; ven et sam 9h-minuit ; dim 12h-22h.* Ancien théâtre à l'italienne (le *Gran Splendid*) fondé par un immigré autrichien dans les années 1920. Le premier film sonore y fut projeté. La librairie d'aujourd'hui a conservé la belle scène d'antan avec ses rideaux rouges. On peut y boire un verre et y manger. Toute la machinerie des coulisses est intacte. On peut même s'installer dans une des corbeilles pour bouquiner en paix. Figure parmi les 5 plus belles librairies du monde, et on comprend pourquoi !

Neo Tango *(plan couleur I, B3,* ***252****)* **:** *Sarmiento, 1938. ☎ 49-51-86-94. • neotangoshoes.com •* Une boutique de chaussures de tango proposant des modèles modernes.

Plusieurs boutiques de ***chaussures de tango*** autour de l'av. Corrientes.

Recoleta

Comme il faut *(plan couleur I, C1-2, **250**)* : *Arenales, 1239, porte 3, dep. M.* ☎ *48-15-56-90. Lun-sam 11h-19h (15h sam).* Situé à l'étage, dans l'impasse des Artisans (de luxe). Dans un appartement privé. Chaussures de tango les plus chic de Buenos Aires. Pour femmes seulement.

Palermo

Les boutiques les plus farfelues se trouvent dans l'un de nos quartiers préférés, Palermo. On trouve de tout, du cher au cheap. À vous de baguenauder et de bifurquer. Voici quelques-unes de nos adresses préférées :

Côté Palermo Viejo, au tout début de la rue Honduras *(plan couleur II, E-F6)*, plusieurs boutiques de fringues pas chères, pour les filles essentiellement.

Pepe Lopez Shoes *(plan couleur I, A3, **253**)* : *Anchorena, 430.* ☎ *48-64-38-00. Ouv lun-sam 11h-19h.* Chaussures pour femme uniquement.

Tienda Palacio *(plan couleur II, E6, **254**)* : *Honduras, 5272.* ☎ *48-33-94-56.* • *tiendapalacio.com.ar* • *Entre Palermo Hollywood et Palermo Viejo. Lun-sam 11h-20h.* Vaste hangar bourré de bizarreries. Vaisselle baroque, meubles fous, lampes étranges et plein de babioles inutiles, donc essentielles. Autre boutiques sur Defensa à San Telmo.

Perro Vaca *(plan couleur II, F6, **251**)* : *sur la pl. Cortázar (Palermo Viejo), Serrano, 1563.* ☎ *58-85-82-22.* • *perrovaca.com* • *Mer-dim (w-e dès 12h) 1h-20h.* Des T-shirts, des bavoirs, des chemises, tout ça à l'effigie de... la *vaca,* la vache !

Sabater Hnos *(plan couleur II, F6, **255**)* : *Gurruchaga, 1821, à Palermo Viejo.* ☎ *48-33-30-04. Lun-sam 10h-20h ; dim 14h-19h.* Des savons artisanaux sous toutes les formes, couleurs et odeurs, avec des messages pour le moins philosophiques. Notre préféré : « Je lave tout, sauf votre conscience ! ». À méditer.

Elementos Argentinos *(plan couleur II, F6, **255**)* : *Gurruchaga, 1881.* ☎ *48-32-62-99.* • *elementosargentinos.com.ar* • *Lun-sam 11h-19h.* Boutique de tissus originaux et colorés : tissages faits main avec de la pure laine de brebis, lama, alpaga et coton. On y trouve principalement tapis et couvertures. L'atelier fait travailler plus d'une centaine d'artisans de différentes provinces du pays.

À voir

Les incontournables

Pour ceux qui sont de passage dans la capitale, voici une petite liste des choses à voir et à faire, en une demi-journée (au pas de course !).
- La plaza de Mayo, le palais du Gouvernement (Casa Rosada), le Cabildo, la cathédrale et la Manzana de las Luces.
- Dans le centre : l'avenida 9 de Julio au croisement de Corrientes pour l'obélisque ; de là, on peut aller à pied vers le Teatro Colón. Si vous avez le temps, poursuivez vers l'avenida de Mayo et longez-la jusqu'à Congreso (le Parlement).
- Le quartier de La Boca et Caminito.
- San Telmo et la plaza Dorrego pour les antiquaires.
- Le cimetière de la Recoleta et la tombe d'Evita.

Buenos Aires gratuit

- Le Jardin botanique, à Palermo.
- La Reserva ecológica Costanera Sur.
- Le Museo de la Casa Rosada (palais du Gouvernement).
- Les cimetières de la Recoleta et de Chacarita.
- Le Museo nacional de Bellas Artes.
- Les visites du Congreso nacional.

- Le Palacio municipal.
- Le Museo del Bicentenario.
- Le Museo nacional de la Inmigración.
- Le Muso de Arte español Enrique Larreta le jeudi.
- Le musée Isaac Fernández Blanco le mercredi et le jeudi.
- ***Cicerones de Buenos Aires :*** *☎ 52-58-09-09 et 44-31-98-92. • cicerones.org.ar • Possibilité de réserver à l'avance une balade de 2h à 3h.* Cette association à but non lucratif propose un service de guides entièrement gratuits pour découvrir la capitale selon des itinéraires individualisés. Le visiteur est accompagné par un *Porteño* bénévole qui connaît parfaitement sa ville. Réservation plusieurs jours à l'avance par téléphone.

LE CENTRO

Si vous venez des quartiers périphériques, de la gare des bus ou de l'aéroport, le meilleur endroit pour commencer la visite est la plaza de Mayo, point de départ des lignes de métro.

Le cœur de Buenos Aires se trouve entre la plaza de Mayo et la plaza del Congreso, le long de l'avenida de Mayo, jusqu'à la plaza San Martín et l'avenida Santa Fe. C'est le centre nerveux de la ville ou *Centro,* qui regroupe la plupart des administrations, des banques et des commerces. Cette zone peut sembler monotone au routard fraîchement débarqué, mais il faut prendre son temps, se laisser aller au gré des rues qui se coupent et s'entrecoupent, car en chaque case de cet immense damier surgit un signe du passé glorieux de la cité, un monument symbolique d'une Belle Époque révolue, et juste à côté, un building moderne en verre.

BONNE PIOCHE : LE *KIOSCO* !

Fréquents dans la capitale, les kioscos *sont, comme leur nom l'indique, de petits kiosques où l'on peut trouver de tout : jetons de parcmètres, cigarettes, aspirine, préservatifs, piles, boissons, chocolat... Très à la mode, les* maxi-kioscos *deviennent de véritables minisupermarchés. Bien pratiques, certains se vantent d'être ouverts 25h/24 !*

Tout se conjugue ici, passé et avenir, prospérité et... crise économique. Et puis la ville vous prend, vous envoûte, vous emmène dans ses méandres secrets à travers le temps. Laissez-vous faire, ce labyrinthe est fascinant.

Plaza de Mayo *(place de Mai ; plan couleur I, D3)* **:** elle est l'épicentre, le cœur battant, l'âme de Buenos Aires. Ce serait le premier endroit où se sont installés les Espagnols, à quelques kilomètres du *río* de la Plata, à leur arrivée sur ces terres hostiles. Depuis, elle a vu se dérouler les principaux événements qui ont marqué l'histoire de cette ville. Son nom est un hommage au 25 mai 1810, jour de la formation du premier gouvernement argentin indépendant, après l'expulsion du vice-roi espagnol et de sa suite par les *Porteños.*

Cette date symbolique est gravée sur l'obélisque de Mayo, au centre de la place. À la mort d'Evita Perón, « la Madone des sans-chemise », son mari le général Perón songea un moment à y édifier un gigantesque monument funéraire en hommage à sa femme décédée, mais le projet fut écarté.

Cette place a connu les grands rassemblements de foule au moment du péronisme ; les manifestations des « Mères de la place de Mai », mères des disparus sous la junte militaire, ces célèbres « Folles de Mai » – pas folles du tout –, qui continuent à défiler, coiffées de leur foulard blanc, en tournant en rond tous les jeudis après-midi pour réclamer la condamnation des responsables ; les défilés des partisans de la guerre des Malouines, les grands rassemblements de soutien à la démocratie au début des années 1980 ou encore les manifestations spontanées à l'issue des matchs de foot victorieux. À noter, une stèle au centre qui repose sur une terre provenant des quatre coins de l'Argentine et recouverte de terre bénite. Tout un symbole.

Catedral Metropolitana (plan couleur I, D3) : *à l'angle de la calle San Martín et de la pl. de Mayo. ☎ 43-31-28-45 ou 43-45-33-69. Lun-ven 7h30-18h45 ; w-e 9h-19h. Visites guidées lun-ven à 11h.*

Plus rien à voir entre la première église de 1580, faite de boue et de paille, et cette basilique de style latin achevée en 1812. L'extérieur est l'œuvre de Prosper Catelin, un architecte français. D'inspiration néoclassique et plutôt massive, elle se compose d'un portique à 12 colonnes représentant les 12 apôtres, au-dessus duquel fut sculpté un superbe frontispice. Curieusement, cette façade s'inspire de celle du Palais Bourbon à Paris.

L'intérieur éclectique est fait de 5 corps et 14 chapelles consacrées à divers vierges et saints dont le fameux *Santo Cristo del Gran Amor,* avec sa robe violette, plus connu comme le saint des footballeurs. Taillé dans un cèdre du Liban. Juste derrière, le *Santo Cristo de los Buenos Aires,* sculpté dans du cèdre blanc. Voûte en berceau et autel monumental. Le clou de la visite reste le *mausolée du général don José San Martín,* père de la nation et libérateur de l'Argentine, pour qui brille une flamme éternelle.

Museo histórico nacional del Cabildo y de la Revolución de Mayo (plan couleur I, D3) : *Bolívar, 65. ☎ 43-34-17-82. À l'angle de la pl. de Mayo. Mer-ven 10h30-17h ; w-e et j. fériés 11h30-18h. Entrée : 10 $Ar. Visites guidées à 15h en sem, 12h30, 14h et 15h30 le w-e. Compter 15 $Ar (en espagnol, gratuites ven).*

C'est surtout le bâtiment qui en fait l'intérêt, car c'est l'un des derniers survivants de l'époque coloniale. De 1580 à 1821, ce fut le cœur politique et administratif de la ville. Le patio intérieur est superbe. Le musée date de 1960. Une exposition relate les invasions anglaises ratées de 1806 et 1807. À l'étage, on peut visiter la salle de la Capitulation où se réunirent les premiers conseillers municipaux le 25 mai 1810. Ce n'est pas une coïncidence si le nom *Cabildo* vient du latin *capitulum,* qui veut dire « réunion » ou « assemblée » ! Enfin, dans le patio sur l'arrière se tient, le jeudi et le vendredi, un joli petit marché d'artisans (sauf pluie).

Palacio municipal (plan couleur I, D3) : *Bolívar, 1. Sur la pl. de Mayo, à côté du musée du Cabildo. Ouv slt sam 16h-17h et dim 11h-16h (visites guidées). Gratuit.*

Un beau monument de style français abrite la mairie de la ville. Cette visite se prolonge dans le centre culturel. Juste à côté, l'édifice du journal défunt *La Prensa* offre un hall d'entrée digne d'être visité.

Palacio de Gobierno (ou **Casa Rosada** ; plan couleur I, D3) : *sur la pl. de Mayo ; immanquable grâce à sa couleur rose brique. • casarosada.gov.ar • Ouv slt sam, dim et j. fériés 10h-20h. Gratuit. Visites guidées gratuites (en anglais, espagnol et portugais) ; durée : 40 mn.*

L'édifice se trouve à l'emplacement de ce qui était la forteresse royale Don Juan Baltasar d'Autriche, construite en 1594. Remaniée en 1713, cette forteresse devint le Castillo de San Miguel et hébergea les vice-rois du Río de la Plata, puis les présidents argentins après l'Indépendance du pays en 1810. En 1850, les vestiges de la forteresse furent démolis et le bâtiment prit sa forme actuelle. Ce joli palais de style italien est à présent le siège du gouvernement. Il s'agit en fait de deux palais réunis par un architecte italien au XVIIIe s. Joli patio sous les palmiers en marbre de Carrare.

LES GOÛTS ET LES COULEURS...

Le Palacio de Gobierno est aussi connu sous le nom de Casa Rosada, à cause de sa couleur rose. Celle-ci provient du fait qu'à l'époque, en 1868, deux partis politiques s'affrontaient : les Fédéralistes (en rouge) et les Unitaristes (en bleu pâle). Le président Sarmiento, dans un but consensuel, fit donc peindre le siège du gouvernement en rouge, puis en bleu pâle... ce qui donna cette sorte de rose.

C'est aussi depuis cette « Casa Rosada » que le couple Perón haranguait les foules et que le président De La Rúa a piteusement fui en hélicoptère en décembre 2001.
Dans les halls d'entrée, galerie des « patriotes latino-américains », avec des tableaux représentant les grands personnages révolutionnaires ou « libérateurs » du continent. Ces peintures furent offertes par les divers chefs d'État sud-américains à l'occasion du bicentenaire de la plaza de Mayo. En suivant la visite guidée, on découvre la salle du conseil, le bureau du président et d'autres lieux riches en apparats. On peut assister à la ***relève de la garde*** *(ttes les 2h, 11h-17h ; lever du drapeau à 8h, descente à 19h)* et voir les *granaderos a caballo* (les grenadiers à cheval) en uniforme, copié sur ceux des troupes du général San Martín en 1813, en action.

Museo del Bicentenario *(plan couleur I, D3) : paseo Colón, 100 ; derrière le palais présidentiel. ☎ 43-44-38-02. ● museo.gov.ar ● Accès sur le côté droit du Palacio de Gobierno. Mer-dim et j. fériés 11h-19h (10h-18h en hiver). Expos temporaires également. Gratuit.*
Musée du Bicentenaire de la ville, inauguré en mai 2011. Il est établi dans l'ancienne cour de la *Aduana* (douane portuaire, 1855) et les vestiges du fort de Buenos Aires (XVIIIe s), dont les voûtes et fondations ont été conservées et mises en valeur. Ces galeries devinrent souterraines en 1894, quand la douane fut partiellement démolie et le terrain comblé pour gagner sur le *río* de la Plata.
L'histoire de Buenos Aires de 1810 à 2010 y est relatée à l'aide de nombreux écrans vidéo qui évoquent (en espagnol) les grands épisodes de l'histoire de la ville – donc de l'Argentine. Images poignantes sur la période du néolibéralisme (1992-2002) et des émeutes populaires au moment de la crise financière de 2001, qui avaient fait 39 morts. Tout au fond, ne manquez pas d'aller voir la fresque de l'artiste mexicain David Alfaro Siqueiros, représentant les « disparus » jetés depuis les avions dans l'océan, pendant la dictature des généraux ; 13 femmes sont représentées sous diverses perspectives au fond de l'eau...
Sous la verrière, dans l'allée principale, sont exposées aussi une des robes d'Evita ainsi que trois calèches présidentielles, notamment la « Lando », de fabrication française, utilisée par le président Roca. Le coupé Grand Sport de 1954 ne manquera pas non plus de vous taper dans l'œil. Une visite à faire en arrivant, pour mieux saisir l'histoire tumultueuse de l'Argentine.

Manzana de las Luces *(plan couleur I, D3) : Perú, 272. ☎ 43-42-39-64. ● manzanadelasluces.gov.ar ● Visites guidées obligatoires lun-ven à 15h, et le w-e à 15h, 16h30 et 18h. Visites possibles en anglais sur résa longtemps à l'avance. Tarif : 20 $Ar. Durée : env 50 mn.*
Son nom signifie « îlot des Lumières », en souvenir des lumières intellectuelles et morales que portaient les jésuites dans le Nouveau Monde, et plus particulièrement sur ce pâté de maisons (« *manzana* »), situé entre les rues Perú-Bolívar et Moreno-Alsina. L'œuvre la plus représentative est l'*iglesia San Ignacio* (angle Alsina et Bolívar). Construite par les jésuites au XVIIe s, cette église d'inspiration baroque est la plus ancienne de la ville. À côté, le *Colegio Maximo de San Ignacio,* autre héritage missionnaire, demeure un établissement éducatif historique pour avoir formé les différentes générations d'hommes qui dirigèrent la destinée du pays : Belgrano, Saavedra, Rivadavia... Ce lycée, un des plus prestigieux de la ville, fut construit sur l'ancien terrain du collège des jésuites de San Carlos, ce lieu où les pères missionnaires rédigèrent les grammaires des langues indiennes du littoral.
La Manzana de las Luces abrite aussi *el patio de la Procuraduría,* où les jésuites entreposaient des vivres provenant des missions, et *la sala de los Representantes,* lieu historique dessiné par l'architecte français Prospère Catelain. À voir également, les *tunnels* du XVIIIe s, dont la construction serait due aux jésuites qui souhaitaient échapper aux ordres des soldats du roi d'Espagne. Mais le réseau

de tunnels ayant été bien morcelé, on parvient juste à se faire une idée de son ampleur sans malheureusement le parcourir.

Museo de la Ciudad *(plan couleur I, D3)* **:** *Defensa, 219. ☎ 43-43-21-23. Lun-ven 11h-19h ; sam et dim 10h-20h. Entrée : 2 $Ar. Gratuit lun et mer.* Il occupe une ancienne demeure de la fin du siècle dernier où vécut l'actrice Nini Marshall. Il évoque le passé de la ville, de ses habitants et des traditions, au travers d'expos de photos et d'objets hétéroclites sur la mode, la vie quotidienne.

Farmacia la Estrella *(plan couleur I, D3)* **:** *à l'angle de Defensa et Adolfo Alsina, en dessous du museo de la Ciudad. ☎ 43-43-40-40. • farmaciadelaestrella.com • Lun-ven 8h30-20h ; sam jusqu'à 13h. Fermé dim.* Cette pharmacie fondée en 1834 est l'une des plus anciennes de la ville. Longtemps, elle fut à l'avant-garde de la pharmacopée, créant et important des médicaments du monde entier. En 1969, le docteur Malfitani en fit don au musée de la Ville de Buenos Aires. Rien n'a changé depuis cette époque, mais notez bien que c'est un musée vivant. Une pharmacie orientée vers l'homéopathie et la phytothérapie fonctionne toujours à l'intérieur. Du sol en mosaïque *veneciano* s'élèvent de superbes meubles sculptés dans le bois. Au plafond, de somptueuses fresques bucoliques réalisées à la main représentent, sous les traits de muses et de cupidons, la maladie, la pharmacopée ou encore la chimie. Les rangées de fioles et la présence de matériaux aussi nobles que le marbre de Carrare ou le cristal de Murano confèrent un charme inestimable à l'endroit. Profitez-en pour vous peser sur l'antique balance.

Librería de Avila *(plan couleur I, D3)* **:** *Adolfo Alsina, 500 (angle Bolívar). Lun-ven 8h30-20h ; sam 10h-14h, 15h-17h.* C'est la plus ancienne librairie de la ville. Fondée en 1785, le premier journal de Buenos Aires y fut vendu en 1801. Elle devint un lieu de rendez-vous des intellectuels à partir de 1830. Cette librairie a compté des clients prestigieux comme les écrivains Borges, Victoria Ocampo et Adolfo Bioy Casares... À visiter absolument si vous passez dans le coin : l'écrin date du XVIIIe s et les étagères ont vu passer un paquet de bouquins, imaginez... On y vend des livres de tous sujets et de toutes époques, avec un choix vraiment intéressant. Au rayon « langue française », des livres d'histoire, des éditions originales rarissimes, bref, de belles trouvailles à faire pour les bibliophiles.

La « City » de Buenos Aires *(ou* **Microcentro***)* **:** ce quartier est délimité par le paseo Colón (à l'est), Maipú (à l'ouest), la plaza de Mayo (au sud) et Corrientes (au nord). La « City » est son appellation d'usage, mais le quartier s'appelle historiquement *San Nicolás.* Bourdonnant en semaine mais désert le week-end, voici le quartier des grandes banques d'affaires internationales et des grandes entreprises, le « Financial District », mais aussi le quartier des commerces. Tours de verre et vieux édifices de la Belle Époque magnifiquement restaurés affichent le symbole d'une immense dépendance économique envers les pays riches... En 2002, au plus fort de la crise, certains bâtiments ont été endommagés par les Argentins désireux de récupérer leurs économies. Sur les devantures de la plupart des banques ont donc été apposés d'énormes rideaux de fer qui transforment les édifices en véritables bunkers. Mais sur ces forteresses ont fleuri toutes sortes de noms d'oiseaux : *chorros, ladrones* (voleurs), etc., qui illustrent ce que les Argentins pensent encore des banques et du système qui les a soutenues... beaucoup de mal !

Avenida de Mayo *(plan couleur I, B-C-D3)* **:** elle monte doucement de la plaza de Mayo vers la plaza del Congreso, avec son look rétro des années 1950, comme suspendue dans le temps. C'est l'intendant Torcuato de Alvear, grand admirateur du baron Haussmann, qui fait ouvrir le premier boulevard de Buenos Aires à la fin du XIXe s. Les travaux durent 10 ans. Des trottoirs larges, ombragés par des platanes (un arbre du sud de la France), des terrasses de cafés : quel contraste avec les rues étroites du Microcentro ! À la Belle Époque, l'avenida de Mayo peut se targuer de posséder 18 hôtels de style Art Nouveau : l'intendant rêvait de Paris et finalement, aujourd'hui, on se croirait sur la Gran Vía de Madrid ! Si à présent elle ne monopolise plus l'animation nocturne comme hier, il lui reste de nombreux hôtels, bars et restaurants typiquement espagnols, et quelques lieux remarquables comme le café *Tortoni*.

Congreso nacional *(plan couleur I, B3)* **:** *sur la pl. del Congreso (on ne peut pas le louper !) ; entrée par Hipólito Yrigoyen, 1849. ☎ 40-10-30-00 (extension 24-10). Visites guidées gratuites (en espagnol et en anglais) lun, mar, jeu et ven à 10h, 12h, 16h et 18h. Fermé en janv.* Édifié en 1906 sur les plans d'un architecte italien, il est le siège du Sénat et de la Chambre des députés. Son style Second Empire, son dôme en bronze, son aspect monumental rappellent le Capitole de Washington. Inutile de chercher l'harmonie architecturale dans tous les bâtiments qui entourent la vaste plaza del Congreso (des constructions baroques très audacieuses, des immeubles modernes en verre, des bâtiments vraiment austères), il n'y en a pas ! Les trois femmes au milieu ont été sculptées par le Belge Jules Lage. On passe en revue une série de salons ainsi que la chambre où siègent les 72 sénateurs. Pour la décoration, on fit venir du marbre de Carrare et du cristal de Baccarat.
Amusant : un contacteur sous les sièges permet de compter les présents. Belle céramique, magnifique bibliothèque en chêne... et puis, évidemment, l'impressionnante coupole, le lustre de 2 t, la chambre des députés... Sur la place, un arbre a été planté en mémoire du journaliste José Luis Cabezas, assassiné alors qu'il enquêtait sur des affaires de corruption.

Avenida 9 de Julio *(plan couleur I, C1-2-3)* **:** immensément large – 140 mètres ! Son nom est un hommage supplémentaire à la date de l'indépendance du pays, le 9 juillet 1816. Elle a été percée en 1936 en raison de la croissance de la cité, pour résoudre des problèmes de circulation de plus en plus sérieux, mais aussi pour concrétiser les tendances mégalomaniaques des dirigeants de l'époque. Cette entreprise a nécessité la destruction de 25 blocs d'immeubles dans la longueur de l'avenue. Et comme c'était pendant la dictature, on n'a pas demandé l'avis aux riverains. Les seuls rescapés sont le Teatro Colón, la splendide ambassade de France (intouchable pour cause d'extra-territorialité) et l'imposant ministère de la Santé et de l'Action sociale. Un des grands repères de cette avenue est l'obélisque.

Obelisco *(plan couleur I, C2)* **:** *au centre de l'av. 9 de Julio, sur la pl. de la República.* Ce grand obélisque a été érigé en 1936 pour commémorer les 400 ans de la ville, fondée (les matheux ont déjà trouvé) en 1536 ! L'obélisque ne fait pas l'unanimité, mais il est en tout cas un bon point de repère au cœur de la capitale. Quelques jours avant la mort d'Evita Perón, le 26 juillet 1952, la foule descendit dans la rue pour manifester sa peine et son soutien. Des autels s'élevèrent au coin des rues. La CGT organisa même une messe publique devant l'Obélisque !

Teatro Colón *(plan couleur I, C2)* **:** *Cerrito, 628. ☎ 43-78-71-00 et 27. • teatrocolon.org.ar • Donne sur l'av. 9 de Julio et sur la pl. Lavalle. L'entrée se fait par la calle Tucumán, 1171. Tlj 9h-17h (été 19h). Tarif : 130 $Ar ; gratuit pour les moins de 7 ans.*
Dessiné par l'architecte italien Francesco Tamburini, qui meurt avant la fin des travaux (ils ont duré 20 ans). Son successeur Vittorio Meano ajoute une touche néorenaissance aux façades de style français néobaroque, tandis qu'un autre architecte belge donne la solidité allemande aux murs. Le théâtre est inauguré en 1908 avec l'*Aïda* de Verdi. Georges Clemenceau figure parmi les invités et proclame qu'il est « le plus grand et probablement le plus beau théâtre du monde ». De fait, vers 1914, c'est le troisième opéra du monde après le Palais Garnier à Paris et celui de Vienne. Le Teatro Colón a reçu les plus prestigieux artistes : Caruso, Chaliapine, Maria Callas, Arthur Honegger, Igor Stravinsky...
L'immense salle de concert dispose de près de 4 000 places, réparties sur 6 étages, et possède une acoustique proche de la perfection. Les foyers, les salons

blanc et or, les fauteuils en velours rouge bordeaux, tout évoque le luxe et la grandeur. Noter la loge présidentielle, avec celle du vice-président à sa droite et celle du maire à sa gauche. Certaines loges possèdent même leurs téléphone et toilettes privés ! Au-dessus de la scène, on reconnaît les sept notes de l'alphabet musical, en stuc. Admirer aussi le splendide lustre. Pour certaines représentations, un ténor grimpe par les coulisses jusque dans l'orifice du lustre et chante à travers sans qu'on le voie. Les spectateurs ont alors le sentiment que la voix tombe du ciel.
Et puis faire un petit tour au « salón de Oro » où se donnent des concerts de musique de chambre, avec un arrêt devant quelques vitrines d'accessoires et parures (voir l'incroyable paire de chaussures qui compensait dans *L'Or du Rhin* la petitesse du chanteur).
La visite est assez instructive mais reste succincte (50 mn) et du coup cher payée...

Avenida Corrientes : « Broadway argentin », voici l'avenue de Buenos Aires la plus réputée pour sa vie nocturne. Au début du siècle dernier, elle était connue pour sa débauche nocturne et ses maisons closes. Une loi de 1919 décréta leur fermeture. Les belles de nuit furent supplantées par les danseuses de music-hall et les chanteuses de cabaret. Le célèbre morceau de tango *A Media Luz* cite Corrientes dans son refrain... Animée d'une foule hétéroclite jusqu'à une heure avancée de la nuit grâce à la concentration de cinémas, théâtres, librairies et cafés, on pourrait la surnommer, aujourd'hui comme hier, « la rue qui ne dort jamais ». Juste en face du *Teatro General San Martín,* on notera une librairie d'ouvrages neufs et usagés tenue par un amoureux de la poésie. On peut y trouver de véritables perles. La calle Corrientes et ses rues adjacentes sont donc à découvrir absolument !

Museo Beatle (The Cavern *; plan couleur I, B2-3)* ***:*** *Corrientes, 1660. • thecavern.com.ar • Tlj 10h (14h le dim)-minuit. Entrée : 65 $Ar.* Les rois de la pop-rock au pays du tango, c'est comme le végétarianisme au royaume de la viande ! Situé au fond d'une galerie marchande, dans un passage tranquille bordé de boutiques et de bars, ce musée est unique en son genre. Inscrit dans le *Guinness des records* comme le premier musée consacré aux Beatles en Amérique latine. Son créateur, Rodolfo Vasquez, collectionneur passionné, a rassemblé des centaines de pièces et d'objets liés à l'histoire des Beatles. Pas des pièces de premier choix, mais plutôt des trophées provenant de la passion d'un sincère « Beatlesmaniaque » de la pampa ! Disques vinyles, autographes, photos, perruques, jeux, baguettes de batterie de Ringo Star... À côté, dans la cour, le ***Star Club Café,*** en hommage au pub de Liverpool où les British firent leurs débuts.

Teatro General San Martín *(plan couleur I, B2)* ***:*** *Sarmiento, 1551, mais entrée principale sur Corrientes, 1500. ☎ 0800-333-52-54. • complejoteatral.gob.ar •* Théâtre public fondé en 1944, peu esthétique (béton armé et charpentes métalliques), qui abrite trois salles de représentation, une salle de cinéma et une galerie de photographie. Il propose une multitude d'activités culturelles à des prix très abordables : expositions de photos, festivals de cinéma, pièces de théâtre, concerts de musique, ballets, etc.

Calle Florida *(plan couleur I, C-D2)* ***:*** cette longue rue piétonne est certainement la plus commerçante de la ville. Dans les années 1990, sous l'effet de la crise économique, la rue commença à se paupériser. Une certaine délinquance apparut. Il fallut attendre 2004-2005 pour qu'un processus de renouveau s'enclenche et redonne un nouveau visage à la calle Florida. En 2005, le grand magasin *Falabella* ouvrit ses portes, redonnant une impulsion au commerce. Une suite ininterrompue de vitrines et de grandes galeries marchandes, des magasins plutôt chers (vêtements de cuir, fourrures, bijoutiers...) attirent les classes aisées de la ville et les touristes, ainsi que les rabatteurs qui proposent de changer sous le manteau euros et dollars en pesos à un taux forcément plus avantageux qu'au cours officiel. Difficile de recommander cette pratique, c'est donc à vos risques et périls (se faire refiler des faux billets notamment). Une faune bigarrée se croise sur Florida, faisant régner une animation permanente. On y rencontre même parfois des danseurs de tango. Quelques beaux immeubles Belle Époque, qui disparaissent malheureusement souvent sous des enseignes tapageuses.

Calle Lavalle *(plan couleur I, C-D2)* **:** *perpendiculaire à Florida.* Également piétonne et très animée, elle révèle une ambiance différente, plus populaire, avec ses salles de jeux, ses cinés et ses fast-foods. Nombreux magasins de disques de variétés actuelles ou de tango.

Plaza San Martín *(plan couleur I, C-D1-2)* **:** *au carrefour de Florida, Alvear et Santa Fe.* Cette place, conçue par Charles Thays, est d'une élégance raffinée : la statue du Libertador San Martín trône en son centre depuis le début du siècle dernier, à l'ombre de jacarandas, de magnolias géants, de cèdres, de palmiers ou de caoutchoucs. Elle est entourée par de superbes immeubles très européens, datant de la fin du XXe s.
Le plus remarquable de tous est l'***edificio Kavanagh*** *(Florida, 1065 ; angle San Martín).* Inauguré en 1936, il mesure 120 m de haut. À une certaine époque, il fut l'immeuble en béton armé le plus haut du monde ! Il fut également le premier immeuble d'habitation de la capitale à posséder des logements équipés de l'air conditionné. Déclaré monument historique depuis 1999.
Un peu plus bas, en direction de la gare du Retiro, on atteint l'ex-plaza Británica (débaptisée et rebaptisée plaza Fuerza Aérea Argentina après la guerre des Malouines). Si la place a perdu son nom, il reste toujours, juste en face, la ***torre de los Ingleses,*** réplique en version réduite de Big Ben, apportée par les Anglais en cadeau à l'Argentine et construite sur place lors du centenaire de l'Indépendance, en 1910.

Galerías Pacifico *(plan couleur I, D2)* **:** *délimité par Florida, Córdoba, San Martín et Viamonte. Commerces ouv tlj jusqu'à 21h.* À la manière du *Bon Marché* de Paris, deux architectes audacieux créèrent ce grand magasin à la fin du XIXe s dans un style purement européen. Déclaré monument historique en 1989, ce magnifique centre commercial et culturel fait la fierté des *Porteños.* À noter, à l'intérieur, une splendide coupole ornée de fresques néoréalistes de Berni, Spilimbergo et Castagnino, exécutées en 1946, auxquelles se sont ajoutées de nouvelles, plus récentes, dont celles de Josefina Robirosa. Au rez-de-chaussée se trouvent les bureaux, les salles d'exposition et le café du ***Centro cultural Borges*** *(Viamonte, 525).* Le soir vers 20h, des ***spectacles de tango*** de qualité et assez méconnus, à des prix très raisonnables *(150-200 $Ar).* Aussi une école de tango sur place.

Museo de Arte hispanoamericano Isaac Fernández Blanco *(plan couleur I, C1)* **:** *Suipacha, 1422. ☎ 43-27-02-72 ou 28. • museos.buenosaires.gob.ar/mifb.htm • Mar-ven 14h-19h ; sam et dim 11h-19h. Entrée : 5 $Ar ; gratuit mer-jeu.*
Musée d'art colonial dans une belle maison de 1920, réplique d'une demeure du XVIIIe s ayant appartenu à Isaac Fernández Blanco, un riche collectionneur francophile qui avait vécu à Paris. Il revint en Argentine en 1901 et commença à collectionner les instruments de musique, puis élargit sa passion à l'histoire de l'Amérique latine.
Très belles collections des XVIIe, XVIIIe et XIXe s de l'époque hispano-américaine. Mobilier, argenterie et peintures dont la plupart proviennent du Pérou, notamment des tableaux de l'école de Cuzco. Les collections sont tellement riches qu'elles tournent d'année en année.

Le palais de Glace (palacio nacional de las Artes *; plan couleur I, B1)* **:** *Posadas, 1725. • palaisdeglace.gob.ar •* Le palais de Glace doit son nom à la première piste de patinage construite à Buenos Aires, utilisée de 1911 à 1921. Ensuite, le palais est devenu un magnifique salon de danse, et notamment de tango, où de grands orchestres se produisirent. En 1932, il fut converti en salle d'expositions d'art. De 1954 à 1960, la télévision s'y installa durant la dictature d'Ongania. Depuis, le palais de Glace est redevenu *palacio nacional de las Artes*.

RECOLETA

Pour s'y rendre de la plaza de Mayo, autant prendre un taxi. Se faire déposer à plaza Pellegrini ou directement plaza Francia, qui sont de bons points de départ pour la visite du quartier. Sinon, du centre (calle Libertad, par exemple), prendre le bus nº 67 en direction de Recoleta, et descendre au carrefour de Alvear et Callao.
Ce quartier n'est pas l'un des plus anciens de la ville. Il a commencé à se développer vers la fin du XIXe s, lorsque l'aristocratie *porteña,* fuyant les épidémies de fièvre jaune, quitta San Telmo pour s'établir dans cette zone. Son nom provient du *convento de los Padres Recoletos,* un couvent édifié par des frères récollets en 1716. Un cimetière se développa à côté. Recoleta, c'est donc un quartier chic, avec ses boutiques de luxe, ses bars mondains et ses restos sélects. C'est aussi un lieu d'intense activité culturelle et artistique, avec le très actif centre culturel Recoleta et le musée national des Beaux-Arts. On ne peut que céder à son charme fait d'architecture européenne, de tendres pelouses et de parcs ombragés. Loin des grandes avenues rectilignes qui dominent la ville, Recoleta possède aussi des petites ruelles piétonnes sympas et animées pour déambuler ou prendre un pot. À découvrir en flânant.

Teatro nacional Cervantes *(plan couleur I, C2)* **:** *Córdoba, 1155, angle Libertad.* ☎ *48-15-88-83.* ● *teatrocervantes.gov.ar* ● Autre institution publique qui programme des pièces de théâtre classiques et modernes, et des représentations musicales. Magnifique architecture d'inspiration espagnole. On y donne aussi des spectacles de marionnettes pour les enfants. Il y a parfois des visites guidées *(25 $Ar),* faites par les acteurs et construites comme de petites pièces de théâtre à part entière. Renseignez-vous sur place.

Plaza Pellegrini *(plan couleur I, C1)* **:** entourée de magnifiques immeubles bourgeois de style français datant du début du XXe s. Admirez la superbe ambassade de France (Cerrito, 1399), qu'on ne peut malheureusement pas visiter. C'était un pavillon résidentiel privé, l'un des rares monuments qui aient survécu à la percée de l'avenida 9 de Julio.

L'avenida Alvear, qui part de la plaza Pellegrini, et l'**avenida Presidente Quintana** *(plan couleur I, B-C1),* toutes deux parallèles, traversent la partie la plus ancienne de Recoleta. On a le sentiment d'être dans la partie « parisienne » de Buenos Aires, tant l'architecture rappelle les beaux quartiers de Paris. Des galeries d'art, des boutiques très chères, de riches immeubles résidentiels tout au long de ces deux avenues. Une harmonie très chic !

Cementerio de la Recoleta *(plan couleur I, B1)* **:** *entre la rue Junín et l'av. Presidente Quintana.* ● *cementeriorecoleta.com.ar* ● *Tlj 7h-17h45. En principe, visites guidées en espagnol mar-ven à 9h30, 11h, et 15h ; en anglais mar et jeu à 11h. Plan du cimetière : 15 $Ar, en vente au kiosque devant l'entrée.*
Le clou de la visite du quartier ! 4 870 tombeaux sur 55 000 m². Conçu par Bernardino Rivadavia et dessiné par le Français Prospero Catelin, ouvert en 1822, ce « Père-Lachaise latino-américain » est situé sur l'ancien verger du couvent des frères récollets. On y accède par un splendide portail. Un véritable petit village, qui abrite dans de somptueux caveaux combinant luxe et solennité (dont plus de 84 sont classés monuments historiques) les dépouilles de personnes célèbres ou issues des grandes familles de Buenos Aires, comme Alvear ou Sarmiento...
Vous retrouverez ici les trois quarts des noms des rues de la ville. Ce qui frappe, c'est la richesse des noms, provenant de l'Europe tout entière. Deux mots sur l'organisation des tombes : vous noterez tout d'abord qu'il s'agit presque exclusivement de caveaux familiaux et non de tombes. Le dernier arrivé est placé

à l'étage supérieur et, au fur et à mesure de l'arrivée des suivants, il descend d'un niveau. Quand le caveau est plein, on rassemble les restes du plus ancien qu'on met dans une urne afin qu'il prenne moins de place. Pour ceux qui seraient intéressés, les concessions se libèrent très rarement et sont hors de prix.
Inutile de dire que la sépulture la plus visitée est celle d'Eva Perón, située dans la partie gauche du cimetière. Il vaut mieux demander à un gardien car elle est difficile à trouver. Le caveau est une grande masse sombre et peu affriolante engoncée au fond d'une petite impasse. Quelques fleurs sont régulièrement déposées par les inconditionnels. Si vous vous intéressez vraiment au personnage, vous pouvez visiter le musée Evita à Palermo, bien plus émouvant.

UN MYTHE QUI NE S'ÉTEINT JAMAIS...

Evita est inhumée dans le tombeau de sa famille, les Duarte, et non dans celui de son mari. Quand celui-ci fut renversé, en 1955, le cercueil d'Evita fut enterré sous un faux nom en Italie... puis déposé devant la résidence privée de Perón à Madrid. En 1973, le vieux dictateur revint au pouvoir, mais sa 3e femme s'opposa au retour du corps d'Evita. Il fut rapatrié sous la pression populaire après la mort de Perón. Le corps d'Eva Perón revint en Argentine en 1976, fut exposé au siège de la Confédération générale des travailleurs, avant de trouver sa dernière demeure dans le caveau familial...

Iglesia Nuestra Señora del Pilar *(plan couleur I, B1)* **:** *à côté du cimetière. Visites du cloître lun-sam 10h30-18h15 ; dim 14h30-18h15.* Inauguré en 1732, cet édifice fut le couvent des illustres frères récollets qui en assurèrent la charge jusqu'en 1822. L'histoire raconte que dès 1806, l'église servit d'hôpital et fut, entre autres, le refuge des Indiens infidèles au gouvernement, avant d'être occupée par les troupes confédérées lors du siège de 1853. La façade blanche et dépouillée se termine par une tour coiffée de tuiles gris-bleu. L'intérieur est un pur joyau de l'art baroque sud-américain avec, au fond, le maître-autel et la statue de la Vierge du Pilar. Ne pas manquer, à droite en entrant, les reliques de deux saints-martyrs entreposées dans un autel d'acajou et de bronze offertes à l'église par le roi d'Espagne Carlos III. Surprenant.

Centro cultural Recoleta *(plan couleur I, B1)* **:** *Junín, 1930 ; à côté de l'église. ☎ 48-03-10-40. Tlj sf lun 13h (11h w-e)-20h.* Mention spéciale pour ce lieu d'intense activité artistique. Alternance d'expositions temporaires, pièces de théâtre, ateliers d'art, etc. Au centre, une belle esplanade et une vue magnifique le soir sur le bas de la plaza Francia, avec ses palmiers.

Paseo del Pilar *(plan couleur I, B1)* **:** *en bas de la pl. Francia, en marchant en direction du museo nacional de Bellas Artes.* Abrite le centre commercial *Buenos Aires Design*. On trouve une concentration de bars, de restos et de boutiques de souvenirs sous des arcades de couleur jaune, dont le traditionnel *Hard Rock Café*. Terrasses avec jolie vue. Possibilité de louer des vélos sur place *(tlj 10h30-19h30 ; • bicisitau.com.ar •)*, à l'heure ou à la journée.

Plaza Francia *(plan couleur I, B1)* **:** *vaste place qui commence à l'entrée du cimetière de la Recoleta et descend jusqu'à l'av. del Libertador.* Officiellement, elle est décomposée en plusieurs sous-places (plaza Alvear vers le haut, en face du cimetière, et plaza Francia vers le bas, de l'autre côté de Pueyrredón). Mais dans la pratique, les Argentins les confondent et nomment le tout plaza Francia (comment la France l'a emporté sur Alvear, ça, on ne sait pas !). Du temps de Perón, cette place représentait une certaine idée de la liberté. Une marche de l'opposition anti-péroniste rassembla en 1945 un demi-million de manifestants chantant *La Marseillaise*. Le cortège aboutit à la place Francia, symbole de démocratie, puis il fut dispersé.

Très fréquentée aujourd'hui par les touristes et les vendeurs à la sauvette, cette place n'en reste pas moins un lieu culturel les week-ends et jours fériés. Les 20-25 ans l'envahissent durant tout le week-end. On assiste alors à des représentations d'artistes itinérants, à des concerts de toutes sortes (rock, musiques andines, percussions...), et des spectacles de tango s'improvisent sous les yeux médusés de centaines de badauds. Pendant ce temps, les jeunes et les moins jeunes jonglent, discutent, draguent, fument, dans une ambiance bon enfant propice aux rencontres. La *feria,* sorte de marché artisanal avec une touche très seventies, installée chaque samedi et dimanche de 13h à 19h, ajoute encore à l'ambiance bohème de cette place située à quelques mètres des cafés chic de Recoleta.

Museo nacional de Bellas Artes ***(plan couleur I, B1) :*** *Libertador, 1473. ☎ 52-88-99-45. ● mnba.gob.ar ● Mar-ven 12h30-20h30 ; sam-dim 9h30-20h30. Gratuit. Visites guidées tlj 17h et 18h ; audioguides (espagnol et anglais) : 40 $Ar.*
Un musée remarquable, qui reste ouvert pendant la rénovation du 1er étage. Jusqu'à la fin des travaux, seul le rez-de-chaussée est accessible, ce qui représente l'essentiel de la collection : 24 salles allant du XIIe au XIXe s. C'est dans ce musée que sont conservées les collections d'art les plus importantes d'Argentine. On peut admirer les œuvres des écoles européennes les plus significatives, des maîtres florentins du XVe s aux contemporains à travers une belle mise en valeur des tableaux, présentés sur des murs colorés.
Quelques chefs-d'œuvre de l'expo permanente : salle 1, magnifique *Vierge* auvergnate du XIIe s avec ses bras démesurément longs.
De Rembrandt, portrait de sa sœur Lisbeth (1633) dans la salle 3, des tapisseries des Gobelins, *Thétis et Minerve* de Rubens (salle 3), un *Jésus au jardin des Oliviers* (salle 5) du Greco dans un style toujours étonnant pour sa date de création (1614), et une *Sainte Famille* de Rubens (1640).
Un lumineux *Grand Canal* de Guardi (salle 7), une *Mademoiselle Hénault* de Nattier (même salle), reconnaissable entre tous à son fameux « bleu Nattier », une effrayante *Scène de Guerre* de Goya parmi quelques autres esquisses pour son célèbre tableau *Dos de Mayo* et beaucoup d'eaux-fortes (salle 8).
Puis les représentants de l'école de Barbizon, Corot, Courbet, Théodore Rousseau et même un digne membre de l'école des « pompiers », William Bouguereau avec un *Premier Deuil* (salle 10) aux couleurs soyeuses et délicates, où le gris du ciel donne de la tendresse à la chair. Sublime ! Salle 10 encore, goûtons ce *Baiser* de Rodin ou *La Terre et la Lune,* et salle 12, le peintre honfleurais Eugène Boudin apparaît.
De Manet, une mignonne *Nymphe surprise* (salle 13), ainsi que des Fantin-Latour, vaporeux à souhait, comme cette *Sarah la Baigneuse.* Sous le titre *Femme à la mer* (salle 14), une des vahinés qu'affectionnait Paul Gauguin. Les impressionnistes sont en nombre salle 14 tels Monet *(La Berge de la Seine),* Renoir, Berthe Morisot, Manet et Degas. Également des œuvres peu connues de Van Gogh *(Moulin de la Galette)* et Toulouse-Lautrec *(En observation).* Parmi d'autres bronzes, une monumentale *Tête de Balzac* de Rodin (salle 18), et plusieurs sculptures de Bourdelle. Arrêtez-vous salle 19, où se concentrent plusieurs tableaux de danseuses, de Degas forcément, qui côtoient un *Petit Portrait de femme,* de Renoir, ainsi que des dessins de Cézanne Delacroix et Gauguin. Du côté des « modernes », un magnifique Kandinsky, *Cercle et brun* (salle 21), et un non moins génial Paul Klee, *Barques au repos.*
En attendant la réouverture de l'étage (XXe s), l'art argentin du XIXe s est naturellement très bien représenté avec des œuvres de Morel, Prilidiano Pueyrredón, Ernesto de la Cárcova et d'autres moins familiers mais qui sont incontestablement à découvrir.
– Devant le musée, sur le flanc ouest, une jolie ***statue*** du sculpteur français Émile-Antoine Bourdelle représentant le Minotaure. À voir aussi, de l'autre côté de l'avenue Libertador, un monument offert par la France à l'Argentine en hommage aux morts de la guerre de 1914-1918 (d'où le nom de « plaza Francia »).

Derrière le musée des Beaux-Arts, en allant vers le nord et à côté de la fac de droit, vous trouverez le nouveau symbole de la ville de Buenos Aires, la ***Floralis Generica*** *(hors plan couleur I par B1),* une fleur géante réalisée grâce au soutien de Lockheed Martin par Eduardo Catalano en 2002. Il s'agit d'une véritable fleur, qui s'ouvre et se ferme avec le soleil. Superbe.

PUERTO MADERO

Difficile de s'imaginer, en flânant aujourd'hui sur sa promenade, que Puerto Madero était, dans les années 1980, un quartier mal fréquenté et véritablement dangereux !

À l'origine, en 1887, un commerçant nommé Madero eut l'idée de créer un port plus moderne pour les bateaux de marchandises. Malheureusement, vers 1910, celui-ci se retrouva dépassé par la taille et le volume des bateaux. Madero avait vu trop petit. Du coup, le gouvernement fonda un autre port à l'extérieur de la ville, le Puerto Nuevo, toujours opérationnel aujourd'hui. Puerto Madero sombra alors dans la décadence et l'inutilité, devenant une des zones les plus mal famées de la capitale. Ce déclin dura jusqu'aux années 1990, où la municipalité entreprit de transformer et réhabiliter entièrement cette zone abandonnée. La mutation de Puerto Madero, quartier officiellement créé en septembre 1998 (!), est tout simplement ahurissante.

BANDONÉON

Le tango a été transformé par l'arrivée d'un instrument nouveau : le bandonéon (petit accordéon). Inventé à Krefeld, près de Hambourg, par un dénommé Heinrich Band, il fut introduit à Buenos Aires par un matelot allemand à la fin du XIXe s. Devenu l'instrument essentiel du tango, il produit le Doble A, ce son qui sert encore aujourd'hui de référence à toutes les mélodies.

À coups de millions de dollars d'investissements, la municipalité a réhabilité ces anciens docks – un peu sur le modèle de ce qui s'est fait à Londres, à Liverpool et à Anvers. Elle se vante maintenant d'en avoir fait l'arrondissement le plus sûr, le moins peuplé, mais aussi... le plus cher au mètre carré de Buenos Aires avec la construction de magnifiques lofts. Aujourd'hui, environ 8 000 habitants y vivent sur un espace de près de 2 km². Les entreprises aussi s'y sont précipitées, suivies de près par les bars et les restaurants. Les travaux de réhabilitation se sont aussi déplacés sur l'autre rive, autour de l'hôtel *Hilton.* En outre, Puerto Madero inspire les architectes. Un projet baptisé *Puerto Madero 2* est à l'étude et prévoit notamment de construire une tour de 999 m de haut sur un îlot artificiel du *río* de la Plata, à 3 km de Puerto Madero.

Pour l'orientation, rien de plus facile, Puerto Madero s'étend le long de l'avenida Antártida Argentina se prolongeant en avenida Alicia Moreau de Justo, et de l'avenida Córdoba jusqu'à la calle Brasil. Si le temps est clément, il faut aller y déjeuner en terrasse. Vous pourrez prendre le soleil, admirer la vue... et regarder les gens qui déambulent. Car la promenade le long des bassins de Puerto Madero est le lieu par excellence pour se montrer, et les *Porteños* ne s'en privent pas !

Fragata Presidente Sarmiento *(plan couleur I, D3)* **:** *dique 3. Infos : ☎ 43-34-93-86. Tlj 10h-19h. Entrée : 2 $Ar.*

C'est le premier bateau-école de la Marine nationale argentine, construit en 1897 sur les chantiers de Liverpool. Long de 85 m, large de 14 m, cet élégant trois-mâts à vapeur vogua sur les océans de 1899 à 1938 et fit 40 fois le tour du monde avant d'être transformé en bateau-musée en 1962. On passe un moment agréable à flâner sur les ponts, à explorer les minuscules cabines des officiers, à manipuler les manettes de la salle des machines. Tout le mobilier est d'origine. Quelques vitrines exposent souvenirs et photos d'époque. Il y a même le chien mascotte du bateau, empaillé pour l'occasion.

De gros efforts ont été faits sur la présentation : cartes des voyages et photos des équipages, pas mal d'explications historiques. Une visite de toute façon très visuelle, donc très parlante.
Un peu plus haut, sur le *dique* 4 *(plan couleur I, D2),* face au restaurant *Cabaña Las Lilas,* est amarrée la ***corvette Uruguay,*** légèrement plus petite que la Fragata Sarmiento. Petit droit d'entrée également.

Juste à côté, l'élégante passerelle qui permet de passer sur la rive opposée porte le joli nom de ***Puente de la Mujer.*** C'est la seule réalisation américaine de l'architecte catalan Santiago Calatrava, à qui l'on doit aussi la nouvelle gare TGV de Liège. Ce pont piéton de 160 m de long sur 5 m de large est divisé en trois sections : deux sections fixes sur les deux berges de la darse et une section mobile qui tourne sur un pilier conique de béton blanc et permet le passage des bateaux en moins de 2 mn. La section centrale est soutenue par une aiguille d'acier avec une épine de ciment de 39 m de haut. Disposée en diagonale, elle soutient les câbles qui supportent la section tournante.

Colección de Arte Amalia Lacroze de Fortabat *(plan couleur I, D2)* **:** *Olga Cossettini, 141, Puerto Madero Est (dique 4). ☎ 43-10-66-00. • coleccionfortabat.org.ar • Mar-dim 12h-20h. Entrée : 45 $Ar ; réduc.* En face du port rénové, un bâtiment reprenant l'architecture des anciens entrepôts, revu de façon futuriste avec ce toit métallique et cette structure en verre et marbre. Un joli écrin où il fait bon se promener, pour apprécier la collection particulière, un peu fourre-tout quand même, de la femme la plus riche d'Argentine. Quelques pépites, dont un portrait de ladite propriétaire réalisé par Warhol, rien que ça. On découvrira quelques peintres argentins (Pueyrredón, peignant à la manière de Fromentin), mais aussi un Bruegel, des esquisses de Klimt, quelques toiles de Turner, Greuze, Chagall et Dalí, mais pas que des chefs-d'œuvre non plus, on vous aura prévenu. Des mosaïques byzantines, des vases grecs, des reliefs ptolémaïques également.

COSTANERA SUR ET NORTE

Derrière les *diques* (bassins) de Puerto Madero commence une zone en plein boom immobilier qui continue vers le sud : la ***Costanera Sur*** (*plan couleur III, K7* et au-delà !). Comme son nom l'indique, la Costanera Sur est au bord du fleuve. Car, contrairement aux apparences, Puerto Madero ne l'est pas (ou tout au moins ne l'est plus), même si ses *diques* peuvent faire illusion. Dans le cadre d'un vaste et ambitieux programme, la municipalité a en effet regagné des hectares entiers sur le *río,* sur lesquels se trouve en particulier la réserve écologique. Prenant la relève de Puerto Madero maintenant bien avancé, la Costanera Sur est la nouvelle grande zone de réaménagement urbain en cours. En fait, c'est la poursuite du vaste plan de transformation de tout le littoral de la ville engagé par la municipalité. Le dimanche après-midi, les *Porteños* y affluent en masse : musique et chansons populaires y créent une animation joyeuse.
La ***Costanera Norte*** a déjà été aménagée depuis plusieurs années. Elle se situe plus au nord évidemment (à proximité d'Aeroparque) et toujours au bord du *río* (car *Costanera* veut dire « côte », ne l'oublions pas). Ses quais accueillent les promeneurs et les joggeurs la journée. Ses bars et restaurants reçoivent les fêtards la nuit. Dans ce registre, on retiendra l'énorme complexe de bars et restos de Punta Carrasco.

Reserva ecológica Costanera Sur *(plan couleur III, K7)* **:** *Tristán Achával Rodriguez, 1550, Puerto Madero. ☎ 48-93-15-88. Tlj sf lun 8h-18h. Gratuit. Accès libre par une entrée située au bout de l'av. Brasil. Visites guidées sam-dim à 10h30 et 15h30. Prévoir un antimoustiques.* La réserve se trouve sur un terrain gagné sur le *río,* par comblement d'une portion de ce dernier avec les décombres des démolitions opérées dans la ville pour la construction des autoroutes il y a plus de 20 ans. Ce n'était donc qu'une décharge à l'origine, transformée spontanément en

petit paradis naturel. Le site n'était pas pollué, mais on reste stupéfait, voire étonné de la rapidité avec laquelle la nature a repris l'avantage.
La réserve écologique, qui s'étend sur 350 ha, revêt une importance capitale du point de vue de la préservation des oiseaux migrateurs. Trois pièces d'eau s'y sont formées : la laguna de los Coipos (lagune des Ragondins), celle de los Patos (des Canards) et celle de las Gaviotas (des Goélands). Promenade de 1h environ à proximité du *río* et au milieu des arbres, des roseaux et du chant des oiseaux. On n'entre pas dans la forêt de l'Amazonie, mais c'est quand même une parenthèse agréable avant de retourner à la vie urbaine (surtout l'été). Voilà une utilisation intelligente et au profit de tous de l'espace regagné sur le *río*. Et puis, enfin, on voit ce fameux *río* dont on avait tant entendu parler !

🔭 ***Museo nacional de la Inmigración*** *(plan couleur I, D1)* **:** *av. Antártida Argentina, 1355. Mar-dim 12h-20h. Gratuit.* Situé dans l'ancien *Hôtel des Migrants*, entièrement restauré. De 1911 à 1920, il accueillait les nouveaux arrivants à leur descente du bateau. Dès 1850, l'accueil a commencé à s'organiser : chaque arrivant avait droit à 2 semaines de logement gratuit, le temps d'obtenir des papiers d'identité, de chercher du travail ou de rejoindre des parents déjà installés. Adossé au port, le bâtiment actuel ne manque pas d'allure.
On pense avec émotion à tous ces Européens venus chercher au-delà des mers un monde meilleur. À côté du musée, a été inauguré el *Centro de Arte Contemporaneo de la UNTREF* (l'université).

➢ ***Excursions en bateau dans le port de Buenos Aires :*** *Cecilia Grierson, 400. Le* Humberto M. *va jusqu'à l'aeroparque, tlj à part de 13h.* ☎ *43-11-07-47. Audioguide en anglais et espagnol. Retour vers 16h. Compter 400 $Ar/pers.* Croisière de 1h30 sur le Río de la Plata, précédée d'un déjeuner à bord.

PALERMO

Encore un autre quartier bien différent de cette ville caméléon. Avec Belgrano plus au nord, Palermo est l'un des quartiers les plus résidentiels de Buenos Aires, doté d'un immense parc, de lacs, de magnifiques jardins fleuris, de larges avenues, avec beaucoup de lumière. C'est aussi le quartier qui a subi le plus de mutations, en tournant le dos à son passé populaire pour se métamorphoser en *barrio* définitivement branché, à grands coups de rénovations. Parce qu'il est très étendu, Palermo a été subdivisé en micro-quartiers : à l'est, Palermo Viejo, ou Soho, est censé rappeler l'effervescence du quartier londonien : bars et boutiques de créateurs ont remplacé les garages et signé l'avènement d'une nouvelle ère, dédiée au shopping. Palermo Chico (« petit », mais le faux-ami marche aussi : c'est le coin le plus chic) est une petite enclave résidentielle au nord de Palermo Viejo, autour du Malba. À l'ouest de la voie ferrée et de l'av. Juan B. Justo, Palermo Hollywood draine le milieu du show-biz *porteño*. C'est là qu'on trouve une foultitude de bars et de restos. Il y a à Palermo Viejo un vent de bohème initié par les artistes qui y ont élu domicile, et qui séduit aussi bien les touristes charmés que les *Porteños*. Quand on pense qu'à l'origine, c'est un

ROUGE SANG

Le héros de l'Indépendance italienne, Giuseppe Garibaldi, a vécu à Buenos Aires où sa statue se dresse plaza Italia, dans le quartier de Palermo. Le révolutionnaire s'était battu dans sa jeunesse contre l'empereur du Brésil pour la libération de l'Uruguay. Les combattants portaient des chemises rouges. Elles venaient de stocks invendus de tuniques de travail destinées à l'origine aux ouvriers des abattoirs de Buenos Aires. Les chemises rouges des Garibaldiens devinrent le symbole du combat pour la liberté et l'indépendance.

pauvre marin sicilien qui fonda Palermo au début du XIXe s ! Il avait échoué dans le Río de la Plata et, grâce à son mariage avec une femme fortunée, il acheta les terres en bordure du *río,* y planta de la vigne et du blé, et construisit un ermitage qu'il plaça sous le patronage d'un saint noir, « San Benito ». Il nomma le quartier en souvenir de Palerme, capitale de la Sicile.

Au fil des années, le quartier de Palermo, spacieux et aéré, a pris de l'expansion. On comprend pourquoi aujourd'hui la grande majorité des ambassadeurs y ont établi leur résidence, dans de somptueux pavillons. En semaine, seules les petites foulées des mordus de jogging animent le *parque de Palermo* (ou *parque 3 de Febrero*), véritable havre de tranquillité au milieu de l'active capitale. Le week-end, il s'anime d'une foule de familles, sportifs, amateurs d'embarcations à pédales, promeneurs. Des concerts et des *ferias* (foires) s'y déroulent fréquemment durant le printemps et l'été. Au milieu, le monument des Espagnols, offert par l'Espagne pour le centenaire de l'Argentine.

ALLÔ DR FREUD ?

L'Argentine est le royaume de la psychanalyse. Immigrés, donc ayant connu le déracinement et l'exil, les Argentins sont parfois mélancoliques. Un vague à l'âme que l'on retrouve d'ailleurs dans le tango. À Buenos Aires, une partie du quartier de Palermo concentre tellement de psychanalystes qu'on la surnomme « Villa Freud ».

➢ Pour s'y rendre en taxi, on remonte l'immense avenida del Libertador. En métro, prendre la ligne D et descendre à « Plaza Italia ».

Museo Evita *(plan couleur II, G5) :* *Lafinur, 2988 ; entre Gutiérrez et Las Heras. ☎ 48-07-03-06. • museoevita.org • Ⓜ Plaza Italia (ligne D). Près du jardin zoologique. Mar-dim 11h-19h. Entrée : 40 $Ar.* Situé dans un superbe édifice de type espagnol du début du XXe s, au patio couvert d'azulejos, qui abrita à l'époque d'Evita un foyer pour femmes seules ou démunies *(hogar de tránsito).* Ce musée inauguré en juillet 2002 retrace de manière idéaliste mais touchante la vie d'Eva Perón : son enfance, sa carrière d'actrice, sa rencontre avec Juan Perón, son combat pour les plus démunis et pour les femmes, et sa fin tragique à 33 ans. C'est la nièce d'Evita, Cristina Rodriguez (députée), qui a patronné la création de ce lieu. On peut s'étonner qu'il ait fallu 50 ans pour ouvrir un musée sur le personnage argentin le plus célèbre. On voit Evita dans des petits films d'époque, qui harangue la foule en pleurant d'émotion... Et on termine par la chapelle où ont été baptisés des centaines d'enfants dont les Perón ont été les parrains. Mais la protectrice des *descamisados* a toujours été très controversée. Encore aujourd'hui, les gens en parlent avec passion, en bien ou en mal. Si la vie d'Eva est passionnante, le musée l'est aussi. En prime, très agréable ***café-restaurant*** donnant sur un jardin intérieur ombragée.

Parque de Palermo *(plan couleur II, F-G5) :* vraiment immense, il a été conçu par le paysagiste français Charles Thays, sur le modèle du bois de Boulogne à Paris, avec parcs, places, fontaines, jardins, statues, lacs... Il faut s'y promener tranquillement et découvrir toutes ces petites merveilles !

Monumento a Sarmiento *(plan couleur II, G5) :* *à l'angle des av. Libertador et Sarmiento.* Statue à la gloire de ce héros national, réalisée par Auguste Rodin. Pour la petite histoire, les émissaires du gouvernement argentin envoyés pour commander la statue du héros argentin se plurent tellement à Paris qu'ils dépensèrent pratiquement toute la somme confiée pour l'achat. Ils allèrent voir Rodin avec le reliquat. Pour si peu d'argent, Rodin refusa de sculpter une pièce entière en pied. Il envoya les Argentins au fond de l'atelier pour voir si une œuvre en réserve ne pourrait pas faire l'affaire. Ils dénichèrent un corps d'homme sur laquelle Rodin sculpta la tête du président. Le corps de l'œuvre qu'on voit aujourd'hui n'est donc pas celui de Sarmiento !

Jardín japonés *(plan couleur II, G5) : à l'angle des av. Casares et Berro. ☎ 48-04-49-22. • jardinjapones.org.ar • Tlj 10h-18h. Entrée : env 35 $Ar.* Ce petit morceau d'Extrême-Orient en plein milieu de Buenos Aires est un témoignage de remerciement de la communauté japonaise pour le cordial accueil que l'Argentine réserva, il y a un siècle, à ses premiers immigrants.

Patio andalú *(plan couleur II, G5) : en remontant Iraola.* Petit jardin faisant partie de celui, plus connu, nommé El Rosedal (la Roseraie) et conçu exprès pour les amoureux ! Offert en 1929 par la Mairie de Séville, ce jardin possède une délicieuse petite terrasse décorée de faïences espagnoles, recouverte d'une tonnelle, avec une fontaine centrale et de petits bancs.

Jardín zoológico *(plan couleur II, F-G5) : Sarmiento y Las Heras. ☎ 40-11-99-00. • zoobuenosaires.com.ar • Sur la pl. Italia (subte D). Mar-dim (tlj pdt les vac) 10h-17h (18h en été). Entrée : 90 $Ar, puis supplément pour les attractions.* Le jardin zoologique fut construit en 1874 à l'initiative du président Sarmiento, qui devait adorer les animaux. La balade favorite de nombreux *Porteños* ; c'est pourquoi il y a foule le dimanche et pendant les vacances. En fait, c'est assez décevant.

Campo de polo *(terrain de polo ; plan couleur II, F4-5) : Libertador, après le chemin de fer, en face de l'hippodrome.* Aller en Argentine et ne pas assister à un match de polo, c'est presque impardonnable, surtout lorsque l'on sait que c'est le deuxième sport national. C'est vraiment un spectacle à ne pas manquer, loin du sérieux des matchs disputés en Grande-Bretagne. La saison dure 3 à 4 mois. Le temps fort se situe d'octobre à novembre, lors de « l'open de Palermo ». Il y a trois autres tournois, dont celui du célèbre « Jockey Club ». L'entrée est payante, mais ça vaut le coup. Au pire, le match peut très bien se regarder de l'extérieur, le long des grilles du terrain. On peut voir, il n'y a pas de camouflage.

Cementerio de Chacarita : *dans le quartier du même nom, situé un peu au nord-est de celui de Palermo. Entrée par l'av. Triunvirato.* Ⓜ *F. Lacroze (ligne B).* Si vous faites le déplacement jusqu'à ce gigantesque cimetière, c'est pour une raison et une seule : visiter le ***mausolée de Carlos Gardel.*** Pour le trouver, partez sur la grande avenue qui démarre de l'entrée du cimetière, puis tournez à gauche dans la calle 33. Vous ne mettrez pas longtemps à repérer sa haute statue de bronze, couverte de fleurs. Si vous voulez en savoir plus sur Carlos Gardel, sa maison-musée se visite, au sud de la ville *(Jean Jaurès, 735 ; plan couleur I, A2 ; tlj sf mar 11h-18h, 10h-19h les w-e et j. fériés).*

¡ CADA DÍA CANTA MEJOR !

C'est au cimetière que l'on peut voir la statue de Carlos Gardel qui a fait danser toute l'Argentine, sourire aux lèvres, en train de fumer tranquillement une cigarette. Il faut dire que quasiment jour et nuit, il se trouve un admirateur pour lui glisser une clope entre les doigts, sans doute pour le rendre plus vivant encore ! Le 11 décembre, journée nationale du tango, toutes les associations gardelianas se rassemblent autour de la tombe.

Museo de Arte latinoamericano de Buenos Aires (Malba *; plan couleur II, H5) : av. Figueroa Alcorta, 3415. ☎ 48-08-65-00 ou 15. • malba.org.ar • Tlj sf mar 12h-20h (21h mer). Visites guidées (1h env) à réserver au ☎ 48-08-65-41. Entrée : 50 $Ar ; réduc ; gratuit mer pour étudiants et retraités et ½ tarif pour ts ce jour-là.* Le Malba est le premier musée d'art uniquement consacré à l'Amérique latine. La collection Costantini comprend quelques œuvres de Diego Rivera et de Frida Kahlo, ainsi que d'artistes colombiens, brésiliens, uruguayens, argentins (Antonio Berni, Martha Boto, Botero...), etc. La peinture phare du musée : *Abaporu* (1928) de Tarsila do Amaral, qui faisait initialement partie d'un triptyque. Aujourd'hui, les deux autres parties sont exposées à São Paulo. Une muséographie réussie dans un bâtiment contemporain agréablement éclairé. Des expositions temporaires très intéressantes s'y succèdent tout au long de l'année. Au rez-de-chaussée, une bibliothèque abritant de nombreux ouvrages sur l'art et une splendide salle de cinéma (qui programme des films de toutes sortes).

I●I Également un resto dans un cadre élégant, *Marcelo Dolce (tlj 8h30-20h).*

LA BOCA

Ce n'est pas le quartier le plus sûr de la ville. Alors prudence. Allez-y en taxi et ne vous écartez pas des grandes rues et des lieux d'affluence. Pas de risques à *Caminito* et dans ses rues adjacentes, mais on vous déconseille de vous aventurer dans le dédale des autres rues de ce quartier. Cela dit, population joviale et affable, et plein d'instantanés à saisir.

Pour s'y rendre, du centre-ville, le plus simple est de prendre un taxi (tout à fait abordable), car le métro ne dessert pas La Boca. Le bus 152 assure la liaison et reste sûr. Le soir en revanche, pour aller y dîner, le taxi est obligatoire. On traverse toute la zone du vieux port, avec ses anciennes usines désaffectées plus ou moins en ruine.

Le quartier de La Boca est bien différent des autres et se situe à l'emplacement même de la première ville de Buenos Aires. Il s'est développé à la fin du XIXe s, le long du port, sur les rives bien souvent inondées du fleuve *Riachuelo* qui vient se jeter dans l'*antepuerto* (d'où le nom du quartier, qui signifie « embouchure ») et autour de nombreuses usines, symboles d'une ville alors en pleine croissance. En raison de la proximité du fleuve, souvent en crue à cause du vent de sud-est, les habitants s'étaient accoutumés à des logements précaires : de petites maisons basses, en bois et tôle ondulée, parfois sur pilotis. Aujourd'hui encore, quelques maisons et trottoirs surélevés témoignent de ces maigres défenses contre les inondations. Ce quartier a aussi été très marqué par les fortes vagues d'immigrants au début du XXe s, des Grecs, des Yougoslaves, des Turcs, et surtout des Italiens, venus pour la plupart de Gênes, tous attirés par l'activité portuaire de la ville.

LE STYLE DE LA BOCA

L'histoire picturale du quartier débute avec un bébé abandonné qu'une famille pauvre de La Boca prit sous sa protection. L'enfant grandit et devint un peintre célèbre dans les années 1920 : Quinquela Martín (1890-1977). Il demanda à tous les habitants de La Boca de venir peindre les murs de l'école. Chacun vint avec un fond de pot de peinture de couleur différente. Les habitants apprécièrent le résultat et badigeonnèrent leurs maisons de bois et de tôle de la même manière. Ainsi naquit dans les années 1930 le style de La Boca, plein de gaieté naïve et bariolée, pied de nez à la pauvreté du quartier.

La concentration de migrants italiens était si importante que l'artiste peintre Quinquela Martín, ex-charbonnier et docker, proclama une « République de La Boca » en 1907, comme à Montmartre. Le drapeau génois fut hissé. Ce geste symbolique proche du canular n'eut pas de conséquences politiques. La communauté italienne resta soudée.

Aujourd'hui, le port est envasé et pollué, habité par quelques carcasses de bateaux rouillées. Les usines sont désaffectées, parfois reconverties en centre culturel comme c'est le cas pour *Usina del Arte (● usinadelarte.org ●).* Les Boliviens, les Paraguayens, les déracinés des provinces pauvres du nord du pays ont remplacé les Italiens. Pourtant, ce quartier conserve un charme indéniable. On ne peut oublier qu'il fut le berceau du prolétariat de Buenos Aires, le quartier de toute une bohème artistique et littéraire, et qu'il vit la naissance du tango, sous sa forme la plus authentique. Le quartier revendique aussi son indépendance ainsi que son identité culturelle : le visiteur est accueilli par des panneaux *Bienvenidos a la República de la Boca* ! Si la rançon du succès de *Caminito* est l'invasion de jour par les touristes et les vendeurs d'aquarelles, il reste un des moments forts du séjour dans la capitale. Aux terrasses des restaurants ou dans la rue, on peut y voir des danseurs de tango. Ils sont certes payés par les restaurateurs pour attirer le chaland, mais n'en restent pas moins des pros.

Museo Quinquela Martín *(plan couleur III, K9)* **:** *Pedro de Mendoza, 1835. ☎ 43-01-10-80. Tlj sf lun 10h (11h w-e)-18h. Entrée : 10 $Ar.*
Ce musée se situe dans les étages supérieurs de l'école communale de La Boca, construite en 1938 par Quinquela Martín. Les toiles ne sont pas toutes de grande valeur, mais cette visite permet de découvrir les peintres du quartier, surtout ceux de la fin du XIXe s-début du XXe s. Quelques choix risqués mais, en tout cas, de la créativité à revendre et un art figuratif argentin bien représenté. Au 2e étage, belle collection de figures de proue de bateaux.
Au 3e étage, on accède à la partie consacrée aux œuvres de Quinquela Martín, lui-même peintre reconnu mais qui est resté fidèle à son quartier. Dans un style expressionniste, il a peint essentiellement des scènes portuaires abruptes, n'hésitant pas à inventer un décor apocalyptique en toile de fond, avec force cheminées d'usine qui n'ont jamais existé à La Boca. Un style fort, des toiles poignantes. On peut voir son atelier, des maquettes de bateau et sa petite chambre reconstituée avec quelques souvenirs personnels délirants comme ces photos dédicacées de Mussolini et du roi d'Italie ! On le voit aussi en compagnie du couple Perón. L'artiste avait son côté un peu dada et il avait inventé « l'ordre de la vis », loufoque et futile, dont il faisait grand maître tous ses amis du quartier. La terrasse du toit abrite par ailleurs une collection de sculptures intéressantes et offre une belle vue sur le port.

Caminito *(plan couleur III, K9)* **:** cette ancienne voie de garage est devenue l'une des rues les plus célèbres de Buenos Aires, et recèle sans doute la plus grosse concentration de touristes au mètre carré. Dans les années 1920, elle inspira à Juan de Dios Filiberto un tango nommé *Caminito.* Dans les années 1950, un grand metteur en scène eut l'idée d'en faire un théâtre de rue. Dans les années 1970, les habitants de ce quartier pauvre, coloré et gai, à la fibre profondément artistique, reçurent l'autorisation de la municipalité de montrer leurs œuvres dans la rue. Ainsi, Caminito devint une sorte de « mini-Montmartre » dans la journée. Les anciennes maisons de tôle grises se sont couvertes de couleurs vives : rose, vert, jaune, bleu... Les maisons sont régulièrement ripolinées, le quartier s'anime tout en conservant sa structure quasi villageoise.
Un espace très lumineux d'exposition d'art contemporain et moderne, tout de verre et de blanc vêtu, a même vu le jour à deux pas : ***Fundación PROA*** *(Pedro de Mendoza, 1929 ; ☎ 41-04-10-00. • proa.org • Ouv mar-dim 11h-19h. Entrée : 15 $Ar ; café et terrasse en accès libre, belle vue sur le quartier).* Expos temporaires, parfois en partenariat avec le Whitechapel Art Museum de Londres ou la Fondation Cartier pour l'art contemporain.

Puente Nicolás Avellaneda *(plan couleur III, K9)* **:** *au bout de Necochea.* Deux ponts en fer du XIXe s construits à quelques mètres d'intervalle. C'est là qu'Aristote Onassis, jeune immigré grec, trouva son premier job : il faisait traverser les passants avec une barcasse. Ensuite, il fut employé par une compagnie de télécommunication et se mit à écouter les conversations des agents de change. Ce fut le début de sa fortune !

Pousser la balade vers la ***calle Olavarría*** *(plan couleur III, J-K9),* après la voie de chemin de fer désaffectée. De nombreuses vieilles maisons typiques de La Boca, en bois et en tôle ondulée, peintes de toutes les couleurs.

Estadio Alberto J. Armando de Boca Juniors – « La Bombonera » *(plan couleur III, J9)* **:** cœur battant du football argentin, emblème triomphal de l'équipe des Boca Juniors, le stade a été inauguré le 25 mai 1940. Le champion Diego Maradona a déclaré un jour que c'était « le temple du football mondial ». Son acoustique est exceptionnelle. La fameuse *Bombonera* est une véritable cathédrale de béton où les soirs de match – on devrait dire de cérémonie –, la ferveur du ballon rond déborde largement du stade pour se répandre dans les rues du quartier. La vie s'arrête et on n'entend plus dans les rues que les hurlements des supporters et le tonitruant GOOOOOAAALLLL ! ! ! des commentateurs, qui peut durer plusieurs minutes...

DES CHOCOLATS AU STADE

Pendant la conception du stade de La Boca, l'architecte Viktor Sulcic reçut une boîte de chocolats (bombonera) *pour son anniversaire. Celle-ci avait la forme du stade qu'il avait dessiné. Il prit l'habitude d'assister aux réunions de travail avec sa* bombonera. *La boîte devint un objet fétiche pour tous, et surtout pour les dirigeants du club, qui surnommèrent le stade* « La Bombonera ».

La Boca, ces soirs-là, c'est comme une cocotte-minute surchauffée qui bouillonne sans arrêt. À voir au moins une fois (ça vaut tous les cours de sociologie comparée à la Sorbonne) pour observer la foule des 50 000 supporters déchaînés, chantant tout en insultant l'adversaire (un cours intensif de *lunfardo*, l'argot local). Il vaut mieux ne pas s'y rendre seul, surtout avec de l'argent ou des objets de valeur. Et pas de provocation inutile : encouragez toujours la même équipe que les gens autour de vous, le contraire peut se révéler risqué !

– Dans le hall d'entrée, possibilité de visiter un petit musée consacré à l'histoire du club mythique. Sur les murs extérieurs, admirer les belles fresques dans le style de Diego Rivera ou d'Orozco. Visite du musée *(entrée Brandsen, 805 ; • museoboquense.com • ; tlj 10h-17h30 ; entrée : 70-80 $Ar)* pour goûter la passion *boquense,* avec à l'entrée la statue du dieu local, le *Pibe de Oro* (Diego Maradona), qui fit ses débuts dans ce stade avec la sélection argentine, le 27 février 1977. Même prix pour la simple visite du stade. Possibilité de visiter le stade et le musée *(80 $Ar).* Quelques boutiques en face, où l'on peut acheter toute la panoplie du vrai fan *(hincha)* de Boca.

– Si vous souhaitez assister à un match, rendez-vous sur le site • *bocaexperience.com* • Sinon, les hôtels sont très au fait de l'actualité footballistique et peuvent vous réserver des places (moins chères souvent).

SAN TELMO

Ce quartier s'étend au sud de la plaza de Mayo, le long du paseo Colón, jusqu'au parque Lezama. Les premiers marins, découvreurs et pionniers espagnols du XVIe s s'y étaient fixés, non loin de la mer d'où ils venaient. Pedro de Mendoza y fonda la cité de Buenos Aires en 1536 (actuel *Museo histórico nacional*). Quelques rares vieilles maisons de style andalou en témoignent encore. San Telmo fut un quartier résidentiel chic jusqu'à la fin du XIXe s, avant d'entrer en déclin et de se paupériser. Les épidémies, la fièvre jaune surtout, firent des ravages à cette époque, poussant les riches familles à s'éloigner des rives du *río* de la Plata pour se réfugier dans les quartiers nord (Recoleta, Palermo, Barrio Norte). À leur place se sont installés les très nombreux immigrants européens, notamment italiens. Les belles demeures aristocratiques furent alors divisées en petits appartements. Puis le quartier est devenu bohème, et dans ses bars est né le tango. Aujourd'hui encore, on y trouve la plupart des lieux où se conserve cette tradition.

L'architecture de San Telmo surprend le visiteur venu du centre : ici, pas de hauts immeubles modernes, mais plutôt de grandes maisons de style colonial, témoins de l'âge d'or de Buenos Aires et qui confèrent au quartier une atmosphère toute

particulière. Elles ont dû être magnifiques à l'époque de leur construction, mais le temps les a marquées, beaucoup sont quasi délabrées. Heureusement, des associations se sont mises au travail pour tenter de sauver ce patrimoine architectural, ce dont les autorités locales ne se soucient guère. Elles retapent les demeures bourgeoises et tentent de préserver ce témoignage de l'évolution composite de Buenos Aires, tandis que d'autres bâtiments sont restaurés et transformés en hébergements touristiques. C'est à San Telmo que se concentre la majeure partie des auberges de jeunesse et des hôtels bon marché. Les intellectuels et les artistes y ont élu domicile, suivis des antiquaires et des brocanteurs. La boboïsation est inexorablement en route, mais, pour quelques années encore on espère, ce quartier gardera le caractère populaire qui fait tout son charme.
C'est de préférence le dimanche de 10h à 17h qu'il faut venir y flâner un peu au hasard, au milieu de l'effervescence due aux brocantes de rue et aux démonstrations de tango. En semaine, c'est peu animé.

Paseo Colón a été construit sur le fleuve. Pour remblayer, les Argentins ont utilisé les pavés rapportés par les bateaux qui partaient pour l'Europe chargés de nourriture (gros commerce des Argentins durant la Seconde Guerre mondiale).

Plaza Dorrego *(plan couleur III, J7)* **:** *à l'angle de Humberto Primo et de Defensa. Cette petite place ombragée est à ne pas rater le dim (ou les j. fériés) pour la feria de San Telmo.* Voilà le marché aux puces de Buenos Aires. Cette brocante est certes devenue un peu touristique, mais vous passerez un bon moment à musarder au milieu des pièces d'argenterie, des vieux livres et des disques, etc. Et que de personnalités étonnantes parmi tous ces brocanteurs ! L'animation est aussi dans la rue, avec les mini-orchestres, les chanteurs, et surtout les danseurs de tango, qui vous offrent des démonstrations fascinantes. Étant donné la taille de la plaza Dorrego et la foule qui les regarde, vous les trouverez sans effort. On peut regarder ce spectacle à la terrasse d'un bistrot.

Calle Defensa *(plan couleur III, J7-8)* **:** *juste à côté de la pl. Dorrego.* Les boutiques d'antiquaires (souvent hors de prix) laissent bien imaginer, par les trésors qu'elles renferment, ce que pouvait être l'opulence du Buenos Aires de la Belle Époque. On y trouve au nº 1179 le ***pasaje de la Defensa*** *(plan couleur III, J7),* bâtiment colonial, typique de San Telmo, avec ses trois patios intérieurs en enfilade et ses balcons où se sont maintenant installés des boutiques d'artisanat, d'antiquités et même un studio de photos à l'ancienne où l'on peut se faire tirer le portrait en vêtements Belle Époque ou boire un petit café.

À l'angle de Defensa et Chile, c'est l'occasion de se faire tirer le portrait assis sur un banc, à côté de la statue de ***Mafalda*** *(plan couleur III, J7-8).* Celle-ci est placée à deux pas de la maison de Quino, le créateur de ce fameux personnage de B.D. Ouvrir l'œil, car la statue tourne le dos à la rue.

El Zanjón *(plan III, J7)* **:** *Defensa, 775. ☎ 43-61-30-02. Visites guidées lun-ven 11h-15h, ttes les heures (à 13h en espagnol, sinon en anglais) ; dim 13h-18h ttes les 30 mn. Entrée : 90 $Ar (espagnol) ; 120 $Ar (anglais) ; 55-75 $Ar dim.* Voici l'occasion de pénétrer dans une maison de 1830 construite par de riches commerçants espagnols. Ce qui la rend exemplaire, c'est sa complète restauration à l'initiative d'un particulier, suite à la découverte de tunnels dans les sous-sols. Les fouilles archéologiques faites sur place mettent alors au jour un impressionnant système de canalisations et quelques vestiges donnant des informations majeures sur le passé de la ville. La visite guidée, passionnante (mais pas en français) s'appuie sur les récentes fouilles pour revenir sur l'histoire de Buenos Aires. L'absence de subventions explique le prix élevé.

Basílica de Nuestra Señora de Bethlem *(plan couleur III, J7)* **:** *angle Humberto Primo et Balcarce.* Sa construction a été commencée en 1734. Ravissante façade ouvragée encadrée de deux élégants clochers, voire un peu chargée, rehaussée de céramique bleu et blanc, toute restaurée. Colonnes torsadées ou à chapiteaux corinthiens. À l'intérieur, voûte en berceau, coupole à la croisée de transepts. Autels baroques. Juste à côté, le *Museo penitenciario,* au 378 de la rue Humberto I. Cet ancien bâtiment monastique de 1760 fut transformé en prison pour femmes, jusqu'en 1978. Aujourd'hui, il se visite, mais rien de bien intéressant.

Iglesia ortodoxa rusa *(plan couleur III, J8)* **:** *Brasil, 315.* On se croirait presque sur les bords de la Neva ! Une petite merveille, construite en 1904 sur le modèle des églises moscovites du XVIIe s. L'intérieur est somptueux, de style byzantin, avec de riches boiseries et de superbes icônes. Pour y entrer, Mesdames, couvrez bras et jambes qu'on ne saurait voir !

Museo histórico nacional *(plan couleur III, J8)* **:** *Defensa, 1600. ☎ 43-07-31-57. • aamhn.org.ar • Mer-dim 11h-18h. Fermé en janv. Contribution de 10 $Ar.* Un musée très instructif situé à l'endroit même où Pedro de Mendoza fonda la cité de Buenos Aires en 1536, dans un magnifique édifice colonial peint en rouge.
Ce musée retrace l'histoire du pays et recouvre principalement la période coloniale et les grands moments de l'indépendance. Une salle reconstitue la chute du pouvoir espagnol le 25 mai 1810, une autre la maison du libérateur San Martín à Boulogne-sur-Mer (France), où il se retira. Sont aussi conservés les originaux de l'hymne national (écrit par Vicente López Planes), le premier écusson argentin, qui date de 1813, et le drapeau de Belgrano. Partout, des cartes, des tableaux historiques et des portraits, des armes et des uniformes : dans l'ensemble, il s'agit d'une collection assez martiale, mais il est vrai que l'histoire de la *Conquista* fut écrite avec le sang... Une des pièces majeures est incontestablement le *bouclier de Potosí,* tout en or et argent, offert en 1813 au général Belgrano par les femmes de Potosí en remerciement de son rôle dans la guerre de libération contre l'Espagne. On admirera dans la salle de conférence le tableau de Subercaseaux, *La Bataille de Chacabuco.*

Mercado de San Telmo *(plan couleur III, J7)* **:** *bordé par les rues Bolívar, Carlos Calvo, Estados Unidos et Defensa.* Dans l'esprit des halles d'autrefois, ce marché couvert sous une belle charpente métallique regorge de maraîchers et de bouchers. Là aussi, on n'échappe pas aux vendeurs d'antiquités... ça fait partie du paysage de San Telmo !

BELGRANO

Juramento et *Congreso del Tucumán* (ligne D) permettent d'accéder au cœur même de Belgrano (héros de l'Indépendance), l'un des quartiers les plus résidentiels de la ville. Le quartier a connu son heure de gloire au XIXe s. Durant la présidence d'Avellaneda (1874-1880), les partisans de l'unité nationale (unitaristes) s'affrontèrent violemment avec les autonomistes provinciaux (fédéralistes). Le quartier de Belgrano fut même déclaré pendant quelques semaines capitale provisoire de la nation et hébergea le siège du gouvernement. À la fin des troubles, le général Julio A. Roca, nationaliste, l'emporta sur ses adversaires, et Buenos Aires fut déclarée capitale de la République argentine.
Se promener sur l'agréable et verdoyante plaza Belgrano avec son église en rotonde et son marché d'artisanat le samedi. Grosse animation commerçante à l'intersection de Juramento et Cabildo. Mais le véritable but de votre visite sera le méconnu musée d'art Larreta !

Museo de Arte español Enrique Larreta *(hors plan couleur II par E4)* **:** *Juramento, 2291 (pl. Belgrano). ☎ 47-83-26-40. Ⓜ Juramento (ligne D). Lun-ven 13h-19h ; sam et dim 10h-20h. Entrée : 5 $Ar ; gratuit jeu.* Installé dans l'ancienne demeure de style andalou d'Enrique Larreta (1873-1961), aristocrate, écrivain, ambassadeur d'Argentine à Paris, grand collectionneur d'œuvres d'art, etc. Cette visite va se révéler un enchantement. La maison est magnifique, le patio intérieur élégant, le jardin andalou (style hispano-arabe) d'un grand charme romantique (ah, la balade entre les allées de buis sous les palmiers, un vrai délice !), et les collections fabuleuses. Tout a commencé autour des sculptures en bois, puis les collections se sont ouvertes à l'art espagnol en général.

★ ***Iglesia de la Inmaculada Concepción*** *(hors plan couleur II par E4)* **:** *pl. Belgrano.* Large rotonde posée sur de grosses colonnes corinthiennes. Coupole probablement en trompe l'œil. Lieu bien frais par grosse chaleur.

DANS LES ENVIRONS DE BUENOS AIRES

★★ ***Museo nacional de Aeronáutica :*** *av. Eva Perón, 2200 (ex-Pierrastegui),* ***Morón.*** *☎ 46-97-69-64.* • *museonacionaldeaeronauticamoron.blogspot.com* • *Pour les horaires, se renseigner. Entrée payante.* À 35 km du centre de la capitale, un musée consacré aux pionniers de l'aviation, encore en rénovation mi-2014. Les coucous exposés nous ramènent à l'époque de Mermoz et Saint-Exupéry. Maquettes, archives, objets liés aux grandes heures de l'Aéropostale. On peut y admirer l'avion *Latécoère 25,* en parfait état de conservation, que pilota Saint-Exupéry.

★★ ***Isla Martín Garcia :*** *île située à 50 km de Buenos Aires, à l'endroit où le delta du Paraná se transforme en río de la Plata. Excursion très intéressante mais qui se mérite : bus jusqu'à Tigre, d'où l'on prend le bateau à 6h du mat pour rejoindre l'île en 3h30. On se trouve face aux côtes de l'Uruguay, mais pas de bateau pour traverser. Possibilité de dormir à l'hôtel ou de camper sur place.* Calme assuré : il n'y a aucune voiture, c'est un parc naturel. Petite île (2 km de long et autant de large) d'aspect tranquille, avec ses prés fleuris, ses maisons colorées et ses gros lézards, Martín Garcia a pourtant derrière elle un passé tragique et tumultueux. Elle fut tour à tour un camp de quarantaine pour immigrants européens, un camp de déportés indiens, puis une prison de luxe pour VIP. Pas moins de quatre présidents y ont été incarcérés, dont Juan Perón... pendant une journée !

★★★ ***Estancias de la Pampa :*** la Pampa commence aux portes de Buenos Aires, mais l'agglomération s'étendant chaque année davantage, il faut faire plus de 100 km pour atteindre San Antonio de Areco où se trouvent les *estancias* les plus proches de la capitale. Ces ranchs argentins sont à la fois le poumon et l'histoire du pays. Le seul problème est que même si vous louez une voiture pour vous y rendre, on ne vous recevra pas, sauf si l'*estancia* est « ouverte au tourisme ».

– Si votre budget le permet, vous serez accueilli comme un hôte de marque dans les quelques *estancias* qui ont transformé la demeure de maître en chambres de luxe. À ce prix-là, tout est compris, repas et activités. Idéal pour les amateurs de calme ou d'équitation mais peu conseillé comme point de départ pour visiter Buenos Aires.

– Si vous n'avez pas les moyens d'y dormir, vous pouvez opter pour une excursion dite « fiesta gaucha » au départ de la capitale. Certes, vous vous retrouverez dans un bus avec d'autres touristes, mais c'est la solution la plus pratique pour visiter les *estancias* à un prix encore raisonnable. Au programme de cette « fiesta gaucha » : visite de la maison de maître, souvent transformée en musée, découverte des machines agricoles, *asado* de viandes succulentes, spectacle de danses folkloriques, jeux équestres des *gauchos,* rassemblement du bétail, et possibilité de monter à cheval ou en sulky. Les adresses sont disponibles à l'office de tourisme de Buenos Aires.

– Nous vous conseillons, entre autres, l'adresse suivante, située à 80 km de la capitale : **Estancia Santa Susana,** ruta *6, Km 188, à Los Cardiales. ☎ (02322) 52-50-16.*

★★ ***San Antonio de Areco :*** *à 110 km de Buenos Aires, soit 1h15 de route env.* Cette bourgade de 20 000 habitants, née vers 1730, doit son nom à l'officier espagnol Areco, qui vainquit les Indiens. C'est une petite ville tranquille, qui contraste avec le tumulte *porteño,* et connue comme le berceau de la culture *gauchesca.* Le *museo Ricardo Güiraldes* lui est consacré. C'est une *estancia* du XVIIIe s, qui abrite les objets de la vie quotidienne à la campagne. La tradition artisanale se perpétue dans les ateliers, où l'on peut acheter de la bourrellerie traditionnelle, des vêtements issus du métier à tisser, des objets de la charpenterie locale et de la céramique. Toute la panoplie du cavalier de la Pampa y est représentée : des selles, des pièces en argent martelé, en fer forgé, mais aussi des étriers en corne ou en os, des chaussures en vachette, des lanières en cuir.

À signaler aussi : le *musée Osvaldo Gasparini* sur Martinez, 521. Cet artiste dédie toutes ses créations – peintures et sculptures – à la vie des gauchos. Il pourra même vous réaliser une esquisse sur mesure à prix très raisonnable.

Le must est de se rendre à San Antonio de Areco pendant la semaine du 10 novembre, quand on y célèbre le *Día de la Tradición,* rendez-vous officiel des *gauchos* d'Argentine. On assiste alors à une série d'activités typiquement *gauchescas.* Pour faciliter votre virée à San Antonio de Areco, vous pouvez vous adresser à l'agence ***Areco Tradición,*** • *arecotradicion.com* •, tenue par Bertrand, un Français qui y vit depuis plusieurs années. Propose hôtels, *estancias,* chambres d'hôtes, sorties à cheval et visites guidées.

À faire

Balades à cheval

Les chevaux ne sont pas ce qui manque en Argentine. Les possibilités de balades et de randonnées à cheval sont nombreuses, vous aurez donc l'embarras du choix. On vous donne néanmoins une bonne adresse à 2h de Buenos Aires.

■ ***Las Andariegas :*** *estancia la Segunda. ☎ 47-60-18-83 ou 📱 (011) 15-58-05-30-06. • mbraun@hotmail.com.ar • À 120 km de B.A., dans la Pampa humide. Prévoir 2h de bus jusqu'à San Antonio de Areco, puis remis jusqu'au village de Santa Coloma, à 30 km vers le nord, sur la route 41. Compter 80-100 US$/pers pour 1 j. complet avec repas et nuitée.* Milena Braun, cavalière et danseuse de tango, propose des randonnées à cheval dans les endroits insolites des environs, trekking et leçons de tango. Elle parle aussi le français. Cadre charmant dans cette *estancia* du début du XIXe s, qui s'étend sur 400 ha consacrés à la culture et à l'élevage. Sensation de liberté garantie !

QUITTER BUENOS AIRES

En bus

🚌 ***Terminal des bus Retiro*** *(plan couleur I, D1) : av. Antártida Argentina. Infos : ☎ 43-10-07-00. • tebasa.com.ar • Pour s'y rendre, prendre la ligne C du métro en direction de Retiro et descendre à Retiro. On peut aussi y aller en train depuis la station de Palermo. Sinon, nombreux bus urbains y vont. Ts les bus longue distance (connus ici sous le nom de micros) partent de là. Infos pour ttes les destinations : • omnilineas.com •*

– Gare routière immense et très bien équipée : galerie marchande, buvettes, restos, toilettes, Internet, téléphone.

– ***Guichet d'informations*** *(Mesa de Informes) : ☎ 43-10-07-00. Ouv 6h-23h.* Infos sur les compagnies, les horaires et objets trouvés.

– ***Office de tourisme :*** *local 83, niveau 1. Ouv lun-ven 7h30-14h30 ; sam 7h30-16h30.* La consigne à jetons 24h/24 est au sous-sol. On achète les jetons dans les kiosques à journaux *(attention, ouv slt 6h-14h).* Au 1er étage s'alignent les guichets de toutes les compagnies.

– Environ 200 compagnies sont numérotées en fonction de leurs destinations, réparties en grands ensembles : les destinations internationales ; la

Costa Atlantica ; le *Noreste* (Nord-Est) ; le *Centro* ; le *Noroeste* (Nord-Ouest) et le *Sur* (Patagonie). Des grands panneaux d'affichage permettent de se repérer.

– On est toujours à peu près certain de pouvoir partir dans la journée pour à peu près n'importe où. Pour plus de sécurité, on peut venir la veille et comparer les prix, les horaires, acheter son billet et choisir sa place dans le bus (pas de réservation par téléphone ou Internet). Les plus importantes sont les compagnies *Nueva Chevallier* (● *nuevachevallier.com* ●) ; *El Valle* (● *elvalle.com.ar* ●) ; *Flecha Bus* (● *flechabus.com.ar* ●) ; *Andesmar* (● *andesmar.com.ar* ●) ; *El Rapido Argentino* (● *rapido-argentino.com* ●).

– D'une compagnie à l'autre, les tarifs peuvent varier de plus ou moins 50 % en fonction des prestations offertes (siège inclinable, TV, toilettes, repas compris, boissons...). Il y a vraiment de tout, le pire et le meilleur ; à vous de bien vous informer. Une compagnie peut être bien placée sur une destination et pas sur une autre.

– Les bus sont tous identiques, modernes et de même confort (clim). Les sièges sont semi-inclinables *(semi-cama)* ou inclinables en lit *(cama)*. Cette dernière option est évidemment plus chère.

– Destinations : il y a des bus pour à peu près partout. Que ce soit pour le Brésil, le Chili, le Paraguay ou encore l'Uruguay, et bien sûr pour toutes les villes du pays, puisque le réseau routier s'organise en étoile autour de Buenos Aires.

Voici grosso modo des indications de durée de trajet au départ de Buenos Aires :

➢ ***Mar del Plata :*** une quinzaine de compagnies assurent la liaison quotidienne, dont *Flechabus*. Plus de 20 bus/j. Trajet : env 5h.

➢ ***Córdoba :*** avec, entre autres, *Nueva Chevallier, General Urquiza, la Veloz del Norte* et *Sierras de Córdoba*. Plus de 20 bus/j. Trajet : env 9-11h.

➢ ***Mendoza :*** avec *Nueva Chevallier, El Rapido Argentino*... Env 20 bus/j. Trajet : env 14h.

➢ ***Tucumán :*** avec, entre autres, *Flechabus* et *San José*. Env 25 bus/j. Trajet : 16-17h. La plupart continuent vers Salta et Jujuy.

➢ ***Salta et Jujuy :*** voyage assuré par 6 compagnies dont *Flechabus, la Veloz del Norte* et *Chevallier*. Une dizaine de départs/j. Trajet : env 18h.

➢ ***Iguazú :*** une dizaine de compagnies comme, par exemple *Río Uruguay* ou *Tigre Iguazu* (7 bus/j.). Durée : env 18-19h.

➢ ***Puerto Madryn et Trelew (Patagonie Est) :*** env 20h. Liaisons assurées par plusieurs compagnies dont *TAC, Andesmar* et *El Pingüino*.

➢ ***Bariloche (Patagonie Ouest) :*** env 20-23h. Avec *Chevallier, Via Bariloche, Andesmar*... Une vingtaine de départs en saison.

➢ ***El Calafate :*** env 36h (la plupart des bus passent par Río Gallegos). Avec *Andesmar* et *El Pingüino*.

➢ ***Montevideo (Uruguay) :*** env 8h.

➢ ***Santiago (Chili) :*** env 20h.

➢ ***Pour la frontière bolivienne :*** env 28h.

➢ ***Porto Alegre (sud du Brésil) :*** avec *Flechabus*. Env 19h.

➢ ***Rio de Janeiro :*** 1 départ/j. Env 46h.

En avion

– ***Il n'y a plus de taxe internationale à payer,*** celle-ci est incluse dans le prix du vol.

– Il vaut mieux confirmer son vol, car les avions sont parfois pleins, surtout en été.

– Les principales compagnies aériennes sont *Aerolineas Argentinas, LAN* et *LADE*. Avec *Aerolineas Argentinas*, possibilité d'acheter un *pass* pour l'intérieur du pays. Se renseigner avant le départ, car les modalités changent souvent.

✈ ***Aéroport international (Ezeiza ; hors plan d'ensemble) :*** *à 35 km de Buenos Aires*. Pour vous y rendre, si vous êtes 3 ou plus, préférez le *remis* ou le taxi. Sinon, la compagnie *Tienda León* (☎ *43-15-51-15 ou 0810-888-53-66* ; ● *tiendaleon.com.ar* ●) assure une liaison tlj ttes les 30 mn en principe 4h-minuit, depuis le centre-ville (terminal Madero). Compter env 100 $Ar. Sinon, en *remis* avec *Transfer Express* (☎ *0800-444-48-72*) ou *Tienda León* ;

ils viennent vous chercher à votre hôtel (énorme avantage !). Trajet en 40 mn env. Coût : env 350 $Ar.
– Une autre solution, plus économique, pour l'aéroport international, consiste à prendre le **bus n° 8** qui passe par l'avenida de Mayo. Mais prévoyez de la marge, car il met env 2h pour y arriver...
– *Attention :* **il est impossible de changer les pesos en euros ou en dollars à l'aéroport.** Seule solution, les changer en ville ou les dépenser au *duty free.*
✈ **Aéroport national (Aeroparque** ; **hors** *plan couleur II par G5)* **:** *à 4 km à peine du centre.* Possibilité d'y aller en *colectivo* : du Microcentro ou de Retiro, les n°s 33 et 45 ; de Plaza Italia (près de Recoleta et de Palermo), le n° 160. Le taxi vous coûtera env 70 $Ar. Sinon, la compagnie *Tienda León* assure en bus la liaison depuis le terminal Madero : départs tlj 24h/24, en gros ttes les heures. Coût : env 40 $Ar. Tout comme pour Ezeiza, on peut aussi venir vous chercher à l'hôtel (petit surcoût). En *remis* (avec *Transfer Express* ou *Tienda León*) ; là encore ils viennent vous chercher à votre hôtel. Coût : env 130 $Ar.
– À Aeroparque, on trouve un *bureau de renseignements (tlj 8h-20h),* des bureaux de change et des distributeurs.
– En cas de transit entre les 2 aéroports, il faut compter min 3h de battement entre les 2 vols. Et comme il faut parfois 1h pour récupérer vos bagages et les réenregistrer, comptez 4h.
– **Conseil :** certains vols internationaux partent parfois de l'aéroport national, comme ceux pour Montevideo, Punta del Este (Uruguay), Santiago ou São Paulo. Et certains vols intérieurs (variable selon les destinations, mais en général, ce sont les vols pour El Calafate, Ushuaia, Trelew et Bariloche) partent parfois d'Ezeiza. Il faut donc faire attention à ne pas se tromper d'aéroport... c'est si facile de tomber dans le piège !

En bateau

➢ ***Pour l'Uruguay :*** des ferries de la compagnie *Buquebús* partent tlj du terminal Dársena Norte, av. Antártida Argentina, 821 *(plan couleur I, D2).* Vente téléphonique des billets : ☎ *43-16-65-00.* • *buquebus.com* • Résa possible avec CB par tél ou en ligne. Nombreuses promos sur Internet. Les billets vous sont envoyés directement par courrier électronique. Billet A/R env 1 000 $Ar. Billets combinés pour poursuivre le trajet en bus vers Montevideo. En moyenne, 5 à 6 départs quotidiens. Compter 1h de trajet pour Colonia en bateau et 2h pour Montevideo en bateau rapide. De Colonia, dernier bateau pour Buenos Aires vers 21h45. Doublez ces temps de trajet si vous optez pour le bateau lent, qui est moins cher.

En train

🚂 **Gare ferroviaire** *(plan couleur I, C-D1)* **:** la **gare de Retiro,** desservant la banlieue nord, se divise en 3 bâtiments. Retiro Mitre, le plus vieux et le plus beau, avec son architecture métallique, ressemble à une gare américaine des années 1900. Le 2e, la **gare de Belgrano,** est plus modeste. De là partent les trains pour la grande banlieue nord jusqu'à Villa Rosa, via la gare de Boulogne-sur-Mer ! La 3e gare s'appelle **Retiro San Martín** : linea San Martín jusqu'à Pilar. Depuis la gare, on peut aussi aller directement à la station de Palermo (dans le quartier du même nom) en 6 mn. Train ttes les 20 mn env.
Longtemps le fleuron du transport en Argentine, le chemin de fer a été réduit à une peau de chagrin. Il n'existe actuellement quasiment plus de lignes ferroviaires dans le pays, à part celle reliant Buenos Aires à Mar del Plata, la plus grande station balnéaire du pays. Toutes les autres sont des lignes de grande banlieue. Infos sur • *ferrobaires.gba.gov.ar* •
➢ ***Tigre :*** départ de la station ferroviaire de Retiro Mitre. Un train ttes les 20-25 mn en sem, ttes les 30 mn le w-e. Trajet : env 1h. Au chauffeur de taxi, demandez à être déposé à la « estación Retiro línea Mitre ». Sinon, la station de métro est juste devant.
➢ ***Mar del Plata :*** 1 ou 2 trains/j. Départ de la gare de Constitución *(plan couleur III, I8),* près de San Telmo.

TIGRE

300 000 hab. IND. TÉL. : 01

À 30 km au nord de Buenos Aires s'étend un immense delta fluvial (900 km² environ) dompté par la main de l'homme mais autrefois repaire d'un félin redoutable : le jaguar (connu sous le nom de *tigre* en Amérique latine). Fruit de la confluence du *río* Paraná et du grand *río* de la Plata, le delta a engendré un incroyable labyrinthe de voies d'eau et de canaux, serpentant au cœur d'une multitude d'îles et d'îlots. Les arbres poussent sur les rives verdoyantes, les saules pleureurs trempent leurs feuilles dans une eau marron. Celle-ci n'est absolument pas polluée, sa couleur repose tout simplement sur une terre ferrugineuse.

La ville de Tigre, qui a connu un incroyable développement urbanistique, est entourée d'une campagne résidentielle aquatique, nichée dans une végétation luxuriante, « amphibie » en somme, constituée de kyrielles de maisons, villas, résidences secondaires, certaines sans prétention et d'autres très luxueuses. Les heureux propriétaires accèdent à leur demeure en vedette, les promeneurs circulent en bateau-bus (bon marché) ou en catamaran (plus cher). Mais on ne peut pas parler de cité lacustre : à la différence de Venise, on est en rase campagne et les rives sont éloignées les unes des autres.

À Tigre, on ne marche pas, on glisse sur l'eau. On ne roule pas, on navigue. On laisse sa voiture au parking ou sur le quai, et on remonte les chenaux en bateau jusqu'aux pontons en bois précédant les maisons enfouies dans la verdure. On pourrait se croire dans une sorte de Floride sud-américaine, loin de l'agitation de Buenos Aires. Tigre était autrefois le refuge des riches *Porteños,* et dans les années 1920, le casino y attirait des hôtes de prestige comme Caruso ou le prince de Galles. Il a été fermé en 1933, suite à l'interdiction des jeux. Le week-end, les *Porteños* d'aujourd'hui y affluent en famille pour déambuler le long des quais du *puerto de Frutos* et y faire des emplettes dans les innombrables boutiques d'artisanat et de décoration. Si vous avez l'occasion d'y faire un tour ces jours-là, vous goûterez une ambiance haute en couleur et bon enfant, et vous y trouverez à coup sûr de quoi remplir vos bagages de jolis souvenirs.

Arriver – Quitter

➢ ***De Buenos Aires,*** le plus simple est de prendre le ***train*** à la gare de Retiro-Mitre *(plan couleur I, C-D1).* Acheter un billet A/R pour une somme modique (promo le w-e). Départs tlj des quais 1 ou 2 ttes les 15 mn en sem, ttes les 30 mn le w-e. Compter env 50 mn de trajet (souvent plus). Un wagon aménagé accueille les vélos. Tout au long du trajet, on traverse les banlieues chic. Possibilité de s'arrêter à Vicente López, à San Isidro ou à San Fernando. La gare, entourée d'un grand parking, est à 250 m du port fluvial d'où l'on embarque pour parcourir le delta.

– Outre le train normal, il existe un train touristique qui emprunte une ligne de 15 km longeant le *río* de la Plata, du métro Maipú dans le quartier de Los Olivos à la gare Delta à Tigre. C'est le ***Tren de la Costa.*** Billet touristique A/R : env 40 $Ar. Arrivée à la gare qui se trouve en bordure du *Parque de la Costa.* Possibilité de rejoindre en train Maipú depuis la station de Retiro-Mitre (quais 3 ou 4), pour prendre le *Tren de la Costa.* Idem au retour, évidemment.

Adresses utiles

ℹ ***Oficina de turismo de Tigre*** *(Tigre Tourist Board)* **:** *Juncal, 1600.* ☎ *0800-888-844-73.* ● *vivitigre.gov.ar* ● *Tlj 9h-17h.* Doc, plan du delta,

hébergements (campings, petits hôtels, cottages), activités sportives, infos sur les bateaux. Excellent accueil.
– Au port fluvial, une ribambelle de petits kiosques proposent des forfaits pour rejoindre en embarcation privée, les hôtels et restos disséminés dans le delta. Utile donc si vous avez déjà fait un choix préalable d'hébergement ou de restauration, sur Internet (site très complet) ou par téléphone.
■ ***Kiosques d'infos :*** *à la gare ferroviaire (w-e 9h-17h), un autre à 200 m à l'ouest, à l'arrivée des bus et au Puerto de Frutos.* Se procurer le plan de la ville et du delta avec les itinéraires de promenades à pied.

Se déplacer dans le delta

– À Tigre, plusieurs options pour se promener sur les bras d'eau. Vous pourrez louer un petit ***bateau-taxi*** (on dit ici : *una lancha*) pour 1h de navigation *(compter 250 $Ar/h).* On peut aussi choisir un des tours en ***catamaran*** de 40 mn, 1h ou 2h, selon les jours, au milieu des canaux, mais les prix sont élevés et varient peu entre compagnies. • *tigreencatamaran.com.ar* • *Compter 90-150 $Ar selon le tour choisi.*
– À ceux qui ne sont pas pressés, on conseille la formule économique : le ***bateau-bus*** *(lancha colectiva)* tout en bois. S'adresser à la gare maritime *(estación fluvial),* au guichet local, boletería Jilguero, 12. Pour un prix modeste *(env 15 $Ar)* comparé aux autres, on peut acheter un billet A/R sur les bateaux-bus. Ce sont de longs bateaux plats, à moteur et tout en bois. Plusieurs compagnies desservent le delta : *Interisleña, Jilguero, Delta Arg...* Le trajet dure 4h, mais on peut s'arrêter où l'on veut en route pour déjeuner dans un resto au bord du canal, et prendre un autre bateau-bus pour revenir. L'ambiance y est pittoresque puisqu'on partage la balade avec les gens qui vivent sur ces petites îles. L'inconvénient : au bout de 4h, on en a plein les oreilles du bruit du moteur. Autre désagrément : les moustiques. Se munir d'un répulsif efficace !
Si vous n'avez pas de projet précis, prenez un billet *(env 30 $Ar A/R)* pour *Tres Bocas,* à 30-40 mn de bateau, ce qui permet de se plonger, sans aller trop loin, dans l'ambiance très particulière du delta et de faire quelques balades à pied.

Où dormir ?

Le week-end, les tarifs d'hébergement varient du simple au double par rapport à la semaine.

De bon marché à prix moyens (moins de 350-650 $Ar / env 35-65 €)

■ ***Albergue Hostel Delta :*** *río Luján y Abra Vieja, à 3 km de Tigre (ville) et 10 mn en bateau.* ☎ *47-28-03-96.* • *hosteldelta.com.ar* • *Compter 90 $Ar/pers. On peut aussi camper bon marché. Possibilité de ½ pens et de pens complète à la* lancha de Guarderia Tecnao, *tlj 9h-21h.* Sorte d'auberge d'éternelle jeunesse au bord de la rivière. Chambres doubles avec (ou sans) douche, w-c et ventilo. Grand jardin. Fait aussi resto. Location de canoës.
■ ***Hostería Las Rosas :*** *à 5 km de Tigre (ville), sur le río Sarmiento, à 20 mn de bateau (avec* Interisleña*).* ☎ *47-28-27-57. Compter 350 $Ar/pers en pens complète.* Petit hôtel 1 étoile au bord du *río.* Chambres avec douche et w-c. Fait aussi restaurant. Petite plage avec transats et parasols. Prix sages.
■ ***B & B Casona La Ruchi :*** *Lavalle, 557, en bordure du mouillage des catamarans.* ☎ *47-49-24-99.* • *casonaruchi.com.ar* • *Double env 450 $Ar avec petit déj américain.* Magnifique maison bourgeoise du début du XXe s avec 5 grandes chambres (dont 1 triple)

aux parquets de bois précieux, salles de bains à l'ancienne (à partager) et escaliers monumentaux. Balcons donnant sur la rivière. Jardin avec piscine. Accueil adorable. Un *B & B* de charme, qu'on n'oublie pas de sitôt.

Où manger ?

De bon marché à prix moyens (jusqu'à 180 $Ar / env 18 €)

Une quinzaine de restaurants sont éparpillés sur les rives du delta, plus ou moins loin du port d'embarquement. Prix variables selon style du lieu.

|●| ***Petites gargotes :*** traverser le pont qui se trouve à Tigre-port, en face de la gare fluviale, et prendre à droite le long de l'autre berge du *río*. Après 200 ou 300 m, une série de petites gargotes au bord du fleuve servent de bonnes petites fritures et de quoi vous remplir l'estomac.
|●| ***La Riviera :*** río *Sarmiento, 356, dans la zone de Tres Bocas, à 30 mn de bateau de Tigre (ville) avec* Interisleña. ☎ *47-28-01-77. Fermé hors saison.* Restaurant au bord de la rivière, avec une jolie terrasse baignée par le clapotis du *río*. Honnête cuisine locale.
|●| ***El Hornero :*** *Arroyo Abra Vieja, 360, à 5 mn de bateau de Tigre (ville) avec* Interisleña. ☎ *47-28-03-25. Tlj 9h30-19h ; ven-dim jusqu'à 1h.* Un très agréable bar-restaurant, apprécié des locaux. Doté d'une belle terrasse en bois surplombant le *río*. Cuisine argentine de qualité, viandes déliceuses et bon rapport qualité-prix.

Plus chic (plus de 220 $Ar / env 22 €)

|●| ***Gato Blanco :*** río *Capitán, 80, à 50 mn en bateau de Tigre avec* Interisleña *(slt 3 départs en sem, env ttes les 30 mn à partir de 11h le w-e).* ☎ *47-28-03-90. Ouv tlj.* Restaurant et salon de thé situés dans un grand parc ombragé. Familial le dimanche, et en semaine, apprécié des couples d'amoureux pour son cadre romantique en terrasse (c'est son principal atout). Sa réputation de meilleur restaurant de Tigre (delta) est un peu usurpée. Cuisine banale, qui manque d'inspiration. Parc de jeux pour les enfants *(ouv 10h-17h)* et pelouses pour lézarder dans des transats.

À voir. À faire

🎥🎥 ***Museo naval de la Nación :*** *paseo Victorica, 602.* ☎ *47-49-06-08. • ara.mil.ar • Mar-ven 8h30-17h30 ; sam-dim et j. fériés 10h30-18h30. Entrée : 10 $Ar.* Intéressant musée naval, malgré un agencement un peu vieillot. On peut retracer l'histoire de la navigation au travers d'une large collection de maquettes de bateaux et de navires, depuis les barques égyptiennes jusqu'à la marine de guerre contemporaine. Quelques-unes sont même remarquables comme la quinquérème romaine de la bataille d'Actium entre Antoine et Octave, la conque espagnole du XVe s ou la reproduction du *Vasa* renfloué dans le port de Stockholm. Évocation des missions d'exploration antarctiques. Dans une salle annexe, l'épisode de la guerre des Malouines *(Las Malvinas)* est illustré de quelques photos où l'on voit les généraux argentins se congratuler en avril 1982 pour la prise (éphémère) de l'archipel avant l'expédition punitive de la Royal Navy. On peut voir un exemplaire du missile air-mer Exocet, de fabrication française, qui coula une frégate britannique, et une maquette du croiseur *Belgrano* envoyé par le fond par un sous-marin nucléaire de Sa Majesté. À l'extérieur, quelques spécimens de l'Aéronavale et la passerelle de navigation de l'aviso argentin *Sobral,* touché de plein fouet par un missile anglais.

🎥 ***Museo del Mate :*** *Lavalle, 289.* ☎ *45-06-95-94. • elmuseodelmate.com • Mer-dim 11h-18h (19h en été). Entrée : 20 $Ar.* Tout ce que vous avez voulu savoir sur la *yerba mate,* la boisson préférée des Argentins. Dans un bâtiment rénové sont exposés une panoplie complète de récipients, bouilloires, etc. Démonstration de l'art de préparer le maté, suivie bien sûr d'une dégustation.

Museo de la Reconquista : *Padre Castañeda, 470, sur le río Sarmiento, à 35 mn de bateau du port. ☎ 45-12-44-96. Mer-dim 10h-18h. Gratuit.* Ce petit musée historique s'attache à décrire la reconquête de Buenos Aires par Santiago de Liniers en août 1806, alors que la ville était aux mains des troupes britanniques. Amusantes caricatures anglaises raillant la contre-performance des armées de Sa Majesté. Évocation de la gloire puis de la décadence du *Tigre Club Hotel.* Joli jardin entouré d'une véranda.

Museo Sarmiento : *Liniers,, 818 ; dans les îles, accès par le río Sarmiento. ☎ 47-28-05-70. Mer-dim 10h-18h. Gratuit.* On visite la maison de campagne de Sarmiento, le célèbre homme politique argentin. La particularité de cette demeure au bord du *río* est d'être couverte par un cube de verre synthétique pour des raisons de préservation. La visite n'a rien de palpitant.

Parque de la Costa : *Vivanco, 1509, Partido de Tigre, 1808. ☎ 40-02-60-00. • parquedelacosta.com.ar • Ven 11h-18h ; sam-dim et j. fériés 11h-19h30. Entrée : env 106-126 $Ar pour 40 attractions et shows ; suppléments pour d'autres activités.* Le grand parc d'attractions foraines (montagnes russes, grande roue, etc.), fréquenté par les familles de Buenos Aires. Foules compactes le week-end.

Puerto de Frutos : río *Sarmiento, 100. Marché 10h-19h.* Autrefois principal marché agricole de la région, c'est devenu un repaire de brocantes, d'articles de décoration, de fleurs séchées, de vannerie, de bimbeloterie et de souvenirs touristiques. Quelques bonnes affaires à conclure. Le site est envahi le week-end, surtout par beau temps.

➢ Au fil de la promenade fluviale en *lancha,* on observe les rives avec leurs ribambelles de villas, de jardins, de bosquets, paysage « amphibie » sur des kilomètres. Vous croiserez des athlètes se livrant aux joies de l'aviron et des grappes d'enfants se jetant des pontons pour barboter dans les eaux assez peu profondes. Ne pas hésiter à s'arrêter au bord du *río* et à s'enfoncer sur les sentiers sur quelques centaines de mètres : dépaysement garanti.

➢ Balade en canoë avec **Selk'nam Canoas** : *☎ 47-31-43-25. • selknamcanoas.com.ar • Résa impérative. Départs lun-sam à 10h et 14h, dim à 10h ; à la* Rampa Club Hispano, *paseo Victorica 50. Passer le pont devant la gare, prendre Lavalle, c'est tt au bout à droite. Compter 200 $Ar/pers pour 2h de pagayage en compagnie d'un guide (espagnol-anglais).* Écologique et pas si sportive que ça, cette exploration des chenaux dans de superbes embarcations de bois constitue une belle approche d'un environnement dépaysant.

COLONIA DEL SACRAMENTO (URUGUAY)

22 000 hab. IND. TÉL. : 598

Depuis Buenos Aires, on vous conseille chaudement une agréable excursion d'un jour en Uruguay, dans cette jolie bourgade coloniale fondée en 1680 par les Portugais. On traverse le *río* de la Plata (50 km) en bateau (environ 1h) et on change soudain de monde. Oubliée la trépidante mégapole argentine. Les quais à peine quittés, le *Casco Antiguo,* serré sur une petite presqu'île à l'ouest de la ville moderne et du port, déroule un adorable noyau de ruelles grossièrement pavées, bordées

de vénérables demeures et d'une profusion de bougainvillées et roses trémières. Même s'il ne reste guère de grands bâtiments, les lieux, bien préservés et restaurés, ont un charme indéniable. Ils ont été inscrits au Patrimoine mondial de l'Unesco en raison du métissage original survenu entre constructions portugaises des premiers temps et espagnoles des siècles suivants.
Pour goûter pleinement à la sérénité du lieu, préférez les jours de semaine ; le week-end, les Argentins y déboulent en rangs serrés et les tarifs grimpent. Mieux encore, passez-y la nuit, dans l'un des jolis hôtels du vieux centre.

UN PEU D'HISTOIRE

La ville est fondée en 1680 par le Portugais Manoel Lobo sur une position stratégique au bord du *río* de la Plata, à la grande irritation des Espagnols qui, postés en face, voient d'un mauvais œil la contrebande s'y développer. Les deux pays s'y livrent plusieurs batailles non décisives. En 1750, Colonia est cédée par le Portugal, mais les résistances à la domination espagnole sont vives. Ce n'est qu'en 1777 que la ville, au bout du compte, passe définitivement à l'Espagne. Avec le développement de Buenos Aires, qui peut enfin commercer avec l'Europe, Colonia périclite rapidement et on finit par l'oublier dans son coin – ce qui explique son état assez exceptionnel de préservation.

Infos et conseils

– Il y a un ***décalage horaire*** de 1h entre Buenos Aires et l'Uruguay (avec une variation selon l'heure d'été...).
– ***Réservations téléphoniques :*** depuis l'Argentine, n'oubliez pas de composer le code téléphonique de l'Uruguay et de Colonia : 598 ; ou consultez ● *hotelescolonia.com* ●
– On peut payer en trois ***monnaies*** : pesos uruguayens, pesos argentins et dollars américains.
– Ne pas oublier son ***passeport.*** Pas de visa pour les Français et les Belges. Les formalités d'émigration argentine et d'immigration uruguayenne se déroulent conjointement, avant l'embarquement (c'est assez rapide, mais prévoyez de la marge le w-e).

Arriver – Quitter

➢ ***De Buenos Aires :*** départ depuis la Dársena Norte, au bout de Córdoba *(plan couleur I, D2).* Terminal ultramoderne d'où partent des bateaux à raison de 6 ou 7 rotations/j. Les plus rapides sont des hydroptères assurant la traversée en 50 mn 3 fois/j. Billet A/R à partir de 350 $Ar, prix variable selon les horaires et les jours. Billets combinés pour poursuivre le trajet en bus vers Montevideo à partir de 400 $Ar. Les bateaux lents sont des ferries classiques embarquant des véhicules (3h de traversée). L'avantage, c'est qu'on peut profiter de l'air du large sur le pont.
– Rens pour les bateaux rapides et les bateaux lents : ***Buquebus*** *(☎ 43-16-65-00).* Consultez le site ● *buquebus.com* ● pour dénicher les promos *(oferta paquetes)* ou, tout simplement, les meilleurs tarifs en fonction des heures. Résa avec carte de paiement en ligne ; on imprime ses billets soi-même et le tour est joué ! Sinon, il suffit de les retirer 1h avant le départ au kiosque d'informations, à l'entrée de la gare maritime.
➢ Pour continuer sur ***Montevideo,*** bus depuis Colonia, env ttes les heures avec *Turil (● turil.com.uy ●)* ou *COT, Compañía Oriental de Turismo (● cot.com.uy ●).* Trajet : env 2h30. Gare routière à 300 m du port de Colonia. Tarifs plus bas durant la nuit. Une solution moins chère que de prendre le bateau direct Buenos Aires – Montevideo !

Adresses utiles

Office de tourisme : *à l'intersection de Rivera et de l'av. General Flores. ☎ 45-22-26-86. • coloniaturismo.com • Tlj 9h-18h.* Doc bien faite, plan gratuit de la ville, infos sur les hébergements et les activités. Fournit les coordonnées de guides locaux pour une visite commentée. Petits bureaux de tourisme au port (lui aussi dispose de plans) et dans la vieille ville.

Poste : *pl. 25 de Agosto (la grande place bordée de palmiers).*

Location de vélos et de scooters : *à la sortie de la gare maritime.*

Où dormir ?

Camping

La Caballada : *camino Vecinal, 1403, ruta 1. ☎ 45-22-12-80. Dans un complexe sportif et touristique, dans les faubourgs, tourner à gauche après Gonzales Moreno. Compter 50 $Ar pour 2 pers avec voiture.* Gérant sympathique. Douches froides ; piscine.

De bon marché à prix moyens (moins de 350-650 $Ar / env 35-65 €)

Hostel Colonial : *General Flores, 440. ☎ 45-23-03-47. • hostelling_colonial@hotmail.com • Avt d'entrer dans la ville ancienne. Affilié à Hostelling International (réduc de 10 % pour les membres). Dortoirs min 4 lits avec ventilo env 80 $Ar/pers. 6 doubles dont 2 avec sdb env 200 $Ar, petit déj non compris.* Agréable patio intérieur avec puits et margelle. Cuisine collective. Prêt gratuit de vélos, balades à cheval. Personnel dynamique et accueillant.

Hostel El Español : *Manuel de Lobo, 377. ☎ 45-23-07-59. • guiacolonia.com.uy/espanol • Lits en dortoir avec ou sans sanitaires env 18-20 US$; doubles avec sdb commune ou privée 45-70 US$; triples et quadruples env 70 US$. Petit déj inclus.* Simple mais bien tenu. Dans une construction basse du XIXᵉ s, fleurie et au calme. Cuisine. Vélos gratuits. Un bon plan à prix raisonnables.

Posada San Gabriel : *calle del Comercio, 127. ☎ 45-22-32-83. • posada_san_gabriel@hotmail.com • Au cœur du Barrio histórico. Doubles env 190-220 $Ar avec petit déj.* Hôtel simple, propre, avec les chambres les plus chères donnant sur le *río* (douche, w-c, TV et AC). L'une des adresses les plus intéressantes du quartier et pas des moins charmantes.

De plus chic à beaucoup plus chic (à partir de 1 000 $Ar / env 100 €)

Posada Le Vrero : *18 de Julio, 521. ☎ 45-22-58-94. • posadalevrero.com • Doubles env 95-125 US$ selon confort, bon petit déj-buffet compris ; plusieurs triples également.* Mario Levrero était l'un des écrivains les plus populaires de la scène littéraire uruguayenne de la seconde moitié du XXᵉ s. Cette maison – sa maison – est aujourd'hui gérée par ses fils, à mi-chemin entre le *B & B* de charme et le petit hôtel. Rien de prétentieux, juste quelques belles chambres (pas géantes) aux touches modernistes et une adorable courette à l'arrière pour prendre le petit déj le matin. Pour ne rien gâcher, le bateau n'est qu'à 100 m et la vieille ville à 5 mn...

Posada de la Flor : *Ituzaingó, 268. ☎ 45-23-07-94. • guiacolonia.com.uy/posadadelaflor • Doubles env 85-105 US$ selon confort, petit déj-buffet compris ; quelques quadruples également.* Une belle demeure coloniale dans une rue calme et discrète, qui débouche sur le *río*. Chambres simples mais propres, au confort honnête (douche et w-c), réparties autour d'un patio lumineux où poussent des papyrus.

🏨 ***Posada Plaza Mayor :*** *calle del Comercio, 111. ☎ 45-22-31-93. ● posadaplazamayor.com ● Selon confort, doubles env 130-200 US$, petit déj compris.* Petit hôtel de charme dans une demeure de style colonial, avec 15 chambres, aux murs de pierre sombre, réparties autour d'un patio intérieur fleuri, et 2 plus modernes à l'étage. Déco soignée.

🏨 ***Hotel-posada del Virrey :*** *España, 217. ☎ 45-22-22-23. ● posadadelvirrey.com ● Doubles 140-250 US$ selon confort, petit déj-buffet inclus.* Dans une maison de 1850 avec un hall d'entrée éclairé par une grande verrière. Chambres hautes de plafond, équipées de douche, w-c, AC, TV câblée, jacuzzi, et décorées à l'ancienne avec grand soin.

Où manger ? Où boire un verre ?

🍽🍷 ***El Drugstore :*** *à l'angle de Portugal et de Vasconcellos, face à l'église (iglesia Matriz). ☎ 45-22-52-41. Ouv dès 12h jusqu'au dernier client.* Terrasse sous les platanes et décoration délirante : lustres en cristal et portraits d'ancêtres. Spécialités de cuisine méditerranéenne (pâtes maison le dimanche). Également des sandwichs et snacks, plats de fruits de mer... Groupes musicaux le samedi soir. Pas de la grande cuisine mais c'est correct et le cadre est très agréable. Bien aussi pour boire un verre en soirée.

🍽 ***Pulpería de los Faroles :*** *Misiones de los Tapes, 101. ☎ 45-23-02-71. Ouv 9h-minuit.* Cadre plaisant (chandeliers, murs de pierre sèche et arches de brique) pour une cuisine classique correcte et à prix assez soutenus. Du poisson bien sûr, de bonnes *pasta* et des plats végétariens. En principe, show musical le samedi soir.

🍽 ***Mesón de la Plaza :*** *Vasconcellos, 153. ☎ 45-22-48-07.* Élégante demeure d'époque et décor de caractère. Plancher en bois, pierre apparente, meubles anciens. 2 salles bien fraîches par grosse chaleur. On peut aussi manger dans un jardin intérieur. Assez touristique, certes, mais le charme des lieux le fait oublier. Cuisine copieuse et sans mauvaise surprise. Large choix de vins. Service un peu lent.

À voir. À faire

➢ Il faut essayer de se perdre dans les romantiques ruelles du ***Barrio histórico,*** dont beaucoup de vieilles demeures ont conservé leur vénérable patine. On dit « essayer », car le quartier est de petite taille (quelques rues seulement)... mais superbement bien préservé. Il rappelle à la fois quelque chose des petites villes du sud du Portugal et des cités latinas les plus anciennes. Le dépaysement temporel est accentué par quelques vieux tacots qui achèvent là une carrière commencée avant le milieu du XXe s. Quelques ruelles possèdent encore leur pavage original de pierre de schiste effilé... dur aux talons aiguilles. La plus connue est la ***calle de los Suspiros*** qui présente, peu ou prou, le même visage qu'il y a 250 ans. D'un pas à l'autre, maisons basses recouvertes de tuiles, murs dans toutes les variétés d'ocre, rouge, jaune, mordoré, croulant sous la verdure et les fleurs, patios et églises coloniales se succèdent. La même impression de délicieux retour dans le passé vous saisit immanquablement sur la paisible ***plaza Mayor,*** plantée de palmiers altiers et de flamboyants – qu'on peut embrasser du regard depuis le sommet du ***phare*** tout blanc et tout proche *(ouv 13h-16h45, à partir de 11h le w-e ; accès payant).*

– **Les musées :** *carte d'entrée valable pour ts les (petits) musées, en vente au Museo Municipal de la pl. Mayor ou à l'office de tourisme. Tarif : 50 $Ar ; gratuit moins de 12 ans. ● museoscolonia.blogspot.fr ● Mêmes horaires : 11h15-16h45. Jours de fermeture différents néanmoins. Le w-e, tous sont ouverts en dehors des archives régionales (guère intéressantes).*

🏛 ***Museo municipal :*** *pl. Mayor. Fermé jeu.* Cette bâtisse portugaise du XVIIIe s abrite un sympathique fourre-tout comprenant des meubles anciens. Au rez-de-chaussée, petite section préhistorique, avec quelques animaux naturalisés, et une intéressante maquette de la colonie. Section minéralogique et une curieuse carapace de *gliptodonte* (un grand tatou) vieille de 100 000 ans. Oiseaux, papillons, coquillages, insectes et immense cabinet de curiosités.

Casa de Nacarello : *fermé jeu.* À côté du musée municipal, une petite maison historique du XVIIIe s, qui reconstitue un intérieur de l'époque. Permet de comprendre comment vivaient les colons.

Museo portugués : *pl. Mayor. Fermé mer.* Il est installé dans une maison de 1722, dont les murs ont de 60 à 90 cm d'épaisseur. Beaucoup moins riche que le musée municipal, mais la salle des cartes vaut le déplacement. On apprendra que c'est lors du traité d'Utrecht (1713) que Colonia fut donnée au Portugal. Jolies pièces offertes par la fondation Callouste Gulbenkian : maquette de caravelle avec voiles latines et croix lusitanienne, étendards de guerre, uniformes, armes, pièces de monnaie, céramique de l'Alentejo. Dans la salle en contrebas, intéressante collection de cartes maritimes comme celle du monde en 1502. Si l'Afrique apparaît déjà étonnamment bien dessinée, l'Amérique du Sud se révèle totalement virtuelle. Superbe carte de la corne de l'Afrique et des Indes de 1519 ; celle de Luis Texeira, de 1600, semble presque parfaite.

Museo naval : *pl. Mayor. Entrée : 10 $Ar. Fermé lun-mer.* Géré par la Marine, il n'est pas plus grand que les autres et tente de mettre en valeur l'héritage maritime de Colonia.

Museo español : *calle de San José, entre España et Virrey Cevallos.* Encore une belle maison (portugaise malgré son nom !) datant de la première moitié du XVIIIe s. Documents anciens, vêtements, armes, collection de monnaies et explications sur les rivalités ibéro-portugaises et le rôle de troisième larron joué par la Grande-Bretagne.

Enfin, si vous avez beaucoup de temps, voir encore le minuscule ***museo del Azulejo*** *(fermé jeu).* Quelques exemples du style de Valence, mauresque, et même du style dit du « Pas de Calais ». Dans le vieux centre encore, ***Archivo regional,*** dans une maison de 1750. Cartes et photocopies d'archives sur Colonia. Petit ***Musée paléontologique*** aussi, pour les fanas de préhistoire, au nord du centre *(ouv w-e slt).* Restes de *gliptodontes,* de *dasypodidae* (un autre tatou de 2 millions d'années... respect !) et un fémur de *mégathérion...* plutôt balèze ! Dans le même coin, vestiges du ***Real de San Carlos,*** un complexe de loisirs assez mégalo (arènes, champ de course, fronton de pelote basque, casino, etc.), édifié au début du XXe s et qui fit faillite à la suite de l'interdiction des courses de taureaux.

Playa Ferrando : *à 2 km à l'est de la ville par la calle Casanello. Bus ttes les 2h depuis l'av. General Flores.* Bordée d'eucalyptus et de pins, une plage de sable fin, avec une eau non polluée, à préférer à l'autre plage de l'ouest (plus longue mais moins ombragée). Ne pas se laisser décourager par la couleur de l'eau, elle est parfaitement saine de ce côté de l'estuaire. Quelques buvettes sous les arbres.

LA RÉGION DU NORD-EST

LES CHUTES D'IGUAZÚ

« **Poor Niagara !** »

Eleanor Roosevelt.

Iguaçu, en langue guaraní, signifie « grande eau ». Un bel euphémisme ! Plus de 200 chutes se pressent ici sur un front de 2,7 km, dévalant au cœur d'une végétation tropicale exubérante. Les cascades étagées se jettent les unes dans les autres, tantôt en de minces filets perçant au travers du manteau vert, tantôt en de larges et hautes cataractes déversant à la seconde des milliers de litres d'eau dans un grondement assourdissant. Aucun endroit au monde, pas même le Niagara, ni les chutes du Zambèze, n'impressionne autant par sa puissance. Jusqu'à son confluent avec le Paraná, 23 km en aval des chutes, le fleuve Iguazú parcourt 1 320 km. Traversant principalement des terres basses, il se fait méandreux, s'épanchant sur 500, 1 000, puis 1 500 m de large lorsqu'il parvient dans les frontières du parc national. Et voilà qu'il forme une boucle plus serrée encore : un U ample encombré d'îlots allongés et d'écueils. Les eaux s'y divisent en bras multiples avant de buter sur une abrupte faille géologique. Chacun se mue en cascade, dont l'ensemble forme l'immense arc de cercle des chutes d'Iguazú. Le caractère spectaculaire du site et la sauvegarde de la forêt tropicale qui l'enserre (ailleurs menacée) lui ont valu d'être classé au Patrimoine mondial par l'Unesco. L'automne, après les pluies, est la période où les chutes se font le plus spectaculaires, mais elles prennent alors une couleur marron-roux et forment, en s'écrasant, des nuages de bruine pouvant dépasser 100 m de haut ! Autant dire que la douche est garantie et les photos souvent un peu voilées... Au printemps, le débit est moindre et les chutes se détachent mieux les unes des autres. Évitez de préférence les week-ends, pendant lesquels le site est vraiment surchargé.

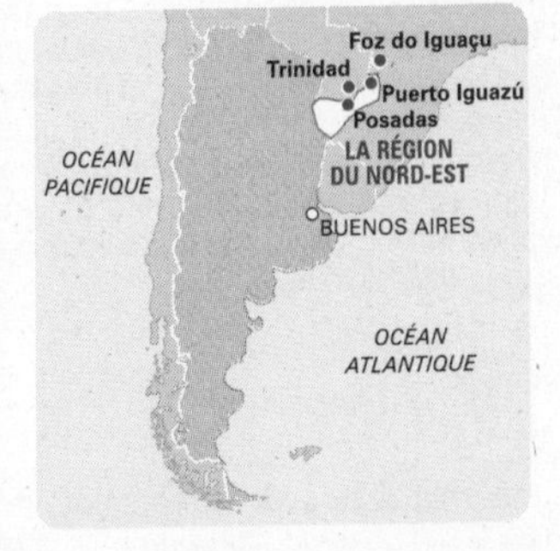

Organiser sa visite

Situées dans la province de Misiones, enclave argentine entre le Paraguay et le Brésil, les chutes se forment sur le fleuve Iguazú – en un lieu où le cours d'eau marque la frontière entre l'Argentine et le Brésil. Politiquement parlant, les deux tiers des *cataratas* se trouvent en Argentine et le dernier tiers au Brésil. Mais on a un peu de mal à saisir la configuration des lieux tant qu'on n'a pas regardé de près une carte détaillée. À sa lecture, on se rend compte que peu après les chutes, le fleuve Iguazú se jette dans le grand Paraná. Ce confluent marque la frontière entre l'Argentine (au sud), le Brésil (au nord) et le Paraguay (à l'ouest). Les trois villes frontières, grandies en vis-à-vis les unes des autres, se nomment Puerto Iguazú (Argentine), Foz do Iguaçu (Brésil) et Ciudad del Este, curieux port franc paraguayen.

Naturellement, la question se pose : vaut-il mieux voir les chutes du côté argentin ou du côté brésilien ? Les deux, mon commandant ! Les chemins aménagés sont plus nombreux côté argentin et on y découvre globalement des panoramas plus variés – vues du haut, vues du bas, à travers la forêt, sur des passerelles au-dessus du fleuve... C'est là, en particulier, que se trouve le belvédère de la gorge du Diable, où la cataracte la plus puissante s'effondre de 82 m de haut. Par ailleurs, on bénéficie d'une vision plus globale depuis la rive brésilienne, d'où se dévoile l'ensemble des chutes argentines (les plus nombreuses). Compter au moins 2h de visite du côté brésilien et 5-6h en Argentine. Mais ne pensez pas faire les deux le même jour : vous courriez tout le temps au lieu de profiter de la splendeur du site.

PORTUGNOL

Dans cette zone de triple frontière (Brésil, Argentine et Paraguay), on parle un dialecte composé à la fois de portugais et d'espagnol, saupoudré d'un peu d'anglais et de guaraní, la langue indienne locale. Ce langage hybride évolue tous les jours, au gré des passages et des migrations. Aujourd'hui, le portugnol est même utilisé dans des chansons ou poésies.

Où séjourner ?

Les chutes se trouvant en amont du confluent de l'Iguaçu et du Paraná, il faut parcourir une vingtaine de kilomètres pour les rejoindre depuis Puerto Iguazú (Argentine) ou Foz do Iguaçu (Brésil). Quelle ville choisir pour s'établir ? Les avis sont assez partagés. Foz est une métropole sans grand charme, dont les qualités sont essentiellement pratiques pour ceux qui arrivent à l'aéroport de Foz, donc côté brésilien. Puerto Iguazú est une petite ville sereine, plus en adéquation avec le cadre naturel des chutes. Dix fois moins peuplée, nettement plus verdoyante, elle serait presque charmante avec ses rues grossièrement pavées et celles qui, au large, se terminent par de la latérite. Toutes vos affaires prendront d'ailleurs vite cette couleur rouge ! Si vous ne rechignez pas à jouer à saute-mouton entre les frontières ni à remettre vos pendules à l'heure (1h de moins côté argentin), on vous conseille de séjourner côté argentin et de vous contenter d'aller passer une journée côté brésilien, voire paraguayen. En bus, on peut rejoindre les chutes brésiliennes sans forcément passer par Foz le barrage d'Itaipu ou Ciudad del Este au Paraguay. À l'inverse, depuis Foz, au Brésil, on est obligé de passer par Puerto Iguazú pour se rendre aux chutes côté argentin.

D'un côté à l'autre

Ceux qui voyagent en voiture peuvent passer d'Argentine au Brésil (ou vice versa) sans aucun problème. Il faut simplement demander à l'agence de location une autorisation spéciale (gratuite) pour traverser la frontière. Le passage ne prend que quelques minutes, mais n'oubliez pas votre passeport : il sera tamponné à l'aller comme au retour. Il est interdit, en revanche, d'aller au Paraguay avec une voiture de location.

Si votre temps est compté, concentrez-vous sur les seules chutes, des deux côtés, en prévoyant au moins 2 jours pour en profiter pleinement. Reste encore la possibilité de passer par une agence de voyages locale : plus cher, bien sûr, mais le gain de temps peut se révéler précieux.
Pour les informations pratiques, voir les rubriques « Arriver – Quitter » de chaque ville.

PUERTO IGUAZÚ

33 000 hab. IND. TÉL. : 03757

Nous vous le disions en introduction : Puerto Iguazú est, à notre sens, l'endroit le plus agréable pour séjourner aux abords des chutes. Son atout principal, c'est cette atmosphère de grosse bourgade à demi plongée dans la forêt tropicale.

Arriver – Quitter

En avion

✈ **Aéroport** (hors plan par B3) **:** *au-delà de la bifurcation menant aux chutes argentines, à env 20 km du centre.* ☎ *42-19-96.* On y trouve un *bureau d'information* sur les hôtels dans le hall de livraison des bagages, un distributeur et plusieurs représentants de compagnies de location de voiture (*Avis, Hertz* et *National/Alamo*). Si vous avez réservé auprès d'une autre agence, son représentant viendra vous attendre à la descente de l'avion.

➢ ***Puerto Iguazú – Buenos Aires :*** 1-5 vols/j. avec *Aerolineas Argentinas-Austral* et 2-4 vols/j. avec *LAN.* Durée : env 1h45.

➢ ***Pour gagner le centre-ville :*** à chaque vol, liaison en bus assurée par la compagnie *4 Tourist Travel.* Prévoir 40 $Ar/pers et env 45 mn de trajet. Pour le retour, réserver *(☎ 42-06-81 ou 42-27-62).* Le taxi revient à env 150 $Ar pour le centre de Puerto Iguazú et 200 $Ar pour Foz.

En bus

🚌 ***Terminal de bus*** (plan A2) **:** *à l'angle de Córdoba et Misiones.* ☎ *42-19-16.*

➢ ***Buenos Aires :*** env 12 bus/j. à destination du terminal El Retiro, avec *Tigre Iguazú (● tigreiguazu.com.ar ●),* le plus fréquent ; *Andesmar (● andesmar.com ●)* ; *El Rápido Argentino (● rapido-argentino.com ●)* ; *Crucero del Norte (● crucerodelnorte.com.ar ●)* et *Río Uruguay (● riouruguaybus.com.ar ●).* La route est très longue, on vous prévient (entre 16h et 18h de trajet) ! Compter env 805 $Ar en *semi-cama* et 1 080 $Ar en *cama.*

➢ ***San Ignacio et Posadas :*** ttes les heures, avec les compagnies *A del Valle, El Cometa* et *Empresa Argentina (● empresaargentina.com.ar ●).*

➢ ***Salta :*** départ à priori à 9h45 avec *Flecha Bus (● flechabus.com.ar ●)* ou *Horianski* (sièges non numérotés sur cette compagnie), mais il faut changer à Posadas. Trajet total : 23h !

➢ ***Chutes argentines :*** ttes les 20 mn env, avec la compagnie *El Practico* (indication *Cataratas*). Départs 6h30-19h, retours 7h15-20h15 (les horaires varient légèrement selon les saisons). Comme les bus partent du *Hito de las Tres Fronteras* avant de passer au terminal, on peut donc aussi les prendre sur l'av. Tres Fronteras. Même bus pour se rendre à ***La Aripuca*** ou à ***Güirá Oga.***

➢ ***Chutes brésiliennes :*** *Crucero del Norte* assure le seul service direct, avec 4 départs/j. (à 8h10, 10h20, 12h20 et 14h). Retours à 11h, 13h, 14h50 et 17h, à confirmer. Sinon, le trajet se fait en 2 temps : d'abord vers Foz, puis de Foz aux chutes. Pour éviter un passage inutile en ville, on peut se faire déposer au grand rond-point

peu après la douane (près de l'hôtel *Bourbon*) ; demandez au chauffeur pour qu'il s'arrête.
➢ ***Foz do Iguaçu :*** ttes les 20 mn avec *Crucero del Norte,* 7h-19h. Les *colectivos* n'attendant pas toujours au passage de la douane (pourtant assez rapide en général), il faut alors prendre le bus suivant (on ne paie qu'une fois).
➢ ***Ciudad del Este (Paraguay) :*** changement à Foz.

Adresses et infos utiles

🛈 ***Bureau d'informations*** *(plan A2)* **:** *av. Victoria Aguirre, 311.* ☎ *42-08-00.* ● *iguazuturismo.gov.ar* ● *Lun-ven 7h-13h, 14h-21h ; le w-e, 8h-12h, 16h-20h.* Demander le plan de la ville avec la liste des hébergements. Efficacité variable selon l'employé de permanence. Vous avez intérêt à potasser votre espagnol.
✉ ***Poste*** *(plan A1)* **:** *av. San Martín, 780. Lun-ven 8h-12h30, 16h-19h ; sam 9h-12h.*
■ ***Téléphone*** *(plan A2,* ***1****)* **:** *bureau des Telecom, av. Victoria Aguirre, 311. Lun-ven 8h-21h ; sam 8h-13h30, 16h30-21h ; dim 9h-12h30, 18h-21h.*
@ ***Ciber Centro*** *(plan A2)* **:** *dans la galerie commerciale reliant Eppenset à Aguirre ; autre adresse sur Perito Moreno, 285 (plan A2). Lun-sam 10h-minuit.* Fait aussi centre d'appels.
■ ***Bureaux de change Argecam*** *(plan A1-2,* ***2****)* **:** *av. Victoria Aguirre 314. Lun-ven 8h-13h, 15h-19h ; sam 8h-12h. Un autre, plus excentré, au nº 562, angle Los Pinos (plan B3,* ***2****). Mêmes horaires.* Taux à peine plus défavorable que dans le reste de l'Argentine. En revanche, évitez *Cambios Links,* aux taux nettement moins intéressants.
■ ***Banco de la Nación Argentina*** *(plan A2,* ***5****)* **:** *av. Victoria Aguirre, 436.* 2 distributeurs.
■ ***Pharmacie*** *(plan A2,* ***6****)* **:** ***Macrofarma,*** *angle Misiones et Córdoba.* ☎ *42-13-34. Tlj 7h30-21h30.*
🞧 ***Hôpital Samic*** *(plan A2,* ***7****)* **:** *av. Victoria Aguirre, entre Ushuaia et Dra. Marta Schwart.* ☎ *42-02-88 ou 42-06-26.*
■ ***Supermarché*** *(plan A2,* ***4****)* **:** *av. Victoria Aguirre, près de l'angle de Balbino Brañas. Tlj 7h30-21h (fermé dim 13h30-18h).*
■ ***Laverie :*** *au terminal de bus. Tlj 8h-21h.*
■ ***Aerolineas Argentinas*** *(plan A2,* ***4****)* **:** *av. Victoria Aguirre, 295.* ☎ *0810-222-86-527. À l'aéroport :* ☎ *42-00-36 ou 01-68. Lun-ven 8h-12h, 15h-19h30 ; sam 8h-13h.*
■ ***Vice-consulat du Brésil :*** *Córdoba, 264.* ☎ *42-13-48 ou 24-94.* ● *conbrasil@iguazunet.com* ● *Lun-ven 8h-14h.*

■ **Adresses utiles**
@ Ciber Centro
1 Téléphone
2 Bureaux de change Argecam
4 Aerolineas Argentinas et supermarché
5 Banco de la Nación Argentina
6 Pharmacie
🞧 **7** Hôpital Samic

Où dormir ?
10 Complejo Turistico Viejo Americano, Eterno Reverdecer, Hostel Inn et Posada 21 Oranges
11 Hostel Bambu Mini
12 Alojamiento Familia Gorgues
13 Jasy
14 Residencial Noelia
15 Hostel Iguazu Falls
16 Hostel La Esquina del Bambú
17 Hosteria Los Tangueros
18 Marco Polo Inn Hostel
19 Hotel Lilian
20 Boutique Hotel de la Fonte

Où manger ?
31 Confitería y Panaderia El Arbol Real
32 Lemongrass
33 La Mamma
34 Angelo Café
36 El Quincho del Tío Querido
37 Terra
38 Color, A Piacere et Aqva
39 La Rueda

Où boire un verre ? Où sortir ?
40 Bambú
41 La Barranca

LES CHUTES D'IGUAZÚ

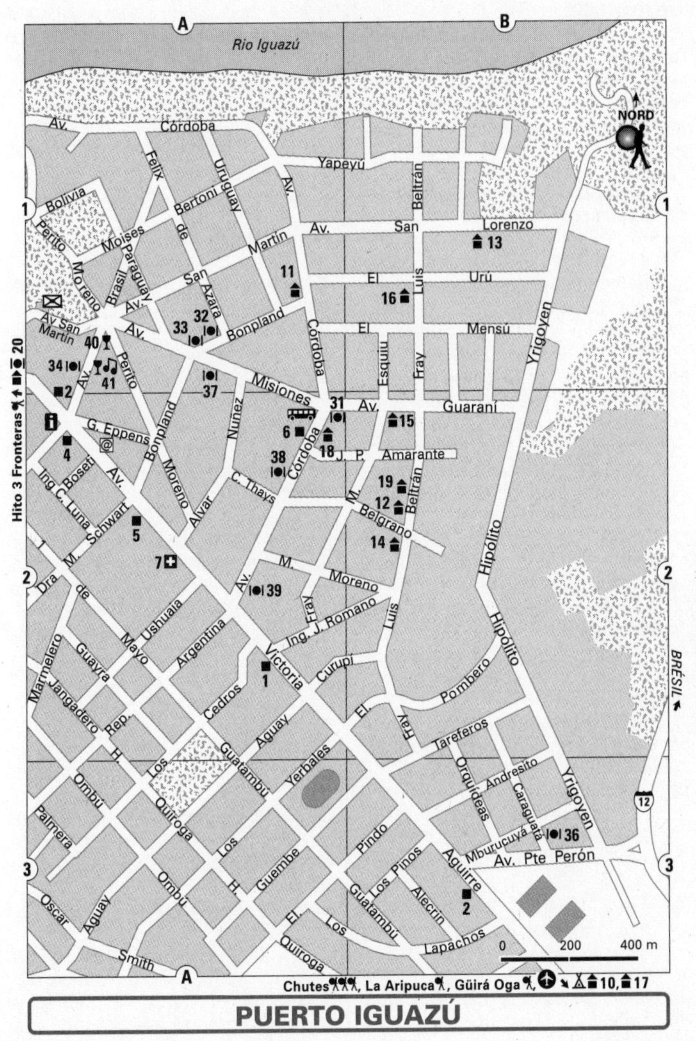

PUERTO IGUAZÚ

Où dormir ?

Les pensions et hôtels sont vite pleins en saison et les tarifs en profitent pour grimper bien au-delà de ce qu'ils devraient être – même s'ils demeurent moins élevés que du côté brésilien. La qualité de l'hébergement laisse aussi souvent à désirer, en particulier pour les petits budgets. Les prix incluent partout le petit déjeuner. Voici ce qui se fait de mieux, mais sachez que tout change très vite ici (les prix en premier, et jamais à la baisse) !

Campings

Un détail à ne pas oublier : Puerto Iguazú est en zone tropicale, il y pleut donc souvent et la latérite a vite fait de teindre toutes vos affaires d'un beau rouge brique...

⛺ 🏠 ***Complejo Turistico Viejo Americano*** *(hors plan par B3,* ***10****)* **:** *ruta 12, à 3,5 km de Puerto Iguazú, en direction des chutes. ☎ 42-01-90. • complejoamericano.com.ar • Compter env 200 $Ar pour 2 pers en camping ; chambres env 620-720 $Ar ; bungalow 800 $Ar ; tarifs dégressifs.* On plante sa tente sur de belles et vastes pelouses ombragées par de grands arbres, dans un cadre très agréable. *Baños* bien tenus, minimarché, restaurant, 2 piscines pour s'ébattre, jeux pour enfants, il ne manque rien ici. Et si vous vous installez au fond du terrain, vous n'entendrez même pas le trafic sur la grand-route. On peut aussi opter pour des chambres d'hôtel ou bungalows en brique pour 4 personnes disséminés dans le grand jardin, avec AC, ventilo et kitchenette. Vraiment bien fichu. Parfait pour ceux qui ont une voiture.

⛺ ***Eterno Reverdecer*** *(hors plan par B3,* ***10****)* **:** *en retrait de la ruta 12, en direction des chutes. En venant de Puerto Iguazú, prendre la piste à droite entre le Parque botánico et l'hôtel* Tourbillon, *c'est à 1,1 km (la route fait un S côté gauche) ; à côté de l'école. ☎ 42-06-01. 📱 15-50-63-16 ou 15-43-45-28. • eternoreverdecer.com.ar • Pour s'y rendre, colectivos ttes les 30 mn-1h30 depuis le terminal des bus, 6h15-23h15 (6h30-23h30 au retour). Compter 80 $Ar/pers.* C'est un peu loin de tout et pas très pratique si on n'est pas véhiculé, mais le coin est d'une sérénité imperturbable : 5 ha de forêt presque vierge entrecoupée de clairières gazonnées pour planter la tente, une cuisine ouverte sous un auvent, des douches simples mais bien tenues dans la maison d'Oscar, le proprio ultra détendu et toujours prêt à rendre service pour raccompagner ses clients à l'aéroport. Un camping écolo-baba-cool où les artistes devraient se sentir à l'aise, puisque un atelier a été construit pour les accueillir. Pour aller aux chutes, bus sur la *ruta* 12 (à 15 mn de marche).

De bon marché à prix moyens (moins de 350-550 $Ar / env 35-55 €)

🏠 ***Hostel Iguazu Falls*** *(plan B2,* ***15****)* **:** *av. Guaraní, 70. ☎ 42-12-95. • hosteliguazufalls.com • Nuitée en dortoir (draps inclus, serviettes en supplément) 90-100 $Ar selon confort ; réduc avec la carte* HI *; doubles env 350-380 $Ar, petit déj inclus.* La situation ultracentrale de cette auberge de jeunesse, à seulement 1 *cuadra* du terminal de bus, en fait un bon camp de base. Dortoirs jusqu'à 8 personnes, doubles confortables avec clim et salle de bains privée, hamacs et piscine très honorable. Ping-pong, barbecue, cuisine.

🏠 ***Hostel La Esquina del Bambú*** *(plan B1,* ***16****)* **:** *Fray Luis Beltrán, 345, à l'angle d'El Urú. ☎ 42-58-74. Lits en dortoir env 90-110 $Ar ; doubles 250-450 $Ar ; quadruple 550 $Ar.* C'est une maison de famille que les proprios ont retapée dans l'esprit d'une auberge de jeunesse. Confort assez simple, à l'image des douches, mais bonne ambiance, et les dortoirs ont la clim. Cuisine commune.

🏠 ***Hostel Bambu Mini*** *(plan A1,* ***11****)* **:** *San Martín, 4. ☎ 42-58-64. • hostelbambu.com/puertoiguazu • Lits en dortoir env 90-100 $Ar ; double env 350 $Ar.* Cette AJ colorée et accueillante est d'une propreté irréprochable. On choisit entre 3 dortoirs (2 de 4 lits, un de 10 lits) et 5 chambres privées, avec salle de bains dans la plupart. L'ensemble est vraiment impeccable et tout le monde bénéficie de la clim. Cuisine commune et bar côté rue. Et si c'est complet, optez pour leur 2e *hostel* tout récent à moins de 200 m, l'***Hostel Bambu Guazu*** *(av. Córdoba, 264).*

🏠 ***Marco Polo Inn Hostel*** *(plan A2,* ***18****)* **:** *Córdoba, 158. ☎ 42-55-59.*

• *hostel-inn.com* • *Lits en dortoir 110-200 $Ar avec ou sans la carte* Hostelling International*; double env 440 $Ar.* Située en plein centre de Puerto Iguazú, face au terminal des bus, cette AJ est bien pratique et plutôt agréable avec sa petite piscine dans le jardin, où on rencontre des routards du monde entier. Dortoirs et chambres (avec TV) corrects, mais les prix s'emballent un peu en chambre double. Chacun dispose de sa propre salle de bains et de l'AC. Le staff est sympa et l'animation de mise le soir autour du bar.

Hostel Inn *(hors plan par B3,* **10***)* **:** *RN 12, Km 5. Juste à l'extérieur de la ville, en direction des chutes.* ☎ *42-18-23.* • *hostel-inn.com* • *Nuitée en dortoir (draps inclus) 125 $Ar avec ou sans la carte* Hostelling International*; doubles env 350-400 $Ar. CB refusées.* Vaste AJ au bord de la route, dans un parc de 3 ha avec la plus grande piscine de Puerto Iguazú (pas toujours bien propre), bar, resto (buffet le soir), cuisine, terrains de sport, billard, ping-pong, barbecue, soirées thématiques... L'endroit idéal pour faire des rencontres internationales, même si ça fait un peu usine. Chambres de 4 ou 6 lits avec clim (parfois en panne) et salle de bains privée pour certaines. Plein d'excursions organisées et transferts aux chutes (de chaque côté).

Alojamiento Familia Gorgues *(plan B2,* **12***)* **:** *Fray Luis Beltrán, 169.* ☎ *42-06-41.* • *josegorgues@yahoo.com* • *Double env 250 $Ar.* Aucun doute n'est permis : les 4 chambres, situées en enfilade derrière la maison des proprios, représentent le meilleur rapport qualité-prix de Puerto Iguazú. Chacune dispose d'une salle de bains et de l'AC. Elles s'ouvrent sur un jardinet fleuri et verdoyant où il fait bon se prélasser dans un hamac. Cuisine à disposition. Cerise sur le gâteau, le tandem mère-fils est super accueillant ! Peut-être vous feront-ils signer le livre d'or... rempli de petits mots de routards !

Residencial Noelia *(plan B2,* **14***)* **:** *Fray Luis Beltrán, 119.* ☎ *42-07-29.* • *hostelnoelia.com* • *Double avec AC env 295 $Ar, quadruple 380 $Ar, quintuple env 420 $Ar.* Presque voisine de l'adresse précédente, la *residencial* se trouve dans un quartier résidentiel donc, verdoyant, agréable et assez central. Quelques chambres sans éclat ni TV mais propres, avec salle de bains. Préférez celles situées à l'étage, plus lumineuses et dont la vue est plus dégagée. Prévus pour 4 personnes seulement, les dortoirs sont un bon plan. Accueil souriant et chaleureux. Petit jardin ombragé avec *parrilla* et minipiscine.

Hotel Lilian *(plan B2,* **19***)* **:** *Fray Luis Beltrán, 183.* ☎ *42-09-68.* • *hotellilian@yahoo.com.ar* • *Doubles env 350-390 $Ar, AC et TV ; quadruple 420 $Ar. CB refusées.* Ce petit hôtel familial, clair et d'une grande propreté, est à la fois proche du centre et au calme. Les chambres les plus chères, avec balcon, ne sont pas forcément à privilégier puisqu'elles donnent directement sur la rue. Bon accueil et, globalement, bon rapport qualité-prix.

Hosteria Los Tangueros *(hors plan par B3,* **17***)* **:** *calle Puerto Rico, s/n.* ☎ *46-63-53.* • *lostanguerosiguazu.com.ar* • *Taxi env 30 $Ar depuis le terminal de bus. Également des bus. Double env 350 $Ar. Possibilité de repas sur demande.* C'est à l'écart de la ville que Marie, une Française férue de tango, a installé 5 chambres simples avec salle de bains. Elles donnent sur le jardin à la végétation tropicale et sur la petite piscine. En bonus, l'accueil francophone de la maîtresse des lieux, qui se plie en huit pour vous faciliter le séjour.

Prix moyens (jusqu'à 650 $Ar / env 65 €)

Posada 21 Oranges *(hors plan par B3,* **10***)* **:** *Km 5, calle Montecarlo, Zona de Granja y Quinta.* ☎ *49-40-14. Panneau très discret sur la ruta 12 : accès par la 1re piste de terre à droite, après celle de La Aripuca (en venant de Puerto Iguazú). Double env 640 $Ar.* Mieux vaut être véhiculé pour venir jusque-là. L'hôtel, tenu par un Français, se trouve au calme, en pleine campagne, à l'écart de la route des chutes. Il abrite une dizaine de chambres sympas façon chalet, semées sur le flanc d'une jolie piscine clôturée. Le patron n'étant pas avare en conseils, c'est le moment de glaner des astuces en français !

Jasy *(plan B1,* ***13****) : San Lorenzo, 154. ☎ 42-43-37. • jasyhotel.com • À partir de 550 $Ar pour 2 pers.* Presque en centre-ville et déjà en lisière de forêt ! C'est précisément le cadre qui emballe, comme la dizaine d'apparts joliment décorés (jusqu'à 6 personnes), qui se fondent dans la nature environnante. La chambre en mezzanine est la plus sympa et s'ouvre sur une terrasse en bois, tandis que les lits du bas peuvent accueillir les enfants. Bien équipé : micro-ondes, frigo, AC et TV. Piscine de belle dimension, et magnifique terrasse pour trinquer ou prendre un repas. L'accueil est à la fois pro et sympathique.

Chic (jusqu'à 1 000 $Ar / env 100 €)

Boutique Hotel de la Fonte *(hors plan par A1,* ***20****) : 1ro de Mayo y Corrientes. ☎ 42-06-25. • bhfboutiquehotel.com • Doubles 760-930 $Ar selon confort.* Un établissement de grand charme, à mi-chemin entre la maison d'hôtes et l'hôtel, où le cadre raffiné et l'accueil – polyglotte – ultra-prévenant sont au diapason pour rendre le séjour des plus agréable : glougloutement de la fontaine dans le jardin, piscine et chaises longues, peintures contemporaines dans les chambres, jacuzzi dans les plus grandes. Une dizaine de chambres seulement, avec terrasse et hamac pour chacune, à 10 mn à peine du centre-ville. Bref, c'est vraiment l'adresse dont on rêve en amoureux, surtout que côté cuisine, le chef italien joue dans la cour des grands.

Où manger ?

Bon marché (moins de 80 $Ar / env 8 €)

Confitería y Panaderia El Arbol Real *(plan A-B2,* ***31****) : Guaraní ,14, angle Córdoba, face au terminal des bus. ☎ 42-02-13. Ouv 24h/24. Autre adresse à l'angle de Bonpland et Aguirre.* On vous conseille de faire vos courses dans cette superette pour pique-niquer au bord des chutes : pain, fromage, charcuterie, etc. Très pratique. On y trouve aussi des sandwichs tout faits et des glaces.

Lemongrass *(plan A1,* ***32****) : Bonpland, 231. 15-41-73-69. Ouv tlj.* Bonne ambiance dans ce café *healthy* où, dès le petit déj, locaux et gourmands de passage se régalent de concert autour de tartes, sandwichs, *kreps* (bien différentes des bretonnes !) savoureuses et petits plats bien vus. On peut s'installer dans la salle colorée ou sur l'une des tables qui débordent sur la rue.

La Mamma *(plan A1,* ***33****) : Bonpland, 217. ☎ 42-45-94. Mar-sam 9h-13h30, 18h-22h30 ; dim 9h-14h.* Suivez les habitudes des aficionados qui emportent leur commande, et allez vous faire une fournée d'*empanadas* à votre hôtel ! Même si le cadre n'est pas des plus chaleureux, on peut aussi s'installer sur l'une des tables posées sur le trottoir pour savourer un bon plat de pâtes fraîches maison. C'est bon et très copieux.

Angelo Café *(plan A1,* ***34****) : av. Brasil, 7. ☎ 42-46-85. Tlj 7h-2h.* La salle proprette, façon *trattoria*, est plutôt accueillante et rafraîchie par l'air conditionné. Les pizzas sont bonnes, mais la carte, très variée, propose aussi des viandes et des sandwichs. Service à la fois souriant et efficace.

De prix moyens à chic (60-220 $Ar / env 9-34 €)

El Quincho del Tío Querido *(plan B3,* ***36****) : av. Perón y Caraguatá. ☎ 42-01-51. Déj mar-dim 11h30-14h30 ; dîner tlj 18h30-23h30.* Lieu de sortie très prisé, le « grill du cher oncle » est envahi chaque soir par locaux et Brésiliens qui misent sur une valeur sûre. Spectacle musical tous les soirs. L'ambiance est assourdissante en fin de semaine, mais la cuisine et les prix se tiennent. En plus de la carte, 3 menus tout compris. Parmi les spécialités de la maison : *bife de chorizo a la pimienta, surubi* (poisson du fleuve). Danses folkloriques le soir.

lel ***Terra*** *(plan A1, **37**) : av. Misiones, 125. ☎ 42-19-31.* Le cadre change radicalement : adieu la *parrilla,* bonjour le *wok* ! Au programme, plusieurs options, avec riz ou *sobas* (pâtes japonaises). Ouvertement tourné vers une clientèle jeune et étrangère, *Terra* s'enveloppe d'une drôle d'atmosphère naviguant entre bar, *lounge* et château hanté (lustres, bougeoirs et fauteuils club rouges à la clé)... La musique est un peu envahissante, mais ceux qui en ont leur claque du steak et de la *milanesa* apprécieront. En outre le service est efficace et souriant. Ne venez pas trop tard, les cuisines ferment tôt pour l'Argentine.

lel ***Color*** *(plan A2, **38**) : av. Córdoba, 135. ☎ 42-02-06. Tlj 11h30-minuit.* La salle climatisée n'est pas désagréable avec son arbre qui grimpe en plein milieu, mais la grande terrasse en bois bordée d'arbres reçoit tous les suffrages le soir venu. Au menu, pizzas et *parrilla.* Musique folklorique le soir.

lel ***A Piacere*** *(plan A2, **38**) : av. Córdoba, 125. ☎ 42-41-90. Tlj 12h-minuit. Résa conseillée.* Voisin du *Color* mais un cran au-dessus, le restaurant propose une bonne cuisine argentine classique dans une grande salle un peu chic. Le choix est vaste, avec toutes sortes de viandes, poissons de mer ou de rivière et pâtes maison bon marché, à accommoder avec la sauce de votre choix.

lel ***Aqva*** *(plan A2, **38**) : av. Córdoba, 135 (à l'angle avec C. Thays). ☎ 42-20-64. Tlj 12h-minuit. Le w-e après 21h, mieux vaut réserver.* Des restos alignés en brochettes sur l'avenue Córdoba, *Aqva* est incontestablement le plus chic. On y dîne sur une nappe blanche, devant un bon verre de vin, d'une excellente nouvelle cuisine argentine. Au menu, par exemple : brochettes de *surubi* (poisson), pâtes maison, viandes élaborées... Que du bon, copieux et joliment présenté, pour ne rien gâcher. Service très pro.

lel ***La Rueda*** *(plan A2, **39**) : av. Córdoba, 28. ☎ 42-25-31. Fermé lun et mar au déj. Résa recommandée.* Fondé en 1975, ce resto (probablement le 1er à Puerto Iguazú) est une institution ! Et le succès ne dément pas cette solide réputation, permettant rarement au routard de passage de trouver une table à l'improviste. Si le resto doit sa notoriété à sa viande, effectivement à la hauteur, le *bife de chorizo* côtoie des poissons de rivière, comme le *surubi,* délicieux fumé. Les pâtes *caseras* valent une incursion végétarienne tandis que la cave bien fournie contentera les épicuriens. Le tout servi avec soin dans un cadre agréable.

Dans le parc

lel On trouve quelques ***fast-foods*** et ***kiosques à sandwichs*** et boissons, au départ des sentiers, au pied des passerelles, à la *Gargantua del Diablo* ou aux stations de train – comme *Dos Hermanas* au début du *Circuito Inferior.* Rien de génial, mais les prix restent corrects. Une foule de coatis traîne toujours aux alentours dans l'espoir d'un en-cas chapardé ! Ils sont adorables, mais ne les nourrissez pas, c'est mauvais pour eux... et en plus, ils ont de sacrées dents !

lel Pour un déjeuner plus consistant mais plus cher, misez sur le buffet à volonté du resto-rotonde ***Fortin Cataratas,*** au croisement des circuits inférieur et supérieur. On peut y déguster d'excellentes viandes à la *parrilla.* Au même endroit, quelques snacks proposent sandwichs, omelettes, etc.

lel Pour être complet, il y a aussi le très chic et très laid ***hôtel Sheraton Iguazú.*** Cher, mais vous aurez accès à la belle piscine.

– Dans tous les cas, si on veut faire des économies, mieux vaut prévoir un petit casse-croûte et de quoi boire avant les visites.

Où boire un verre ? Où sortir ?

Bambú *(plan A1,* ***40****)* **:** *av. Brasil, angle Perito Moreno. ☎ 42-19-00. Ouv tlj à partir de 17h.* Pour boire un verre sans faire de vieux os jusqu'au petit matin, la grande terrasse abritée du *Bambú* est un bon poste d'observation ! Également des grignotages pour accompagner l'apéro. *Salud !*

La Barranca *(plan A1,* ***41****)* **:** *P. Moreno, 269. ☎ 42-32-95.* Vous n'êtes sans doute pas venu ici pour ça, mais si le démon de la danse vous démange, vous pourrez vous dégourdir ici – ou, à défaut, vous offrir une *Quilmes* fraîche au bar de la cour. Inutile de débarquer avant minuit, c'est le calme plat.

À voir

Cataratas del Iguazú (chutes argentines *; hors plan par B3)* **:** *☎ 49-14-69 ou 0800-266-44-82. • iguazuargentina.com • Tlj 8h-18h. Attention ! Décalage horaire possible avec le Brésil (1h de moins en hiver). Ne venez pas trop tard : le dernier train pour la* Garganta del Diablo *part à 16h et le dernier bateau pour l'île San Martín est à 15h30 aller, 16h30 retour. Entrée : 215 $Ar, parking : 40 $Ar ; 150 $Ar 6-12 ans ; gratuit moins de 6 ans. Paiement exclusivement en pesos argentins ; CB refusées. Si vous voulez revenir le lendemain, le prix d'entrée sera réduit de 50 % ; faites tamponner votre billet du 1er j. avt la sortie du parc* (« 2nd day pass »). *Pour venir en bus de Puerto Iguazú, voir nos indications dans la rubrique « Arriver – Quitter ».*

– À l'entrée, demandez le feuillet d'information avec plan des installations qui décrit les différentes possibilités de balades. Fontaines d'eau potable et w-c au départ et à l'arrivée des points principaux du site.

Idéalement, prévoyez une journée entière pour découvrir tous les points de vue, faire toutes les balades et, si l'envie vous en prend, un tour en bateau. Aujourd'hui, l'infrastructure du parc est telle que (presque) rien n'est laissé au hasard. Entre le petit train, les sentiers bétonnés entrecoupés d'escaliers et de passerelles, et la foule de touristes, on se croirait un peu dans un parc d'attractions... La végétation reste toutefois plus sauvage que du côté brésilien, et l'impression générale s'en ressent.

Chaque matin, au bureau d'infos du parc, des guides proposent leurs services pour faire découvrir la faune et la flore locales. Les balades, à la carte, se négocient directement avec eux. Certains parlent le français. Apprenez à reconnaître le chant du toucan, les épiphytes, le *palo rosa* (un arbre de 40 m)... Plus de 2 000 espèces de plantes ont été répertoriées ! Le parc national, étendu bien au-delà des chutes, est l'un des derniers pans intacts de la *selva paranaensis,* seconde forêt tropicale d'Amérique du Sud après l'Amazonie. Malheureusement, elle est encore plus menacée : du million de km² sur lequel elle s'étendait jadis, seuls 54 000 km² ont été préservés. Sur les berges de la rivière Iguaçu et dans la profondeur de la forêt vivent, entre autres, varans, caïmans, loutres, cabiais, cerfs, tatous, tamanoirs (fourmiliers), singes, tapirs, ocelots, pumas et jaguars. Mais lors de vos balades aux chutes, vous aurez surtout l'occasion de croiser les adorables coatis à la queue annelée (gourmands invétérés aux grandes dents !), des papillons (énormes) – qui se regroupent là où ils trouvent du sel – et peut-être même des colibris. Pour la promenade, prévoyez eau, chapeau et une bonne crème solaire (ça tape !). Et n'oubliez pas de vous munir de batteries de réserve chargées pour vos appareils de prise de vue, c'est incroyable ce que l'on mitraille au cours de la journée.

La visite

Après l'entrée, sur la droite, le ***Centro de Visitantes Yvyrá-retá.*** À gauche, une petite exposition présente l'écosystème du parc, avec une maquette des chutes qui permet de mieux comprendre la configuration du site. À droite, des infos sur l'occupation humaine de la région : des Guaraní aux colons en passant par les missions jésuites.

➢ La plupart des visiteurs montent directement à bord du ***tren ecológico de la selva*** (il fonctionne au gaz !), qui passe toutes les 20-30 mn. Il marque un premier arrêt à la *Estación Cataratas,* que l'on peut alternativement rejoindre à pied en une dizaine de minutes par le *Sendero Verde.* Pratique s'il y a plein de monde qui attend le train... et surtout, l'occasion de croiser nombre de coatis très peu sauvages. Des abords de la gare de Cataratas partent 2 circuits différents, le supérieur et l'inférieur. Si vous arrivez le matin, commencez par le circuit inférieur, beaucoup moins emprunté que dans l'après-midi.

– ***Le Circuito Superior*** (accessible aux fauteuils roulants, env 1h15) est le premier que l'on rencontre en contrebas de la gare. Il court sur 650 m, de passerelle en passerelle, en longeant la brèche géologique le long de laquelle la majeure partie des chutes se jette dans le vide. On les voit donc ici du haut. On commence par les *saltos Dos Hermanas, Chico, Ramírez* et *Bossetti,* oscillant entre 40 et 60 m de hauteur, avant d'aborder les chutes *Adán y Eva* et *Mbiguá.* Les belvédères se multiplient, léchés par une bruine constante, agréablement rafraîchissante. Le chemin se termine face au fantastique arc de cercle formé autour du rugissant *salto San Martín.* Il émerveille par la force avec laquelle les eaux se précipitent entre les pierres pour former une seconde chute à plus de 70 m en contrebas, dans des nuages vaporeux qui se nimbent souvent d'arcs-en-ciel, irisant le décor.

– Peu après le départ du *Circuito Superior* (passé le phare) se trouve celui du ***Circuito Inferior,*** que l'on rejoint par une série d'escaliers (env 1h20). Plus long (1,7 km), il rejoint d'abord les rives du *río* Iguaçu inférieur (en aval des chutes), avant de remonter, de point de vue en point de vue, vers le rideau des principales cataractes – celles-là mêmes que l'on découvre du haut depuis le *Circuito Superior.* Le parcours à travers la forêt tropicale est splendide. Parmi les temps forts de cet itinéraire figure le belvédère de la chute *Bossetti,* l'une des plus somptueuses, qui vous rafraîchira autant qu'une douche puisqu'on peut s'en approcher à presque la toucher ! Grondement impressionnant des eaux.

➢ De la partie basse du *Circuito Inferior,* un petit bateau *(gratuit, ttes les 5-10 mn, 9h30-15h30 aller et 16h30 retour)* fait la navette avec l'***isla San Martín,*** au pied des chutes. Sur l'île, un réseau de chemins tracés dans la forêt permet d'embrasser d'autres superbes panoramas, notamment sur les *saltos Dos Mosqueteros* et *Tres Mosqueteros* avec, en toile de fond, l'extraordinaire rideau de la *Garganta del Diablo.* Spectacle fascinant de millions de mètres cubes d'eau se déversant dans un bouillonnement d'apocalypse. Mais pour y parvenir, sachez qu'il vous faudra d'abord grimper 172 marches d'affilée ! La balade sur l'île est d'ailleurs un peu sportive : elle nécessite d'être bien chaussé et de ne pas souffrir de problèmes de locomotion. Il faut savoir aussi que la traversée peut être suspendue par mesure de précaution en période de hautes eaux (automne).

Également une petite plage où les Argentins viennent pique-niquer et se baigner. On est entassés certes, mais le cadre est quand même superbe !

➢ De la *Estación Cataratas,* le train poursuit son chemin jusqu'à la *Estación* **Garganta del Diablo** *(15 mn).* De là, une longue passerelle (accessible aux fauteuils roulants), étirée sur 2 080 m, mène par-dessus le cours apparemment tranquille du fleuve jusqu'à l'endroit où le fabuleux *salto Unión* s'abîme dans la gorge du Diable. Si quelques nuages de vapeur d'eau annoncent le site, on tombe sans crier gare sur l'échancrure infernale en plein milieu de la rivière, comme si le sol s'était brusquement dérobé sous la pression phénoménale des flots. Spectacle époustouflant, à ne pas manquer et à tenter de goûter pleinement en tout début ou en fin de journée, au moment où il n'y a pas trop de monde. Souvent, on peut observer les vols en piqué des *vencejos* (arbalétriers), des oiseaux de petite taille au plumage foncé, caractéristiques d'Iguaçu, qui ont été choisis comme

symbole par l'administration du parc. On peut aussi contempler le résultat de la puissance des eaux en constatant les dégâts faits à une ancienne passerelle emportée par une crue en 1992.
➢ Pour les fans de marche et les courageux, un sentier ***(sendero Macuco)*** de 7 km A/R *(accessible jusqu'à 15h)* part de derrière la station centrale pour rejoindre le *salto Arrechea* et une piscine d'eau naturelle. La baignage est agréable, mais la balade l'est un peu moins, assez longue *(compter 3h A/R)* dans un environnement peu varié.
➢ Pour revenir à Puerto Iguazú, bus depuis le parking à l'entrée du parc.

À faire dans le parc

Cinq nuits par mois, au moment de la pleine lune, le parc organise une balade nocturne – l'occasion d'entendre bruisser la forêt. Un maximum de 120 personnes pouvant y participer, il est préférable de réserver : *☎ 49-14-69. Compter 400-550 $Ar/pers (avec ou sans repas).* Renseignements détaillés sur le site internet du parc : • *iguazuargentina.com* •
– Les autorités du parc ont autorisé la compagnie *Iguazu Jungle (☎ 42-16-96)* à proposer plusieurs activités découvertes autour des chutes (accessibles aux enfants à partir de 12 ans) : safari nautique à la gorge du Diable, aventure nautique et, le grand jeu, la *Gran Aventura* : trajet en 4x4 et rafting dans les rapides de la rivière Iguaçu jusqu'à la gorge du Diable. Reste que les prix sont assez élevés et les activités d'une durée bien courte... On ne s'arrête même pas pour voir les animaux lors de la balade en 4x4 de la *Gran Aventura* ! La même compagnie gère le *Paseo Ecológico,* une balade en bateau pneumatique (à rames) entre les îlots du fleuve *(80 $Ar ; départs ttes les 15 mn en principe).* Pour plus de détails, consulter leur site : • *iguazujungle.com* •

À voir. À faire encore

La Aripuca **(hors plan Puerto Iguazú par B3) :** *à 4,5 km de Puerto Iguazú, en direction des chutes (ruta 12, Km 41). ☎ 42-34-88. • aripuca.com.ar • Tlj 9h-18h. Entrée : 50 $Ar ; réduc.* Le nom signifie « Le Piège » en guaraní. C'est une gigantesque cabane en bois composée d'une trentaine de troncs d'arbres de 2 à 3 m de diamètre. Un escalier grimpe, redescend... on se croirait dans une maison de géants ! Ces arbres, tous issus de la province de Misiones, ont entre 300 et 500 ans. Le lieu est tenu par une association de défense de la forêt. Vente d'artisanat guaraní et restaurant sur place.

Güirá Oga, la Maison des oiseaux **(hors plan Puerto Iguazú par B3) :** *ruta 12, Km 5, après La Aripuca. ☎ 42-39-80. • guiraoga.com.ar • Tarif : 75 $Ar ; réduc. Visite guidée 2h : départs ttes les 30 mn env, le 1er vers 9h20, le dernier vers 17h (plus tôt en hiver).* Cette réserve privée recueille et soigne des oiseaux et des animaux malades ou blessés, avant de les relâcher dans la nature. Plusieurs sortes de toucans, de perroquets et de rapaces, mais aussi des singes, des coatis... La visite guidée, intéressante, se fait en tracteur.

Hito 3 Fronteras **(hors plan Puerto Iguazú par A1-2) :** *au bout de l'av. Tres Fronteras.* Le belvédère surplombe le confluent du *río* Iguaçu et du *río* Paraná, révélant d'un seul coup d'œil l'Argentine, le Brésil et le Paraguay. La frontière est matérialisée par une grande borne sur chaque rive.

➢ ***Los Guaguas del Yaguarete*** **(hors plan Puerto Iguazú par B3) :** *ruta 12. 15-50-99-40 ou 41. • losguaguasdelyaguarete.com • Circuits de 2h pour 150 $Ar ; départs à 9h, 11h, 14h et 16h.* Repérez le panneau *Los Guaguas del Yaguarete* en face de l'hôtel *Cataratas,* à la sortie de la ville. Roberto et Carla proposent des promenades en *guagua* (tracteur) dans la forêt, à la découverte du mode de vie des Indiens Guaraní. Roberto, qui a longtemps travaillé comme guide dans le parc d'Iguaçu, connaît bien les animaux et les plantes du secteur.

DANS LES ENVIRONS DE PUERTO IGUAZÚ

Minas de Wanda : *à 50 km au sud de Puerto Iguazú, peu après Libertad (indiqué). Tlj 8h-18h30. Entrée : 10 $Ar ; visite guidée de 25-30 mn.* Avez-vous jamais vu une mine d'améthyste, cristaux de roche et citrine ? Voilà l'occasion. Certes, l'escale est très touristique, mais le lieu est étonnant : les gemmes, enserrées dans un socle basaltique, affleurent à même le sol et les murs des galeries (on n'en voit qu'une petite section), composant des géodes plus ou moins bien formées. Elles sont dégagées à la dynamite, puis à la barre à mines et au marteau (un travail qui prend de quelques jours à quelques semaines). Évidemment, la visite se termine dans la cohue de la boutique de souvenirs. Et si on rapportait une géode teinte en turquoise ?

FOZ DO IGUAÇU (BRÉSIL) 256 100 hab. IND. TÉL. : 45

Cette ville moderne, quatrième de l'État du Paraná par la taille, a grandi de manière exponentielle après l'inauguration du pont vers le Paraguay (1965) et la construction du barrage d'Itaipú (1975-1982), attirant un nombre sans cesse croissant d'émigrants. On y trouve d'ailleurs la plus grande mosquée en dehors des pays arabes ! Les chutes ont fait le reste. Des hordes de *pousadas* s'alignent au centre et des dizaines d'hôtels bordent la route menant aux *cataratas*, à 20 km de là.
– ***À noter :*** le taux de change moyen appliqué pour cette édition est de 3 Rls pour 1 €.

Arriver – Quitter

En avion

✈ ***Aéroport international*** *(hors plan par B3) : rodovia das Cataratas, km 16,5. ☎ 35-21-42-00/76. À 15 km du centre.* On y trouve un office de tourisme *(tlj 7h-23h ; ☎ 0800-45-15-16)*, plusieurs distributeurs (dont *HSBC*) et les comptoirs de plusieurs compagnies de location de voitures (*Avis, Hertz, Localiza* et *Unidas*).
➢ Vols tlj depuis et vers ***Rio, Curitiba*** et ***São Paulo,*** et vers les grandes villes du Nord via São Paulo avec les compagnies *TAM* et *GOL*.
➢ ***Pour rejoindre le centre-ville :*** pour le centre et le terminal des bus urbains TTU, bus *Centro-TTU* ttes les 20 mn, 5h45-0h40. Compter 30 mn de trajet. Le même, dans l'autre sens, mène directement aux chutes (direction *Parque Nacional*). Pour la gare routière grandes distances, il faut changer au terminal *TTU* pour un bus *Rodoviária.* En taxi, compter env 60 Rls pour Foz, env 70 Rls pour Puerto Iguazú ; adressez-vous au comptoir de prépaiement dans l'aéroport. Une solution, si vous avez réservé un hôtel : demandez-leur de vous envoyer un taxi, c'est en général moins cher.

En bus

Rodoviária *(hors plan par B1, **1**) : av. Costa e Silva, 1601 ; à env 3 km du centre, sur la route de Curitiba. ☎ 35-22-25-90.* Petit bureau d'infos touristiques et, juste à côté, bureau des AJ. Internet, pharmacie, distributeur et consigne à bagages *(tlj 5h-22h30)*. Pour rejoindre le centre, prendre le bus *TTU/Terminal,* côté consigne. Ceux qui repartent pourront aussi acheter leur billet en ville (voir « Adresses et infos utiles »).
➢ ***São Paulo :*** 16h de trajet ; env

9 bus/j., 12h-19h30, avec *Kaiowa* (☎ *0800-646-24-23*) et *Pluma* (☎ *35-22-23-52*). Compter env 130 Rls avec *Kaiowa* et 160 Rls avec *Pluma.*

➢ ***Rio :*** 23h de trajet. Env 4 bus/j., avec *Kaiowa* (à 12h et 13h30 ; 120 Rls) ou avec *Pluma* (à 12h et 18h45 ; 250 Rls).

➢ ***Curitiba :*** départs à 7h, 9h15, 12h, 15h et 6 départs 20h-21h30, avec *Catarinense* (☎ *35-22-29-96*). Trajet : 9h.

➢ ***Florianópolis :*** env 7 bus/j. dont 3 avec *Catarinense* 17h-20h, les autres avec *Pluma* (2/j., à 17h30 et 20h) et *Reunidas* (☎ *35-22-28-08*). Compter 1 550 Rls et 14h de trajet.

➢ ***Buenos Aires (Argentine) :*** départ tlj à 12h30 avec *Crucero del Norte* (☎ *35-73-10-32*) ; slt les mer, ven et dim, départ à 13h avec *Pluma*. Trajet : env 18h.

➢ ***Asunción (Paraguay) :*** avec *Crucero del Norte,* 1 bus à 13h tlj sf dim. Bus également avec *Nuestra Señora de la Asunción* (☎ *43-11-76-66*) et *Rysa* (☎ *35-22-30-80*). Trajet : env 5h.

🚌 ***Terminal de bus urbains** (TTU ; plan A1,* ***2****) : à l'angle de Juscelino Kubitscheck et República Argentina.* ☎ *35-72-46-62. Plusieurs arrêts sur l'av. J. Kubitscheck. 2,65 Rls pour ttes les dessertes locales.*

➢ ***Chutes brésiliennes :*** prendre le bus *Parque Nacional* (nº 120, env ttes les 25 mn, 5h30-minuit), qui passe par l'aéroport. Dans le sens retour, il porte l'indication *Centro/TTU.* 35-45 mn de trajet.

➢ ***Puerto Iguazú (Argentine ; plan A1, 3) :*** ttes les 30 mn env avec *Crucero del Norte,* 8h-19h. Le départ se fait rua Men de Sá, au niveau du nº 94 – une rue parallèle au terminal. Compter 4 Rls. En général, les bus n'attendent pas au passage de la douane, plus ou moins rapide selon l'affluence. On prend alors le bus suivant (avec le même ticket).

➢ ***Chutes argentines :*** rien de direct depuis Foz, il faut changer à Puerto Iguazú pour un bus *Cataratas.* Sinon, l'*Hostel Paudimar Falls Centro* vend des billets directs (voir « Où dormir ? » plus loin).

➢ ***Ciudad del Este (Paraguay) :*** *colectivos* fréquents et directs. Trajet en 20 mn à peine.

Adresses et infos utiles

Informations, poste et télécommunications

🛈 ***Offices de tourisme :*** *• iguassu.tur.br •* ☎ *0800-45-15-16 (appel gratuit ; accueil en anglais et espagnol tlj 7h-23h). Bureau principal av. das Cataratas, 2330 (hors plan par B1), tlj 7h-23h. D'autres à la rodoviária, tlj 8h-22h ; à l'aéroport ; à la station des*

■ **Adresses utiles**

- 🛈 Offices de tourisme
- @ @net LAN House
- 🚌 **1** Rodoviária
- 🚌 **2** Terminal de bus urbains (TTU)
- 🚌 **3** Bus pour Puerto Iguazú
- **4** Casa de cambio Carol DTVM
- **5** Consulat honoraire de France
- **6** Consulat d'Argentine
- **7** Consulat du Paraguay
- **8** Tam
- **9** Corimeira Passagens
- **10** Central de Passagens
- **11** Police touristique
- **12** Pharmacies 24h/24
- ✚ **13** Hôpital CEM

Où dormir ?

- **20** Pousada Naturaleza Foz
- **21** Hostel Paudimar Falls Centro
- **22** Hostel Paudimar Campestre
- **23** Iguassu Guest House
- **24** Hostel Bambu
- **25** Pousada Sonho Meu
- **26** Águas do Iguaçu Hotel Centro
- **27** Pousada El Shaddai
- **28** Tarobá Express Hotel

Où manger ?

- **40** Super Muffato
- **41** Panificadora Maran
- **42** Oficina do Sorvete
- **43** Gaúcho
- **44** Tropicana
- **45** Bufalo Branco

Où boire un verre ? Où sortir ?

- **51** Capitão
- **52** Ono Teatro Bar

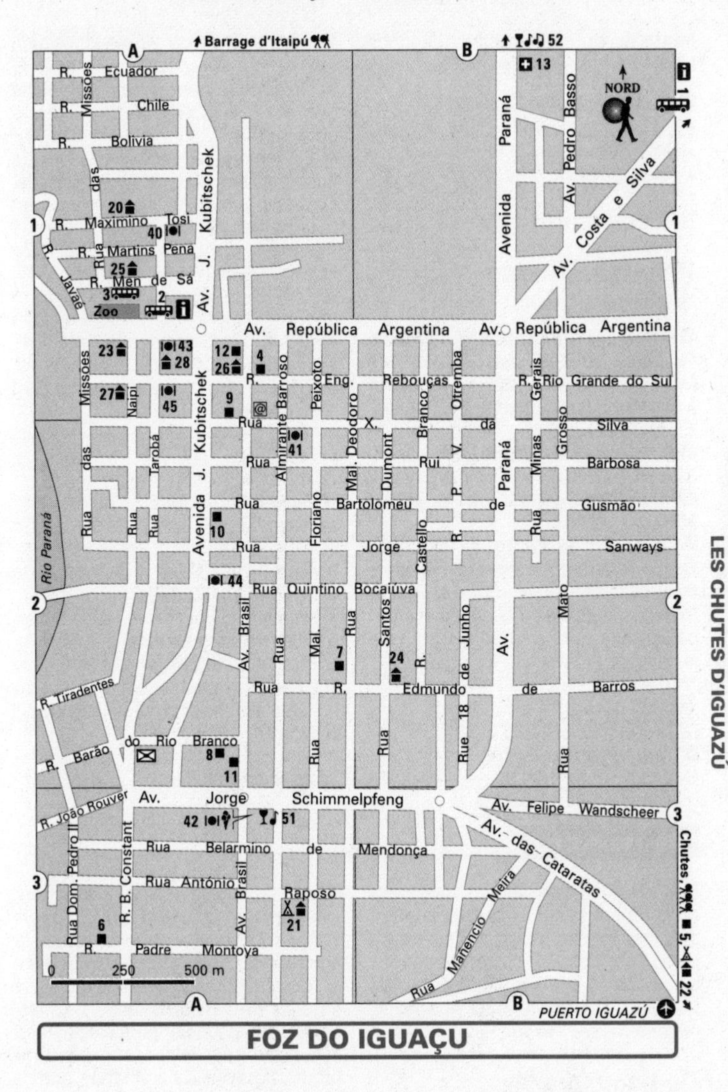

FOZ DO IGUAÇU

bus TTU (plan A1), tlj 7h30-18h. Plan de la ville et du parc national d'Iguaçu.

✉ ***Poste*** *(plan A2) : praça Getúlio Vargas, 72 ; av. J. Kubitschek, près de l'angle de la rua Rio Branco. Lun-ven 9h-17h.*

@ ***Internet :*** ***@net LAN House*** *(plan A1), av. Brasil, 109 et 315. Tlj 9h-22h30.*

Argent, change

Toutes les banques disposent d'un distributeur. Si vous venez d'Argentine, les pesos sont acceptés partout, à un bon taux. Pas de bureau de change à l'aéroport ni à la gare routière. En revanche, en traversant le poste frontalier, du côté argentin, l'agence *Libres Cambio* prend les euros.

■ ***Casa de cambio Carol DTVM*** *(plan A1, **4**) : av. Brasil, 151. Lun-ven 9h-18h ; sam 8h-12h.*

■ ***Access*** *(plan A1) : av. Brasil, 71. Face à l'hôtel* Aguas do Iguaçu. *Lun-ven 8h30-18h ; sam mat.*

Représentations diplomatiques

■ ***Consulat honoraire de France*** *(hors plan par B3, **5**) : rua Sempre-Viva, 394, vila Adriana. ☎ 35-29-68-50. • piedra.buena@foznet.com.br • Ouv sur rdv 9h-11h.*

■ ***Consulat d'Argentine*** *(plan A3, **6**) : travessa Vice-Cônsul E. R. Bianchi, 26. ☎ 35-74-28-77. • cfdig@mrecic.gov.ar • Lun-ven 10h-16h.*

■ ***Consulat du Paraguay*** *(plan A2, **7**) : rua Marechal Deodoro da Fonseca, 901. ☎ 35-23-28-98. Lun-ven 8h30-17h.* Les ressortissants canadiens ont besoin d'un visa pour séjourner dans le pays.

Transports

■ ***Tam*** *(plan A2, **8**) : rua Rio Branco, 640. ☎ 35-21-75-00. À l'aéroport : ☎ 35-21-42-41 ou 23-85-00. • tam.com.br •*

■ ***Gol Linhas Aereas Inteligentes*** *: à l'aéroport. ☎ 0300-115-21-21. • voegol.com.br •*

■ 2 agences vendent les billets de bus longues distances au centre-ville, au même prix qu'à la gare routière et pour toutes les compagnies, ainsi que des billets d'avion : ***Corimeira Passagens*** *(plan A1, **9**), av. Brasil, 248, ☎ 35-72-49-72 (• corimeira.com.br •) ; et **Central de Passagens** (plan A2, **10**), av. Juscelino Kubitscheck, 526, à l'angle de Bortolomeu de Guamão. ☎ 35-23-47-00. • centraldepassagens.com •*

Urgences

■ ***Police touristique*** *(plan A2, **11**) : av. Brasil, 1374. ☎ 35-23-30-36. En face de la* Banco do Brasil. *Lun-ven 9h-12h, 14h-18h.*

■ ***Police*** *: ☎ 190 (24h/24).*

■ ***Pharmacies ouvertes 24h/24*** *(plan A1, **12**) : **Farmarede** et **Master Farma**, au bout de l'av. Brasil (aux nos 46 et 65).* Les deux sont face à face ; on en trouve d'autres sur la même avenue.

✚ ***Hôpital CEM*** *(plan B1, **13**) : av. Paraná, 1525. ☎ 35-21-18-09.* Premiers soins gratuits.

Où dormir ?

Beaucoup d'établissements affichent au comptoir et sur leurs sites internet des tarifs « officiels » supérieurs à ce qu'ils sont dans la réalité. Demandez sur place et ils dégonflent déjà... Et n'hésitez pas à faire jouer la concurrence en basse saison.

De bon marché à prix moyens (moins de 100-150 Rls / env 33-50 €)

⛺ 🏠 ***Hostel Paudimar Falls Centro*** *(plan A3, **21**) : rua António Raposo, 820. ☎ 30-28-55-03. • paudimarfalls.com.br • Réception 24h/24. Nuitée en dortoir 40-50 Rls/pers ; doubles 100-110 Rls ; camping env 25 Rls/pers ; bon petit déj inclus. Réduc avec la carte* Hostelling International *(sf camping). CB refusées.* 💻 📶 Une petite AJ dans le centre avec des dortoirs de 6 à 8 lits et des chambres climatisées pour 2 à 4 personnes. Billard, salle TV et jardin (où l'on peut camper) avec hamac et piscine pour faire trempette. Une bonne adresse à l'ambiance conviviale. Vend aussi des billets de bus pour aller directement aux chutes côté argentin ; intéressant puisque habituellement, on change de bus à Puerto Iguazú.

🏠 ***Hostel Bambu*** *(plan B2, **24**) : Edmundo de Barros, 621. ☎ 30-27-36-61. • hostelbambu.com • Lit en dortoir 55 Rls, double env 125 Rls, avec petit déj.* 💻 📶 À l'ombre d'une tour haut perchée, un des points de ralliement des routards internationaux. Dortoirs jusqu'à 9 couchages, avec des lits superposés. Les chambres doubles, bien tenues, partagent leur salle de bains avec une autre chambre. À l'arrière, vaste patio avec piscine, cuisine bien équipée et *parrilla*. Le proprio, Diogo, parle le français, ce qui peut aider. Parking, *lockers*.

⛺ 🏨 ***Hostel Paudimar Campestre*** *(hors plan par B3,* ***22****) : rodovia das Cataratas, Km 12,5 (Remanso Grande).* ☎ *35-29-60-61.* • *paudimar.com.br* • *De l'aéroport, bus « TTU Centro » jusqu'à l'hôtel* San Juan, *puis bus gratuit (Alimentador) ttes les 20 mn, 6h-19h20 : sinon, marcher 15-20 mn. De la* rodoviária, *bus Integrado jusqu'au terminus TTU, puis bus « Parque Nacional » jusqu'à l'hôtel* San Juan. *Camping dans le jardin à partir de 25 Rls/pers, nuitée en dortoir env 35-45 Rls/pers, doubles avec AC et sdb privée env 130-145 Rls, petit déj inclus. Réduc avec la carte* Hostelling International. 💻 📶 Située en pleine nature, à l'écart de la route qui mène aux chutes, cette excellente auberge à l'atmosphère chaleureuse s'étale sur un très grand terrain. Elle abrite 172 lits en tout – la plupart répartis dans des dortoirs de 6 avec ventilo –, simples mais bien tenus. Également des chambres doubles et familiales, harmonieusement intégrées dans le paysage : cabanes indépendantes près de l'entrée, chambres supérieures pimpantes, ouvertes sur le jardin. Cuisine collective, restaurant autour de la piscine non chlorée, casiers sécurisés, salle TV, salle de jeux, nombreuses activités sportives, billard... Il faut dire que ce n'est pas l'espace qui manque, et que le cadre est magnifique ! Petit déjeuner complet servi même aux campeurs. En prime, possibilité d'y réserver billets de bus et excursions.

🏨 ***Pousada Naturaleza Foz*** *(plan A1,* ***20****) : rua Maximino Tosi, 253.* ☎ *30-25-69-96.* • *pousadanaturezafoz.com.br* • *Doubles avec sdb 90-100 Rls, copieux petit déj inclus. CB refusées.* À peine excentré et proche du zoo, cet hôtel impeccable propose des chambres réparties dans plusieurs petits bâtiments avenants. Avec 4 lits dans chacune et des pelouses verdoyantes tout autour, les familles y trouveront aussi leur compte. Cuisine à disposition, d'autant plus pratique que le supermarché *Muffato* est à côté. Piscine sur la terrasse, hamacs au vert pour écouter le gazouillis des oiseaux.

🏨 ***Pousada El Shaddai*** *(plan A1,* ***27****) : rua Engenheiro Rebouças, 306.* ☎ *30-25-44-93.* • *pousadaelshaddai.com.br* • *À 3 pâtés de maisons du terminal des bus urbains. Doubles env 75-90 Rls, copieux petit déj inclus. CB refusées.* Les chambres ne sont pas très grandes mais elles ont leur propre salle de bains, la clim et sont bien tenues. Ajoutez à cela le caractère central de l'adresse, et vous comprendrez que le rapport qualité-prix y est excellent... On y trouve même une petite piscine et une cuisine commune.

🏨 ***Iguassu Guest House*** *(plan A1,* ***23****) : rua Naipi, 1019.* ☎ *30-29-02-42.* • *iguassuguesthouse.com.br* • *Nuitée 40-50 Rls/pers en dortoir ; doubles 105-125 Rls.* 💻 📶 Dans une rue tranquille à côté du terminal, cette accueillante maison blanche a tous les avantages d'un établissement récent ne badinant ni avec le confort, ni avec la propreté. Chambres et dortoirs (4 à 8 personnes) climatisés de bonne taille, jardin avec balancelle, barbecue et petite piscine, billard, *lockers*. Accueil charmant. Soirées conviviales autour du bar en perspective.

🏨 ***Pousada Sonho Meu*** *(plan A1,* ***25****) : Men de Sá, 267.* ☎ *35-73-57-64.* • *pousadasonhomeufoz.com.br* • *À un pâté de maisons du terminal des bus urbains, dans une rue calme. Doubles env 140-150 Rls.* 💻 📶 « Mon Rêve » deviendra peut-être le vôtre... Cet hôtel familial charmant se distingue par une déco sympa mi-bambou, mi-safari ! Les chambres petites mais confortables (AC, TV, sèche-cheveux) sont plus ou moins lumineuses ; on préfère celles qui donnent sur la piscine et leurs hamacs pour amoureux. Billard, salle de fitness et cuisine à disposition, mais le bonus, c'est le délicieux jardin. Très bon accueil.

Plus chic (150-250 Rls / env 50-83 €)

☗ ***Águas do Iguaçu Hotel Centro*** *(plan A1,* ***26****)* ***:*** *av. Brasil, 84.* ☎ *35-21-60-00.* • *aguasdoiguacuhotel.com.br* • *Doubles 150-250 Rls. Parking.* L'hôtel est central, les 80 chambres sont spacieuses et d'un confort indéniable (clim, frigo, TV écran plat, sèche-cheveux) même si le tout manque un peu de chaleur. La touche personnelle, ce sont les photos de montagnes et de voyage. Piscine.

☗ ***Tarobá Express Hotel*** *(plan A1,* ***28****)* ***:*** *rua Tarobá, 1048 (Centro).* ☎ *21-02-77-00.* • *hoteltaroba.com.br* • *Doubles env 220-240 Rls (moins cher via leur site internet).* Ne pas se fier à l'extérieur ingrat de ce bloc de béton, cet établissement central dispose de chambres petites, sobres mais bien équipées : clim, bureau, TV écran plat, sèche-cheveux... Petite piscine, salle de fitness et sauna, resto.

Très chic, aux premières loges...

☗ ***Hotel das Cataratas*** ***:*** *rodovia das Cataratas, km 32.* ☎ *21-02-70-00. En France :* ☎ *01-55-62-18-00 (Orient Express).* • *hoteldascataratas.com.br* • *Doubles env 850-1 600 Rls selon confort et services...* Dans la forêt du *parque nacional do Iguaçu*, pile en face des chutes ! L'hôtel est une grande bâtisse rose bonbon de style néocolonial... C'est vrai qu'il est bien situé, ce palace : aux premières loges ! Tous les services des hôtels de luxe : piscine à débordement, tennis, resto, bar chic, spa... et accueil ultra-professionnel. Les chambres sont magnifiques, avec plancher sombre et grand dressing pour certaines. Quitte à dépenser une fortune, prenez une « Deluxe cataratas » avec vue (partielle) sur les chutes. Tour d'observation panoramique.

Où manger ?

Vous trouverez essentiellement des restos proposant des buffets bon marché et reconstituants le midi et des *churrascarias* (plutôt chères). Entre les deux, peu de choix. Si vous sortez dîner dans un resto éloigné du centre, optez pour un taxi.

Bon marché (moins de 30 Rls / env 10 €)

ǀ●ǀ ***Super Muffato*** *(plan A1,* ***40****)* ***:*** *av. J. Kubitscheck, 1565. Tlj 8h-22h.* La cafétéria du supermarché est un plan économique dans le secteur. Buffet au kilo. Pratique pour un repas rapide à proximité du terminal.

ǀ●ǀ ***Panificadora Maran*** *(plan A2,* ***41****)* ***:*** *rua A. Barroso, 1968.* ☎ *30-27-12-12. Tlj 24h/24.* Il n'y a pas d'heure pour venir casser la croûte dans cette boulangerie du centre : buffet midi et soir, soupes toute la nuit, et bien sûr des desserts, plutôt honnêtes.

ǀ●ǀ ***Oficina do Sorvete*** *(plan A3,* ***42****)* ***:*** *av. Jorge Schimmelpfeng, 244.* ☎ *30-28-09-18. Tlj 13h-minuit.* Plus d'une centaine de parfums de glaces (vendues au poids), classiques ou plus originaux. Tous les *toppings* possibles à ajouter, et les Brésiliens ne s'en privent pas ! Grande terrasse très populaire sur l'avenue. Fait aussi des sandwichs à la carte toute la journée.

ǀ●ǀ ***Gaúcho*** *(plan A1,* ***43****)* ***:*** *rua Tarobá, 632 (à l'angle avec República Argentina).* ☎ *30-29-13-03. Tlj 10h30-23h.* Quand cette odeur de grillade vous tient et que le ballet de serveurs est ininterrompu, le repas s'annonce gourmand et... pantagruélique ! Les carnivores seront aux anges, et les végétariens pourraient même se convertir à la viande rôtie à la broche, dont 22 morceaux différents sont ici servis ! Efficace et sans chichis.

ǀ●ǀ ***Tropicana*** *(plan A2,* ***44****)* ***:*** *av. J. Kubitscheck, 228.* ☎ *35-74-17-01.* Le buffet à volonté de viandes grillées, salades, légumes, pizzas (au dîner) et dessert est une bonne affaire, et les Brésiliens ne s'y trompent pas. Le soir, l'éclairage blafard laisse à désirer, mais le midi, la salle ouverte sur l'extérieur est plutôt agréable.

Plus chic (jusqu'à 80 Rls / env 27 €)

I●I ***Bufalo Branco*** *(plan A1, **45**) : Engenheiro Rebouças, 530 (angle Tarobá). ☎ 35-23-97-44. Tlj 12h-23h.* Le buffet offre une bonne variété : légumes tropicaux, salades, *mezze* moyen-orientaux... C'est le principe du *rodizio* (tout à volonté). Les viandes, toutes rôties à la broche, sont excellentes ; les serveurs en nœud pap' n'ont de cesse de défiler et de vous proposer de remplir votre assiette... Même si vous n'avez plus faim, allez faire un tour au buffet des desserts... rien que pour la couleur. Le lieu est toutefois très touristique. On dîne en musique (harpiste ou guitariste), sur des nappes blanches, et bien sûr, tout cela se paie.

Où boire un verre ? Où sortir ?

🍷 ♩ Le soir, les abords de l'avenue Schimmelpfeng restent animés très tard, surtout en fin de semaine. Bars et vastes *choperias* sont assiégés par une jeunesse festive qui conflue à l'heure de l'apéritif jusque tard, par exemple au ***Capitão*** *(plan A3, **51**), à l'angle de la rua Almirante Barroso. ☎ 35-72-15-12.* Les groupes d'amis se serrent sur la grande terrasse donnant sur l'avenue, autour de « tours » à bières dressées comme des obélisques sur les tables. *Saúde !* Grands écrans pour les matchs et musique live certains soirs. D'autres bars semblables se répartissent aux environs, comme ***Rafain Chopp*** et, un peu plus loin sur l'avenue, le ***Bier Garten.*** Allez, *prosit* !

🍷 ♩ ♫ ***Ono Teatro Bar*** *(hors plan par B1, **52**) : av. Rosa Cirilo de Castro, 85. ☎ 30-27-57-00. À l'angle de l'av. Paraná. Entrée variable selon les spectacles.* Cette salle est un endroit en vue pour aller prendre un verre en compagnie de la jeunesse locale, assister à un concert ou se déhancher au rythme des variétés internationales.

À voir

◎ 🚶🚶🚶 👨‍👧 ***Parque nacional do Iguaçu (chutes brésiliennes** ; hors plan par B3) : BR 469, Km 18. ☎ 35-21-44-00. • cataratasdoiguacu.com.br • ♿ Tlj 9h-17h (dernière entrée). Env 50 Rls l'entrée, transport compris ; 8 Rls 2-11 ans. On peut payer en pesos argentins, mais la monnaie est rendue en reals. Sinon, distributeur au centre d'accueil et bureau de change.*

➢ *Pour ceux qui arrivent par avion à Foz et emportent un petit bagage, possibilité d'aller tt de suite aux chutes avec le bus « Parque Nacional » de l'aéroport (ttes les 25 mn env). Sinon, des taxis peuvent vous y conduire, mais c'est plutôt cher et il faut négocier. Si vous venez en voiture personnelle, parking à 17 Rls. Vous vous garez à l'entrée, puis vous prenez le bus comme tt le monde. Voir aussi plus haut la rubrique « Arriver – Quitter ».*

Tous les visiteurs passent donc par l'entrée du parc pour se procurer un ticket. On y trouve une expo géologique audioguidée consacrée à la formation des chutes, et un guichet spécialisé pour ceux qui voudraient s'offrir une excursion sportive (voir « À faire dans le parc »). Ensuite, des bus *double-deckers* conduisent les visiteurs jusqu'aux abords du superbe *Hotel das Cataratas*, d'où part le sentier menant aux chutes. Au retour, le dernier bus part à 18h30.

Long de 1,2 km, le sentier (accessible aux fauteuils roulants) descend en quelques virages au premier point de vue : la majeure partie des *cataratas* argentines se déroule devant vous, en amphithéâtre !

La vue d'ensemble est saisissante et vertigineuse. Le débit moyen de la rivière est d'environ 1 400 m³/s mais varie entre 500 m³/s pendant les périodes d'étiage et jusqu'à 6 500 m³/s au moment des crues. Les eaux se teintent alors de roux intense. En fonction de leur volume, le nombre des chutes varie, de 150 à 270

au maximum. Les « grands sauts » *(saltos)* sont au nombre de 19, dont trois seulement se trouvent du côté brésilien (*Floriano, Deodoro* et *Benjamin Constant*). C'est donc naturellement de ce versant que le panorama d'ensemble est le meilleur, en particulier le matin. Si on entend des oiseaux, on se contente de croiser les coatis au museau allongé. Ils sont à priori inoffensifs, mais comme ils ne crachent pas sur un grignotage, on vous demande de ne pas les nourrir afin de leur éviter d'éventuelles maladies.
Le chemin longe ensuite la colline pour atteindre une longue passerelle. Elle s'avance au-dessus de l'eau jusque sous le *salto Unión,* la plus haute (82 m), la plus puissante des chutes, en plein milieu de la *garganta del Diablo.* Un nuage permanent de vapeur d'eau vous enveloppe dans un grondement tonitruant. Prévoyez un vêtement de pluie ou laissez-vous mouiller !
Passé ce temps fort, le parcours s'achève au pied de la tour d'observation de l'*Espaço Naipi,* qu'on remonte en ascenseur panoramique. C'est déjà fini, et on est bon pour reprendre le bus. La station s'appelle Porto Canoas... Côté brésilien, seul ce sentier est accessible au public. Le reste du parc ne peut être parcouru qu'en s'inscrivant auprès d'un des prestataires privés qui organisent activités et balades.

|●| Quelques ***kiosques à sandwichs*** et boissons se regroupent à l'*estação Porto Canoas.*

|●| ***Porto Canoas :*** *☎ 35-21-44-43. Tlj 12h-16h. Ce self-service propose un buffet à volonté le midi.* Varié et cher sans être génial, mais c'est le seul vrai resto du parc. Le mieux est de s'installer en terrasse.

À faire dans le parc

■ ***Macuco Safari :*** *guichet spécifique au centre d'accueil. ☎ 35-74-42-44. • macucosafari.com.br •* Cette agence organise toutes sortes de balades et d'activités dans les secteurs « privatisés » du parc... Le grand classique, le *Macuco Safari (durée 2h, départ ttes les 15 mn, 170 Rls !),* combine un tour en train électrique et une courte balade jusqu'à une petite chute, puis une excursion en Zodiac dans la gorge du Diable pour approcher les chutes. Cette dernière partie est vraiment impressionnante, même si l'attraction est très touristique. Douche et sensations fortes garanties ! Également d'autres formules mêlant promenade, bateau, rafting, kayak, VTT... Mais les guides ne sont pas toujours au niveau.

■ ***Survol en hélicoptère :*** *avec* ***Helisul,*** *☎ 35-29-74-74. • helisul.com • Pas de résa à l'avance. S'adresser au bureau dans le parc.* Grandiose mais assez cher et payable uniquement en cash. On choisit entre le survol de 9-10 mn juste au-dessus des chutes et celui de 30-35 mn, qui comprend aussi le barrage d'Itaipu. Côté argentin, on n'apprécie pas trop ces hélicos qui volent bien bas et font fuir les oiseaux. Une pétition circule toujours pour les faire interdire. Choisissez votre camp !

À faire hors du parc

Parque das Aves : *avt l'entrée du parc sur la droite. ☎ 35-29-82-82. • parquedasaves.com.br • Tlj 8h30-17h. Entrée : 28 Rls.* Ce parc ornithologique aménagé sur 5 ha, en pleine forêt tropicale, est peuplé d'oiseaux colorés. Les écolos n'apprécieront pas à priori de les voir enfermés, mais il faut reconnaître que le fait de pouvoir les approcher (on entre à l'intérieur des grandes volières) rend la balade bien sympathique. On croise des myriades de toucans inquisiteurs (toujours prêts à grignoter quelque chose), des aras de toutes les couleurs, des nandous, des colibris, des vautours, des aigles, des ibis rouges, des flamants roses... Plus de 1 000 oiseaux tropicaux en tout, presque impossibles à voir en liberté ! 130 espèces principalement locales et des papillons qui volettent à loisir dans une serre. Il y a même quelques reptiles, anacondas et caïmans. Une balade pleine de surprises dans un cadre presque naturel.

DANS LES ENVIRONS DE FOZ DO IGUAÇU

LE BARRAGE D'ITAIPÚ

➢ ***Comment y aller :*** *à 12 km au nord de Foz. Accès en bus nº 101 ou 102 (env 30 à 50 mn de trajet).*

👣👣 ***La visite :*** *résa obligatoire au ☎ 0800-645-46-45 ou 35-29-28-92. • reservas@turismoitaipu.com.br • turismoitaipu.com.br • Tlj 8h-18h. Visites guidées « panoramiques » bilingues, en anglais et espagnol, tlj à 8h, 9h, 10h, 12h, 14h, 15h et 16h (départs supplémentaires 11h-13h selon saison). Durée : env 1h40. Entrée : 26 Rls ; réduc 7-12 ans ; gratuit moins de 6 ans. Billet donnant accès à l'écomusée. « Circuito especial » (visite de l'intérieur du barrage) : tlj, 8 visites 8h-16h ; durée : env 2h30 ; 64 Rls (résa conseillée dans ce cas ; min 14 ans ; ni shorts, ni jupes, ni tongs autorisés). On peut aussi opter pour une visite de nuit ven et sam à 20h. Entrée : env 15 Rls. En voiture, ajouter 10 Rls de parking. CB acceptées.*
L'immense muraille de béton du barrage d'Itaipú (« Rocher qui chante » en guaraní), commencé en 1975, à l'époque des folles années de l'industrialisation, vit s'élever contre lui de nombreux détracteurs, dénonçant l'impact de sa construction sur l'environnement. Dans les premières années, la déforestation atteignit d'importantes proportions (700 km² concernés), avant que les autorités brésiliennes et paraguayennes ne commencent à prendre en considération le facteur écologique. Des réserves tampons furent alors créées, où ont été installés les quelque 25 000 animaux sauvés de la noyade. Des zones entières ont été replantées et le barrage se veut aujourd'hui un des fers de lance du développement durable. À voir...
La visite commence par un film introductif, pas inintéressant même s'il fait un peu propagande en faveur d'un développement vert – ce qui peut surprendre après les polémiques liées à sa construction dans les années 1970. Les chiffres pleuvent : un réservoir long de 187 km, couvrant 1 350 km² et profond de 200 m, assez de béton pour construire 200 stades de foot et d'acier pour bâtir 380 tours Eiffel, des turbines de 3 300 tonnes fournissant chacune assez d'électricité pour alimenter une ville de 2,5 millions d'habitants, 6,5 milliards de recettes cumulées et un demi-million de visiteurs par an... Eh oui, Itaipú est le plus grand barrage au monde. Amarré sur le Paraná, à cheval entre le Brésil et le Paraguay, il fournit à lui seul 20 % de l'énergie du premier pays et 90 % pour le second ! Inauguré en 1982, il n'a vu ses travaux s'achever qu'en 2007.
Après le film (30 mn), on grimpe sagement dans des bus pour la visite proprement dite. Au programme : deux arrêts pour voir le barrage de près, puis retour à la case départ en effectuant une boucle par le côté paraguayen. Pas de douane ni de coup de tampon ! En été, le niveau de l'eau est souvent trop bas pour permettre les spectaculaires lâchers d'eau et l'intérêt du spectacle en est largement réduit. A contrario, lorsque toutes les vannes sont ouvertes, le débit atteint quatre fois celui des chutes d'Iguaçu ! Reste que, hormis les proportions spectaculaires du barrage, on ne voit pas vraiment grand-chose d'inoubliable.

👣 ***Écomusée d'Itaipú :*** *800 m avt le hall où l'on reçoit les visiteurs pour le barrage. Mar-dim 8h-16h30. Entrée : 10 Rls ; gratuit avec le billet d'accès au barrage.* Ce musée assez disparate se consacre, pêle-mêle, à l'historique de l'occupation de la région (dioramas), à la construction du barrage, à sa gestion environnementale, à l'éducation civique des jeunes Brésiliens, à la géologie et à la faune (empaillée)... Le plus intéressant serait peut-être le gros camion de chantier datant de la construction du barrage, garé à l'extérieur, mais les Canadiens rigolent – ils en ont des bien plus gros !

Refúgio biológico Bela Vista : *visites guidées mar-dim à 8h30, 10h, 14h30 et 15h30. Durée : env 3h (2 km de marche). Entrée : env 20 Rls.* Malgré son nom, c'est avant tout un zoo, où ont été installés les animaux menacés d'être noyés par l'inauguration du barrage. Dans le désordre : cabiais, perroquets, ocelots et jaguars, serpents et iguanes, caïmans, renards, singes, tapirs, etc.

LES MISSIONS JÉSUITES

Popularisées par le film *Mission* de Roland Joffé, avec Robert de Niro et Jeremy Irons, les *reducciones* (« regroupements »), comme on les appelle ici, sont la grande attraction touristique du sud de la province de Misiones. Il n'en reste que des ruines, très belles à San Ignacio Mini, nettement moins impressionnantes ailleurs – sauf à passer au Paraguay et au Brésil. Des quelque 30 missions jésuites élevées dans ces confins, sept ont été classées au Patrimoine mondial par l'Unesco (dont quatre en Argentine).

LES DÉBUTS DE LA COLONISATION

Dès 1549, les jésuites arrivent au Brésil. Ils n'ont qu'un mot d'ordre : évangéliser et « civiliser » les bons sauvages qui vivent là, anthropophages et païens. En fait, la situation de ces Amérindiens est déplorable. Depuis le début du XVIe s, le système de l'*encomienda* reconnaît aux conquistadores la propriété des terres, mais aussi des populations qui y vivent. Chaque *encomandero* y trouve une main-d'œuvre corvéable à merci. C'est un système d'asservissement impitoyable qui permet l'exploitation à bon compte des champs et des mines.
De grandes révoltes indiennes secouent le Paraguay en 1580 et le rendent ingouvernable. Ces difficultés, liées à l'opposition grandissante de l'Église au servage et à l'impression de la cour espagnole qu'une trop belle part est faite aux colons, favorisent une remise en cause du système de l'*encomienda.* À partir de 1606, les ordonnances royales imposent aux gouverneurs de ne pas assujettir les Indiens du Paraná par la force, mais de gagner leur confiance uniquement par les sermons et l'enseignement des religieux envoyés sur place. En 1609, un décret abolit finalement le « service personnel » que doivent rendre les Indiens aux colons, affirmant même que ceux-ci doivent être « aussi libres que les Espagnols ». Les impôts sont supprimés pour une période de 10 ans. Le supérieur général de la Compagnie de Jésus, Acquaviva, obtient parallèlement du roi Philippe III l'autorisation pour les jésuites d'Amérique de fonder un État autonome dans la région du cours moyen et supérieur des fleuves Paraná et Paraguay. Forts de cette base légale, les jésuites mettent sur pied leurs *misiones* du Paraguay, avec une organisation sociale dont l'originalité innove considérablement par rapport aux pratiques de l'époque.

LA CRÉATION D'UN SYSTÈME

Le 29 décembre 1609, la première *reducción* jésuite est construite à San Ignacio Iguazú. Malgré la difficulté des conditions climatiques, de 1620 à 1630, le nombre des missions ne cesse de croître dans une relative indépendance par rapport aux régions gouvernées par l'Espagne et le Portugal. Pour se faire accepter par les Indiens, les jésuites font usage de leur savoir médical, des objets du monde moderne, de la protection qu'ils offrent contre les colons. En 1630, on dénombre déjà 11 missions rassemblant 10 000 chrétiens. Ce nombre culminera en 1732 à 30 pour 141 182 habitants Guaraní christianisés sur un territoire de 350 000 km². Pendant 150 ans, les missions vivront pratiquement isolées du monde extérieur avec un mode d'organisation communautaire autonome unique dans l'histoire. Montesquieu (parlant d'une « république indienne »), Voltaire et Diderot ont tous loué, à leur manière, cette expérience à vocation égalitaire hors du commun.

SYNCRÉTISME

Dès le milieu du XVIe s, les jésuites se font l'écho de convergences entre le message évangélique du Christ et les croyances guaraní. Entre autres, les prophéties relatives aux karaï (hommes-dieux venus de l'étranger) annonçant la fin du monde et la « terre sans mal » (le paradis).

Menaces esclavagistes

Seule exception de l'Empire espagnol, les Guaraní sont autorisés à porter les armes et à constituer des comités de défense pour repousser les *bandeirantes,* des marchands d'esclaves portugais et métis (les « Mamluks ») venus du Brésil. De 1632 à 1635, leurs attaques affaiblissent et détruisent un grand nombre de *reducciones.* Les ravages sont énormes : on parle de 300 000 victimes, dont 100 000 captifs. Sous la menace, des missions entières déménagent avec armes et bagages, quittant le territoire brésilien en faveur des terres plus sûres de l'Argentine et du Paraguay, un peu plus au sud. Armés par les jésuites, les Guaraní se révèlent pourtant de redoutables guerriers. Ils finissent même par écraser leurs ennemis en 1641 lors de la bataille du *río* Mbororé (où ils battent 400 Mamluks et 3 000 Indiens Tupi), les faisant définitivement renoncer à leurs attaques.

Organisation d'une utopie

De 1700 à 1750, c'est le véritable âge d'or des *reducciones,* désormais interdites d'accès aux colons européens. Les jésuites, soucieux d'être acceptés par les communautés guaraní, ont appris leur langue et conservé une structure sociale en partie issue du modèle traditionnel régi par les caciques. Le plus haut dignitaire indien de la colonie est ainsi désigné par les jésuites comme *regidor.* Toutes les autres charges sont confiées à des Indiens élus par les hommes de la *reducción.* Peu à peu, les jésuites ont réussi à supprimer la polygamie, la nudité, les maisons communes et à modifier les coutumes funéraires.

Les missions sont constituées sur des plans en damier : les bâtiments principaux, comme l'église, le cimetière et l'école sont disposés autour d'une large place, bordée de maisons et ateliers des trois autres côtés. Au centre, on trouve une grande croix et une statue du saint patron de la mission. La position centrale de leur maison permet aux pères d'avoir constamment un regard sur toute la vie de la communauté. À proximité, le *cotí guazú* est une résidence réservée aux veuves qui ne peuvent plus subvenir à leurs propres besoins : tous les besoins sociaux sont couverts et personne ne craint la pauvreté. Les habitants pratiquent l'élevage collectif sur une grande échelle, inventent la formation professionnelle et ont une vie réglée sur la liturgie.

Les Guaraní bénéficient de lois incroyables pour l'époque. La peine de mort est abolie. Le système de propriété collective fait penser à un « communisme chrétien » où tout se partage, s'échange et s'autogère comme au temps du christianisme primitif. Tous les habitants travaillent la terre commune et la production est équitablement répartie ; chacun dispose en outre de son propre lopin. La journée de travail est d'environ 6h. Comparée aux 12-14h en vigueur en Europe, c'est proprement révolutionnaire ! Le temps libre est consacré au tir à l'arc, à la musique, la danse et la prière. Des services publics libres sont instaurés, ainsi que des écoles et hôpitaux. La société guaraní est la première au monde à être totalement alphabétisée.

Vente du bétail, du coton, du sucre et de la *yerba mate,* tissage et artisanat assurent la prospérité économique et permettent le paiement du tribut à la Couronne. Les Guaraní excellent dans les travaux manuels comme la sculpture et le travail du bois ; les vestiges des missions le démontrent largement. Des produits sophistiqués comme des montres et des instruments musicaux sont produits et exportés. Ce type d'organisation est d'ailleurs commun à toutes les missions jésuites dans le monde, comme au Japon, en Inde ou en Chine.

La chute des missions

Hélas, sur le trône d'Espagne, les Bourbons succèdent aux Habsbourg. Ils voient d'un mauvais œil cet « État » dans l'État. De plus, en 1750, le Portugal lorgne ce territoire et lance une campagne de dénigrement contre les jésuites.
En 1759, c'est le coup de grâce. À la tête du royaume, Philippe V est remplacé par Ferdinand VI, son fils débile et borné. Manipulé par son épouse portugaise, la reine Barbara de Bragance, il signe avec Joaõ V le traité des Limites, qui remplace le traité de Tordesillas de 1494 fixant les frontières entre les possessions espagnoles et portugaises en Amérique. Une partie importante des missions est cédée au Portugal dont l'homme fort est alors le marquis de Pombal, Premier ministre et ennemi des jésuites. Il exige l'évacuation de sept *reducciones* et de ses 30 000 habitants. Les jésuites usent de leur influence en Europe pour tenter de différer la décision, mais les Guaraní reçoivent l'ordre de quitter leurs *reducciones.* Ils refusent, puis se révoltent en masse, s'alliant avec leurs frères indiens « infidèles » (non convertis). Après des mois de guérilla, le conflit s'achève le 10 février 1756 à Caybaté dans un bain de sang. On raconte qu'en l'espace d'une heure, 1 300 Indiens sont massacrés par l'artillerie espagnole – les pertes européennes ne s'élevant qu'à quatre hommes...
Les Indiens chrétiens sont alors impitoyablement pourchassés. Certains retournent vivre en forêt ; ceux qui restent sont déportés. Un recensement de 1801 ne fait plus état que de 45 000 Guaraní, là où ils étaient trois fois plus nombreux. Le bétail a disparu, les champs sont en friche et les églises tombent en ruine. Les jésuites sont expulsés du Portugal (1759), d'Espagne (1767) et enfin du Paraguay (1768), et leur ordre est dissous en 1773 par le pape. Ce n'est toutefois qu'en 1817 que la plupart des missions sont détruites, lorsque Argentine, Brésil et Paraguay s'affrontent pour définir leurs territoires respectifs au lendemain de l'indépendance.

LE CIRCUIT DES MISSIONS

Côté argentin, la plupart des missions classées se regroupent aux environs de San Ignacio, qui fait une excellente base de découverte. Ceux qui voyagent en bus y trouveront San Ignacio Mini, la mieux conservée du pays et la plus accessible. En voiture, la bourgade constitue une escale agréable en remontant ou descendant d'Iguazú par la *ruta* 12, et on peut en profiter pour jeter un coup d'œil aux proches missions de Loreto et Santa Ana. On visite aussi aisément les *reducciones* de Trinidad et Jésus de Tavarangüe, au Paraguay, depuis Posadas. Des excursions sont proposées à partir de Puerto Iguazú, Posadas et San Ignacio.

SAN IGNACIO

IND. TÉL. : 0376

Ce gentil village, situé à 240 km au sud-ouest de Puerto Iguazú et 55 km de Posadas, se trouve au cœur de la région des missions argentines. Il fait une

base d'autant plus agréable pour les visiter qu'on y trouve les plus belles ruines, celles de San Ignacio Mini. Le *río* Paraná s'écoule tout près, offrant quelques autres occasions de balades.

Arriver – Quitter

En bus

➢ ***Puerto Iguazú :*** une dizaine de compagnies assure la liaison. Départs grosso modo ttes les heures. Trajet : 4-6h. Préférez *Crucero del Norte* à *Horianski.*

➢ ***Posadas :*** ttes les 15-30 mn dans la journée.

➢ ***Buenos Aires :*** à partir de 16h, un départ ttes les heures env, jusqu'à minuit.

➢ ***Salta :*** tlj à 15h et 15h30, avec *Flecha Bus.* Compter un bon 18h de voyage...

Adresses utiles

ℹ ***Office de tourisme :*** *Independencia, 605 ; à l'entrée du village, sur la* ruta *12.* ☎ *447-01-30/04-60.* Compétent et accueillant.

✉ ***Poste :*** *à l'angle des rues San Martín et Irigoyen, sur le côté de la place centrale.*

@ ***Internet :*** *à l'hôtel* San Ignacio, *San Martín, 823.* ☎ *447-00-47.*

■ ***Banque Macro :*** *à l'angle de San Martín et Sarmiento, presque en face du... casino (si !). Lun-ven 8h-13h.* Distributeur accessible 24h/24.

■ ***Misiones Excursions*** *(« Informes Turísticos ») : angle Sarmiento et Rivadavia, face à l'église.* 📱 *15-437-34-48.* ● *misionesexcursions.blogspot.com* ● *Tlj 8h-20h.* L'enseigne pourrait laisser croire qu'il s'agit de l'office de tourisme, mais c'est avant tout une agence privée. Reste que l'on vous y donnera volontiers toutes les infos sur les bus (résas), le village, les ruines et plus encore. Propose tout une panoplie d'excursions, à commencer par une sortie dans le parc provincial Teyú Cuaré en 4x4, avec balades à pied et en kayak sur le Paraná (sympa, même si le courant est parfois bien fort !). 2 départs quotidiens, vers 8h30 et 15h. Mentionnons aussi des excursions vers les missions du Paraguay (en bateau), les ruines argentines, une plantation de *yerba mate,* etc. Location de vélos.

Où dormir ?

Bon marché (moins de 350 $Ar / env 35 €)

Plusieurs AJ et pensions sympas et bon marché dans le village, mais souvent complètes en saison touristique. Possibilité de planter sa tente à la *playa del Sol,* au bord du fleuve, à 3 km du village par une piste en latérite souvent boueuse (celle qui mène au *museo Horacio Quiroga*).

⛺ 🏠 ***El Jesuita Hostel Camping :*** *San Martín, 1291.* ☎ *447-05-42. Camping 40 $Ar/pers avec ou sans petit déj ; lit en dortoir env 80 $Ar ; double env 150 $Ar, excellent petit déj inclus.* 💻 📶 Cette mini-AJ très accueillante, tenue par la charmante Erminia, abrite en tout et pour tout un dortoir de 5 lits (dont 2 superposés) avec ventilo, une petite chambre double et une triple plus grande et colorée, assez lumineuse. Le tout partage 2 salles de bains. On peut aussi planter la tente dans le jardinet, à l'arrière, où lézardent souvent 1 ou 2 chats. Cuisine à disposition. Location de VTT pour visiter le parc de Teyú Cuaré. L'ambiance est détendue et les ruines de San Ignacio Mini ne sont qu'à 200 m... Bref, une adresse que nous recommandons chaudement.

⛺ 🏠 ***Adventure Hostel :*** *Independencia, 469.* ☎ *447-09-55. Lits en dortoir env 75-85 $Ar/pers, doubles env 250-300 $Ar, petit déj inclus dans* *les 2 cas. On peut aussi camper dans le jardin pour 60 $Ar/pers.* ⌨ L'*Adventure Hostel* est un peu l'antithèse d'*El Jesuita* : une vaste AJ, membre de *Hostelling International,* établie dans un ancien hôtel aux bâtiments bas éparpillés sur 1 ha de parc. L'intimité n'est pas la même, mais on apprécie les hamacs, la cuisine à dispo, la piscine, le calme et le fait que chaque chambre (4 lits maximum) possède sa propre salle de bains.

Posada Los Lagartos : *Pellegrini, 761, près de l'angle de Quiroga.* ☎ *447-04-10.* Encore une bonne adresse à prix plancher ! Les 3 chambres, simples mais bien tenues, avec salle de bains et ventilo, partagent un petit bâtiment à distance de la maison des proprios. Elles voisinent avec une cuisine commune et un unique bungalow (jusqu'à 4 personnes), lui-même adossé à une *parrilla.* Terrasse ombragée et jardin touffu. Possibilités d'excursions et balades équestres. On peut aussi vous préparer une bonne cuisine régionale.

Prix moyens (à partir de 450 $Ar / env 45 €)

Hotel La Toscana : *angle Hipólito Irigoyen et Uruguay, à 4* cuadras *à l'est de la* plaza. ☎ *447-07-77.* • *hotellatoscana@live.com.ar* • *Double env 450 $Ar.* Tenu par un Italien, un hôtel à l'architecture vaguement western, qui abrite une dizaine de chambres fraîches et propres. Snack-bar et jolie piscine.

Où manger ?

Rien de bien concluant en la matière. Devant les ruines s'alignent plusieurs snacks-restos assez médiocres. Reste la ***Carpa Azul*** *(Rivadavia, 1295 ;* ☎ *447-00-96)* : on s'y restaure correctement, mais le lieu est parfois envahi par les groupes et l'alignement des tables sous la grande halle bâchée n'est pas des plus agréable... Autre option : ***La Misionera,*** au pied de l'hôtel *Portal del Sol (Rivadavia, 1105).* Les pizzas y sont correctes et le *pacú* grillé n'est pas mal si vous êtes prêt à vous battre avec les arêtes... À côté, ***Andrea's*** *(Rivadavia, 1077)* propose de bonnes *empanadas.*

À voir

Les ruines de San Ignacio Mini : *dans le village. Tlj 7h-19h. Son et lumière (bof) à 19h, 20h ou 21h selon saison. Entrée : 80 $Ar ; billet valable pour l'ensemble des missions, pdt 15 j. (1 seule entrée sur chaque site).*

Ces ruines jésuites, restaurées de 1940 à 1948, sont les mieux conservées et les plus importantes d'Argentine. L'Unesco a d'ailleurs classé le site Patrimoine mondial de l'humanité. On vous conseille, pour la beauté de la lumière, de vous y rendre en tout début ou en fin de journée, lorsque la lumière rasante du soleil nimbe les bâtiments d'une couleur mordorée.

Avant d'aborder les ruines, on visite un musée moderne et bien agencé, qui présente quelques beaux objets d'art baroque du temps des missions (superbe fontaine aux lions) ; une maquette du site à son apogée permet d'en saisir l'organisation. On rejoint ensuite l'enceinte. Fondée sur ce site en 1696, San Ignacio Mini était un véritable village, où vécurent jusqu'à 4 500 habitants. Le cadre, déjà, est superbe, avec la forêt en toile de fond. Puis on est séduit par la couleur du grès ocre et les proportions incroyables de cette ancienne mission, surtout celles de la « cathédrale », de plus de 60 m de long, aux murs épais de 2 m ! Le chef-d'œuvre est incontestablement le portail à colonnades, entièrement sculpté par les artisans guaraní. Autour de la grande *plaza* se trouvaient aussi le cimetière (sans plus aucune tombe), le logement des jésuites résidents, un hôpital, d'innombrables habitations et ateliers, et même... une prison ! C'est aussi ici que furent imprimés les premiers livres sur le territoire argentin.

Museo Horacio Quiroga : *descendre l'av. San Martín vers le sud, jusqu'à la gendarmerie, puis faire encore 1 km vers l'ouest par une piste en latérite (fléché). ☎ 447-01-30. Tlj 8h-19h. Entrée : 10 $Ar.* C'est ici que vécut l'un des plus grands auteurs de nouvelles d'Amérique latine, Horacio Quiroga – l'Edgar Allan Poe latino, selon les mots de l'écrivain franco-argentin Julio Cortázar. D'origine uruguayenne, Quiroga, tour à tour explorateur, planteur et journaliste, mena une vie d'aventurier dans la région avant de se retirer ici en 1909. Il y écrivit ses plus beaux textes, hantés par la mort de ses parents, puis de sa femme, dans lesquels la nature de la province de Misiones joue un rôle prépondérant. On visite un minuscule musée où sont exposés quelques objets personnels, livres (il en écrivit 13) et photos en noir et blanc, avant de découvrir, au fond du jardin dominant le Paraná, la petite maison où il vécut de 1909 à 1937, jusqu'à sa mort. Difficile de faire plus simple : trois pièces et une salle de bains, dont un beau bureau-salon aux baies vitrées tournées vers le fleuve. Sa Harley de 1920 y est conservée.
Des balades guidées de 40 mn à 1h mènent sur ses traces à travers le grand parc planté de bambous.

DANS LES ENVIRONS DE SAN IGNACIO

Loreto : *de la ruta 12, peu après San Ignacio, une route secondaire en mauvais état y mène en 3 km (pas de bus). Ouv 7h-19h en été, 7h30-18h30 en hiver. Entrée : 80 $Ar ; billet valable pour l'ensemble des missions.* Refondée sur ce lieu en 1632, Loreto fut la plus grande des missions jésuites, regroupant à son apogée 7 500 habitants sur 75 ha. Reste que les ruines sont vraiment... ruinées ! Franchement, si vous n'avez pas de véhicule, vous pouvez sans regret zapper cette halte de votre parcours. Force est de constater que si la balade en forêt est fort agréable, il n'y a plus rien à voir du tout.

Santa Ana : *le bus de San Ignacio vous dépose à un grand carrefour, à l'orée du bourg ; de là, grand panneau indiquant la petite route menant au site (à 700 m), côté gauche, juste avt les bâtiments de la fabrique de* yerba mate. *Centre d'accueil et micromusée. Même tarif.* La mission jésuite, fondée au début du XVIIe s, a déménagé sur ce site en 1660. Elle compta au maximum une population de 4 000 Guaraní pour 35 000 têtes de bétail. La végétation s'est emparé des ruines, créant une atmosphère d'autant plus envoûtante que la légende évoque un trésor caché... Quelques trous épars témoignent encore de la volonté des pilleurs de tombes de le débusquer ! Un début de restauration a été entrepris sous l'égide de l'Unesco. On distingue clairement la grande place centrale et les principaux édifices, à commencer par l'église surélevée et, à côté, l'escalier arrondi qui menait à la résidence des jésuites. On remarque bien, ici, l'emplacement des grands troncs qui servaient à soutenir les nefs. Pour le reste, il faudra utiliser son sens de l'imagination. Curieux cimetière derrière l'église, désaffecté depuis quelques années seulement et déjà envahi par la nature. Les tombes portent des noms de colons allemands. Un spectacle son et lumière (en fin de semaine) est en prévision.

Parque provincial Teyú Cuaré : *à 9 km au sud-ouest de San Ignacio. Si on n'est pas motorisé, on ne peut s'y rendre qu'à VTT (loc à* El Jesuita Hostel Camping, *voir « Où dormir ? ») ou avec* Misiones Excursions *(voir « Adresses utiles »).* L'occasion de découvrir un point de vue spectaculaire sur la forêt et le Paraná depuis le belvédère du Peñón Teyú Cuaré... à condition de ne pas flancher avant d'arriver en haut des 272 marches ! D'élégantes falaises rougeoyantes soulignent ici le cours d'eau. Le nom du parc signifie « grotte aux lézards », mais on y découvre principalement des chauves-souris, des agoutis et des coatis peu farouches.

POSADAS

280 000 hab. IND. TÉL. : 0376

Capitale de la province de Misiones, Posadas est une grosse ville sans charme, au lourd climat tropical, qui voudrait s'inspirer du modèle de développement de Curitiba (au Brésil). Quelques hauts immeubles ont déjà poussé, mais pour l'heure, Posadas languit encore le long du Paraná. Elle fait toutefois une base alternative acceptable pour visiter les missions, surtout celles du Paraguay voisin. Toute l'activité se concentre autour de la plaza 9 de Julio.

Arriver – Quitter

En bus

Terminal des bus : *à l'angle de l'av. Santa Catalina et de la ruta 12, à 4 km au sud du centre. ☎ 445-48-88.* Le bâtiment moderne abrite un guichet de l'office de tourisme local *(☎ 445-61-06 ; 7h-13h, 15h-21h),* un centre *Telecom* et une consigne privée *(Cerse Pack),* bien utile pour laisser ses bagages le temps d'aller visiter les missions paraguayennes. Pas de distributeur de billets, mais on en trouve un à 100 m, à l'entrée du grand supermarché *Libertad* (sortez du côté du quai 11). Prendre le bus n° 8, 15 (de préférence), 21 ou 24 pour le centre-ville.

➢ ***Puerto Iguazú :*** une dizaine de compagnies assure la liaison. Départs env ttes les heures 5h15-1h30. Trajet : 5-7h. Préférez *Crucero del Norte* à *Horianski.*

➢ ***Pour les missions :*** les bus de Puerto Iguazú font tous escale à San Ignacio. Pour Santa Ana, demandez à être déposé au bord de la route. Vous visiterez la mission à pied et vous reviendrez reprendre le bus suivant. Pour Loreto, c'est plus difficile et ça ne vaut pas les 3 km de marche.

➢ ***Buenos Aires :*** plusieurs compagnies proposent une douzaine de départs 15h30-23h ; arrivée le lendemain mat. Trajet : 13h-14h30. Le plus rapide est l'*Expreso Caraza* de 18h.

➢ ***Córdoba :*** 5 bus/j. Privilégier *Crucero del Norte,* le plus rapide (départs à 16h et 18h45). Compter 15h40 tout de même !

➢ ***Encarnación (Paraguay) :*** 2 compagnies desservent la route. Départs ttes les 20 mn 5h30-minuit. Le bus se prend aussi au centre-ville, sur Entre Ríos, près des angles d'Ayacucho, Cólon ou 3 de Febrero. Pas de panique à la frontière (de chaque côté du pont San Roque) : si le bus s'en va pendant que vous faites tamponner votre passeport, il n'y a qu'à attendre le suivant. En revanche, gardez bien votre billet et votre bagage. Idem au retour, mais là, on ne s'arrête pas côté paraguayen. Pour rejoindre les missions ensuite, voir plus loin « Les missions jésuites au Paraguay ».

En avion

✈ ***Aéroport General San Martín :*** *à 12 km au sud-ouest de la ville. ☎ 45-74-14.* Bus n° 28 ou 8 sur la route qui passe devant l'aéroport (lignes assez irrégulières). Au retour, le n° 28 se prend sur Sarmiento. Quelques agences de location de voitures sont basées à l'aéroport : *Avis, Hertz* et *National/Alamo.* Distributeur.

➢ ***Buenos Aires :*** 2 vols/j. avec *Aerolineas Argentinas,* en 1h30. Il n'existe aucune autre liaison.

Adresses utiles

ℹ ***Office de tourisme :*** *Colón, 1985 (entre Córdoba et La Rioja). ☎ 444-75-39 ou 40. ● turismo.misiones.gov.ar ● Lun-ven 7h-20h ; w-e et* *j. fériés 8h-12h, 16h-20h.* Personnel très compétent.

✉ ***Poste :*** *à l'angle de Bolívar et Ayacucho. Lun-ven 8h-13h, 16h-20h.*

■ ***Telecom :*** *à l'angle de Santa Fe et de Colón. Lun-ven 8h-13h.*

■ ***Banques :*** *on en trouve aux quatre coins de la grande pl. 9 de Julio, avec distributeurs 24h/24.*

■ ***Change : Cambio Mazza,*** *Bolívar, 1932, entre San Lorenzo et Colón. Lun-ven 8h-13h, 15h30-19h ; sam 9h-12h.* Change les chèques de voyage et le liquide. *On trouve aussi* **Libre Cambios** *au pont international.*

■ ***Farmacía Argentina :*** *à l'angle de San Lorenzo et de Bolívar.* ☎ *42-02-02. Ouv 24h/24.* Beaucoup d'autres aux environs.

■ ***Aerolineas Argentinas-Austral :*** *Sarmiento, 2280.* ☎ *443-35-44 ou 0810-222-86-527.* • *aerolineas.com.ar* • *Lun-ven 8h-12h, 16h-20h ; sam 8h-12h.*

■ ***Taxis : Telecar,*** ☎ *46-66-66 ; ou* ***Nivel,*** ☎ *442-85-00.*

■ ***Consulat du Paraguay :*** *San Lorenzo, 1561 (ex-179), entre Sarmiento et Santa Fe.* ☎ *442-38-58. Lun-ven 8h-15h.*

■ ***Guayrá Turismo Alternativo :*** *San Lorenzo, 2208.* ☎ *443-34-15.* • *guayra.com.ar* • Propose des excursions dans toute la province : chutes d'Iguazú, missions jésuites d'Argentine et du Paraguay, réserve naturelle de l'Iberá, etc. Équipe jeune et sympathique, mais tarifs assez élevés.

Où dormir ?

Peu d'adresses bon marché à Posadas.

Bon marché (moins de 350 $Ar / env 35 €)

⌂ ***Hostel Vuela el Pez :*** *25 de Mayo, 1216.* ☎ *443-87-06. À 4* cuadras *à l'est et 6 au nord de la* plaza. *Lit en dortoir env 95 $Ar, double 300 $Ar avec sdb.* La vue sur le Paraná est sympa, mais le quartier donne l'impression d'être un peu à l'abandon. La jolie maison jaune, datant de 1870, a conservé ses carrelages d'époque et son patio où trônent une petite piscine, des hamacs, 2 fauteuils fatigués, des plantes et un bar. Les chambres, avec clim, sont assez sombres et plutôt basiques. L'ensemble reste bien tenu et l'ambiance est relax.

⌂ ***Le Petit Hotel :*** *Santiago del Estero, 1630.* ☎ *443-60-31.* • *hotellepetit.com.ar* • *Double env 350 $Ar avec petit déj.* Petite adresse familiale de 10 chambres, un poil excentrée (la *plaza* est à 7 *cuadras* au nord). Nickel et parfaitement calme. Chambres jusqu'à 5 personnes, la plupart disposées autour d'un minipatio. La meilleure adresse de Posadas, toutes catégories confondues ! Dommage toutefois que le petit déj ne soit pas à la hauteur.

Prix moyens (350-650 $Ar / env 35-65 €)

⌂ ***City Hotel :*** *Colón, 1754.* ☎ *443-94-01.* • *misionescityhotel.com.ar* • *Doubles 425-470 $Ar selon saison, avec petit déj.* Idéalement situé sur la plaza 9 de Julio, cet hôtel vieillissant abrite des chambres encore acceptables mais assez petites et sans aucun charme, avec salle de bains, clim (bruyante) et TV. Demandez-en une avec vue sur le *río* Paraná.

⌂ ***Hotel Posadas :*** *Bolívar, 1949.* ☎ *444-08-88.* • *hotelposadas.com.ar* • *À 1,5* cuadra *de la place centrale. Doubles env 540-640 $Ar selon confort, petit déj-buffet et parking inclus.* L'hôtel s'est octroyé le nom de boutique-hôtel, à l'américaine, mais on doit vous dire qu'on la cherche encore, la boutique... Pas un poil de design en dehors du salon de l'accueil et des chambres, certes confortables mais parfois très petites et d'une propreté pas vraiment à la hauteur.

⌂ ***Hotel Julio Cesar :*** *Entre Ríos, 1951.* ☎ *442-79-30.* • *juliocesarhotel.com* • *À 4* cuadras *au sud de la place centrale. L'hôtel le plus chic et le plus cher du centre-ville. Petit déj-buffet inclus. Parking payant.* Ce grand bâtiment au look d'hôpital, affublé de 4 étoiles, abrite des chambres de bonne taille, standardisées. Piscine sur le toit bienvenue pour supporter la chaleur.

Où manger ?

Une halte à Posadas donne l'occasion de déguster le traditionnel *chipa,* petit pain dont la pâte est faite à base de fromage. On en trouve souvent au coin des rues. Très nourrissant, voire bourratif, mais à goûter absolument !

Bon marché (moins de 80 $Ar / env 8 €)

I●I ***Joaquinito :*** *Rioja, 1618. ☎ 443-76-35. Lun-sam 11h30-14h.* Une petite faim et pas trop de moyens ? Les *empanadas* de Joaquinito sont parmi les meilleures de la ville et les prix sont au ras du plancher ! Sur les murs, les diplômes du proprio.

I●I ***Italia Restaurante y Pizzeria :*** *Bolívar, 1724. ☎ 443-55-54. Juste à côté de la pl. 9 de Julio.* La salle, aux lumières un peu blafardes, s'orne de vieilles affiches évoquant l'Italie. Le menu est aussi long que la péninsule et les pâtes sont faites maison. Les cuistots, en revanche, ont oublié depuis longtemps la meilleure manière de faire des pizzas (asphyxiées de fromage)... Serveurs super sérieux et affables, en gilet noir.

Chic (180-220 $Ar / env 18-22 €)

I●I ***La Querencia :*** *Bolívar, 1869. ☎ 443-49-55. Tlj sf dim soir.* Dans la belle maison ancienne de la *Società Italiana,* sur la plaza 9 de Julio, une grande salle plutôt bien arrangée et des serveurs pros qui vous serviront de bonnes viandes sur broche (on ne parle plus de brochettes !), avec purée ou autres légumes. Porcelaine, serviettes en tissu, autographes de personnalités (surtout Nelson Piquet et Carlos Menem), etc.

I●I ***La Cacerola :*** *angle 3 de Febrero et Santa Fe. ☎ 443-72-88. Tlj sf lun.* Adresse aussi élégante que discrète dans une rue qui descend vers l'avenida Costanera. Saint-Exupéry a fréquenté la maison comme pilote de l'Aéropostale à une époque où elle logeait ailleurs. Décor plaisant surfant sur la nostalgie, alliant tonalités vert d'eau, carrelages 1900 et vieilles photos en noir et blanc. Cuisine de qualité : large assortiment de pâtes, gnocchis, viandes juteuses, poissons du Paraná. Les serveurs en nœud pap' sont très pros.

LES MISSIONS JÉSUITES

Où boire un verre ?

🍷 ***Café La Nouvelle Vitrage :*** *à l'angle de Bolívar et de Colón, sur la pl. 9 de Julio. ☎ 442-96-19.* Un grand café à l'allure parisienne (d'où son nom ? !) avec une terrasse d'angle plaisante d'où profiter de l'ambiance de la *plaza.* Idéal à l'heure du café, ou de l'apéro. Quelques plats de restauration rapide.

🍷 ***Cafés et restaurants de l'avenida Costanera :*** au bord du fleuve Paraná, le long de l'avenue Costanera (entre l'avenue Roque Saenz Peña et le port), plusieurs cafés-restos bien animés le soir. Parmi eux : *La Ruedita, Doña Chola...* Ambiance relax et vue imprenable sur le Paraguay, juste en face. Le rendez-vous des étudiants de Posadas, et des autres aussi ! Le week-end, cette avenue est le lieu de balade favori des habitants, qui viennent y boire le *terere* (le *mate* froid), courir, draguer, se montrer...

Où déguster un *mate* ?

🍷 ***Galería del Mate :*** *Sáenz Peña, 1405. ☎ 442-91-99. Tlj 9h-20h (hiver) ou 21h (été).* À force de voir les Argentins le *mate* au bec, voilà que vous vous prenez à rêver d'y goûter... Oubliez les mises en garde, l'amertume décrite et venez donc faire un tour à la *Galería del Mate.* Vous y apprendrez à incliner les feuilles concassées, puis à verser doucement l'eau froide, puis l'eau chaude du thermos, petit à petit, en sirotant le liquide ambré de votre pipette en argent. Si vous n'avez jamais essayé avant, commencez donc par un *suave*... Ou puisez à loisir parmi la collection de *mate* de la boutique, qui propose plus du tiers des quelque 200 marques argentines, paraguayennes et brésiliennes. Vous voilà presque argentin !

LES MISSIONS JÉSUITES AU PARAGUAY

Deux bonnes raisons d'entrouvrir la porte du Paraguay : la curiosité d'abord, et la certitude d'y découvrir deux des plus belles missions jésuites, classées au Patrimoine mondial de l'Unesco. Dépaysement et sérénité garantis.

Comment y aller ?

➢ ***En bus :*** on peut prendre un bus de Posadas à Encarnación (compter env. 1h avec le passage de la frontière), puis un second jusqu'à la mission de Trinidad, située à une trentaine de kilomètres de là par la route 6. Il vous déposera à moins de 1 km du site. La compagnie *Nuestra Señora de la Encarnación* assure un départ ttes les heures. Impossible, en revanche, de rejoindre Jesús del Tavarangüe en transports en commun. On peut donc préférer louer les services d'un taxi pour visiter les 2 missions : prévoyez 250 000 guaranis pour une journée de 5 à 7h.

➢ Certaines ***agences*** de Posadas et de San Ignacio proposent l'excursion. De San Ignacio, avec *Misiones Excursions (📱 15-437-34-48 ; ● misionesexcursions.blogspot.com ●)* on traverse le Paraná en bateau de balsa, sympa. On ne peut pas passer la frontière avec une voiture de location (ni à pied, d'ailleurs).

Où dormir ? Où manger ?

🏠 |●| ***Hotel Tirol :*** *ruta 6, Km 20. ☎ (595) 71-20-23-88 et 71-21-10-54. ● hoteltirol.com.py ● À la sortie nord de Capitán Miranda, à mi-chemin d'Encarnación et Trinidad. Double 60 US$ avec petit déj, 90 US$ en pens complète.* Ce grand complexe familial tout en brique, construit autour de 4 piscines alimentées par un puits artésien, d'un vieux court de tennis et d'un immense jardin tropical, est souvent désert en semaine et envahi le week-end. Les chambres, assez spacieuses et confortables (AC, ventilo, TV), sont décorées dans un style vaguement rustique (voire kitsch pour les suites). Le patron, né au Paraguay de père flamand et de mère française, parle bien français. Ping-pong, billard.

À voir

Trinidad : *lun-mer 8h-19h ; jeu-dim 8h-21h pour le son et lumière. Entrée : 30 000 guaranis, valable pour les 3 missions paraguayennes.*
La Santísima Trinidad del Paraná est encore mieux conservée que San Ignacio Mini, la plus jolie des missions argentines. Refondée sur ce site assez tardivement (1712), elle ne compta jamais plus de 2 700 habitants malgré l'ampleur du site. La seule *plaza* est spectaculaire : 150 m de côté sur 130 m, que bordent

les vestiges en arcades des maisons guaraní. Côté sud, la cathédrale (1745) a conservé une partie de ses murs, les deux beaux porches des sacristies et une foultitude de sculptures au baroque mâtiné d'influences indiennes. Beaucoup de statues ont été décapitées, mais on découvre encore, courant sur la pierre, pampres, animaux et anges musiciens (les Guaraní étaient réputés avoir l'oreille fine). La chaire de pierre est splendide. Sous le chœur, on peut visiter une minuscule crypte. Ne manquez pas non plus, un peu plus loin, l'église primitive et son haut campanile, d'où se révèle un beau panorama sur l'ensemble du site. Le sentiment de sérénité est tel qu'on s'y oublierait volontiers quelques heures.
Le son et lumière, en fin de semaine, n'est pas un spectacle en tant que tel, mais un parcours illuminé à travers les ruines. Il fait revivre le quotidien des Guaraní de Trinidad.

Jesús de Tavarangüe : *accès par une petite route partant presque en face de la bifurcation menant à Trinidad (12 km). Tlj 8h-17h. Même tarif.* Moins visité encore, le site vous séduira d'emblée, avec ses vastes espaces dégagés, ses panoramas sur la campagne environnante et ses grands arbres offrant une ombre salvatrice. On y admire avant tout une église inachevée à trois nefs (1756-1759), très bien restaurée grâce à un programme espagnol. Longue de 70 m et large de 24 m, elle aurait été l'une des plus vastes des missions jésuites. On adore ses portails d'inspiration mozarabe et, tout au fond, la petite fontaine murale délicatement ciselée.

RESERVA NATURAL DEL IBERÁ

Si vous disposez de 1 ou 2 jours à Posadas ou en redescendant vers Buenos Aires, ne manquez pas cette superbe réserve qui recouvre 14 % de la province de Corrientes (soit 13 000 km²). Ses multiples écosystèmes, immenses zones humides (classées Ramsar) en particulier, prairies et savanes à palmiers abritent 628 espèces animales, dont la moitié de tous les oiseaux du pays ! *Iberá* signifie « eaux miroitantes » en guaraní.

Arriver – Quitter

En bus et voiture

➢ En bus, que l'on vienne de Buenos Aires ou de Posadas, il faut d'abord rejoindre Mercedes. ***De Buenos Aires,*** 2 bus/j., vers 18h30 et 21h, avec *Flechabus* (9-11h de trajet). Ensuite, prendre le minibus *Rayo Bus* pour Colonia Carlos Pellegrini à 11h30 (3h de trajet pour env 120 km). On peut aussi prévoir un transfert privé avec certains *lodges* ou un taxi.

➢ Plusieurs agences de voyages de ***Posadas*** proposent des excursions de 24 à 48h, généralement autour de 1 000 $Ar. *Misiones Excursions,* à San Ignacio, annonce un tarif à 450 $Ar/pers pour 2 nuits sur place, avec transfert en 4x4, excursions et petits déj.
– Mieux vaut éviter d'y aller en voiture de location, sauf si vous avez un 4x4 (surtout par temps de pluie). Pas de super à Colonia Carlos Pellegrini, alors faites le plein avant de venir.

Adresse et info utiles

– ***Infos sur la région :*** *☎ (03733) 42-22-60. ● fundacionibera.com.ar ●*

■ Si vous souhaitez découvrir la région à califourchon, ***José Martín*** organise des *cabalgatas* dans la réserve de l'Iberá. Sorties nature et ornithologiques. ☐ *(03773) 15-40-14-05.*

Où dormir ? Où manger ?

Attention ! ***Il n'y a pas d'hébergement bon marché dans la réserve.*** Les routards à tout petit budget opteront donc pour le camping municipal, où l'on peut trouver de l'eau et faire cuire sa popote. Tous les hôtels se trouvent à Colonia Carlos Pellegrini.

⌂ |●| ***Posada Aguapé :*** *résas à Buenos Aires,* ☎ *47-42-30-15. Sur place :* ☎ *(03773) 49-94-12.* ● *iberawetlands.com* ● *Selon confort, doubles env 250-310 US$, petit déj inclus. Possibilité de déj ou dîner. Formules intéressantes pour 2 j. avec excursions incluses.* La douzaine de chambres pimpantes s'ouvre sur une véranda, face à un immense carré de gazon et une piscine. Le lac d'Iberá se dessine au bout du ponton. Nombreuses activités proposées : randos guidées, traversée des marais en canoë, balades à cheval et, bien sûr, observation des oiseaux et de la faune. Canoës, kayaks et vélos en prêt.

⌂ |●| ***Ñandereta :*** ☎ *(03773) 49-94-11.* ● *nandereta.com* ● *Selon saison, compter 800-1 200 $Ar/pers en pension complète, avec excursions.* La famille Noailles est férue d'écologie. On y propose, en « forfait » ou « à la carte », balades à cheval, sorties en bateau pour voir caïmans, cerfs, *carpinchos* et des centaines d'espèces d'oiseaux. Nombre de chambres limité. Excellente cuisine familiale et accueil très convivial.

⌂ |●| ***Posada de La Laguna :*** ☎ *(03773) 49-94-13.* ● *posadadelalaguna.com* ● *6 chambres avec sdb. Compter 850 $Ar/pers en pension complète, avec excursions.* Très beau *lodge* aux chambres tout confort et joliment décorées. Belle salle de restaurant. Là aussi, nombreuses activités, des tranquilles balades équestres aux sorties nocturnes ! Canoës et vélos en prêt, piscine à demeure.

À voir

Les marais et les étangs de la ***réserve naturelle de l'Iberá*** forment la réserve d'eau douce la plus importante du continent. On y trouve un réseau complexe de lacs et d'étangs peu profonds et de masses végétales flottantes *(embalsados)* abritant une faune et une flore extraordinaires. Parmi elles, de nombreuses espèces endémiques, comme le *lobito de río* (espèce de loutre), l'*aguazrá-guazú* (grand renard), le *venado de la pampa* (cerf des pampas) et le *ciervo de los pántanos* (cerf des marais), qui trouve ici sa plus importante population argentine. Ajoutons à cela deux espèces de caïmans, une foule de *carpinchos* (cabiais), ces gros rongeurs aux airs de cochon d'Inde géant, des anacondas jaunes et plus de 340 oiseaux différents. Principale ombre au tableau : la zone, malgré son statut, souffre d'un certain manque de protection ; le braconnage (30 000 cabiais y seraient chassés chaque année), les feux et les cultures de riz et d'arbres de coupe dans les zones privées du parc persistent, favorisant la dispersion de polluants et menaçant les réserves aquifères. Le projet de construction d'un grand barrage près de Mercedes risque en outre d'inonder 11 000 ha de terres. La *laguna* de l'Iberá, au centre de la réserve, est un bon point de départ, avec des possibilités de balades en barque de 2h, à cheval ou à pied avec un guide. La zone attire aussi de nombreux pêcheurs à la mouche.

LA RÉGION DU NOROESTE ARGENTINO (NOA)

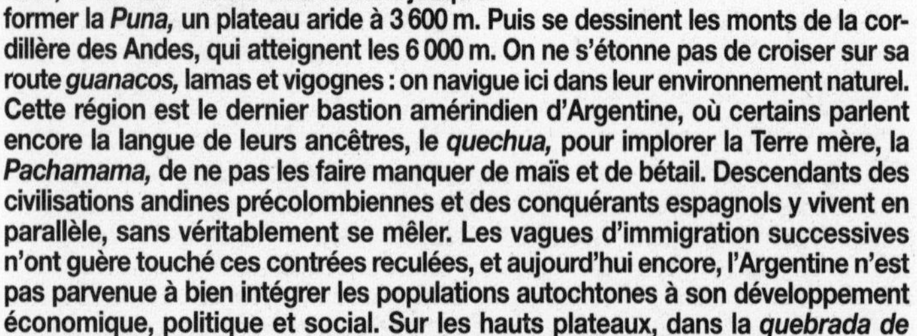

À l'extrême nord-ouest de l'Argentine, à cheval sur le tropique du Capricorne, entre les frontières du Chili, de la Bolivie et du Paraguay, s'étend une région de hautes montagnes constituée d'une tranche de la cordillère des Andes. Elle est dotée d'extraordinaires paysages : sommets enneigés, montagnes arides et multicolores, plaines couvertes de cactus montant la garde, phénomènes géologiques à fleur de roches vieilles de centaines de millions d'années, déserts de terre rouge ou encore vallées fertiles à la végétation luxuriante... Depuis les plaines tropicales du Chaco, à 200 m d'altitude, le terrain s'élève doucement jusqu'à former la *Puna,* un plateau aride à 3 600 m. Puis se dessinent les monts de la cordillère des Andes, qui atteignent les 6 000 m. On ne s'étonne pas de croiser sur sa route *guanacos,* lamas et vigognes : on navigue ici dans leur environnement naturel. Cette région est le dernier bastion amérindien d'Argentine, où certains parlent encore la langue de leurs ancêtres, le *quechua,* pour implorer la Terre mère, la *Pachamama,* de ne pas les faire manquer de maïs et de bétail. Descendants des civilisations andines précolombiennes et des conquérants espagnols y vivent en parallèle, sans véritablement se mêler. Les vagues d'immigration successives n'ont guère touché ces contrées reculées, et aujourd'hui encore, l'Argentine n'est pas parvenue à bien intégrer les populations autochtones à son développement économique, politique et social. Sur les hauts plateaux, dans la *quebrada de Humahuaca* ou dans les *vallées Calchaquíes,* la vie est rythmée par les traditions et modes de vie ancestraux, très, très loin de la capitale Buenos Aires.

Dans ces provinces du *Noroeste,* l'artisanat et les spécialités culinaires ne manquent pas d'intérêt. La gastronomie intègre les grands classiques du pays mais a su garder ses spécialités andines typiques : les *humitas* (grains de maïs broyés et fromage de chèvre enveloppés dans une feuille de maïs), le *locro* (sorte de ragoût), les *quesillos* (petits fromages)

NORD-OUEST : INCA PARTICULIER

« Les Mexicains descendent des Aztèques, les Péruviens des Incas et les Argentins... des bateaux ! » Ce dicton d'Octavio Paz résume la réalité ethnique de l'Argentine moderne. Au Centre et dans le Sud, plus d'Amérindiens : les Blancs les ont décimés au XIXe s. C'est dans le Nord-Ouest que perdurent le plus les traditions précolombiennes : culte de la Pachamama, musique, fêtes, gastronomie. Si le métissage ne s'est jamais opéré, les deux civilisations cohabitent sur des voies parallèles.

accompagnés de *cayote* (confiture de potiron) et de noix, péché mignon des Salteños, et autres *dulces de membrillo* (le même, avec pâte de coings).
À Cafayate, c'est le vin qui devient religion : on y fabrique le *torrontes,* le vin le plus haut du monde. Et, plus au sud, au piémont des plus hauts sommets andins, autour de Mendoza et San Juan, le climat semi-désertique favorise l'élevage de grands (et petits) crus. En toile de fond, la route des Andes monte à l'assaut de la cordillère, direction le Chili. L'Aconcagua est là, qui veille, placide, sous son bonnet de neige. L'altitude reprend le dessus.

SALTA

550 000 hab. IND. TÉL. : 0387

Pour le plan de Salta, se reporter au cahier couleur.

Située à 1 200 m d'altitude, au pied du *cerro San Bernardo,* Salta est la plus grande ville du Nord-Ouest argentin. Au nord, l'univers andin avec San Salvador de Jujuy et les hauts plateaux menant vers la Bolivie et le Chili, et surtout la superbe *quebrada de Humahuaca,* classée au Patrimoine mondial de l'Unesco. Au sud, on parcourt les vallées arides Calchaquíes, non moins spectaculaires, et la moyenne montagne ; on visite à Cafayate les *bodegas* de ses vignes d'altitude. Au cœur de la région, Salta est la plus jolie ville coloniale d'Argentine. On la surnomme d'ailleurs « *la linda* », la belle ! Oh, pas de quoi faire oublier Cuzco au Pérou ou les villes coloniales du Mexique (par exemple), mais autour de la place centrale, qui a su résister aux séismes, le décor est resté homogène.
Fondée en 1582 par les Espagnols, halte importante des marchands sur la traditionnelle route commerciale vers la Bolivie et le Pérou, Salta fut prospère aux XVIIIe et XIXe s. Témoins de ce temps passé : maisons seigneuriales, églises, vieux couvent, balcons en bois, porches et grilles ouvragés, patios intérieurs décorés autour d'un *aljibe,* une source d'où se dégage un exquis parfum d'oranger. Malgré sa croissance et son intense activité commerciale, la ville a su conserver un caractère provincial bien agréable. Elle est vivante le jour et animée la nuit, jeune et traditionnelle à la fois.

Arriver – Quitter

En bus

Terminal des bus *(plan couleur D2) : sur l'av. Hipólito Yrigoyen, non loin de la télécabine, en lisière du parque San Martín.* ☎ *401-11-43.* Grand terminal moderne et réseau important. Bureau d'informations, pharmacie, *locutorio,* consigne *(6h-minuit)* et distributeur de billets 24h/24 *(Macro, côté taxis).*

➢ ***Buenos Aires :*** une douzaine de liaisons quotidiennes avec *Alte Brown, Balut, Chevallier, Flecha Bus, Veloz del Norte, Vosa, La Internacional, Andesmar...* (départs en mi-journée et soirée surtout). Compter 15-20h de trajet. La compagnie *Cachi Turismo* assure uniquement cette liaison et propose des tarifs plus intéressants. Vente des billets à Salta sur Alvarado, 780.

➢ ***San Salvador de Jujuy :*** une dizaine de bus/j., 1h-21h, avec *Flecha Bus,* la compagnie la plus rapide (1h40-2h de trajet). Également avec *Balut* et *Andesmar,* 12 bus/j. env 5h30-minuit. Trajet : 2h-2h30.

➢ ***Purmamarca, Tilcara, Humahuaca, La Quiaca (frontière bolivienne) :*** 6 bus/j. avec *Balut.* Trajet direct sans étape à Jujuy. Trajet : 4h30-5h pour Humahuaca et 7h30-8h pour La Quiaca. La ligne est aussi desservie par *Flecha Bus* (départs à 0h30 et 7h15) et *Andesmar* (le seul avec couchettes, à 0h30).

➢ ***San Antonio de los Cobres :*** avec *Ale Hermanos,* tlj sf mar et jeu à 7h30, et tlj à 15h30 (16h dim). Liaison depuis San Antonio vers Salta, tlj à 7h. Compter env 4-5h de trajet. Bon service et oxygène à bord car on passe à près de 4 000 m d'altitude. Guichet fermé le dim.

➢ ***Cafayate :*** 7 bus/j. 6h50-21h, avec *Flecha Bus.* Env 3-4h de trajet.

➢ ***Cachi et Molinos :*** avec *Marcos Rueda (☎ 421-44-47).* Départs tlj tôt le mat ; 2e bus l'ap-m les mar, jeu, sam et dim. Une belle aventure sur des pistes cahoteuses ! Compter respectivement 4h30 et 7h de trajet.

➢ ***Tucumán :*** une petite dizaine de bus/j. avec les compagnies *Chevallier, Andesmar, Vosa, Brown...* La plupart partent dans l'ap-m et le soir. Trajet : 4-5h.

➢ ***La Rioja, San Juan, Mendoza :*** 5-6 bus/j. avec *Andesmar, Flecha Bus* ou *Chevallier,* 15h45-1h40 (et un autre la nuit). Compter respectivement 9h-10h30, 17h et 18-20h de voyage (!).

➢ ***Córdoba :*** 4-6 bus/j. 17h-21h15 avec *Chevallier* et *Flecha,* un avec *Balut* (vers 20h30). *Andesmar* et *Tramat* assurent aussi le trajet. Env 13-14h.

SALTA

➢ ***Posadas et Puerto Iguazú :*** avec *Flecha Bus* et *Andesmar.* Très très long pour Posadas : env 17h30 de trajet. Encore plus long (21h), évidemment, si on poursuit vers Iguazú (changement de bus).

➢ ***Le Chili (Catama, San Pedro de Atacama, Antofagasta) :*** avec *Pullman (☎ 421-06-06 ; ● pullman.cl ●),* 3 bus/sem (via Jujuy), à priori les mar, jeu, et dim vers 7h. Également avec *Andesmar* les lun-mer et ven à 7h pour San Pedro et Iquique, et avec *Geminis (● geminis.cl ●)* pour San Pedro les mar, ven et dim à la même heure. Compter env 11h de trajet jusqu'à San Pedro de Atacama, 15h jusqu'à Antofagasta, 18h-18h30 pour Iquique et 24h pour Arica, sur la frontière péruvienne. Attention au mal de l'altitude, la route passe à 4 200 m... pendant 3h (oxygène à bord). Aucun arrêt touristique ou « stop-photo » ; dommage.

En avion

✈ ***Aéroport Martín Miguel de Güemes*** *(hors plan par B2)* **:** *à 12 km au sud-ouest du centre. ☎ 424-29-04.* Plusieurs loueurs de voitures sont présents sur place, dont *Alamo, Avis* et *Localiza.* Pensez à réserver si vous arrivez un week-end pour ne pas vous retrouver bredouilles ! Vols souvent retardés en cas d'intempéries.

➢ ***Buenos Aires :*** 4 vols/j. avec *Aerolineas* ; 2 vols/j. avec *LAN* (à peine moins cher) et 1 vol/j. avec *Andes.*

➢ ***Iguazú :*** liaisons directes avec *Aerolineas* et via Buenos Aires avec *LAN.*

➢ ***Córdoba :*** vols directs avec *Aerolineas.*

Liaisons avec le centre-ville

➢ ***En voiture :*** accès au centre de Salta par la *ruta* 51, à 12 km. Plan de la ville disponible au petit bureau d'infos touristiques.

➢ ***En bus :*** avec les bus municipaux nº 8 A et Quijano, c'est la formule la plus économique, mais l'arrêt est situé en dehors de l'aéroport, à 500 m à pied. Compter respectivement 15 et 35 mn pour rejoindre le centre. Autre solution plus confortable, avec *AirBus (☎ 431-53-27).* Un bus vous attend à chaque arrivée d'avion. En revanche, du centre-ville vers l'aéroport, il faut réserver. Des navettes font le tour des hôtels pour rejoindre l'aéroport. Interrogez la réception du vôtre. En taxi, comptez 50 $Ar.

➢ ***En taxi :*** monopole de la compagnie *Remis del Norte* ; compter 30 $Ar.

Adresses utiles

Infos touristiques

🛈 ***Office de tourisme régional*** *(Ministerio de turismo y cultura ; plan couleur C2,* ***1*****) :** *Buenos Aires, 93. ☎ 431-09-50. ● turismosalta.gov.ar ● À 200 m de la place principale. Lun-ven 8h-21h ; w-e et j. fériés 9h-20h.* Plein de brochures détaillées, les prix « officiels » des excursions les plus

courantes y sont affichés. Il existe également un petit bureau d'infos dans le bâtiment d'où partent les télécabines.
🛈 ***Office de tourisme municipal*** *(plan couleur B2,* ***2****)* **:** *Caseros, 711 ; entre Balcarce et 20 de Febrero. ☎ 0800-777-03-00. Lun-ven 9h-13h, 17h-21h ; sam 9h30-13h.* Excellent accueil. Quelques brochures et pas mal d'infos. Également un petit bureau au terminal de bus *(plan couleur D2).*

Poste et télécommunications

✉ ***Poste*** *(Correos ; plan couleur C2)* **:** *Dean Funes, 140. À 2 cuadras de la place centrale. Lun-ven 8h-13h, 17h-20h ; sam 9h-13h.*
■ @ ***Téléphone et Internet :*** on trouve partout en ville des *locutorios* pour les appels nationaux ou internationaux. Et les cafés Internet fleurissent dans les rues du centre. Par exemple, ***Imprenta Paratz*** *(plan couleur B2 ; España, 624, tt près de la plaza ; lun-ven 8h30-13h, 17h-20h ; sam 10h30-13h).*

Argent, change

■ Plusieurs *casas de cambio* dans le centre *(ouv le sam),* et banques rues España et Bartolomé Mitre notamment. La ***Banco de la Nación Argentina*** *(B. Mitre, 151 ; plan couleur B2,* ***3****)* propose les meilleurs taux. Ne faites pas la queue en bas, grimpez au 1er étage, mais ne venez pas avant 10h, heure à laquelle le taux du jour est connu. Méfiez-vous des gens qui traînent autour de la banque, la petite différence qu'ils offrent ne vaut pas la peine de se faire arnaquer. Sinon, adressez-vous à ***Cambio Dinar*** *(plan couleur B2,* ***4****)*, un poil moins bon, ou aux *arbolitos*, les changeurs plantés à l'angle des rues Mitre et España (recomptez bien). Distributeurs de billets accessibles 24h/24 dans tout le quartier.

Représentations diplomatiques

■ ***Consulat de Bolivie*** *(plan couleur D2,* ***5****)* **:** *Dr. Mariano Boedo, 34. ☎ 421-10-40. Lun-ven 8h30-18h.*
■ ***Consulat du Chili*** *(plan couleur B1,* ***6****)* **:** *Santiago del Estero, 965. ☎ 431-18-57. Lun-ven 8h30-13h30.*
■ ***Consulat honoraire de France*** *(hors plan couleur par C2,* ***18****)* **:** *Tucumán, 380. ☎ 423-57-97. Ven 17h-20h.*

Santé

🞣 ***Hospital San Bernardo*** *(plan couleur D2)* **:** *Mariano Boedo, 69. Pour les urgences, entrée par la rue Tobias. ☎ 0800-4444-111.*
■ ***Farmacity*** *(plan couleur B2,* ***4****)* **:** *B. Mitre, 84. Tlj 8h30 (9h w-e)-23h.*

Transports

La location de voitures est bien sûr la meilleure solution pour explorer la région de Salta. On trouve de nombreux loueurs dans le centre, notamment sur Caseros (*cuadra* 400) et Buenos Aires. Un 4x4 est préférable, ou au moins un 4x2, type *Daihatsu Terrios.* Les tarifs sont comparables : à partir de 400 $Ar/j. pour une voiture de tourisme, près de 1 000 $Ar pour un 4x4 (!). Le passage au Chili est possible gratuitement, mais mieux vaut l'organiser au moins plusieurs jours à l'avance.
Les compagnies aériennes sont également représentées sur Caseros (entre Buenos Aires et Córdoba).

■ ***Avis*** *(plan couleur C2,* ***7****)* **:** *Caseros, 420. ☎ 0810-999-128-47 (résas). À l'aéroport : ☎ 424-22-89. • avis.com.ar • Lun-ven 8h-20h ; sam 9h-15h.* Accueil très pro de Soledad, qui vous fournira de nombreux conseils. *Avis* est souvent le moins cher si vous ne comptez pas faire trop de distance.
■ ***Budget*** *(plan couleur C2,* ***8****)* **:** *Caseros, 421. ☎ 421-19-53. 📱 15-446-93-23. Lun-ven 8h30-21h ; sam 8h30-13h.*
■ ***Hertz*** *(plan couleur C2,* ***9****)* **:** *Caseros, 374. ☎ 421-67-85 ou 0810-222-43789 (résas). À l'aéroport : ☎ 424-01-13. • milletrentacar.com.ar •*
■ ***Aerolineas Argentinas*** *(plan couleur C2)* **:** *Caseros, 475. ☎ 0810-222-86-527. • aerolineas.com.ar • Lun-ven et sam mat 9h-13h, 16h30-20h30.*
■ ***LAN*** *(plan couleur C2)* **:** *Caseros, 476. ☎ 0810-999-95-26. • lan.com • Lun-ven 9h-13h, 17h-20h.*
■ ***Andes*** *(plan couleur C2)* **:** *Caseros,*

459. ☎ *437-35-14.* • *andesonline.com* • *Lun-ven 9h-13h, 16h30-20h30 ; sam 9h-13h.*

Agences de voyages

Les agences fleurissent sur Buenos Aires et Caseros, à deux pas de la place centrale. On vous hèle d'un trottoir à l'autre pour vous proposer tout ce que la région peut offrir d'intéressant... N'hésitez pas à comparer les prix et à vous assurer de la qualité et de leur fiabilité auprès de l'office de tourisme. Il n'est pas rare, en effet, que les prestations fournies ne soient pas celles annoncées (genre minibus à la place d'un 4x4...). Liste complète sur le site : • *turismosalta.gov.ar* • De nombreux hôtels proposent également des excursions autour de Salta.

■ ***Mundo Gaucho*** *(plan couleur B2, **10**) : España, 788 (au 1er étage).* ☎ *421-34-22.* • *mundo-gaucho.com* • *Lun-ven 9h-19h.* Valérie Connan, réceptive française installée à Salta, et sa charmante équipe franco-argentine organisent des voyages dans toute l'Argentine et proposent aussi des excursions directement sur place.

■ ***La Posada*** *(plan couleur B2, **11**) : Buenos Aires, 94.* ☎ *421-65-44.* • *turismolaposada.com* • La version française du site laisse à désirer, mais la compagnie, de bonne notoriété, travaille avec des guides francophones compétents. Excursions à la journée vers Cachi et Humahuaca *(dès 200-260 $Ar).*

■ ***Cielos Andinos*** *(hors plan couleur par C1, **12**) : Los Jazmines, 501* ☎ *421-59-11.* 📱 *15-402-34-86.* • *cielosandinos.com* • Pour une approche moins speed et plus pédestre. Organisation sérieuse pour des sorties dans la région de 1 à 6 jours. Safaris photos.

■ ***Paradigma Travel*** *(plan couleur B2, **13**) : Buenos Aires, 250.* ☎ *422-05-46.* • *paradigmatravel.com.ar* • Une petite agence sérieuse qui se soucie de fournir des services de qualité à des prix compétitifs, avec guide et chauffeur. Divers circuits en boucle d'1 à 3 jours, ou d'autres à la carte, toujours en compagnie de guides passionnés et respectueux d'un tourisme responsable.

Divers

■ ***Alliance française*** *(plan couleur C2, **14**) : Santa Fe, 20 ; presque à l'angle de Caseros.* ☎ *431-24-03.* • *afsalta.org.ar* • *Lun-ven 17h-22h.* Concerts, expos, conférences, etc.

■ ***Supermarchés : Super Vea*** *(plan couleur B2, **15**), Florida, 50. Lun-ven 8h-22h30 ; sam 8h-22h ; dim et j. fériés 9h-21h.* ***Carrefour*** *(plan couleur B2, **16**), 20 de Febrero. Lun-sam 8h-22h ; dim et j. fériés 9h-21h.*

■ ***Lavandería El Rey*** *(hors plan couleur par B2, **17**) : à l'angle de Buenos Aires et San Juan.* ☎ *422-81-25. Tlj 8h-22h (9h-14h dim et j. fériés).*

Où dormir ?

Un grand choix à Salta, mais attention, c'est souvent plein en juillet, autour du 15 août, à Pâques, ainsi qu'en janvier et février (vacances d'été). Rien de fantastique du côté des *hostales* (auberges de jeunesse) ; au dernier passage on en a supprimé pas mal qui étaient devenues crades et glauques, mais on trouve de vrais bons plans dès que l'on est prêt à payer un peu plus.

Camping

⛺ ***Camping y Balneario municipal Carlos Xamena*** *(hors plan couleur par B2, **30**) : av. del Libano.* ☎ *423-13-41. À plus de 20* cuadras *du centre, en direction du sud, de l'autre côté de l'arroyo. Liaisons avec le bus nº 3 B. Ouv slt en saison (nov-fin fév). Compter 16 $Ar/pers.* Bon marché et avec tous les services, même si l'ensemble mériterait d'être mieux entretenu. Grand parc et immense piscine. Supermarché et boulangerie à côté.

Bon marché (moins de 350 $Ar / env 35 €)

🏠 ***Hostel Ferienhaus*** *(plan couleur B2, **31**) : Alvarado, 751.* ☎ *431-64-76.* • *ferienhaushostelsalta.com* • *Lits* *en dortoir 70-90 $Ar/pers, doubles env 200-250 $Ar avec petit déj.* Sympa et économique, cette AJ privée de 14 chambres est située en plein centre, au milieu de l'animation commerçante, mais pas trop bruyante malgré tout. Dortoirs jusqu'à 6 personnes et doubles avec bain privé. Cuisine à dispo, eau chaude 24h/24, salle TV et jeux ; bar, bagagerie, *lockers*. Personnel serviable. Petit déj riquiqui, un bon plan tout de même.

Hostal Salta por Siempre *(hors plan couleur par B2,* ***33****)* **:** *Tucumán, 464. ☎ 423-32-30. Lit en dortoir env 80 $Ar, doubles env 200-250 $Ar ; petit déj compris.* L'adresse est un peu excentrée, mais cet *hostal* est calme et bien tenu ; on dirait presque agréable, en tout cas si vous réussissez à obtenir une des chambres à l'étage, parce que celles du bas sont plutôt sombres. Laverie, ping-pong et cuisine au fond du jardinet, où sont organisés des *asados* les mercredi et samedi – en musique et en famille, s'il vous plaît ! Une bonne adresse.

Hostal La Salamanca *(plan couleur C2,* ***34****)* **:** *San Martín, 104. ☎ 421-55-12. • hostallasalamanca.com.ar • En hte saison, lit en dortoir 96 $Ar, double avec sdb privée env 305 $Ar. Petit déj inclus.* Un peu éloigné du centre mais en bordure du parc San Martín et à deux pas de la télécabine (et de la gare routière). Petite AJ propre et pas dénuée de charme. Une dizaine de doubles ou petits dortoirs, tous avec salle de bains privée, séparée ou dans la chambre. Cuisine à dispo, terrasse aménagée pour l'*asado*, bibliothèque, etc. L'ensemble est bien tenu. On apprécie ici l'ambiance familiale et l'accueil à l'avenant, simple, chaleureux. Seul bémol, les chambres qui donnent sur la rue peuvent être un peu bruyantes.

Backpacker's Home *(hors plan couleur par B2,* ***35****)* **:** *Buenos Aires, 930. ☎ 423-59-10. • backpackerssalta.com • Lits en dortoir 80-85 $Ar/pers, double env 280 $Ar ; réduc avec la carte HI.* Cette usine à routards de tous les pays se repère de loin avec sa galerie de drapeaux peinte en façade. Piscine et grand jardin baignés par des rythmes électro qui plairont plus aux fêtards qu'aux amateurs de calme. Bar, billard, salle de jeux, *asado* les mercredi et samedi, on ne se couche pas tôt ici ! Une partie des dortoirs a été rafraîchie. Cuisine et possibilité de dîner bon marché. Joyeuse ambiance bien sympathique. Le tout animé par une équipe dynamique qui organise de nombreuses excursions dans la région.

Backpacker's Suites *(plan couleur B2,* ***36****)* **:** *Urquiza, 1045. ☎ 431-89-44. • backpackerssalta.com • Transfert gratuit vers la gare d'autobus. Même gestion que le précédent. Bon petit déj inclus.* Une AJ de 120 lits, du réseau *Hostelling International,* qui s'adresse aussi bien aux couples d'amoureux qu'aux petits groupes d'amis. Les tarifs sont un peu plus élevés mais justifiés. Dans un petit immeuble moderne, des chambres impeccables et assez spacieuses, toutes avec salle de bains privée. Déco colorée et cadre assez design dans la grande salle commune. Laverie, bagagerie. Bar convivial où se retrouver entre routards. Équipe dynamique là encore et nombreux services.

Prix moyens (350-550 $Ar / env 35-55 €)

Residencial Elena *(plan couleur B2,* ***37****)* **:** *Buenos Aires, 256. ☎ 421-15-29. • residencialelena.com.ar • Double avec ventilo et TV env 400 $Ar ; triple 510 $Ar. Résa très conseillée. Parking possible.* À 3 *cuadras* de la place centrale, dans une adorable maison coloniale avec patios remplis de fougères et décorés d'azulejos, où il fait bon se reposer en fin de journée. Une quinzaine de chambres pour 2 à 5 personnes. L'ensemble est dénué de charme mais très propre. En prime, la maison est bien située et très calme, avec ses patios reposants. Une adresse à l'accueil familial.

Posada Casa de Borgogna *(plan couleur B2,* ***32****)* **:** *España, 916. ☎ 431-52-89. • posadacasadeborgogna.com.ar • Doubles avec sdb privée 450-550 $Ar ; petit déj inclus dans le café voisin.* Maison historique, enfilade de patios et couloirs colorés le long desquels les chambres, simples et très propres, sont installées. Jardin agréable et accueil amical. Le proprio parle le français. Une très bonne affaire pour le prix, surtout si on réserve les chambres pour 4 à 5 personnes.

Chambres d'hôtes Evelia Aguilera *(plan couleur C1,* ***38****) : Pueyrredón, 627. ☎ 422-59-85. • eveaguilera@yahoo.com • Double env 350 $Ar, avec petit déj.* La charmante Evelia propose 4 chambres agréables et très propres avec salle de bains, AC et TV. On aime beaucoup la nº 6 avec ses fenêtres ouvrant en rond sur le jardin. Le petit déj est servi dans la petite cuisine laissée à disposition des hôtes.

Las Rejas Hostel B & B *(plan couleur B2,* ***39****) : General Güemes, 569. ☎ 421-59-71 et 422-79-59. • lasrejashostel.com.ar • Doubles avec sdb env 390-430 $Ar dans la partie* B & B, *env 250-275 $Ar dans la partie* hostel ; *petit déj inclus.* Petite adresse de charme à 2 *cuadras* de la place centrale. Belle maison coloniale aux meubles patinés, joli patio, beaucoup de plantes, etc. Les 5 chambres de la partie *B & B* sont charmantes, joliment décorées et tout confort ; celles de l'*hostel* en dortoirs de 4 sont plutôt basiques. Cuisine à disposition des hôtes. Un bon rapport qualité-charme-prix dans chacune des deux gammes de prix.

SALTA

Petit Hotel *(plan couleur D2,* ***40****) : Hipólito Yrigoyen, 225. ☎ 421-30-12. • petithotelsalta.com.ar • Près du terminal de bus et des télécabines. Double avec sdb env 550 $Ar, petit déj-buffet inclus.* Une vingtaine de chambres réparties autour d'un patio fleuri et engazonné, avec petite piscine. Propres et assez grandes, avec salle de bains, TV et clim. Accueil agréable. Cadre un peu bruyant cependant : télécabine au-dessus, avenue à côté.

Posada Las Farolas *(plan couleur C2,* ***41****) : Córdoba, 246. ☎ 421-34-63. • posadalasfarolas.com.ar • Doubles env 380-450 $Ar, avec petit déj. Parking payant à côté.* Ce petit hôtel familial très central se distingue par son excellent rapport qualité-prix. Déco soignée, beaux carrelages, courettes, plantes vertes. Chambres lumineuses, modernes et très bien tenues, avec AC, TV et sèche-cheveux.

Hotel Regidor *(plan couleur B2,* ***42****) : Buenos Aires, 8. ☎ 431-13-05. • hotelregidorsalta.com.ar • Doubles avec sdb et AC env 380-450 $Ar, petit déj compris. Tarifs dégressifs à partir de 3 nuits en janv-mars.* Une grande maison avec pas mal de cachet, juste à côté de la place principale, pour ne pas dire au-dessus. Couloirs sombres. Les chambres sont petites, un peu à l'ancienne, mais néanmoins confortables et d'un bon rapport prix-qualité-situation. Plus calme sur l'arrière que sur rue. Accueil très serviable. Resto et bar au rez-de-chaussée.

Chic (550-1 000 $Ar / env 55-100 €)

Bloomer's Bed & Brunch *(plan couleur C2,* ***44****) : Vicente López, 129. ☎ 422-74-49. • bloomers-salta.com.ar • Double env 560 $Ar, brunch inclus. Parking possible.* Très belle maison d'hôtes de style colonial, superbement décorée. Patio garni de plantes, petit jardin, barbecue, terrasse sur le toit... Les 5 chambres doubles, toutes différentes, claires, spacieuses, coquettes et colorées, bénéficient de tout le confort moderne (TV écran plat et tout le tralala !). Pour le petit déj servi dès 7h30, ou plutôt le brunch donc, savoureuses viennoiseries maison et quantité de bons produits frais. Une belle adresse où il est conseillé de réserver longtemps à l'avance...

Hotel Bonarda *(plan couleur C2,* ***45****) : Urquiza, 427. ☎ 421-57-86. • hotelbonarda.com • Double env 550 $Ar, petit déj américain et parking inclus.* La maison se définit comme« boutique-hôtel » – un terme anglo-saxon désignant des petits hôtels design, très en vogue en Argentine (le terme, pas le design...). Au programme : 10 chambres plutôt simples, rehaussées de quelques touches de déco, design bien sûr, et grande TV. Préférer celles qui disposent d'une fenêtre. L'eau est bien chaude, la situation centrale (calme relatif), et le jardinet planté d'un grand figuier est agréable.

Hotel del Antiguo Convento *(plan couleur C2,* ***46****) : Caseros, 113.*

☎ *422-72-67.* • *hoteldelconvento.com.ar* • *Double env 480 $Ar avec sdb et AC, petit déj, un peu léger, compris.* 💻 📶 Proche du centre mais déjà loin de son animation. Une adresse qui a beaucoup pour plaire : des chambres ni antiques ni monacales mais vastes, claires et agréables. Préférer celles avec vue sur le jardin ou la petite piscine. Confort d'une adresse de bon standing (TV, clim). Un bon rapport qualité-prix, avec en prime un personnel très affable et pro.

🏠 ***Hotel del Virrey*** *(plan couleur B1,* ***47****)* ***:*** *20 de Febrero, 420.* ☎ *422-80-00.* • *hoteldelvirrey.com.ar* • *Double env 560 $Ar.* 💻 Un peu moins central et un poil plus cher que l'*Antiguo Convento.* Le *Virrey* est un hôtel charmant à l'entrée tapissée d'azulejos et aux 8 chambres dotées de mobilier ancien et de salles de bains carrelées à l'ancienne. On déplorera le manque de luminosité de certaines, mais pour le reste, la propreté et le service sont au top. Petite piscine.

🏠 ***Carpe Diem*** *(plan couleur C2,* ***43****)* ***:*** *Urquiza, 329.* ☎ *421-87-36.* • *carpediemsalta.com.ar* • *Doubles env 750-820 $Ar, petit déj inclus. Réduc à partir de la 4e nuit consécutive. CB refusées.* 📶 Boutique-hôtel de 8 chambres dans une grande maison avec un jardin de ville insoupçonnable de l'extérieur. Intérieur élégant, meubles anciens, livres dans toutes les pièces, chambres confortables. Silke (qui est allemande d'origine) et son mari, Ricardo, se font un devoir d'accueillir avec grand soin leurs hôtes et leurs enfants de plus de 14 ans. Au petit déj, pain maison, jus de fruits frais, cakes...

🏠 ***La Candela*** *(plan couleur C2,* ***48****)* ***:*** *Pueyrredón, 346.* ☎ *421-02-54.* • *hotellacandela.com.ar* • *Doubles env 800-920 $Ar, 1 065 $Ar la suite avec jacuzzi.* 📶 Très bel endroit au calme, à 10 mn à pied du centre. 11 grandes chambres et un appartement ultraconfortables, soigneusement décorés, mêlant tissus traditionnels et touches contemporaines. Piscine au centre d'un jardin tranquille, arboré et fleuri. Et l'accueil est à la hauteur des lieux, très amical.

Où manger ?

Quitter Salta sans avoir goûté les fameuses *empanadas salteñas,* ces petits chaussons fourrés si répandus en Argentine, serait un oubli impardonnable ! Les restos en proposent tous. Voir aussi nos adresses dans la rubrique « Où boire un verre ? Où sortir ? ».

Très bon marché (moins de 80 $Ar / env 8 €)

🍴 ***El Farito*** *(plan couleur B2,* ***42****)* ***:*** *Caseros, 509 ; sous les arcades à côté de l'hôtel* Regidor. ☎ *421-50-35. En principe, tlj sf dim jusqu'à 16h.* Adresse de rien du tout, courette et comptoir au fond d'un couloir. S'asseoir sous les parasols bleus (à l'enseigne de la bière Quilmès), les autres appartiennent au concurrent d'à côté. 2 choix d'*empanadas* réputés comme les meilleurs de la ville : poulet ou bœuf, à 3,50 $Ar la pièce et 40 $Ar la douzaine. Avec une grande bière à 25 $Ar, qui dit mieux ?

🍴 ***Mercado municipal San Miguel*** *(plan couleur B2,* ***61****)* ***:*** *San Martín, 790 ; accès piéton par Florida, Urquiza et Utizaingo. Lun-ven 7h30-14h30, 17h30-21h30.* Ceux qui ne sont pas trop regardants sur l'hygiène trouveront de nombreuses gargotes bon marché sous la halle et dans les allées. Menus du jour roboratifs et snacks en tous genres, dans une ambiance animée (lire la rubrique « À voir »).

Bon marché (80-120 $Ar / env 8-12 €)

🍴 ***La Criollita*** *(plan couleur C2,* ***62****)* ***:*** *Zuviria, 306.* ☎ *431-73-42.* Une petite institution de la ville où l'on vient déguster une bonne cuisine régionale. Les *empanadas,* spécialités de la maison, sont réputées, mais les *humitas, tamales* et *locro* ne sont pas en reste. Le tout est servi dans une grande salle agréable, aux murs de brique ornés de caricatures d'artistes argentins et d'objets artisanaux. L'intéressant *menu del día* attire aussi beaucoup de Salteños le midi. Large choix de desserts et sélection de vins locaux.

🍴 ***Casa Moderna*** *(plan couleur B2,* ***63****) :* *España, 674. Tlj sf dim 8h30-14h, 18h-22h30. ☎ 422-00-66. Une autre adresse sur Vicente Lopez, 423.* Une institution à Salta, sorte de magasin général centenaire (un *deli* comme disent les Anglo-Saxons) où la déco a peu changé. Les rayonnages débordent de bons produits locaux, vins, alcools, conserves, chocolats, fromages, salaisons. On peut y manger des *picadas, empanadas* ou des plats de pâtes, servis avec un verre de vin ou une bière, à déguster sur une terrasse aménagée à l'arrière.

🍴 ***MAAM Salta Bar*** *(plan couleur B2,* ***64****) :* *Mitre, 77. ☎ 437-04-99. Sur la place centrale. Tlj 8h-minuit.* Emplacement stratégique avec tables en terrasse, et salle tout en longueur à la déco contemporaine. Coin canapé pour siroter un jus d'orange frais en feuilletant la presse nationale mise à disposition. Salades, snacks *(empanadas)* et pizzas corrects. Service efficace. Une bonne halte pour profiter de la vue ou caler sa faim après la visite du musée. Juste à côté, le ***Minero,*** est du même acabit, avec des sandwichs et quelques plats végétariens à manger en terrasse, pour profiter de l'animation de la place.

🍴 ***Van Gogh*** *(plan couleur B2,* ***65****) :* *à l'angle d'España et de Zuviria, près de la cathédrale. ☎ 431-46-59. Tlj 7h30-2h.* Grand café moderne, décoré de reproductions de peintures de... devinez qui. On peut y prendre le petit déj, grignoter snacks (sandwichs, pizzas, *empanadas*) et gâteaux à toute heure, s'offrir un vrai café ou un jus d'orange frais. Préférer la grande terrasse sur la place, histoire de profiter de la vue. Service efficace.

Prix moyens (120-180 $Ar / env 12-18 €)

🍴 ***Ma Cuisine*** *(plan couleur C2,* ***66****) :* *España, 83. ☎ 421-43-78. Lun-sam 20h-23h45.* Deux salles blanches à la déco sobre. Courte carte : 3 entrées, 6 plats, 4 desserts écrits au tableau noir. Le chef a fait ses classes dans l'Hexagone et ça se voit. Cuisine de marché inventive, fusion méditerraneo-argentine où la mixité des genres donne d'heureux résultats, plats bien tournés. Les vins argentins sont judicieusement choisis. Une adresse pour se faire plaisir sans trop écorner son budget.

🍴 ***Viejo Jack*** *(plan couleur C2,* ***67****) :* *Virrey Toledo, 145. ☎ 439-28-02.* Pas très loin du terminal des bus, une authentique *parrillada* très populaire. Viandes goûteuses servies avec générosité et pas chères du tout, dans un décor original de bambou, avec un mur où les bouteilles de vin sont alignées à la parade. Essayer la *provoletta,* une cassolette de *provolone* (fromage) passée au grill... On trouve aussi un ***Viejo Jack 2*** au nord de la ville *(Reyes Católicos, 1465 ; hors plan couleur par C1).*

🍴 ***El Charrúa*** *(plan couleur C2,* ***68****) :* *Caseros, 221. ☎ 432-18-59. Tlj midi et soir.* Une *parrilla* traditionnelle et chaleureuse où les Salteros viennent en famille ou en groupes de collègues pour fêter un événement. C'est donc vite rempli ; venir tôt ou réserver. Décor plaisant, grandes tablées. Très bonnes grillades de viande (mais pas seulement) en portions copieuses, il faut avoir bon appétit pour terminer son assiette. Service courtois et très pro. Laissez-vous conseiller sur les vins. La carte est variée et les prix restent raisonnables.

🍴 ***La Posta*** *(plan couleur C2,* ***69****) :* *España, 456. ☎ 421-70-91. Tlj midi et soir.* Une grande salle avec verrière lumineuse ; une autre avec vue directe sur l'*asador* et un immense four ancien au fond. Ce classique de Salta est fréquenté aussi bien pour les sorties familiales ou amicales que par les groupes. Autant dire que les copieuses viandes se dégustent au coude-à-coude le week-end dans un brouhaha soûlant. Essayez le *cabrito,* fondant dans la bouche.

Chic (180-220 $Ar / env 18-22 €)

🍴 ***La Leñita*** *(plan couleur B1,* ***70****) :* *Balcarce, 802. ☎ 421-48-65.* En plein cœur du quartier animé dès la tombée du jour, le lieu, plutôt chic, est spacieux et agréable avec son sol en damier noir et blanc et ses grandes fenêtres. Très apprécié des familles locales le week-end qui viennent y communier dans le culte carnivore autour du grill au feu de bois. Spécialité d'abattis : *riñóncitos* (rognons) et autres *chinchulines* (tripes). En fin de soirée, l'ambiance vire à la *peña* : les serveurs sortent la guitare et se mettent à chanter. Service pro.

I●I ***Doña Salta*** *(plan couleur C2,* ***71****) : Córdoba, 46. ☎ 432-19-21. Tlj 11h-15h et 20h-0h30.* Cette *Dame Salta* a des atouts pour séduire... Murs de brique cirée et de pierre, objets évoquant l'univers des *gauchos...* Cuisine classique, authentique et copieuse. La viande notamment est ici savoureuse. Et en plus, le service est assuré par Zorro et Bernardo ! On n'en dit pas plus, allez-y.

Où s'offrir une glace ?

Rosmari *(plan couleur C2,* ***80****) : angle Belgrano et Pueyrredón. ☎ 431-37-74.* Le week-end, les queues se forment pour goûter aux glaces artisanales maison. Si vous en avez une grosse envie, faites comme les Argentins : commandez un pot de 5 kg, en mélangeant toutes les saveurs ! Plus raisonnablement, salle vitrée moderne et chaises sur la rue pour déguster votre cône à l'ombre.

Où boire un verre ? Où sortir ? Où écouter de la musique ?

Plusieurs cafés bordent la plaza 9 de Julio. Quant au quartier nocturne de Salta, il est situé le long des *cuadras* 800 et 900 de Balcarce, tout près de la gare ferroviaire. On y trouve une longue théorie de *peñas,* de cafés-bars-pubs folkloriques et de restos branchés. On pourrait croire le lieu très touristique, mais il s'agit surtout de touristes sud-américains ; beaucoup de jeunes y dansent jusqu'au bout de la nuit sur des rythmes de *chacarera* ou de *zamba* (attention, on n'a pas dit samba !). On a bien aimé l'*Amnesia,* le *Café del Tiempo,* où passent des groupes de jazz (et servent des pizzas), ainsi que le *Zumba* (dans un passage). Mais il y en a tant d'autres à découvrir !

Voir aussi plus haut dans « Où manger ? », la ***Casa Moderna*** *(plan couleur B2,* ***63****),* le ***MAAM Salta Bar*** *(plan couleur B2,* ***64****)* ou le café ***Van Gogh*** *(plan couleur B2,* ***65****).*

I●I ***La Casona del Molino*** *(hors plan couleur par A2,* ***81****) : Luis Burela, 1 ; à l'angle de Caseros (au niveau du n° 2500). ☎ 434-28-35. En taxi depuis le centre. Ouv à partir de 21h. Fermé lun.* Assez excentré, mais le détour en vaut la peine. Cette *peña* renommée est installée dans une splendide maison coloniale avec patio. Atmosphère très agréable de jour comme de nuit. Ambiance festive et conviviale en fin de semaine, avec musique folklorique authentique et concerts souvent improvisés tard le soir. Les musiciens de passage sont d'ailleurs invités à participer ! La cuisine est à l'image des lieux, rustique et généreuse, avec jardin où trône un *asado* qui n'arrête pas de griller les viandes les vendredi et samedi. Très populaire.

I●I ***La Vieja Estación*** *(plan couleur B1,* ***82****) : Balcarce, 87. ☎ 421-77-27. Ts les soirs 20h-5h. Droit d'entrée : env 20 $Ar.* C'est la plus vieille *peña* du quartier touristique. Vaste salle avec mezzanine. Murs de brique rouge couverts de superbes photos de la région. On y mange de tout : viandes, pâtes maison, succulentes *empanadas* et non moins délicieuses *humitas.* Le *menú de alta montaña* affiche même de la viande de lama accompagné de quinoa ! Mais on y va pour la musique plus que pour faire bombance. Concerts quasi tous les soirs vers 22h15, mais arriver vers 21h30 pour avoir une bonne place.

♩ 🍽 ***Boliche Balderrama*** *(plan couleur A2, **83**) : San Martín, 1126.* ☎ *421-15-42. Droit d'entrée : env 20 $Ar.* Encore une célèbre *peña,* dans un tout autre quartier, déjà lieu de soirées bohèmes dans les années 1950. Sur les murs, des fourrures, une peau de serpent grande comme ça, des photos et on ne dit pas tout. Spectacles folkloriques conventionnels mais de qualité, qui attirent autant les touristes qu'un public populaire qui reprend en chœur les chansons du répertoire. Dans l'assiette, cuisine honnête... sans plus.

♩ 🍽 Dans le même quartier, le ***café del Tiempo*** assure également une excellente ambiance musicale jusqu'à 4h du mat le w-e.

Achats

Feria artesanal : *quartier Balcarce, d'Entre Ríos à l'ancienne gare ferroviaire (plan couleur B1). Dim 10h-21h.* Un vrai marché artisanal où l'on ne trouve pas seulement des objets fabriqués pour les touristes. Chaque artisan expose ses œuvres (en bois, métal, objets de récup'). Également le samedi sur la plaza General Güemes *(plan B1).*

Talabartería Barquín *(plan couleur B2, **90**) : Urquiza, 683.* ☎ *431-92-40. Lun-ven 8h-12h, 16h30-20h30 ; sam 8h-12h30.* LA boutique du *gaucho* argentin, avec tout ce dont vous pourriez rêver : chapeaux, selles, mors, sacoches, ponchos, sombreros... En plus, les proprios sont accueillants et ils expédient dans le monde entier si jamais vous y faites des folies.

Voir aussi la ***Casa Moderna*** *(plan couleur B2, **63**)* citée plus haut dans « Où manger ? », pour acheter de bons produits locaux.

À voir

SALTA

■ ***Bus Turístico Salta*** *(BTS) : départ sur la pl. 9 de Julio, devant le Cabildo. Infos :* ☎ *422-77-98.* Comme dans les grandes capitales, ce bus propose un service *hop-on hop-off* (une quinzaine d'arrêts) avec des passages toutes les 30-35 mn environ. Reste que les horaires sont variables et que l'essentiel de ce qui est à voir est situé dans le centre...

Sur la plaza 9 de Julio

★★ ***Plaza 9 de Julio*** *(plan couleur B2) :* dans le cœur historique de la cité, sa parure de hauts palmiers et ses massifs de magnolias en font la plus belle des *plazas* de toutes les grandes villes du Nord-Ouest. Son pourtour a bénéficié d'un lifting réussi avec ses façades ravalées et en devenant semi-piétonne. Il fait bon s'y attarder pour regarder la ville se réveiller tôt le matin ou flâner en fin de journée pour le traditionnel *paseo.* Agréables terrasses de café tout autour (voir notamment « Où boire un verre ? »).

★★ ***Catedral*** *(plan couleur B2) : en été, tlj 6h30 (7h30 dim)-12h30, 16h30-20h30 ; en hiver et j. fériés, tlj 7h30-12h30, 17h-20h30.* Cette église de la fin du XIXe s est richement décorée, avec notamment le très baroque autel central doré, avec, de part et d'autre, les chapelles abritant les statues du Christ et de la Vierge du Miracle, qui paradent en procession chaque année dans les rues de la cité à l'occasion de la *Fiesta del Milagro.* Tout de suite en entrant (à gauche), le panthéon des hommes qui firent l'histoire de la région. On y trouve le tombeau du général Güemes. Plafond peint. Grande ferveur des Salteños, qui n'hésitent pas à faire la queue pour la confession. Ah, au fait, avez-vous remarqué que même les haut-parleurs sont dorés ?

À gauche de la cathédrale, noter l'archevêché avec sa façade austère et son balcon de bois.

> **CRISE DE FOI !**
>
> *La région est située dans une zone d'activité sismique. Salta fut ainsi violemment secouée le 13 septembre 1692. Le prêtre José Carrión eut ce soir-là une révélation qui lui conseilla de mener en procession les images sacrées du Christ et de la Vierge conservées dans la cathédrale. Sitôt dit, sitôt fait et, comme par miracle, les répliques cessèrent ! Depuis ce jour, Salta célèbre l'événement chaque année en septembre, à l'occasion de la* Fiesta del Milagro, *la « fête du Miracle ».*

Museo histórico del Norte - Cabildo *(plan couleur B2)* **:** *Caseros, 541 ; sur la place. ☎ 421-53-40. • museonor.gov.ar • Mar-sam 9h-18h. Entrée : 10 $Ar ; gratuit mer. Visites guidées à 10h30, 12h30 et 17h.* Le bâtiment du XVIIIe s, classé Monument historique national, abrite un intéressant musée consacré à l'évolution culturelle et historique de la province. On y admire les élégants patios, les marches en bois massif de l'escalier, ainsi que la vaste terrasse donnant sur la place. Passé la vieillotte section préhistorique, on découvre une collection de mobilier colonial (belle salle capitulaire) et les objets liturgiques témoignant du syncrétisme religieux chrétien-amérindien. Peu d'explications en dehors de celles en espagnol. Derrière le patio principal, quelques carrioles et la Renault de 1911 du gouverneur de Tucumán. Noter enfin le fouloir en cuir, où l'on écrasait le raisin.

Toujours sur la place centrale (flanc ouest, à l'angle de Caseros), jetez un coup d'œil sur l'ancienne *Casa de Gobierno (plan couleur B2),* aujourd'hui transformée en *Centro Cultural América,* et imaginez ce que fut le faste de Salta à la grande époque : immense hall en marbre, colonnes, somptueux salons, etc.

Museo de Arqueología de Alta Montaña (MAAM *; plan couleur B2)* **:** *Mitre, 77 (sur la place centrale). ☎ 437-05-92. • maam.culturasalta.gov.ar • Mar-dim et j. fériés 11h-19h30. Fermé lun sf j. fériés (dans ce cas, fermé le mar suivant). Entrée : 40 $Ar ; réduc étudiants. Visites en espagnol ou en anglais à 12h et 18h, panneaux explicatifs et brochure en français.* C'est l'histoire d'une expédition qui a permis d'exhumer trois momies d'enfants à 6 739 m, sur le volcan Llullaillaco. Rappelons, que pour les cultures amérindiennes, les montagnes font partie du domaine du sacré. Les Incas, lors de l'expansion de leur empire ont ainsi aménagé des sortes de « sanctuaires des sommets » chargés de protéger les communautés situées dans les environs de la montagne. Le site archéologique du volcan Llullaillaco est considéré comme le plus élevé du monde.

La visite commence avec l'équipement des savants et explorateurs andinistes. Puis, objets, poteries et textiles de tradition quechua, découverts sur les lieux de la sépulture des enfants. Dans ce contexte de sacrifice rituel appelé *Capacocha,* les Amérindiens déposaient en offrande ce qu'ils considéraient comme précieux, afin d'être récompensés en conséquence. Certains spécialistes penchent par ailleurs pour un moyen utilisé par les Incas pour asservir les peuples conquis. On y a donc trouvé, de superbes jouets que ces gamins auraient peut-être préféré utiliser de leur vivant... Une poupée miniature en or a même la coquetterie d'arborer un bourrelet sur la joue : la chique de coca. Les enfants sacrifiés faisaient l'objet d'une vénération considérable. Avant la fatale issue, ils étaient symboliquement mariés puis promenés et acclamés au cours d'un long pèlerinage. Avant d'être enterrés en mourant de froid, ils étaient « anesthésiés » par l'absorption de *chicha,* l'alcool de maïs.

Pour mieux les préserver, les momies sont exposées chacune à leur tour, seule, pendant 6 mois. Les trois momies – un garçon de 7 ans, une fille de 6 ans et une autre de 15 ans – sont incroyablement bien conservées grâce à la technique de la cryopréservation à -20 °C. Âmes sensibles, vous êtes prévenues, et vous pouvez éviter de contempler la momie exposée dans sa capsule conçue pour la préserver, le sens de la visite permet de contourner cette salle. Visite indispensable pour la compréhension des rituels religieux des Incas à approfondir par le biais d'un film diffusé en fin de visite.

✱ ***Museo de Arte contemporáneo*** **(MAC** *; plan couleur C2)* **:** *Zuviria, 90 (sur la place centrale). ☎ 437-30-36. Mar-sam 9h-20h ; dim 10h-14h. Fermé lun. Contribution suggérée : 2-5 $Ar.* Bâtiment du XIXe s. de style vaguement italien. Expos permanentes et temporaires de peinture contemporaine. Principalement des artistes de la région.

Dans le Centro

✱ ***Museo provincial de Bellas Artes – Casa de Arías Rengel*** *(plan couleur B2)* **:** *Florida, 20. ☎ 421-47-14. Lun-ven 9h-19h30 ; sam 10h-18h. Entrée : 5 $Ar.* Dans une belle demeure, les salles sur 2 niveaux traitent avant tout de la période coloniale. Art religieux, ainsi qu'un large panorama des tendances de l'art moderne et contemporain argentin. Un peu de mobilier. Expos temporaires également.

✱ ***Museo de la Ciudad – Casa de Hernández*** *(plan couleur B2)* **:** *Florida, 97 ; angle Alvarado. ☎ 437-33-52. • municipalidad-salta.gov.ar/museo • Lun-ven 9h-13h, 16h-19h ; sam 9h-13h. Contribution souhaitée.* Musée municipal sur l'histoire de Salta. La visite vaut surtout pour découvrir cette superbe demeure néocoloniale datant de 1870. Agréable flânerie dans les salles du musée et le joli patio.

✱ ***Mercado municipal*** *(plan couleur B2)* **:** *San Martín, 790 ; accès par la rue piétonne Florida. Lun-sam 9h-13h30.* Un régal pour les amateurs de fruits et légumes tropicaux, et d'épices. De plus, c'est un vrai plaisir pour les yeux. Profitez-en pour goûter les *tamales,* spécialités de la région à base de maïs, servis tout chauds. On découvre aussi les poissons de rivière et surtout un large rayon de viandes. Intéressant... même si l'hygiène rogne un peu sur le typique !

✱ ***Museo folclórico Pajarito Velarde*** *(plan couleur C2)* **:** *Pueyrredón, 106 ; à l'angle d'España. ☎ 421-29-21. Lun-ven 10h30-14h, 15h30-18h.* Maison-musée (une seule pièce) d'un amateur et mécène d'art éclairé : musique, peinture, littérature, chant... Il a beaucoup fait pour la renommée culturelle de la ville. Commentaire passionnant qui compense la modestie des lieux.

✱ ***Casa de Uriburu*** *(plan couleur C2)* **:** *Caseros, 417. ☎ 421-81-74. • museonor.gov.ar • Mar-ven 9h-18h (19h en saison) ; sam 9h-13h30. Visites guidées mar-ven 16h-18h, sam 10h30 et 12h. Entrée : 10 $Ar (gratuit tlj 9h-10h).* Consacré à l'époque coloniale, ce musée porte le nom d'un président argentin originaire de Salta, mort à Paris en 1932. Vénérable demeure du XIXe s avec un beau balcon en encorbellement, où sont réunis meubles, peintures, objets usuels et religieux...

✱✱ ***Iglesia y Convento San Francisco*** *(plan couleur C2)* **:** *à l'angle de Caseros et Dean Funes. ☎ 431-08-30. Seule l'église se visite, elle est agrémentée d'un musée ouv mar-ven 10h30-12h30, 16h30-18h30.* Sur le parvis, statue de saint François d'Assise, cher au nouveau pape. Avec sa tour tarabiscotée de 54 m de haut, ses couleurs rouge et ocre, ses fioritures rococo, ses draperies de métal lui donnent l'apparence d'un gros gâteau de mariage ! L'intérieur mérite néanmoins un coup d'œil, notamment pour ses plafonds peints assez ouvragés. À voir, à droite en entrant, le *Christ du Miracle,* magnifique statue en bois peint. Sur la droite, statue de l'Enfant Jésus de Aracoeli, sanctifiée par Jean-Paul II ; crèche en diorama juste en face. À travers les grilles, vue sur le joli jardin du cloître.

✱ Plus loin sur Caseros (au n° 73), près de l'angle de Santa Fe, le ***Convento San Bernardo*** *(plan couleur C2).* Seule l'église se visite *(lun-sam 6h30-8h30).* Un des plus anciens bâtiments de la ville. Intéressant plafond peint représentant une Vierge entourée de carmélites (qui habitent toujours le couvent, en silence). Au fond à droite, une double grille hérissée de pointes... C'est le parloir qui permettait le dialogue aux carmélites « déchaussées » tout en empêchant un contact avec l'extérieur. On admire enfin la superbe porte en bois, sculptée en 1762 par des Amérindiens.

Autour du cerro San Bernardo

Cerro San Bernardo *(plan couleur D2)* **:** colline qui domine la ville, du haut de ses 250 m. On y a aménagé une réserve naturelle de 100 ha. Le sommet est accessible en ***teleférico,*** en réalité des télécabines depuis le parque San Martín *(plan couleur C-D2 ; tlj 10h-19h ; 70 $Ar A/R ; 35 $Ar 6-12 ans).* On peut également y monter à pied, l'occasion d'une balade sportive qui débute devant le musée d'Anthropologie, juste sur la droite, par une longue série de marches (pas moins de 1 070 !). Compter 40 mn à 1h pour la grimpette, en suivant le chemin de croix. D'en haut, vue panoramique sur Salta et la plaine depuis la cafétéria au sommet. Accès possible également en voiture.

Monument au général Martín Miguel de Güemes *(plan couleur D2)* **:** *paseo Güemes, 54.* Statue commémorative de cette icône de Salta, au pied du *cerro* San Bernardo. Il s'illustra lors des guerres d'Indépendance. Les ponchos rouge et noir que portaient les *gauchos* de son armée sont devenus l'un des symboles de la ville. Plus bas, jeter un coup d'œil à l'élégant *Club 20 de Febrero,* fondé en 1958, et qui sert de QG à la haute société salteña.

Museo de antropología Juan Martín Leguizamón *(plan couleur D2)* **:** *Ejército del Norte y Ricardo Solá (au-dessus du monument). ☎ 422-29-60. • antropologico.gov.ar • Lun-ven 8h-19h ; sam 10h-18h. Entrée : 5 $Ar.* Collection archéologique régionale et ethnologique de la civilisation wichi, notamment. Poteries, monnaies, impressionnante momie et objets usuels. Quelques explications en espagnol.

À l'écart du Centro

Museo de Bellas Artes de Salta *(plan couleur B2)* **:** *av. Belgrano, 992. ☎ 431-85-62. Lun-ven 9h-19h ; sam 11h-19h ; j. fériés 10h-14h. Entrée : 5 $Ar.* Dans une vaste demeure du XIXe s de style français, des salles modernes et bien aménagées pour accueillir des expos temporaires de qualité. L'étage est consacré aux collections permanentes, présentées par période : préhispanique, révolutionnaire, XIXe et XXe s. Œuvres d'artistes argentins, mais aussi européens, comme l'Italien Carlo Penuti et sa *Vista de Salta tomada de la cima del cerro San Bernardo* (1854), panorama précis de la cité au milieu du XIXe s. Quelques vestiges régionaux également. Au final, un musée assez hétéroclite qui propose quelques belles pièces dans le cadre d'une agréable visite.

Museo de arte etnico americano Pajcha *(plan couleur B1)* **:** *20 de Febrero, 831. ☎ 422-94-17. • museopajchasalta.com.ar • Proche de l'ancienne station ferroviaire. Lun-sam 10h-13h, 16h-20h ; pdt la Semana Santa (voir ci-après) et en juil, 10h-20h. Entrée : 30 $Ar.* Six petites salles et un espace d'expo dédiés aux traditions indiennes, où se côtoient étoffes, poteries, bijoux, masques et objets votifs collectés de l'équateur au tropique. Certains détails

IL Y A COCA ET COCA...

La coca est une plante médicinale. Mais avec un peu de chimie, ça tourne très mal : sa feuille devient cocaïne. Pourtant, dans les Andes, les Indiens mâchent les feuilles de coca depuis la nuit des temps sous forme de chique, pour ses vertus stimulantes, coupe-faim, et pour combattre les effets de l'altitude. Si les premiers missionnaires la déclarèrent immorale, on en saisit vite les avantages : une forme de paix sociale dans les mines !

intéressants sur les mélanges de cultures (couronne d'épines qui devient plumes, saints fumeurs de pétards, etc.). Légendes intéressantes, et enthousiasme non dissimulé des propriétaires. Avec le *Museo histórico,* une visite à privilégier.

Fêtes

– ***Semana Santa :*** *pdt 5 j. jusqu'au dim de Pâques.* Grande ferveur religieuse et populaire. Bénédiction des églises de la ville, procession de la plaza Belgrano à la cathédrale, cérémonies du lavement des pieds, chemin de croix jusqu'au *cerro,* grandes messes, etc.
– ***Hommage au général Güemes :*** *le 17 juin.* La ville commémore la *gesta de la Independencia* en l'honneur de Martín Miguel de Güemes, ce *gaucho* qui avait organisé la résistance face aux Espagnols. Des cavalcades de *gauchos,* habillés de parures typiques, sont organisées le soir. Autour d'un feu, des groupes folkloriques se donnent rendez-vous pour improviser des *guitarreadas* ; le lendemain, une messe est célébrée, à laquelle les *gauchos* participent en formant une procession pour saluer la statue du général. Enfin, la fête se termine par un grand repas *gaucho* et apolitique !
– ***Fiesta de la Virgen del Milagro :*** *6-15 sept (apogée de la fête).* Processions religieuses qui attirent les foules de toute la région. Au cours de celles-ci, les statues du Christ et de la Vierge du Miracle sont sorties de la cathédrale et baladées à travers la ville.

Excursions

SALTA

Le train des nuages *(el tren a las Nubes)*

Depuis la estación de trenes de Salta *(plan couleur B1 ; ☎ 422-30-33), départs fin mars-nov, sam à 7h05 (même avec une résa, se présenter 45 mn avt). Arrivée au terminus (viaduc de Polvorilla) à 15h10, retour prévu à Salta peu avt minuit. Très cher : 185 US$/pers selon saison, petit déj et snack inclus. Ttes les infos sur le site : • trenalasnubes.com.ar • et au : ☎ 0800-888-68-23.*

À l'origine, *El tren a las Nubes* faisait partie de l'ancien chemin de fer *General Manuel Belgrano.* La construction commença en 1921 sous la direction de l'ingénieur Ricardo Maury, dont le projet de voie ferrée évitait le traditionnel système de crémaillère. Il rêvait d'un train capable de parcourir toute la cordillère des Andes... L'idée d'un train touristique sur la ligne Belgrano est née dans les années 1970. La privatisation chamboula tout, le train fut abandonné un temps, avant de renaître de ses cendres en 2008.

UNE RECRUE BIENTÔT CÉLÈBRE

Pour la construction de la ligne, on embaucha un ouvrier métallurgiste croate, syndicaliste virulent. Son bagout et son sens du commandement lui permirent de devenir contremaître sur le chantier. Il s'appelait Josip Broz et deviendra le maréchal Tito, futur président de la Yougoslavie pendant 35 ans.

Destination : les nuages ! Préparez-vous pour un aller-retour de 434 km et 15-16h de voyage, de Salta au viaduc La Polvorilla, à 4 220 m d'altitude. On franchit 29 ponts et 13 viaducs, on traverse 21 tunnels, on parcourt 2 spirales et 2 zigzags, tout en parcourant de nombreuses *quebradas...* Sentez-vous le vertige vous gagner ? De l'oxygène est conservé à bord en cas de *soroche* (mal des montagnes). Le train comprend un wagon-restaurant, un wagon panoramique, et occupe les passagers avec des vidéos et des spectacles folkloriques.

Quelques bémols à cette escapade dans les nuages : outre des tarifs très élevés, la durée du voyage est très longue (le retour peut paraître interminable). Franchement déconseillé avec des enfants. Des tour-opérateurs proposent cependant un combiné offrant l'aller en train et le retour en minibus (plus rapide). Sinon, sachez que les conditions météo influent largement sur la vie du train. Il est généralement fermé de décembre à mars, saison des pluies, et rouvert en fonction des glissements de terrain et de la maintenance...

➢ ***En voiture :*** on peut découvrir tout ou une partie du parcours depuis la route. Ce qui d'ailleurs permet de voir les structures ferroviaires bien mieux que lorsqu'on les emprunte... Au sud de Salta, on emprunte la *ruta* 51 qui se transforme en (bonne) piste 30 km plus loin, à Campo Quijano. Renseignez-vous sur l'état de la route (en été, elle peut être impraticable à cause des pluies).
Le parcours suit la magnifique *quebrada del Toro,* la même qu'emprunte le *tren a las Nubes.* On voit d'ailleurs parfaitement les ponts, tunnels, passages à niveau qui agrémentent la très belle vallée encaissée. En 2h, on a fait la partie la plus facile et la plus intéressante du cheminement qui aboutit à *Chorillos,* en passant à côté du *viaducto del Toro.* Au-delà, la *quebrada* déploie des paysages proches de la *quebrada* de Cafayate (décrite plus loin dans ce guide). On aboutit à *Santa Rosa* en 2h30. On peut y voir le site précolombien de Tastil. On a déjà quitté depuis quelques kilomètres le trajet du train qu'on ne retrouve que bien plus loin, à *San Antonio de los Cobres* (un bourg authentique sans grand intérêt). Quelques kilomètres au-delà, le fameux *viaducto de Polvorilla,* à 4 200 m d'altitude, long de 224 m et haut de 60 m. Certes, de la belle ouvrage, mais qui se mérite ! Car faire l'aller-retour depuis Salta en un jour représente un beau challenge (partir aux aurores). Et faire escale à San Antonio n'a guère d'intérêt. On doit aussi vous mettre en garde contre le mal de l'altitude au-delà de Santa Rosa.
➢ ***Avec une agence :*** toutes les agences de Salta proposent cette excursion qui va généralement jusqu'au *viaducto de Polvorilla* dans la journée. Compter autour de 300 $Ar. À partir de 2 personnes, louer une voiture devient concurrentiel.
➢ ***En bus :*** la compagnie *Ale Hermanos* assure le trajet entre Salta et San Antonio de los Cobres *(tlj sf mar et jeu à 7h30 et tlj sf dim à 15h30 ; compter 5h et env 50 $Ar A/R).*

⁂ ***La boucle Salta-Cafayate-Salta :*** on peut organiser avec une agence depuis Salta tous types d'excursions à la découverte de ces merveilles, en 1, 2 ou 3 j. avec hébergement et tutti quanti. On peut aussi se débrouiller seul, en voiture ou en bus. Pour plus de détails, lire plus loin « Les vallées Calchaquíes », « Cafayate » et « La quebrada de las Conchas ».

VERS LE NORD, DE SALTA À LA FRONTIÈRE BOLIVIENNE

Il existe deux voies d'accès :
➢ La plus belle route est incontestablement la ***ruta de la Cornisa*** *(ruta 9),* qui passe par la montagne. Pas facile à trouver au départ de Salta. N'hésitez pas à demander votre chemin. On vous la recommande vivement ! Étroite et sinueuse (les premiers 45 km, il ne faut pas avoir le mal de voiture), elle traverse d'épaisses forêts tropicales. Un bain de verdure qui change du monopole presque totalitaire des cactus dans la région ! Belle mais longue route : près de 2h30 sont nécessaires pour parcourir les 90 km séparant Salta de Jujuy. Elle est ponctuée d'aires de pique-nique au cœur de superbes paysages. Il faut donc ne pas être pressé : à vous de voir.

➢ L'autre possibilité, plus rapide, consiste à prendre l'***autopista 9*** jusqu'à General Güemes, puis la ***ruta 66*** vers Jujuy. Ce trajet par autoroute met un peu moins de 2h pour 120 km.

SAN SALVADOR DE JUJUY

300 000 hab. IND. TÉL. : 0388

Plus communément appelée *Jujuy* (ne pas oublier de prononcer les deux *jotas* !). Située à 1 260 m d'altitude et à 1 640 km de Buenos Aires, avec ses immeubles décatis, la ville est sans intérêt majeur mais peut constituer une étape sur la route vers le nord. Fondée en 1593, elle n'a rien conservé de son passé colonial, mais elle pourrait justifier une halte si vous vous trouvez dans le coin fin septembre, pour l'élection de Miss Primavera, la reine des étudiants. La ville s'anime alors pendant une semaine, avec défilé de chars, fête foraine et soirées endiablées !

Jujuy commande avant tout la porte d'entrée des Andes du Nord-Ouest, une Argentine presque originelle, celle des Amérindiens. Les échos de l'Histoire résonnent encore de leurs vaines révoltes contre l'Empire inca (Jujuy vient de Xuxuyoc, nom du gouverneur inca de la région), puis contre les Espagnols dès la fin du XVIe s. Les eaux du *río* Grande invitent à les suivre à contre-courant tout au long de la fantastique *quebrada de Humahuaca,* classée au Patrimoine mondial de l'Unesco, qui mène jusqu'à la Bolivie à travers des paysages inoubliables.

EXODE MASSIF

En 1812, redoutant l'arrivée des armées pro-espagnoles, supérieures en nombre, le général rebelle Manuel Belgrano força la population à déserter la ville et à brûler tout ce qui pouvait servir à l'ennemi. Les habitants parcoururent ainsi 250 km avant de pouvoir regagner leurs pénates après la victoire de Belgrano à Tucumán.

Arriver – Quitter

En bus

🚌 ***Terminal des bus*** *(plan A3)* **:** *à l'intersection d'El Exodo et de Dorrego. Infos et horaires :* ☎ *422-13-73.* À 10 mn à pied de la plaza Belgrano. Venir la veille pour choisir son horaire et réserver sa place. Petit bureau de renseignements *(tlj 7h-22h),* et distributeur automatique de billets du côté de la rue Dorrego. Nombreux taxis.

➢ ***Buenos Aires :*** une dizaine de bus/j., 5h-21h30, avec *Flecha, Balut* et *La Veloz del Norte.* C'est très long : env 20h.

➢ ***Tucumán :*** 10 bus/j. avec *Flecha, Mercobus* ou encore *La Veloz del Norte.* Trajet : 5h.

➢ ***Salta :*** nombreux bus avec ttes les compagnies. Compter 2h30 de trajet.

➢ ***Tilcara, puis Humahuaca :*** nombreux bus/j. 5h-22h, ttes les 30 mn env. Un peu moins de 2h de trajet pour Tilcara, 2h30 pour Humahuaca. Pour profiter des magnifiques paysages, partir de jour et prendre une place près de la vitre.

➢ ***Purmamarca :*** une douzaine de bus quotidiens réguliers et directs avec *Jama,* 5h-22h30. Trajet : 1h30.

➢ ***La Quiaca (à la frontière bolivienne)*** **:** une dizaine de compagnies, plusieurs bus/j. (dont 2 express). Compter 4-5h de trajet.

– Les grandes compagnies proposent aussi des directs pour ***Mendoza, Córdoba***..., mais aussi le ***Chili*** (San Pedro de Atacama, Calama...).

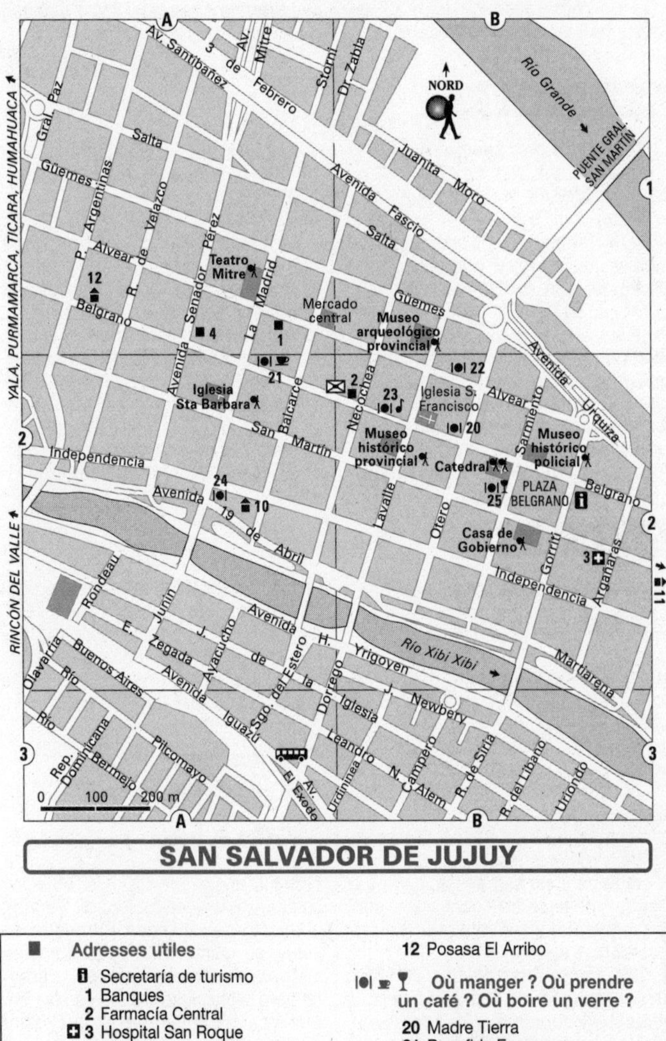

SAN SALVADOR DE JUJUY

■ **Adresses utiles**

- ℹ Secretaría de turismo
- 1 Banques
- 2 Farmacía Central
- ✚ 3 Hospital San Roque
- 4 Aerolineas Argentinas

Où dormir ?

- 10 Dublin Hostel
- 11 Club Hostel
- 12 Posasa El Arribo

Où manger ? Où prendre un café ? Où boire un verre ?

- 20 Madre Tierra
- 21 Bonafide Expresso
- 22 Chung-King
- 23 Restaurante Ruta 9
- 24 Viracocha
- 25 Miralejos

En avion

✈ ***Aéroport :*** *à 33 km.* Dans le hall, un petit point info et les bureaux de location de voitures. Pour rejoindre le centre-ville de Jujuy :

– En ***taxi,*** compter min 60 $Ar (pour 30 mn).

– En transports publics, il faut prendre un ***colectivo*** jusqu'au village de Perico, puis un ***remis*** jusqu'à Jujuy (3 fois moins cher mais long : plus de 1h).

➢ ***Buenos Aires :*** env 4 vols directs/j. avec *Aerolineas Argentinas.*

Adresses utiles

ℹ *Secretaría de turismo* *(plan B2)* **:** *Canónigo Gorriti, 295. ☎ 422-13-43 ou 0800-555-99-55. • turismo.jujuy.gov.ar • Lun-ven 7h-22h ; w-e et j. fériés 9h-21h.* Bureau bien documenté. Le staff est très sympa et compétent.

✉ ***Poste*** *(plan A-B2)* **:** *Belgrano, 877. Lun-ven 8h30-13h, 17h-20h ; sam 9h-13h.*

■ @ ***Téléphone et Internet :*** *nombreux* locutorios *dans les rues Belgrano, Lavalle et San Martín.*

■ ***Banques, change :*** *distributeur situé presque en face de la poste (plan A2). Sinon, plusieurs banques sur Alvear (plan A1,* ***1****). Bureau de change dans Belgrano, 614. Tlj sf dim 8h30-13h, 17h-21h.*

■ ***Farmacía Central*** *(plan B2,* ***2****)* **:** *à l'angle de Belgrano et Necochea. Lun-sam 8h-minuit.*

✚ ***Hospital San Roque*** *(plan B2,* ***3****)* **:** *San Martín, 330. ☎ 422-13-03 ou 05.*

■ ***Aerolineas Argentinas*** *(plan A1,* ***4****)* **:** *Senador Pérez, 355. ☎ 422-25-75. Lun-ven 8h30-12h30, 16h30-20h30 ; sam mat.* On peut aussi acheter les billets dans n'importe quelle agence.

■ ***Location de voitures :*** *à l'aéroport, notamment* **Hertz** *(☎ 491-15-05).*

Où dormir ?

Bon marché (moins de 350 $Ar / env 35 €)

⌂ ***Dublin Hostel*** *(plan A2,* ***10****)* **:** *Independencia, 946. ☎ 422-96-08. • yokwahi.com • Lit en dortoir 80 $Ar ; doubles env 230-260 $Ar selon confort, petit déj inclus ; également des triples et quadruples.* Petite AJ, avec une équipe adorable et tous les équipements utiles au voyageur. Bâtiment agréable, déco très colorée. Irish bar et courette pour les barbecues, cuisine à dispo. Ambiance très conviviale, parfois bruyante. Prestations en baisse surtout hors saison.

⌂ ***Club Hostel*** *(hors plan par B2,* ***11****)* **:** *San Martín, 134. ☎ 423-75-65. • clubhosteljujuy.com.ar • Lit en dortoir 95 $Ar ; double env 275 $Ar avec sdb commune ou privée ; également des triples et quadruples. Petit déj inclus. Réduc avec la carte* Hostelling International. Une AJ située à quelques *cuadras* de la place principale. Dortoirs impeccables de 4 à 6 lits, chambres doubles et familiales, sanitaires impeccables. Joli carrelage au sol, pièces communes fraîches et agréables. Cuisine tout équipée, salon-salle de jeux, petite terrasse sur le toit. Le must, c'est la piscine de taille correcte, le petit jacuzzi et le bar-barbecue en plein air, pour des soirées conviviales. Accueil dynamique et cordial par une équipe jeune, de très bon conseil (petite agence sur place).

Prix moyens (350-650 $Ar / env 35-65 €)

⌂ ***Posada El Arribo*** *(plan A1,* ***12****)* **:** *Belgrano, 1263. ☎ 422-25-39. • elarribo.com • Doubles env 600-635 $Ar selon saison, petit déj inclus. Parking privé.* Un peu à l'écart du centre de Jujuy, au calme. Une belle demeure historique joliment rénovée, certainement la plus jolie adresse de la ville. Superbe patio autour duquel sont distribuées les chambres, doubles et familiales, soigneusement décorées et disposant de tout le confort (TV câblée, clim). Salles de bains modernes, déco épurée, murs blancs et hauts plafonds. En prime, un bout de jardin au fond de la cour et une piscine pour barboter en fin de journée. Petit déj un peu chiche, mais préparé à base de produits frais. Au final, un bon rapport qualité-prix pour cette authentique adresse de charme.

Où manger ? Où prendre un café ? Où boire un verre ?

Côté vie nocturne, quelques adresses où sortir le soir. Dommage que Jujuy manque de terrasses ou de bistrots peinards pour prendre un verre pendant la journée.

Bon marché (80-120 $Ar / env 8-12 €)

Ꙩ ***Madre Tierra*** *(plan B2,* ***20****) : Belgrano, 619.* ☎ *422-95-78. Tlj sf dim 7h30-22h.* Coin boulangerie à l'entrée avec tout un choix de pains et gâteaux bio, à emporter ou manger sur place. À en croire la patronne, on est tellement gavés de graisses animales, conservateurs et colorants artificiels qu'il n'y a plus qu'à se jeter dans le *río* Xibi Xibi ! Rien que de bons produits évidemment, dont une formule déjeuner avec l'étonnante « salade désintoxiquante », un plat du jour, un bol de soupe, dessert, jus de fruits et pain intégral ! Une agréable halte de fraîcheur bio et végétarienne.

Ꙩ ☕ ***Bonafide Expresso*** *(plan A2,* ***21****) : Belgrano, 707.* ☎ *422-29-28. Lun-jeu 8h-minuit ; ven et sam 8h-2h du mat ; dim 10h-minuit.* 📶 Petite cafétéria de chaîne, pas désagréable pour s'offrir un bon *ristretto* ou un jus de fruits frais. Salle moderne avec chaises bistrot et fauteuils, *confitería* dans un coin. Toutes sortes de cafés spéciaux, sandwichs, snacks et pâtisseries. Quelques tables en terrasse pour profiter de l'animation de la rue.

Ꙩ ***Chung-King*** *(plan B2,* ***22****) : Alvear, 627 et 631.* ☎ *422-29-82.* 2 restos attenants, appartenant au même propriétaire et faisant cuisine commune. On y sert de tout, sauf... de la cuisine asiatique ! Les classiques sont tous là : *parrillada,* plats andins, etc. Pas cher et très copieux. À côté, la pizzeria : cadre banal, mais bonnes pizzas et pâtes fraîches.

Ꙩ ♪ ***Restaurante Ruta 9*** *(plan B2,* ***23****) : Belgrano, 743.* ☎ *423-70-43. Tlj.* Une *peña* authentique en plein centre-ville, qui propose des concerts et spectacles folkloriques dès 20h en fin de semaine. Dans une grande salle en sous-sol bien rustique, avec beau parquet et immense mur de pierres sèches. Ambiance plus que locale au son du *charango* et de la *quena.* Bonne cuisine régionale, copieusement servie.

Prix moyens (120-180 $Ar / env 12-18 €)

Ꙩ ***Viracocha*** *(plan A2,* ***24****) : à l'angle d'Independencia et Lamadrid.* ☎ *423-35-54. Tlj sf dim soir et mar 12h-15h, 20h30-minuit.* Divers *picantes* et *lomo,* ainsi que du lama, de la truite et des *empanadas.* Large choix de salades également. Bref, le menu est varié, et plus important encore, la cuisine est fort goûteuse. Lama au caramel et à la bière brune de toute beauté, par exemple. Service efficace et prix raisonnables. Le tout dans une salle agréable, dont le décor se veut rustique avec ses voûtes de pierre.

Ꙩ 🍸 ***Miralejos*** *(plan B2,* ***25****) : Sarmiento, 268 ; sur la place, juste à côté de la cathédrale.* ☎ *422-49-11.* On choisit entre les quelques tables en terrasse donnant sur la place ou la belle salle de style colonial bien restaurée. Les ventilos et les hauts plafonds offrent une fraîcheur réparatrice en été. Et le lieu est accueillant. Pour se sustenter, carte riche et variée, prix assez chic.

À voir

Sur la place centrale (plan B2)

La place centrale, avec ses fontaines et ses grands arbres, porte le nom du général Belgrano, dont la statue trône au milieu. Les principaux monuments sont disposés tout autour, mais l'absence de commerces et de bars lui donne un aspect un peu figé.

Catedral (*plan B2*) : *tlj 7h30-12h30, 17h-21h. Visites guidées (en espagnol) tlj 9h-12h30, 17h-19h.* De style ampoulé, vaguement italianisant, elle date de 1765, la précédente ayant été détruite par un tremblement de terre. Voir l'admirable chaire baroque et les confessionnaux face à face en bois rouge de caroubier, sculpté et doré. Œuvres naïves d'artistes indiens formés dans une mission jésuite. Voir encore ce Christ déposé, tout sanguinolent. Plafond peint en trompe-l'œil.

Casa de Gobierno (*plan B2*) : *sur la place. Lun-ven 8h-20h ; w-e 8h-13h, 17h-20h.* De style baroque français. Au 1er étage, salle du Drapeau où est exposé le trésor de Jujuy : le premier drapeau argentin, créé par le général Belgrano. Il en fit don à Jujuy en signe de reconnaissance pour son aide dans la victoire de Salta en 1812.

Museo histórico policial (*plan B2*) : *Belgrano, 493. ☎ 423-11-64. Sur la place, à l'intersection avec Sarmiento. Lun-ven 8h-13h, 16h-21h ; sam et j. fériés 9h-12h, 18h-20h. Gratuit.* C'est dans l'enceinte du *cabildo* que se situe ce curieux musée de la police provinciale, qui présente dans quatre salles l'univers passionnant des uniformes et des drapeaux !

Dans le centre-ville

Museo histórico provincial (*plan B2*) : *Lavalle, 256. ☎ 422-13-55. Lun-ven 8h-20h ; w-e et j. fériés 9h-13h, 16h-20h. Entrée : 5 $Ar ; possibilité de visite guidée.* Cette maison de la fin du XVIIIe s (les rideaux notamment sont d'origine) regroupe des objets se rapportant à la période coloniale, du temps où les généraux Lavalle et Belgrano y avaient leur quartier général. Amusants casques en peau faits par les Indiens, imitant ceux des Espagnols. Peintures de l'école de Cuzco, visions naïves des thèmes religieux interprétés par des peintres locaux. Enfin, dans une dernière salle, la porte à travers laquelle Lavalle fut tué par balle.

LAVALLE, UN HÉROS ARGENTIN

Tué au combat à Jujuy en 1840, ce général participa aux campagnes pour l'Indépendance. Sa dépouille fut transportée par ses partisans afin d'éviter que sa tête soit un trophée pour son rival. Ne furent conservés que ses os, son cœur et sa tête, pour être déposés dans la cathédrale de Potosí en Bolivie, puis transférés plus tard à Buenos Aires au cimetière de la Recoleta.

Museo arqueológico provincial (*plan B1*) : *Lavalle, 434. ☎ 422-13-15 ou 43. Lun-ven 8h-20h ; w-e 9h-13h, 15h-19h. Entrée : 5 $Ar.* De 10000 av. J.-C. à 1500 apr. J.-C., la *quebrada* était l'« autoroute » entre le monde inca (notamment Cuzco ou Potosí) et les régions fertiles du centre argentin. Elle était le théâtre d'un commerce actif entre Incas et Guaraní. Les découvertes archéologiques dans cette région furent donc riches et nombreuses. Ce musée n'est malheureusement pas le reflet de cette richesse, car les pierres, poteries et crânes exposés ne sont pas des plus spectaculaires.

Iglesia Santa Barbara (*plan A2*) : *à l'angle de Lamadrid et San Martín.* Classée Monument historique national. C'est le seul exemple d'architecture religieuse de la ville qui conserve des caractéristiques originales de l'époque coloniale, au XVIIIe s. Elle abrite quelques œuvres majeures de l'école de Cuzco.

Teatro Mitre (*plan A1*) : *Alvear, 1009.* Si vous passez par là, entrez donc voir ce petit théâtre qui serait, selon les habitants, une réplique miniature du *teatro Colón* de Buenos Aires ! Question de point de vue, sans doute. Simple et mignon, il vaut le coup d'œil.

LA QUEBRADA DE HUMAHUACA

On laisse San Salvador de Jujuy derrière soi pour aborder les lacets de la route qui grimpe vers la montagne, où l'air se fait plus rare, avec le sentiment de pénétrer une zone sauvage, envoûtante, insoumise aux changements du pays. Une Argentine dans l'Argentine. L'Argentine andine, quasiment bolivienne, où le *quechua* est encore pratiqué mais décline au profit du *castellano.* Des centaines de sites archéologiques restent méconnus, certains encore inexplorés. Classée depuis 2003 au Patrimoine mondial de l'Unesco, à la fois pour sa biodiversité et son histoire, la *quebrada* représente pas moins de 10 000 ans de civilisation !

➢ Environ 20 km après la sortie de Jujuy, soit par la voie rapide, soit par la belle *ruta 9,* qui sont parallèles, on traverse le petit village de ***Yala,*** avec ses quelques belles maisons entourées de forêt subtropicale. Les pêcheurs de la région se retrouvent aussi ici le week-end pour taquiner la truite. On peut aussi faire un stop aux *lagunas de Yala* : lagunes entourées de montagnes à la végétation exubérante.

➢ On continue en direction de la *quebrada.* Fini la voie rapide : sinuons ! Le long de la route dévale le *río* Grande sur les cailloux de son lit, du moins quand il n'est pas asséché, comme c'est souvent le cas pendant l'été austral. La terre des montagnes est rouge, puis verte et grise.
Le village de ***Volcán,*** à 2 080 m d'altitude, marque une rupture dans le paysage. Son nom ne fait pas référence à une éruption volcanique mais aux *volcanes,* ces éboulements de roches soudains et violents, qui peuvent parfois bloquer entièrement la route après un orage. Vous y trouverez aussi dans l'ancienne gare, en bord de route, un *Centro de Visitantes de la Quebrada de Humahuaca,* histoire de se familiariser avec les aspects naturels et humains de cette région, et de glaner quelques docs.
On laisse la végétation luxuriante pour un univers beaucoup plus minéral, presque dénudé, avec les seules silhouettes des cactus candélabres. Puis on tombe sur le village de ***Tumbaya,*** à environ 20 km de Purmamarca, et ses masures en adobe. Ne pas manquer de visiter sa petite église de la fin du XVIIIe s (jolies madones et peintures à l'intérieur) et son cimetière aux tombes colorées.

PURMAMARCA

700 hab. IND. TÉL. : 0388

À 65 km de San Salvador de Jujuy, dans la direction de Humahuaca. Le village est en retrait, sur la gauche, à 3,5 km de la route principale, à l'intersection des magnifiques *ruta* 9 *(quebrada de Humahuaca)* et *ruta* 52 qui rejoint le Chili et San Pedro de Atacama par le *Paso de Jama.*
Enserré dans un défilé rocheux, *el cerro de los Siete Colores* – « la montagne aux Sept Couleurs » – aux tonalités changeantes, mauve, beige, vert, rose des sables et terre de Sienne, Purmamarca est un gros village où les petites maisons de pisé et bois de cactus s'harmonisent avec l'environnement et le paysage de la *quebrada.*
Ce « lieu de la terre vierge » (*purmamarca* en quechua) est un village aujourd'hui en pleine expansion. Les hôtels et *posadas* luxueuses témoignent du boom touristique de la région. L'inscription de la vallée au Patrimoine mondial de l'Unesco n'est pas étrangère à cet intérêt grandissant pour une zone longtemps isolée. Plus loin, Tilcara et Humahuaca sont

plus authentiques en tant que villages andins, tandis que Purmamarca s'est transformé assez vite en site touristique. Mais cela n'entame pas la sérénité ni la beauté des lieux.

Arriver – Quitter

En bus

Tous les bus s'arrêtent dans le village, à 1 *cuadra* de la place centrale.

➢ ***Jujuy :*** avec les compagnies *Balut, Panamericano* et *Evelia.* En moyenne, 1 bus ttes les heures ou 1h30 env, tlj 6h-23h40. Trajet : 1h15.

➢ ***Tilcara et Humahuaca :*** mêmes fréquences et compagnies que pour Jujuy.

➢ ***Vers San Pedro (Chili) :*** les bus *Veloz del Norte, Geminis, Andesmar* et *Pullman* assurent la liaison. Slt 1 bus/j. Trajet : 5h. Ces compagnies ont des comptoirs à l'hôtel *Manantial* où l'on peut réserver et acheter son billet.

Important : Purmamarca n'est pas pourvue de station d'essence. Il faut rejoindre la *ruta* 9 pour en trouver.

Adresses et infos utiles

ℹ ***Bureau d'informations touristiques :*** *coin Florida et place centrale.* ☎ *490-84-43. Lun-ven 7h-19h ; w-e 8h-20h.* Bonne doc et accueil efficace. Dispose d'une liste des guides pour les excursions dans les environs (Salinas Grandes, la Puna...).

■ Sur la place centrale, on trouve un distributeur **Macro-Banelco** (toutes cartes de paiement), accessible 24h/24, juste à côté du petit ***centre téléphonique.***

– On vous indique les adresses avec le nom des rues... mais ici, rien n'est vraiment indiqué. C'est quand même difficile de se perdre tant c'est petit.

Où dormir ?

La haute saison se situe de janvier à mars, période où tous les petits hôtels sont très vite pleins car pris d'assaut par les Argentins en vacances. Conséquence du boom touristique, les prix ont pas mal grimpé depuis quelques années, même chez l'habitant, et atteignent des sommets dans les hôtels de catégorie supérieure. Mais n'hésitez pas à négocier car la concurrence est rude, et en dehors de la haute saison, vous pouvez souvent retrancher 40 % aux prix indiqués. Pas mal de particuliers louent aussi une ou deux chambres, il ne faut pas être trop regardant sur le confort et la propreté, mais les plus fauchés y trouveront leur compte.

Bon marché (moins de 350 $Ar / env 35 €)

⛺ 🏠 ***Hostería Bebo Vilte :*** *angle Salta et Rivadavia, derrière l'église.* ☎ *490-80-38.* 📱 *15-582-53-05. Selon saison, camping env 50-80 $Ar/pers ; lits en dortoir 70-90 $Ar/pers ; doubles avec sdb env 250-400 $Ar, petit déj inclus.* Wi-Fi Pas cher pour camper, mais le terrain est caillouteux et sans ombre ; pas facile d'y planter sa tente ! Eau chaude seulement l'après-midi et le soir. Dans la partie hôtel des dortoirs basiques et des chambres assez confortables pour le prix. C'est propre et calme. L'accueil en revanche est à revoir...

🏠 ***El Pequeño Inti :*** *Florida, s/n.* ☎ *490-80-89. À deux pas de la place – littéralement. Ouv tte l'année. Chambres avec sdb privée à partir de 250 $Ar pour 2 pers ; 400 $Ar pour 3-4 pers. Bon petit déj inclus.* Petite adresse dotée de 5 chambres, louées pour 1 à 4 personnes. Très simples, mais assez grandes et ultrapropres. Salles de bains privatives. Le tout agencé autour d'un petit patio carrelé. Accueil familial et sans chichis. On s'y

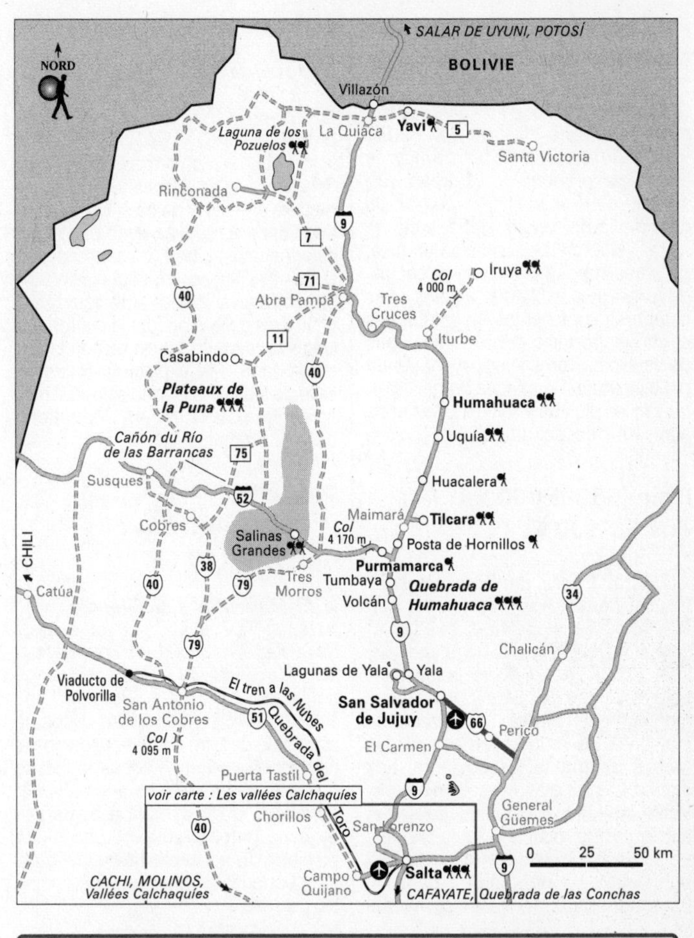

LA QUEBRADA DE HUMAHUACA

sent bien. Le bon plan routard de ce village touristique. Pensez à réserver, c'est vite complet.

🏠 ***Hostería Viltipoco :*** *Sarmiento, s/n.* ☎ *490-80-23. Double env 250 $Ar, mais sans petit déj.* Petit hôtel à flanc de montagne, au bord d'une rue en pente. Une petite dizaine de chambres de bon confort, avec cheminée, refaites à neuf et peintes de couleurs vives, se répartissent sur plusieurs niveaux. Les plus agréables se trouvent dans des pavillons aux murs blancs, dans l'arrière-cour. Bon accueil.

🏠 ***El Rincón de Claudia Vilte :*** *Libertad, s/n ; à 1 cuadra de la place centrale.* ☎ *490-80-88.* • *claudiavilte.com.ar* • *Une chambre pour 5 pers à partir de 60 $Ar/pers ; doubles avec sdb env 200-250 $Ar selon confort, sans petit déj.* L'adresse est surtout connue pour son restaurant-*peña* (voir « Où manger ? »). Chambres pas très claires et parfois bruyantes. Mais ça peut dépanner.

Prix moyens (350-650 $Ar / env 35-65 €)

El Viejo Algarrobo : *derrière l'église, à côté du* Bebo Vilte. ☎ *490-82-86.* • *hotelviejoalgarrobo.com.ar* • *Selon saison, chambres avec sdb env 350-480 $Ar, petit déj inclus.* Du nom de l'arbre voisin sept fois centenaire. Voici une belle maison en pisé, génoises et poutres en bois de cactus, décorée aux couleurs locales. Les chambres sont petites, mignonnettes et moyennement confortables (pas de ventilos). Certaines donnent sur un patio intérieur. Demandez les nos 1 et 4, qui ont les plus belles vues. Une bonne adresse à l'accueil attentif.

Chic (650-1 000 $Ar / env 65-100 €)

Hostal Posta de Purmamarca : *pasaje Santa Rosa de Lima, s/n.* ☎ *490-80-29.* • *postadepurmamarca.com.ar* • *Double env 660 $Ar, petit déj inclus.* À l'écart de la place centrale et un peu en hauteur. Vue sur les montagnes à l'arrière. Une dizaine de maisonnettes rouges cernées par les roches de toutes les couleurs. Les chambres sont grandes et bien tenues. Petite collection de plantes grasses et autres cactus dans les plates-bandes, et lamas au piquet. Bon accueil. Très bon petit petit déj-buffet à base de produits locaux. Une des premières adresses chic établies à Purmamarca, qui reste une valeur sûre.

Hostería del Amauta : *Salta, 3 ; à côté du resto* El Churqui. ☎ *490-80-43.* • *hosteriadelamauta.com* • *Doubles env 580-650 $Ar selon confort ; suite à partir de 850 $Ar. Petit déj inclus (à ce prix-là !).* Cachée derrière une porte de bois, une maison traditionnelle rénovée avec des matériaux naturels, pierre, bois, tissus, etc. Déco très soignée, atmosphère paisible propice à un séjour en amoureux. Neuf chambres dotées de tout le confort, lits *king size,* certaines avec balcon et vue sur le *cerro.* Micro-piscine jacuzzi, et salle de lecture ainsi que salon TV bien agréables. Copieux petit déj-buffet à base de produits frais.

Plus chic (1 000-1 400 $Ar / env 100-140 €)

El Manantial del Silencio : ruta *nacional 52, Km 3,5, à la sortie ouest du village, suivre les panneaux.* ☎ *490-80-80/81.* • *hotelmanantialdelsilencio.com* • *Doubles env 1 100-1 500 $Ar selon saison.* Superbe ensemble de type couvent néocolonial abritant un luxueux hôtel de moins de 20 chambres meublées avec style et caractère. Suite avec lit à baldaquin et jacuzzi. Joli parc avec une petite piscine. Un véritable havre de paix. On peut aussi y dîner (cuisine andine savoureuse).

Où manger ?

Nombreux petits restos au gré des rues.

Bon marché (moins de 80 $Ar $Ar / env 8 €)

Tierra de Colores : *Libertad, à 1 cuadra de la place.* *15-470-84-76.* *Comedor* familial propre et bien arrangé, à la manière d'une *trattoria* (nappes sur tables, beaux plafonds, bambou et bouteilles de vin). Carte avec les principales spécialités de la région : *locro, pastel de choclo, papas andinas, ravioles de quinoa...* C'est frais, savoureux et très copieux. Service agréable. Une bonne petite adresse pour la pause déjeuner qui fait aussi *peña* en soirée. Définitivement la meilleure adresse routarde du village.

El Rincón de Claudia : *Libertad, à 1 cuadra de la place centrale et de l'arrêt de bus.* ☎ *490-80-88.* Un restaurant-*peña* où Claudia pousse la chansonnette presque tous les soirs. Cuisine locale correcte et snacks.

Chic
(180-220 $Ar / env 18-22 €)

I●I ***El Churqui de Altura :*** *Salta, s/n, sur la gauche derrière l'église, à gauche en grimpant la petite côte. ☎ 490-80-63. Tlj 12h-15h30, 19h30-22h30. CB refusées.* Belle bâtisse en pisé rouge où la pierre, le bois et le cuir s'unissent pour une décoration soignée et personnalisée. Un lieu chic, de style hispano-andin, et service attentionné. Cuisine résolument gastronomique. Le chef marie les produits de la région, les recettes *criollas* et la cuisine moderne. Plats réussis une fois sur deux. Ragoût de lama, ravioles à la viande. Une adresse très réputée où le prix d'un repas peut en valoir la chandelle, si on choisit judicieusement ses plats, en évitant les plus onéreux ! Carte des vins respectable.

I●I Voir aussi le restaurant du ***Manantial del Silencio*** (décrit dans « Où dormir ? »).

Achats

Mercado artesanal : *tlj 8h-13h, 16h-20h, autour de la place.* Le marché s'organise tout autour de la petite place centrale. Exclusivement touristique, soyons clairs ! L'artisanat est l'activité de base du village (après l'agriculture). Pulls et bonnets en laine de *vicuña* et plein de babioles très colorées. Sur les côtés, également quelques magasins, à des prix attractifs (mêmes produits qu'à Humahuaca et à Tilcara).

À voir

La ***place centrale :*** toute pavée, avec ses grands arbres centenaires, ses bâtiments blancs, ses arcades. Elle est le cœur vivant de ce village.

Iglesia Santa Rosa de Lima : *sur la place.* Abritée sous les arbres et blanchie à la chaux, elle date de 1648. C'est l'une des plus anciennes de la région. Le bois de cactus y est omniprésent : charpente, lutrin, meubles, fenêtres... et un petit retable doré.

À droite de l'église, face à l'hôtel qui lui a piqué son appellation, vénérable ***algarrobo negro,*** estimé à 1 000 ans d'âge (qui a dit qu'on exagérait ?) ! C'est un arbre de la famille des acacias, très peu répandu, qu'on trouve aussi au Paraguay et dans le sud de la Bolivie.

Paseo de los Colorados : en montant le chemin à gauche derrière l'église, on arrive à un petit ***cimetière*** aux tombes multicolores. De là part un sentier qui fait une boucle de 3 km autour de la montagne. Des paysages qui combleront les photographes : on est aux premières loges pour admirer la montagne aux sept couleurs et ses replis. Promenade à faire tôt le matin, à la fraîche ou en fin de journée quand la lumière rasante fait ressortir les reliefs et accentue les contrastes. Prévoir une bonne heure de marche (chapeau, crème solaire et bouteille d'eau conseillés).

DANS LES ENVIRONS DE PURMAMARCA

Posta de Hornillos : *à 17 km au nord, en direction de Tilcara. Tlj (sf mar et j. fériés en basse saison), 8h-13h, 14h-18h. Entrée : 3 $Ar.* Petit musée d'histoire coloniale dans un relais de poste-caserne bien restauré qui joua un certain rôle dans la guerre d'indépendance. Attelages, malles-poste, meubles et armes.

Salinas Grandes : *à 60 km à l'ouest de Purmamarca.* Des étendues de sel comme s'il en neigeait. C'est ce qu'on trouve dans cette partie des Andes, du sud de la Bolivie au nord-ouest de l'Argentine. Les conditions y sont réunies pour engendrer ce phénomène géologique : de hautes montagnes captent les pluies, une forte activité volcanique charge en minéraux ces eaux de ruissellement et les fait remonter à la surface d'un haut plateau sous forme de lagune. Ajoutons une bonne évaporation due à la chaleur tropicale et on obtient un désert de sel, un *salar.*

Mais, parlons aussi de la *ruta* 52. Celle qui grimpe en direction du Chili. Entre Purmamarca et les *salinas,* elle offre de magnifiques panoramas avec demoiselles coiffées, roches multicolores, précipices. Après avoir franchi le col de Potrerillos à 4 170 m, on redescend sur un haut plateau à 3 550 m. Puis on croise la *ruta* 79, avant d'atteindre ce qui semble être un mirage : une étendue blanche à perte de vue. Un désert de sel dont la luminosité brûle les yeux (lunettes de soleil et crème solaire indispensables). À droite de la route, une maison : à y bien regarder, les murs sont en sel. Tout autour, l'exploitation, avec ses ouvriers empaquetés dans des étoffes pour se protéger du soleil. Avec aussi des alignements de bassins emplis d'une eau qui prend de beaux reflets bleus.

LE SEL DE LA TERRE

De ces « lacs de sel », on extrait principalement du salpêtre, de l'iode, du magnésium, du chlorure de sodium (le sel quoi !), mais aussi du lithium, élément indispensable aux batteries qui équipent notamment vos ordinateurs et téléphones portables... C'est dire si les grandes sociétés minières mettent tous les moyens en œuvre pour en obtenir l'exploitation.

Le plus grand *salar* d'Argentine est spectaculaire pour qui n'en a jamais vu. Pour profiter au maximum de la lumière du couchant sur les Andes, on vous conseille de partir dans l'après-midi et de revenir à la nuit tombée. Même si le temps est couvert à Purmamarca, les chances d'avoir un ciel dégagé sur la saline sont maximales. Grande prudence dans la conduite toutefois, le brouillard couvre souvent l'arrivée au col, mais lorsque les limbes nuageuses s'effilochent une fois le col franchi, le spectacle est grandiose !

Si on dispose d'un véhicule, on peut faire un aller-retour en 2h, depuis Purmamarca (faire le plein avant de partir !). Sans véhicule, on peut éventuellement prendre le bus qui fait la liaison quotidienne entre Jujuy et Susques, via Purmamarca, ou faire appel aux services d'un taxi depuis Purmamarca, qui peut prendre jusqu'à 4 personnes. Pour une virée de 4h, dont 30 mn sur place, compter 400 $Ar.

TILCARA

4 500 hab. IND. TÉL. : 0388

À 85 km de San Salvador de Jujuy et à 22 km au nord de Purmamarca, juste après la région de la *Paleta del Pintor* (la « Palette du Peintre »), où les montagnes aux flancs rocailleux portent les stigmates de l'évolution géologique. À 2 465 m d'altitude, une petite route sur la droite conduit au village de Tilcara, situé 500 m en retrait de la panaméricaine.

***Tilcara* signifie « Étoile filante » en quechua. Ce n'est pas pour autant qu'il faut y passer furtivement ! Bien au contraire, cette bourgade en plein essor mérite une halte, notamment pour sa *pucará,* forteresse de l'époque inca construite au sommet de la colline, l'occasion d'une jolie balade. En outre, le village est certainement le plus animé de la *quebrada,* avec un afflux de jeunes routards sud-américains et touristes étrangers, en particulier en janvier à l'occasion du festival *Enero tilcareño,* mais aussi pendant le carnaval, la Semaine sainte, le festival célébrant la Pachamama (en août), etc. Bref, toutes les occasions sont bonnes pour faire la fête ! Les amateurs de calme éviteront d'ailleurs la ville à ces périodes. Pour les autres, sachez que les prix grimpent à ces moments-là et qu'il est conseillé de réserver son hébergement longtemps à l'avance.**

Arriver – Quitter

En bus

Terminal sur Belgrano, juste à droite de l'entrée de la ville.
➢ ***Humahuaca, La Quiaca :*** bus env ttes les heures 6h30-22h30. Consigne possible à Humahuaca.
➢ ***Jujuy, Purmamarca :*** 4 compagnies assurent des départs ttes les 30 mn env 6h-23h. Pour Jujuy, une douzaine de bus/j. avec *Panamericano.*
➢ ***Salta :*** 2 bus/j. avec *Flecha Bus* à 17h40 env, 5 bus/j. (1h30- 21h40) avec *Balut.* Trajet : 4-5h.
➢ ***Buenos Aires :*** avec *Balut,* 2 bus/j (3h30 et 17h45). Trajet : 24h. On fait le tour du cadran dans le bus !

Adresses utiles

Office de tourisme *(Dirección de turismo)* **:** *Belgrano 366, juste à côté de l'*Hotel de turismo Tilcara. *☎ 495-57-20. Lun-ven 8h-21h ; dim 9h-13h, 14h-21h.* Infos sur les possibilités d'excursions dans la région, notamment avec une petite agence de tourisme communautaire. Excellente connaissance de la culture quechua.
✉ ***Poste :*** *sur la place, à l'angle de Belgrano et Rivadavia. Lun-ven 8h30-13h, 16h-20h ; sam 9h-12h30. Fait aussi guichet* Western Union.
■ @ ***Téléphone et Internet :*** *cabines à cartes et* locutorios *dans le centre.*
■ ***Retrait d'argent :*** *banque* ***Macro,*** *rue Lavalle, 542, en face de la mairie et de la police touristique, ouv lun-ven 9h-14h ; distributeur accessible 24h/24.*
■ ***Station-service*** à l'entrée de la ville.

Où dormir ?

Camping

Camping El Jardín : *Belgrano, 700. ☎ 495-51-28. • campingdeljardintilcara@gmail.com • À 300 m de la gare routière. Bien indiqué, suivre les panneaux. Emplacement pour 2 pers env 80 $Ar. Quelques chambres avec sdb env 200 $Ar.* Entrée discrète, mais espace généreux à l'arrière, plutôt bien ombragé, avec eau chaude (mais sanitaires réduits au minimum et douches limitées de 15h à 22h en saison sèche), quelques équipements comme des barbecues. Avis aux routards couche-tôt : couvre-feu à partir de 1h du mat minimum, 2h le week-end. Ambiance assez jeune et festive, vous l'aurez compris !

Bon marché (moins de 350 $Ar / env 35 €)

Hostel Camping Waira : *Padilla 596. 15-574-14-33. • hostelwaira.com.ar • À 200 m de la calle Belgrano. Emplacement pour 2 pers 100 $Ar, sans petit déj. Lit en dortoir 80 $Ar avec le petit déj ; double avec sdb privée 320 $Ar ; également des triples à quintuples avec sdb.* Capacité de 100 lits, une grosse unité donc, mais au milieu d'un grand jardin, ce qui laisse de la place à tout le monde. Couchage basique mais propre, déco colorée, entretien assuré et sanitaires nickel, quoique un peu exigus. Cuisine, BBQ, *lockers,* tout l'équipement nécessaire. Staff attentif et souriant qui assure l'animation musicale le soir. Une adresse conviviale, plébiscitée par de nombreux routards.
Hostería La Morada : *Debenedetti, 460. ☎ 495-51-18. • lamoradatilcara.com.ar • Dans une rue en pente, proche de la gare routière. Double env 280 $Ar.* Endroit simple et agréable, d'un bon rapport qualité-prix. 8 chambres en adobe, indépendantes et calmes, avec une capacité allant jusqu'à 6 personnes, réparties dans de petits bungalows (un peu sombres),

avec jardin engazonné et fleuri. Elles sont fraîches, joliment meublées et décorées de tissus traditionnels. Pas de petit déj, mais une kitchenette dans les bungalows.

Patio Alto : *pasaje Torrico, 675 ; angle Alverro. ☎ 495-57-92. • patioalto.com.ar • Lit en dortoir env 260 $Ar.* 3 dortoirs nickel, dans un hôtel de petit luxe (voir plus loin la rubrique « Chic »).

Prix moyens (350-650 $Ar / env 35-65 €)

Malka Hostel : *San Martín, s/n. ☎ 495-51-97. • malkahostel.com.ar • Tt au bout de la rue ; il faut ensuite grimper le chemin à pied sur 150 m ; chemin d'accès très difficile avec un véhicule de tourisme. Lit en dortoir 140 $Ar. En hte saison, triples avec sdb privée 450-600 $Ar selon confort. Petit déj inclus. Coquettes* cabañas *avec terrasse et hamac pour 6 pers env 850 $Ar et env 1 500 $Ar pour 10 pers. Réduc avec la carte* HI. *CB refusées.* Au milieu de la nature, un ensemble de maisonnettes dominant la vallée. Jadis seule auberge de jeunesse du village. L'accueil est vraiment très sympa, l'ambiance y est à la fois jeune et familiale, on y vient à pied et on entre sans frapper. Cuisine commune, possibilité de laver son linge, excursions, location de vélos. Un vrai bon plan si on exclut son éloignement relatif du centre.

Antigua Tilcara : *calle de la Sorpresa, 484 ; à 2 cuadras de la place principale. ☎ 495-53-09. • antiguatilcara.com.ar • Grand dortoir de 6 lits 160 $Ar/pers ; doubles selon confort et avec ou sans balcon 480-580 $Ar, petit déj inclus.* Maison un peu dédaléenne mais déco rustique très agréable. Cuisine commune avec grill et four. Bonne ambiance conviviale et souvent musicale assurée par Juan et Felipe qui organisent également tours et transferts.

Uwa Wasi : *Lavalle, 564 ; dans la rue parallèle à l'office de tourisme. ☎ 495-53-68. Doubles avec ou sans sdb env 550-650 $Ar, petit déj inclus.* Gustavo reçoit ses hôtes dans sa maison natale. Il propose 6 chambres coquettes, décorées avec beaucoup de soin. Sanitaires à l'avenant. Le petit déj – fameux – se prend sous la tonnelle ou face à la *quebrada.* Salon DVD convivial et jardin avec transats. L'ensemble a vraiment du charme et l'accueil familial est bien agréable. *Uwa Wasi,* c'est « la Maison du Raisin », mais aussi celle du bonheur !

Hosteria El Antigal : *Rivadavia, 455 ; en remontant un peu la rue depuis la place centrale. ☎ 495-50-89/20. • elantigaltilcara.com.ar • Compter 500 $Ar pour 2 pers, petit déj-buffet inclus. CB acceptées.* Très central. Petit hôtel de 10 chambres tenu par un patron d'origine quechua. Les chambres, joliment décorées (tissus andins, bois, pierre), donnent sur le patio de gravier, garni de cactus, où, il fait bon prendre un verre ou bouquiner à l'abri du vent. Toutes sont avec douche et w-c, mais pas de vue particulière. Cela reste un bon rapport qualité-prix. On peut aussi dîner au resto du même nom où est proposée une cuisine andine excellente.

Chic (650-1 000 $Ar / env 65-100 €)

Posada Con los Ángeles : *Gorriti, 156. ☎ 495-51-53. • posadaconlosangeles.com.ar • Depuis Belgrano, remonter Benedetti sur 100 m, c'est la 1re rue à droite. Double env 650 $Ar, petit déj inclus.* Derrière une façade austère, un grand jardin paisible planté d'arbres fruitiers où se cachent de belles chambres dotées de cheminées, vastes et confortables, toutes décorées de façon moderne avec goût, mariant le style régional traditionnel et les matériaux naturels (bois, bambou, ardoise et pierre), sols en béton ciré, terrasse en teck. Le restaurant *Gourmet* *(tlj 20h-22h)* sert une bonne cuisine mêlant saveurs locales et internationales. Une belle adresse de charme pour un prix qui reste raisonnable.

Posada de Luz : *Ambrosetti, 661. Entre Alverro et Rivadavia. ☎ 495-50-17. • posadadeluz.com.ar •*

Selon confort, doubles 670-750 $Ar, petit déj-buffet inclus. À flanc de colline, à l'écart du village (10 mn à pied), un hôtel de charme construit dans le style local traditionnel avec de beaux matériaux et quelques touches contemporaines. Déco soignée dans les espaces communs et les chambres, confortables et de caractère. Certaines possèdent une petite terrasse extérieure. Grand jardin et piscine ensoleillée. En prime, l'accueil est excellent.

Patio Alto : *Torrico, 675 ; angle Alverro.* ☎ *495-57-92.* • *patioalto.com.ar* • *Double env 1 100 $Ar, petit déj-buffet inclus.* Sur les hauteurs du village, un hôtel de style et de caractère abritant des chambres impeccables qu'on croirait sorties d'un magazine de décoration. Superbe point de vue et petit jardin pour buller. Un endroit calme et bien tenu qui se passe de la TV. Possède aussi des dortoirs de 4 lits avec salle de bains privée et cuisine collective (voir plus haut). Très bon accueil et atmosphère familiale.

Où manger ?

De bon marché à prix moyens (80-180 $Ar / env 8-18 €)

El Nuevo Progreso : *Lavalle, 351 ; angle Alverro.* ☎ *495-52-37. Ouv 18h-23h30.* Au bord d'une jolie place (plaza Chica) où se dresse l'église paroissiale. La façade de ce resto est banale, mais la salle accueillante invite à s'installer. Vieux parquet, tables espacées, bougies. Petite carte avec *picadas,* salades, pâtes, brochettes de viande et succulentes tartes maison. Bons vins aussi. Accueil courtois et attentif.

Qomer : *Belgrano, 417.* ☎ *495-54-39.* *15-473-05-88. Tlj non-stop 9h-23h45.* Façade jaune au fond du passage Kusiqa, agrémentée d'une terrasse. Large variété de plats bien au goût du jour (tortillas, *tamales, humita, locro* végétarien, *empanadas, matambre*) et où le quinoa a la part belle, ainsi que les tartes, salades, pizzas ou crêpes au *dulce de leche.* Frais et savoureux.

La Casa de Champa : *Belgrano, 763.* ☎ *495-51-01. Mer-dim 16h-20h. CB refusées.* Salon de thé aux murs roses couverts d'une myriade de petits objets. Mignonne courette. Atmosphère familiale ; on a l'impression d'être dans la maison de mère-grand. Tartes et gâteaux de style allemand : normal, Christina est de là-bas, et maîtrise avec talent l'art de la pâtisserie ! Confitures et chutneys en vente.

El Cafecito de Tukuta : *Belgrano, esq. Rivadavia. À l'angle de la* plaza. Petit café-snack convivial peint en jaune, tenu par un musicien local qui assure l'ambiance en fin de journée. Petit déj complet aux œufs frais, pain maison, sandwichs à prix démocratiques, quelques gâteaux, véritable *espresso* et jus de fruits. Ambiance relax bien appréciable pour une pause café.

Los Puestos : *Padilla, esq. Belgrano.* ☎ *495-51-00. Ouv midi et soir.* Sur deux niveaux, décor rustique de poutres et de gros moellons. Petits pains maison tout droit sortis du four, proposés dès l'arrivée. Spécialité de *locro* et de grillades, notamment de viande de lama. Les malbec occupent la moitié de la carte des vins, vous avez le choix ! Assez touristique, certes mais de bonne qualité. Service enjoué. Terrasse.

Voir aussi le resto de la ***Posada Con los Ángeles,*** décrit plus haut dans « Où dormir ? ».

Où écouter de la musique ?

Autour du tropique du Capricorne, la musique perd les accents languissants du *bandoneón.* Ici, les instruments ne sont pas trop adaptés au tango :

ce sont *charango* (petite guitare faite d'une carapace de tatou), *bombo* (tambour tendu d'une peau de vache) ou *quena* (flûte andine). Et ils vous entraînent sur le terrain de la *zamba,* la *baguala* ou la *vidala.* Qui trouvent davantage leurs racines dans le vol du condor ou les sauts de vigogne que dans les rues de San Telmo, dans la capitale...

♩ ***La Peña de Carlitos :*** *angle Lavalle et Rivadavia (sur la place).* ☎ *495-53-31.* Peña *typique ouv tte l'année, tlj sf mer. Concert vers 21h30.* On y trouve des artistes locaux qui viennent chanter, et danser accompagnés par le patron, Carlito, une figure locale. Fresques olé-olé en façade. C'est souvent plein de locaux et de touristes. Ambiance conviviale assurée ! Et en plus, on y grignote d'honnêtes petits plats au comptoir ou (avec un peu de chance) à une table. Choisissez l'*estoffada de lama* et arrosez le tout de vin local et... *El cóndor* passera !

♩ ***Peña Altitud – Vientos de Paris :*** *Belgrano 319, proche de la gare routière.* ☎ *495-51-85. Peña* tenue par Miguel Llave, un excellent musicien qui a vécu 25 ans en France. Le soir, ambiance intimiste avec lumières tamisées et quelques tables dans la cour intérieure, propices à une soirée en amoureux. On peut y prendre un petit déj et y dîner, mais on apprécie surtout le lieu les soirs de concert, toujours de bonne qualité. Scènes au fond du jardin qui animent le festival de jazz à Pâques.

♩ ***Centro Ándino para la Educación y la Cultura – Música Esperanza :*** *Belgrano, 547.* ☎ *495-53-18.* Roger et son épouse argentine Susana se sont joints à l'association *Música Esperanza* du pianiste argentin Miguel Ángel Estrella pour développer des projets socioculturels en Argentine. Ils ont fondé le *Centro Ándino* en 1998 et y développent des programmes en faveur des enfants de milieux défavorisés. Des musiciens du Chili, de Bolivie et d'Argentine se retrouvent 2 à 3 fois par an pour jouer ensemble. Les concerts sont organisés le week-end, surtout pendant les périodes touristiques. Également d'autres programmes culturels : festivals de cinéma par exemple. Cadre agréable et musique de qualité, le tout dans une ambiance fort conviviale.

Achats

Arte Nativo : *Lavalle, 576, sur la pl. du Marché.* Pour les amateurs, une boutique de tourisme responsable qui vend de très beaux bijoux en rhodochrosite, une pierre rose-rouge, dont le gisement mondial le plus important se trouve en Argentine.

À voir. À faire

Museo arqueológico : *Belgrano, 445 ; sur la place. Tlj 9h-12h30, 14h-18h (19h en hte saison). Entrée : 30 $Ar ; gratuit lun. Billet incluant l'accès à la Pucará. Prospectus en français.* Collection archéologique qui permet de suivre l'évolution de la culture populaire de la région : vases mortuaires, bijoux, maison précolombienne en pierre avec caveau de famille, instruments pour inhaler des plantes hallucinogènes, masques effrayants, etc. Certaines salles sont consacrées aux cultures péruvienne (mochica, nazcá), chilienne et bolivienne. Également des vitrines thématiques (le cuir, les os sculptés, les parures...).

Museo Soto Avendaño : *à côté du Musée archéologique, sur la place.* ☎ *495-51-34. Mer-lun 9h-13h, 15h-18h. Fermé mar (sf janv et juil). Entrée : 5 $Ar.* Œuvres, plâtres ou études de ce sculpteur du XXe s, qui réalisa plusieurs commandes gouvernementales, toujours un peu grandiloquentes.

Iglesia de la Virgen del Rosario y San Francisco de Asís : *à 1 cuadra de la place centrale.* Datant de 1797 et restaurée en 1865. Double campanile et toiture en bois de cactus. Elle est assez unique dans la région par sa taille imposante et ses deux tours-clochers.

Museo regional de Pintura José Antonio Terry : *Rivadavia, 352. ☎ 495-50-05. Sur la place. Mar-ven 9h-18h ; w-e 9h-12h, 14h-18h.* Dans la maison de l'artiste (fin XIXᵉ-début XXᵉ s). Dans la première salle, l'œuvre peinte de l'artiste-vedette : portraits de femmes, scènes andines... Les autres salles abritent des expositions temporaires d'artistes de la province. Inégal. À l'étage, le studio de travail du peintre où photos, tableaux et objets personnels donnent un peu de consistance à une visite pas indispensable.

Museo Ernesto Soto : *angle Belgrano et Bolívar. ☎ 495-51-24. Tlj sf lun 10h-13h, 16h-19h. Entrée : 5 $Ar.* Fondé par Hugo Irureta, d'origine basque, ce petit musée présente des expos permanentes et temporaires de peintures et sculptures locales, du XIXᵉ s à nos jours.

Pucará de Tilcara : *sur une colline, à 20 mn à pied du village. Depuis l'office de tourisme, une rue monte sur le flanc de la montagne ; suivre les panneaux et traverser le petit pont de fer et de bois. Site également accessible en voiture. Tlj 9h-18h (pause 12h-14h en hiver). Entrée : 40 $Ar ; gratuit lun. Billet incluant l'accès au Museo arqueológico. Durée : 1h30.*
Cette forteresse de l'époque précolombienne, restaurée par des archéologues de l'université de Buenos Aires, forme un ensemble d'habitations en pierre labyrinthiques. Tout a été reconstitué avec précision. Il existe de nombreux *pucarás* dans la *quebrada* de Humahuaca, tous situés au sommet de collines, faciles à défendre en cas d'attaque. Les poutres des maisons sont en bois de cactus, les toits en pierre couverts d'une sorte de torchis (argile et paille). Une superbe balade dans la nature parmi les cactus, et une remontée dans l'histoire précolombienne.
– Petit **jardin botanique** à l'entrée du site. Intéressant. Au fond du jardin, un curieux rocher qui résonne comme une cloche, la bien nommée *piedra campana.*

➢ **Garganta del Diablo :** c'est la randonnée la plus accessible – et la plus prisée – au départ de Tilcara. Compter 7 km et 2h de marche pour atteindre une jolie cascade nichée au creux d'un canyon. Accès au site payant : 5 $Ar. Le sentier part le long de la rivière avant de traverser le pont en direction de la *Pucará.* Accès possible également en voiture (8 km de route escarpée). Infos pratiques à l'office de tourisme.

➢ **Excursions dans les environs :** diverses possibilités de balades dans la *quebrada,* à cheval, à VTT ou même avec caravane de lamas ! Se renseigner à l'office de tourisme. Pour l'excursion avec **caravane de Llamas,** *infos au ☎ 495-53-26 ou 15-408-80-00, ou sur le site • caravanadellamas.com •* Sorties à la demi-journée, à la journée, ou de 2 à 12 jours. Ce sont des randonnées à pied avec portage à dos de lama, bivouac dans les montagnes et émotions fortes garanties. À partir de 800 $Ar la journée complète.

Fêtes et manifestations

– **Enero Tilcareño :** *comme son nom l'indique, en janv (2ᵈᵉ quinzaine).* À l'origine fête religieuse populaire avec procession, c'est aujourd'hui un festival de musique qui attire à Tilcara un grand nombre de jeunes du pays entier. Également une programmation culturelle et sportive. Chaude ambiance avec parfois plus de 1 500 jeunes rassemblés sur la place, où l'alcool coule à flots. Certains habitants du coin surnomment alors Tilcara la « ville Sodome » !

- ***Carnaval :*** *en fév.* Festif en diable ! La ville s'anime à nouveau pour une petite semaine de défilés, concerts...
- ***Festival del Durazno :*** *un sam début mars.*
- ***Festival del Choclo :*** *début mars. Pas à Tilcara même, mais 8 km au sud, à Maimara (sur la* ruta *9).* Un regroupement très populaire dans la région, avec dégustation de plats locaux.
- ***Semana Santa :*** *en avr.* Très célébrée à Tilcara. Différentes processions tout au long de la semaine.
- ***Pachamama Festival :*** *à la mi-août.* Processions traditionnelles indiennes en l'honneur de la Pachamama, musique à tous les coins de rue, diverses animations et une ambiance très conviviale.

SUR LA ROUTE DE HUMAHUACA

Trópico de Capricornio *(tropique du Capricorne)* ***:*** *à 15 km de Tilcara.* Non, ce n'est pas une ligne blanche au sol qui court tout autour de la terre, mais un simple panneau routier et un monument moderne qui marquent le passage de ce tropique au nom énigmatique. Un peu décevant, non ?

Huacalera : *2 km plus loin.* Une chapelle contient une partie des restes du général Lavalle et de beaux tableaux. La clé est généralement disponible dans une petite maison aux volets verts, à gauche de la chapelle.

Solar del Trópico : *un peu difficile d'accès depuis la ruta 9 en venant de Tilcara : prendre à droite au niveau de l'église de Huacalera, puis traverser le pont et, à droite, poursuivre tt droit le long de la rive (piste praticable) et traverser le lit de la rivière à sec. (0388) 15-478-50-21. • solardeltropico.com • Env 450-650 $Ar pour 2-4 pers. Savoureux petit déj inclus, avec confitures maison. Table d'hôtes (slt pour les pensionnaires) env 100 $Ar.* Chambre d'hôtes et agritourisme dans une *finca* de 3 ha, tenue par un couple franco-argentin. Accueil très chaleureux de Rémy, un Français, et de sa femme Analía. Repas de cuisine andine. Rémy cultive maïs, ail et oignon frais, dans les règles de l'art. Superbe potager et jardin fleuri également. On retrouve tous les bons produits maison mais aussi des fromages du coin et de succulentes viandes à la table d'hôtes, fameuse. Côté hébergement, 4 chambres spacieuses et confortables, dont 2 familiales. Le tout dans une maison traditionnelle fort joliment décorée, avec panorama imprenable sur la *quebrada.* Rémy est aussi un artiste de talent et un grand voyageur. L'Amérique du Sud n'a plus de secrets pour lui et il propose des stages artistiques, des séjours culturels, un circuit du vin, ainsi que de belles excursions à cheval – ou à pied. Coup de cœur pour cet authentique lieu de vie.

Uquía : *à 10 km de Humahuaca et à 30 km de Tilcara.* Joli village, construit en adobe. Intéressant pour son église coloniale de la fin du XVIIe s, aux plafond et confessionnal en bois de cactus *(accessible tlj 10h-12h, 14h-16h).* Retable doré et statues, remarquables tableaux baroques du XVIIe s sur un des thèmes typiques de l'école de Cuzco : les arquebusiers-archanges entourés de guirlandes de fleurs. Photos interdites. Seule l'église de Coquimbo, plus au nord et moins accessible, présente ce type d'œuvres. L'ensemble est classé Monument national.

Cerro las Señoritas : *Viltipoco, s/n, monter à gauche de l'église, passer l'école, c'est à 250 m au bout de la 3e rue sur la gauche. ☎ (03887) 49-05-11. • cerrolassenoritas.com.ar • Double env 200 $Ar.* Petite adresse discrète où la souriante Olga, une cuisinière hors pair, régale ses rares hôtes (quelques tables à peine, avec nappes de toile cirée). Fine cuisine à base des produits bio de son jardin : salades, *empanadas,* *cazuela de cabrito, pastel de choclo,* gâteau de quinoa et, en point d'orgue, sa fameuse tarte à la framboise. Prix doux. Pour faire étape, Olga loue aussi deux jolies chambrettes avec salle de bains privées.

HUMAHUACA

12 000 hab. IND. TÉL. : 03887

Au XVIe s, les Indiens de la région de Humahuaca vivaient en paix du commerce et de l'agriculture. Lorsqu'on leur a annoncé l'arrivée du premier détachement de conquistadors espagnols, ils n'étaient pas préparés à combattre une telle invasion. Les caciques se réunirent et décidèrent d'avoir recours à la ruse plutôt que d'affronter les envahisseurs. Tous les tissus et vêtements de la région furent réquisitionnés pour habiller les cactus des crêtes entourant la vallée. À la vue d'une armée aussi nombreuse, les Espagnols prirent peur et préférèrent contourner la région, ce qui a laissé aux habitants quelques dizaines d'années de répit…

À 41 km de Tilcara, au bord du *río* Grande, Humahuaca est, à presque 3 000 m d'altitude, la bourgade la plus peuplée de la *quebrada* du même nom. Le bourg a conservé son caractère authentique avec ses ruelles pavées, ses maisons en pisé, ses habitants aux traits andins, *churros* et pulls en laine de lama, ses enfants au visage tanné par le vent sec et le soleil. Si on a la chance de venir en février, pendant le carnaval, on prend vraiment conscience que les traditions sont bien vivantes, et Buenos Aires semble à des années-lumière.

Arriver – Quitter

En bus

🚌 ***Gare routière*** *(plan A-B2)* **:** départs fréquents du mat au soir, avec les compagnies *Balut, Panamericano* et *El Quiaqueño.*

➢ ***Tilcara :*** bus réguliers et quotidiens avec *Panamericano.*

➢ ***Abra Pampa, La Quiaca et Iruya :*** avec *El Quiaqueño* et *Panamericano.* Bus ttes les 2h env vers ***Abra Pampa*** (2h de trajet) et ***La Quiaca*** (3h) au nord. Pour ***Iruya,*** 2 bus le mat avec *Transporte Iruya (☎ 42-11-74 ; résa conseillée).* Compter 3h-3h30 de trajet.

➢ ***Jujuy :*** 8 bus/j. avec *El Quiaqueño,* 12h15-2h30 du mat.

➢ ***Salta, Córdoba, Buenos Aires :*** liaisons régulières et quotidiennes.

Adresses utiles

ℹ ***Centre d'informations touristiques*** *(plan A1)* **:** *dans le cabildo, sur la place centrale. Lun-ven 8h-13h, 14h-20h ; sam 9h-12h. ☎ 42-13-84.* Vous oriente volontiers vers des guides qui proposent la découverte de villages typiques (dont Iruya), voire de longues excursions dans le Nord : laguna de Pozuelos, La Quiaca, Yavi.

✉ ***Poste*** *(plan A1)* **:** *Buenos Aires, 199 ; sur la place centrale. Lun-ven 8h-13h, 16h-20h ; sam mat.*

■ ***Téléphone :*** *cabine à cartes sur la place et* locutorios *dans le village.*

@ ***Internet : Cyber Amawta*** *(plan A2), Córdoba, 90. Tlj 9h-23h.* On trouve aussi plusieurs cybercafés sur Corrientes, juste derrière la gare routière.

■ ***Banque Macro*** *(plan A1,* ***1****)* **:** *Jujuy, sur la place centrale. Lun-ven 9h-14h. Distributeur accessible 24h/24 (en principe, ttes cartes de paiement, mais parfois refus de la carte VISA).*

■ ***Station-service*** *(plan B2,* ***2****)* **: ACA,**

av. Belgrano, près de la gare routière.

■ ***Saavedra Luján Elba Tourist Assistance*** *(plan A1,* ***3****)* **:** *Salta, 277. • lacasadehumahuaca.blogspot.com •* Une agence encore embryonnaire, sans téléphone, tenue par Julio, un ancien berger devenu guide agréé. Une mine d'or pour ses interlocuteurs (hispanophones de préférence) qu'il fait profiter de sa connaissance de la culture locale. Il vous préparera un programme à la carte à prix raisonnables.

Où dormir ?

Camping

⛺ ***Camping Bella Vista*** *(plan B1,* ***10****)* **:** *à la sortie du village, juste après le pont, en traversant le río Grande. Nuitée env 40 $Ar/pers.* Situé sous les arbres, à côté du *río.* Pas cher mais très rudimentaire et sol dur comme du béton. Douches, eau chaude, électricité. Peut quand même dépanner.

⛺ Autre option, le ***camping La Carolina,*** dans le même quartier.

Bon marché (moins de 350 $Ar / env 35 €)

🏠 ***Posada El Sol*** *(hors plan par B1,* ***11****)* **:** *Medalla Milagrosa, s/n. ☎ 42-14-66. • posadaelsol.com.ar • Passer le pont, continuer sur 500 m, puis suivre les panneaux. Lit en dortoir env 70 $Ar/pers ; doubles 200-300 $Ar selon confort, petit déj compris. Promos fréquentes. Réduc avec la carte HI.* 💻 📶 À l'écart du village, au bord d'un petit chemin au calme. Une AJ très bien tenue et accueillante. Ensemble réussi de petites maisons simples et bien arrangées, avec toit en bambou. Chambres propres aux couleurs vives, avec ou sans salle de bains, eau chaude, laverie et chauffage. Cuisine en libre accès, laverie.

🏠 ***Residencial Humahuaca*** *(plan A1,* ***12****)* **:** *Córdoba, 401, esq. Corrientes. ☎ 42-11-41. Double env 250 $Ar en hte saison, petit déj inclus.* Gentille pension familiale de 10 chambres (jusqu'à 5 personnes/chambre) aux murs blancs et nets, avec une cour intérieure décorée de quelques plantes. Tranquille, très propre, central, et accueil jovial. Chambres donnant sur le patio ou sur la rue. Nos préférées, les nº 2 ou 3 sur la galerie au 1er étage. Une bonne petite adresse.

🏠 ***Hostal La Humahuacasa*** *(plan A2,* ***13****)* **:** *Buenos Aires, 740. 📱 15-412-07-44 ou 15-412-08-68. • humahuacasa.com.ar • Dortoirs 6-9 lits env 80 $Ar/pers ; double avec sdb env 250 $Ar.* Un peu au sud de la ville, petite auberge économique pour routards. Chambres avec sanitaires communs ou privés. L'intérieur est décoré avec soin, et les couleurs sont chaleureuses. Patio. Cuisine à disposition. On y sert le petit déj. Laverie. Eau chaude jour et nuit.

🏠 ***Hostal La Soñada*** *(plan B2,* ***14****)* **:** *Río Negro, esq. San Martín. ☎ 42-12-28. • hostallasoniada.com • À 1* cuadra *du terminal de bus, de l'autre côté de la voie de chemin de fer. 9 chambres 2-4 pers env 250-300 $Ar selon occupation, avec petit déj (tarif négociable).* 📶 Dans une maison récente aux couleurs flashy, pleine de petites extensions et proprette. Les chambres, agréables, n'ont rien d'un poulailler. L'ensemble est vraiment impeccable. Bon accueil.

🏠 ***Posada La Churita*** *(plan A2,* ***15****)* **:** *Buenos Aires, 456. ☎ 42-10-55. • posadalachurita.webege.com • Double env 250 $Ar.* Une maison ancienne, habitée par Olga, une dame aimable et prévenante. Elle propose quelques chambres plus ou moins bien tenues, qui donnent sur le patio intérieur ou sur la rue. Certaines avec salle de bains privée.

🏠 ***Hostal Inti Sayana*** *(plan A2,* ***16****)* **:** *La Rioja, 83. ☎ 42-19-17. 📱 15-409-98-06. • intisayanahostal.com.ar • Compter 270-370 $Ar pour 2 selon saison. Chambres pour 4-5 pers.* Dans le centre, un bâtiment quelconque mais fonctionnel, aux murs épais en pisé. Les chambres ont toutes 4 lits (2 petits lits séparés et 2 autres superposés). Sanitaires propres, distribués autour d'un modeste patio. Cuisine à disposition. Laverie.

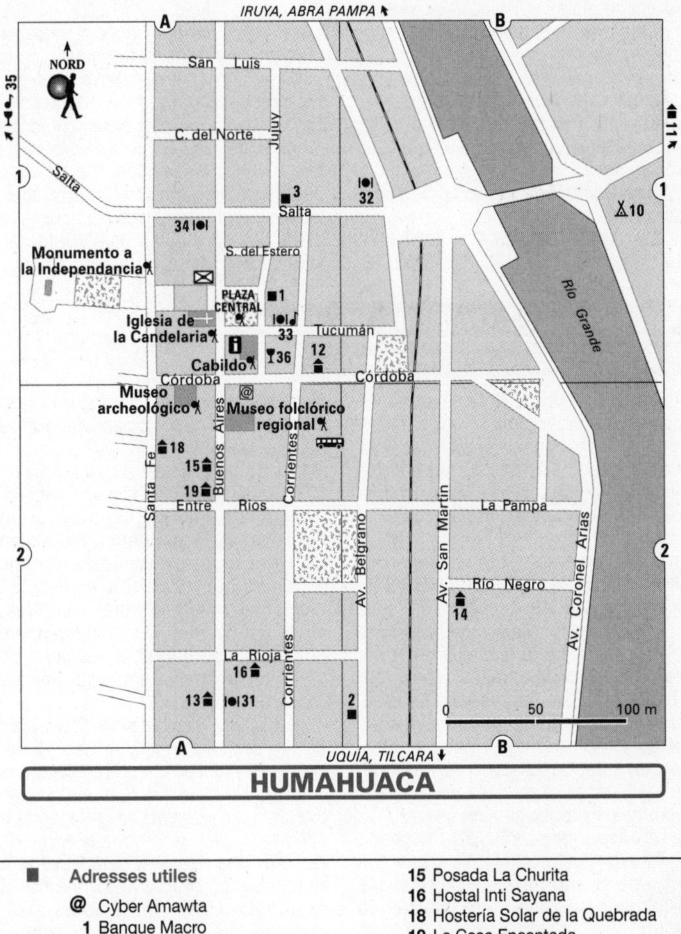

HUMAHUACA

■ **Adresses utiles**

@ Cyber Amawta
1 Banque Macro
2 Station-service
3 Saavedra Luján Elba Tourist Assistance

Où dormir ?

10 Camping Bella Vista
11 Posada El Sol
12 Residencial Humahuaca
13 Hostal La Humahuacasa
14 Hostal La Soñada
15 Posada La Churita
16 Hostal Inti Sayana
18 Hostería Solar de la Quebrada
19 La Casa Encantada

Où manger ?
Où boire un verre ?
Où écouter de la musique ?

31 Pachamanka
32 K'allapurca
33 El Portillo
34 El Refugio
35 Bar del Tantanakuy
36 Café Ser Andino

Prix moyens (350-650 $Ar / env 35-65 €)

Hostería Solar de la Quebrada *(plan A2,* ***18****)* **:** *Santa Fe, 450.* ☎ *42-19-86.* *15-408-83-78.* • *solardelaquebrada.com.ar* • *Doubles env 370-450 $Ar selon saison et confort, bon petit déj inclus.* Un peu en hauteur du village. Hôtel de caractère proche du centre et au calme, établi sur plusieurs niveaux. Il abrite des chambres confortables de taille moyenne, impeccables et joliment décorées : meubles, tissus et objets traditionnels. Préférer celles à l'étage, avec vue sur les montagnes. Petite terrasse avec quelques chaises pour se prélasser au soleil. Radiateurs pour les nuits froides. Le meilleur rapport prix-qualité dans cette catégorie.

La Casa Encantada (*plan A2,* **19**) **:** *Buenos Aires, 524.* ☎ *42-10-83. Chambres avec sdb 350-450 $Ar selon occupation (jusqu'à 6 pers).* Cinq chambres seulement dans cette vieille maison de famille de 1850, un peu poussiéreuse, patinée par le temps et chargée de souvenirs hétéroclites. La propriétaire, une dame aimable, reste très attentive à ses hôtes. Cour fleurie. Décoration vieillotte : meubles anciens, tableaux et objets du passé. La plus jolie est la chambre bleue. Vue sur la rue, mais celle-ci est calme la nuit.

Où manger ? Où boire un verre ? Où écouter de la musique ?

Pléthore de restos, dans lesquels on pourra goûter au lama et aux différentes sortes de beignets andins *(tamales, empanadas).* En saison touristique, difficile d'échapper aux groupes folkloriques pendant le repas : ils sont partout !

Pachamanka (*plan A2,* **31**) **:** *Buenos Aires, 457.* ☎ *42-12-65.* Tenue par une jeune famille sympathique, une jolie adresse toute jaune, égayée par des nappes chamarrées. Cuisine néo-andine inventive ; *escabeche de lama, triangulitos de queso de cabra, cazuela de quinoa...* mais aussi des plus classiques pâtes avec sauce au choix. En dessert, mousse de coca ou tarte aux pommes. Portions généreuses.

K'allapurca (*plan B1,* **32**) **:** *Belgrano, 210, esq. Salta.* ☎ *42-14-63.* On y prépare une cuisine régionale dite « culturelle », c'est-à-dire inspirée de la tradition locale. Plats végétariens, viande de lama, salades de quinoa, desserts andins. Certains soirs, petit groupe de musique folklorique. Très bon accueil et prix sages dans une salle agréable à la déco soignée.

El Portillo (*plan A1,* **33**) **:** *Tucumán, 69 ; à 100 m de la place.* ☎ *42-12-88. Tlj 7h30-minuit.* On peut y prendre le petit déj, y manger viandes, pâtes et autres classiques, ou se contenter d'y boire un verre. Atmosphère reposante dans les petites salles avec tables et abat-jour en bois de cactus, banquettes recouvertes de laine et objets hétéroclites. Courette bien agréable, pavée et remplie de plantes et cactus. On peut aussi y dormir... mais le lieu n'est pas fait pour les couche-tôt !

El Refugio (*plan A1,* **34**) **:** *Salta, 139 ; entre Buenos Aires et Santa Fe. Tlj jusqu'à minuit.* Un restaurant discret et sans prétention mais bien tenu. Bon rapport qualité-prix. Cuisine régionale convenablement mijotée : *locro, cazuela, tamales, humitas, empanadas,* etc. Mention spéciale pour le *queso de cabra y dulche de cayote* et la tarte au chocolat. Service souriant et discret.

Bar del Tantanakuy (*hors plan par A1,* **35**) **:** *Salta, 370.* ☎ *42-15-38. Accès en grimpant la rue à droite des marches du monument, tt au bout en direction du « cinéma ». Tlj à partir de 18h ; musique folklorique à partir de 22h.* Un des derniers bars ouverts à Humahuaca. Ambiance bohème et cosmopolite. En fin d'après-midi, salon de thé avec tartes maison et chocolat chaud. Le soir, quelques plats de cuisine régionale et *empanadas* pour tenir le cap, au rythme des bières ou verres de vin éclusés. 4 chambres très correctes sont venues compléter l'offre. Accueil sympa. Le ciné voisin a aussi une bonne programmation.

Café Ser Andino (*plan A1,* **36**) **:** *Jujuy, 393.* ☎ *42-16-59. Au pied de la mairie. Lun-sam 9h30-12h, 17h-21h ; dim le soir slt.* Murs vert pistache, une ou deux tables dehors, et de bonnes choses à boire, mais moins bien pour manger... Fait aussi agence de voyage et location de vélos.

À voir

Plaza central *(plan A1)* **:** toute pavée, avec de grands poivriers. Cette petite place est constamment animée par une foule de gamins et de femmes, leur bébé dans le dos, un panier plein de petits souvenirs qu'elles tentent de vendre aux touristes. En été, des essaims de jeunes routards argentins bourdonnent de partout.

Iglesia de la Candelaria *(plan A1)* **:** *sur la place.* Modeste et simple, à l'image du village, construite en 1642 et souvent modifiée. Voir la porte, plaquée de bois de cactus ; les tableaux aux murs sont d'un artiste du XVIIIe s, Marco Sapaca, de l'école de Cuzco (Pérou). Aux murs, des toiles représentent les apôtres dans des poses très inspirées. Le retable, doré à outrance et décoré de motifs, abrite une sculpture importante, celle de *Nuestra Señora de la Candelaria.*

Cabildo *(plan A1)* **:** *sur la place principale.* Bâtiment de style colonial très particulier. Sous l'horloge de la jolie tour, un automate à l'effigie de san Francisco Solano qui, tous les jours, d'une précision mécanique, bénit la ville à midi.

Monumento a la Independancia *(plan A1)* **:** massif, ce monument de 1950 installé au point culminant de la ville, au bout d'une longue volée de marches, est l'œuvre de l'artiste argentin Ernesto Soto Avendaño. On aime ou pas. Mais le panorama sur les montagnes rougeoyantes au coucher du soleil mérite la grimpette.

Museo folclórico regional *(plan A2)* **:** *Buenos Aires, 435. Tlj, horaires variables (10h-14h, 15h-20h). Entrée : 5 $Ar.* Vous êtes chez l'écrivain-ethnologue Sixto Vázquez Zuleta, chaleureux petit bonhomme qui connaît tout de ces régions reculées. Il a réuni ici tout au long de sa vie des objets usuels des Indiens de la région. Géologie, médecine, coutumes, fêtes, sorcellerie, agriculture, instruments de musique, costumes...

Museo arqueológico Torres Aparicio *(plan A2)* **:** *Córdoba, 115. ☎ 422-78-26 ou 89-93. Ouv jeu-sam 11h-13h. Gratuit.* Les collections de ce musée sont exposées dans l'ancienne maison du docteur Torres Aparicio, autodidacte et amateur d'histoire régionale ancienne. Fossiles, céramiques, objets provenant de fouilles archéologiques, nombreux témoignages de la culture omaguaca (700 apr. J.-C.).

Manifestations

– **Carnaval :** *fin fév-début mars (1er-9 mars en 2015).* Certainement la fête la plus célébrée de l'année dans toute la région. La *chicha* (boisson sacrée indienne à base de maïs fermenté) coule à flots, les diables colorés et masqués déferlent, bondissants, dans les rues étroites et pavées de la ville au rythme du tam-tam sourd des *bombas* et au son de la flûte andine. Pendant une semaine, 24h/24, les Indiens Collas dansent, boivent et festoient. Une sacrée fiesta !
– **Fête annuelle de la Pachamama** (la terre-mère) **:** *en août.*

DANS LES ENVIRONS DE HUMAHUACA

IRUYA

À 70 km au nord-est de Humahuaca, à l'écart de la ruta 9. Pour joindre ce bout du monde : A/R depuis Humahuaca possible dans la journée en voiture ou par trois bus de la compagnie Iruya *le mat qui restent 3h sur place et repartent l'ap-m vers Humahuaca (résa conseillée). C'est éprouvant mais extraordinaire !* On parcourt près de 20 km de route asphaltée (*ruta* 9), puis 50 km d'une piste assez dure, qui grimpe et descend bien. En cas de pluie, les véhicules de tourisme peuvent avoir quelques difficultés sur certains passages (traversées de petits *ríos,* pierres), mais les paysages en valent la peine. Ne vous fiez pas aux premiers kilomètres de piste, assez monotones. Après le village de **Chaupi Rodeo** s'enchaînent des vallées encaissées avec des hameaux traditionnels (voir les *hornos de barro,* fours en pisé traditionnels), des gorges, puis un col à 4 000 m qui débouche sur des montagnes colorées. À couper le souffle, déjà pas mal éprouvé par l'altitude !

En voyant la piste qui serpente en mille lacets sur la descente, on n'ose pas imaginer qu'on va passer là ! Puis on suit une vallée avec quelques à pics impressionnants pour voir surgir, tout à coup, une improbable église et quelques maisons, accrochées à une falaise. C'est Iruya, à 2 780 m d'altitude, village de 4 600 habitants fondé en 1752. On vous parle souvent de villages du bout du monde... mais là, vous y êtes. L'église restaurée, les minuscules venelles pavées et pentues, les ânes qui broutent une herbe maigre en pleine rue donnent à ce lieu un charme fou. Les structures touristiques se mettent en place, et on peut y dormir : nombreux jardins pour planter la tente, quelques *hospedajes* (souvent très rustiques) et un hôtel. Dans une boutique d'artisanat sur San Martín, un guide propose aussi des treks vers les villages voisins.

DES *SURIS* ET DES HOMMES

Bienvenue dans les hauts plateaux andins ! Ici, la nature est rude et la population rare. Et quand l'homme n'est pas là, les suris *dansent. Car ces autruches miniatures craignent celui qui immobilise leurs longues pattes d'un habile jet de* boleadoras *(sorte de fronde). Il arrive aussi de croiser des troupeaux de gracieuses vigognes, des ânes faméliques, d'observer le vol de flamants roses ou de majestueux condors.*

– **Marché :** *le sam.*

🏠 🍽 ***Hotel Iruya :*** *San Martín, 641.* ☎ *48-20-02.* • *hoteliruya.com* • *Doubles 970-1 090 $Ar selon visite de la vallée ou non.* Hôtel-resto de charme, déco moderne de bon goût. Une quinzaine de chambres à la déco rustique-chic, bien équipées. Belle vue sur la vallée depuis certaines.

AUX CONFINS DE L'ARGENTINE ET DE LA BOLIVIE

En quittant Humahuaca vers le nord, on s'engage sur une belle route bitumée, sinueuse mais sans excès, et on se dirige progressivement vers la Bolivie. On passe un col à 3 780 m avant d'atteindre Abra Pampa, grosse bourgade dénudée et battue par les vents, puis on poursuit la route pour explorer les superbes sites alentour. Le plus beau à voir est la *quebrada* qui offre, sur une trentaine de kilomètres, de superbes paysages de montagnes rocheuses aux couches géologiques ondulantes et colorées. Plus haut encore, ce sont les hauts plateaux (la *puna*) qui prennent le relais.

LAGUNA DE LOS POZUELOS

➢ *À 50 km au nord-ouest d'Abra Pampa, par une bonne piste (nº 7). Accès en voiture ou en bus (1-2 bus/j. le mat, retour l'ap-m ; env 1h). Poste de rangers à Río Cincel, avt le village de Rinconada. La laguna est à 7 km à pied (chemin praticable en voiture). Accès gratuit. Avt de s'y rendre, on peut obtenir des infos au bureau du parc à Abra Pampa (calle Macedonio Gras, 141 ; ☎ 49-13-49 ; lun-ven 9h-13h, 16h-20h).*

Superbe paysage sauvage encore peu connu, tout au long d'une piste de montagne reliant La Quiaca à Abra Pampa, à l'écart des *rutas* 7 et 69. À plus de 4 000 m d'altitude, le lac immense de Pozuelos sert de refuge à des milliers d'oiseaux, en particulier plusieurs espèces de flamants : roses, mais aussi rouges et blancs ! Également d'impressionnants troupeaux de vigognes au milieu des cousins lamas, et quelques *suris* (des autruches miniatures). Un spectacle fascinant... et on est tout seul ! Possibilité de camper sur place (être bien équipé, les nuits sont froides et il faut apporter son eau).

LES PLATEAUX DE LA PUNA

➢ *Depuis Abra Pampa, 2 pistes partent vers le sud. La* ruta *40, qui naît à 8 km en direction de Humahuaca : début d'un périple de 4 600 km jusqu'au sud de la Patagonie ! Et la* ruta *11, qui se prend 500 m au nord d'Abra Pampa (piste à gauche).*

Les deux pistes parcourent 140 km de paysages de hauts plateaux pour rejoindre la *ruta* 52 à proximité des Salinas Grandes. C'est une bonne alternative à la *ruta* 9 si on n'a pas peur de faire le pistard. Une bonne façon aussi de découvrir ces mornes plaines désertiques, hantées par de fringantes vigognes, des lamas qui moutonnent, des *suris* et des hommes dans quelques villages perdus. On croise aussi des troupeaux d'ânes. La *ruta* 40 nous est apparue monotone, tandis que la *ruta* 11 est plus sauvage. Elle relie des villages isolés comme ***Casabindo,*** célèbre pour sa corrida du 15 août (la dernière d'Argentine), qui se déroule devant la jolie petite église coloniale. Église qui d'ailleurs renferme de beaux tableaux d'archanges aux arquebuses.
À environ 70 km d'Abra Pampa, on peut continuer la *ruta* 11 ou prendre à droite la *ruta* 75, qui grimpe dans les collines avant de parcourir le dantesque ***cañón del Río de las Barrancas.*** Attention toutefois, certains passages sont délicats pour un véhicule de tourisme. Arrivé sur la *ruta* 52, pile-poil entre la 11 et la 40, se trouvent les Salinas Grandes (voir plus haut « Les environs de Purmamarca »). Ensuite, deux options : redescendre justement sur Purmamarca (très belle route) ou continuer vers le sud par la *ruta* 40 pour joindre Salta via San Antonio de Los Cobres (voir « Les environs de Salta », parcours du *tren a las Nubes*). Pour cette dernière option, il faut être bien équipé en eau, en essence, et avoir une bonne carte routière !

YAVI

IND. TÉL. : 0385

À 15 km à l'est de La Quiaca, la ville frontière avec la Bolivie, par une route bitumée. Nous sommes à 3 442 m d'altitude, hors des sentiers battus. Yavi est un gros village andin qui évoque déjà la haute solitude de la Bolivie voisine, au cœur d'un paysage de hauts plateaux dénudés et arides, battu par les vents, avec quelques ondulations de collines pour égayer ce tableau austère et mélancolique. La plupart des maisons sont construites en pisé couleur terre, au bord d'une longue rue principale, en terre elle aussi, et le routard se sent vraiment hors du temps, si loin du vacarme du monde. En contrebas, dans un vallon arboré, curieuse apparition que cette petite église paroissiale (une des plus anciennes de la région) attenante au modeste musée historique provincial. Un mirage de fraîcheur dans son écrin de verdure.

Vous n'aurez pas de problème pour dormir à Yavi, on y trouve une dizaine d'*hostales* et de *posadas,* à prix variés. Que faire sur place ? Rien de particulier en fait, hormis se reposer, faire des balades à pied ou à cheval dans la campagne. Des pétroglyphes se cachent dans les collines à 6 km du village.
➢ Liaisons possibles depuis La Quiaca en minibus ou taxi collectif.

Adresse et infos utiles

🛈 ***Kiosque d'informations touristiques :*** *à droite à l'entrée du village. Tlj 9h-13h, 14h-18h.* Infos sur les hébergements, les restos, les balades et excursions dans la région. Plein de bonne volonté pour satisfaire le voyageur de passage.
– ***Attention :*** pas de banque ni de distributeur de billets. La station d'essence la plus proche est à La Quiaca.

Où dormir ? Où manger ?

⛺ ***Camping :*** *près de l'église, dans le vallon, sur un petit terrain ombragé et rustique. Compter 40 $Ar/pers la nuit.* Infos à l'office de tourisme.
🏠 🍽 ***Posada La Casona :*** *Campo y Carrera, angle San Martín. ☎ 42-23-16. • mccalizaya@hotmail.com • À 300 m sur la gauche de la rue principale, après l'entrée du village en venant de La Quiaca ; bien indiqué. Doubles 100-150 $Ar selon confort.* Groupe de maisons en pisé dans le style local, abritant des petites chambres simples et propres, donnant sur un patio. Salles de bains communes ou privées. Monica, l'accueillante propriétaire, connaît très bien la région et peut vous renseigner sur les balades à faire. Fait aussi restaurant (petit déj et cuisine locale bien mijotée). Notre coup de cœur.
🏠 🍽 ***Hostería Pachama :*** *ruta 5 y av. Senador Perez. ☎ 42-32-35. Double env 200 $Ar, petit déj inclus.* Il y a d'abord l'accueil aimable et attentif du patron d'origine quechua, un homme au visage buriné qui reçoit avec gentillesse les voyageurs fatigués par la longue route. Ses chambres sont propres, colorées, plutôt petites mais calmes et suffisamment confortables. Pour manger, petit resto de cuisine familiale et locale. Bref, encore une bonne adresse à prix doux.

VERS LE SUD, DE SALTA À TUCUMÁN

Nous voilà donc sur la route vers le sud. Évidemment, si on était pressé, on prendrait l'autoroute 9 vers Tucumán. Ce serait dommage de manquer quelques sites exceptionnels : la *quebrada de las Conchas,* les *vallées Calchaquíes, Cafayate,* le site de *Quilmes...* On prend donc la *ruta* 68 qui relie Salta à Cafayate. À El Carril, nous vous conseillons de prendre la clef des champs vers l'ouest, à la découverte des somptueux décors des *vallées Calchaquíes* (Cachi, Molinos), pour finir à Cafayate, jolie petite ville entourée de vignobles et de *bodegas.* C'est un bon point de départ pour revenir ensuite sur la route 68 direction Salta et partir à la découverte de la *quebrada de las Conchas,* facile à faire dans la journée (en voiture, bus, à vélo ou par une agence). Évidemment, on peut aller directement de Salta à Cafayate en traversant cette même *quebrada.* Mais alors on fait une croix sur les *vallées Calchaquíes.* On vous décrit tout cela : à vous de faire votre choix...
– ***En voiture*** (location possible à Salta) ***:*** le détour par les *vallées Calchaquíes* nécessite au moins une étape d'une nuit. Entre Salta et Cachi la route est praticable pour une voiture de tourisme, mais peut s'avérer difficile en cas de fortes pluies sur la piste (la fameuse *ruta* 40) entre Cachi et Cafayate, où l'on dépasse

rarement les 40-50 km/h. L'idéal, c'est de prévoir 2 nuits en route : une à Cachi et une autre à Cafayate. La route directe Salta-Cafayate est, quant à elle, complètement goudronnée et sans difficultés.
– ***En bus :*** aucun problème pour aller de Salta à Cafayate. On peut même se faire arrêter sur un site de la *quebrada,* le visiter, et prendre le bus suivant. Concernant les *vallées Calchaquíes,* c'est plus difficile, car il n'y a pas de transports publics entre Molinos et Angastaco. Il faut donc du temps pour parcourir ce tronçon de 45 km en auto-stop ou en *remis.*
– Pour finir, les ***excursions organisées*** sont facilement réalisables depuis Salta comme depuis Cafayate pour découvrir l'un, l'autre ou les deux sites. Mais le rythme est intense !

➢ À la sortie de Salta, on emprunte la verdoyante ***vallée de Lermas*** où sont cultivés tabac et maïs. Quelques petits villages jalonnent ce trajet, comme ***Cerrillos*** (connu pour son carnaval) ou ***La Merced*** (ville fleurie de roses en saison).
El Carril est une bourgade marquée par l'architecture espagnole de la fin du XIXe s, qui vit principalement de son énorme usine de tabac. C'est ici qu'il faut choisir. Soit continuer vers le sud, tout droit sur la *ruta* 68 jusqu'à Cafayate, en passant près du lac artificiel de *Dique del Corral,* puis en traversant la *quebrada de las Conchas.* Soit en partant vers l'ouest par la *ruta* 33 qui grimpe dans les montagnes, passe par le col de la Piedra del Molino (à 3 348 m) pour atteindre les hauts plateaux dénudés, avant de rejoindre la *ruta* 40 qui parcourt les *vallées Calchaquíes* et arrive aussi à Cafayate (prévoir une étape).

LES VALLÉES CALCHAQUÍES

Nom générique (souvent au pluriel, car le *río* Calchaquí emprunte plusieurs vallées très différentes), que l'on a coutume de donner à la fabuleuse piste menant de Salta à Cafayate via les villages de Cachi, Molinos et Angastaco. Pour apprécier pleinement cet itinéraire, prenez vos précautions car il vaut mieux éviter de se faire surprendre par la nuit ou encore par la pluie, fréquente de novembre à mars. Renseignez-vous sur la météo avant de partir et sur l'état de la *ruta* 40 entre Cachi et Cafayate. Celle-ci devient difficilement praticable par endroits (éboulis et rivières inondant la route, que l'on appelle aussi *quebradas*). Dans l'hypothèse d'une météo défavorable, ne partez pas avec un véhicule ordinaire mais louez un véhicule assez surélevé pour franchir plus aisément les passages un peu difficiles. Vérifiez bien l'état de votre voiture au départ et n'oubliez pas la roue de secours et le plein d'essence. Toutefois, vous trouverez une station-service à Cachi, une à Molinos et une à Angastaco.
Il y a 330 km de Salta à Cafayate par cette route. Compter 3-4h de Salta à Cachi (env 180 km), 1h30 de Cachi à Molinos et encore 3h de Molinos à Cafayate. Si on ajoute les haltes et les visites, on comprend qu'une étape soit nécessaire pour profiter pleinement de ce parcours.

➢ En se dirigeant au sud de Salta, on quitte El Carril et la vallée de Lermas pour traverser une forêt luxuriante, avec quelques petits villages qui vivent de l'industrie du bois dans des conditions précaires. La route, étroite et sinueuse, est presque entièrement bitumée, avec toutefois quelques nids-de-poule et autres aspérités... Elle est praticable sans problème avec une voiture de tourisme, sauf en cas de fortes intempéries.

➢ Nous voici dans la ***quebrada de Escoipe,*** vallée très étroite dans un premier temps, où la piste surplombe le *río* du même nom qui court tout en bas. Deux ou trois ponts en fer et planches de bois pour agrémenter dignement ce paysage de végétation luxuriante. Et pendant que la vallée s'élargit, à travers de superbes montagnes rouge et vert (le sulfate de cuivre), la piste devient plus caillouteuse, fréquemment traversée par de petits torrents qui vont se jeter dans le *río.*

➢ On aborde ensuite les monts pelés de la ***cuesta del Obispo.*** La piste monte de plus en plus, en lacet, et il n'est parfois pas facile de croiser ou de dépasser un camion. Les amateurs de route de montagne seront comblés !

➢ Un peu plus loin sur la gauche, un chemin défoncé conduit au ***valle Encantado.*** De douces prairies fleuries convergent vers un bassin où quelques rochers ont été éparpillés par une main de géant. Des peintures rupestres (minuscules et bien cachées) attestent que ce lieu était occupé il y a bien longtemps. Et même très longtemps puisque un peu plus loin, on a découvert des empreintes de dinosaures. Le point le plus élevé sur ce chemin, le col de ***Piedra del Molino,*** à 3 348 m d'altitude, est marqué par une petite chapelle à côté de la route.

➢ Après ce col, en redescendant du sommet de la montagne, la piste s'élargit un peu. Fini les vicissitudes de la montée ! Soudain, l'horizon se dégage, avec un changement radical de paysage : c'est un spectacle étonnantque cet immense plateau d'altitude ***(Cachi Pampa),*** sec, aride et venteux, marqué par une maigre végétation et hérissé de milliers de cactus candélabres. Une longue route droite, la ***recta Tin Tin,*** traverse cette zone semi-désertique sur 14 km, au cœur du *parc national Los Cardones*, du nom de cette variété de cactus candélabres. Dans ce paysage grandiose et austère, on croise quelques troupeaux d'ânes, de vigognes et de vaches, tous à l'état semi-sauvage. Vous aurez peut-être même la chance de voir des aigles ou des condors planer dans le ciel.

➢ Une vingtaine de kilomètres vers le nord-ouest, à ***Payogasta,*** on rejoint la *ruta* 40.

🏠 I●I ***Sala de Payogasta :*** *40, Km 4510.* ☎ *(03868) 49-60-52.* ● *saladepayogasta.com* ● *Selon confort, double env 560 $Ar, petit déj-buffet inclus ; réduc à partir de 2 nuits. Moins cher en déc et juin. Menus 55-75 $Ar.* Une auberge de style néo-rustique, dans l'esprit du commerce équitable. Produits organiques, pain frais cuit au four, viande de l'élevage, fromage de chèvre (fameux !), vin de la *bodega,* etc. Le lieu emploie les habitants du coin, qui assurent notamment l'accueil et le service dans l'agréable salle de resto. Bons menus du jour qui propose une cuisine simple, à base de produits fermiers. Tables en terrasse également pour prendre le frais. Possibilité de loger sur place, dans une des belles chambres à la déco soignée, fraîches et impeccables. Bon confort, salles de bains avec hydro-massage et vastes suites idéales pour les familles. En prime, bibliothèque, salon TV satellite, spa, service de laverie. Boutique d'artisanat et vente du vin local. Un lieu – certes – touristique mais qui garde un cachet authentique.

➢ Après Payogasta, on suit encore le ***río Calchaquí,*** dont les vallées étaient autrefois le lieu de passage obligé entre le Chili et le Pérou. Les Indiens Calchaquí, qui vivaient dans toute la région de Cafayate, bien avant les Incas, sont connus pour avoir vaillamment résisté aux colons espagnols. Aujourd'hui, ceux qui restent cultivent l'ail et le piment. Il s'agit d'une des régions les plus pauvres du pays.

CACHI

8 000 hab. IND. TÉL. : 03868

Des maisons blanches ici et là, sous la lumière andine, une certaine douceur retrouvée au fond d'une vallée apaisante pour le voyageur, des

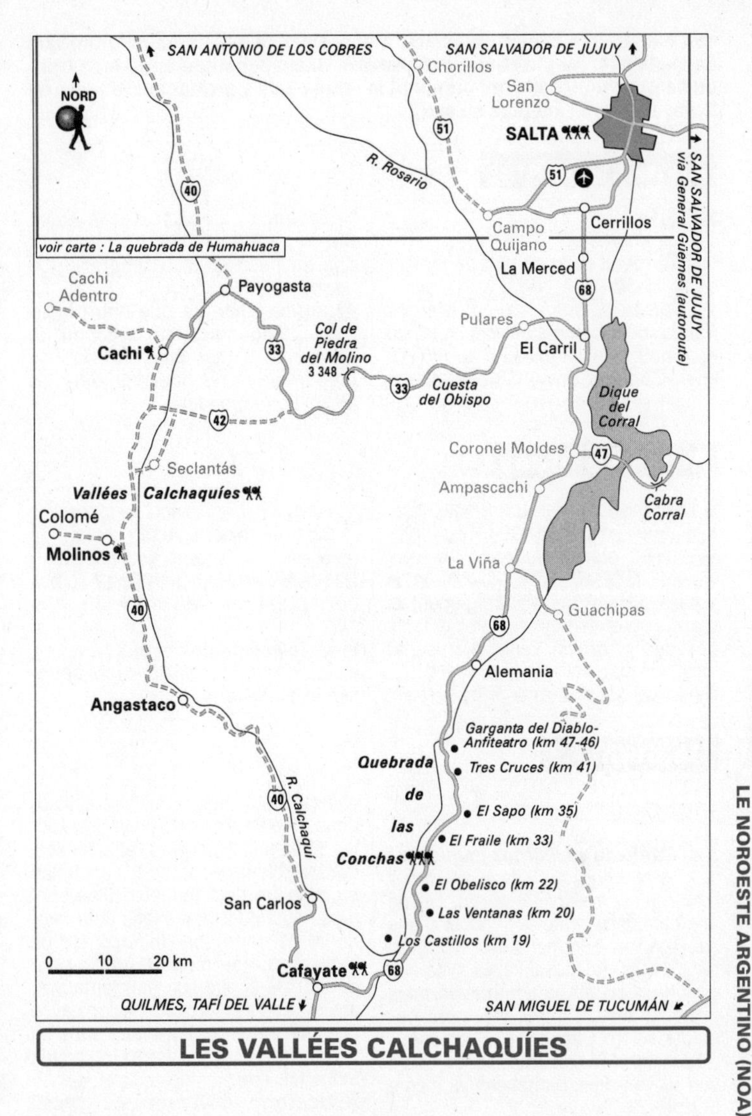

LES VALLÉES CALCHAQUÍES

prés et des jardins verdoyants, le retour sur une terre habitée après une excursion sur la lune ! À 2 280 m d'altitude, construit au pied du *Nevado de Cachi* dont les cimes dépassent les 6 000 m, voilà donc Cachi, oasis de paix et de vie, un bon gros village accueillant, tant la région qui le précède est désertique. On se croirait quelque part en Andalousie ou dans l'Alentejo. Comment ne pas être séduit par cette apparition qui ne tient ni du mirage ni du miracle ? Cachi a du cachet ! Du fait de son isolement, le village a conservé son authenticité coloniale, ses maisons basses et

son calme. Les habitants aiment à dire qu'ici, les gens ne meurent que de vieillesse, tant le climat est vivifiant. Cachi constitue une étape tranquille pour tous ceux qui prennent le temps de s'y arrêter sur la route de Cafayate (à 165 km plus au sud).

Arriver – Quitter

En bus

🚌 ***Terminal de bus :*** *infos et horaires au ☎ 49-10-63.*

➢ ***Salta :*** 3 bus/j. avec *Marcos Rueda* ; départs lun-sam vers 7h,13h30 et 15h30, dim en milieu d'ap-m (17h env). Compter env 4h30. Également 3 bus/j. (2 slt le dim) avec *El Indio*.

➢ ***Molinos :*** départ avec *Marcos Rueda,* lun-sam en fin de mat, dim en fin d'ap-m. Compter 1h30 de route.

Attention : pas de bus entre Molinos et Angastaco en direction de Cafayate ! Il faut faire du stop ou prendre un *remis* pour parcourir les 45 km correspondants.

Adresses utiles

ℹ ***Office de tourisme :*** *sur la place, face au musée. ☎ 49-19-02 ou 0800-444-0317 (gratuit). Lun-ven 9h-21h ; w-e et j. fériés 9h-15h, 17h-21h.* Infos sur les possibilités d'hébergement et d'excursions alentour, horaires et tarifs des bus et *remis.* Vente d'artisanat local bon marché.

■ ***Banque Macro :*** *sur la place centrale. Lun-sam 10h-15h.* Distributeur et change.

■ ***Station-service ACA :*** *à la sortie de la ville, sur la route de Molinos.*

✉ ***Poste :*** *av Güemes, 102 ; à 1* cuadra *de la place. Lun-ven 8h30-13h, 17h-18h ; sam 9h-13h.*

■ @ ***Télécommunications :*** *2 cybercafés et centres d'appels téléphoniques à côté de la poste.*

Où dormir ?

Camping

⛺ 🏠 ***Camping y Albergue municipal :*** *sur les hauteurs du village, à 5 mn à pied du centre. ☎ 49-19-02.* Un de nos campings préférés, doublé d'une auberge très bon marché *(env 50 $Ar/pers à l'albergue).* Sanitaires avec eau chaude. Chambres sommaires mais propres. Au camping, les emplacements se trouvent sous d'immenses arbres (ombre assurée donc). Belle vue sur la vallée, barbecues, et même une piscine.

Prix moyens (jusqu'à 650 $Ar / env 65 €)

🏠 ***El Cortijo Hotel Boutique :*** *av. del AVA, s/n ; un peu en hauteur du village. ☎ 49-10-34. Doubles à partir de 550 $Ar, bon petit déj inclus.* 📶 Superbe petit hôtel de charme établi dans un bâtiment historique. Une douzaine de chambres toutes différentes, propres, spacieuses, confortables, décorées à l'ancienne ou d'objets traditionnels. Elles sont réparties autour d'une jolie cour intérieure et certaines disposent d'un petit balcon ou d'une terrasse pour profiter de la vue sur les montagnes environnantes. Agréables salons avec cheminée et resto sur place dans un cadre raffiné avec lustres et beaux murs de pierre.

🏠 ***Hostería ACA :*** *av.* Automovil Club, *à 4 blocs de la place centrale, au-dessus du camping. ☎ 49-19-04. Doubles env 480-550 $Ar ; réduc en payant cash.* 📶 Des chambres blanches bien agencées, distribuées autour d'un grand patio intérieur. Ajoutez piscine et belle vue, et l'ensemble en impose. Resto sur place, mais préférer les petites adresses du centre.

Où manger ? Où boire un verre ?

🍽 🍸 ***Café Oliver :*** *Ruiz de los Llanos, 160.* ☎ *49-19-03. Tlj jusqu'à minuit.* La seule terrasse à donner sur la place principale. Côté nourriture, des sandwichs et des snacks divers, plats de pâtes très corrects et bonnes pizzas. Glaces également juste à côté. Bien aussi pour prendre un verre (c'est également un *wine bar*) : belle carte de vins et cocktails, large choix de cafés spéciaux, etc. En terrasse ou dans la salle, le cadre est très plaisant.

🍽 ***Ashpamanta Restaurante :*** *Bustamante, s/n.* 📱 *15-578-22-44. Plats env 40-55 $Ar ; verre de vin local env 12 $Ar.* Petit resto niché dans une vieille maison coloniale, joliment rénovée. Seulement 4-5 tables pour recevoir les convives, en famille. Monsieur assure l'accueil et le service, madame s'active en cuisine, avec application. Ambiance intimiste le soir, à la lumière tamisée, propice à un repas aux accents méditerranéens. Car on y sert surtout de savoureux plats de pâtes et raviolis faits maison... Mais le chef n'est pas en reste côté cuisine locale, avec notamment de goûteuses *empanadas andinas,* à base de quinoa et fromage de chèvre, ou encore de délicieux plats végétariens. Un petit coup de cœur.

À voir

★ ***La place centrale :*** plantée de poivriers immenses, d'eucalyptus, de pins et de palmiers, sous lesquels on trouvera l'un des rares abris contre un soleil qui tape dur en été.

★ ***L'église :*** sur la place, bien sûr, de style colonial du XVIIIe s, *claro.* Elle semble échappée des plus fameux westerns ! Le toit est en bois de cactus, *of course,* mais l'originalité vient surtout de magnifiques poutres de charpente cintrées. Notez le très naïf autel bleu ciel.

★★ ***Museo arqueológico :*** *sur la place centrale.* ☎ *491-10-80. Lun-ven 10h-19h (18h sam) ; dim et j. fériés 10h-13h. Dernière visite 30 mn avt. Visites guidées sur résa.* L'un des intéressants musées de ce type (il y en a pas mal) dans le Nord-Ouest argentin. Dans plusieurs salles autour d'un patio, de belles collections de pièces des époques pré-inca, inca et espagnole. Superbes céramiques. La cour est parsemée de pétroglyphes.

DANS LES ENVIRONS DE CACHI

Cachi a été construite dans une vallée autrefois uniquement peuplée par les Indiens de culture quechua, civilisation qui se développa des années 1000 à 1600 environ. Ils ont construit leurs villages sur des collines ou à flanc de montagne pour en faciliter la protection. On les appelle les Calchaquí par référence à Don Juan de Calchaquí, un cacique qui domina la région au XVIe s. La rivière du même nom coule dans cette vallée, de Cachi à Cafayate.

LE CHIC CALCHAQUÍ

Dans ces vallées reculées, on est surpris par le style architectural de l'habitat. Des hameaux isolés arborent des maisons de style « colonial calchaquí ». Un mariage curieux entre des bâtisses coloniales cossues (galerie à colonnes, patio...) et le rustique des matériaux campagnards (brique crue, pisé tout juste recouvert de chaux, four traditionnel dans le jardin...). Une façon de s'offrir un bel habitat chic... avec les moyens du bord.

★ Les environs de Cachi regorgent de ruines de ces ***villages calchaquís*** aux maisons rondes ou carrées, tout en pierres sèches. L'office de tourisme propose quelques plans et on peut faire appel à un guide local pour vraiment pas cher. Les sites, plus ou moins accessibles et en général très ruinés, ne valent pas toujours le coup mais sont l'occasion de superbes promenades. Le ***parque arqueológico El Tero*** *(accessible tlj 9h30-13h, 14h30-18h),* à 2 km au sud-ouest du centre, est une ancienne implantation des Indiens Pulares. Bien délabré, mais jolie balade si vous ne savez pas quoi faire de votre peau. ***Las Pailas,*** à 16 km de Cachi, vers *Cachi Adentro,* offre une vue à 360° sur la montagne. Attention, pas facile à trouver sans guide.

MOLINOS

2 000 hab. IND. TÉL. : 03868

À 110 km au nord de Cafayate et à 48 km au sud de Cachi, on y arrive par une piste caillouteuse, et pourtant, c'est une route nationale, la fameuse *ruta 40.* Dans une sorte d'oasis de verdure et de fraîcheur, Molinos est un village aux maisons blanches ou en pisé couleur terre, certaines encore en bois. Il s'est constitué autour d'une *finca* bâtie en 1660. Son nom provient des moulins encore en activité qui bordent le río Chalquaqui. L'église San Pedro de Nolasco, du XVIIe s, classée Monument historique, est superbe avec sa charpente en bois de cactus et son autel doré. Insolite chemin de croix tissé en laine d'alpaga. Les plus belles pièces (baldaquin, pupitre) sont visibles au *Museo Cabildo* de Salta. Et puis, juste en face, la splendide maison coloniale (classée Monument historique) du dernier gouverneur de Salta, Nicolás Severo de Isasmendi y Echalar (1753-1837). Très bien restaurée, c'est aujourd'hui un hôtel de charme luxueux. Pour l'anecdote, ledit Isasmendi repose dans l'église.

– Sur place, distributeur de billets, station-service et téléphone public.

Arriver – Quitter

En bus

➢ ***Cachi (puis Salta) :*** bus tlj à 7h sf mar et jeu (14h le dim). Départ de la place centrale. Compter 2h pour Cachi et 7h pour Salta. On peut aussi affréter un *remis* au même prix que le bus, à condition d'être assez nombreux

➢ ***Angastaco :*** on le répète, il n'y a pas de bus sur ce tronçon. Outre le stop (qui fonctionne assez bien), le prix d'un *remis* est d'env 350 $Ar, à partager entre les occupants (jusqu'à 4 personnes).

Où dormir ? Où manger ?

Bon marché

☗ ***Hospedaje Los Cardones :*** *entre San Martín et Sarmiento, face à la police. ☎ 49-40-61. 📱 15-408-17-24. • cardonesmolinos@hotmail.com • Double env 250 $Ar avec sdb privée, petit déj inclus.* En face du poste de police, bon accueil du propriétaire, qui propose quelques chambres donnant sur une courette intérieure, dans une maison du village tenue avec soin. Ambiance familiale.

Très chic

☗ |●| ***Hacienda de Molinos :*** *face à l'église. ☎ 49-40-94 ou 49-49-44. • haciendademolinos.com.ar • Resto tlj 11h-16h, 19h-22h. Doubles env 750-950 $Ar selon confort (tarifs dégressifs 3 nuits au prix de 2, et discount en cas de paiement cash).* 💻 📶 N'hésitez pas à visiter l'endroit car il vaut vraiment le détour. Ancienne *hacienda* du XVIIIe s avec une magnifique maison de maître ayant appartenu à Isasmendi, le dernier gouverneur de Salta. Cour centrale où trône un superbe poivrier, architecture traditionnelle superbement restaurée et décoration très harmonieuse. Chambres vraiment luxueuses, grandes et confortables, lits à baldaquin. Les *standard* sont déjà très appréciables ! Petite piscine dans le jardin à l'arrière. Possibilité de randonnées ou balades à cheval. Côté gastronomie, excellente cuisine régionale avec notamment les produits du potager. On peut se contenter d'y faire une halte-déjeuner, d'y prendre un verre et de goûter les *empanadas* maison, cuites au four à bois.

À voir dans les proches environs

Asociación de Artesanos San Pedro Nolasco : *à 1,3 km du village en suivant les panneaux. Attention, route infranchissable en cas de fortes pluies. ☎ 431-36-77 (à Salta).* En 1996, lorsque la vigogne était menacée de disparition, cette association a créé une réserve pour perpétuer la tradition du tissage de la laine de ce gracieux camélidé. Ils vendent aujourd'hui des objets d'artisanat (un peu cher). Et on peut rendre visite aux bêtes parquées dans des *corrales* (l'occasion de les voir de près).

Colomé : *accès par une piste caillouteuse d'une dizaine de km qui franchit quelques gués, mais la récompense est au bout des difficultés.*

Vous vous trouvez à 2 600 m d'altitude au cœur du plus haut vignoble du monde : 75 ha de vignes de la **Bodega Estancia Colomé.**

Le vignoble est un des plus anciens d'Argentine (1831), devenu propriété d'un groupe suisse. On y élève des cépages de tannat, syrah, cabernet, malbec, mais surtout *torrontés,* un « blanc sec et fruité surprenant en bouche » comme le dit la pub, en tout cas parmi les meilleurs du pays comme en témoignent les prix et médailles qu'on peut voir au Centre des visiteurs *(ouv 10h30-18h).* On y apprend aussi qu'à titre expérimental, des vignes ont été plantées à 3 100 m, soit 500 m plus haut encore. La visite guidée et la dégustation vous en apprendront un peu plus.

VINS D'ALTITUDE

Avec un sol pauvre et pierreux, un drainage naturel par les eaux des montagnes, un climat sec, un ensoleillement de 320 jours par an et surtout une amplitude thermique entre le jour et la nuit de 16 à 24 °C, les vignobles au pied de la cordillère bénéficient de conditions idéales pour produire un vin riche en densité, en longueur et en harmonie... Et on ne va pas vous dire le contraire !

La Bodega : *☎ (03868) 49-42-00. • bodegacolome.com • 9 chambres et suites luxueuses, à partir de 250 € la nuit (!).* Superbe environnement, entouré de vignes et au pied de la chaîne montagneuse. Si vous avez les moyens d'y séjourner, vous pourrez y pratiquer l'équitation, le VTT et le trekking. Piscine, vélos à dispo... La nuit comprend la visite de la *bodega* (avec dégustation) et du musée. Restaurant chic accessible aux non-résidents.

ANGASTACO

2 500 hab. IND. TÉL. : 03868

Troisième et dernière étape possible sur cette route avant Cafayate (San Carlos, gros bourg marchand, ne présente que peu d'intérêt), Angastaco, à 40 km de Molinos, s'est développé dans un cadre époustouflant. Montagnes arides, aiguilles pointues, désert et cactus avec, à l'arrière-plan, la verte vallée du *río* Calchaquí qui s'est ici élargie.

La vie à Angastaco, à 1 km de la *ruta* 40, semble bien tranquille, à l'ombre des arbres de la place centrale et de la blanche église.

Arriver – Quitter

En bus

➢ ***San Carlos et Cafayate :*** 1 bus/j. avec *El Indio.* Départ 6h du mat. Trajet : 2-3h.
➢ ***Molinos :*** quelqu'un vous a-t-il dit qu'il n'y a pas de bus ? Prendre un *remis* (compter 350 $Ar la course) ou faire du stop.
– On y trouve un distributeur d'argent sur la place et une station d'essence.

Où dormir ? Où manger ?

Hostería Angastaco : *Libertad, s/n.* ☎ *49-77-00.* *15-63-90-16. En plein centre (mais y a-t-il autre chose qu'un centre ici ?). Une quinzaine de chambres env 200 $Ar, petit déj compris.* Longue bâtisse blanche abritant des chambres tout au long d'une galerie couverte. Meubles en bois de cactus, petite salle de bains privée, piscine, salvatrice (pas toujours remplie) dans cet environnement tout sec. Fait aussi resto ; plats locaux. Les patrons connaissent bien la région et pourront vous conseiller.

Rincón Florido : *Manuel Castilla, s/n ; à l'arrière de l'église, sur la droite de la mairie. Ouv midi et soir.* On s'installe sous la tonnelle où pendent des calebasses. Jardin de cactus. La petite salle est tapissée d'une incroyable collection d'objets hétéroclites. Bonne petite cuisine du jour : *humita, empanadas, milanese, cabrito...*

➢ En reprenant la *ruta* 40 vers Cafayate, on traverse une série de *quebradas* formidables, fascinantes et si différentes, le long du *río* Calchaquí. Lagunes peuplées de flamants rose, bouquets d'arbres où nichent des nuées de perroquets criards, champs de piments mis à sécher le long des routes... D'énormes dunes lunaires sculptées, des montagnes toutes molles qui semblent s'affaisser sur elles-mêmes. ***Las Flechas,*** ce sont des formations rocheuses pareilles à d'énormes pointes de flèches préhistoriques sorties de terre, une superbe chaîne de montagnes rouge brique. Cultures (surtout des vignes) de plus en plus intenses et vertes au fur et à mesure qu'on se rapproche de l'oasis de Cafayate.

CAFAYATE

12 000 hab. IND. TÉL. : 03868

Adossée aux contreforts de la cordillère, à 1 660 m d'altitude, entourée de magnifiques vignobles, Cafayate (prononcer « cafa-chaté ») constitue un heureux mariage de la nature et de la culture. La travail de l'homme a réussi à y faire pousser des vignes et à élever de bons vins sur de hautes terres qui, à priori, semblaient davantage destinées à l'élevage. Cafayate, c'est un site exceptionnel au pied des montagnes, une petite bourgade délicieusement paisible, fière de son urbanisme colonial espagnol (les rues se coupent à angle droit) et de ses vins, ô combien fameux. On y fait escale avec plaisir après des heures de pistes caillouteuses et poussiéreuses !

Arriver – Quitter

En bus

2 compagnies assurent les liaisons depuis Cafayate : ***Flechabus*** *(plan A1,* ***1*** *; Mitre, entre Alvarado et Rivadavia)* et ***Aconquija*** *(plan B1,* ***2*** *; Güemes, 106*

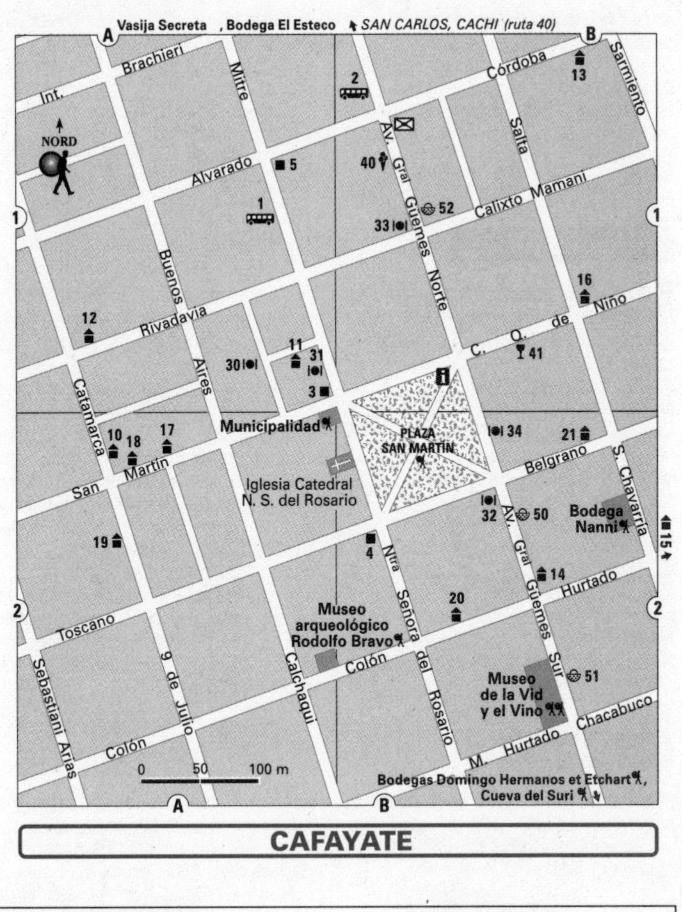

Adresses utiles

1 Terminal des bus Flechabus
2 Terminal des bus Aconquija
3 Banco Macro
4 Banco de la Nación
5 Laverie Arco Iris

Où dormir ?

10 Hostal Nusta
11 El Balcón Internacional Hostel
12 Rusty K Hostal
13 Cafayate Backpackers Hostel
14 Hostel Ruta 40
15 Hostal La Morada
16 El Hospedaje
17 Hostal del Valle
18 Casa del Sol
19 Posadas Luna y Sol
20 Killa Cafayate Hotel
21 Villa Vicuña

Où manger ?

30 Mercado municipal
31 Casa de las Empanadas
32 El Rancho
33 Baco Resto Bar
34 Terruño

Où s'offrir une glace ? Où boire un verre ?

40 Helados Miranda
41 El Almacen Wine Bar

Achats

50 Calchaquitos
51 Cerámica Cruz
52 Vinoteca Vino Tinto

(● *transporteaconquija.com.ar* ●). *En saison, billetterie ouv lun-sam 10h-12h, 19h30-21h ; dim et j. fériés 11h-13h, 19h30-21h.*

➢ ***Salta :*** 6 bus/j. lun-sam, 5h-19h30, avec *Flechabus.* Compter env 3h30 de route.

➢ ***Santa María :*** 2 bus/j. avec *Aconquija,* à 6h du mat et 16h. Compter 2h de trajet. Certains bus de Tucumán s'arrêtent également à Santa María.

➢ ***Tafí del Valle et Tucumán :*** 4 bus/j. lun-sam 2h15-18h avec *Aconquija,* celui de 5h du mat passe par Santa María ; le dim, 2 bus, à 6h et 18h.

Adresses utiles

ℹ ***Oficina de turismo*** *(plan B1)* **:** *San Martín, 82 ; petit kiosque sur la place centrale.* ☎ *42-18-08.* ● *ipunaturismo.com* ● *Tlj 8h-21h. Bien documenté.*

✉ ***Poste*** *(Correos ; plan B1)* **:** *Güemes Norte, 197, à l'angle de Córdoba. Lun-ven 8h30-13h, 16h-19h ; sam 9h-12h.*

■ @ ***Téléphone et Internet :*** *plusieurs* locutorios *en ville, notamment sur la place centrale et juste à côté de la poste.*

■ ***Banques, change : Banco Macro*** *(plan A1,* ***3****), sur la place centrale, angle Mitre et San Martín. Ou* ***Banco de la Nación*** *(plan B2,* ***4****), angle Nuestra Señora del Rosario et Toscano. Mêmes horaires : lun-ven 9h-14h. Change à ces horaires et distributeurs 24h/24. Également un guichet* Western Union.

■ ***Laverie*** *(plan A1,* ***5****)* ***: Arco Iris,*** *Mitre, 189.*

■ ***Location de vélos :*** *un peu partout en ville, notamment sur la place centrale et le long de Güemes Norte. Loc à l'heure ou à la journée.* Bon marché, mais vélos parfois un peu déglingués. Beaucoup de *bodegas* des environs peuvent être visitées dans un circuit à vélo. Renseignements à l'office de tourisme.

■ ***Agences :*** plusieurs agences, dont une sur la place centrale, proposent des excursions dans la région : ruines de Quilmes, *quebrada* de las Conchas, et possibilité de joindre Salta via Molinos et Cachi.

Où dormir ?

Pris d'assaut par les touristes argentins et chiliens, les hébergements sont souvent complets et plus chers en janvier, février et juillet.

Bon marché (moins de 350 $Ar / env 35 €)

☗ ***El Balcón Internacional Hostel*** *(plan A1,* ***11****)* **:** *pasaje 20 de Febrero.* ☎ *42-17-39.* ● *hosteltrail.com/elbalcon* ● *Lit en dortoir env 80 $Ar ; double env 300 $Ar. Petit déj complet inclus.* 💻 📶 Une auberge de jeunesse privée, tenue par des jeunes, professionnels et enthousiastes. Succession de terrasses en bois, peintures et fresques d'art naïf, ensemble coloré, propre et bien tenu, ce qui n'est pas le cas de toutes les AJ ! Des dortoirs colorés de 4, 6 ou 8 lits, des chambres avec salle de bains privée ou à partager, tout est impeccable et agréable. Vue superbe depuis le bar en terrasse, sur le toit. Organise aussi des excursions guidées dans les environs.

☗ ***Rusty K Hostal*** *(plan A1,* ***12****)* **:** *Rivadavia, 281.* ☎ *42-20-31.* ● *rustykhostal.com.ar* ● *Doubles env 250-320 $Ar selon sdb commune ou privée. Également des triples et quadruples.* 📶 C'est rustique, familial et d'un bon rapport qualité-prix. Cour ombragée sous une charmante tonnelle formée par les hauts pieds de vigne, l'endroit idéal pour se reposer. Les chambres sont sommaires mais bien tenues. Ambiance conviviale et bon accueil. Laverie et location de vélos.

☗ ***Cafayate Backpackers Hostel*** *(plan B1,* ***13****)* **:** *Córdoba, 155.* ☎ *42-24-53.* ● *hostelworld.com* ● *Camping possible 10 $Ar/pers. Selon saison, lits en dortoir 3-10 pers 50-85 $Ar ; doubles env 150-180 $Ar avec sdb* *commune, petit déj inclus.* Une AJ un peu à l'écart, avec grande terrasse sur la rue. Confort *roots* compensé par les prix plancher et toutes les facilités prodiguées par ce genre d'adresse. Jardin luxuriant avec petit ruisseau où il fait bon buller dans un hamac et cuire une grillade. Bonne ambiance propice aux rencontres avec des routards du monde entier. Bon accueil.

Hostel Ruta 40 *(plan B2, **14**) : Güemes Sur, 178. ☎ 42-16-89. • hostelruta40.com.ar • Lit en dortoir env 90 $Ar ; double env 350 $Ar, petit déj complet inclus. Réduc avec la carte* Hostelling International. Une auberge de jeunesse à deux pas de la place centrale mais au calme. Dortoirs mixtes de 7-8 lits (1 réservé aux filles) et chambres pour 2 ou 3 personnes. Petite cour intérieure agréable avec bar (consos chères !) et cuisine équipée à dispo. Les chambres sont très basiques, mais la maison a pas mal de cachet et l'ensemble est assez bien tenu.

Hostal La Morada *(hors plan par B2, **15**) : Miguel Hurtado, 111. ☎ 42-20-94. • lamoradacafayate.com • Double env 230 $Ar, petit déj inclus.* Un peu à l'écart. Chambres simples, plaisantes et colorées avec salle de bains et TV. Jardin. Cuisine et salon à dispo. Propriétaires sympathiques et serviables, qui ne sont pas avares de bonnes infos. Vélos à dispo.

Prix moyens (350-650 $Ar / env 35-65 €)

Hostal Nusta *(plan A2, **10**) : Catamarca, 15. ☎ 42-18-52. • hostalnusta.todowebsalta.com.ar • Doubles env 390-460 $Ar selon saison et confort, petit déj compris. Tarif dégressif à partir de 2 nuits.* Un peu à l'écart du centre, dans une rue calme, une maison discrète tenue par un couple franco-argentin (Jean-Paul et Gloria) très accueillant. 8 chambres de bon confort (salle de bains privée), celles de l'étage sont plus apprêtées. Prix sages. Salon TV, frigo et micro-ondes à dispo. Confiture de mirabelles au petit déj.

El Hospedaje *(plan B1, **16**) : à l'angle de Salta et Camila Quintana de Niño. ☎ 42-16-80. • elhospedaje.todowebsalta.com.ar • Doubles à partir de 350 $Ar, petit déj inclus. Parking.* Très central. Une valeur sûre à Cafayate. Ambiance reposante dans une maison coloniale calme et pleine de charme. Les chambres très colorées, à la déco soignée, et bien équipées, donnent sur une galerie autour d'un grand patio. Cuisine et cafétéria (petite restauration) attenantes où prendre le petit déj. Et même une piscine. Prix attractif pour le confort proposé.

Hostal del Valle *(plan A2, **17**) : San Martín, 243. ☎ 42-10-39. • welcomeargentina.com/hostaldelvalle • Doubles avec sdb env 400-450 $Ar, petit déj inclus.* Bâtiment de 2 étages avec 3 courettes très fleuries en enfilade, au calme et à quelques blocs de la place centrale. Ça ressemble à s'y méprendre à une maison d'hôtes : accueil familial, petit déj avec confitures maison servi dans la véranda. Chambres très bien tenues (ventilos, AC, frigobar) quoiqu'un peu tristounettes et assez sombres. Celle du fond dispose d'une terrasse. Appartement pour 5 personnes. Très bon accueil.

Casa del Sol *(plan A2, **18**) : San Martín, 285. ☎ 42-17-61. • casadelsolcafayate.com.ar • Double env 450 $Ar, petit déj (en terrasse) inclus.* Derrière cette façade ordinaire et discrète se cache une superbe pelouse intérieure et, sur un même niveau, une dizaine de chambres au calme, impeccables. Une impression de confort, de netteté et de bon goût. Accueil très professionnel et attentif. Piscine et jardin.

Chic (650-1 000 $Ar et plus / env 65-100 €)

Posadas Luna y Sol *(plan A2, **19**) : 9 de Julio, 31. ☎ 42-18-52. • lunaysol.todowebsalta.com.ar • Cabañas aménagées pour 2 pers env 610 $Ar ; 3-6 pers env 730-1 300 $Ar selon confort et occupation, petit déj inclus. Tarif dégressif à partir de 2 nuits.* Au calme, à 2 *cuadras* de la *plaza* San Martín, Jean-Paul et Gloria, de l'*Hostal Nusta* à 200 m de là, ont aménagé ces 6 logements en adobe avec des matériaux traditionnels, pour les petits groupes ou les familles qui désirent un peu d'autonomie. Ils disposent d'un coin cuisine avec micro-ondes et TV câblée. *Asador,* petite piscine et parking privé.

Killa Cafayate Hotel *(plan B2,* ***20****) : Colón, 47. ☎ 42-22-54. • killa cafayate.com.ar • À 1 cuadra de la place centrale. Doubles à partir de 750 $Ar.* Notre coup de cœur dans cette catégorie. *Killa* signifie « lune » en quechua, du nom de la déesse-mère. Magnifique maison coloniale soigneusement rénovée, meublée et décorée. Une quinzaine de chambres et suites réparties dans différents bâtiments sur plusieurs niveaux, mêlant la pierre, le bois et les matériaux bruts. Elles sont toutes vastes et différentes, disposant d'un confort irréprochable (literie impeccable, belles salles de bains), ornées de peintures et objets d'artistes et artisans de la région. Vue imprenable sur la ville depuis les terrasses de certaines au 2e étage. Piscine au fond du jardin. La TV est bannie des lieux, ce n'est pas plus mal ! Petit déj-buffet dans une très jolie salle. Mais ce qui rend encore plus attachante cette maison, c'est l'accueil exceptionnel de Martha et de sa famille, d'origine *diaguita* et fière de l'être.

Villa Vicuña *(plan B2,* ***21****) : Belgrano, 76. ☎ 42-21-45. • villavicuna.com.ar • Double env 850 $Ar ; réduc en payant cash.* Superbe maison coloniale décorée avec goût, cachant un joli patio orné d'une sorte de bas-relief insolite. Il s'agit d'un boutique-hôtel de style, avec parquets lustrés ; une douzaine de chambres très confortables parfaitement équipées et décorées de meubles et d'objets anciens. Atmosphère feutrée, voire guindée. Savoureux petit déj. Les tarifs sont toutefois un peu surestimés.

Où dormir à la ferme, dans les environs de Cafayate ?

La Vaca Tranquila *(hors plan par B1) : finca Buena Vista, 4427 à* ***San Carlos.*** *À 25 km au nord de Cafayate. 15-63-85-91 ou 15-40-30-40. • lava catranquila.com.ar • Fléché depuis San Carlos, prendre la route en direction d'Angastaco, puis à droite un chemin de terre sur 600 m. Double env 420 $Ar ; chambres pour 3-4 pers 450-500 $Ar ; petit déj inclus.* Coup de cœur pour cette adresse perdue en pleine campagne, propice à un séjour de plusieurs nuits. Superbe panorama sur les montagnes et les champs alentour, véritable havre de verdure. Les propriétaires, d'origine belge, vous accueillent chaleureusement dans leur ferme de 100 ha. Le long d'une galerie avec fauteuils, 6 vastes chambres, fraîches, très confortables. Belles salles de bains et jolie déco personnalisée. Lait tout frais au petit déj. Détail insolite – et pas des moindres –, ils tiennent aussi une micro-brasserie qui produit une fameuse bière belgo-locale, *Me echó la Burra,* titrant 8°. Au pays du vin, c'est gonflé ! Pas de dîner sur place mais un resto très recommandable à San Carlos, à 1 km de là. *Asado* possible à la demande. Balades à cheval, pataugeoire pour les enfants et belle piscine... *La Vaca Tranquila* porte bien son nom !

Où manger ?

Très bon marché (moins de 80 $Ar / env 8 €)

Mercado municipal *(ancien marché ; plan A1,* ***30****) : 1 cuadra à l'ouest de la place centrale.* Petite *comida* vraiment pas chère et plutôt goûteuse dans son genre.

Bon marché (80-120 $Ar / env 8-12 €)

Casa de las Empanadas *(plan A1,* ***31****) : Mitre, 24. Presque à l'angle nord-ouest de la place, à côté de la banque. ☎ 42-15-89.* Vous n'avez jamais mangé d'*empanadas* ? Pas possible ! En tout cas, ici, c'est l'occasion rêvée. Quelques tables, un comptoir, et on vous sert ces délicieuses spécialités confectionnées à la demande. Pas moins de 12 variétés différentes et quelques plats typiques *(tamales, locro, humitas).*

Prix moyens (120-180 $Ar / env 12-18 €)

|●| ***El Rancho*** *(plan B2,* ***32****)* **:** *sur la place, à l'angle de Güemes et de V. Toscano.* ☎ *42-12-56.* C'est l'un des meilleurs restos de la ville, à condition toutefois qu'il n'y ait pas trop de monde, ce qui arrive certains soirs... Grande salle bien ventilée, plafond en canisses, nappes et serveurs tirés à quatre épingles. Excellente cuisine à prix corrects. Bon plat de *cabrito al horno* notamment et délicieux *quesillo* au miel.

|●| ***Baco Resto Bar*** *(plan B1,* ***33****)* **:** *à l'angle de Güemes et de Rivadavia.* Salles coquettes décorées de peintures contemporaines et d'objets artisanaux, prolongées par une terrasse bien en vue sur la rue. On y savoure de bons plats consistants à prix moyens, comme le lapin à l'orange. Dommage que pâtes et raviolis soient servis avec une sauce en option aussi chère que les pâtes elles-mêmes !

Chic (180-220 $Ar / env 18-22 €)

|●| ***Terruño*** *(plan B2,* ***34****)* **:** *Güemes, 28.* ☎ *42-24-60.* Sur la place principale, l'adresse incontournable pour les fins becs. On dîne en terrasse lorsque la douceur de la soirée le permet. Carte (en français) changeante, plats plutôt élaborés par rapport aux classiques argentins, le chef a fait ses classes en France. Plats joliment tournés, tant du côté des incontournables viandes que du poisson (truite), et où les légumes ne sont pas négligés. Vins faisant la part belle aux productions locales, disponibles au verre, cela permet d'en tester plusieurs. Service empressé. Les tables au dehors sont très convoitées ; penser à réserver.

Où s'offrir une glace ? Où boire un verre ?

Helados Miranda *(plan B1,* ***40****)* **:** *Güemes Norte, 170.* ☎ *42-11-06. Tlj 12h-minuit.* Les meilleures glaces artisanales du Grand Ouest, selon beaucoup ! Leurs glaces sont naturelles et bio de A à Z. Goûtez à l'incontournable *dulce de leche.* Mais la spécialité de la maison, ce sont les glaces au vin, notamment au *torrontés* ou au cabernet ! Ils sont pionniers dans ce domaine. Petite galerie d'Art. Autre point de vente sur Belgrano, sur la place principale.

El Almacen Wine Bar *(plan B1,* ***41****)* **:** *Camila Quintana del Niño, 59.* ☎ *42-21-37. Tlj 17h-1h du mat.* Charmant bar à vins dans une vieille maison proche de la place centrale. Jardin planté d'agrumes et de vignes. Du style, du caractère et un accueil avenant. Pour boire un bon verre en soirée, au bar devant le vieux cellier en bois ou dans la petite salle, où il est possible de manger de délicieuses *picadas* maison. Loue aussi des dortoirs de 6-8 lits avec salle de bains collective *(55-180 $Ar/pers).*

Achats

Mercado artesanal *(plan B1 et B2)* **:** *des 2 côtés de la place centrale. Tlj 9h-22h.* Assez jolis poteries et tissages ; et belles réalisations en osier. De vrais artisans aux créations originales. Petite cantine très bon marché au fond.

Calchaquitos *(plan B2,* ***50****)* **:** *Güemes Sur, 118.* ☎ *42-17-99. Lun-sam 8h-15h30, 17h-21h30 ; dim et j. fériés 9h-20h.* Une confiserie familiale aux mille parfums. Boutique et petite fabrique artisanale. Toute une variété de douceurs, notamment les fameux *alfajores.* On y voit la chaîne de fabrication et d'empaquetage.

Cerámica Cruz *(plan B2,* ***51****)* **:** *Güemes Sur, en face du musée du Vin.* Dans un drôle de bâtiment orné de 2 immenses sculptures de lama et oiseau. On peut y voir M. Cruz travailler la terre : ustensiles, bols, etc.

Vinoteca Vino Tinto *(plan B1, **52**)* **:** *Güemes Norte, 141. ☎ 42-14-94. Lun-sam 9h-minuit (22h dim).* De quoi faire quelques achats de bonnes bouteilles, s'il vous reste de la place dans vos bagages...

À voir

Plaza San Martín *(plan B1-2)* **:** un délice aux beaux jours. Vaste, ornée de palmiers, cèdres, poivriers, le tout sur fond de montagnes. On comprend pourquoi il y a tant d'animation du matin au soir. Beaucoup de monde aux terrasses pendant les vacances, avec spectacles de rue en soirée. Les bambins pourront s'offrir un tour de la place à dos d'âne ou de poney.

Municipalidad *(plan A-B1)* **:** *à côté de l'église.* Bel exemple de l'architecture espagnole coloniale de la fin du XVIIIe s. Son coquet patio intérieur vaut le coup d'œil avec sa petite fontaine et ses fleurs.

Museo de la Vid y el Vino *(plan B2)* **:** *Güemes Sur, 287. ☎ 42-23-22. Tlj sf lun 10h-19h30. • museodelavidyelvino.gov.ar • Entrée : 30 $Ar ; réduc.* Tout moderne, tout beau. Voici un musée bien agencé dédié à la vigne et au vin, avec force supports audiovisuels et effets sonores.
Une première partie plonge le visiteur de façon assez poétique dans l'environnement naturel du vignoble, sols, climat, eau... puis sont évoqués le travail du vigneron, les contraintes du calendrier, les techniques d'irrigation, le soin constant apporté à chaque cep de vigne. Ensuite la diversité des cépages présents dans la région avec ses deux vedettes que sont le *malbec* et le *torrontés.* Dans la deuxième partie, on a droit à une histoire de la vigne dans le pays, introduite par les jésuites fondateurs des fameuses *missiones* (au départ pour disposer de vin de messe). Enfin vient le développement des exploitations au XIXe s avec l'arrivée des cépages originaires de la région de la Rioja en Espagne. Foudres, barriques, outillages, charrettes de transport et collections de bouteilles et d'étiquettes apportent une illustration didactique à une visite qu'on peut conclure par une dégustation, comme il se doit !

Museo arqueológico Rodolfo Bravo *(plan A2)* **:** *Colón, 191. ☎ 42-10-54. Tlj 11h-20h.* Ouvert en 1935, il occupe trois pièces de la maison de son fondateur. On y trouve une collection de pièces du début de notre ère et de l'époque précolombienne, mais insuffisamment mise en valeur.

Les vins et les *bodegas*

Quitter Cafayate sans avoir goûté à ses vins est presque inconvenant. C'est la région de prédilection du *torrontés,* dont l'origine est inconnue, et qui donne ici des vins complexes et très floraux. Les plus réputés sont le *torrontés* ou le *chardonnay Don David* de Michel Torino, les *torrontés viejo* et *Cafayate Reserva Blanco d'Etchart* ou encore l'*Etchart privado* (hips !). Si vous êtes plutôt « rouge », goûtez au cabernet *Don David.* De plus, ils ne sont pas très chers sur place.

DES *GAUCHOS* MYTHIQUES

À Cafayate commence le domaine parcouru par les gauchos à cheval, mercenaires du travail à la ferme. Leur tradition est bien vivante avec ses attributs : couteaux, ceinturons, pantalons bouffants (la bombacha), larges chapeaux, cravaches, qui ne sont pas que des pièces de musée folklorique ! Ces hommes perpétuent l'un des mythes les plus forts d'Argentine.

Les amateurs de passage à Cafayate incluront généralement une visite des caves dans une des nombreuses *bodegas*. Tout de même assez touristique. Les plus curieux visiteront le musée de la vigne et du vin et les autres pourront aller chez le caviste local, qui a tous les vins de la région et saura vous conseiller :

Bodega Nanni (plan B2) **:** *Silverio Chavarría, 151.* ☎ *42-15-27.* ● *bodegananni.com* ● *Visites guidées tlj à horaires fixes, 10h30-18h. Visite gratuite mais dégustation payante.* Voici une des caves les plus réputées de Cafayate. C'est la dernière *bodega* encore située dans le centre de la ville et certainement une des plus anciennes (1897). Propose des *vinos orgánicos de altura* qui sont des vins bio d'altitude. Goûtez au *torrontés* sec, au *rosado* cabernet-sauvignon et au *nanni* rouge.

Bodega Domingo Hermanos (hors plan par B2) **:** *Nuestra Señora del Rosario, angle 25 de Mayo ; juste à la sortie sud de la ville.* ☎ *42-12-25.* ● *domingohermanos.com* ● *En principe, visite lun-sam 9h-13h, 15h-18h30 ; dim 10h30-12h30.*

Bodega Etchart (hors plan par B2) **:** ruta *40, à 3 km au sud de la ville.* ☎ *42-13-10.* ● *bodegasetchart.com* ● *Visite lun-ven 9h15-16h15 ; sam mat slt et dim ap-m. Visite gratuite.* Une des plus connues, rachetée par Pernod-Ricard.

Vasija Secreta (hors plan par B1) **:** ruta *40, au nord.* ☎ *42-18-50.* ● *vasijasecreta.com* ● *Tlj 9h-13h, 14h30-19h. Gratuit.*

Bodega El Esteco (hors plan par B1) **:** ruta *40 y 68, au nord de la ville.* 📱 *15-198-90-49.* ● *elesteco.com.ar* ● *Lun-ven, visites guidées 10h-12h et 14h30-17h30, w-e 10h-12h.* Appartient à Michel Torino. Une magnifique bâtisse du XIXe s de style colonial, reconvertie en complexe touristique luxueux. La visite est payante et chère.

DANS LES ENVIRONS DE CAFAYATE

Cueva del Suri (hors plan par B2) **:** *à 4 km du village, par une piste carrossable qui démarre avt la* bodega Domingo Hermanos. Au bord du chemin, des gamins du coin guettent le chaland pour l'amener sur les traces de la grotte du Suri. On y voit quelques peintures rupestres : mieux vaut avoir une lampe de poche !

Río Colorado : *en continuant la piste au-delà de la grotte, on arrive au départ d'un chemin.* Là commence une balade à pied de quelques km dans une petite gorge, qui aboutit à une cascade. Rafraîchissant après une marche qui ne l'est pas forcément. On peut faire appel à un guide local (souvent un gamin), mais c'est faisable seul.

LA QUEBRADA DE LAS CONCHAS

Aussi appelée la « quebrada de Cafayate ». Prévoir une bonne demi-journée pour profiter des paysages et préférer les lumières rasantes du petit matin ou la douceur des fins d'après-midi. N'oubliez pas quelques bouteilles d'eau et de quoi vous couvrir la tête si vous comptez marcher. En bus, dans le sens Cafayate-Salta, choisissez un siège sur la gauche.

➢ Possibilité également de découvrir cette zone à vélo, en une demi-journée au départ de Cafayate. Après avoir loué un vélo, le mettre dans le bus et se faire déposer à la *Garganta del Diablo.* Retour en pédalant ; compter 4-5h pour 50 km, pauses photos incluses.

Quelques kilomètres après les vignobles à la sortie de Cafayate, la première surprise – car il faut s'attendre à tout en ce lieu – est une forêt de pins plantée sur des dunes de sable blanc qui recouvrent presque entièrement la route par endroits. Mais ce n'est pas encore la *quebrada.* On appelle ***Médanos*** cette plage dans le désert, en souvenir de la mer qui venait jusqu'ici. D'où le nom : *las Conchas,* « les Coquillages », la mer... vous voyez le rapport. C'était avant la formation des Andes : il y a deux millions d'années, tout était recouvert par l'océan jusqu'à ce que les Andes surgissent et créent ce nouveau paysage. La mer disparue, les fonds marins sculptés par les courants ont alors émergé au grand jour, révélant des formations plus étranges les unes que les autres. On les découvre aujourd'hui le long d'une route asphaltée qui suit le cours du ***río las Conchas.*** Lorsqu'il pleut en été, celui-ci est bordé d'un vert tendre qui contraste avec le rouge, le jaune, le brun, le rose, le noir des roches qui l'entourent. Le paysage se mue ensuite en une sorte de vallée de la Mort digne des westerns, où errent, paraît-il, chats sauvages et serpents à sonnette... On entre dans l'un des sites les plus spectaculaires du Nord-Ouest argentin ! L'eau et les vents ont façonné peu à peu des formes souvent surréalistes dans les montagnes principalement ocre.
Les sites les plus marquants sont bien annoncées par des panneaux (voir notre carte) : on découvre d'abord ***Los Castillos,*** gigantesques citadelles rocheuses posées sur le lit du *río,* puis ***Las Ventanas,*** sorte d'accordéon géant tout de terre rouge et ocre, percé d'une fenêtre. Et puis ça continue avec ***El Obelisco, El Fraile*** (le moine) et ***El Sapo*** (le crapaud).
Au niveau des ***Tres Cruces*** (trois croix de bois), beau point de vue sur la vallée en escaladant la petite dune de terre rouge. ***El Anfiteatro*** est une des formations les plus étonnantes. Ici, il s'agit bien de pénétrer au cœur de la pierre. Un ancien lac interne a creusé à cet endroit une vaste cuvette toute ronde dans laquelle on entre par le fond. Le vent continue d'en éroder les parois et d'agrandir cet ensemble où l'on se sent comme au centre du monde. D'ailleurs, les populations natives le considèrent comme un espace sacré. Continuer son chemin jusqu'à d'autres formations comme la ***garganta del Diablo*** (encore une de ces fameuses gorges du diable, petit nom que les Argentins affectionnent particulièrement pour désigner toutes sortes de trous) ou ***El Hongo*** (le champignon).
En tout, quelques dizaines de kilomètres formidables, puis on finit par sortir de la quebrada de las Conchas pour pénétrer dans la ***quebrada de la Alemania,*** beaucoup moins impressionnante, mais néanmoins charmante, et la route se poursuit tranquillement jusqu'à Salta. On peut aussi faire demi-tour vers Cafayate et poursuivre le périple vers le sud en direction de Tucumán.

SUR LA ROUTE DE TAFÍ DEL VALLE

Quilmes : *à 60 km au sud de Cafayate et 30 km au nord de Santa María. ☎ (0892) 42-10-75. En voiture, quitter la ruta 40 (Km 1001) pour prendre une piste sur 5 km (bien indiqué). En transports publics, se faire déposer à l'intersection par un bus régulier (2-3/j. dans chaque sens) et faire les 5 km restants à pied ou en stop. Ouv tlj 8h-coucher du soleil. Entrée : 20 $Ar, guide obligatoire (donation à votre bon cœur).*
Dans cette sorte d'amphithéâtre naturel, les *Quilmes,* qui font partie de la nation Diaguita, bâtirent leur ville en étages, partant de la vallée et montant dans la colline. C'était bien avant que les parents de Christophe Colomb ne songent à avoir un enfant, aux alentours de l'an 1000. Attirés par cette vallée fertile (pour la région), ils y cultivèrent le maïs et y élevèrent des lamas pour la laine, la viande, le lait et le trait. Bâti comme une forteresse à flanc de colline, ce fut un haut lieu de résistance indienne lors de la conquête espagnole. Les Quilmes résistèrent pendant 130 ans ! Vaincus en 1667, ils furent déportés à plus de 1 000 km de leur vallée pour participer à la construction de la ville de Buenos Aires.

Aujourd'hui, le site a le mérite d'être lisible pour le touriste moyen. Les fondations des maisons ont été remontées, et on peut comprendre la structure labyrinthique de la cité – immense –, qu'on apprécie très bien depuis la montagnette (accès au sommet par des sentiers de part et d'autre du site). La vue sans limbes sur les vallées grâce à la pureté de l'air désertique est tout simplement grandiose.
Certains affirment que la réhabilitation des ruines a été effectuée un peu trop rapidement, sans permettre aux archéologues d'exploiter pleinement les fouilles. En outre, les ruines de Quilmes ont été l'objet d'un micmac judiciaire opposant la communauté indienne à l'artiste Héctor Cruz. Celui-ci avait acquis la concession du site pour seulement 110 US$ (qu'il n'a d'ailleurs jamais payés !) et exploité illégalement le site en construisant un hôtel et un musée juste au pied des ruines de la cité. Le conflit fut assez vif et les Indiens occupèrent les lieux jusqu'à obtenir, en 2007, par décision judiciaire, leur fermeture et l'annulation de la concession.
– ***Important :*** aujourd'hui, le site reste l'objet de conflits d'intérêt entre les autorités locales et les habitants de la communauté indienne de Quilmes. Conséquence directe, le site est parfois fermé à la visite. Se renseigner avant de vous y rendre.

Le village d'***Amaicha del Valle,*** sur la route de Tafí, affiche pour slogan « le meilleur climat du monde ». Mais plus que pour son climat, ce village est connu pour son artisanat. De nombreuses échoppes vendent bibelots et tapis le long de la route. Héctor Cruz, céramiste local ayant fait fortune dans le marché du souvenir typique, y possède ses ateliers et y a créé le vaste *Complejo Pachamama.*
– ***Complejo y museo Pachamama :*** *à l'entrée du village.* ☎ *(3892) 42-10-04.* • *museopachamama.com* • *Tlj 8h30-18h30. Entrée : 30 $Ar.* Impossible de rater ce complexe spectaculaire réalisé par Héctor Cruz. Nous parlons ici du même Héctor Cruz qui a obtenu en son temps la concession des ruines de Quilmes et qui est toujours en conflit avec la communauté indienne pour avoir spolié les Indiens de leurs terres et occupé le site archéologique illégalement pendant 5 ans avant d'être expulsé par décision de justice. Au milieu de ce territoire désertique, ce site insolite parsemé de sculptures en pierres et de cactus, est en lui-même assez réussi et mérite une halte. Au centre de la cour, sculptures monumentales de la *Pachamama* (la Terre-mère) et *Inti* (le soleil). Les mosaïques des murs représentent des animaux qui ont leur place dans la cosmologie indigène : puma, serpent, nandou, crapauds...
Plusieurs salles exposent les toiles et céramiques du maître des lieux (plutôt doué, il faut l'admettre). Une autre fait admirer de belles pièces de tissage. Là, une partie muséale est consacrée à l'anthropologie (herbes médicinales, vêtements, instruments de musique, reconstitution d'une tombe et d'une maison chalquaqui...), à la géologie expliquant la formation des Andes (avec reproduction grandeur nature d'une galerie de mine souterraine).

Cerro Infiernillo *(col du Petit Enfer) : sur la* ruta *307 vers Tafí del Valle et Tucumán.* La route monte en lacet dans la montagne, alors que les cactus candélabres se raréfient. Sur ce côté, quelques familles indiennes vivent chichement en élevant porcs et lamas. Été comme hiver, il arrive qu'on traverse une zone de nuages avant d'atteindre le col, à plus de 3 000 m d'altitude. La descente sur l'autre versant est stupéfiante. Fini l'aridité, fini la pauvreté. À présent, des torrents, d'immenses prairies très vertes en été, des troupeaux de chevaux et de vaches à perte de vue, de belles maisons, des chalets et des *gauchos* à cheval. Ce paradoxe argentin est peut-être le *petit enfer* en question...

Observatorio astronómico Ampimpa : *sur la* ruta *307 (Km 107), 12 km au sud d'Amaicha.* • *astrotuc.com.ar* • *Ne soyez pas dans la lune, réservez :* *(0381) 15-609-22-86.* On peut y observer le soleil (de jour) et la voûte étoilée la nuit. Pas si nébuleux que ça, et même plutôt éducatif avec une approche ludique pour les enfants. Petit point de restauration sur place et possibilité d'y loger.

TAFÍ DEL VALLE

12 000 hab. IND. TÉL. : 03867

À 2 000 m d'altitude, à l'ombre de la sierra del Aconquija, ce village aux allures alpestres, assez étendu et au bord d'un lac, est une petite station de villégiature réputée en Argentine. Le site et le paysage sont intéressants, mais la ville de Tafí en elle-même n'a pas de caractère. Son nom découle du quechua « entrée splendide »... C'est effectivement une transition entre les arides vallées Calchaquíes et la plaine verdoyante de Tucumán. Les paysans y cultivent des pommes, des poires et des pommes de terre. Quelques possibilités de promenades dans la région, qu'on peut faire aussi à cheval.
Les spécialités régionales sont nombreuses, notamment les fromages, que l'on célèbre la 3e semaine de février, mais aussi les *masas* et les *alfajores,* succulents gâteaux fourrés vendus dans les boutiques du centre ou directement chez le producteur.

Arriver – Quitter

Terminal de bus : *à 400 m à l'est du centre, au bout de l'av. Miguel Critto.* On y trouve consigne, salle d'attente, sanitaires et un resto-bar plutôt plaisant. *Aconquija* assure les transports vers le nord comme vers le sud. • *transporteaconquija.com.ar* •

➢ ***Tucumán :*** de 6 à 9 bus/j. (8 le dim), 4h-21h50. Compter 2h30-3h de trajet.
➢ ***Cafayate :*** avec 3-4 bus/j., 8h40-21h45 (slt 2 le dim). Compter 2h30 de trajet. Arrêt possible à Amaicha del Valle et Quilmes. Certains passent à Santa María.

Adresses utiles

Casa del Turista : *entre Miguel Critto et Los Faroles, sur une placette à l'ouest de la rue principale, un peu en hauteur.* ☎ *42-18-80.* *15-643-83-37.* • *tafidelvalle.com* • *Tlj 8h-22h.* Bon accueil.

Poste : *av. San Martín, 1 ; à gauche de l'*hostería ACA. *Lun-ven 8h30-13h, 17h-20h ; sam 9h-13h.*

■ @ ***Téléphone et Internet :*** des locutorios *sur Miguel Critto et sur Perón.*

■ ***Banco Tucumán :*** *tt près de l'office de tourisme. Distributeur et change (lun-ven 8h30-13h30).*

Où dormir ?

Camping

Camping Los Sauzales : *env 500 m à l'ouest du parc central. Un panneau indique la direction à prendre en face de l'*hostería ACA. *15-627-37-11. Nuitée 75 $Ar pour 2 pers avec voiture.* On peut aussi louer des petites *cabañas* pour 4 personnes *(225 $Ar).* Beaucoup d'espace, quelques coins ombragés. Vue sur montagne. Sanitaires corrects, sans plus.

Prix moyens (350-650 $Ar / env 35-65 €)

Estancia Los Cuartos : *Miguel Critto, angle Juan Calchaquí.* *(381) 15-587-42-30.* • *estancialoscuartos.com* • *Une bonne adresse : pensez à réserver ! Doubles 470-540 $Ar, selon confort, petit déj inclus.* On traverse un jardin où broutent tranquillement chevaux et lamas pour arriver à cette *estancia*

LE NOROESTE ARGENTINO (NOA)

historique, qui abrite 3 chambres dans le corps d'un bâtiment vieux de 200 ans, et 5 autres dans une annexe plus moderne. Mme Chenaut, la propriétaire, de lointaine origine française, vous accueille avec prévenance et prend plaisir à vous montrer son superbe intérieur où se côtoient meubles, lits de cuivre et souvenirs accumulés par sa famille. Les chambres sont d'ailleurs meublées à l'ancienne mais disposent d'un équipement moderne. Bibliothèque à disposition. Petit déj à base de bons produits du terroir. Déjeuners à 65 $Ar, thé créole à 16h et dîners d'hôtes sur réservation. Bon rapport prix-charme.

Colonial Tafí Hotel : *angle Belgrano et Los Faroles. ☎ 42-01-40. 15-642-54-93. À 1 500 m de l'office de tourisme. Doubles à partir de 400 $Ar, petit déj inclus.* Murs en grosses pierres de granit et balcons verts. Cet hôtel restauré abrite une belle réception et des chambres doubles, triples et quadruples pas très grandes, à la déco sobre et au confort suffisant. TV à la demande. Vue sur rue, mais celle-ci est calme la nuit.

Nomade Hostel : *Los Castaños s/n. 0381-307-59-22. • nomadehostel.com.ar • À 400 m au sud de la station de bus, le long de la rivière, pas loin de Chenaut. Camping env 40 $Ar/pers. Chambres 2-4 pers env 380-500 $Ar, petit déj et dîner inclus. Réduc avec la carte HI.* Petite maison aménagée en AJ de 18 lits à peine. Environnement de prairies, le jardin donnant sur la rivière et une salle commune conviviale avec fresque murale. Cuisine à dispo, salon TV, soirées musicales, etc. *Mountain bikes* à louer. Encore en rodage en 2013, doit faire ses preuves et, surtout, adapter ses prix.

Hostería ACA – Sol del Valle : *en hauteur, au-dessus du village, à l'angle de Campero et de San Martín. ☎ 42-10-27. Doubles env 480-650 $Ar selon saison.* Grand hôtel dans un long bâtiment blanc. Chambres convenables, avec douche et vue sur la vallée et le lac. Sous une imposante charpente, agréable salon-salle à manger avec bar, cheminée et TV. Grand jardin agrémenté d'une jolie piscine. Salle de gym. Resto (assez cher) avec de bonnes spécialités du Nord et une carte internationale. Confortable, agréable et bon accueil. Bar de nuit bruyant à proximité.

Où manger ?

De bon marché à prix moyens (80-180 $Ar / env 8-18 €)

Don Pepito : *Perón, 193. Dans la rue principale de Tafí, à 150 m de la station-service* F. *☎ 42-17-64. Tlj jusqu'à 23h30.* Les habitants le connaissent bien, et les visiteurs de passage ne manquent pas d'y faire étape. *Asado* sur trépied à l'entrée. Grande salle un peu sombre mais bien disposée. Cuisine locale très correcte avec spécialités de truite. Sert aussi les plats traditionnels : *locro, pasta, parrillada...*

La Estancia de los Santiagueños : *Miguel Critto, s/n. ☎ 42-18-52.* Les Argentins n'y viennent pas pour l'intimité de la salle, bouillonnante, mais pour la qualité de la viande, fondante, spécialement le *cabrito*. Quelques desserts régionaux pour gourmands. Certains soirs, des groupes s'y produisent : typique à souhait. Une bonne adresse. Excellents vins.

El Rancho de Félix : *Perón y Belgrano. ☎ 42-10-22. Tt au bout de la rue, juste avt le pont qui franchit la rivière, en face de la station-service.* Sous un toit de paille, une institution locale depuis 1963. Une *parrillada* avec de généreuses portions de viande et une honnête cuisine régionale. Menus touristiques assez bon marché.

À voir

Les estancias : le dernier témoignage de la mission établie à Tafí par les Jésuites est la ***Capilla de la Banda,*** mais les fromages introduits par ceux-ci au XVIIIe s continuent à être réputés dans toute l'Argentine (ou presque). Ce sont des sortes de tommes, proches des fromages de la Mancha, en Espagne, d'où est venue la fabrication. Fin février, une grande fête célèbre le fromage, mettant le village dans tous ses états. En dehors de cette période, on peut donc toujours visiter une ou plusieurs ***estancias,*** les fermes où on l'affine. La plus grande, *El Churqui,* se trouve à 2 km du village, mais il y en a bien d'autres, en général d'assez belles bâtisses de style colonial. La visite, possible selon disponibilité, présente un intérêt relatif. En outre, on peut acheter du fromage dans les boutiques du centre.

TUCUMÁN

530 000 hab. IND. TÉL. : 0381

Tout Argentin connaît au moins de nom la ville de San Miguel de Tucumán pour le rôle déterminant qu'elle joua dans l'histoire nationale : c'est ici que, le 9 juillet 1816, fut signé l'acte d'indépendance du pays. Tucumán a allumé le flambeau de la liberté du pays, mais elle est restée dans l'ombre de Buenos Aires. Son esprit rebelle a rejailli dans les années 1960, quand une guérilla locale combattit le pouvoir en place. Pendant les années de la dictature, Tucumán fut aussi au premier rang dans la lutte contre les généraux aux lunettes noires... Cette aura lui vaut la visite de quelques touristes de Buenos Aires, mais les étrangers ne s'y pressent pas, et pour cause : la ville n'est pas belle et en décadence économique, touchée de plein fouet par la crise agricole. Victime de la chute des cours mondiaux du sucre, l'économie locale a été très affectée. Immeubles abandonnés en plein centre, faubourgs paupérisés aux alentours témoignent de cette récession. Reste que Tucumán peut être une étape obligée entre deux bus sur l'axe nord-sud. Petit vade-mecum, à cet usage.

Arriver – Quitter

En bus

Terminal des bus : *av. B. Terán, 250, à l'est de la place centrale (5 cuadras), près du parc 9 de Julio.* ☎ *400-20-00 ou 400-50-00.* Ce terminal très moderne s'adosse à un centre commercial avec *patio de comidas,* supermarché et... casinos ! Sur place aussi : *locutorios,* pharmacie, distributeur d'argent.

➢ ***Buenos Aires :*** plus d'une vingtaine de bus/j., la majorité avec *Flecha Bus* et ses filiales (la plupart en fin d'ap-m ou soirée), ou avec *Veloz del Norte, Chevallier, Balut, Vosa, TAC...* Compter 14h30-18h de trajet.

➢ ***Córdoba :*** une trentaine de bus/j., la plupart en soirée, avec *Flecha Bus* et ses filiales. Compter 7h.

➢ ***Tafí del Valle :*** avec *Aconquija,* 10 bus/j. (6 le dim) 6h-20h. La plupart continuent vers Amaichá del Valle. Trajet : 2h30-3h.

➢ ***Cafayate :*** avec *Aconquija,* même ligne que Tafí, avec 5 bus/j. lun-sam (3 le dim), à 6h, 6h30, 12h, 14h et 19h ; le dernier ne fonctionne pas le dim. Compter 5-6h de trajet.

➢ ***Salta :*** près de 40 bus/j. avec *Flecha Bus* (surtout la nuit et le mat), *Veloz del Norte* (horaires diurnes), *Almirante Brown, Chevallier, Andesmar...* Env 4h-4h30 de trajet.

➢ ***Mendoza (via La Rioja et San Juan) :*** une quinzaine de bus/j. avec *Flecha Bus, Andesmar, TAC, El Rápido* (via La Rioja). Prévoir 5h pour La Rioja, 14h pour Mendoza.

En avion

✈ ***Aéroport Benjamín Matienzo :*** *à une dizaine de km de la ville.* Les bus de la ligne nº 121 partent du terminal des bus avant chaque vol. Sinon, taxi pas très cher : env 50 $Ar la course.

➢ ***Buenos Aires :*** 4 vols/j. en sem

(3 le w-e) sur *Aerolineas Argentinas*, 4 en sem et 1 le w-e avec *LAN*.

■ ***Aerolineas Argentinas :*** *9 de Julio, 110. ☎ 431-10-30 ou 0810-222-86-527. À 1 cuadra de la place principale. Lun-ven 8h30-13h, 17h-20h ; sam 9h-12h30.*

■ ***LAN :*** *Laprida, 176. ☎ 497-73-62 ou 0810-9999-526. Lun-ven 8h30-13h, 16h-20h.*

En train

Gare Mitre : *Corrientes, 1045 ; en face de la pl. Alberdi. ☎ 430-92-20. Lun-sam 8h-19h.*

➢ ***Buenos Aires :*** 2 trains/sem, mer vers 18h et sam un peu avant 21h. Attention cependant à la durée du trajet, qui peut dépasser les 25h !

Adresses utiles

Secretaría de turismo : *24 de Septiembre, 484 ; sur la place centrale. ☎ 430-36-44. • tucumanturismo.gov.ar • Lun-ven 8h-22h ; w-e 9h-21h.* Personnel efficace et souriant. Jetez un œil sur le très beau bâtiment qui l'accueille : hôtel particulier à la française, propriété d'un ancien gouverneur, qui s'est sucré dans la canne. Un autre bureau au terminal des bus *(☎ 430-48-95).*

✉ ***Poste (Correos) :*** *à l'angle de Córdoba et de 25 de Mayo. À 2 cuadras du centre. Lun-ven 8h-14h, 17h-20h ; sam 9h-13h.* Pour les timbres, venez le matin !

■ @ ***Téléphone et Internet :*** locutorios *partout en ville.*

■ ***Change :*** *San Martín, proche de la place centrale, est la rue des banques et bureaux de change. La plupart se regroupent dans les nos 700 et ferment de 13h30 à 16h30 ou 17h.*

■ ***Consulat honoraire de France :*** *Crisostomo Alvarez, 471. ☎ 421-82-02. • patriciodelaporte@infovia.com.ar •*

■ ***Consulat de Bolivie :*** *Aconguija, 1117. ☎ 425-22-24.*

■ ***Supermarchés : Carrefour,*** *San Martín, près de l'angle de Rivadavia (lun-sam 8h-22h, dim 9h-21h) ; et* ***Super Vea,*** *Córdoba, 649 ; entre Idelfonso de las Muñecas et Maipú (lun-dim 8h30-10h).*

Où dormir ?

Tucumán Hostel : *Buenos Aires, 669. ☎ 420-15-84. • tucumanhostel.com • Un peu excentré, à 7 cuadras du centre. Dortoirs env 80-90 $Ar/pers ; doubles 180-220 $Ar.* Les doubles sont meublées de lits anciens, mais les dortoirs sont plongés dans le noir et étouffants. L'ensemble est bien tenu, cela dit, même si la cuisine aurait besoin d'un lifting ! Salle TV, table de ping-pong, bassin pour se tremper (si l'on est téméraire) et une certaine convivialité.

Où manger ?

|●| Ceux qui ne font qu'une escale au terminal de bus y trouveront un ***patio de comidas*** bien fourni. Sinon, on trouve plein de petits ***restos*** populaires alentour. On y mange pour moins de 20 $Ar.

De bon marché à prix moyens (80-180 $Ar / env 8-18 €)

|●| ***El Portal :*** *24 de Septiembre, 351. ☎ 422-60-24. CB refusées.* Des *hornos de barro* (fours en terre) dans la cuisine ouverte, de la brique sur les murs, un accueil sympathique. Voilà une super adresse pas chère du tout et très centrale. Un lieu où l'on choisit soi-même son vin dans la *bodega*. C'est vous dire. Bonnes viandes et excellentes *empanadas*.

|●| ***Il Postino :*** *Córdoba, 501. ☎ 421-04-40. Un autre à l'angle de San Martín et Junin.* Le speed d'une brasserie parisienne. La déco d'un loft new-yorkais, avec des murs en brique et un sol en damier noir et blanc. Un nom italien. Une clientèle chicos

argentine. Une cuisine de bonne tenue et un service efficace. Pas mal de brouhaha. Un bon choix aussi pour le petit déj (7h-10h).

|●| **El Fondo Parrillada :** *San Martín, 848. ☎ 422-21-61. Pour trouver la salle de resto, traverser un parking ; c'est au fond, d'où son nom !* Plein de formules bon marché : superbe buffet de salades fraîches et autre menu complet à prix compétitif. Grande salle aux murs de brique rouge foncé. Clientèle de businessmen le midi et ambiance familiale le soir. Un bon rapport qualité-prix. Musique live les vendredi et samedi soir.

À voir

Ne venez pas exprès, mais si vous attendez un bus...

Plaza Independencia : grande place plantée de palmiers, orangers, *lapachos* (arbre sacré des Incas) et chênes soyeux. En son centre, la statue de la Libertad. Tout autour, de beaux édifices, comme cet élégant *Jockey Club* posé sur le flanc nord (1916-1924). On y déjeune en tenue formelle !

Casa de Gobierno : *25 de Mayo, 90. ☎ 484-40-00. Entrer par San Martín. Lun-ven 8h-20h.* Ce palais Belle Époque, construit au début du XXe s, est le siège du pouvoir exécutif provincial. On peut visiter le salon blanc, de style français, réservé aux réceptions si... aucune réception ne s'y déroule. Demandez poliment au garde de l'entrée.

Museo Casa Padilla : *25 de Mayo, 36. À côté de la casa de Gobierno, sur la place. ☎ 431-91-47. Mar-dim 9h30-12h30, 16h30-19h30. Gratuit.* Cette belle demeure de style italien (1870) abrite le musée de la Ville : intéressantes collections d'objets, mobilier, tableaux, porcelaines qui retracent l'histoire locale, dans les salles disposées autour de quatre charmants patios successifs.

Iglesia San Francisco : *angle San Martín et 25 de Mayo. Tlj 8h-12h, 17h-20h.* Cette église néoclassique (1879-1885) a été déclarée Monument historique pour ses reliques et son importance dans l'histoire de la région. En effet, une partie du couvent fut utilisée comme infirmerie pour les blessés de la bataille de Tucumán en 1814. Le premier drapeau argentin et les chaises des « congressistes » de 1816 y sont conservés.

Casa histórica de la Independencia : *Congreso, 141. ☎ 431-08-26. ● museocasahistorica.org.ar ● Tlj 10h-18h ; juil 9h-19h Entrée : 10 $Ar. Visites guidées 10h15-17h15.* C'est sans doute le monument historique le plus vénéré d'Argentine. Seul le *salón de la Jura,* salle où fut signé le traité d'Indépendance, a survécu avec son mobilier. Autour de cette pièce fut construit le musée où sont exposés des documents historiques, des meubles, des tableaux, des armes et des objets ayant appartenu à certains des grands de cette époque. La visite est bien agréable et de qualité. Chaque soir (sauf jeudi et jours de pluie), à 20h30 (21h30 en été), le spectacle son et lumière, en v.o., ressuscite ces quelques jours historiques. Spectacle que les Argentins prennent très au sérieux, avec émotion parfois.

Iglesia Nuestra Señora de la Merced : *angle Rivadavia et 24 de Septiembre. Tlj 8h-12h, 17h-20h.* Une autre église tournée vers la commémoration patriotique : elle abrite le bâton de maréchal offert par Belgrano après la victoire de septembre 1812, plusieurs sabres ex-voto et des étendards pris à l'ennemi. Des fresques colorées un tantinet naïves illustrent la glorieuse bataille.

LA RÉGION DU CUYO

Aujourd'hui grenier et chais de l'Argentine, le Cuyo a connu un destin paradoxal : sa conquête par les Espagnols s'est faite depuis le Chili, par les Andes qui atteignent pourtant ici leurs plus hauts sommets. Séparés de Buenos Aires par une pampa désertique, San Juan, Mendoza et San Luis ont été

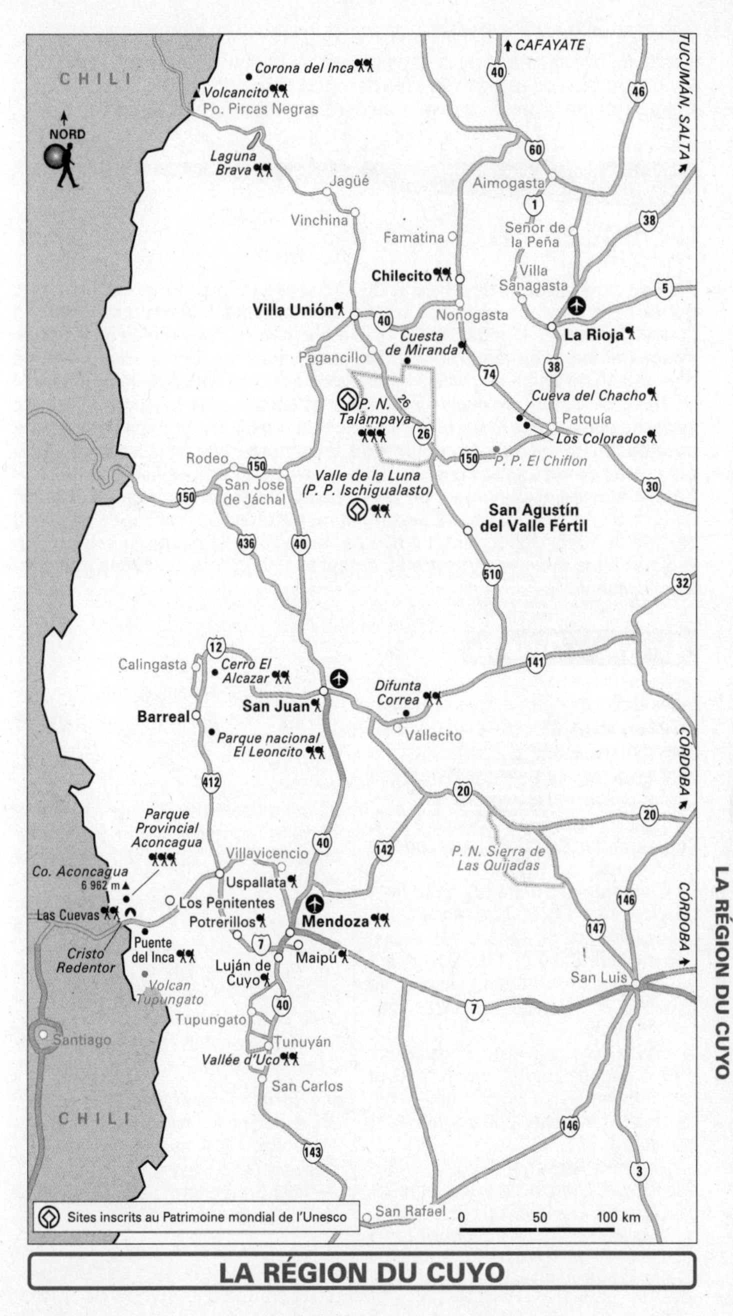

CHILI
NORD
Corona del Inca
Volcancito
Po. Pircas Negras
Laguna Brava
Jagüé
Vinchina
Famatina
Chilecito
Villa Unión
Paganciilo
Cuesta de Miranda
P. N. Talampaya
Rodeo
San Jose de Jáchal
Valle de la Luna (P. P. Ischigualasto)
CAFAYATE
TUCUMÁN, SALTA
Aimogasta
Señor de la Peña
Villa Sanagasta
Nonogasta
La Rioja
Cueva del Chacho
Patquía
Los Colorados
P. P. El Chiflon
San Agustín del Valle Fértil
Calingasta
Cerro El Alcazar
San Juan
Barreal
Parque nacional El Leoncito
Difunta Correa
Vallecito
CÓRDOBA
P. N. Sierra de Las Quijadas
Parque Provincial Aconcagua
Co. Aconcagua
6 962 m
Villavicencio
Uspallata
Los Penitentes
Las Cuevas
Potrerillos
Mendoza
Cristo Redentor
Puente del Inca
Luján de Cuyo
Maipú
Volcan Tupungato
Tupungato
Santiago
Tunuyán
Vallée d'Uco
San Carlos
San Luis
CHILI
San Rafael
Sites inscrits au Patrimoine mondial de l'Unesco
0
50
100 km
LA RÉGION DU CUYO

LA RÉGION DU CUYO

longtemps attachés affectivement et administrativement à l'audiencia de Santiago, elle-même sous la dépendance de la vice-royauté de Lima. Seule la construction du réseau ferré les désenclava à la fin du XIXe s. À ce jour, le Cuyo demeure la province la plus au nord du Sud, et la plus au sud du Nord...

LA RIOJA

180 000 hab. IND. TÉL. : 0380

Fondée dans les dernières années du XVIe s, cette ville proprette et indolente gouverne la province éponyme, un territoire largement désertique, dominé à l'ouest par la cordillère des Andes. Elle est au centre d'une région où les pèlerinages et les commémorations religieuses sont nombreux. Elle bénéficia d'un regain de visibilité grâce à l'accession à la présidence de la république, en 1989, de Carlos Menem, fils du pays et sénateur de La Rioja, d'origine syrienne comme pas mal d'émigrants dans la région. Longtemps base arrière pour découvrir les parcs nationaux de Talampaya et Ischigualasto, la ville a été peu à peu supplantée par San Agustín del Valle Fértil et Villa Unión.
Entre Cafayate et San Juan, on peut néanmoins y faire une courte escale, histoire de découvrir les quelques monuments coloniaux rescapés du grand séisme de 1898. Cependant, cernée par les pics de la sierra de Velasco, La Rioja se situe dans une cuvette et, autant le savoir, l'été, il y règne une chaleur écrasante !

Arriver – Quitter

En bus

Terminal des bus *(hors plan par A2,* ***1****)* **:** *à env 3 km au sud du centre, au croisement de Felix de la Colina et Ortiz de Campo. Bus nos 2, 6 ou 8 pour le centre-ville. ☎ 442-54-53. Tlj 5h-23h30.* Sur place, *locutorio* et distributeur.

➢ ***Tucumán :*** 15 départs/j. avec *Pool de los Andes (Flecha Bus, Andesmar),* la plupart le soir ou dans la nuit. Aucun départ entre 8h10 et 14h. Également avec *El Rapido* (2 bus/j.), *Aconquija* (2 bus/j.), etc. Horaires similaires. Trajet : env 4h30.

➢ ***Salta :*** 3 bus/j. avec *Pool de los Andes (Flecha Bus),* 2 vers 4h40 et un autre vers 21h. Compter env 8-10h de trajet. La même compagnie dessert ***Jujuy.***

➢ ***Buenos Aires :*** 4 directs/j., 18h-19h30, avec *Urquiza,* ou avec *Chevallier* via Córdoba. Compter 14-16h de route.

➢ ***Córdoba :*** *Chevallier* propose 1 bus de nuit (5h30 de trajet).

➢ ***Villa Unión :*** desservie par *Facundo* (départ vers 7h), *Arce* (vers 13h15 et 19h) et *20 de Mayo* (vers 6h et 20h). Au passage, on peut se faire déposer et reprendre à l'entrée du parc de Talampaya. Compter 3h30, et 4h pour Villa Unión.

➢ ***Talampaya :*** *Facundo (☎ 442-90-66)* propose une navette aller-retour dans la journée laissant 5-6h pour visiter le parc. Départ vers 7h, retour vers 15h30.

➢ ***San Agustín del Valle Fértil, San Juan et Mendoza :*** une quinzaine de bus/j. avec *Pool de los Andes (Flecha Bus, Andesmar),* la plupart le mat et dans la nuit (rien après 13h). Aussi avec *El Rapido* (1 bus/j.), etc. Compter respectivement 5h, et 6-7h pour les 2 derniers.

Terminal local *(hors plan par B2,* ***2****)* **:** *à 800 m au sud de la pl. 25 de Mayo, angle Artigas (prolongement de 9 de Julio) et Balcarce.*

➢ ***Villa Sanagasta :*** ttes les 30 mn à 1h, 7h-23h, avec *Virgen India* ou *Transal.*

En avion

✈ ***Aéroport*** *(hors plan par B1)* **:** *à 7 km au nord-est du centre-ville.* Prendre

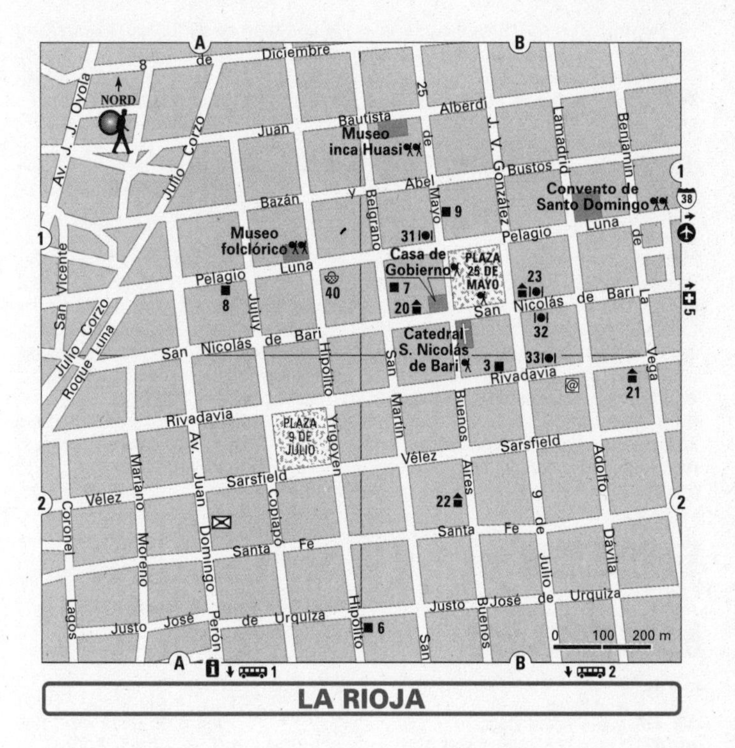

Adresses utiles	21 Hotel Avenida
Office de tourisme	22 Hotel Libertador
1 Terminal des bus	23 Naindo Park Hotel
2 Terminal local	**Où manger ?**
3 Change Oro Daniel	23 Restaurant du Naindo Park Hotel
5 Hospital Vera Barros	31 Café del Paseo
6 Winner Rent a Car	32 El Marqués
7 Aerolineas Argentinas	33 La Vieja Casona
8 Corona del Inca	**Achats**
9 Supermarché Carrefour	40 Marché artisanal
Où dormir ?	
20 Apacheta Hostel	

un taxi ou un *remis.* Objet de nombreuses critiques, cet aéroport a été construit presque exclusivement pour les besoins de Carlos Menem lors de sa présidence.

➢ ***Buenos Aires :*** 6 vol/sem en fin d'ap-m, tlj sf dim, avec *Aerolineas Argentinas.*

Adresses utiles

Office de tourisme *(hors plan par A2) : av. Ortiz de Ocampo y av. Felix de la Colina.* ☎ *442-63-45.* ● *turismolarioja.gov.ar* ● *Tlj 8h-21h.* Bon accueil. Également un bureau à la gare routière.

Municipio La Rioja : ☎ *0800-999-53-00.* ● *municipiolarioja.gov.ar/turismo* ●

✉ ***Poste*** *(Correos ; plan A2)* **:** *Presidente J. Perón, 258. Lun-ven 8h-13h, 17h30-20h30 ; sam 9h-12h.*

■ @ ***Téléphone et Internet*** **:** *des* locutorios *un peu partout dans le centre.* Très bonne connexion, bon marché, dans le café de la station-service *Esso (plan B2),* angle Rivadavia et Adolfo Dávila où s'alignent une batterie d'écrans.

■ ***Banques et change*** **:** *autour de la place centrale. Change et distributeurs 24h/24. Banques ouv lun-ven 8h-13h,* casas de cambio *jusqu'à 18h env. Voir par exemple* **Oro Daniel,** *Rivadavia, 519 (plan B2,* **3***).* Accepte euros et francs suisses. On peut aussi changer dans les casinos !

✚ ***Hospital Vera Barros*** *(hors plan par B1,* **5***)* **:** *San Nicolás de Bari (este), 97. ☎ 442-73-92.*

■ ***Location de voitures*** **:** ***Winner Rent a Car*** *(plan B2,* **6***), Hipólito Yrigoyen, 412. ☎ 443-13-18. 📱 15-466-93-90. • winner-rentcar.com.ar • Tlj 8h-20h. Voir également* **Avis** *à l'aéroport : ☎ 446-08-26.*

■ ***Aerolineas Argentinas*** *(plan B1,* **7***)* **:** *Belgrano, 63. ☎ 442-63-07. Lun-ven 8h-13h, 17h30-20h30 ; sam 8h30-12h30.*

■ ***Corona del Inca*** *(plan A1,* **8***)* **:** *Pelagio B. Luna, 914. ☎ 442-21-42 et 443-53-29. • coronadelinca.com.ar •* Le principal tour-opérateur en ville, spécialisé dans le tourisme d'aventure : parcs de Talampaya et Ischigualasto, Laguna Brava, Volcancito...

■ ***Supermarché Carrefour*** *(plan B1,* **9***)* **:** *25 de Mayo, juste à côté de la plaza. Lun-sam 8h-22h ; dim et j. fériés 9h-14h, 17h-21h.*

Où dormir ?

De bon marché à prix moyens (moins de 350-650 $Ar / env 35-65 €)

🏠 ***Apacheta Hostel*** *(plan B1,* **20***)* **:** *San Nicolás de Bari, 669. 📱 15-444-54-45. Dortoirs 5-8 lits 80 $Ar/pers ; double avec sdb commune env 260 $Ar. Petit déj compris.* 📶 À deux pas de la place centrale, situation idéale. Déco de bois brut, canapés dans le grand patio, mur d'escalade, cuisine, salle de lecture et terrasses. Accueil chaleureux d'un couple de papy et mamy, ambiance post-baba, excursions proposées, location de vélos, etc. Le tout est nickel et hyper accueillant. Un petit coup de cœur.

🏠 ***Hotel Avenida*** *(plan B2,* **21***)* **:** *Rivadavia, 336. ☎ 442-79-81. • hotelavenidalarioja.com • Double env 400 $Ar.* 📶 Ce petit hôtel familial très central offre le meilleur rapport qualité-prix en ville : chambres modernes très clean, avec bains, AC et TV – certaines peuvent accueillir 5 personnes – et des apparts. Salle de petit déj moderne. Notre meilleure adresse, de loin ! Évidemment, ça se sait et il est préférable de réserver.

🏠 ***Hotel Libertador*** *(plan B2,* **22***)* **:** *Buenos Aires, 253. ☎ 442-77-94 et 60-52. • libertadorhotellar.com.ar • Doubles env 350-400 $Ar.* 📶 Rien d'original, mais des chambres propres, bien tenues, en plein centre, à un prix correct. Parking en face.

Chic (plus de 1 200 $Ar / env 120 €)

🏠 ***Naindo Park Hotel*** *(plan B1,* **23***)* **:** *San Nicolás de Bari, 475 ; presque à l'angle de la place centrale. ☎ 43-84-07-24 et 99-90. • naindoparkhotel.com • Double env 1 250 $Ar, petit déj inclus ; promos fréquentes sur Internet.* 💻 📶 Le plus chic des hôtels de La Rioja, imposant avec sa façade toute vitrée et ses ascenseurs supersoniques. Il est le seul à offrir des prestations internationales en ville. Il s'affuble de 5 étoiles, ce qui est un peu trop, mais ses chambres sont spacieuses et feutrées, avec clim, moquette moelleuse à souhait, coffre, TV, minibar... Parking, piscine, sauna et gym pour se dégourdir les muscles.

Où manger ?

De bon marché à prix moyens (80-180 $Ar / env 8-18 €)

|●| Quelques **snacks** dans le centre (*lomos*, pizzas...). Notre préféré, le ***Café del Paseo*** *(plan B1, **31**)*, à l'angle nord-ouest de la place centrale, s'intègre dans un bel ensemble de type néocolonial, avec placette et fontaines. Aussi bien pour le petit déj que pour boire un coup à la nuit tombante.

|●| ***El Marqués*** *(plan B1, **32**)* **:** *San Nicolás de Bari, 484. Tlj 8h-minuit sf dim.* Petit resto populaire à prix doux, carte d'honnêtes plats typiques mais sans artifice. Également des pâtes et pizzas.

|●| ***La Vieja Casona*** *(plan B1-2, **33**)* **:** *Rivadavia, 427. ☎ 442-59-96. Tlj midi et soir.* Viandes grillées, poulet (à toutes les sauces) et pâtes maison (les moins chères) sont servis dans un décor simili-rustique aux nappes bariolées. Les carnivores seront aux anges : la bidoche tient le premier rôle et les légumes, clairement, celui de figurants... Prix corrects, mais ils se rattrapent sur les vins. Préférez les crus locaux.

|●| ***Restaurant du Naindo Park Hotel*** *(plan B1, **23**)* **:** *voir « Où dormir ? ».* Clientèle de notables, serveurs en gilet et nappes blanches : tous les attributs d'un resto chic ! On y mange extrêmement bien. Essayez donc le confit de lapin ou le filet Napoléon – un steak fondant à souhait en croûte de fruits confits, dans une sauce au vin. De la gastronomie de bon niveau, finalement pas si ruineuse que ça !

Achats

Marché artisanal *(plan A1, **40**)* **:** *Casa de la Cultura, Pelagio B. Luna, 790. Mar et sam 9h-12h45, 16h-19h45 ; mer-ven et dim slt le mat.* Expo-vente d'objets d'artisanat local. Du cuir, des céramiques, des ponchos (très beaux mais qui grattent !), des valises en cuir... Dans le même bâtiment, une maison de la culture et un musée d'Art sacré *(mar-sam 9h-13h).*

À voir

Plaza 25 de Mayo *(plan B1)* **:** située à l'endroit exact où fut fondée la ville. Plantée de palmiers, d'orangers et de *palos borrachos*, arbres rigolos dont le tronc a la forme d'une grosse bouteille de Perrier.

Catedral San Nicolás de Bari *(plan B1)* **:** *angle San Nicolás de Bari et 25 de Mayo (sur la place).* C'est l'église la plus importante de la région... bâtie en 1899 dans un style mêlant touches néoclassiques et « byzantines ». Ceux qui croient au Père Noël pourront y reconnaître (au fond à gauche) la silhouette byzantino-normande de la basilique *San Nicola...* à Bari (Italie). En face, les conquistadores (représentés par saint Nicolas) signent la paix avec les Amérindiens au traité de Tinkunaco.

Casa de Gobierno *(plan B1)* **:** *à l'autre angle de San Nicolás de Bari et 25 de Mayo, sur la place centrale.* Un style colonial de bonne facture, avec patio, mais le bâtiment ne date que de 1937. Entrée interdite en short.

Convento de Santo Domingo *(plan B1)* **:** *angle Lamadrid et Pelagio B. Luna. Lun-ven 9h30-12h30, 18h-20h.* Sa jolie église en pierres apparentes est la plus ancienne du pays ! Construite en 1623 par les Amérindiens diaguitas sous la direction des dominicains, elle conserve sa porte d'origine en caroubier et un court campanile dominé par un cyprès. Intérieur dépouillé avec un chœur néo-classique et une profusion de faux-marbres. Petit musée d'Art religieux : *jeu-ven 9h-13h et 16h-20h ; w-e 9h-12h. Entrée : 5 $Ar.*

Museo inca Huasi *(plan B1) : Alberdi, 650. Mar-sam 9h-12h. Entrée : 5 $Ar.* Fondée en 1926 par les Franciscains (c'est encore un père qui fait l'accueil), cette collection regroupe quelque 7 700 pièces archéologiques et paléontologiques. Un incroyable bric-à-brac passionnant, où l'on croise des étoffes indiennes, des urnes funéraires, de nombreuses céramiques, des pipes, de magnifiques amulettes en pierre ciselée, des arcs et des flèches, d'innombrables haches de pierre, et même un aérolithe de fer et nickel de 7 kg tombé en 1937 ! Très bonnes explications en espagnol.

Museo folklórico *(plan A1) : Pelagio B. Luna, 811. ☎ 42-85-00. Mar-ven 9h-12h, 16h-20h ; w-e le mat slt. Entrée : 10 $Ar. Visite guidée intéressante mais en espagnol slt.* Ce musée du Folklore est installé dans l'un des plus anciens bâtiments de la ville, un presbytère du XVIIe s remanié en 1850. La vie quotidienne dans la région est évoquée à travers objets usuels et outils, au fil des salles réparties autour d'un joli patio arboré : viticulture, distillation, tissage, travail du cuir, etc. Visez un peu le sac fait dans une tête de veau ! Nombreux costumes folkloriques, notamment ceux que l'on enfile pour le *Tinkunaco,* pèlerinage annuel qui agite la ville tous les 31 décembre (vers midi face à la *casa de Gobierno*), pour commémorer la signature du traité de paix conclu entre les Amérindiens et les Espagnols à la fin du XVIe s. Tableau de la conversion des Diaguitas grâce au violon du padre Solano.

SUR LA ROUTE DE VILLA UNIÓN

Los Colorados et cueva del Chacho : *halte incontournable pour ceux qui iraient de La Rioja à Villa Unión. Piste à gauche, sur la ruta 74, à 29 km au nord du carrefour avec la 38 ; 4x4 pas obligatoire si le temps est sec.* Impossible de manquer les *Colorados (c'est bien fléché),* cette herse de pignons de roche rouge qui souligne le parcours en toile de fond. Une piste qui passe par un village de Far West en suit la base, conduisant aussi à la *cueva del Chacho,* une grotte où se réfugia un des derniers résistants au pouvoir central argentin au début du XIXe s. Ne manquez pas le site des Colorados proprement dit, avec ses pétroglyphes d'iguane, guanaco, perdrix et pieds humains à six orteils ! Difficile d'accès toutefois pour ceux qui ne sont pas véhiculés : le site est à 2,5 km de la route et les bus sont rares...

Chilecito : *à env 110 km au nord-est de Villa Unión, sur la ruta 40.* Des airs de ville de Far West dans un cirque montagneux, avec une étonnante curiosité : le ***Cable carril,*** un téléphérique datant du début du XXe s. Conçu par des ingénieurs audacieux qui réussirent cette prouesse de construire sur 35 km, depuis le départ de la voie ferrée, un téléphérique amenant les mineurs et leur matériel jusqu'à 4 600 m et acheminant au retour le minerai contenant or, argent et cuivre. Constitué de 262 tours métalliques, d'un tunnel et de 9 stations-relais, cette incroyable réalisation était le fruit d'une coopération anglo-allemande qui prit fin, bien sûr, en 1914. On continua de

RUTA 40 : LA MYTHIQUE

Comment voyager dans l'ouest de l'Argentine sans croiser la ruta 40 ? Véritable colonne vertébrale du pays, elle serpente au gré des cols andins, du tropique du Capricorne au Sud patagonien. Rarement large, souvent simple piste dans sa partie nord, sa longueur de 4 600 km est pourtant impressionnante ! Elle court parallèlement à la cordillère des Andes en reliant les régions les plus touristiques du pays, franchissant 18 cours d'eau importants, reliant 27 cols andins et montant jusqu'à plus de 5 000 m. La suivre, c'est s'assurer de croiser les plus beaux paysages.

l'exploiter jusqu'en 1930. Un petit musée émouvant *(à l'entrée sud de la ville ; lun-ven 8h30-12h30, 14h-18h30, tte la journée le w-e)* expose les souvenirs de cette époque de pionniers, mais le plus spectaculaire est la structure métallique, où les wagonnets achèvent de rouiller.

Cuesta de Miranda : *superbe piste de montagne, sur un tronçon de la ruta 40, à 180 km de La Rioja et 72 km avt Villa Unión.* Ceux qui ont un véhicule privilégieront cet itinéraire pour rejoindre les parcs de Talampaya et Ischigualasto. La piste n'est pas bien longue (40 km), mais elle est impressionnante : franchissant l'extrémité méridionale de la sierra de Famatina, elle se contorsionne pendant quelques kilomètres en virages serrés, au long du précipice. Le col atteint (à 2 020 m), elle redescend doucement vers la vallée del Bermejo.

VILLA UNIÓN

12 000 hab. IND. TÉL. : 03825

Ce village tranquille, posé au pied de la cordillère des Andes, est devenu en quelques années la base arrière privilégiée pour explorer la région – et tout particulièrement le parc national de Talampaya (à 59 km) et la laguna Brava (à 180 km). On apprécie son calme, son ambiance d'oasis dans le désert et ses bonnes adresses d'hébergement bon marché.

Arriver – Quitter

En bus

Terminal des bus : *en centre-ville.*

➢ ***La Rioja :*** 4 départs/j., vers 6h30 avec *20 de Mayo* et *El Zonda,* 13h et 19h30 avec *Facundo* ; et 21h45 avec *Arce Bus.* Le bus passe devant l'entrée du parc de Talampaya dans les 2 sens. Ceux qui viennent de plus loin (Salta, Tucumán, San Juan ou Mendoza) par un bus de grandes lignes peuvent descendre à Patquía, au croisement des *rutas* 38 et 150, et y prendre la correspondance.

➢ ***Chilecito :*** mar-jeu-ven à 15h avec *Ivanlor.* La seule liaison en bus qui passe par la Cuesta de Miranda.

➢ ***San José de Jáchal :*** tlj à 7h30 et 18h30 avec *Mayo,* par la *ruta* 40. Correspondance pour rejoindre San Juan.

Adresses utiles

Villa Unión dispose de 2 stations-service, d'un petit kiosque d'informations sur la place centrale et d'une banque.

■ ***Banco de la Nación Argentina :*** *sur la place centrale. Distributeur 24h/24.*

■ ***Supermarché :*** *au centre-ville, av. Nicolás Dávila. Tlj 9h-13h30, 18h-23h.*

Où dormir ? Où manger ?

Bon marché

Cabañas Valle Colorado : *N. Dávila Sur (ruta 76). (0380) 15-444-85-11. • vallecolorado.com.ar • Face à la station-service et à 200 m de la gare routière. Double env 320 $Ar.* Une dizaine de *cabañas* en brique pas particulièrement affriolantes vues de l'extérieur mais qui garantissent un excellent rapport qualité-prix. Salle de bains impeccable avec sèche-cheveux, AC, TV et du mobilier rustique en prime !

De prix moyens à chic

Cañón de Talampaya Hotel : ruta *76, Km 202.* ☎ *47-07-53.* • *hotelcanontalampaya.com* • *À 2 km du centre, au sud en direction du parc de Talampaya. Selon saison, doubles 700-945 $Ar, bon petit déj inclus.* L'hôtel offre le meilleur niveau de confort du village. Conçu dans le style adobe, il ne néglige pas pour autant les tendances du moment : murs en béton brut, pavés de verre et lavabo-vasque dans la salle de bains. Les plafonds sont en lattes de bois. Bon confort (AC, TV, sèche-cheveux) et piscine. En revanche, le resto n'est pas incontournable...

Parrillada La Palmera : *angle rutas 76 et 40, à 3 km au sud du centre.* *15-451-60-09. Venir tôt ou réserver, c'est souvent plein.* Déco gaucho-rustique avec sol de terre battue, tables et chaises en bois brut, banquettes en rondins. De bonnes viandes, histoire d'ingurgiter son lot quotidien de viande rouge, arrosées de vins locaux. Au dessert, *dulce de cayote* (fromage frais à la confiture de potiron). Vente de produits locaux.

DANS LES ENVIRONS DE VILLA UNIÓN

Ces excursions, tout de même assez éloignées, ne sont accessibles qu'aux heureux possesseurs d'un 4x4 ou à ceux qui prennent une excursion auprès d'une agence spécialisée. En outre, les pistes ne sont généralement praticables que de novembre à avril.

Laguna Brava : *à 180 km au nord de Villa Unión.* Compter largement 3h de route depuis Villa Unión, à travers des paysages désolés et colorés de roches rouges, avant d'atteindre le lac perché à 4 300 m d'altitude. La *laguna Brava,* partie intégrante d'une réserve classée, est le domaine des vigognes et des flamants roses des Andes (présents d'octobre à fin mars-début avril). En toile de fond, certains des plus hauts pics andins couronnés de neige : *Bonete Chico* (6 759 m) et *Monte Pissis* (6 882 m). Sur les eaux, près de la rive, un drôle de petit cratère. Et, posé au milieu de nulle part, la carcasse d'un vieil avion... Sachez que parfois, tout est recouvert par la neige, même en été !

Volcancito : *plus haut dans la montagne, en continuant sur la ruta 76, puis par une piste sur la droite dans la vallée du río Salado (à la lisière du Chili).* Difficile d'accès, ce cône surgi au creux d'une vallée désolée est un geyser. Il ne crache que par intermittence, mais ses eaux verdoyantes débordent constamment sur ses flancs, y déposant des sels minéraux. L'excursion comprend des arrêts auprès d'anciens refuges en pierre sèche.

Corona del Inca : ce lac de cratère très profond, perché à 5 500 m d'altitude, est alimenté par les eaux de fonte de plusieurs glaciers. Tout autour, les plus grands volcans andins. Arriver jusqu'ici est une véritable aventure, qui s'étale sur au moins 2 jours (accès possible de janvier à avril seulement).

LES PARCS DE TALAMPAYA ET ISCHIGUALASTO

Deux parcs exceptionnels et si différents que l'Unesco les a classés tous deux au Patrimoine mondial de l'humanité. S'il fallait choisir, on vous dirait : faites les 2 ! Au programme : formations rocheuses abracadabrantesques, rouges ou blanches, et des animaux en pagaille : guanacos, nandous, *maras* (lapins géants), etc. Tâchez de réserver ne serait-ce qu'une ou deux journées dans votre itinéraire pour en profiter. Si vous venez en été, il n'y

a plus qu'à espérer un soleil clément : le mercure grimpe à plus de 45 °C à l'ombre... Mais il n'y a pas d'ombre !

Comment y aller ?

Les deux parcs sont loin de tout et il faut les mériter...

➢ ***En voiture :*** les pressés qui descendent du nord par La Rioja et filent vers San Juan s'installeront plutôt à San Agustín del Valle Fértil, d'où ils remonteront vers les parcs. Ceux qui musardent sur la *ruta* 40 préféreront sans doute Villa Unión (ou Pagancillo), d'où ils pourront, en plus, consacrer du temps à rejoindre la laguna Brava. L'idéal, sans doute, est de dormir à Villa Unión, visiter Talampaya dans la foulée, aller coucher à San Agustín et revenir le lendemain pour profiter tranquillement d'Ischigualasto. Certains cumulent les deux en une journée en se levant à l'aube, mais c'est un peu dommage et fatiguant. Attention, cette zone est quasi désertique et les distances sont longues. Prenez vos précautions. Location de voitures possible à La Rioja ou San Juan (se reporter à ces villes).

➢ ***En transports publics :*** aller aux parcs en bus est compliqué. De La Rioja, une navette qui fait l'aller-retour dans la journée (départ à 7h, retour à 19h), mais cela fait beaucoup de route... On vous conseillerait plutôt de prendre l'un des quatre bus quotidiens reliant La Rioja à Villa Unión qui passent juste devant l'entrée de Talampaya. Celui de 7h arrive vers 11h. Cela laisse le temps de parcourir le parc en visite guidée (obligatoire), puis de prendre un des bus suivants (vers 16h30 et 17h15) pour aller passer la nuit à Villa Unión (à 1h de là). On peut aussi camper à l'entrée du parc. Impossible, en revanche, de visiter Ischigualasto si l'on n'est pas véhiculé. Et si vous êtes du genre Marco Polo sur les bords, le stop peut marcher, mais il y a peu de véhicules sur ces routes et pas de caravanes de chameaux dans le coin !

➢ ***Avec une agence :*** la solution la plus simple pour Talampaya et la seule possible pour Ischigualasto. Éviter en revanche les interminables excursions depuis La Rioja ou San Juan. Vous passeriez beaucoup plus de temps sur la route que dans les parcs. Dans tous les cas, on conseille de s'organiser à l'avance par téléphone ou Internet, pour ne pas rester le bec dans l'eau.

À voir

Parque nacional Talampaya : *sur la route 76, à 59 km au sud de Villa Unión, 150 km à l'ouest de Patquia, 118 km au nord de San Agustín, 220 km au sud-ouest de La Rioja et 500 m de la route. ☎ (03825) 47-03-56. • talampaya.gov.ar • talampaya.com • Selon saison 8h-18h (été) ou 8h30-17h30 (hiver). Dernière entrée à 16h (en hiver) pour le tour complet et 16h30 pour le tour réduit ; ½ h plus tard en été. Entrée : 80 $Ar, à laquelle s'ajoute le prix du tour guidé, obligatoire : env 195-230 $Ar en minibus ou 245 $Ar/pers en camion 4x4 à double étage (2h30 à 4h30). Billet d'accès valable 2 j. Les départs ont lieu ttes les 45 mn à 1h selon l'affluence, la saison et le nombre de gardes disponibles. Camping rustique à côté du centre des visiteurs et petite restauration (ouv 8h-22h).*

Fondé en 1975, le parc national de Talampaya s'étend sur 215 000 ha d'une nature sauvage semi-désertique, très protégée. On ne peut pas y entrer avec sa propre voiture. Toute visite se fait donc avec un excursionniste assermenté ou un *guardaparque,* à pied, à vélo (ça patine sec dans le sable) ou dans un véhicule du parc. Deux bureaux attenants, à l'accueil, se chargent de présenter les différentes options. Attention, le parc peut être inaccessible à l'époque des pluies (novembre-mars), car on rejoint le canyon en remontant le lit du *río* Talampaya.

La majorité des circuits passent par LE canyon de Talampaya, au fond sablonneux encadré par de très hautes parois rougeoyantes. Un grandiose témoignage géologique du trias, suspendu dans le temps. Le circuit en minibus classique (2h30) permet de découvrir des pétroglyphes (avec caravane de lamas), le *Jardín botánico* (en fait un bois de prosopis – le *mesquite* mexicain –, cousin de l'acacia), les fines aiguilles rouges de *La Catedral,* puis les formations rocheuses d'*El Monje,* comme suspendues dans les airs. Les paysages sont splendides et la faune, qu'on ne s'attend guère à voir dans ce cadre en apparence si hostile, est très présente. Lors de notre dernière visite, nous avons croisé nandous, condors, renards, perroquets, guanacos, *cuys* (cochons d'Inde), *maras* (lapins géants) et tarentules, un vrai safari !
Une excursion plus longue, en camion 4x4 à double étage *(Safari Aventura),* pousse jusqu'à l'étroite gorge de *Los Cajones.* Mais on ne saurait trop vous conseiller d'abandonner les véhicules pour vous enfoncer, à pied, vers la superbe *quebrada de Don Eduardo* (2h30), où même les vélos sont interdits. La *caminata completa* permet de remonter la *quebrada* jusqu'à un panorama sur le parc et de revenir par le canyon principal (prévoir la journée).

Valle de la Luna – Parque provincial Ischigualasto : *79 km au sud de Talampaya, 75 km au nord de San Agustín. ☎ (02646) 42-01-92 ou 04. • ischigualastovallefertil.org • ischigualasto.gob.ar • Tlj 9h-17h (16h automne-hiver). Dernier départ 16h. Fermé Noël et 1er janv. Entrée : 160 $Ar. Le tarif inclut le guide (en espagnol) pour un parcours de 3h30 à faire avec son propre véhicule en suivant la caravane. Départs ttes les heures env. Balades à pied ou à vélo : env 80 $Ar. Petit musée didactique dans un grand hangar ouvert à 11h. Petite restauration et camping lunaire possible si on n'a pas peur des Séléniens (habitants de la Lune) ! Compter 45 $Ar/pers, douches chaudes incluses. Le meilleur moment est bien sûr le mat tôt et la fin de la journée quand la lumière est rasante.*
Ischigualasto signifie « Terre sans vie » en quechua. Et pourtant, il y a 200 à 250 millions d'années, ça grouillait de lézards ici ! Les dinosaures régnaient en maîtres dans une végétation luxuriante, pendant que les mammifères se faisaient tout petits. Leurs squelettes pétrifiés attirent désormais les géologues et paléontologues du monde entier. Seul endroit au monde où l'ensemble des couches géologiques du trias ont été conservées, la vallée de la Lune a livré l'un des tout premiers dinosaures connus, l'*Eoraptor Lunensis* de son petit nom. On peut en voir un moulage au musée à l'entrée du parc.
La visite se fait avec son propre véhicule, en convoi. Un garde du parc accompagne le groupe et commente en espagnol la visite qui dure 3h30 environ, pour 40 km et 5 arrêts. Honnêtement, on a trouvé ça assez long. Non que les paysages soient moches, bien au contraire, mais on n'est jamais vraiment tranquille pour en profiter... Le circuit passe par un tas de formations rocheuses surprenantes égayant le désert ; arrêt à la vallée *pintada* comme un exercice de peintre sur les variations d'ocre et de gris. Et on ne vous parle pas du *terrain de pétanque,* semé de drôles de petits rochers ronds comme des billes : on les croirait sortis d'un tableau de Magritte. On s'arrête également devant ces rochers étranges, érodés par le vent, en équilibre précaire, et qui portent les noms évocateurs du « sous-marin » ou du « champignon ». Par endroits, quand la rare végétation se fait oublier, on dirait vraiment un paysage lunaire, avec en toile de fond la *Barranca Colorada,* une barre rocheuse rouge, comme issue d'une chronique martienne. Stupéfiant. En période de pointe, il peut y avoir 100 ou 150 visiteurs et là, ça devient beaucoup moins magique... Mieux vaut venir à l'ouverture.
Ceux qui recherchent la tranquillité opteront éventuellement pour la balade à pied (guidée elle aussi, 3h) vers le *cerro Morado* (1 850 m), point culminant du parc. On a un peu plus de chances d'y croiser des guanacos. Le circuit à vélo (3h) ne nous paraît pas optimum *(120 $Ar/pers),* mais les sorties nocturnes dans la *Valle Pintado* à la pleine lune peuvent avoir beaucoup de charme *(5 j./mois, entrée de 21h à 22h30, 100 $Ar + 200 $Ar pour le guide).*

SAN AGUSTÍN DEL VALLE FÉRTIL

4 500 hab. IND. TÉL. : 02646

La verdoyante *Valle Fértil* rompt brutalement avec le désert alentour. Le bourg de San Agustín n'a pas énormément de cachet mais on peut lui trouver un certain charme languissant, avec une *plaza* ombragée et des rues écrasées de chaleur où, l'après-midi, plane un silence assourdissant. Voilà une ville-étape pour ceux qui voudraient visiter les parcs.

LE BÂTON IVRE

On vous voit déjà sourire du titre. Et pourtant, c'est bien le nom que portent ces étonnants arbres en forme de bouteille de Perrier : palo borracho *! On en trouve couramment sur les places de la région, ventripotents de l'eau qu'ils contiennent. Ils passent sans encombre les périodes sans pluie, à vous dessécher un chameau sur place. Et n'allez pas leur taper sur le ventre, ils sont couverts de pustules épineuses !*

Arriver – Quitter

En bus

Arrêt de bus : *sur Mitre, à 1* cuadra *de la place centrale.*

➢ ***San Juan (via la Difunta Correa) :*** 3 bus/j. avec *Vallecito,* vers 3h30 (sf dim), 14h et 17h. Compter 4h de trajet.

➢ ***La Rioja :*** lun, mer, ven, matutinal (à 3h !) avec *Vallecito.*

➢ ***Pour les parcs :*** pas de transports publics réguliers. Il faut passer par une agence de voyages ou trouver des touristes véhiculés et sympas... Après l'excursion, vous pouvez demander à vous faire déposer à La Torre, près du carrefour de la *ruta* 26 et de la 150, pour y prendre un bus pour La Rioja.

Adresses utiles

Oficina de turismo : *General Acha, 1065. ☎ 42-01-04. • vallefertilsanjuan.gob.ar • Sur la place centrale. Tlj 7h-20h.* Compétent sur les sites de la région. N'hésitez pas à vous adresser à eux avant de partir en excursion vers les parcs.

Poste : *angle Mendoza et Laprida, à 1* cuadra *de la place. Lun-ven 8h-13h, 17h-20h ; sam 9h-12h.*

■ ***Banco de la Nación Argentina :*** *General Acha, sur la place centrale.* Distributeur. Pas de change.

■ @ ***Téléphone :*** locutorio *sur Tucumán, la grande route, près de l'angle de Santa Fe. Fait aussi Internet. Également à l'angle de Mitre et General Acha, sur la* plaza.

Hôpital : *à l'angle de 25 de Mayo et General Acha. Urgences : ☎ 107.*

■ ***Agence de voyages :*** *pour visiter les parcs, on peut s'adresser à* ***Paula Tour,*** *Tucumán, s/n. ☎ 42-00-96. • paulatour.com.ar •*

Où dormir ?

La concurrence entre les nombreux hébergements et le développement de Villa Unión valent à San Agustín un grand et bon choix, à des tarifs attractifs.

Camping

Camping La Posta : *prendre Alem à droite dans Rivadavia. ☎ 42-00-48. 15-450-83-03. Env 80 $Ar pour 2 pers.*

Juste quelques emplacements ombragés dans le petit jardin de l'instituteur local. Sanitaires assez basiques, *parrilla* et 6 tables en béton pour pique-niquer.

Bon marché (moins de 350 $Ar / env 35 €)

Campo Base de la Valle Luna : *Tucumán, 762. ☎ 42-00-63. • hostel valledelaluna.com.ar • À 300 m de la place centrale, sur la route de San Juan. Lit en dortoir env 80 $Ar, petit déj inclus. Réduc avec la carte* Hostelling International. Façade pimpante, petits dortoirs colorés très corrects de 4 à 6 lits avec AC, cuisine et petite piscine. En revanche, on s'y sent assez entassé. Bon accueil, soirées BBQ, location de vélos.

Valle del Sol : *Tucumán, s/n ; à 10 m de la place centrale, sur la route de San Juan. ☎ 42-00-29. Double env 220 $Ar.* Des chambres simples mais coquettes et plutôt vastes, avec une décoration comme à la maison (ça dépend chez qui, *of course*). Bungalows. Jardinet gardé par... un dinosaure ! Accueil avenant. Excellent rapport qualité-cordialité-prix.

Posada Cerro los Nogales : *Mitre, 701, esq. Sarmiento. ☎ 42-02-19. • posada-losnogales.com.ar • Double env 250 $Ar, petit déj inclus.* On aime bien cette adresse avec ses 6 chambres très bien équipées (salle de bains, AC, TV, micro-ondes, frigo), réparties dans un petit bâtiment en brique donnant sur un carré de gazon. Le tout est récent, impeccable. Petits plus : la jolie piscine surplombant le jardin et un très bon accueil.

Chuncay Cabañas : *Rivadavia, à 4 cuadras de la plaza. ☎ 42-01-84. Double env 210 $Ar.* Encore un autre bon choix que cette dizaine de maisonnettes en bois blanc entourant un jardin au centre duquel trône une mini-piscine – un bassin, devrait-on dire. Les bungalows, à l'intérieur en bois et avec cuisine, sont spacieux et bien tenus (ventilos). BBQ à dispo.

Prix moyens (350-650 $Ar / env 35-65 €)

Hotel Rustico Cerro del Valle : *Santa Fe, s/n ; entre Mendoza et Entre Ríos. ☎ 42-02-02. 15-412-31-96. • cerro delvalle.com.ar • Près du terminal des bus. Double env 480 $Ar.* Notre coup de cœur : petit hébergement de charme de 6 chambres tenu par un jeune couple, Mario et Marisa qui parle bien l'anglais. Structure respectueuse de l'écologie. Murs de briques et déco soignée, couvertures bariolées, bonne literie. Les meubles ont été fabriqués par Mario. Petit déj dans le jardin au bord de la piscine. Pain et confiture maison, fruits frais. On est reçu comme des amis de passage. Nombreux conseils judicieux. Une perle rare comme on aimerait en découvrir plus souvent.

Cabañas Valle Pintado : *Tucumán, esq. Mitre. ☎ 42-01-01. 15-566-24-25. • vallepintado.com.ar • Doubles env 350-450 $Ar selon saison.* Un lieu qui conviendra bien à ceux qui voyagent en nombre, famille ou amis. Les bungalows disposent d'une vaste cuisine-salle à manger, de 2 petites chambres et d'une salle de bains riquiqui. Cadre plutôt agréable : petite piscine pour faire trempette avec du gazon autour, quelques arbres et des chaises longues.

C & C Apart-Hoteles : *Catamarca, angle San Luis. 15-403-80-86. • cyc-apart.com • Plus excentré que les autres : fléché depuis l'entrée nord du village. Doubles env 325-410 $Ar avec petit déj.* Semés sur un vaste terrain gazonné, les apparts (en fait des chambres avec cuisine et petit salon) donnent sur une jolie piscine. Bon confort et calme garanti.

Où manger ?

De bon marché à prix moyens (80-180 $Ar / env 8-18 €)

A Lo de Pepe : *Rivadavia, angle Sarmiento ; à 2 cuadras au nord-ouest de la plaza. ☎ 42-01-25. 15-498-82-40. Tlj 12h-15h, 19h-22h.* Petit resto familial à la déco simple jouant sur des notes vaguement rustiques. On y mange sa viande quotidienne, une salade, un sandwich chaud, des pâtes maison ou même une pizza. Mais le meilleur reste quand même les *empanadas* avec une portion de frites ! Comme souvent, la TV anime la pièce...

La cocina de Zulma : *Tucumán, 1576 ; à la sortie de la ville en face de la station-service. 15-450-80-26. Tlj midi et soir.* Salle agréable, carte simple : viandes goûteuses et portions généreuses, mais précisez bien quel type de cuisson vous désirez, ils ont tendance à trop les cuire. Excellent *cabrito.* Vins à prix plancher, alors pourquoi s'en priver ? Animation musicale en fin de semaine. Prix très corrects.

Parrilla El Astiqueño : *Tucumán, 1261 ; pas loin du croisement avec Santa Fe. ☎ 42-01-59. Tlj midi et soir.* Une *parrillada* appréciée des gens du coin, qui viennent s'y sustenter, quand le patron est sobre, sous le toit de lattes de bois retenu par des troncs tordus. *Milanese, pollo arrollado, empanadas...* Spécialité de *chivito* (cabri).

SAN JUAN

450 000 hab. IND. TÉL. : 0264

D'un côté de la route, un quasi-désert. De l'autre, des vignes. L'arrivée à San Juan est étonnante. Comme tous les bourgs de la région, la ville, fondée en 1562, s'est développée autour d'une oasis, et l'irrigation souterraine a fait des miracles. Mais avant le miracle, il y a eu la catastrophe. Le 30 janvier 1944 à 21h, la terre a tremblé (7 sur l'échelle de Richter), faisant plus de 10 000 morts et laissant la ville en pièces. San Juan y a perdu les traces de son passé colonial. Les architectes ont reconstruit une ville moderne et basse, aux immeubles sans charme mais dotés de systèmes antisismiques efficaces, puisque rien ou presque n'a bougé en 1977, lors d'un nouveau séisme.

Les imperfections de l'urbanisme sont heureusement atténuées par la verdure des arbres et l'animation permanente des places et des rues du centre, au quadrillage tiré au cordeau. On peut faire de San Juan une escale, pas incontournable mais pas désagréable, le temps de visiter la maison natale de Sarmiento et d'explorer les vignobles alentour. San Juan est réputée dans le pays pour la qualité de son raisin, mais aussi ses melons et ses pêches.

LE ZONDA QUI REND ZINZIN

C'est le nom donné à ce vent sur le versant oriental de la cordillère. Cousin du fœhn alpestre, il se forme pendant l'hiver austral à la suite de tempêtes sur le Pacifique. Soufflant vers l'est, il fait fondre les neiges des Andes et dévale vers les plaines argentines en faisant brusquement monter la température de 20 °C. Il perturbe le psychisme et peut provoquer des accès de folie chez les sujets sensibles.

Arriver – Quitter

En bus

Terminal des bus (plan D2) **:** *Estados Unidos, 492 (sur). ☎ 422-16-04.* Belle gare moderne ; sur place, bureau d'informations (horaires aléatoires), *locutorio,* accès wifi, distributeur.

➢ **Buenos Aires :** principalement avec les compagnies *Autotransportes San Juan* (5 bus/j.) et *San Juan Mar de Plata* (2 bus/j.). Également *20 de Junio* (18h). La plupart circulent de nuit. Prévoir 14-16h de trajet.

➢ **Mendoza :** départs très fréquents, 5h25-19h15, avec *Del Sur y Media Agua, Pool de los Andes (Flecha Bus, Andesmar...), San Juan Mar del Plata...* Moins nombreux à la mi-journée.

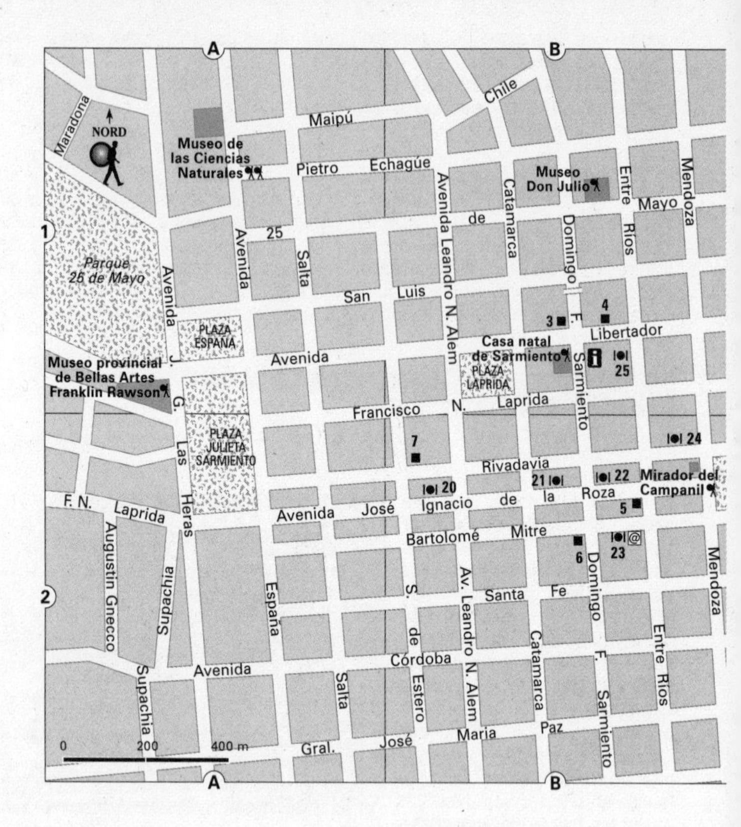

■ **Adresses utiles**	**5** Agence de voyages Puerto del Sol
@ Neo	**6** Alliance française
1 Casa de cambio Cash	**7** Laverie Laverap
✚ **2** Hospital Rawson	**8** Supermarché Super Vea
3 Aerolineas Argentinas	**15** Trebol
4 Classic Rent a Car	

Compter 2h30-3h de route.

➢ ***Córdoba :*** surtout avec *San Juan Mar del Plata* (4 bus/j.), et *Cata Internacional* (1-2 bus/j.,). Env 8h30-10h de route (directs) ou 13h30 (via Mendoza).

➢ ***La Rioja :*** une douzaine de bus/j. avec *Pool de los Andes,* dont 6 de nuit, les autres 10h25-21h30. Également avec *Cata Internacional, San Juan Mar de Plata* et *20 de Junio*. Compter 7h. Continuation possible vers Tucumán et Salta.

➢ ***San Agustín del Valle Fértil :*** avec *Vallecito,* 3 bus/j., vers 7h30, 14h et 19h15. Prévoir 4h30.

➢ ***Barreal :*** départs quotidiens avec *El Triunfo,* lun-sam vers 8h30 et 18h30, dim vers 9h30 via Calingasta, en 4h.

➢ ***Le Chili (Santiago) :*** 1-2 bus/j., de jour, avec *Cata.* Également 2 bus de nuit les lun et jeu avec *Covalle.* Compter 7-8h.

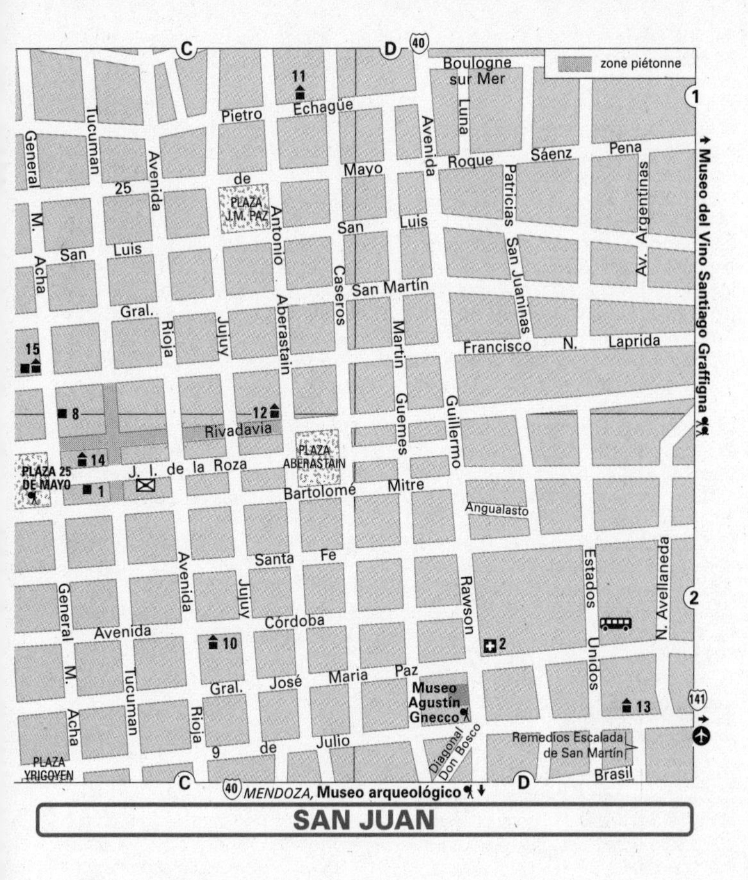

	Où dormir ?		Où manger ?
10	San Juan Hostel	**20**	Lomitos San Juan
11	Triasico Hostel	**21**	Soychú
12	Hotel La Toja	**22**	Parrilla Remolacha
13	Hotel America	**23**	Las Brasas
14	Gran Hotel Provincial	**24**	Bar O / De Sánchez
15	Alkazar Hotel	**25**	Palito (Club Sirio-Libanés)

En avion

✈ ***Aéroport Las Chacritas*** *(hors plan par D2)* ***:*** *à 11 km à l'est. Bus n° 19 depuis l'av. Libertador (1 km à pied). Sinon, prendre un taxi.*

➢ ***Buenos Aires :*** 3 vol/j., lun-ven, avec *Aerolineas Argentinas* ; 2 le w-e.

Adresses utiles

ℹ ***Subsecretaría de turismo*** *(plan B1)* ***:*** *Sarmiento, 24 (sur), angle San Martín.* ☎ *421-00-04.* ● *turismo.sanjuan.gov.ar* ● *ischigualasto.com* ● *Tlj 7h (ou 7h30)-21h en été ; 8h-20h30 en hiver.* Également un petit bureau au terminal des bus *(plan D2)*.

✉ **Poste** *(Correos ; plan C2)* **:** *J. I. de la Roza, 223 (este). Lun-ven 8h-13h, 17h-20h ; sam 9h30-12h30.*

■ @ ***Téléphone et Internet :*** *nombreux* locutorios *dans le centre-ville, dont certains ouv 24h/24. Voir par exemple* ***Neo*** *(plan B2), à l'angle de Mitre (oeste) et Entre Ríos (sur).*

■ ***Change :*** bureaux de change, banques et distributeurs sur l'av. José Ignacio de la Roza (este) et autour de la place 25 de Mayo. *Ouv lun-ven 8h-13h, 17h-20h ; sam 8h-13h. Certains fermé l'ap-m. La* **casa de cambio Cash** *(plan C2,* **1***), av. J. I. de la Roza (este), change aussi les francs suisses.*

⊞ ***Hospital Rawson*** *(plan D2,* **2***)* **:** *occupe tte 1* cuadra *à l'angle General Paz et Estados Unidos en face de la gare des bus. Urgences : ☎ 422-77-77.*

■ ***Aerolineas Argentinas*** *(plan B1,* **3***)* **:** *angle Sarmiento et Libertador. ☎ 427-44-44 ou 0810-222-865-27. Lun-ven 8h30-12h30, 17h-20h ; sam 9h-12h.*

■ ***Location de voitures : Classic Rent a Car*** *(plan B1,* **4***), av. Libertador General San Martín, 163 (oeste). ☎ 422-46-22. • classicrentacar.com.ar •* ***Trebol*** *(plan C1,* **15***), Laprida, 82, dans l'hôtel* Alkazar. *☎ 422-59-35.*

■ ***Agence de voyages :*** visiter les parcs d'Ischigualasto et Talampaya est faisable en 1 jour par l'intermédiaire d'une agence, mais très fastidieux. Nous conseillons une étape à San Augustín ou à Villa Unión, d'où l'excursion est bien moins chère (et d'où l'on peut rejoindre ensuite La Rioja). On peut citer cependant J. I. ***Puerto del Sol*** *(plan B2,* **5** *; Entre Ríos, 203 (sur), angle de la Roza ; ☎ 427-50-60).*

■ ***Alliance française*** *(plan B2,* **6***)* **:** *Mitre, 202 (oeste). ☎ 422-48-99. Lun-ven 17h-21h.* Propose des expos, projections de films, et bons tuyaux. Très bon accueil.

■ ***Laverie : Laverap*** *(plan B2,* **7***), Rivadavia, 493 (oeste). Lun-sam 8h30-20h30.*

■ ***Supermarché : Super Vea*** *(plan C1-2,* **8***), General Acha, 136. Lun-sam 8h-21h30.*

Où dormir ?

Disons-le franchement : nous n'avons globalement pas été époustouflés par la qualitédes hôtels de San Juan. Beaucoup sont assez fatigués, voire carrément décrépits.

Camping

⛺ ***Camping municipal Rivadavia :*** *à 16 km à l'ouest. ☎ 433-23-74. Prendre la route de l'autodrome/*balneario*, puis la direction de Calingasta. Mieux vaut être véhiculé. Compter 40 $Ar/pers, douches incluses.* On s'installe dans un bois d'eucalyptus, à l'ombre de la statue de Notre-Dame du Liban, dans un coin tranquille cerné par des montagnes desséchées. Piscines et installations sportives.

Bon marché (moins de 350 $Ar / env 35 €)

🏠 ***San Juan Hostel*** *(plan C2,* **10***)* **:** *av. Córdoba, 317 (este). ☎ 420-18-35. • contacto@sanjuanhostel.com • Dans une maison banale, à 3* cuadras *de la pl. de Mayo. Lits en dortoir env 75-85 $Ar selon confort ; doubles env 190-250 $Ar avec ou sans sdb privée, petit déj inclus.* 📶 AC et chauffage dans les chambres un peu étriquées, certaines sans fenêtre. Cuisine équipée, terrasse avec jacuzzi, BBQ et location de vélos. Bémol : un endroit où l'on aime faire la fête ; sommeil léger, mieux vaut s'abstenir. Gestion un peu rock'n'roll.

🏠 ***Triasico Hostel*** *(plan C1,* **11***)* **:** *P. Echagüe, 520 (este). ☎ 421-95-28. Bus n° 6 depuis le terminal (descendre sur Libertador), puis 3* cuadras *à pied. Lit en dortoir env 80 $Ar, double 220 $Ar avec sdb privée, petit déj inclus.* 💻 📶 Cette AJ de 50 lits, tranquille, un poil excentrée, dispose de dortoirs de 4 à 6 lits superposés en bois, plutôt bien tenus. Petite piscine et cuisine. Proposent aussi des excursions.

Hotel La Toja *(plan C1-2,* ***12****) : Rivadavia, 494 (este).* ☎ *422-25-84. Compter 300 $Ar, petit déj et parking inclus.* Les chambres n'ont rien de luxueux et l'hôtel est vieillot mais assez central et raisonnablement bien tenu. Les chambres ont l'AC et celles qui donnent sur la rue sont plus agréables, grâce à la fenêtre, mais sont bien sûr plus bruyantes que celles sur le couloir.

Hotel America *(plan D2,* ***13****) : 9 de Julio, 1052 (este), à 1 cuadra du terminal des bus.* ☎ *421-45-14. • hotel-america.com.ar • Compter 350-400 $Ar, petit déj et parking compris.* Hôtel moderne, les chambres sont parfaitement tenues et équipées de l'AC et TV. Comme souvent, elles sont assez (voire très) sombres. Pour la petite différence de prix, préférer les *superior*, plus grandes.

Chic (650-1 000 $Ar / env 65-100 €)

Gran Hotel Provincial *(plan C2,* ***14****) : J. I. de la Roza, 132 (este).* ☎ *430-99-99. • granhotelprovincial.com • Doubles env 650-780 $Ar, petit déj et parking compris.* Idéalement posé sur le côté de la plaza 25 de Mayo, il propose des chambres confortables et propres, destinées aux voyageurs d'affaires – un peu petites peut-être. Le personnel est très pro, pour ne pas dire prévenant. Piscine au 1er étage, dominant la *plaza*. Restaurant.

Alkazar Hotel *(plan C1,* ***15****) : Laprida, 82 (este), à l'angle de General Acha.* ☎ *421-49-65. • alkazarhotel.com.ar • Double env 750 $Ar, petit déj inclus. Parking payant.* Si un peu de luxe vous tente : sauna, piscine sur une terrasse, salle de gym, restos, boîtes, etc. Les chambres ont été refaites à neuf, avec TV écran plat. Tout est aussi impeccable qu'impersonnel !

Où manger ?

Très bon marché (moins de 80 $Ar / env 8 €)

On peut, dans pas mal de ***kiosques*** du centre, s'acheter des *lomitos* (ou *lomos*) : copieux et délicieux sandwichs de viande garnis, spécialités de San Juan. Les gens d'ici en mangent généralement le soir (le midi, ils déjeunent à la maison), en déambulant dans les rues. Mais dans certaines boutiques, on peut s'asseoir. Notre préférée (et celle de pas mal de gens) : ***Lomitos San Juan*** *(plan B2,* ***20*** *; J. I. de la Roza, 427 (oeste) ;* ☎ *422-85-52 ; tlj 20h-1h).* Vaste salle prolongée par une terrasse un peu en retrait de l'avenue.

Soychú *(plan B2,* ***21****) : J. I. de la Roza, 223 (oeste).* ☎ *422-19-39. Lun-ven 9h-23h ; sam 10h-15h, 18h-minuit.* Unique à San Juan : un resto végétarien, dans une petite salle toute mignonne peinte en vert et jaune, dégoulinant de plantes vertes et de luminaires pendant comme des lianes ! Le matin, bons petits pains au miel tout chauds (si vous arrivez assez tôt) pour trois fois rien, buffet ensuite.

De prix moyens à chic (120-220 $Ar / env 12-22 €)

Parrilla Remolacha *(plan B2,* ***22****) : J. I. de la Roza, 199 (oeste), angle Sarmiento.* ☎ *422-70-70. Lun-sam 12h-15h, 20h-minuit ; dim slt le midi.* Ça rissole, ça grésille, ça flambe ferme autour de la *parrilla* ! Cuisine apparente : on peut assister à la découpe de la bidoche. Par grande chaleur, on mange dans la salle climatisée aux tons jaune poussin. Sinon, vaste et agréable terrasse où glougloute une fontaine. Essayez donc la *punta de espalda*, une pièce de bœuf assez ferme mais très goûteuse, en l'accompagnant de frites croustillantes, ou misez sur l'une des nombreuses salades composées. Demi-portion possible pour les viandes (franchement copieuses). Service attentionné. Un resto qu'on est content de recommander.

Las Brasas *(plan B2,* ***23****) : Mitre, 138 (oeste).* ☎ *421-42-04. Tlj midi et soir.* Grande salle aux tables alignées comme à la parade. Air conditionné un peu frais. Jambons et couronnes d'ail pendent au-dessus du comptoir. *Parrilla* classique, mais aussi *empanadas, milanesa,* pâtes et poisson et 2-3 curiosités exotiques comme le *teppanyaki* à la plancha. Vin possible en demi-bouteilles. Plats à emporter depuis un comptoir extérieur.

|●| ***Bar O / De Sánchez*** *(plan B2,* ***24****) : Rivadavia, 55/61 (oeste).* ☎ *422-30-66 ou 420-36-70.* Bar O *lun-ven 7h30-2h (3h ven-sam), sam dès 8h, dim à partir de 10h ;* De Sanchez *lun-ven 12h30-15h30, 21h-0h30 ; ven-sam 21h-1h30.* Salles jumelles de catégories « Prix moyens » et « Chic »... avec cuisines et dépendances communes. On choisit entre la salle à manger rétro de mère-grand (mobilier de style, tissu à fleurs, argenterie, vieil électrophone et livres à dispo) ou le bar-brasserie de papa, à la déco seventies revisitée, orange triomphant. Gastronomique, cher, feutré chez mémé. Abordable et populaire chez papa. Vous avez le choix.

|●| **Palito** *(Club Sirio-Libanés ; plan B1,* ***25****) : Entre Ríos, 33 (sur).* ☎ *422-38-41. Ouv midi et soir jusqu'à minuit (sf dim soir).* Tout, dans l'architecture du beau bâtiment qui abrite ce vénérable restaurant, bâti en 1919, rappelle le Proche-Orient. Ou plus exactement l'art mauresque : l'architecte espagnol s'inspira, paraît-il, de l'Alhambra. La cuisine, très correcte, propose quelques plats d'inspiration moyen-orientale en buffet froid : taboulé, houmous, *warak inab* (feuilles de vigne), etc. Bon, c'est pour faire bonne figure, car le reste du menu est très nettement « argentinisé ». Accueil enjoué. Même si vous n'y mangez pas, jetez un coup d'œil au patio et à la salle de billard en sous-sol. Écrans TV pour suivre les matchs de foot. On y donne aussi des cours de tango le dimanche soir.

À voir

Plaza 25 de Mayo *(plan B-C2) :* c'est le cœur de la ville, avec ses terrasses et ses rues piétonnes adjacentes. De grands palmiers et platanes ombragent la toute nouvelle cathédrale (pas très jolie) et les nombreuses statues des hommes à qui San Juan doit tant et plus. Au milieu, une fontaine où les amoureux viennent se rafraîchir, avant d'aller se bécoter sur les bancs publics.
On peut éventuellement grimper au ***Mirador del campanil*** *(plan B2)* par un ascenseur (payant). Pas grand-chose de plus à voir à 53 m de haut que du bas, mais une place de choix pour entendre sonner les cloches en stéréo !

Casa natal de Sarmiento *(plan B1) : Sarmiento, 21 (sur).* ☎ *422-46-03.* ● *casanatalsarmiento.com.ar* ● *Face à l'office de tourisme. Lun-ven 9h-19h30 ; w-e 10h-16h (18h j. fériés). Entrée : 15 $Ar.*
Rappel historique : Domingo Faustino Sarmiento (1811-1888) fustigea d'abord, en tant qu'écrivain, la dictature du *gaucho* Rosas, avant de devenir président lui-même. Surnommé « le président maître d'école » tant il était convaincu de la nécessité d'éduquer les masses *(« educarse es ser simplemente hombre libre »)*, l'ancien gouverneur de la province jouit encore aujourd'hui d'un indéniable prestige. Pour preuve, les nombreuses plaques scellées dans le mur de sa maison natale, devenue musée, ultime vestige historique de san Juan du début du XIXᵉ s (1801).
La bâtisse blanche de plain-pied s'organise autour d'un patio planté d'un unique figuier. Dans les pièces latérales sont alignés bustes, portraits et souvenirs du grand démocrate à l'air sévère, ainsi que quelques objets d'époque. Plusieurs pièces ont été reconstituées d'après ses propres descriptions – dont celle où il naquit. À l'arrière, un autre patio avec une superbe treille et le potager de sa mère.

Museo provincial de Bellas Artes Franklin Rawson *(plan A1) : Libertador, 862 (oeste).* ☎ *420-04-70. Tlj sf lun 12h-21h. Entrée : 10 $Ar.* Inauguré en 2011 dans sa nouvelle livrée moderne, en lieu et place des bâtiments hérités de l'ancien casino, ce musée rassemble, sur 500 m^2, des œuvres essentiellement du XIXe s, dont celles de Franklin Rawson, le peintre ami de Sarmiento et qualifié de « précurseur » du mouvement artistique national. On y trouve aussi des icônes byzantines, des tableaux de l'école de Cuzco et deux œuvres attribuées à Rubens et Van Dyck. Il débouche sur une belle collection d'art contemporain. Centre culturel polyvalent, il accueille de nombreuses expos temporaires.

Museo de las Ciencias Naturales *(plan A1)* **:** *angle España et Maipú, dans l'ancienne gare de chemin de fer. ☎ 421-67-74. Lun-ven 9h-13h.* ***En travaux en 2014. Réouverture prévue en 2015.*** Grâce à ce musée de paléontologie, on comprend mieux l'évolution du continent. Indispensable avant ou après la visite du parc d'Ischigualasto. On a exhumé dans ce parc des squelettes jamais trouvés ailleurs : le terrible *Frenguelisaurus* de 9 m de long, ou l'*éoraptor* (le même en format de poche). Ce sont les plus anciens et primitifs reptiles à plumes trouvés à ce jour dans le monde, vivant il y a 200 à 250 millions d'années (période triasique). L'*éoraptor* se déplaçait presque sur deux pattes ; l'espèce s'est peu à peu redressée pour enfin devenir bipède (à l'image du tyrannosaure). On considère que c'est l'ancêtre de la dinde. On peut, clou du spectacle, voir les « restaurateuranosaures » poncer et curer des fossiles entre des étagères pleines d'ossements ! Ça laisse rêveur. Un moment instructif, même si la collection est modeste.

Museo histórico provincial Agustín Gnecco *(plan D2)* **:** *Rawson, 621 (sur). ☎ 422-96-38. Mar-jeu 9h-13h, 17h-21h ; mer et ven 8h-13h (9h sam). Entrée : 10 $Ar.* Cette ancienne école abrite les témoignages de l'histoire régionale, des origines jusqu'au début du XXe s. Son intérêt principal repose dans les nombreux objets du quotidien exposés : éventails, mantilles, cornes à poudre, beaux coffres cloutés, fouloir à raisin en cuir, costumes très chic du XIXe s et autres collections évoquant les métiers d'antan.

Museo arqueológico *(hors plan par D2)* **:** *à 5 km du centre, vers Mendoza (ruta 40). ☎ 424-14-24. Pas évident à repérer : sortir à calle 5 et revenir vers San Juan, à gauche en empruntant la contre-allée de l'autoroute. Bus nº 24 depuis le terminal. Tlj 9h30-17h15, sf 1er mai, Noël et Nouvel An. Entrée : 10 $Ar.* Dans une muséologie d'un autre temps, le musée traite des différentes civilisations qui précédèrent l'homme blanc sur ces terres depuis 8 500 ans. Quelques belles pièces : vases, urnes, outils, bijoux, et plusieurs momies dans un état de conservation remarquable – avec la peau, les cils, sourcils et toutes les dents ! – dont la saisissante momie du *cerro El Toro,* celle d'un homme victime d'un sacrifice rituel et découverte en 1964 à 6 100 m d'altitude.

Produits du terroir

La réputation viticole de San Juan suit de peu celle de Mendoza, la grande sœur du Sud, et de Cafayate. Mais on y produit aussi olives, oignons et les meilleurs melons du monde (selon les locaux). Les *bodegas* se concentrent au sud de la ville, de part et d'autre de la *ruta* 40. On peut se procurer à l'office de tourisme, la brochure *Rutas del Vino,* avec les adresses et les itinéraires. Ils nécessitent un véhicule, mais sans, on peut aussi goûter à certains de ces produits du cru – comme au *museo Don Julio.*

Museo del Vino Santiago Graffigna : *Colón, 1342 (norte). ☎ 421-42-27. • graffignawines.com • Lun-sam 9h15-17h15, dim et j. fériés 10h15-15h15 ; visites guidées ttes les heures.* Plus que l'histoire d'une exploitation vinicole familiale, fondée en 1870 par un immigrant italien (pour finir dans le groupe

Pernod Ricard), c'est un véritable musée du Vin. Des livres de comptes de la taille d'une barrique, des barriques de la taille d'une salle à manger... et pour terminer, une dégustation bienvenue. Les malbec maison ont décroché plusieurs médailles d'argent dans les concours internationaux. Attention au coup de foudre !

Museo Don Julio (plan B1) **:** *25 de Mayo, 165 (oeste).* ☎ *421-04-92.* • *donjulio.com.ar* • *Visites guidées lun-sam 9h-17h30 ; dim 10h-16h.* Encore un musée sur fond de saga familiale, mais cette fois-ci, le décor est celui du moulin à huile d'olive (sans ailes, faut pas pousser). Le musée n'est pas la belle épicerie fine par laquelle on arrive. Il se trouve derrière. À l'intérieur, présentation sympa des étapes d'élaboration de l'huile, dégustation à la clef (huiles, crèmes d'olive...). La visite laisse une bonne impression (à chaud comme à froid).

Champañera Miguel Mas : *Ing. Aldo Bruschi, 520 (este), calle 11, 300 m à l'est de la ruta 40, à 11 km au sud de San Juan ; en véhicule slt.* ☎ *422-58-07.* *15-660-49-01.* • *champaneramiguelmas.com.ar* • *Lun-ven 9h-18h (hiver) ; sam 9h-13h.* *Bodega* bio. Le propriétaire, professeur d'université amoureux de la vigne, produit un excellent vin élaboré selon la méthode champenoise, dont un désarçonnant *champaña* rouge. On vous explique bien ici qu'il ne s'agit pas de champagne (marque déposée), mais tout est tellement artisanal, de la cueillette à l'accueil... qu'on ne peut qu'adorer ! Membre du réseau *Slow food.*

DANS LES ENVIRONS DE SAN JUAN

Oratorio de la Difunta Correa : *à 65 km à l'est de San Juan (vers San Agustín de Valle Fértil/Córdoba). Outre les bus de grande ligne vers Córdoba,* Vallecito *assure 2-3 départs/j. pour le site (vers 8h30 et 16h lun-sam, à 8h, 10h et 15h dim) ; retours vers 11h et 19h30 (17h dim).*

De la frontière bolivienne à la Terre de Feu, on vient de toute l'Argentine, et même des pays limitrophes, confier son destin et celui de ses proches à la *Difunta Correa*. Tout au long des deux escaliers grimpant au sanctuaire et dans plusieurs chapelles, les pèlerins déposent ex-voto peints, photos, pièces de voitures, plâtres, maquettes de maison ou bouteilles de plastique avec des fleurs. Un incroyable bric-à-brac, dont chaque pièce symbolise ce sur quoi on veut attirer les faveurs du Ciel. Les camionneurs, particulièrement dévots (vu la façon dont ils conduisent, on les comprend), déposent le long des marches les plaques d'immatriculation de leur bahut.

On peut sourire de l'exubérance latine de cette bigote brocante, de la lascivité colorée de certaines postures de la *Difunta Correa,* et de toute l'infrastructure qui entoure le site (hôtels, restaurants, marchands du temple). Mais on peut aussi être touché par ces milliers de vies qui se racontent au travers d'un objet abandonné à une espérance ; par ces millions de mains qui, effleurant la tête de plâtre d'une idole, caressent l'espoir de lendemains meilleurs.

AU SEIN DE SA MÈRE

Pendant la guerre de 1840, Deolinda Correa partit à la recherche de son mari conscrit, emportant son bébé dans sa quête. Bientôt, les vivres manquèrent et Correa mourut de soif, de faim et d'épuisement. Quelques jours plus tard, quand des muletiers découvrirent son corps, l'enfant tétait toujours sa défunte (difunta) *maman et – miracle ! – vivait encore. L'emplacement supposé où l'on trouva Correa devint le Lourdes sud-américain. Non que l'infortunée maman ait été réellement canonisée, mais elle fut plutôt récupérée par la croyance populaire qui lui prêta des pouvoirs miraculeux.*

BARREAL

4 500 hab. IND. TÉL. : 02648

Barreal, village au fond de la verdoyante vallée de Calingasta, cernée par de hautes montagnes qui rougeoient sous un ciel bleuissant. Si vous décidez de prendre le chemin des écoliers entre San Juan et Mendoza, vous tenez ici la bonne option. Car le site est agréable et les activités ne manquent pas : randonnée, char à voile, astronomie. Malheureusement, les « busards » (entendez les routards en bus) doivent faire l'aller-retour depuis San Juan : il n'y a pas de transports publics au-delà, vers Uspallata ou Mendoza.

Arriver – Quitter

En bus

Les bus *passent par la place centrale avt de faire un tour de village (desservant certains des hébergements que nous conseillons).*

➢ ***San Juan (via Calingasta) :*** avec *El Triunfo,* bus de San Juan lun-sam 8h et 18h30. Compter 4h de route. Une liaison Barreal-Uspallata devrait bientôt fonctionner. Renseignez-vous.

En voiture

La *ruta* 12 depuis San Juan est magnifique : on suit le cours capricieux du *río,* qui s'est frayé un chemin entre des monts superbes de désolation aux tons grenat, opale et gris. L'axe est parfois coupé pour cause de pluies violentes ou d'éboulements. Ça le rend plus sauvage encore. À Calingasta, ne pas manquer la superbe petite église coloniale en adobe de 1600 (tout rond).

Vers le sud, en direction d'Uspallata, la piste ne comprend plus, à présent, que 35 km, tout à fait praticables pour les voitures de tourisme. On parcourt les 100 km en 2h. Avec de beaux paysages désolés sur fond enneigé d'El Mercedario, deuxième sommet des Andes. Tant qu'à passer à Uspallata, on conseille de parcourir la Route des Andes avant de redescendre sur Mendoza (voir plus loin).

Adresses utiles

Office de tourisme : *Las Heras, sur la place centrale.* ☎ *44-10-66. Tlj 9h-21h (22h le w-e).* Tout à fait compétent sur les sites de la région.

■ ***Banco de la Nacion :*** ruta *412, à 100 m de la place centrale.* Distributeur souvent à court de liquidités. Pas de change.

Où dormir ? Où manger ?

De bon marché à prix moyens

Camping Barreal : *Belgrano, 3 km au sud-est du centre.* ☎ *44-12-41.* *(064) 15-672-39-14. Le bus de San Juan s'en approche, demandez l'arrêt.* Bon accueil, structures très correctes, mais pas d'eau chaude 24h/24. Un bon endroit pour passer quelques jours au grand air... mais c'est plutôt frisquet en hiver (on est à 1 650 m, tout de même). Quelques *cabañas.*

Finca El Mercedario : *av. Roca, esq. De los Enamorados ; à 2 km du centre direction Calingasta.* ☎ *44-11-67.* *15-509-09-07 ; central de résas à San Juan :* ☎ *(0264) 421-48-68. • elmercedario.com.ar • Doubles env 350-400 $Ar, petit déj inclus.* Une belle maison de 1928, la première du village. Déco d'époque, beaucoup

LA RÉGION DU CUYO

de cachet. Le long d'une galerie donnant sur le jardin, 7 chambres thématiques, simples mais coquettes. Fait aussi resto : pizzas au feu de bois, pâtes, *empanadas*, grillades et quelques spécialités maison.

Doña Pipa : *Maria Moreno, s/n.* ☎ *44-10-04.* • *cdpbarreal.com.ar* • *À 4 km au sud-ouest du centre (à pied ou en taxi). Comptez 400 $Ar pour une cabaña, petit déj inclus.* 5 *cabañas* avec 2 chambres et une salle de bains (jusqu'à 6 personnes), distribuées autour d'une vaste pelouse avec piscine et BBQ. Ça fait un peu ranch, et c'est plutôt calme pour la villégiature. Ils organisent des activités : rando, char à voile... Également un restaurant.

Posada San Eduardo : *San Martín, esq. De los Enamorados, à 1,5 km au sud-est de la place centrale.* ☎ *44-10-46 ; central de résas :* ☎ *(0264) 421-48-68.* • *argentinaturismo.com.ar/saneduardo* • *Le bus de San Juan passe à proximité. Doubles env 400-550 $Ar, petit déj inclus.* Au fond d'un chemin ombragé. On ne vient pas ici pour les chambres, de qualité inégale, assez sombres et un peu chères pour le confort, mais plutôt pour le cadre, le parc, la pelouse et la piscine. Calme assuré. Possibilité de s'y restaurer, pas mal du tout d'ailleurs, salle agréable et dîner aux chandelles. Possibilité d'excursions à cheval (env 80 $Ar/h).

DANS LES ENVIRONS DE BARREAL

Cañón del Colorado : depuis Barreal à pied, une randonnée de 3h aller-retour dans les collines désertiques et bigarrées situées à l'est. Prévoir de quoi s'abreuver, il n'y a pas de buvette à tous les détours du chemin...

Cerro El Alcazar : *à 20 km au nord de Barreal, sur la ruta 412.* Une étonnante et impressionnante montagne barrée horizontalement par les strates géologiques à nu. Un petit air de Purmamarca, dans le nord, en moins coloré.

Parque nacional El Leoncito : *à 35 km au sud de Barreal, sur la ruta 412.* • *elleoncito.gob.ar* • Étonnante lagune à sec qui laisse une empreinte de 12 km de sel damé où les rafales de vent balayent des buissons et... des voiles de chars. Le parc est habité par des pumas, quasiment impossibles à croiser, vu qu'ils évitent systématiquement les humains. On les comprend !

Observatorio astronómico : *dans le parc, 14 km de mauvaise mais jolie piste qui grimpe.* ☎ *44-10-87. Tlj 9h-12h, 16h-18h. Entrée : 20 $Ar ; gratuit jusqu'à 14 ans.* « *Fly me to the moon* », chantait Sinatra. Ici, on observe, on scrute, on étudie le ciel et ses astres. Dans une des zones du monde où la pureté céleste est la meilleure.

Complejo astronómico : *à côté de l'observatoire.* ☎ *421-36-53.* • *casleo.gov.ar* • *Résas tlj 10h-12h, 14h30-17h en été ; 10h-12h, 15h-17h30 l'hiver ; possibilité de visite nocturne.* On s'en met plein les yeux d'observations stellaires et galactiques. Sinon, il suffit de s'allonger sur le sol et d'observer à l'œil... le ciel est si pur qu'on y voit de superbes firmaments. Laissez vos sabres laser au vestiaire.

MENDOZA

1 million d'hab. IND. TÉL. : 0261

Fondée en 1561 au pied de la cordillère des Andes, Mendoza est aujourd'hui la quatrième ville du pays. Elle s'amarre au carrefour de l'incroyable *ruta* 40 et de la non moins mythique *ruta* 7, qui relie Buenos Aires à Santiago du Chili. Les soubresauts de la terre n'ont laissé que de rares vestiges coloniaux. Mais l'urbanisme moderne et aéré de la ville, ainsi que son atmosphère

méditerranéenne la rendent plutôt agréable et sacrément dynamique ! Prospère grâce aux vignobles qui l'entourent, Mendoza est une ville bien dans ses tenues bourgeoises, et où les prix s'éprennent d'ailleurs volontiers de liberté… À ses portes, l'océan de vignes recouvre l'essentiel de la grande vallée, en alternance avec les hangars et les usines vers Maipú et Coquimbito, dans un cadre plus authentique vers Luján de Cuyo. Malgré la concurrence avec San Juan, Mendoza est indéniablement la capitale argentine du vin : la province assure même 90 % de la production nationale. Un bon prétexte pour *estar entre San Juan y Mendoza,* ce qui signifie « être saoul » en Argentine !
Cela dit, pour les budgets serrés, Mendoza est une ville assez chère et même si on trouve quelque agrément à y séjourner, en flânant le soir aux terrasses des cafés de l'avenida Arístides Villanueva, elle n'offre que peu de vrais centres d'intérêt. Alors, enfourchez un vélo le temps d'une journée pour visiter quelques *bodegas* du côté de Maipú et Chacras de Coria, et très vite, il sera temps de mettre le cap sur les vallées andines et l'Aconcagua, à la conquête du sommet des Amériques qu'on aperçoit au loin sans se douter de sa fabuleuse majesté.

Arriver – Quitter

En bus

🚌 ***Terminal de Ómnibus** (plan D3, **1**) : à 2 km au sud de la place centrale, en bordure de l'av. Gobernador Videla, angle Accesso Este, à la limite du quartier de Guaymallén. Prendre le passage souterrain sous la grande avenue. ☎ 431-50-00. Les bus locaux pour le centre se prennent juste devant.* Pour les horaires, adressez-vous au stand d'infos, très efficace, face à la porte 31. Sur place : consignes *(lun-sam 6h-23h, dim 7h30-23h),* distributeur, pharmacie, boutiques diverses. Évitez de vous déplacer de nuit dans les environs du terminal. Pour rejoindre votre hébergement, prenez un taxi (env 20 $Ar, pour le centre-ville).

🚌 ***Terminal del Centro** (plan C2, **2**) : 9 de Julio, 1042. Tlj 9h30-19h.* Tous les billets de bus peuvent y être achetés à l'avance sans se rendre au Terminal de Ómnibus. Mendoza est une plaque tournante du trafic routier en Argentine. Des bus en partent dans toutes les directions.

➢ ***Buenos Aires :*** une bonne vingtaine de bus/j. avec de nombreuses compagnies. La plupart quittent Mendoza en soirée, mais certaines comme *Cata* partent dès 7h du mat ; de 13h à 17h de route. Prenez plutôt une place en *cama,* vu la différence de prix.

➢ ***San Juan :*** tlj, ttes les 30 mn, 6h-23h30. Compter env 2h15. Correspondance pour ***San Agustín del Valle Fértil*** avec *Vallecito* ; 3 bus/j. pour 7h de route en tout.

➢ ***Córdoba :*** une vingtaine de départs dès 6h le mat ou jusqu'à 22h30 en soirée. 9-10h de route.

➢ ***Salta :*** 3 bus dans la journée (12h30, 20h, 20h30) avec *Andesmar.* Env 18h de route.

➢ ***Jujuy :*** 5 bus de 9h à 20h30 avec *Rapido* et *Andesmar.* 19-21h de route.

➢ ***Bariloche :*** 2 bus/j., en soirée (vers 20h45 et 21h30), avec *Andesmar.* Pas moins de 18h de route.

➢ ***Uspallata** (2h de route)* ***et la route des Andes :*** avec certaines compagnies desservant le Chili *(Cata, Andesmar…)* ou avec *Transportes Uspallata,* 7 bus/j. (ttes les 2h env), 6h-20h ; retour 7h-22h. 3 bus continuent vers Punta de Vacas, Los Penitentes (4h de route) et Puente del Inca (6h, 10h15, 15h30). Les 2 premiers poussent même jusqu'à Las Cuevas. Compter 4h de trajet jusque-là. Les w-e et j. fériés, 1er départ à 7h. La compagnie *Nevada* assure également 4 bus/j. en hte saison (2 en basse saison) ; ce sont des petits bus, alors pas plus d'un sac à dos autorisé.

➢ ***Pour le Chili :*** une quinzaine de compagnies argentines ou chiliennes proposent des liaisons fréquentes pour Santiago et d'autres villes du Chili. En matinée et soirée surtout. Compter 6-8h pour Santiago ou Valparaiso, dont 3h jusqu'à la frontière, dans des paysages spectaculaires. Il est possible de se faire récupérer à Uspallata ou Puente del Inca, mais mieux vaut avoir une réservation pour que le bus s'y arrête. Attention, l'hiver, le tunnel menant au Chili est fermé la nuit, ce qui empêche les départs du soir. Il arrive même que la route soit bloquée quelques jours après de fortes chutes de neige... Apportez votre pelle !

En avion

✈ ***Aéroport F. Gabrielli*** *(hors plan par D1)* **:** *à 12 km au nord-est du centre.* ☎ *520-60-00.* Sur place, guichets des principales compagnies de location de voitures, *locutorio,* 2 distributeurs et bureau de change (à éviter).

➢ ***Buenos Aires* :** 5 à 7 vols directs/j. avec *Aerolineas Argentinas,* 4 vols/j. avec *LAN.*

➢ 3 vols/j. avec *LAN,* vers ***Santiago du Chili.***

Liaisons avec le centre-ville

➢ ***En bus* :** bus nº 68, qui rejoint directement la calle Salta. Compter 45 mn de trajet, car les embouteillages sont fréquents.

➢ ***En taxi* :** compter 40 $Ar.

Adresses utiles

Infos touristiques

🛈 ***Subsecretaría de turismo provincial*** *(plan C2,* ***3****)* **:** *San Martín, 1143.* ☎ *810-666-63-63 ou 413-21-01.* • *turismo.mendoza.gov.ar* • *Tlj 8h-21h.* Infos habituelles sur la ville et la province, cartes et brochures. Également des petits *bureaux d'infos* à l'aéroport *(☎ 520-60-00 ; tlj 8h-21h)* et au terminal des bus *(☎ 431-50-00 ; mêmes horaires).*

■ ***Police touristique*** *(plan C2,* ***3****)* **:** *à la même adresse.* ☎ *413-21-35.*

■ ***Permis pour l'Aconcagua*** *(plan C2,* ***3****)* **:** *San Martín, 1143, à l'étage du bâtiment de la* Subsecretaría de turismo provincial. ☎ *425-87-51.* • *aconcagua.mendoza.gov.ar* • *Lun-ven 8h-13h (18h de mi-nov à mi-mars) ; w-e 9h-13h.* Les permis pour un seul jour s'obtiennent directement à l'entrée du parc. En revanche, il est impératif d'acheter ici son permis pour toute excursion plus longue (à fortiori pour escalader le sommet). Pour l'escalade du sommet, n'oubliez pas la nécessité de prévoir une acclimatation à l'altitude, de 10 à 15 jours à l'avance. En été (fin novembre-fin février), le permis s'obtient immédiatement. Le reste de l'année, il faut demander un permis spécial avec guide obligatoire, au moins 1 mois à l'avance – en raison des conditions météo plus difficiles. Une vingtaine de compagnies sont habilitées (liste sur le site). Cela revient à dire que le guide n'est pas obligatoire en été pour les plus expérimentés. Une ascension « normale » prend 14-15 j. et le permis est valable 20 j. ; il est parfois possible de le proroger dans le parc si la météo empêche l'ascension. Prix variables selon la saison, la durée du séjour et l'assistance de guides ou non ; voir la gamme des prix sur le site. Le permis ne comprend pas le droit d'entrée dans la zone du parc. Le paiement se fait uniquement en liquide (US$ acceptés), dans une banque voisine mais pas sur place, pour raison de sécurité. Pour une résa à l'avance, il y a obligation de verser des arrhes. Pour plus de détails sur les treks, voir plus loin le chapitre « La route des Andes ».

■ ***Association des agences de tourisme*** *(plan C2,* ***3****)* **:** *San Martín, 1143.* ☎ *425-39-80. Dans le bâtiment de la* Subsecretaría de turismo provincial. *Tlj 10h-20h.* Regroupe les principales agences pour explorer les environs de Mendoza : en vrac, du rafting sur le *río* Mendoza, des randonnées ou de l'andinisme, la route des vins...

Poste et télécommunications

✉ ***Poste principale*** *(Correos ; plan B3)* **:** *à l'angle de San Martín et de Colón. Lun-ven 8h-20h ; sam 10h-13h.*

■ @ ***Téléphone et Internet* :** locutorios *et cybercafés dans le centre. Par exemple,* ***WH,*** *avec 3 adresses, dont San Martín, 1178 (plan C2), avec plus d'une centaine de postes ! Tlj 8h30 (9h dim)-0h20.* Les AJ et les hôtels disposent souvent d'une connexion Internet gratuite.

Change

■ ***Change*** *(plan C2,* ***4****)* **:** *à l'angle de San Martín et de Catamarca. Lun-ven 8h30-13h30, 16h30 (ou 17h)-20h (ou 20h30) ; sam 9h30-13h.* Plusieurs bureaux de change à ce carrefour. Mêmes taux que les banques, mais on y fait rarement la queue. On peut s'y procurer des pesos chiliens.

Représentations diplomatiques

■ ***Consulat du Chili*** *(plan A2,* ***5****)* **:** *Belgrano, 1080, angle Liniers. ☎ 425-50-24. • chileabroad.gov.cl/mendoza • Lun-ven 8h-13h.*

Santé

✚ ***Hôpital Español*** *(hors plan par B3)* **:** *av. San Martín, 695, au sud de la ville. ☎ 424-23-19.* Le plus fiable, d'après les expats.

✚ ***Hôpital Central Rawson*** *(plan C2)* **:** *à l'angle d'Alem et de Salta. ☎ 449-06-84 ou 500. Pas loin du terminal des bus.*

■ ***Farmacia del Puente*** *(plan B2,* ***6****)* **:** *España, 1190. ☎ 429-66-10. Lun-ven 8h-13h30, 16h30-21h30 ; sam 9h-13h30.*

Transports

■ ***Bus urbains :*** *Red Bus.* Bon réseau, mais il faut s'armer d'une tonne de monnaie, car les tickets se prennent au distributeur à bord. Billets à partir de 3,50 $Ar. Sinon, carte de transport (4 $Ar) que l'on recharge à volonté, dispo dans les kiosques et *minimarkets.* Avoir le compte juste dans les bus, on ne rend pas la monnaie.

■ ***Location de voitures :*** *la plupart des agences se trouvent côte à côte, calle Primitivo de la Reta. Presque ttes observent les mêmes horaires : lun-ven 8h30-12h30 (ou 13h), 16h (ou 16h30)-20h ; sam 8h (ou 9h)-12h30 (ou 13h).* Il est en général possible de passer la voiture au Chili (en été en

■ **Adresses utiles**

- **1** Terminal de Ómnibus
- **2** Terminal del Centro
- **3** Subsecretaría de turismo provincial, Police touristique, Permis pour l'Aconcagua et Association des agences de tourisme
- **4** Change
- **5** Consulat du Chili
- **6** Farmacia del Puente
- **8** Alamo/National, Avis et Localiza
- **9** Hertz
- **10** Via Rent a Car
- **11** Aerolineas Argentinas
- **12** LAN
- **13** Location de vélos
- **14** Alliance française
- **15** La Lavandería
- **16** Supermarchés Carrefour Express

Où dormir ?

- **20** Campings
- **21** Mendoza Monkey Hostel
- **22** Hostel Suites
- **23** Punto Urbano Hostel
- **24** Savigliano Hostel
- **25** Hostel Independencia
- **26** Mendoza Inn et Itaka
- **27** Petit Hotel
- **29** La Escondida B & B
- **30** Hotel Cordón del Plata
- **31** Hotel San Martín et Argentino
- **32** Bohemia Hotel Boutique
- **33** Villaggio

Où manger ?

- **40** Anna Bistró
- **41** El 23
- **42** Parrillada Arturito et De un Rincón de la Boca
- **43** Florentino
- **44** Las Tinajas
- **45** Onda Libre
- **46** La Marchigiana
- **47** Azafrán
- **48** Maria Antonieta
- **49** 1884
- **50** Los Chocos
- **51** Caro Pepe

Où s'offrir une glace ?

- **60** Helados Ferruccio Soppelsa

Où boire un verre ? Où sortir ?

- **70** Paseo Sarmiento
- **71** Decimo
- **72** Soul Café
- **73** Paseo Alameda
- **74** Teatro Independencia

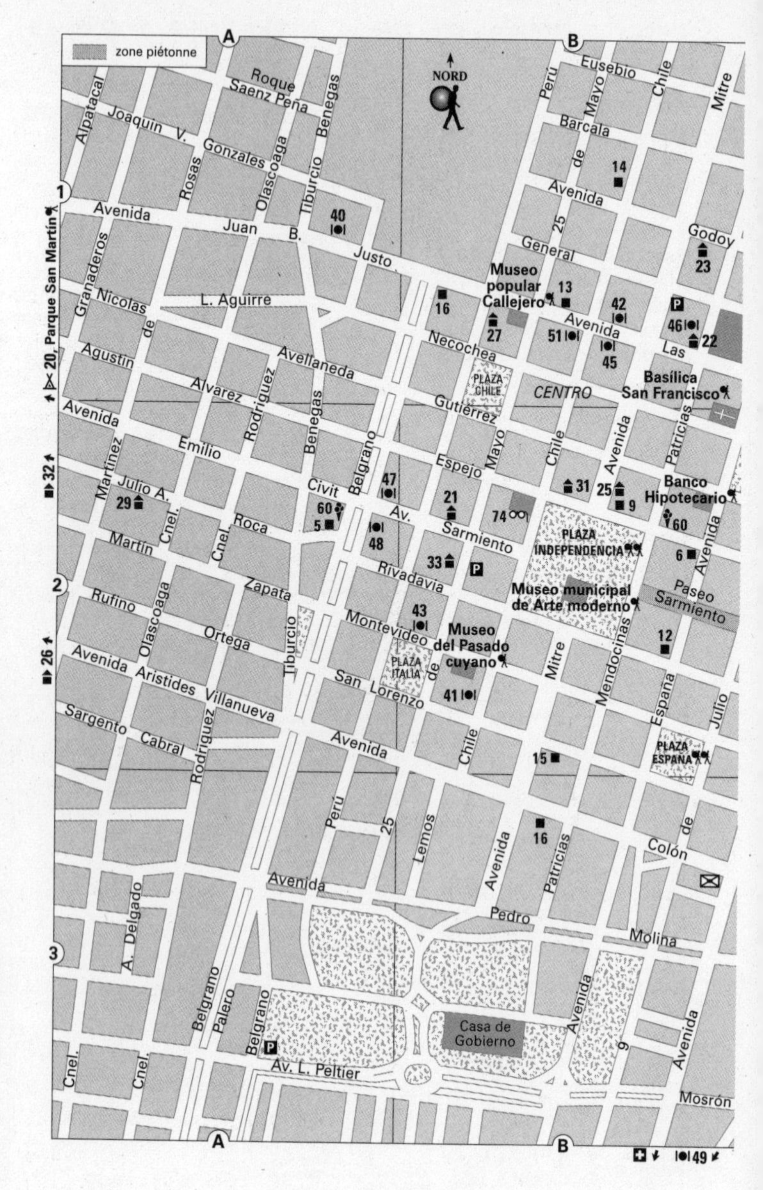
zone piétonne
NORD
CENTRO
Museo popular Callejero
Basílica San Francisco
Banco Hipotecario
PLAZA CHILE
PLAZA INDEPENDENCIA
Museo municipal de Arte moderno
Museo del Pasado cuyano
PLAZA ITALIA
PLAZA ESPAÑA
Casa de Gobierno
20, Parque San Martín
Avenida Juan B. Justo
Avenida Gral. Necochea
Avenida Las Heras
Avenida Sarmiento
Paseo Sarmiento
Avenida Colón
Avenida Pedro Molina
Av. L. Peltier
Mosrón

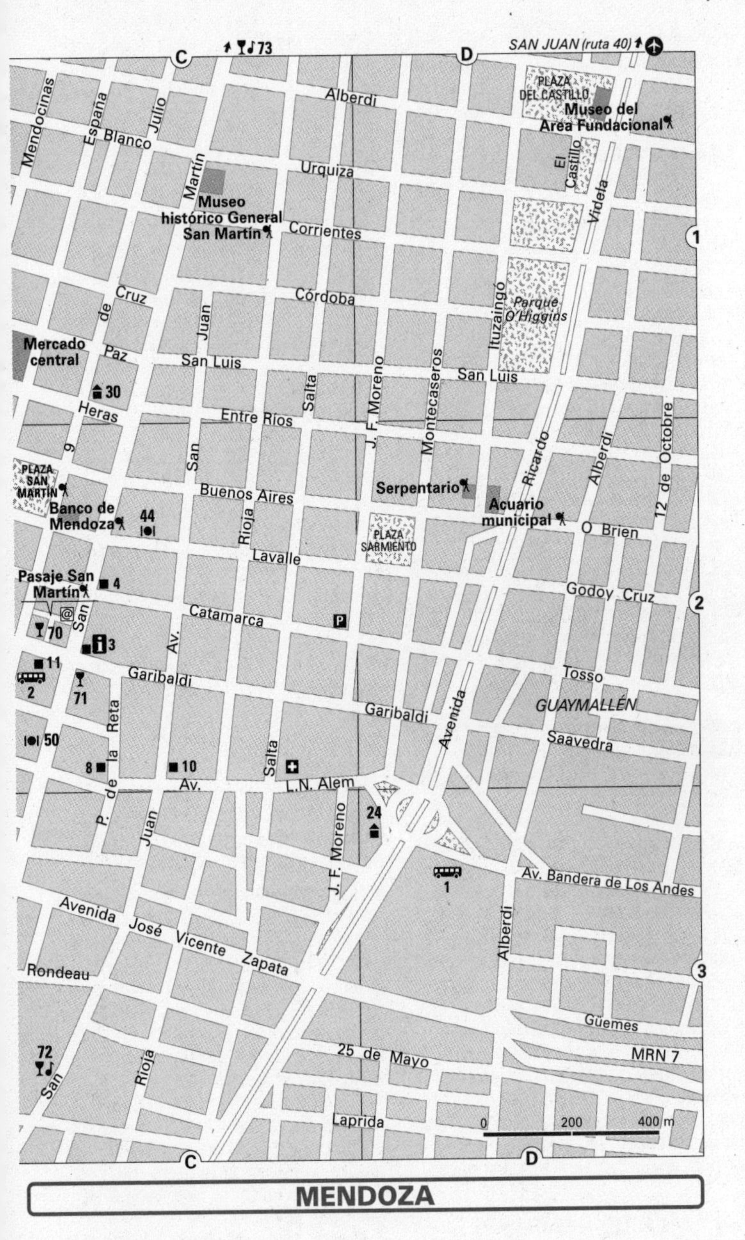

SAN JUAN (ruta 40)
73
PLAZA DEL CASTILLO
Museo del Area Fundacional
Alberdi
Mendocinas
España
Julio
Blanco
Urquiza
Martín
Museo histórico General San Martín
Corrientes
El Castillo
Videla
Cruz
de
Córdoba
Juan
Ituzaingó
Parque O'Higgins
Mercado central
Paz
San Luis
30
Heras
Entre Ríos
Salta
J. F. Moreno
Montecaseros
Ricardo
Alberdi
12 de Octobre
9
PLAZA SAN MARTIN
Banco de Mendoza
44
San
Buenos Aires
Rioja
Serpentario
Acuario municipal
O Brien
PLAZA SARMIENTO
Lavalle
Pasaje San Martín
4
Godoy Cruz
Catamarca
70
3
11
2
71
Garibaldi
Av.
Tosso
GUAYMALLÉN
Avenida
Reta
la
50
8
10
Saavedra
Av.
L.N. Alem
24
P.
Bandera de Los Andes
Avenida
José
Vicente
Zapata
Rondeau
Güemes
25 de Mayo
MRN 7
72
Laprida
0
200
400 m
C
D
1
2
3

MENDOZA

tout cas), mais il faut demander une autorisation à l'avance ; elle prend au moins 2-3 j. à s'obtenir et plus souvent 1 à 3 sem (selon la compagnie). Supplément à prévoir.

– ***Alamo/National*** *(plan C2,* ***8****)* ***:*** *P. de la Reta, 928. ☎ 429-31-11. 15-419-17-17.* Vérifiez bien la date de validité de l'assurance.

– ***Avis*** *(plan C2,* ***8****)* ***:*** *P. de la Reta, 914. ☎ 420-31-78.*

– ***Localiza*** *(plan C2,* ***8****)* ***:*** *P. de la Reta, 936. ☎ 447-00-79. À l'aéroport, tlj 6h-22h.*

– ***Hertz*** *(plan B2,* ***9****)* ***:*** *Espejo, 391, sur la pl. Independencia. ☎ 423-02-25. La seule agence qui ouvre aussi sam et dim ap-m (17h-20h).*

– ***Via Rent a Car*** *(plan C2,* ***10****)* ***:*** *San Juan, 931. ☎ 429-49-29. 15-507-41-00.*

■ ***Aerolineas Argentinas*** *(plan C2,* ***11****)* ***:*** *paseo Sarmiento, 82. ☎ 420-41-33. Lun-ven 10h-18h ; sam 10h-13h.*

■ ***LAN*** *(plan B2,* ***12****)* ***:*** *España, 1002. ☎ 0810-999-95-26. Lun-ven 9h-20h.*

■ ***Location de vélos*** *(plan B1,* ***13****)* ***:*** *plusieurs agences voisines sur Las Heras, entre Chile et 25 de Mayo. Env 50 $Ar/j.* Surtout pour se balader au parc San Martín. Pour la route des vins, mieux vaut s'organiser à Coquimbito. Louent aussi du matériel de camping et d'alpinisme.

Divers

■ ***Alliance française*** *(plan B1,* ***14****)* ***:*** *Chile, 1754. ☎ 423-46-14. • afmendoza.org • Lun-ven 9h-12h, 17h-21h ; sam 10h-13h.* Propose des cours particuliers d'espagnol, et même des cours de tango ! Petite biblio avec quelques magazines français et un accès Internet, en général gratuit si vous ne faites que passer. Films en français le jeudi à 20h d'avril à décembre (gratuit).

■ ***La Lavandería*** *(plan B2,* ***15****)* ***:*** *San Lorenzo, 338. Lun-ven 8h-13h, 16h-20h30 ; sam 8h-13h ; dim et j. fériés 9h-12h30.* Grande laverie en libre-service.

■ ***Supermarchés Carrefour Express :*** *Colón, 348 (plan B3,* ***16****). Lun-sam 8h-22h. Un autre à l'angle de Las Heras et Juan B. Justo (plan B1,* ***16****) ; lun-sam 8h-22h ; dim et j. fériés 9h-13h30, 17h-21h30. Et un autre en face du* Mercado central *(plan B1).*

Où dormir ?

Campings

⛺ ***Campings*** *(hors plan par A1-2,* ***20****)* ***:*** *quartier Challao. À 7-8 km du centre, en continuant au-delà du parque San Martín par l'av. Champagnat, à droite au niveau du grand rond-point (direction Capilla de Lourdes).* Plusieurs petits campings (avec piscines) pour planter sa tente ou louer une *cabaña (à partir de 200 $Ar).*

– On a bien aimé le ***Camping Suizo*** : *☎ 444-19-91 ; • campingsuizo.com.ar •* Terre battue, ombre (grands arbres ou auvents), piscine... et boîte de nuit juste à côté pour une folle ambiance aussi dans sa canadienne. Les *cabanãs,* en dur ou en bois, accueillent de 4 à 6 personnes.

Bon marché (moins de 350 $Ar / env 35 €)

Beaucoup de choix pour les petits budgets à Mendoza, même si toutes les adresses ne se valent pas, et certaines ne sont vraiment pas recommandables. En haute saison, pour éviter d'errer *mochila* au dos, pensez à réserver.

🏠 ***Hostel Suites*** *(plan B1,* ***22****)* ***:*** *Mendocinas, 1532. ☎ 423-70-18. • hostelsuitesmendoza.com • À côté du* Mercado central. *Lits en dortoir 50-75 $Ar selon saison ; doubles env 190-210 $Ar, petit déj inclus.* Toutes les chambres, claires et colorées à la déco style Ikea pour studette, ont une petite salle de bains, l'AC et le chauffage, et sont en plus bien tenues. Mini-cuisine, laverie, terrasse sur le toit. Un bon plan dans sa catégorie, pour faire des rencontres malgré un environnement qui peut s'avérer bruyant. Un peu l'usine parfois. Staff serviable.

🏠 ***Punto Urbano Hostel*** *(plan B1,* ***23****)* ***:*** *Godoy Cruz, 326. ☎ 429-52-81. • puntourbanohostel.com • À 5 cuadras au nord de la place centrale. Dortoirs (non mixtes) 3-8 lits 75-90 $Ar/*

pers ; doubles spacieuses avec TV et AC env 250-300 $Ar avec ou sans sdb privée, petit déj inclus. Ambiance un peu hôpital, déco minimaliste, mais tout est nickel et le lieu est calme. Vaste cuisine, cour-jardin à l'arrière avec BBQ, ce qui est un plus en pleine ville. Petit déj quelconque. Activités proposées.

Hostel Independencia (plan B2, **25**) : *Mitre, 1237. ☎ 423-18-06. Lits en dortoir env 80-95 $Ar, petit déj inclus ; double à 180 $Ar avec des douches un peu roots : un pied sur le carrelage, un sur la cuvette des w-c !* Hébergée dans une vieille maison colorée, l'AJ, spacieuse, affiche hauts plafonds et vieux planchers en bois. Dortoirs mixtes de 6-10 lits, casiers individuels et cuisine. N'oublions pas le joli coin bistrot pour discutailler et un grand patio pour le petit déj. Très central. Plein d'activités proposées : entre 19h et 20h, dégustation gratuite de vins ! Remise de 5% sur les billets de bus nationaux.

Savigliano Hostel (plan D3, **24**) : *Pedro B. Palacios, 944. ☎ 423-77-46. • savigliano.com.ar • À 100 m du terminal des bus ; sortie entre les quais 38 et 39, puis passage souterrain. Lits en dortoir env 50-75 $Ar selon saison ; doubles env 160-200 $Ar, petit déj (frugal) inclus.* Une AJ aux chambres et dortoirs mixtes (4-12 lits), chacun avec salle de bains et AC. Évitez juste les chambres qui donnent du côté de la voie express. Cuisine commune et patio avec petite piscine. On peut y acheter ses billets de bus et profiter des lieux toute la journée si on ne part que le soir.

Mendoza Inn (hors plan par A2, **26**) : *Aristides Villanueva, 470. ☎ 420-24-86. • mendozahostel.com • Dortoirs 4-8 lits 65-80 $Ar/pers, double (1 seule !) env 240 $Ar, petit déj inclus. 4 nuits au prix de 3 d'avr à juin.* Un des membres d'*Hostelling International*, un peu excentré mais bien placé pour profiter de la vie nocturne du quartier. Un grand classique : musique, piscinette, table de ping-pong, cuisine commune et clientèle internationale. Animé et sympa – pour qui aime l'animation. Dortoirs pas trop bien tenus, et attention, certains sont au fond du jardin, à côté du bar... sommeil pas garanti. Location de vélos pour faire la tournée des *bodegas*. Le tout jouxte une autre AJ, l'***Itaka*** *(Villanueva, 480 ; ☎ 423-97-93 ; • itakahouse.com •)*, toute pareille et plus encore, plus chère mais avec un meilleur service.

Prix moyens (350-650 $Ar / env 35-65 €)

Mendoza Monkey Hostel (plan B2, **21**) : *Sarmiento, 681. ☎ 423-11-48. • monkeyhostel.com • À deux pas de la pl. Independenzia. Dortoirs 6-13 lits env 135-160 $Ar/pers selon confort ; doubles 320-440 $Ar, avec lits superposés ou matrimoniaux ; petit déj inclus. Sdb privées ou à partager, la meilleure donnant sur le jardin.* Au calme, cette AJ privée est tenue par un Belge fan d'escalade et son staff international qui organisent des treks et randos. Petite piscine, BBQ, cuisine équipée, ping-pong, hamacs, salle TV, bar... de quoi optimiser le séjour en toute décontraction et partager avec les routards du monde entier. Excellentes infos. Prix un peu élevés cependant.

Petit Hotel (plan B1, **27**) : *Perú, 1459. ☎ 423-20-99. • petit-hoteles.com.ar • Double env 390 $Ar, bon petit déj-buffet compris.* De bonne réputation chez les routards qui se refilent l'adresse. D'ailleurs, c'est vite complet. Normal, il est bien situé en centre-ville. Les chambres sont petites mais propres et plutôt agréables, avec salle de bains et AC. Accueil adorable.

La Escondida B & B (plan A2, **29**) : *Julio A. Roca, 344. ☎ 425-52-02. Double env 450 $Ar. CB refusées.* Situé dans un quartier résidentiel, ce *B & B*, l'un des rares de Mendoza, dispose de chambres confortables et joliment décorées, faisant contraster art moderne et ambiance cosy d'une maison familiale. À l'arrière, un jardin arboré avec une grande piscine un peu rustique, des tables, des parasols, quelques chaises longues. Accueil professionnel.

Hotel Cordón del Plata (plan C1, **30**) : *9 de Julio, 1543. ☎ 423-02-50. • hotelcordondelplata.com.ar •*

Doubles standard *480-650 $Ar selon saison et équipement, petit déj et parking inclus.* Ce 3-étoiles très central affiche 2 visages. Côté rue, il propose des chambres plutôt patinées, parfois petites et sombres, et d'autres plus lumineuses mais bruissant des rumeurs de la ville. À l'arrière, il reluit de sa rénovation avec chambres vastes équipées de lits *king size* et baignoire jacuzzi. Également quelques apparts.

Hotel San Martín *(plan B2,* ***31****)* **:** *Espejo, 435. ☎ 438-08-75. • hsm-mza.com.ar • Doubles 520-590 $Ar, petit déj et parking inclus.* Sur la plaza Independencia, cet établissement dispose de tout le confort de sa catégorie, avec des chambres spacieuses et bien équipées (AC, TV, sèche-cheveux). Les *standard* sont pour la plupart intérieures, les *especiales* tournées vers la *plaza* (plus bruyantes donc). Globalement, celles situées dans les niveaux supérieurs sont plus lumineuses. Petite piscine pour faire trempette. L'accueil est avenant et pro.

Argentino *(plan B2,* ***31****)* **:** *Espejo, 455. ☎ 405-63-00. • argentino-hotel.com • Doubles env 550-650 $Ar, petit déj et parking inclus.* Ses 3 principales qualités ? Situation, situation, situation... Posé sur la plaza Independencia, l'hôtel dispose de chambres sans génie mais confortables, les plus chères avec vue sur l'esplanade. Un peu cher sans doute, mais on paie l'emplacement. Piscine, massages et restaurant.

Chic (650-1 000 $Ar / env 65-100 €)

Bohemia Hotel Boutique *(hors plan par A2,* ***32****)* **:** *Granaderos, 954. ☎ 423-05-75. • bohemiahotelboutique.com • Double env 650 $Ar, petit déj inclus.* Un boutique-hôtel à la déco actuelle. L'hôtel, très villa des quartiers aisés, abrite des chambres tout confort. Notre préférée, au fond du jardin, possède un balcon en bois donnant sur la petite piscine. L'accueil est chaleureux, et quel calme ici ! La vie nocturne est pourtant à deux pas, et la *plaza Independencia* à 8 *cuadras* à l'est. Très bon resto (quelques tables seulement, réservées aux clients) de cuisine fusion concoctée par un chef d'origine libanaise, agrémentée d'excellents crus.

Plus chic (1 000-1 400 $Ar / env 100-140 €)

Villaggio *(plan B2,* ***33****)* **:** *25 de Mayo, 1010. ☎ 524-52-00. • hotelvillaggio.com.ar • Doubles 1 040-1 225 $Ar.* Super central et plutôt classe avec sa déco d'inspiration italienne, le *Villaggio* est réputé être un des meilleurs hôtel en ville. Ses chambres, ultraconfortables (TV, AC), déclinent des tons blanc, beige, grège et/ou brun, et les salles de bains sont dotées d'une douche tropicale. Hammam et spa. Personnel accueillant et très professionnel, aux petits soins.

Où manger ?

De bon marché à prix moyens (80-180 $Ar / env 8-18 €)

Pour se nourrir à bon compte, on trouve une multitude de *cantinas* et fast-foods sur l'avenida Las Heras *(plan B1)*. On peut aussi pousser les portes du *Mercado central,* où se trouve un petit *patio de comidas (lun-sam 8h30-13h et 17h-21h).*

Anna Bistró *(plan A1,* ***40****)* **:** *Juan B. Justo, 161.. ☎ 425-18-18. Tlj 12h-minuit.* On adore cet endroit à l'abri des rumeurs de la rue. Le lieu est tout en terrasses, ouvertes sur un jardin envahi de fleurs et ponctué de chaises et de fauteuils. Les jeunes propriétaires sont français. Les espaces sont vastes, l'ambiance très lounge, avec des coins pour chacun et un large choix de cocktails (avec ou sans alcool). On y boit un thé dans l'après-midi, un verre avant ou après le dîner, on y grignote des tapas, un plateau de fromages ou quelques plats fusion bien tournés – comme cet agneau au malbec et sa ratatouille. Pour les becs sucrés, tiramisù, profiteroles, crème brûlée, duo de mousses chocolat et fruits rouges... Excellentissime !

El 23 *(plan B2, **41**)* **:** *Chile, 894. ☎ 425-17-16. Lun-sam 10h-1h. Menu* ejecutivo *le midi, avec plat, dessert et boisson.* Belle cour à l'abri de la circulation, sous le grand palmier ou la colonnade, dans de moelleux fauteuils de cuir. La carte, alléchante, très ouverte aux légumes, est conçue pour marier produits du terroir et vins locaux : tapas, salades et plats du marché. Les desserts offrent d'autres occasions de mettre le vignoble argentin à l'honneur : glace au malbec, figues au cognac, cheese-cake à la gelée de vin... Grand choix de vins au verre, naturellement.

Parrillada Arturito *(plan B1, **42**)* **:** *Chile, 1515. ☎ 425-99-25.* Et **De un Rincón de la Boca** : *Las Heras, 485. ☎ 425-14-89. Tlj 12h-15h, 20h-0h30 (ou 1h), un peu plus tard le sam.* De vieux Italo-Argentins ont fondé ces 2 institutions voisines il y a un bon demi-siècle. *Parrillada* copieuse et sans surprise pour le premier, pizza goûteuse et bon marché pour l'autre, – mais d'une taille qui peut parfaitement nourrir 2 personnes. Fondantes *empanadas* aussi. Chacune des salles est prolongée par une terrasse sur le trottoir – bruit et gaz d'échappement en prime. Et pourtant, tout Mendocino qui se respecte se bouscule aux portes, dans un quartier où la concurrence est rude. Service plein de bonne volonté mais désespérément insuffisant.

Florentino *(plan B2, **43**)* **:** *Montevideo, 675. ☎ 464-90-77. Tlj 18h-minuit (ven-sam 0h30).* Façade vert tendre, comme une petite maison douillette avec des pièces en enfilade qui débouchent sur une cour décorée de géraniums. Le mobilier pastel et les verrières contribuent à créer une atmosphère paisible. Cuisine légère et créative, pas mal de plats végétariens, sans négliger les viandes. Plats originaux comme les ravioles au *butternut*, le risotto safrané aux fruits de mer ou la truite au quinoa, salade de pêches grillées... Que du frais et du bon. Bons petits crus locaux, servis au verre sur demande. Service souriant.

Las Tinajas *(plan C2, **44**)* **:** *Lavalle, 38. ☎ 429-11-74. Tlj 12h30-15h30, 20h-1h30. Buffet gargantuesque à volonté !* Forcément, ça se bouscule à l'entrée... Il y a même une salle pour patienter en attendant une table. L'ambiance est à la cafétéria un peu améliorée, mais la variété incroyable de plats et leur qualité globalement très correcte ont fait de ce lieu un incontournable. Disons que si vous avez une grosse faim... Orchestre le week-end. On mange gratuit le jour de son anniversaire (passeport exigé), mais obligatoirement en compagnie de 3 convives !

Onda Libre *(plan B1, **45**)* **:** *Las Heras, 450. ☎ 429-16-16. Tlj 12h30-16h, 20h30-minuit. Buffet à volonté midi et soir.* Même si la formule était plus en vogue autrefois, on trouve encore plusieurs buffets à volonté sur Las Heras, entre Chile et Mendocinas. De quoi se faire péter les bretelles! On ne doit pas s'attendre à du raffinement mais la qualité se tient, en tout cas chez *Onda Libre*. Dans le même genre, l'usine-mangeoire de **Caro Pepe** *(plan B1, **51**)*, à l'angle de Chile et Las Heras, propose un show assez ringard les vendredi et samedi... Tarifs supérieurs de quelques pesos.

De chic à plus chic (180-220 $Ar et plus / env 18-22 €)

La Marchigiana *(plan B1, **46**)* **:** *Mendocinas, 1550. ☎ 423-07-51. Tlj 12h-15h, 20h-minuit (0h30 ven et 1h sam). Les portables sont priés de passer au mode vibreur !* À deux pas des *comidas* populaires de Las Heras, on côtoie ici un Mendoza chic et raffiné. Dans une vaste salle aux tables bien espacées (pas si courant !), sur fond d'un immense mur de pierre, la ronde impeccable des serveurs fait valser les plats certes classiques mais succulents. Les plats de pâtes méritent attention et la carte fait une large place aux poissons et fruits de mer (une fois n'est pas coutume). On atteint ici un excellent rapport qualité-prix.

I●I ***Azafrán*** *(plan A2,* ***47****)* **:** *Sarmiento, 765.* ☎ *429-42-00.* Aucun touriste américain de passage à Mendoza ne ferait l'impasse sur ce resto ! Il faut dire que le décor est vraiment très réussi, mixant maison ancienne et *bodega* moderne, avec les murs tapissés de bouteilles et d'objets anciens rappelant le travail du vigneron. Le must : la table ronde donnant sur la rue (6 places seulement), dans sa salle privée. Côté cuisine, la tradition argentine se teinte de touches méditerranéennes. Portions un peu chiches pour les gros appétits, mais ça conserve un peu de place pour les desserts, très chocolatés.

I●I ***Maria Antonieta*** *(plan A2,* ***48****)* **:** *Belgrano, 1069.* ☎ *420-43-22. Tlj 8h-23h30.* Cuisine ouverte sur la salle, déco minimaliste et tables sur le trottoir. Bon croissants, œufs et pain maison au petit déj. On a affaire ici à une cuisine de chef plutôt inventive mais avec des hauts et des bas. En tous cas on est loin des standards des recettes argentines : les plats à base de légumes, les poissons et les crustacés n'y sont pas la part congrue. Également quelques classiques : hamburgers et pâtes. Les becs sucrés se jetteront sur les crêpes au *dulce de leche* nappées de glace vanille... Conseils judicieux pour les vins, disponibles au verre. Service attentionné, mais attente un peu longuette. Prix pas donnés.

I●I ***1884*** *(Francis Mallman ; hors plan par B3,* ***49****)* **:** *Belgrano, 1188, à Godoy Cruz.* ☎ *424-26-98. À env 2,5 km au sud de la pl. Independencia par l'av. San Martín, puis Alvear (à gauche). Dim-ven 12h30-15h ; dim-mer 20h30-minuit ; jeu-sam 20h30-1h. Résa conseillée.* Un des meilleurs restaurants de la ville, qui vaut tant pour le lieu, une ancienne *bodega* magnifiquement aménagée, que pour la copieuse cuisine. Carte des vins impressionnante mais assez chère. Jardin clos avec tables, où se trouve aussi la *parrilla.*

I●I ***Los Chocos*** *(plan C2,* ***50****)* **:** *San Martín, 950. Résa : 📱 15-510-93-45 (en espagnol) ou 15-534-52-29 (en anglais). Ouv le soir slt. Paiement en liquide.* Un resto ? Pas du tout ! Plutôt un dîner chez Martin... Après avoir réservé (plusieurs jours à l'avance), on se retrouve au pied de l'immeuble à une heure convenue. Direction le 5e étage. Au programme : dîner pour 8 personnes seulement dans l'appart du chef, comme chez des amis. Le concept est marrant, la cuisine de terroir ex-cel-len-te. Fromages, légumes, viandes locales, marmelades et pruneaux, les ingrédients ne sont pas révolutionnaires mais superbement déclinés dans une version personnelle de la cuisine cuyana.

Où s'offrir une glace ?

🍦 ***Helados Ferruccio Soppelsa*** *(plan A2,* ***60****)* **:** *Civit, 2, angle Belgrano. Plusieurs autres adresses en ville, dont Espejo, 299, angle P. Mendocinas (plan B2).* La maison a été fondée en 1927 par une famille d'origine italienne. Les 40 variétés de glaces sont toutes plus délicieuses les unes que les autres. Nos favorites : la *mousse de limón* et la *dulce de leche.* La *super dulce de leche* est recouverte de sirop de... *dulce de leche* !

Où boire un verre ? Où sortir ?

L'essentiel de la vie nocturne *mendocina* s'organise sur l'***avenida Arístides Villanueva,*** en marge du quartier chic *(plan A2),* qui aligne comme à la parade pléthore de boîtes et bars branchés. Les noctambules y arpentent la rue sur 3-4 *cuadras,* à la recherche d'une place en terrasse ; beaucoup de monde à l'approche de minuit.

Le second secteur nocturne, ***Alameda,*** au nord-est, dans le quartier de Tajamar *(hors plan par C1),* est plus intime et moins flashy, il a plutôt notre préférence. Dans tous les cas, sachez que les Mendocinos, comme les Argentins en général, commencent à sortir

très tard. Avant minuit, il ne se passe presque rien et les établissements sont vides.
Enfin, les discothèques se situent plutôt à l'extérieur de la ville du côté d'***El Challao,*** au nord-ouest, ou de *Chacras de Coria* au sud. Mieux vaut partager un taxi pour y aller.
– Pour guider vos pas au-delà du crépuscule, procurez-vous ***La Guía*** (disponible gratuitement un peu partout). On y trouve toutes les infos sur les soirées et spectacles à Mendoza.
■ Les amateurs de *pub crawl* à l'anglaise pourront s'adresser à ***Mendoza Pub Tours*** pour une virée nocturne avec 4 bars et boîtes au programme. *15-691-23-49 ou 15-595-25-68. • pubcrawlmdz.wordpress.com •*

Paseo Sarmiento *(plan C2,* ***70****) : entre San Martín et España.* Enfin un coin sans véhicules, mais on n'ira pas jusqu'à dire que c'est calme et bucolique... C'est dans cette rue piétonne que débute l'animation du centre. Toute la faune *mendocina* y est présente.
Decimo *(plan C2,* ***71****) : Garibaldi, 7. Dans l'edificio Gomez. Tlj 18h-3h.* Les *beautiful people* de Mendoza se retrouvent volontiers sur ce perchoir, en terrasse, au 10e étage, pour boire un verre en regardant le soleil disparaître derrière les Andes. Idéal aussi pour observer de haut l'activité sur le paseo Sarmiento.
Soul Café *(plan C3,* ***72****) : San Juan, 456. Droit d'entrée : env 10-15 $Ar.* Concerts fréquents. On conseille les vendredi et dimanche après 22h, où des danseurs de tous âges viennent « tanguer » et « milonguer ». Spectacle plaisant que ces gens normaux qui viennent ici avec leurs chaussures de danse précieusement protégées dans un sac en toile, s'en chaussent, puis s'élancent, se poussent, se tirent, virent et voltent. Et en plus, on peut y manger.
Paseo Alameda *(hors plan par C1,* ***73****) : à 3 cuadras au nord du plan.* Sur quelques pâtés de maisons se regroupent plusieurs bars qui ont nos faveurs. Citons d'abord la ***Casa Usher*** (nº 2259), fréquentée par une clientèle relax qui vient s'abreuver de rock, blues, jazz ou tango entre 20h et 5h, mais pas le lun. À côté (nº 2279), il y a le ***Lubilu Bar,*** un espace d'expos à l'ambiance très différente. Beaucoup d'élèves sortis des écoles d'art – idéal pour draguer ! Mentionnons aussi le ***Blah Blah,*** plus techno, plus tardif, et le ***Bar Creativo.*** Bref, de quoi meubler la soirée.
Teatro Independencia *(plan B2,* ***74****) : Chile, 1184 ; sur la place centrale. ☎ 438-06-44. Billetterie mar-sam 11h-15h, 18h-21h.* Pour les spectacles musicaux plutôt classiques et autres pièces de théâtre. La salle à l'italienne est élégante et la programmation est intéressante.

À voir

Il reste peu de témoignages du passé colonial. Le tremblement de terre de 1861, suivi de l'incendie qui a ravagé le centre historique de la ville, n'en a laissé que peu de vestiges. Les reconstructions successives ont respecté des règles antisismiques élémentaires. Le secret ? Immeubles bas, avenues larges plantées de platanes et d'espaces verts, pour éviter de nouveaux dégâts ! Cela donne à Mendoza son charme spécifique à peine gâché par quelques vilaines tours.

Plaza Independencia *(plan B2) :* vaste espace planté d'arbres d'essences multiples. Rumeurs de la ville en sourdine, bassins, jets d'eau, bâtiments masqués par les frondaisons : on oublierait un instant qu'on est au centre d'une des métropoles les plus animées du pays. Et puis « Independencia » est la grande sœur de ces multiples places qui offrent à Mendoza un urbanisme agréablement aéré.
– Côté sud, le petit ***Museo municipal de Arte moderno*** *(plan B2) : ☎ 425-72-79. Mar-dim 9h-20h. Entrée : 5 $Ar.* Accueille des expositions temporaires d'art contemporain argentin, de qualité variable. Se renseigner sur les concerts gratuits réguliers et les projections de films *(le dim vers 20h).*

★ ***Museo del Pasado cuyano*** *(plan B2)* **:** *Montevideo, 544. ☎ 423-60-31. Lun-ven 9h-13h. Fermé en janv. Entrée : 1 $Ar.* En restauration lors de notre dernier passage. Panorama historique de la ville et exposition sur le folklore de la région. Pas inoubliable.

★ ***Museo popular Callejero*** *(plan B1)* **:** *Las Heras, entre Perú et 25 de Mayo.* Forcément, pas de ticket d'entrée pour cette exposition de petites vitrines, alignées dans la rue, qui témoignent avec humour et réalisme des grands thèmes de l'histoire de Mendoza. Enfin un musée populaire qui porte bien son nom ! Malheureusement, elles ne sont pas beaucoup entretenues.

★★ ***Plaza España*** *(plan B2-3)* **:** se distingue par ses décors en azulejos, ses candélabres en fer forgé, son bassin mauresque et une belle fresque en céramique relatant des épisodes de la découverte du Nouveau Monde (offerte par l'Espagne, mais sans relent colonialiste aucun, promis !).

★ ***Pasaje San Martín*** *(plan C2)* **:** *relie les rues 9 de Julio (à la hauteur du n° 1137) et San Martín (n° 1136) ; accès également depuis Sarmiento (n° 45).* Cette belle galerie commerciale à la française date de 1926. Jolies verrières.

★ ***Plaza San Martín*** *(plan B-C2)* **:** au centre, une statue équestre de... San Martín, bien sûr. Copie conforme de celle de Buenos Aires. Plus que la place elle-même, on s'intéressera à certains des bâtiments qui la bordent :

★ ***Banco Hipotecario*** *(plan B2)* **:** *angle España et Gutiérrez. Lun-ven 8h-20h.* Ce superbe édifice de 1928, de style néo-plateresque (une sorte de Renaissance *latina*) abrite le sous-secrétariat de la culture de la province. N'hésitez pas à passer la belle porte à tambour pour accéder (à gauche) aux anciens guichets en bois. Des expos sont organisées au rez-de-chaussée. À l'autre angle de la place (Gutiérrez et 9 de Julio), la ***Banco de Mendoza*** *(plan C2)* est aussi devenue un centre d'expositions *(lun-sam 9h-13h, 16h-21h ; dim 16h-20h ; gratuit).* Sujets variables, mais la grande salle à rotonde vaut le coup d'œil pour sa belle verrière et ses oculi aux vitraux colorés. Quelques autres anciennes banques de belle facture dans les parages.

★ ***Basílica San Francisco*** *(plan B1-2)* **:** *angle España et Necochea. Tlj 8h-12h30, 17h-20h30.* Cette église néo-Renaissance (1875) est vénérée dans toute la région : elle abrite la Vierge de Cuyo, protectrice de l'armée des Andes du général San Martín, icône de la lutte pour l'indépendance. Des reliques de la *Campaña Libertadora* y sont d'ailleurs exposées. L'image sainte a résisté à plusieurs tremblements de terre (le dernier en 1968), ce qui a accentué la croyance en son caractère miraculeux. Accessoirement, l'architecte (belge), un certain Barbier, s'est largement inspiré de l'église de la Trinité à Paris. Pas de quoi se pâmer.

★ ***Museo histórico general San Martín*** *(plan C1)* **:** *San Martín, 1843. ☎ 425-79-47. Lun-ven 10h-18h ; sam 9h-13h30. Entrée : 10 $Ar.* Ô temps, suspends ton vol ! Géré par l'Association (patriotique) des dames *pro gloria mendocinas,* ce drôle d'endroit où la poussière prend à la gorge (littéralement) accueille un florilège d'objets ayant appartenu au grand homme ou à ses contemporains, militaires et présidents argentins. Dans l'ordre et le désordre : tableaux, armes, casque à pointe façon kaiser, uniformes (certains sous verre ou encadrés !), mobilier, chaussons des évêques locaux, et même une cartouchière de tubes de pilules homéopathiques, médecine à laquelle l'homme de guerre accordait un grand crédit ! Et puis des souvenirs de France... où San Martín passa les dernières années de sa vie. Une authentique plongée dans le subconscient argentin.

★ ***Acuario municipal*** *(plan D2)* **:** *angle Ituzaingó et Buenos Aires. ☎ 425-38-24. Tlj 9h-19h30. Entrée : 15 $Ar.* Un peu incongru, cet aquarium si loin de la mer. Certaines races de poissons sont sans yeux, d'autres possèdent des moustaches ou des poumons... Également quelques espèces spécifiques aux rivières de la région,

Paraná surtout. Mais ils sont très classiques dans leur genre, avec yeux, branchies et tout... Une escale oubliable, à moins d'adorer les piranhas naturalisés.

Serpentario (plan D2) : *Ituzaingó, 1420. Tlj 9h30-13h, 15h-19h30. ☎ 425-13-93. Entrée : 10 $Ar.* Dans une galerie jaune et serpentine, tout un tas de bêtes visqueuses et rampantes : anaconda, serpent à sonnettes, boa, pythons et autres... Quelques tortues aussi, des araignées grosses comme le poing, et un crapaud moche comme une pierre. Frissons garantis.

Museo del Area Fundacional (plan D1) : *angle Beltrán et Videla Castillo. ☎ 425-69-27. Mar-sam 8h-20h ; dim 15h-20h. Entrée : 10 $Ar ; visite guidée, parfois en anglais.* Édifié sur les ruines (visibles) de la *casa de gobierno* de la première ville, détruite par le tremblement de terre de 1861, ce musée moderne (le mieux agencé de la ville) présente quelques belles maquettes de Mendoza à travers les âges, ainsi qu'une petite section archéologique. Et n'oublions pas une belle collection de trophées décrochés par les équipes locales ! L'ancien couvent en ruines de *San Francisco,* de l'autre côté de la place, abritait jadis la Vierge de Cuyo.

Parque San Martín (hors plan par A1-2) : *10 cuadras à l'ouest de la pl. Independencia, en remontant l'av. Civit.* On peut découvrir le parc à pied ou à vélo... voire même en voiture tant les distances sont grandes. Le dimanche, les Mendocinos s'y pressent, histoire d'assister à un match, jouer au foot sur une pelouse, faire le tour du lac artificiel, visiter le petit zoo *(mar-dim 9h-17h)* ou juste pique-niquer sous les eucalyptus et les pins.
On croit d'abord s'être trompé de lieu et d'espace ! Derrière l'avenue Boulogne-sur-Mer (San Martín y est mort), de superbes grilles façon élyséenne donnent accès à une avenue encadrée par... des chevaux de Marly. Tout autour s'étend un superbe parc dessiné en 1896 par un certain Thays, Français de son état, qui s'est largement inspiré des très parisiens bois de Boulogne et de Vincennes... Pourtant, on est bien dans le centre de l'Argentine. Et le parc est dédié au Libertador, San Martín, en souvenir de cette armée des Andes qu'il leva à Mendoza et qui contribua à libérer l'Amérique du Sud de la Couronne espagnole.
On y trouve aussi un musée d'histoire naturelle et d'anthropologie, le ***Museo Juan Cornelio Moyano.*** Pour avoir une idée d'ensemble, grimper au ***cerro de la Gloria*** (rien que ça !). Accès possible en voiture, derrière le zoo *(tlj 9h-17h à priori).* Cela dit, la vue n'y est pas vraiment glorieuse, juste panoramique.

LA ROUTE DES VINS DE MENDOZA

La province de Mendoza est la principale région productrice de vin en Argentine (65 %) et la plupart des vignobles (plus d'un millier !) se trouvent aux portes même de la ville. Les premiers ont été plantés au XIXᵉ s par des immigrants européens, souvent italiens. Beaucoup d'autres sont apparus ces vingt dernières années grâce à l'engouement pour le secteur. Résultat : d'étonnants contrastes entre entreprises familiales bien patinées et usines ultramodernes débitant du malbec à la chaîne...
Les deux principaux secteurs viticoles sont ceux de *Maipú,* à 10 km au sud-est de Mendoza, et de *Luján de Cuyo* (AOC), à 15-20 km au sud-ouest. Le premier est de loin le plus visité en raison de son accessibilité : bus urbain depuis Mendoza et location de vélos sur place. Cela dit, le développement continu de l'activité a fait de Maipú et de son voisin Coquimbito une quasi-banlieue, où les vignobles disparaissent de plus en plus derrière les hangars...
On y trouve aussi des visites d'oliveraies et de chocolateries. Quant aux balades à vélo, elles manquent sacrément de sérénité avec, sur les artères principales, un trafic incessant, y compris de camions. Bref, on peut préférer se rendre à Luján de Cuyo. Le souci, dans ce cas, c'est que la plupart des

bodegas ne sont ouvertes que sur réservation, au plus tard la veille – ce qui est rare à Maipú et Coquimbito. Pas très facile à gérer...
Du coup, beaucoup optent pour un circuit organisé, en car ou à vélo. Une fois n'est pas coutume, on aurait tendance à penser que c'est la meilleure solution, même pour ceux qui sont déjà véhiculés. Trouver son chemin de vignoble en vignoble, à travers le dédale des rues et des routes locales, sans panneaux, est en effet un vrai parcours du combattant (on y a laissé pas mal de sueur !). On bénéficie en général d'au moins une dégustation incluse, mais les suivantes sont le plus souvent payantes. La plupart des _bodegas_ ouvrent du lundi au samedi de 9h à 17h.
Plus loin au sud-ouest, au pied de la cordillère, il y a la _vallée d'Uco,_ en plein essor, où les vignes grimpent jusqu'à 1 200 m d'altitude. On y produit essentiellement des blancs secs. Malgré la présence des Andes, à l'ouest, la route des vins ne suscite pas d'émotions paysagères comme on pourrait en avoir en France. La plaine s'étend, plate comme la main, et les _bodegas_ n'ont rien de châteaux du bordelais.
Procurez-vous à l'office de tourisme la brochure des _bodegas_ de Maipú et de Luján de Cuyo, avec le plan pour vous y retrouver. On en a sélectionné quelques-unes, mais toutes ont leur intérêt.
Petite parenthèse, à présent, sur les caractéristiques des principaux cépages de la région :
– ***Les rouges :*** le *malbec,* originaire de la région de Cahors, est LE cépage emblématique de l'Argentine. Il se reconnaît grâce à sa couleur intense et ses tannins soyeux. Le *cabernet sauvignon* bordelais donne ici des vins plus charpentés. Le *syrah,* quant à lui, donne des vins épicés qui rappellent la vallée du Rhône. Le *tempranillo,* espagnol d'origine, livre des vins de plaisir bien structurés et fruités, qui s'allient bien au malbec. Le *bonarda,* originaire du Piémont, donne des vins élégants aux arômes de fruits noirs.
– ***Les blancs :*** le *chardonnay* est le principal cépage pour les vins blancs, lequel se caractérise par des vins complexes et fins, ou frais et fruités. Le *sauvignon,* ici assez à l'aise, donne des vins de plaisir et d'apéro. Évitez les rosés qui, contrairement aux rosés français, sont plutôt sucrés et doux en raison du goût local.
Si vous êtes dans la région de fin janvier à début mars, vous pourrez assister aux vendanges et à une des ***Fiestas de la Vendimia.*** Le raisin sur le gâteau, avec élection de la *reina,* défilé des miss sur des chars dans la ville, danses folkloriques, tangos, chants... À la bonne vôtre ! Celle de Mendoza est logiquement la plus importante (début mars). S'y ajoute l'élection du roi lors de la *Vendimia Gay* !

Comment y aller ?

En bus

➢ ***Coquimbito :*** bus n° 171, 172 ou 173 (les prendre à l'angle de Rioja et Catamarca ou au terminal de bus). Le trajet dure env 40 mn. Le n° 171 D relie Coquimbito à Maipú.
➢ ***Maipú :*** bus n° 174, 181, 182 ou 183 depuis le terminal de bus. Descendent Maza et/ou Ozamis jusqu'au centre de Maipú. Le n° 175 poursuit vers Luján de Cuyo.
➢ ***Luján de Cuyo :*** le n° 19 est un express. Se prend également au terminal de bus ou angle Rioja/Catamarca.

À vélo

Le business de la location de vélos à Coquimbito a vu naître des pratiques peu recommandables. Certains se sont ainsi acoquinés avec des chauffeurs de bus (urbains) pour qu'ils s'arrêtent juste devant leur boutique... et leur laissent le temps de démarcher les touristes à bord ! Avec la commission versée au chauffeur, les prix sont généralement plus élevés.

COQUIMBITO

Coquimbito est un quartier de Maipú, facilement accessible depuis Mendoza. À partir du bureau d'infos commence une balade qui s'étire sur 10 km, avec visite de productions viticoles (sans blague !), mais aussi fabriques d'huile d'olive, de liqueurs ou de chocolat. Carte disponible auprès de l'office de tourisme du coin, mais attention, elle n'est ni à l'échelle ni très exacte ! On peut facilement louer un vélo (voir ci-dessous) ; le trajet est plat, mais les camions rendent l'excursion un peu périlleuse, voire désagréable. Les *bodegas* les plus intéressantes du point de vue œnologique sont plutôt du côté de Maipú.

Adresses utiles

Centros de informes turisticos : *plazoleta Rutini, sur Urquiza y Montecaseros, à Coquimbito. ☎ (0261) 497-34-35. • maipucunadelvino.com • Tlj 9h-17h. Un autre à Maipú, à l'hôtel de ville, Pescara, 190, (mêmes horaires) et une annexe au musée du Vin (fermée dim ap-m).*

■ **Location de vélos :** *Mr Hugo, Urquiza, 2288, à Coquimbito. ☎ 497-40-67. • mrhugobikes.com • Lun-sam 9h (ou 10h)-19h. Compter 50 $Ar/j.* Véritable institution de gentillesse, Mr Hugo accueille les routards à tour de bras de son anglais rugueux mais bien rodé. Pratique : le bus vous dépose devant chez lui. Et hop ! c'est parti pour la journée, *pedaleando por los caminos del vino...* Bouteille d'eau et carte basique des environs fournies. Beaucoup de circulation dans le coin, comme on le dit plus haut. Au retour, petit bonus : Mr Hugo distribue du vin à volonté !

■ **Bikes and Wines :** *☎ 410-66-86. • bikesandwines.com • Présent à la fois à Coquimbito (Urquiza, 1606) et à Chacras de Coria (Los Ranchos, angle Darragueira).* Une agence sérieuse et pro.

Où manger?

Casa de Campo : *Urquiza, 1516, à 200 m au nord du bureau d'infos. ☎ 481-16-05. Tlj 12h-18h (lun-jeu 22h). Assortiment de picadas (tapas).* Les restos ne sont pas nombreux dans les environs, et en plus, celui-ci est bon ! La cuisine, de terroir, séduira les amateurs de rongeurs à grandes oreilles, avec son lapin *(conejo)* au vin blanc ou en escabèche. Déco sympa avec étiquettes de tonneaux. Bon accueil.

À faire

Bodega y Museo del Vino La Rural : *Montecaseros, 2625. ☎ 497-20-13. • bodegalarural.com.ar • La rue part en face de l'office de tourisme. Lun-sam 9h-13h, 14h-17h ; visites ttes les 30 mn env. Gratuit.* Doyenne dans son genre, elle produit entre autres le *Don Felipe*. Une de nos préférées pour son joli musée viticole. Du fût de chêne français à la cuve en acier inoxydable, on trouve de tout dans cette immense bâtisse fondée en 1885 par la famille Rutini, immigrée d'Italie et devenue magnat de la vigne. Dégustation de la cuvée *Museo*, pas mauvaise du tout.

Tempus Alba : *Perito Moreno, 572. ☎ 481-35-01. • tempusalba.com • Visites guidées gratuites en espagnol ou en anglais, lun-ven 10h-17h.* Le malbec cultivé sur place et d'autres cépages venus des basses pentes andines produisent des vins complexes et intenses comme le *Cavas del Alba*. Bar à vins moderne et sympa, avec vue sur les Andes.

MAIPÚ

Bodega López : *Ozamis, 375, General Gutiérrez. ☎ 497-24-06. ● bodegaslopez.com.ar ● Au centre-nord de Maipú. Lun-ven 9h-16h ; sam et j. fériés 9h30-12h30. Visite guidée gratuites en espagnol ttes les heures et en anglais 1-2 fois/j. Resto le midi, lun-sam.* La maison a été fondée par un Espagnol de Málaga arrivé en 1886, après les ravages du phylloxéra en Europe. On y traite 30 t de raisin à l'heure... un peu l'usine (à vin et à touristes). La dégustation de l'excellent Chateau Vieux (sans accent circonflexe) est incluse.

Distillerie Tapaus : *Franklin Villanueva, 3826, à* **Lunlunta.** *☎ 524-13-74. ● tapaus.com.ar ● Tt au sud de Maipú (descendre Maza). Lun-ven 12h-17h ; sam 11h-17h.* Inaugurée en 2004, cette distillerie haut de gamme réalise tous ses esprits (alcools distillés) à base de marc de raisin, sans additifs. Architecture zen et atmosphère sereine. À la fin de la visite et de la dégustation, très bonnes *empanadas* servies sur commande, préparées par les sœurs mexicaines du couvent d'à côté.

Museo del Automóvil y del Ayer : *Centenial Hall, antigua Bodega Giol, Ozamis, 1040. ☎ 576-57-70. Lun-ven 10h-19h ; w-e 10h-21h. Entrée : 20 $Ar.* Bon plan pour un jour de pluie. Ce musée d'un genre rare en Argentine regroupe une collection de voitures anciennes (la plus ancienne date de 1909), des équipements de la vie quotidienne du XXe s. et des véhicules, outils et matériels liés à la viticulture.

Museo nacional del Vino y la Vendimia : *Ozamis, 914. ☎ 497-61-57 ou 24-48. Au centre de Maipú. Lun-sam 9h-18h ; dim et j. fériés 10h-13h. Visite guidée ttes les heures. Entrée : 6 $Ar.* La villa à l'italienne, construite par un duo italo-suisse, rehaussée de touches Liberty (Art nouveau), s'amarre le long de la rue principale, aux côtés de plusieurs semblables. La visite (d'un intérêt anecdotique) vous donnera l'occasion d'y jeter un coup d'œil.

LUJÁN DE CUYO

Les *bodegas* y sont plus petites et rurales. Les plus nombreuses se trouvent en bordure de la *ruta* 40, de part et d'autre du *río* Mendoza qui coupe la localité transversalement. Animation agréable le week-end avec antiquaires et artisans, et tango le dimanche soir.

Où dormir ?

Luján de Cuyo B & B : *Azcuénaga, 1237. ☎ 498-44-95. (261) 64-09-153. ● lujandecuyobyb.com.ar ● Après le pont et avt Terrada. Doubles 422-470 $Ar.* Une envie de séjour au milieu des vignes ? Vous voici comblé. Nacho et sa famille vous accueillent à bras ouverts dans la maison familiale, et en français s'il vous plaît ! Les 4 chambres, à la déco rustique avec bains, sont bien agréables. Piscine, *asado,* et même une cave pour les dégustations ! À noter : il y a plusieurs chiens, au cas où vous n'aimeriez pas les bêtes à poil... Vélos à disposition. Transfert possible : aéroport ou gare des bus.

Club Tapiz : *Pedro Molina, s/n et Russel Maipú. ☎ 496-34-33. ● tapiz.com.ar ● Doubles à partir de 550 $Ar.* Au milieu des vignes et avec vue sur la cordillère, cette maison de la fin du XIXe s, de style néo-Renaissance, a été très bien restaurée, en préservant tout le cachet de ce bel endroit au calme. Piscine, restaurant, pause thé, massages et ancienne *bodega* bien conservée.

Postales Hotel-Boutique Chacras de Coria : *Viamonte, 4762 ; à Chacras de Coria, quartier de Luján de Cuyo. ☎ 496-16-88. ● postalesarg.com/*

chacras ● *Double avec petit déj env 1 000 $Ar.* Dans une ancienne finca au milieu d'un environnement résidentiel boisé et tranquille. 6 jolies chambres spacieuses et tout confort, dans un petit bâtiment coloré et une maisonnette pour 4 personnes. Le tout décoré avec goût et avec vue sur un agréable jardin doté d'une piscine avec jacuzzi. Géré par 2 jeunes Françaises qui se feront un plaisir de vous conseiller pour vous aider à faire les meilleurs choix des *bodegas* à visiter.

À faire

Altavista : *Alzaga, 3972, à Chacras de Coria, au nord du río (autoroute sud, sortie « calle Araoz » ; au bout de la rue, suivre les panneaux).* ☎ *496-46-84.* ● *alta vistawines.com* ● *Visites guidées (tlj oct-avr ; lun-sam mai-sept) en anglais ou espagnol ttes les heures, 9h-18h.* Une des seules *bodegas* ouvertes le dimanche. Cette immense exploitation, fondée en 1890, a été reprise en 1997 par un Français à la tête d'une célèbre marque de champagne... On y déguste quelques-uns des meilleurs rouges du pays (malbec notamment), et des blancs *(torrontés)* pas mal non plus. Très bon accueil.

Bodega Vistalba : *Roque Sáenz Peña, 3531, à Vistalba. Juste au nord du río.* ☎ *498-94-00.* ● *carlospulentawines.com* ● Grande réussite pour cette petite merveille d'architecture moderne (2002) et d'harmonie, où les vins expriment cet équilibre. Vaut le détour aussi pour l'excellent restaurant, *La Bourgogne,* tenu par un chef français exilé en Amérique du Sud depuis longtemps.

Bodega Chandon : *Agrelo-Luján de Cuyo,* ruta provincial *13 (km 29), au sud du río.* ☎ *490-99-00. Sur résa.* Pour finir la route par une coupe de *champaña* dans la vénérable maison *Chandon* qui est à *Moët* ce que Hardy est à Laurel.

LA VALLÉE D'UCO

Elle se situe entre 80 et 100 km au sud de Mendoza. Pour les inconditionnels de l'œnologie qui envisageraient de consacrer une journée à quelques chais de prestige, véhicule indispensable ; de même que la réservation préalable pour les visites. On vous indique aussi une belle adresse chic où séjourner.

Postales Hotel-Boutique Valle de Uco : *à Colonia las Rosas, au croisement des routes pour Tunuyán, Tupungato et San Carlos.* ☎ *(02622) 490-00-24.* ● *postalesarg.com/valle-de-uco* ● *Double env 1 100 $Ar avec petit déj.* Dans une propriété de 15 ha (heureux Argentins !), l'endroit idéal pour faire étape entre les visites de *bodegas* de la région. Une dizaine de chambres en adobe, réparties dans les dépendances du bâtiment principal, confort douillet, meubles anciens, canapés et hamacs dans la galerie couverte face au jardin. AC, mais TV au placard ! Piscine et chaises longues avec vue sur les vignes et les sommets enneigés. Restaurant à la carte sur place (cuisine créative), avec vrai four à pain et asado. Accueil aux petits oignons, en français, et organisation complète de vos activités. Comment dit-on bonheur en espagnol ?

Bodega Salentein : ruta *89, à Los Árboles-Tunuyán.* ☎ *(02622) 42-95-00.* ● *bodegasalentein.com* ● *Mar-dim 9h30-17h30 ; visite guidée en espagnol 4 fois/j., en anglais 3 fois/j. Musée* Killka *: visites guidées tlj 10h-16h ; entrée : 60 $Ar.* Immense projet d'un propriétaire hollandais, cette *bodega-museo* est l'œuvre d'un collectionneur d'art éclairé qui a ouvert un magnifique endroit dédié à l'art contemporain. Le musée Killka est à côté de la très surprenante *bodega.* Restaurant haut de gamme en contemplant la cordillère à l'horizon. *Résas :* ☎ *(02622) 42-95-70 (ext. 3271).*

Bodega O. Fournier : *calle Los Indios, s/n ; La Consulta ; à 130 km au sud de Mendoza par la* ruta *40, près de San Carlos. (02622) 45-15-79. • ofournier.com •* On aperçoit de loin ce bâtiment futuriste planté au milieu de 260 ha de vignes comme une soucoupe volante. Le toit a été profilé comme une aile d'avion. La récolte du raisin est manuelle, mais ensuite, c'est la haute technologie qui prend le relais : cuves de chêne ou de métal de 15 000 l de capacité, élaboration du vin par gravitation pour éviter l'oxydation... Impressionnante salle des barriques éclairée par une croix de lumière (la croix du Sud) perçant le plafond. Expo d'art contemporain reprenant le logo de la firme avec le nandou.
Pour terminer, resto gastronomique, déco moderne un peu froide, avec large baie vitrée face aux Andes. Menu dégustation 5 services entre 250 et 400 $Ar selon le choix des vins.

LA ROUTE DES ANDES

Si vous loupez cette occasion unique de découvrir en toute facilité le cœur des Andes, on ne vous parle plus ! Traçant son chemin de Mendoza à Santiago du Chili, la *ruta* 7 fait partie de ces routes mythiques qui invitent à l'exploration. Allez-y en bus, en voiture, en moto (Harley de préférence !), à vélo ou même en stop... rien ne doit vous arrêter ! Au programme : l'Aconcagua qui domine les Amériques comme une Sainte-Victoire. L'incroyable formation naturelle du Puente del Inca. Le chemin sinueux grimpant au Christ Rédempteur, perché à 3 858 m d'altitude. Des panoramas grandioses et des guanacos !

LE TIBET DANS LES ANDES

Devant le refus des Chinois d'autoriser le tournage de son film Sept ans au Tibet *dans l'Himalaya, Jean-Jacques Annaud emmena son équipe au pied de l'Aconcagua, dans des paysages de montagne semblables au Tibet. L'intérieur du palais du Potala fut reconstitué dans un hangar à Mendoza, un troupeau de yacks fut acheminé depuis le Montana, et des Tibétains en exil furent recrutés comme figurants. L'un d'eux récupéra des éléments de décor et ouvrit le « café tibétain » à Uspallata !*

Arriver – Quitter

➢ ***En bus :*** voir nos informations complètes dans la rubrique « Arriver – Quitter » à Mendoza, plus haut.

➢ ***En voiture :*** certains font l'excursion de Mendoza jusqu'à la frontière chilienne et retour dans la journée. C'est tout à fait possible, surtout en partant dès potron-minet (2h30 de route dans chaque sens) ; en plus, la lumière est superbe. La route est (bien) goudronnée, mais un 4x4 peut s'avérer utile pour certains détours – pour grimper au Christ Rédempteur, par exemple. En tout état de cause, sachez que l'axe est emprunté par de nombreux camions, alors ne vous arrêtez pas en plein milieu de la chaussée pour prendre une photo – surtout en descente... alerte rouge !

➢ ***En excursion :*** de nombreux tour-opérateurs de Mendoza proposent une sortie d'une journée sur la route des Andes, soit par Potrerillos, soit par les anciens thermes de Villavicencio. Une option pour ceux qui n'ont ni trop de temps ni de véhicule, mais il faut s'attendre à une longue journée de 12h au moins, en bus de 20 personnes, avec 400 km de route. Tarifs à partir de 80 $Ar. Ceux qui ont plus de temps pourront s'adonner à toutes sortes de sports de montagne : trekking, équitation, rafting, VTT, etc.

Adresses utiles

À Uspallata

Le bourg, situé au croisement des routes de Mendoza et Barreal, regroupe tous les services nécessaires : stations-service, supérettes et banque (une seule, au pied de l'hôtel *Montañes*). Dernière occasion de faire le plein d'essence et de victuailles.

Oficina de turismo : *ruta 7, au croisement de la 52, face à la station-service YPF. ☎ 42-04-10. ● turismouspallata.com ● Tlj 8h-22h (ou 23h) en hte saison, 9h-21h en basse saison.* Accueil compétent et bonnes infos sur les hébergements et les activités dans la région, ainsi que sur l'état de la route en hiver (elle peut être fermée pour cause de chutes de neige).

Où dormir ? Où manger ?

À Potrerillos

Refugio San Bernardo : *à 2 800 m. ☎ 418-38-57. ● refugio-sanbernardo.com.ar ● De Mendoza, prendre un bus jusqu'à Potrerillos (à 24 km) ou Piedra Blanca (12 km) et finir en stop ou appeler pour qu'on vienne vous chercher. Piste en épingles à cheveux sur les 10 derniers km. Prévoir 75-90 $Ar/pers.* Repris par un couple franco-argentin, ce refuge situé à 2 800 m d'altitude est ouvert toute l'année. Il propose un hébergement simple de 25 places, convivial et agréable, en dortoir, avec salles de bains communes (5 douches) et cuisine, dans un cadre de toute beauté. Tout plein d'activités possibles : ski, trekking, équitation, parapente...

À Uspallata (ind. tél. : 02624)

Campings

Camping Juan Bautista : *le plus proche du carrefour des rutas 7 et 52. Compter 90 $Ar pour 2 pers.* Le plus petit et le plus pratique pour ceux qui voyagent en bus. Sanitaires en assez bon état. Odeurs de barbecue garanties le week-end !

Camping municipal : *500 m plus loin, sur la route 52 (vers Villavicencio). Compter 50 $Ar pour 2 pers.* Plus d'espace sous de hauts peupliers, avec un barbecue et une table par site. *Baños* acceptables, avec eau chaude.

De bon marché à prix moyens

Cabañas y Camping Ranquil Luncay : *ruta 7, Km 1 149 (juste avt le Gran Hotel). ☎ 42-04-21. ● ranquilluncay.com.ar ● Cabañas env 200 $Ar.* Le site est planté de peupliers serrés et suffisamment retiré de la route pour être assez calme. On y plante la tente ou on loue l'un des 10 bungalows avec cuisine et salle de bains. Piscine.

Gran Hostel Uspallata : *ruta 7, Km 1 149. ☎ 42-00-66. ● granhoteluspallata.com.ar ● Chambre triple à partir de 120 $Ar/pers, petit déj inclus.* Ne confondez pas le *Gran Hotel* et le *Gran Hostel* ! Les deux partagent le même superbe parc, à la sortie ouest d'Uspallata, mais le niveau de confort n'est pas le même. On trouve ici uniquement des chambres triples louées sur le modèle de l'AJ, avec un lit simple et un lit superposé. Pas de cuisine, mais on peut aller manger au resto de l'hôtel... et profiter de la piscine !

Hotel Viena : *Las Heras, 240 (la rue principale). ☎ 42-00-46. Double 220 $Ar, petit déj inclus.* Ce petit hôtel familial sans prétention, très central, conviendra bien à ceux qui voyagent en bus. Petites chambres agréables et bien tenues, avec salle de bains, ventilo, TV et parquet. Eau chaude et chauffage, important ici ! Très bon accueil.

Los Condores : *Las Heras. ☎ 42-00-02. • loscondoreshotel.com.ar • Double env 640 $Ar, petit déj-buffet inclus. Intéressant quand on est nombreux : chambre pour 6 pers 940 $Ar.* Peu de chance d'y voir des condors, mais un dinosaure, oui (tricératops, mon ami)... Cet hôtel très central dispose de chambres agréables avec AC et bain privé – celles du rez-de-chaussée avec un lit double et un lit superposé (pour les familles), celles de l'étage avec un seul lit double. Piscine et jacuzzi.

Casita Suiza : *Las Heras, à côté de l'hôtel* Los Condores *(même maison). ☎ 42-00-02.* Notre escale préférée à Uspallata pour engloutir un sandwich ou, bien plus intéressant, des gâteaux et tartes maison (choisissez en vitrine), des glaces et cafés de toutes sortes. Ambiance de chalet suisse revisité.

Parillada El Rancho : *ruta 7 y Cerro Chacay. ☎ 42-01-34. Dans le centre.* Intérieur chaleureux bien garni en bouteilles. Grande cheminée où grésillent les pièces de viande. Les classiques argentins sont bien présents à la carte, mention pour le chevreau rôti, mais on a déniché une langue vinaigrette (si, si !) et apprécié la délicate truite sauce poivrade. Terrasse donnant sur la rue.

Café-bar El Tibet : *au croisement des rutas 7 et 52, face à la station-service* YPF. *☎ 42-02-67. Plats env 25-40 $Ar.* On s'y repaît des classiques argentins, mais l'intérêt du lieu réside plutôt dans sa déco... récupérée par un Tibétain, figurant dans le film *Sept ans au Tibet,* tourné dans le coin ! Bouddha et lions dorés sur le bar, moulins à prières au balcon.

Chic

Pukara Inca Mountain Lodge : *route N 149 vers Barreal, à 10 km au nord d'Uspallata. ☎ 457-07-50. (0261) 15-631-42-24. • pukarainca.com • Doubles env 700-900 $Ar selon saison, petit déj inclus.* Drôle d'ovni... Posé en pleine puna, au pied des montagnes, dans un domaine de 20 ha, sans âme qui vive à la ronde, le bâtiment rouge et bas abrite juste 6 chambres (avec bains). Le ton est ici résolument New Age : on y parle d'harmonie spirituelle, de la place de l'homme dans l'univers, de thème astral... Ça tombe bien, avec les étoiles qui scintillent au-dessus de la tête ! Le confort n'est pas pour autant spartiate. Eau chaude, chauffage, frigo, il ne manque rien, pas même une télé. Certes, elle ne reçoit aucune chaîne, mais elle sert à visionner des films en DVD. On peut dîner sur place, mais franchement, on ne vous le conseille pas !

À Los Penitentes

On peut se loger toute l'année à l'*Hotel Ayelen • lospenitentes.com/hotel-ayelen •* Passage de camions en prime une partie de la nuit ! Le reste des hébergements n'ouvre que pour la saison de ski – grosso modo de juin à mi-août.

À Puente del Inca
(ind. tél. : 02621)

Plusieurs possibilités pour dormir à Puente del Inca, mais franchement très basiques. Une adresse se démarque :

Hostel El Nico : *ruta 7, s/n. 15-592-07-36. • elnicohostel@gmail.com • Dortoir env 80 $Ar/pers, double 200 $Ar, petit déj compris.* Planqué derrière les stands de souvenirs, tout contre le *puente.* Les proprios de cette mini-AJ de 14 lits font aussi poste et gardien du parc de l'Aconcagua ! 2 petits dortoirs (un par sexe), 2 chambres privées, une douche pour tout le monde (bien chaude) et une cuisine. Ambiance très familiale. Bon accueil.

À voir sur la route

Cette route des Andes a connu le plus extraordinaire chassé-croisé de l'histoire d'Amérique du Sud. Au XVIe s, les Espagnols ont emprunté ce couloir pour coloniser le Cuyo, jusqu'alors rétif à la Conquête. En 1817, le général San Martín passa

dans l'autre sens, à la tête de 5 000 hommes, signant le départ des Espagnols de cette partie du continent et le début de la chute de l'empire.
Dès la vallée de Mendoza, plantée de vignes à l'infini, l'Aconcagua barre l'horizon. Et pourtant, la route s'y dirige résolument, sans qu'on puisse comprendre où et comment on pourra passer cette formidable barrière couronnée de neiges éternelles.

Potrerillos *(Km 1098)* **:** à droite de la route, beau lac artificiel aux eaux turquoise sur fond de montagnes nues. Vaut bien une petite halte. C'est d'ici que part une petite route de montagne vers la station de ***Vallecitos,*** où se pratiquent ski alpin, randonnée, escalade et trekking. Le cadre est superbement sauvage et c'est une bonne étape d'acclimatation à l'altitude pour qui veut ensuite s'attaquer à l'Aconcagua. Le *cerro del Plata* offre ses 6 075 m de pentes argentées pour entraîner articulations et poumons.

Uspallata *(Km 1146)* **:** *à 97 km à l'ouest de Mendoza.* Carrefour routier et seul bourg important avant la frontière, Uspallata est situé dans une jolie vallée, au pied de montagnes superbes. C'est une excellente base d'exploration, mais attention, le week-end, tout se remplit très vite. Au début de la route de Barreal, à gauche après le gué, on peut jeter un coup d'œil aux *ruines de Las Bóvedas (tlj 9h-19h ou 20h selon saison),* des hauts fourneaux construits au XIXe s par les Espagnols pour fondre les équipements des mines alentour. Ne croyez pas les légendes : ils ne furent employés ni à couler des lingots d'or ou d'argent, ni à fabriquer les armes du Libertador San Martín !

Picheuta *(Km 1169)* **:** lieu connu pour son pont de pierre, un des plus vieux du pays, construit par l'armée des Andes, attribué à O'Higgins. Suivre les panneaux, car la visite nécessite un petit crochet sur l'ancienne route (2 km).

Punta de Vacas *(Km 1204)* **:** c'est là qu'on réunissait les vaches avant de leur faire franchir le col vers le Chili voisin. Et maintenant, la frontière administrative avec ce même Chili est ici. Cela dit, on est toujours en Argentine sur les 20 km suivants. Beaux panoramas avant le village. Juste après, à gauche, jolie vallée et ***volcan Tupungato,*** au cône perpétuellement enneigé, qui culmine tout de même à 6 800 m. Cela dit, certains affirment qu'il a rapetissé à cause de la fonte des glaciers...

Los Penitentes *(Km 1212)* **:** cette petite station de ski de quelques immeubles, deux télésièges et quatre téléskis doit son nom aux formes des gros rochers des environs, qui font penser à des moines encapuchonnés. Envie de tester la poudreuse argentine ? En saison, des agences de Mendoza (avenida Las Heras) et d'Uspallata proposent des excursions à la journée comprenant transport, forfait et matériel. On peut aussi s'adresser à l'hôtel *Los Condores* à Uspallata. Bref, ce n'est pas trop cher et carrément marrant de skier en plein mois de juillet ! Bon, ne vous attendez pas à des infrastructures délirantes... Mais la neige, elle, est top.

■ ***Desnivel :*** *Espejo, 218, à Mendoza.* *(0261) 15-554-88-72 à Uspallata.* • *desnivelaventura.com* • Toutes les activités sportives, même les plus extrêmes.
■ ***Pizarro Expediciones :*** *entre l'office de tourisme et le camping* Juan Bautista, *à Uspallata (début de la* ruta *52).* *(0261) 15-594-89-94.* • *pizarroexpediciones.com.ar* • *Ouv 12h-14h30, 20h-23h.*

Cimetière des Andinistes *(Km 1217)* **:** *1 km avt Puente del Inca.* Émouvant lieu de repos des grimpeurs victimes de l'Aconcagua.

Puente del Inca *(Km 1218)* **:** *à 2 720 m d'altitude et 160 km de Mendoza.* Ce hameau haut perché abrite un site étonnant : une arche naturelle recouverte de concrétions calcaires jaunâtres. Les scientifiques expliquent que jadis, un pont de neige très solide s'était constitué ici et qu'il fut recouvert par les débris d'un éboulis. Au fil du temps, ils se sont peu à peu trouvés cimentés par le calcaire provenant des eaux thermales. Celles-ci ont attiré très tôt les visiteurs : une ligne de chemin de fer et un hôtel furent aménagés dans les années 1920. On s'y baignait dans des eaux à 35 °C, le regard accroché aux cimes enneigées. Très chic. L'hôtel a été détruit par une avalanche en 1965. Reste le « pont », qui surplombe le *río* Cuevas d'une vingtaine de mètres, et les vestiges des thermes accrochés sur son flanc. Pour y accéder, on traverse une multitude de stands de souvenirs, où s'empilent des tas d'objets calcifiés parfaitement improbables : sculptures, bouteilles, chaussures... *El puente* est désormais fermé au public : on ne peut plus le traverser, comme le fit jadis l'Inca venu soigner son fils dans les eaux curatives.

*** ***Parque provincial Aconcagua :*** • *aconcagua.mendoza.gov.ar* • *Accès possible oct-mai env, en fonction de la météo. Entrée simple jusqu'au lac Los Horcones : 30 $Ar ; trekking 1 journée env 800 $Ar. Les permis de plus d'une journée s'achètent à Mendoza (voir plus haut, la rubrique « Adresses utiles. Infos touristiques »).*

Du haut de ses 6 962 m, l'*Acon Cahuac* (« sentinelle de pierre » des Incas) domine superbement les deux Amériques – puisqu'il bat à plate couture le mont McKinley (Alaska), avec ses misérables 6 194 m... Il fut conquis pour la première fois en 1897 par le Suisse Zurbriggen. On a pourtant retrouvé une momie inca sur l'Aconcagua, à environ 5 300 m : ce qui ne veut pas dire que des Amérindiens ne soient pas montés plus haut, n'est-ce pas ?

➢ Pour la plupart des mortels, l'approche se résume à une balade au pied de la montagne, depuis le centre des visiteurs situé 3 km en amont de *Puente del Inca,* sur la *ruta* 7. Beaucoup se contentent de rejoindre en voiture (2 km) le départ du sentier en boucle menant jusqu'au petit *lac de Los Horcones* (1,7 km). Une jolie balade de 1h tout au plus, permettant de s'enivrer de panoramas du géant dressé en toile de fond. Les marcheurs impénitents doivent prévoir d'acheter un permis de trekking pour la journée, histoire de s'approcher un peu plus de *Confluencía,* situé à 8 km (3-4h de grimpette) à 3 370 m ; ou même de *Plaza Francia* (13 km plus loin et 4-5h supplémentaires). Des formules de randonnées de 3 à 7 jours permettent aussi de parcourir les hautes vallées, d'y admirer de superbes lacs, des barres rocheuses.

➢ Seuls les alpinistes se hissent jusqu'au sommet. L'escalade par la face sud nécessite une quinzaine de jours (14-18 jours), acclimatation comprise. Pour s'organiser, plusieurs formules : avec ou sans guide, avec ou sans mule pour porter les sacs, en individuel ou en groupe organisé (agences à Mendoza, mais aussi à Puente del Inca).

– ***À noter :*** en tout état de cause, il vous faudra redescendre vos déchets, y compris organiques, sous peine d'une amende salée si votre sac reçu au départ est rendu vide. N'oubliez pas que le *soroche,* le mal des montagnes, sévit dans les Andes à partir de 3 500 m (voir la rubrique « Santé » dans « Argentine utile »).

** ***Las Cuevas*** *(Km 1232) :* *minuscule hameau à 3 200 m, juste avt la frontière chilienne.* L'hiver, il s'y empile 3 m de neige par - 15 à - 30 °C ! De là, une piste en épingles à cheveux grimpe sur 8 km jusqu'au **Cristo Redentor** (le Christ Rédempteur), une statue qui tance de ses 7 m les versants chilien et argentin. À côté, deux postes de *carabineros.* Les Argentins font snack... Une autre piste permet de redescendre vers le Chili et de revenir vers Las Cuevas par le tunnel mais sans devoir passer la douane – allez tout droit au niveau où elle est signalée. Un 4x4 est idéal, mais on passe en voiture de tourisme si la météo est bonne.

P COMME POMPEUX

C'est à l'époque où Juan Perón était au pouvoir (1952) qu'a été construit l'arco de Las Cuevas – et même l'ensemble du hameau, histoire de bien affirmer la présence argentine au cœur de la cordillère. Vu de l'arc, justement, un drôle de détail attire l'attention : les bâtiments s'alignent de sorte à former un P... comme Perón. Pas étonnant que Las Cuevas s'appelait alors « Villa Eva Perón » ...

➢ ***La frontière chilienne :*** *pour aller au Chili, on emprunte le tunnel qui passe sous le* Cristo Redentor, *après Las Cuevas (droit de passage). Attention, il est fermé la nuit en hiver et peut l'être plusieurs j. après une tempête de neige.* Pas de visa nécessaire, juste le passeport. Pour passer en véhicule de location, il faut préalablement que le loueur ait fait des démarches administratives *(2 j. à 3 sem de délai).* Évitez de faire transiter toute matière organique : charcuterie, produits laitiers, objets en bois...

CÓRDOBA

1,5 million d'hab. IND. TÉL. : 0351

Deuxième ville du pays, Córdoba, dite « La Docte », entretient avec Buenos Aires une rivalité permanente. Située autrefois dans la vice-royauté du Pérou, la ville est fondée en 1573 par Jerónimo Luis de Cabrera. Le roi d'Espagne distribue alors du terrain aux ordres religieux qui souhaitent s'installer. L'ordre de la Compagnie de Jésus, fondé 33 ans plus tôt par Ignace de Loyola, s'y établit alors et y crée une cité au rayonnement considérable. Par la suite, cette « capitale jésuite » prend une part importante dans la guerre d'Indépendance contre les Espagnols. Grand centre industriel, commercial, touristique (pour les Argentins), mais aussi étudiant (ils sont 50 000 à fréquenter ses sept universités), Córdoba s'impose comme une plaque tournante de l'Argentine, plus naturelle que la lointaine capitale. Un peu injustement délaissée par les visiteurs étrangers, elle offre un centre-ville à la fois riche en vestiges coloniaux et débordant d'activités. À noter toutefois, la ville est quasi déserte les dimanche et lundi (musées, boutiques et nombreux restos fermés) ; préférer donc une halte en semaine. Vous apprécierez le légendaire sens de l'hospitalité des habitants. En dépit des désagréments inévitables d'une grande ville, Córdoba est une halte idéale après les grands déserts. L'ensemble de la *Manzana jesuítica,* regroupant collège-universités, église et résidence de la Compagnie de Jésus, est classé au Patrimoine de l'humanité par l'Unesco.

Arriver - Quitter

En bus

Estación terminal de Ómnibus *(plan B3) : Perón, 380, Planta Baja. ☎ 433-19-82.* On y trouve un petit point info, une poste et une consigne.

➢ ***Buenos Aires :*** ts les départs se font le soir. Grandes différences dans les temps de route annoncés selon l'itinéraire : 9-10h semble la norme. *Urquiza* et *TAC* sont parmi les meilleures compagnies.

➢ ***Mendoza, San Juan, La Rioja :*** bus fréquents, tte la journée. Env 6h de trajet pour La Rioja. Compagnies *Urquiza* et *Chevallier.*

➢ ***Le nord (Salta, Jujuy, Tucumán) :*** tlj avec *Chevallier,* 3-4 bus/j. avec *Flecha Bus.* 12h de route pour Salta, 13h pour Jujuy.

➢ ***Río Gallegos :*** 1 bus/j. avec la compagnie *El Pingüino.* Compter de 35 à 40h de trajet !

➢ ***Vers l'étranger :*** d'ici, on peut se rendre directement à Santiago (Chili), Lima (Pérou), Montevideo (Uruguay), au Brésil...

En avion

✈ ***Aéroport*** *(hors plan par A1) : à 11 km au nord-ouest. ☎ 434-83-90. Le bus nº A 5 fait la liaison avec le centre : il s'arrête sur 27 de Abril, à côté de la cathédrale. En taxi, compter 30 mn de trajet.*

➢ ***Buenos Aires :*** env 10 vols/j. avec *Aerolineas* et *Dinar.* 2 vols/j. avec *LAN.*

➢ Vols également pour ***Salta, Tucumán, San Juan, Mendoza, Mar del Plata*** (l'été slt) et ***Río Gallegos.***

Adresses utiles

Office de tourisme (plan A2) : *Cabildo histórico. ☎ 434-12-00 ou 0800-888-2447 (gratuit). • cordoba.gov.ar • Tlj 8h-20h (10h-16h en hiver). Visites guidées de 2h incluant l'entrée des musées. Possibilité de visites guidées en français sur résa.* Sympa mais fournit des infos assez approximatives. On vous recommande de vous inscrire pour les visites de la *Manzana jesuítica* (le quartier jésuite ; voir plus loin).

Poste (plan A1) : *General Paz, 210. Lun-ven 8h-20h ; sam 9h-13h.*

Téléphone, Internet : partout dans le centre, d'innombrables bureaux pour téléphoner et se connecter à Internet.

Change Barujel (plan B2, **1**) : *à l'angle de Rivadavia et de 25 de Mayo. Lun-ven 8h30-15h30 ; sam 8h30-12h30.* Prennent les chèques de voyage *American Express. À côté, distributeur à la banque* **Macro.**

Consulat de France et Alliance française : *Ayacucho, 46. ☎ 422-11-29. Lun, mer, ven 14h-15h.*

Hôpital des urgences (plan B1, **2**) : *☎ 427-62-00.*

Pharmacies : *plusieurs ouv 24h/24, notamment sur Paz et Colón.*

Location de voitures : Hertz, *Colón, 835. ☎ 424-48-06.* **Europcar,** *Rivadavia, 96. ☎ 421-77-96.*

Aerolineas Argentinas (plan A1, **3**) : *Colón, 520. ☎ 810-222-865-27. Lun-ven 10h-18h ; sam 9h-13h. Abrite aussi les bureaux d'*Austral.

Où dormir ?

Bon marché (moins de 350 $Ar / env 35 €)

Córdoba Hostel (plan A3, **10**) : *calle Ituzaingó, 1070. ☎ 468-73-59. • cordobahostel.com.ar • Lits en dortoir 70-80 $Ar/pers ; doubles 285-320 $Ar, petit déj inclus. Réduc avec la carte* HI. AJ affiliée à *Hostelling International* en plein cœur du quartier étudiant, près du parc Sarmiento. Grande maison moderne de 4 étages. Petite piscine, bar, salle de jeux et vidéo, cuisine, laverie, terrasse pour barbecue. L'idéal pour se faire de bons contacts dans une ambiance très internationale. Pas mal d'activités sportives et culturelles, cheval, parapente, cours de salsa.

AJ Córdoba Backpackers (plan B1, **11**) : *San Martín, 414. ☎ 422-05-93. • cordobabackpackers.com.ar • À partir de 60 $Ar/pers en dortoir, double 190 $Ar avec sdb ; petit déj inclus. Résa slt par mail.* Couloir d'entrée avec peintures à la Miró, bar en rotin et billard. Pour les fauchés, une option centrale qui propose tous les services d'une AJ : laverie, cuisine, etc. Les parties communes sont tout de même un peu cracra. Préférer l'annexe en face, plus tranquille et bien tenue, avec TV et ordi à dispo. Terrasse avec vue sur la coupole de la basilique Santo Domingo. Bonne ambiance et accueil chaleureux.

Turning Point Hostel (plan B2, **12**) : *Entre Ríos, 435. ☎ 422-12-64. • turningpointhostel.com • Lits en dortoir env 80-90 $Ar ; doubles 250-300 $Ar selon confort, petit déj inclus. Parking.* À deux pas de la place San Martín et du terminal de bus, ce bâtiment récent tenu par des Américains offre tous les services possibles : cuisine, laverie, cours d'espagnol, excursions dans tout le pays, etc. Idéal pour découvrir les *Sierras.* Un peu bruyant, mais chambres et sanitaires impeccables ; mention spéciale pour la literie, très confortable. Pour les fêtards, entrée gratuite dans la plupart des boîtes de la ville.

Hotel del Sol (plan B2, **13**) : *Balcarce, 144. ☎ 423-39-61 ou 424-29-69. • hoteldelsolcba.com.ar • Doubles env 320-360 $Ar selon confort, petit déj (et garage) compris.* Derrière sa façade de brique, un hôtel plutôt moderne, bien tenu, tranquille et de bon confort. TV, AC et salle de bains ou douche. Bon accueil. Une bonne affaire malgré l'éloignement (relatif) du centre.

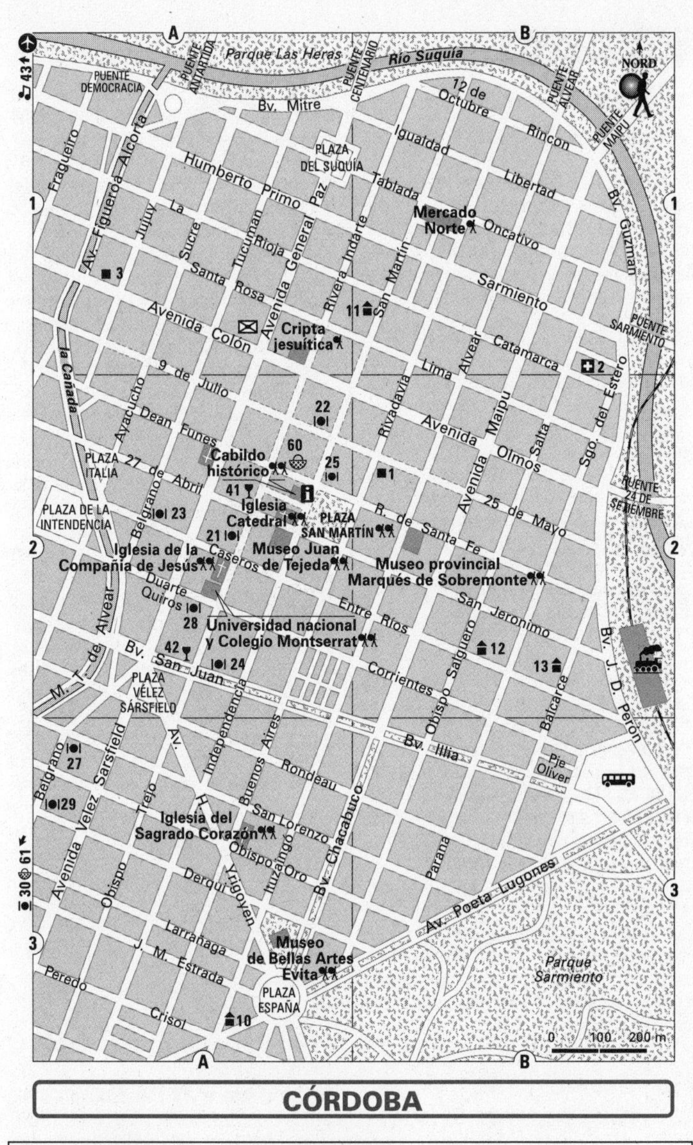

CÓRDOBA

■ Adresses utiles	🍴 Où manger ?	🍷♫ Où boire un verre ? Où sortir ?
1 Change Barujel	21 Empanadería La Alameda	41 Confitería El Ruedo
✚ 2 Hôpital des urgences	22 Verde siempre Verde	42 El Cuervo
3 Aerolineas Argentinas	23 La Vieja Esquina	43 Carreras – Blue Door
Où dormir ?	24 Las Tinajas	**Achats**
10 Córdoba Hostel	25 900	60 La Emilia
11 AJ Córdoba Backpackers	27 Los Infernales de Güemes	61 Feria artesanal Paseo de Artes
12 Turning Point Hostel	28 Alfonsina	
13 Hotel del Sol	29 La Nieta e' la Pancha	
	30 El Arrabal	

Où manger ?

Très bon marché (moins de 80 $Ar / env 8 €)

Les habitants de Córdoba déjeunent sur le pouce dans des *bars à l'américaine.* Ces échoppes chromées pullulent sur les grandes avenues, mais n'espérez pas y trouver autre chose que des sandwichs calibrés.

I●I ***Empanadería La Alameda*** *(plan A2,* ***21****) :* *Obispo Trejo, 170.* Les murs de ce resto-bar se couvrent de petits mots déposés par vos prédécesseurs du monde entier, depuis la sentence philosophique qui laisse pantois jusqu'à l'annonce matrimoniale urgente. Leurs délicieuses *empanadas* ne constituent pas un repas très équilibré, mais elles vous empêcheront de rouler sous la table à la quatrième bière. Encore plus radical : un gigantesque *lomito* ! Excellente musique.

I●I ***Verde siempre Verde*** *(plan A2,* ***22****) :* *9 de Julio, 36. ☎ 421-88-20. Tlj sf dim, slt pour le déj (12h-16h).* Dans la rue piétonne et commerçante, à l'étage, une grande salle aux coloris vert et jaune, un self-service qui ne propose que des produits naturels au poids. Plats végétariens mais pas exclusivement. Un bon plan économique, sain et savoureux.

I●I ***La Vieja Esquina*** *(plan A2,* ***23****) :* *à l'angle de Caseros et Belgrano. ☎ 424-79-40. Lun-sam 11h-15h, 19h30-minuit.* Une institution locale depuis 1984 pour s'offrir *empanadas,* soupes typiques, *locros, humitas* et quelques tartes. À déguster sur place ou à emporter.

Bon marché (80-120 $Ar / env 8-12 €)

I●I ***Las Tinajas*** *(plan A2,* ***24****) :* *San Juan, 32. ☎ 411-41-50. Tlj midi et soir.* Un resto placé sous le signe de la démesure : dans une salle grande comme 2 terrains de foot avec plusieurs centaines de tables, vous aurez droit à une véritable orgie culinaire, et ce, pour une somme modique (un peu plus cher le soir et le dimanche). Des dizaines d'entrées, un troupeau entier de bœufs en train de griller sous l'œil intraitable d'un maître-gril... Il y a même des sushis et des *futo-maki* ! À noter enfin, la très intéressante carte des vins, à prix doux. Bref, un rapport qualité-prix difficilement égalable.

I●I ***900*** *(plan A2,* ***25****) :* *Dean Funes, 33. ☎ 423-06-60. Tlj sf dim, slt pour le déj.* Resto-bar un poil chicos, accessible par une cour intérieure de l'enceinte du *Cabildo.* Quelques tables en terrasse. À l'entrée de la haute salle, grand panneau avec les suggestions du jour. Fréquenté par les cols blancs de l'administration voisine et quelques touristes égarés. Amusant d'observer le ballet des courbettes en fonction de la position hiérarchique des convives. Plats de brasserie pas mal tournés, tendance *fusion-food.* Excellent *carpaccio de lomo,* poulet et légumes sautés au wok. Pâtes et salades complètent le tableau.

I●I ***Los Infernales de Güemes*** *(plan A3,* ***27****) :* *Belgrano, 631. ☎ 330-90-26. Tlj 20h-5h.* Si vous arrivez à dégoter une place ici, vous pourrez goûter aux plats typiques du pays et déguster des vins provenant des meilleures *bodegas* argentines. Le tout dans une ambiance surchauffée en soirée, avec spectacle et musique folkloriques.

I●I ***Alfonsina*** *(plan A2,* ***28****) :* *Duarte Quiros, 66. ☎ 427-28-47.* Large choix de pizzas, *lomos, picadas, milanesas...* Service rapide et agréable. Un lieu vraiment chaleureux et un excellent rapport qualité-prix.

De prix moyens à chic (120-220 $Ar / env 12-22 €)

I●I ***La Nieta e' la Pancha*** *(plan A3,* ***29****) :* *Belgrano, 783. ☎ 468-19-20. 📱 15-31-60-39. Tlj 19h-0h30 (1h jeu-ven et 1h30 sam). CB refusées.* Ne pas se contenter d'un coup d'œil à l'entrée, qui ne reflète pas le charme de l'endroit. C'est en haut des escaliers, sur la terrasse, qu'il faut venir dîner sous la voûte étoilée. Cuisine de chef pas mal inspirée, revisitant les recettes classiques avec des produits purement locaux.

Pâtes originales, emploi judicieux des légumes souvent délaissés dans ce pays de carnivores, on a vraiment là un travail de créateur. Dessert à la glace à damner un père jésuite. Choix de vins à prix raisonnables et service agréable.

|●| ***El Arrabal*** *(hors plan par A3,* ***30****)* **:** *Belgrano, 899. ☎ 460-29-90. Tlj midi et soir.* Le lieu de tango de référence à Córdoba. Ce restaurant, qui propose d'excellentes grillades et un large choix de pizzas, se transforme en véritable cabaret les jeudi, vendredi et samedi soir. Menu tout compris ces soirs-là. Pour les novices, des cours de tango sont donnés du dimanche au vendredi.

Où boire un verre ? Où sortir ?

Qui dit étudiants dit multitude de bars et d'endroits où passer une bonne soirée. Les jeunes sortent du mercredi au samedi, mais souvent les bars n'ouvrent pas avant minuit. Les lundi et mardi, c'est le désert. Le centre-ville est plutôt calme. Ces dernières années, la concentration de ce genre de lieux s'est déplacée au sud du centre vers Nueva Córdoba et sur les hauteurs de *Cerro de las Rosas,* dans le district d'*El Abasto,* un ancien quartier d'entrepôts où l'on trouve dancings, bar et night-clubs disco.

🍸 ***Confitería El Ruedo*** *(plan A2,* ***41****)* **:** *Obispo Trejo, 84 (et 27 de Abril). ☎ 422-03-47.* Vaste terrasse devant une place ombragée. L'endroit idéal pour vous reposer d'une balade dans ce quartier animé. Bonnes glaces.

🍸 ***El Cuervo*** *(plan A2,* ***42****)* **:** *à l'angle de San Juan et de Obispo Trejo.* Le petit rade bien rock'n'roll, où se réunit, tard le soir, toute la jeunesse de Córdoba. Tons en rouge et noir avec des portraits du Che, d'Indiens...

♫ ***Carreras – Blue Door*** *(hors plan par A1,* ***43****)* **:** *av. Cárcano y Piamonte. 📱 15-676-23-42. Dans le quartier Chateau Carreras (près du stade) ; y aller en taxi. Slt ven et sam, 22h30-5h. Accès payant : env 30 $Ar avec 1 conso.* À 30 mn du centre-ville, cette discothèque très réputée draine la jeunesse aisée. Grand complexe avec resto, bar *lounge,* concerts live et DJs. Musique pop-rock, mais aussi house et électro.

Achats

🧺 ***La Emilia*** *(plan A2,* ***60****)* **:** *Dean Funes, 18.* Dans la rue piétonne à côté du *Cabildo,* une boutique pour rapporter des souvenirs aux amis : vêtements et chapeaux de cuir, ponchos, matériel à *mate,* couteaux, etc. Bref, tout pour se déguiser en *gaucho* de la Pampa !

🧺 ***Feria artesanal Paseo de Artes*** *(hors plan par A3,* ***61****)* **:** *entre le canal et la rue Belgrano. Le w-e et pdt les vac 18h-23h en été, 16h-21h en hiver.* De nombreux objets artisanaux et quelques antiquités. Un passage frais et reposant le long du canal, dans le quartier artistique de Córdoba.

À voir

👁👁 ***Plaza San Martín*** *(plan A2)* **:** l'ancienne place d'armes de la ville, où se déroulaient également les corridas et les exécutions. La statue équestre de Don José de San Martín trône au milieu des quelques arbres centenaires subsistant. Refuge d'ombres dans la journée et rendez-vous des amoureux le soir.

👁👁 ***Cabildo histórico*** *(plan A2)* **:** *tlj 9h-20h.* Il reste peu d'exemples en Argentine de ces maisons communales où s'organisait la cité. Celle de Córdoba date de 1588, mais on la voit ici telle qu'elle fut reconstruite à la fin du XVIIIe s. Le salon rouge à l'étage est harmonieux de proportions. Il n'abrite plus aujourd'hui que quelques réceptions officielles, et des expositions temporaires sur la province.

Iglesia Catedral (plan A2) : *lun-sam 10h-19h (18h en hiver) ; dim et j. fériés 8h30-11h30, 15h-19h (18h en hiver). Tarif : 8 $Ar ; réduc. Nocturnes jusqu'à 21h30-23h30 selon saison : 18 $Ar ; réduc.* La construction commença en 1599 mais ne s'acheva que 2 siècles plus tard, d'où la juxtaposition de plusieurs styles architecturaux : le plan est d'influence mauresque, la porte d'entrée italienne, et le dôme inspiré par la cathédrale de Salamanque (Espagne). Sur les tours de part et d'autre de l'entrée, on peut apercevoir deux anges sculptés par les Indiens et vêtus de jupes en plumes d'autruche. L'intérieur, très chargé dans un style presque rococo, abrite sous le porche les dépouilles du général José María Paz et de Fray Mamerto Esquiú, un prêtre qui milita pour l'adoption de la Constitution de 1853.

Mercado Norte (plan B1) : *Oncativo, 50. Lun-ven 7h-19h30 ; sam 7h-14h30.* C'est le marché des produits frais de Córdoba. Très animé le matin. On remarquera qu'on y trouve quatre boucheries pour un seul étal de fruits et légumes... Gargotes bon marché entre les échoppes. Essayez une planche d'*empanadas* arrosées de citron ou le cabri rôti.

Iglesia del Sagrado Corazón (plan A3) : *à l'angle de Buenos Aires et Obispo Oro.* Impressionnante église contemporaine de style néogothique, plus connue sous le nom d'*iglesia de los Padres Capuchinos* (église des Moines capucins). Conçue par l'architecte Augusto Ferrari et achevée en 1943. À l'intérieur, peintures représentant la vie de saint François d'Assise. En sortant, balade agréable sur le *paseo del Buen Pastor* et ses fontaines dansantes.

Museo de Bellas Artes Evita (plan A3) : *Hipólito Yrigoyen, 511. ☎ 434-36-36. Mar-dim 10h-20h. Entrée : 15 $Ar ; réduc ; gratuit mer. Visites guidées mar-ven à 10h, 12h, 15h et 17h.* Situé au cœur du quartier de Nueva Cordoba, c'est l'un des musées majeurs du pays. Expositions permanentes de peintures, sculptures, gravures d'artistes de la province de Córdoba. Le bâtiment en lui-même mérite le détour. Construit en 1916, le palacio Ferreyra fut conçu par l'architecte Ernst-Paul Sanson, qui s'inspira du classicisme français des XVIIe et XVIIIe s. Déco intérieure de style Louis XV et Empire. Une visite à ne pas manquer.

LA MANZANA JESUÍTICA

C'est le quartier jésuite, aussi appelé *Manzana de las Luces* (quartier des Lumières).

Universidad nacional y Colegio Monserrat (plan A2) : *Obispo Trejo, 294. ☎ 433-20-79. Visites guidées (env 10 $Ar) mar et jeu à 11h et 15h, sam à 11h et 12h ; visites supplémentaires en période de fêtes.*
Du temps de la colonisation espagnole, Córdoba était appelée *La Docta* pour son université fondée en 1612, et elle continue de justifier cette appellation ; c'est une ville qui totalise un pourcentage d'étudiants (12 %) parmi les plus élevés au monde par rapport à sa population. Dès lors, la visite guidée organisée par l'office de tourisme se révèle utile pour comprendre l'impact de cette institution sur l'histoire de la ville.

LA FIN D'UNE SUPRÉMATIE

Prospère, puissant et suscitant les jalousies, l'ordre des Jésuites ne rend de comptes qu'au pape. Cette indépendance et cette supériorité irritent les cours européennes. Après une campagne de dénigrement lancée par la Cour de Lisbonne, le Portugal l'interdit, puis la France de Louis XV, enfin l'Espagne, en 1767. Cette année-là, les jésuites doivent quitter tous les territoires de la Couronne espagnole. Leurs biens sont saisis par les monarques ou confiés à d'autres ordres comme les Franciscains. Seules la Russie de Catherine II et la Pologne les tolèrent. Dans la seconde moitié du XIXe s, le Colegio et l'université de Córdoba sont nationalisés.

Les jésuites choisissent de s'implanter à Córdoba, idéalement située entre Lima et la côte atlantique, et d'en faire la capitale de la future province jésuite du Paraguay où sont installées les missions. En 1613, Fray Fernando de Trejo y Sanabria fonde le ***Colegio Máximo de Córdoba,*** autorisé en 1621 comme université par le pape. C'est la première d'Argentine, la deuxième d'Amérique latine, la quatrième du Nouveau Monde. Évangéliser et éduquer, tels étaient les objectifs des pères jésuites. En témoigne la bibliothèque d'une valeur inestimable, avec notamment des œuvres de Descartes, Newton... parfois réduites en cendres par l'Inquisition en cas de contradiction avec la doctrine de l'Église !
Les jésuites qui veulent travailler dans les missions sont obligés d'étudier à l'université. Celle-ci accueille des candidats missionnaires de toute l'Amérique, mais aussi d'Europe. Rapidement, l'Ordre crée un noviciat pour les accueillir et les séparer des autres étudiants, les *hidalgos* – *« hijos de algo »* –, ceux qui n'avaient pas de sang juif, maure, indien ou noir, en fait les seuls à pouvoir s'y inscrire. Beaucoup de présidents de l'Argentine ont fait leurs études à Córdoba.
Il est aujourd'hui appelé *Colegio nacional de Monserrat* et la visite est assurée par des étudiants *(billets à l'intérieur).* On peut voir les salles de classe, les cloîtres et, dans un petit musée scientifique, un curieux globe terrestre sans inscription utilisé pour les examens de géographie, et une étonnante peinture monumentale allégorique de la conquête de l'Amérique, réalisée par un peintre de 17 ans ! Ne pas oublier de jeter un coup d'œil à la façade plateresque de l'entrée.

*** Iglesia de la Compañía de Jesús*** *(plan A2)* **:** *incluse dans la visite guidée qui part de l'entrée de l'université (petite brochure en anglais), mais entrée libre individuelle.*
L'une des plus belles et des plus anciennes églises d'Argentine, puisque sa construction débuta en 1640. La façade digne d'une forteresse médiévale est garnie de rangées de niches qui font le bonheur des pigeons. Elle serait en fait inachevée, les historiens supposent que les trous autour des portes avaient été prévus pour ajouter une sculpture baroque.
À l'intérieur, une splendide voûte en coque de bateau renversée. Cette forme peu commune s'est imposée par la rareté du bois dans la région et par le fait que l'architecte, le père belge Philippe Lemaire, était charpentier de marine de formation. La voûte est construite en cèdre des missions, de même que l'autel. La porte comme plusieurs éléments du retable ne sont pas d'origine : au moment de l'expulsion des jésuites, leurs bâtiments ont été pillés pour décorer d'autres édifices religieux. Les murs sont couverts de marbre, le retable entouré de saint Ignace de Loyola, saint François Xavier et des martyrs de l'Ordre est en or et ivoire. L'épaisseur des murs fait 1,50 m pour pouvoir y encastrer les confessionnaux. Dans la coupole, les traces d'un incendie. À droite de la nef, chapelle de Notre-Dame de Lourdes, tout en marbre, avec au plafond une fresque de l'Assomption de la Vierge. La suite de la visite guidée vers les bâtiments de l'université passe par la sacristie et la salle de transit où l'on peut voir une intéressante fontaine du XVIIe s. Ceux qui ne suivent pas cette visite ne peuvent y accéder. Derrière l'église, on peut aussi visiter la ***Capilla Doméstica*** au plafond tendu de peaux de vache.
– Sur la place en face du parvis de l'église jésuite, un vieux tramway donne une touche anachronique.

*** Museo histórico de la Universidad*** *(fait partie de la visite guidée avec l'église jésuite)* **:** abrite une exceptionnelle bibliothèque. Les jésuites faisaient venir des ouvrages d'Europe sur l'histoire, la botanique, la médecine et la théologie. Après leur expulsion, ce fonds de 12 000 documents a été dispersé. Ceux qui se trouvaient à la Bibliothèque nationale de Buenos Aires ont été restitués en 2000. Parmi les pièces rares, une bible de 1645 en 10 énormes volumes et écrite en 7 langues, dont le chaldéen et le syriaque.

🎬🎬 ***Museo de Arte religioso Juan de Tejeda*** *(plan A2)* **:** *Independencia, 122. • museotejeda.wordpress.com • Lun-ven 9h-13h ; visite guidée en espagnol et en français à 11h30. Entrée : 10 $Ar, guide inclus.*
Ce monastère fut fondé à l'origine par une congrégation de carmélites en 1573 ; seul celui de Mexico est plus ancien dans toute l'Amérique. Il comprenait autrefois 11 cloîtres. Y vivent encore une dizaine de religieuses dont 3 novices, la relève est assurée... À présent reconverti en musée réunissant les collections de la cathédrale et du couvent lui-même, auxquelles ont été ajoutées de nombreuses donations particulières, il recèle un des plus fabuleux trésors d'art religieux d'Argentine. Pour ne citer qu'une infime partie des pièces : ce Christ en ivoire dont les gouttes de sang sont des rubis, le confessionnal secret communiquant avec l'église, les tableaux de l'école de Cuzco, et un ensemble de chasubles brodées de coton, de soie et d'or, qui à lui seul occupa des Indiens Guaraní pendant 10 ans.
La visite mêle adroitement la présentation des œuvres d'art et l'évocation de la vie du carmel. Juan de Tejeda est un poète qui a trouvé refuge au monastère Santo Domingo, alors qu'il était menacé par des maris jaloux. Il passa ses dernières années à rédiger des poèmes en forme de *mea culpa* et, bien sagement, entra dans l'histoire littéraire de son pays.
Une exceptionnelle atmosphère de calme et de paix hors du temps règne dans le musée. On resterait bien des heures assis sur un banc à méditer sur les oranges et les citrons du jardin.

🎬🎬 ***Museo provincial Marqués de Sobremonte*** *(plan B2)* **:** *à l'angle de Santa Fe et d'Alvear. Lun-ven 9h30-14h30 ; sam 9h-13h. Entrée : 15 $Ar ; gratuit le mer.*
La magnifique demeure de Rafael Nuñez, gouverneur colonial de Córdoba et vice-roi du Río de la Plata, a été conservée dans son état d'origine. Elle comprend cinq patios, autour desquels s'articule une vingtaine de pièces. Chacune d'entre elles restitue la vie des grands propriétaires terriens au XVIIIe s. On se promène librement à travers les appartements, la salle à manger, la salle de réception, le salon de musique ou la pharmacie garnis d'objets authentiques et précieux : meubles ciselés, art religieux, armes (un chassepot – fusil de guerre français – et des brownings belges), uniformes, tentures soyeuses, piano, orgue ou de simples objets de la vie quotidienne. Admirez aussi l'imposant balcon en fer forgé qui orne la façade. Une visite qui vaut le détour pour la maison autant que pour ce qu'elle recèle.

🎬 ***Cripta jesuítica*** *(plan A1)* **:** *angle Colón et Rivera Indarte. Entrée par des escaliers de part et d'autre de l'av. Colón. Lun-ven 10h-16h. Entrée : 5 $Ar.* À l'origine, c'étaient les bâtiments du noviciat, puis les jésuites en ont fait un crématorium. Abandonnée après leur départ, elle est ensevelie en 1829. En 1989, les Telecom argentines tombent par hasard sur ces vestiges en voulant installer des câbles souterrains. La ville a restauré le site pour en faire le décor d'expositions culturelles et de spectacles. Les gros murs de moellons et de brique lui donnent un petit air mystérieux.

DANS LES ENVIRONS DE CÓRDOBA

🎬🎬 ***La région de la Sierra*** **:** *au sud-ouest de Córdoba, au terme de 2h de trajet. Prendre la route de Villa Carlos Paz, puis la direction de Villa Dolores/San Luis. Se fait en bus, en remis loué à la journée ou en voiture de loc.* De nombreux sites remarquables à voir dans cette région. Plusieurs agences de voyages proposent toutes sortes d'activités et diverses excursions à des prix intéressants. Plusieurs villages charmants à visiter dans cette zone montagneuse entrecoupée de vallées fertiles. À *Cuesta Blanca,* petit barrage et plage de sable ; *Villa General Belgrano* est une copie de village allemand célèbre pour sa fête de la bière (!), événement à ne pas manquer qui a lieu chaque année en octobre. Voir encore *Mina Clavero,* ses beaux points de vue sur la *sierra* et son microclimat. Tous ces villages sont accessibles en bus ou minibus depuis la gare routière de Córdoba.

Possibilité, dans tous ces villages, de camper, de loger à l'hôtel ou de louer une *cabaña,* petite maison tout équipée pour 4-5 personnes.

Près du village de ***Nono,*** à grosso modo 130 km sur la route de Villa Dolores, se trouve un musée privé, *el Museo Polifacético Rocsen (● museorocsen.org ● ; ouv tte l'année, tlj).* Créé par un Français, Juan Santiago Bouchon, qui s'est mis à collectionner dès l'âge de 3 ans. Y sont réunis des objets quelque peu hétéroclites (meubles, carrioles, machines diverses, têtes réduites Jivaro...).

ALTA GRACIA

Cette bourgade rurale fut dans les années 1920-1930 un lieu de villégiature très apprécié de la bourgeoisie de Córdoba et même de Buenos Aires, qui y occupait de pimpantes résidences secondaires pendant les mois d'été. Auparavant, les jésuites en avaient fait dès 1643 une de leurs bases arrière agricoles pour ravitailler l'université. De nombreuses autres *estancias* sont à visiter autour de Córdoba, mais celle-ci, à 40 km au sud de la ville, est l'une des plus proches et sûrement la plus intéressante.
➢ *Pour y aller :* départ ttes les 20 mn en minibus de la gare routière *(plan A2).* Trajet en 1h15. Petit office de tourisme dès l'entrée du village en quittant la grand-route. ● *altagracia.gov.ar* ●

À voir. À faire

Les *estancias* jésuites

Dès la fondation de 1613, l'ordre des Jésuites se doit de trouver des fonds pour financer l'université, il décide alors de construire des fermes à quelques dizaines de kilomètres de Córdoba. Il y en avait six, on en visite cinq aujourd'hui, celle de San Ignacio ayant disparu. Fruits, légumes, céréales, vins, troupeaux sont produits et élevés localement pour alimenter les pères et les novices. On y fait proliférer aussi des mules, moyen de transport indispensable dans les échanges de la vice-royauté avec Lima.
La première *estancia* est construite dès 1616 à Caroya, la dernière à La Candelaria en 1687. Ces propriétés couvrent d'énormes territoires et on y fait travailler des esclaves noirs et des Indiens rémunérés, logés dans des *rancherías* aujourd'hui disparues. Dans ces lieux agricoles, les religieux n'oublient pas leur mission spirituelle. Ils fabriquent des sculptures religieuses très réalistes, pétries de souffrance, pour impressionner les indigènes. Autre curiosité architecturale : les toilettes caractéristiques des maisons jésuites. Très modernes et hygiéniques pour l'époque, elles utilisent l'eau courante et une fosse d'évacuation entre deux murs. Les *estancias* de Jesús María et d'Alta Gracia organisent des expositions sur l'histoire coloniale et la vie quotidienne des *estancias.*

Estancia Alta Gracia, Museo Casa del Virrey Liniers : *av. Padre Domingo Viera, 41. ☎ 42-13-03. ● museoliniers.org.ar ● Mar-ven 9h-13h, 15h-19h ; w-e et j. fériés 9h30-12h30, 15h30-18h30 (20h en été). Entrée : 15 $Ar ; gratuit mer.*
Au centre de la petite ville, l'*estancia Alta Gracia,* classée par l'Unesco au Patrimoine mondial de l'humanité, fut baptisée ainsi en l'honneur de la sainte patronne du village natal de son donateur, Don Alonso Nieto de Herrera, qui la légua à l'Ordre en 1643. Commencée au début du XVIIIe s, l'église fut terminée en 1762, quelques années seulement avant l'expulsion des jésuites du pays. Perdant son caractère religieux, elle sera la propriété de plusieurs personnages historiques,

comme le vice-roi du Río de la Plata ou le marquis Rafael de Sobremonte. Le musée retraçant la vie quotidienne au XIXe s se trouve dans la résidence de la famille Liniers qui en avait hérité. En 1810, le Liniers d'alors, Santiago, héros de l'Indépendance, s'y réfugie, chassé par la présence des troupes anglaises. Pas vraiment grand-chose à se mettre sous la dent à part quelques meubles et une belle cuisine d'époque. Petite cafétéria sur place.

Maison d'enfance d'Ernesto « Che » Guevara : *Avellaneda, 501. Lun 14h-18h30 ; mar-dim 9h-18h30 (tlj 9h-19h45 en été). Entrée : 75 $Ar (85 $Ar pour le pass 3 musées : Casa del Che, Manuel de Falla et Casa del Virrey Liniers) ; réduc étudiants.*
Né en 1928, le petit Ernesto Guevara de la Serna souffre d'asthme dès ses 2 ans. En raison de ces problèmes de santé, la famille va changer plusieurs fois de résidence, jusqu'à ce qu'un médecin leur conseille Alta Gracia, dans la province de Córdoba. Le climat plus sec de cette région y est favorable, et ils louent une maison appelée « Villa Beatriz ». La mauvaise santé d'Ernesto conduit sa mère Celia à se charger de son éducation primaire. Ensuite, il suit normalement les cours de l'école San Martín, puis du collège Manuel Solares. En 1942, il commence ses études secondaires dans un collège de Córdoba, la famille Guevara de la Serna vivant à Alta Gracia jusqu'au début de 1943.
L'aménagement de cette petite maison transformée en musée restitue les jeunes années du futur révolutionnaire. Au fil des documents, photos et lettres, on voit déjà se forger le caractère d'un garçon qui refuse l'adversité en se contraignant à l'effort physique pour échapper à la fatalité de sa maladie. Ernesto adulte a pratiqué un très grand nombre de sports, même le golf !
On y apprend aussi qu'au cours de ses jeux d'enfant, le petit Ernesto (belle gueule déjà, malgré son bavoir) a le goût du commandement et des livres. L'influence de sa mère est bien expliquée. La longue agonie de sa grand-mère à laquelle il assiste le détourne de ses projets d'études d'ingénieur pour le consacrer à la médecine (diplôme bien en vue). La suite est connue (deux films passent en boucle en décrivant sa carrière politique jusqu'à sa mort dans le maquis bolivien). On s'attendrira sur la copie de sa fidèle moto Norton 500 cm³, surnommée « la Vigoureuse » (« La Poderosa » en espagnol), avec laquelle il entame son périple sud-américain en compagnie de son copain Alberto Granados et qui lui vaudra d'ouvrir les yeux sur la condition des paysans sud-américains. Visite émouvante, même pour ceux qui sont indifférents à l'histoire de la révolution cubaine.

Maison de Manuel de Falla : *av. Carlos Pellegrini, 1011. Lun 14h-18h30 ; mar-dim 9h-18h30. Entrée : 20 $Ar.* Né en 1876 à Cadix, le compositeur a longtemps vécu à Grenade, ville qui lui a inspiré de nombreuses œuvres. En 1907, il part à Paris pour y connaître le succès. À son retour en Espagne, il s'établit à Grenade et quand éclate la guerre civile, il s'exile en Argentine et vit à Alta Gracia (en raison d'une tuberculose) jusqu'à sa mort en 1946. Cette petite maison de style basque d'où l'on a une jolie vue sur les montagnes n'intéressera que les aficionados. Souvenirs personnels, comme son piano, à contempler au petit trot en écoutant d'une oreille distraite les œuvres du maestro diffusées par haut-parleurs. Concerts parfois le samedi soir.

Parque nacional Quebrada del Condorito : *bus depuis Córdoba ; départs ttes les 2h env à partir de 8h30, env 2h de route. Camping sur place possible. Rens : ☎ (03541) 43-33-71. • condoritoapn.com.ar • Tte l'année, lun-ven 9h-16h ; w-e et j. fériés 8h-19h.* Le parc se visite à pied, dans des paysages rudes de landes balayées par le vent. Sentier de randonnée qui mène à un belvédère avec panorama superbe sur les vallées de Punilla et Calamuchita, Lagos San Roque, Los Molinos... *(compter env 6h A/R).* Comme le nom de ce parc l'indique, on y a toutes les chances, d'y apercevoir les majestueux condors !

LA PATAGONIE

Délimitée au nord par le *río* Colorado et au sud par le cap Horn, la Patagonie est un territoire désertique qui compte moins d'un habitant au kilomètre carré. La plus grande partie de ce territoire appartient à l'Argentine et le reste au Chili. Cette terre fascine par ses grands espaces et sa diversité, la beauté de la nature et la richesse des animaux qu'elle abrite. Comment ne pas laisser son regard partir à l'horizon des plaines désertiques jusqu'à la cordillère des Andes ? Comment rester insensible à la beauté sereine de ces montagnes et de ces lacs d'altitude, aux tourments de ces côtes déchiquetées ?

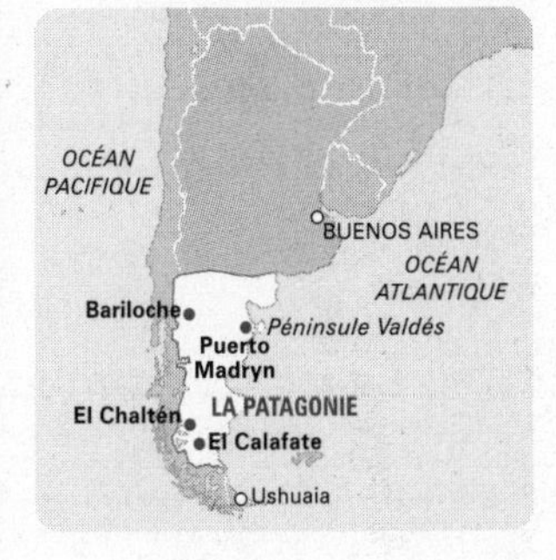

UN PEU D'HISTOIRE

L'origine du nom « Patagonie » est attribuée à Magellan qui se serait exclamé « Ah ! patagon ! » – c'est-à-dire « grands pieds », à cause de la pointure des mocassins – devant la taille et la force des Indiens Tehuelches. Deux explications possibles : *pata* veut dire « pied » en espagnol, mais les hellénistes préféreront la version selon laquelle *patagon,* en grec, signifie « rugissement » ou « grincement de dents » ! L'auteur britannique Bruce Chatwin avance quant à lui une autre hypothèse, certainement proche de la vérité. En 1512 (7 ans avant le départ de Magellan), fut publié en Castille un roman de chevalerie, *Primaleon de Grèce,* où il est question d'une île éloignée où les hommes sont cruels, primitifs, mangent de la viande crue et portent des peaux de bêtes. À l'intérieur des terres vit un monstre à tête de chien, appelé le Grand Patagon... Quand on sait que les Indiens Tehuelches non seulement sont immenses mais portent des masques à tête de chien, il n'est pas extravagant de penser que Magellan avait une copie de ce livre dans ses bagages à son départ vers le Nouveau Monde.
Cette terre fascinante semble de tout temps avoir attiré les révoltés, les extravagants, les aventuriers de tout poil. On y trouve des Écossais, des Juifs, des Russes, des Mormons, des Boers, sans parler d'une poignée d'Indiens (uniquement au Chili) et des Argentins. Butch Cassidy, le légendaire pilleur de banques, ainsi que le Sundance Kid et leur égérie Etta Place s'y réfugièrent et poursuivirent leurs activités. Simon Radowitzky, l'anarchiste russe, fut emprisonné de longues années à Ushuaia, la ville la plus australe du monde. L'un des tout premiers navigateurs solitaires, l'Américain Joshua Slocum, qui partit en 1895 de Boston sur un bateau à voiles de 12 m, le *Spray,* lui a consacré un bouquin.

Il parle des vents terribles, les *williwaws,* qui se lèvent d'un coup et peuvent atteindre des vitesses allant jusqu'à 180 km/h.

Pourquoi n'y a-t-il plus d'Indiens en Patagonie ?

Depuis plus de 200 ans, les îles Malouines sont habitées par des Anglais éleveurs de moutons. Un bon nombre avait établi de grandes *estancias* en Patagonie, terre propice à l'élevage et sur laquelle vivaient quelques milliers d'Indiens, chasseurs de lamas et d'autruches. De temps en temps, les Indiens tuaient quelques moutons anglais. Ces petits vols furent à l'origine d'un véritable génocide. Les éleveurs anglais payèrent des chasseurs « une livre sterling par paire d'oreilles ». En quelques années, tous les Indiens furent exterminés. Un Français, capitaine de baleinier, kidnappa 11 Indiens ; ils furent publiquement exposés dans une cage comme « anthropophages » à l'Exposition universelle de Paris en 1889, avant d'être libérés par un missionnaire qui fut le seul à se demander pourquoi on enfermait sans raison des hommes innocents. C'était hier ! L'église s'intéressa aux quelques Indiens qui subsistaient en Patagonie. Croyant bien faire, les prêtres leur donnèrent vêtements et nourriture. Mais ce changement d'hygiène et d'alimentation causa la mort des derniers d'entre eux.

DES ANIMAUX PAR MILLIERS

Important : certaines espèces ont leurs habitudes de chasse, d'accouplement ou de repos en fonction des marées. Il convient donc de s'informer du coefficient des marées avant de partir en excursion de découverte de la faune. Les offices de tourisme locaux peuvent vous fournir ces horaires sans problème.
Tous ces animaux ont appris à intégrer la présence humaine dans leur vie quotidienne. Ils n'ont plus à en avoir peur puisque, aujourd'hui, ils sont tous protégés et que la chasse est interdite. On assiste d'ailleurs à présent au phénomène inverse, les baleines franches choisissant de mettre au monde leur baleineau sur les rives argentines.
- ***À noter, une distinction fondamentale :*** l'otarie se déplace sur terre en s'appuyant sur ses nageoires. En revanche, le phoque bouge beaucoup plus difficilement grâce à un mouvement dorso-ventral (comme les chenilles).
- ***L'éléphant de mer*** *(elefante marino)* **:** il appartient à la famille des phoques. Ce mammifère a une particularité surprenante : la femelle a un utérus composé de deux parties ; dans l'une, le fœtus se développe, dans l'autre, l'ovule fécondé est en attente. Résultat, cette femelle est la seule du monde animal à être toujours enceinte ! Les mâles ont un nez en forme de trompe (d'où leur nom) qui gonfle lorsqu'ils sont en rut ! Ils restent entre eux, sauf bien sûr pendant la période de reproduction. Adultes, ils atteignent un poids de 4 t pour 6 m de long alors que la femelle ne pèse que 700 kg et atteint rarement plus de 3 m.

À partir d'août, les mâles commencent à s'installer pour prendre possession de leur territoire. Quand les femelles arrivent, de véritables harems se constituent autour d'un mâle, le petit veinard, qu'on appelle « sultan », et qui peut avoir jusqu'à 40 femelles. Une fois repus sexuellement, les mâles se reposent sur le sable pendant 3 mois et ne se nourrissent pas. Ils perdent jusqu'à 12 kg par jour, puis repartent en mer. Après une gestation de 350 jours, la femelle donne naissance à un petit qui mesure 1,50 m pour 35 kg. Les bébés sont nourris pendant 25 jours, puis abandonnés par leur mère.
Les éléphants de mer mangent poissons, calamars et poulpes, et peuvent plonger jusqu'à 1 500 m. Ils peuvent rester sous l'eau pendant plus de 1h30. Ils subissent de longs temps de jeûne lors des périodes de mue et de reproduction. En revanche, ils sont la proie des orques et des requins. On les voit en Patagonie d'août à mars.

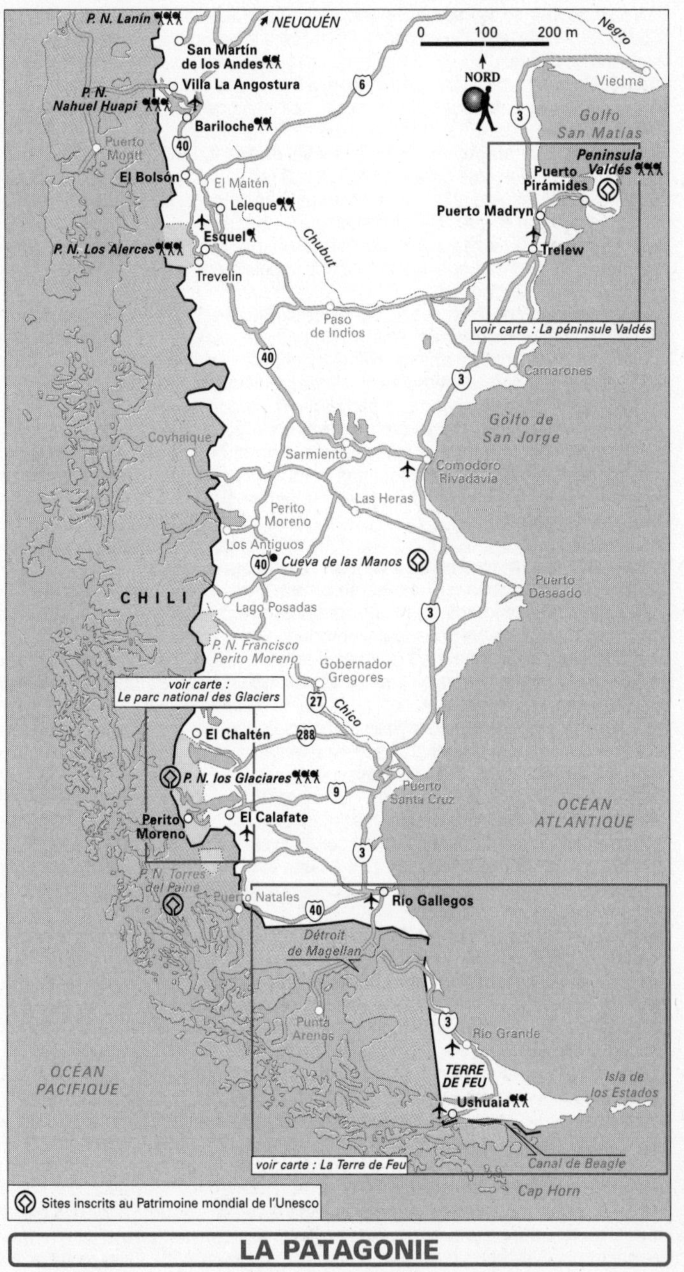
P. N. Lanín
NEUQUÉN
0 100 200 m
Negro
San Martín de los Andes
Villa La Angostura
P. N. Nahuel Huapi
Bariloche
NORD
Viedma
Golfo San Matías
Puerto Montt
El Bolsón
El Maitén
Leleque
Peninsula Valdés
Puerto Pirámides
Puerto Madryn
Esquel
Chubut
P. N. Los Alerces
Trelew
Trevelin
Paso de Indios
voir carte : La péninsule Valdés
Camarones
Golfo de San Jorge
Coyhaique
Sarmiento
Comodoro Rivadavia
Las Heras
Perito Moreno
Los Antiguos
Cueva de las Manos
Puerto Deseado
CHILI
Lago Posadas
P. N. Francisco Perito Moreno
Gobernador Gregores
voir carte : Le parc national des Glaciers
Chico
El Chaltén
P. N. los Glaciares
Puerto Santa Cruz
OCÉAN ATLANTIQUE
Perito Moreno
El Calafate
P. N. Torres del Paine
Puerto Natales
Río Gallegos
Détroit de Magellan
Punta Arenas
Río Grande
OCÉAN PACIFIQUE
TERRE DE FEU
Isla de los Estados
Ushuaia
voir carte : La Terre de Feu
Canal de Beagle
Cap Horn
Sites inscrits au Patrimoine mondial de l'Unesco

LA PATAGONIE

– ***Le lion de mer*** *(lobo marino)* **:** c'est une otarie. Il doit son nom à la crinière des mâles. Ceux-ci pèsent 350 kg pour 2,50 m et ont le col couvert de fourrure jaune ; la femelle ne dépasse guère 1,50 m et ne pèse que 70 kg. Le lion de mer règne sur un véritable harem lui aussi ! La gestation est de 11 mois et les naissances ont lieu en janvier-février. Les bébés ont le pelage noir et ne pèsent qu'une quinzaine de kilos. Ils vivent sur les côtes de juin à mars.

– ***Le manchot de Magellan :*** voilà un animal étonnant. En Argentine, on a beau les appeler *pingüino,* ces drôles de bestiaux n'ont en fait rien à voir avec les pingouins de l'hémisphère nord : le manchot est une autre espèce. Probablement la plus drôle que l'on ait vue ! Cet oiseau de mer, assez petit (55 cm), pèse 4 à 5 kg et peut vivre 25 ans. Il se caractérise par ses deux cravates ou bandeaux de plumage noir qui recouvrent son cou. C'est l'espèce la plus représentée : il y en a environ 500 000 à Punta Tombo !

Le manchot de Magellan présente certaines similitudes avec le canard (sa démarche, ses pattes palmées), avec l'oiseau (il pond des œufs et, pour nager, ses ailes atrophiées effectuent le même mouvement qu'un oiseau en plein vol), avec le lapin (il couve son œuf dans un terrier qu'il creuse lui-même, parfois jusqu'à 1 km de la mer). En outre, il est monogame et particulièrement fidèle !

Les mâles arrivent les premiers et, pour plus de 40 % d'entre eux, récupèrent leur territoire de l'année précédente. Leur nid est en fait une sorte de terrier pour protéger les œufs des prédateurs comme les cormorans et les mouettes. Pendant les deux premières semaines de septembre, les femelles arrivent et, après une cour de quelques jours, les amours ont lieu de fin septembre à début octobre. Chaque femelle pond un ou deux œufs qui sont couvés tour à tour par le mâle et la femelle, durant 30 à 40 jours. Les petits ne pèsent qu'une centaine de grammes à la naissance et sont recouverts d'un plumage gris qu'ils perdent à partir de mars. Ils mettent 25 à 30 jours pour marcher. Ils restent 11 semaines près de leurs parents. La période de reproduction terminée, les parents changent de plumage de février à mars, et tous se retirent vers la mer, entreprenant une longue route migratoire vers le nord. On les observe en Patagonie de début octobre à fin avril.

– ***La baleine franche du Sud*** *(ballena franca)* **:** une des plus grosses que l'on puisse observer. Le mâle mesure 12 m, et la femelle 3 m de plus. Ils pèsent de 25 à 30 t. Le baleineau mesure 6 m et pèse à peu près 2 t. Beau bébé, non ? On peut voir les mères jouer avec leurs petits, qui restent près d'elles pendant 1 à 2 ans.

Les adultes mangent 1 t de krill (petits crustacés) par jour. Ces baleines se baladent en groupe et communiquent par un système de sons sophistiqué. Elles remontent à la surface toutes les 20 à 30 mn, et l'air qu'elles expirent sort sous forme de gouttes d'eau. Elles peuvent plonger jusqu'à 1 000 m grâce à un système de thermorégulation complexe.

C'est seulement à partir de 1935 que des mesures de sauvegarde ont été prises, mesures indispensables, car l'espèce était en voie de disparition. Depuis, leur nombre a sensiblement augmenté. On estime aujourd'hui l'espèce à 35 000 représentants, dont 800 viennent hiverner dans la péninsule Valdés.

On peut les voir de juillet à décembre, cette période ayant tendance à s'allonger avec les années.

– ***L'orque :*** elle croise au nord de la péninsule Valdés de février à avril. Les mâles adultes peuvent mesurer jusqu'à 10 m de long et peser 10 t. Ces mammifères se nourrissent de 80 espèces animales différentes, mais à Valdés, ils sont surtout réputés pour leurs attaques de bébés lions de mer ou manchots, directement sur la plage.

– ***Les cormorans :*** oiseaux de taille moyenne, à plumage sombre avec des reflets bronze. Ils ont un bec très fort et crochu. Oiseaux voraces, ils sont capables d'avaler quotidiennement leur propre poids en poissons. Les voir pêcher est impressionnant puisqu'ils capturent leurs proies en plongeant. Mais l'eau alourdit leur plumage qui n'est pas imperméable, ce qui rend leur envol difficile et les oblige à sécher périodiquement leurs ailes. Ils nichent sur des falaises.

LE NORD-OUEST DE LA PATAGONIE

BARILOCHE (SAN CARLOS DE BARILOCHE)

140 000 hab. IND. TÉL. : 0294

Lacs, montagnes, forêts de sapins, chalets de bois, fondue et chocolat. Non, vous n'êtes pas en Suisse ou en Autriche, mais en Argentine, à Bariloche. Si vous avez déjà pas mal vadrouillé dans le pays, ou dans le reste du continent, vous risquez d'être surpris. En hiver, c'est la station de ski chic des Argentins. Cette charmante petite ville du *río* Negro vit principalement du tourisme (en saison, difficile de circuler dans les rues !) et du chocolat, dont elle s'est fait une spécialité, notamment le *chocolate en rama,* en branche, qu'on ne trouve pas en Europe et qui fond dans la bouche.

Pour les Argentins, Bariloche rime avec exotisme car neige et sapins sont rares en Amérique du Sud. En revanche, les Européens boudent généralement Bariloche en disant qu'elle ressemble trop aux Alpes, préférant la péninsule Valdés (pour la faune), El Calafate (pour les glaciers) ou Ushuaia (bout du monde oblige). Pourtant, la nature est spectaculaire et sauvage dans la région, de Junín au nord à Esquel au sud. Bariloche s'étend le long du lac Nahuel Huapi, au pied de la cordillère et à quelques kilomètres de la frontière chilienne dans la région des Sept Lacs – qui sont en fait au nombre de dix !

Dans un autre registre, la ville est très prisée des bacheliers frais émoulus qui viennent y fêter dignement la fin de leur scolarité. Certains voient la neige et la montagne pour la première fois, mais aussi connaissent leurs premières sorties nocturnes. On y trouve les meilleures discothèques du pays !

UN PEU D'HISTOIRE

Ce furent les jésuites qui, les premiers, s'installèrent durablement dans la région, en créant une mission sur les bords du lac en 1670. Au cours des deux siècles suivants, de nombreux navigateurs anglais et espagnols essayèrent d'atteindre le lac Nahuel Huapi au départ de l'Atlantique et du Pacifique. Finalement, c'est Francisco Moreno qui y réussit le premier. La ville de San Carlos fut officiellement fondée en 1902. Les premiers touristes arrivèrent en 1924 ! Elle fut vite appelée « la Suisse argentine » en raison de son peuplement pionnier originaire d'Europe centrale qui a fortement marqué le mode de vie, les mœurs, l'architecture et la gastronomie locale.

NAZILAND...

On sait que Juan Perón a protégé bien des nazis. Le scandale éclate en 1995, quand on se rend compte que certains vivaient paisiblement à Bariloche. Le SS Erich Priebke tenait une épicerie, Josef Mengele, le boucher d'Auschwitz, y passa son permis, Adolf Eichman y vécut et le club d'alpinistes était tenu par Otto Meiling, membre des Jeunesses hitlériennes...

Arriver – Quitter

En bus

■ ***Terminal de Ómnibus*** *(gare routière ; hors plan par B1)* **:** *à 4 km env du centre-ville, en direction de San Martín de los Andes.* ☎ *443-28-60. Bus urbains nos 10, 11, 20 et 21 pour rejoindre le centre-ville, ou taxi.* On peut aller consulter le fichier des départs de bus à l'office de tourisme, car les horaires varient beaucoup selon les compagnies et les saisons touristiques.

– **Les compagnies :** *Andesmar (☎ 443-02-11) ; Albus (☎ 442-35-52) ; Via Bariloche (☎ 443-24-44) ; Mar y Valle (☎ 443-22-69) ; Algarrobal (☎ 442-76-98) ; Tas Choapa (☎ 442-22-88) ; Bus Norte (☎ 443-03-03) ; Don Otto (☎ 443-76-99) ; Taqsa-Marga (☎ 442-31-30) ; Transportes Koko (☎ 443-02-11).*

➢ ***Villa La Angostura et San Martín de los Andes :*** env une dizaine de bus/j. avec *Albus, Via Bariloche* et *Transportes Koko* pour Villa La Angostura ; fréquence réduite hors saison. À peu près la moitié de ces bus continue vers San Martín (route des Sept Lacs). Sinon, en été, 3-4 bus/j. avec *Via Bariloche* et *Transportes Koko* pour San Martín via Junín de los Andes. Trajet : env 4h.

➢ ***Chili (Osorno, Puerto Montt et Valdivia) :*** avec *Via Bariloche, Bus Norte, Tas Choapa* et *Andesmar.* Env 1-2 bus/j. pour chaque compagnie jusqu'à Osorno ; de là, les bus poursuivent soit vers Puerto Montt, soit vers Valdivia. Trajet env 5h pour Osorno, 8h pour Puerto Montt et Valdivia. La plupart des correspondances pour le Chili se font via Osorno.

➢ ***El Bolsón et Esquel :*** avec *Via Bariloche,* une dizaine de départs jusqu'à El Bolsón, 7h-20h30 (env 2h15 de route) ; près de la moitié continuent jusqu'à Esquel (trajet : 4h30). *Andesmar, Taqsa-Marga* et *Mar y Valle* assurent chacun 1-2 départs/j.

➢ ***Trelew et Puerto Madryn :*** 2 bus/j. en fin d'ap-m avec *Don Otto* et *Mar y Valle* (bus *cama* et *semi-cama*). Trajet : env 12h pour Trelew, 13h pour Puerto Madryn.

➢ ***Buenos Aires :*** 1 bus/j. en fin d'ap-m avec *Andesmar.* Bus également avec *Via Bariloche.* Trajet : 22-25h.

➢ ***Mendoza :*** 1-2 bus/j. en milieu d'ap-m avec *Andesmar.* Trajet : env 18h.

➢ ***Río Gallegos (changement pour El Calafate) :*** pas de bus direct pour Río Gallegos, changement à Caleta Olivia avec *Andesmar* (compter env 24h de trajet en tout). Également avec *Don Otto,* mais 8-10h d'attente à Comodoro Rivadavia avant d'arriver à Río Gallegos. De là, correspondance pour El Calafate. Dur, dur ! Compter 26-27h !

➢ ***El Chaltén (puis El Calafate) :*** slt de mi-nov à mi-avr, car la *ruta* 40 est fermée l'hiver à cause de la neige. Env 3-4 bus directs/sem avec *Taqsa-Marga* pour El Chaltén. Trajet : env 28h. Avec *Chaltén Travel,* départs les jours impairs pour la ville de Perito Moreno ; arrivée en début de soirée et nuit à Perito Moreno. Départ tôt le mat de Perito Moreno et arrivée à El Chaltén en début de soirée. Le lendemain matin, bus pour El Calafate, 300 km plus au sud. Les bus desservent respectivement les villes d'El Bolsón et d'Esquel (où l'on peut également rattraper le convoi en cours de route).

En train

Estación de ferrocarril *(gare ferroviaire ; hors plan par B1) :* *à 4 km env du centre-ville, en direction de San Martín de los Andes ; à côté de la gare routière. Bus urbains nos 10, 11, 20 et 21 pour rejoindre le centre-ville, ou taxi. Tlj 10h-17h (vente jusqu'à 16h30).* C'est un bel édifice début XXe s. Mais il n'y a plus de trains pour Buenos Aires ! Depuis les années 1990, la plupart des chemins de fer argentins ont été supprimés, au bénéfice des avions et des bus. Malgré cela, on a ressuscité le *Tren Patagónico (• trenpatagonico-sa.com.ar •)* qui va à Viedma, au bord de la mer, 1 fois/sem (en principe, le lun ; retour le sam). Trajet : 15h pour parcourir les 800 km !

En bateau

Oui, oui... Vous avez bien lu « bateau »... Grâce au *Cruce de los Lagos,* on peut se rendre à Puerto Montt (ou Puerto Varas). Voir plus loin la rubrique « Excursions en bateau. Cruce de los Lagos ».

En avion

✈ ***Aéroport*** *(hors plan par B1) : à 15 km de Bariloche, en direction de San Martín de los Andes. ☎ 440-50-16. Le bus urbain nº 72 (8-10 bus/j., tlj 7h10-22h10) vous dépose au centre en 30 mn, en passant par la gare routière. Au retour (8-10 bus/j., tlj 6h40-21h30), le prendre à l'angle de Moreno et Palacios. Sinon, en taxi (env 150 $Ar).*

➢ ***Buenos Aires :*** 6-7 vols/j. avec *Aerolineas Argentinas* et 2-4 vols/j. avec *LAN.*

➢ ***El Calafate :*** *Aerolineas* assure 1 vol direct/j. en été.

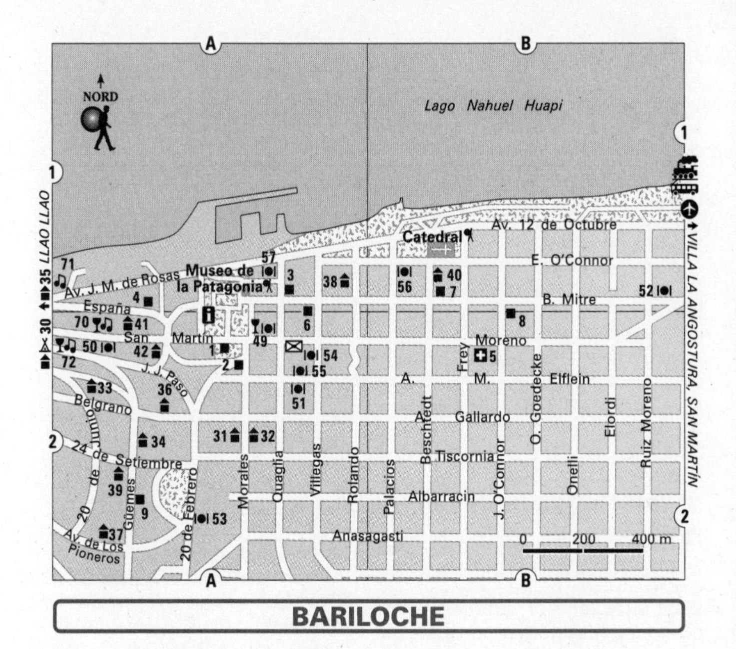

BARILOCHE

■ **Adresses utiles**

1 Bureau du Parque nacional Nahuel Huapi
2 Club Andino
3 Andina (bureau de change)
4 Consulat du Chili
5 Hospital Zonal
6 Aerolineas Argentinas
7 LAN
8 LADE
9 Terra Patagonia

Où dormir ?

30 La Selva Negra et Petunia
31 Periko's
32 Achalay Hostel
33 Hostel Inn et Marcopolo Inn
34 Hospedaje Wikter
35 Hotel Asimra
36 Hostería La Pastorella
37 La Barraca Suites
38 Hostería Aitue
39 Hostería Las Marianas
40 Hotel Milán
41 Aconcagua Hotel et Hotel Quillen
42 Hotel Edelweiss

Où manger ?

49 Panaderia Trevisan et La Alpina
50 Rock Chicken
51 Las Brasas
52 La Fonda del Tío
53 Vegetariano
54 El Boliche « de Alberto »
55 Jauja
56 Familia Weiss
57 O Kostelo

Où boire un verre ? Où sortir ?

49 La Alpina
70 Wilkenny
71 Grisu
72 Dusk

Adresses utiles

Infos touristiques

Secretaría municipal de turismo *(plan A1-2) : Centro cívico. ☎ 442-31-22.* • *barilochepatagonia.info* • *Tlj 8h-2h.* Bon accueil en anglais, parfois en français. Longue file d'attente en saison. Plein d'infos utiles et précises.

■ ***Bureau du Parque nacional Nahuel Huapi*** *(plan A2,* ***1****)* **:** *San Martín, 24. ☎ 442-31-11. • nahuelhuapi.gov.ar • Tlj 8h (10h w-e)-17h.* Brochures sur les sentiers, infos sur l'accessibilité des routes en hiver, les excursions possibles et sur les hébergements dans le parc. C'est ici qu'il faut s'enregistrer avant de débuter la plupart des randos.

■ ***Club Andino*** *(plan A2,* ***2****)* **:** *20 de Febrero, 30, angle Morales. ☎ 442-22-66. • clubandino.com.ar • Tlj 9h-13h, 17h-21h (sans interruption janv-mars).* Infos sur les randos dans la région, la météo. Gère aussi les refuges du parc national Nahuel Huapi. Petites brochures payantes (consultables sur place).

Poste et télécommunications

✉ ***Poste*** *(Correos ; plan A2)* **:** *Moreno, entre Quaglia et Villegas. Lun-ven 8h30-13h, 16h-19h ; sam 9h-13h.*

■ @ ***Téléphone et Internet*** **:** *nombreux* locutorios *ou* telecentros *au centre.* La plupart font fax et permettent l'accès à Internet.

Change

■ La plupart des banques se trouvent sur Mitre, mais pas mal d'attente. Distributeurs automatiques. Le bureau de change ***Andina*** *(Mitre et Quaglia ; plan A1,* ***3****)* propose généralement un bon taux *(lun-ven 9h-20h ; sam 10h-13h30, 16h-20h).* Également ***Sudamérica Cambio*** *(Mitre, 63 ; lun-ven 9h-21h ; sam 9h-13h, 16h-21h).*

Représentations diplomatiques

■ ***Consulat du Chili*** *(plan A1,* ***4****)* **:** *España, 275. ☎ 442-30-50. Lun-ven 9h-14h.*

■ ***Consul honoraire de France*** **:** *☎ 444-19-60. • cheminade@gmail.com • 📱 15-450-88-18.*

Santé

✚ ***Hospital Zonal*** *(plan B2,* ***5****)* **:** *Moreno, 601. ☎ 442-61-17 et 00, ext. 122.* Soins gratuits.

Transports

■ ***Bus urbains*** **:** *se prennent dans l'av. Moreno et San Martín.* À l'exception du bus pour le cerro Catedral, on ne peut pas acheter de ticket dans les bus. Les tickets (ou carte rechargeable pour ceux qui restent longtemps) s'achètent à la boutique principale de la compagnie *(Moreno, 480 ; lun-ven 8h-20h30, sam 8h-16h, dim 9h-17h)* ou dans de nombreuses boutiques du centre-ville (supermarchés, librairies, etc.).

– ***Stationnement*** **:** *les rues du centre-ville sont payantes en sem 9h-21h, sam 9h-13h.*

■ ***Location de voitures*** **:** ***El Cesar,*** *San Martín, 484 ; ☎ 442-65-61 • rentacarelcesar.com.ar •* ***Lagos Rent a Car,*** *Mitre, 83 ; ☎ 442-88-80 ; • lagosrentacar.com.ar •* ***Da'Car,*** *Mitre, 86 ; ☎ 452-24-32 ; • dacarrentacar.com •* ***Avis,*** *San Martín, 162 ; ☎ 443-16-48 ou (à l'aéroport) 440-50-46.* ***Hertz,*** *Elflein, 192 ; ☎ 442-34-57.* Les locations de voitures étant chères à Bariloche, il peut être plus avantageux d'en louer une à Buenos Aires, faire le tour de la Patagonie et revenir à Buenos Aires. À vous de voir... Sachez enfin qu'il vaut mieux louer une voiture en ville ; à l'aéroport, en plus d'une taxe spécifique, le coût de location est majoré d'environ 20 %, quelle que soit la compagnie !

■ ***Aerolineas Argentinas*** *(plan A1-2,* ***6****)* **:** *Mitre, 185, angle Villegas. ☎ 443-33-04 ou 0810-222-865-27 (24h/24). Lun-ven 9h-19h30 ; sam 9h30-12h30.*

■ ***LAN*** *(plan B1,* ***7****)* **:** *Mitre, 534. ☎ 442-77-55 ou 0810-999-95-26. Lun-ven 9h-14h, 15h-18h.*

■ ***LADE*** *(plan B1-2,* ***8****)* **:** *John O'Connor, 214. ☎ 442-35-62. Lun-ven 9h-13h.*

Agences de voyages

On en trouve au moins une à chaque coin de rue. Attention, elles sont souvent fermées le dimanche. Elles proposent toutes les mêmes excursions traditionnelles et regroupent d'ailleurs les participants. En voici trois qui ont fait leurs preuves :

■ ***Terra Patagonia*** *(plan A2,* ***9****)* **:** *Güemes, 656. ☎ 443-08-20. • terra-patagonia.com •* Une agence de voyages tenue par une équipe francophone et qui organise notamment des circuits thématiques en Argentine et au Chili, sur mesure.

■ **Barlan Travel :** *Mitre, 650. ☎ 442-99-99. • barlantravel.com •*
■ **Huilliches Turismo :** *Mitre, 340, local 27. ☎ 442-53-74. • huillichestu rismo.com.ar •*

Divers

■ **Supermarché La Anonima** *(plan A2)* **:** *Quaglia, entre Moreno et Elflein. Tlj 9h-22h (21h dim et j. fériés).*

Où dormir ?

Campings

Les possibilités dans la région sont multiples. L'office de tourisme vous remettra brochures et cartes utiles. Le camping sauvage a été définitivement interdit en 1998 à la suite de plusieurs incendies de forêt.

La Selva Negra *(hors plan par A1,* **30**) **:** *Bustillo, Km 3, sur les bords du lac, en direction de Llao Llao. ☎ 444-10-13. Pour rejoindre le centre-ville, le bus urbain n° 20 s'arrête à proximité, ttes les 20 mn en été. Ouv de déc à mi-mars. Env 90 $Ar/pers, dégressif.* Le plus proche, ombragé. Calme, bien tenu et plutôt bien équipé (eau chaude, épicerie, *fogón,* bar, cafét' pour le petit déj). Emplacements un peu rapprochés toutefois.

Petunia *(hors plan par A1,* **30**) **:** *Bustillo, Km 13,5. ☎ 446-19-69. • cam pingpetunia.com • Pour rejoindre Bariloche, bus urbain n° 20 ttes les 20 mn en été. Ouv tte l'année. Compter env 70 $Ar/ pers (env 10 $Ar la voiture) ; cabanes env 390-550 $Ar, sans petit déj ; roulotte env 250 $Ar pour 2. (payant).* Camping de 3 ha très bien ombragé, au bord du lac et d'une petite plage de sable. Suffisamment loin de la route pour ne pas être incommodé par la circulation. En revanche, les emplacements sont proches les uns des autres et, au cœur de l'été, il y a du monde. Dispose aussi d'une grande *albergue* (entre l'AJ et l'*hostel*). Également des cabanes et des roulottes style « pionniers » (très Far West) pour 2-4 personnes. Eau chaude 24h/24, resto (en été), BBQ, location de VTT...

De bon marché à prix moyens (moins de 500 $Ar / env 55 €)

Attention, de fin décembre à mi-mars et en juillet-août, c'est la haute saison, la facture double dans la plupart des hôtels.

Periko's *(plan A2,* **31**) **:** *Morales, 555. ☎ 452-23-26. • perikos.com • Dortoirs 4-6 lits avec sdb 110-150 $Ar/ pers selon saison, doubles avec sdb 320-450 $Ar, petit déj compris.* L'un des *hostels* les plus connus de Bariloche. Murs bardés de grosses planches ou en brique, lits en troncs massifs ; l'endroit ne manque pas de charme. Très grande cuisine équipée, jardin pour barbecue (*asado* le vendredi) et salon sympa avec banquette pour mater la télé. Nombreux services et excursions. Ils proposent notamment le trajet de Bariloche en 4 jours sur la fameuse *ruta* 40 pour El Chaltén. Vraiment bien.

Achalay Hostel *(plan A2,* **32**) **:** *Morales, 564. ☎ 452-25-56. • hostelachalay. com • Selon saison, dortoirs 4-6 lits 110-130 $Ar/pers ; doubles avec ou sans sdb 260-380 $Ar, petit déj compris.* Une auberge de jeunesse où l'on se sent un peu en collocation entre potes. L'ambiance est amicale, et le jeune patron y est pour beaucoup. Les *Doors,* les *Rolling Stones,* les *Pink Floyd,* les *Beatles* et *Bob Marley* ont inspiré la déco des dortoirs et des chambres. Bonne literie et couettes moelleuses. Cuisine équipée, *lockers,* salon avec cheminée très utile pour les *asados.* Terrasse ouverte sur un petit jardin. Propose des excursions.

Hostel Inn *(plan A2,* **33**) **:** *Salta, 308. ☎ 452-60-80. • hostelbariloche.com • Dortoirs 4-6 lits avec sdb 140-170 $Ar/ pers selon saison ; double avec ou sans sdb env 485 $Ar (un peu chères tt de même), petit déj compris ; réduc avec la carte* Hostelling International. Escalier super raide pour grimper jusqu'à la réception (avec les bagages, on ne vous dit pas !), mais de là-haut, quelle vue ! Certaines chambres s'ouvrent sur le lac ; les occupants des autres se consoleront dans le salon dont les larges baies vitrées donnent sur l'eau. Couleur orange flashy pour donner la pêche, confort total, une vraie AJ. Si c'est complet, à 100 m de là, ***Marcopolo Inn*** *(Salta, 422. ☎ 440-01-05. • hostel-inn.com •)* propose des dortoirs et doubles au mêmes prix que le *Hostel Inn* (c'est la même direction), mais la vue en moins.

Hospedaje Wikter (plan A2, **34**) **:** *Güemes, 566. ☎ 442-32-48. Doubles avec sdb env 310-450 $Ar selon saison, petit déj inclus.* Dans un quartier résidentiel et calme, à 5 mn à pied du centre. Une pension d'une douzaine de chambres avec un beau jardin. Les chambres mansardées à l'étage sont plus sympas. Bon rapport qualité-prix, même si l'endroit commence à vieillir doucement.

Hotel Asimra *(hors plan par A1,* ***35****)* **:** *Bustillo, Km 3. ☎ 444-22-36. • hotel asimra.com.ar • Bus urbains nos 10, 20 et 21 ; arrêt à un bloc de la maison. Après le camping* Selva Negra, *monter par le chemin sur la gauche. Double avec sdb env 480 $Ar avec ou sans vue, petit déj compris. Possibilité d'y dîner. Parking.* Une vingtaine de chambres sans chichis, propres, dans une vaste maison entourée de verdure. Les parties communes sont tout de même un peu tristounettes. Pensez à réserver à l'avance une chambre avec vue sur le lac, il y en a peu (même tarif). Grand salon avec billard. Rapport qualité-prix-accueil honorable.

Hostería La Pastorella *(plan A2,* ***36****)* **:** *Belgrano, 127. ☎ 442-46-56. Fermé en mars. Doubles avec sdb env 350-470 $Ar selon saison, avec petit déj.* La maison a des airs suisses ou bavarois, avec volets de bois, parterres de fleurs et un charmant jardin. En revanche, les chambres ne sont pas franchement modernes (moquette aux murs...), ni très grandes, mais elles bénéficient d'un confort standard et ne sont pas chères. Beaucoup d'affiches évoquant les charmes de la France, reliques de l'ancien proprio.

Prix moyens (jusqu'à 650 $Ar / env 65 €)

La Barraca Suites *(plan A2,* ***37****)* **:** *Los Pioneros, 39. ☎ 442-41-02. 15-453-75-58. • labarracasuites.com • Doubles avec sdb env 450-650 $Ar selon saison, petit déj compris.* Cyrille, un Français installé à Bariloche depuis une dizaine d'années, a aménagé 6 chambres dans une maison, à l'écart du centre-ville. En entrant, un agréable salon lumineux avec cheminée et une belle baie vitrée donnant sur un jardin vous tendent les bras. Chambres confortables, à la déco soignée, un poil contemporaine et plaisante. Sur les murs, de jolies peintures (manifestement, il y a des artistes dans la famille). Une chambre à l'étage dispose d'une salle de bains à l'extérieur (au rez-de-chaussée). Possibilité de repas le soir. Une belle adresse.

Hostería Aitue *(plan A1,* ***38****)* **:** *Rolando, 145. ☎ 442-20-64. En principe, fermé après la Semaine sainte et en mai (parfois). Doubles avec sdb env 520-600 $Ar selon saison, petit déj compris. Parking.* Un hôtel bien tenu, très recommandable. Les chambres, quoique petites, sont lumineuses et agréables. Elles ont été relookées avec un mobilier aux lignes sobres et modernes. C'est réussi. Pour le même prix, certaines sont plus spacieuses que d'autres. TV câblée, coffre-fort. Accueil très sympa.

Chic (650-1 000 $Ar / env 65-100 €)

Hostería Las Marianas *(plan A2,* ***39****)* **:** *24 de Septiembre, 218. ☎ 443-98-76. • hosterialasmarianas.com.ar • Doubles env 650-800 $Ar selon saison, petit déj inclus. Parking.* Une auberge de charme tant par les prestations que par l'accueil. Belle maison en crépi, à la déco élégante et soignée. Coin salon avec cheminée. Délicieux petit déj composé de gâteaux maison et servi par une patronne attentionnée et polyglotte (elle parle très bien le français) dans une salle très agréable. Une belle adresse.

Hotel Milán *(plan B1,* ***40****)* **:** *Beschtedt, 120. ☎ 442-26-24. • hotelmilan.com.ar • Fermé après la Semaine sainte jusqu'à mi-juin. Doubles avec sdb env 580-690 $Ar selon saison, petit déj-buffet inclus. Parking.* Hall de standing avec quelques murs et sols en pierre brute. Une vingtaine de chambres spacieuses et très agréables, avec TV, coffre et frigo. Propre et confortable. Bon accueil. Dommage que la salle des petits déjeuners ne soit pas plus lumineuse. Un rapport qualité-prix très honnête.

Aconcagua Hotel *(plan A2,* ***41****)* **:** *San*

Martín, 289. ☎ *442-47-18.* ● *aconcagua hotel.com.ar* ● *Ouv tte l'année. Doubles env 650-800 $Ar selon saison, petit déj-buffet compris. Parking.* Un accueil charmant, un rapport qualité-prix honnête et une atmosphère gentiment désuète qui plaira aux nostalgiques des années 1950-1960. L'ascenseur est *collector* ! L'ensemble est bien tenu, les chambres spacieuses et la vue, côté lac, est magnifique (même prix avec ou sans vue !).

De chic à beaucoup plus chic (à partir de 850 $Ar / env 85 €)

Hotel Quillen *(plan A2,* ***41****) : San Martín, 415.* ☎ *442-26-69.* ● *hotelquillen.com.ar* ● *Doubles env 850-1 900 $Ar selon confort et saison ; réduc de 15 % en payant cash. Petit déj compris. Parking.* Un hôtel qui a entièrement fait peau neuve. Déco sobre d'aujourd'hui avec des murs en pierre, des couleurs douces et quelques tissus artisanaux. Deux types de chambres confortables, les *estandares* et les *superior,* avec ou sans vue sur le lac. Les *superior* ont un coffre, une baignoire hydromassante et de l'espace en plus. Spa et piscine couverte.

Hotel Edelweiss *(plan A2,* ***42****) : San Martín, 202.* ☎ *444-55-00.* ● *edelweiss.com.ar* ● *Fermé en mai. Compter 220-280 US$ pour une chambre standard, petit déj-buffet inclus. Parking payant.* L'un des hôtels les plus chic du centre-ville qui date quand même des années 1970. Il y a plus moderne, mais l'ensemble est bien tenu et central. Une centaine de chambres en tout, confortables. Celles des étages élevés ont vue sur le lac. Il dispose d'une piscine, si les eaux du Nahuel Huapi vous semblent fraîches.

Où dormir très chic dans les environs ?

Une bonne idée pour ceux qui ont du temps, de l'argent et une voiture. Les environs ont nettement plus de charme que la ville elle-même. Vous serez au calme et en pleine nature. Mais tout cela n'est pas donné...

Llao Llao : *Bustillo, Km 25.* ☎ *444-85-30 ou 57-00.* ● *llaollao.com* ● *Au nord-ouest de Bariloche, sur une presqu'île du lac. Doubles standard env 245-545 US$ selon saison.* À ce tarif-là, peu d'Argentins y ont accès et c'est un des rares endroits de Patagonie où l'on rencontrera des Américains (pardon, États-Uniens !). C'est de loin le plus bel hôtel (et le plus connu) de toute la région. Si vos moyens n'autorisent pas la nuit, essayez au moins de prendre un café dans le magnifique salon de thé installé dans la véranda, pour ses grands fauteuils en osier d'où les riches oisifs contemplent les montagnes et le lac... Le *Llao Llao* fut construit dans les années 1940-1950 sur le modèle d'un manoir normand. Le hall d'entrée et le couloir démesuré valent le coup d'œil, avec leur enfilade de salons superbes. Luxe, calme et volupté... De nombreuses célébrités ont dormi ici, Bill Clinton entre autres. À disposition : tennis, piscine, boutiques, etc.

Où manger ?

Sur le pouce

Panaderia Trevisan *(plan A2,* ***49****) : Moreno, 68. Tlj 8h (8h30 dim)-21h30.* Pain frais et bonnes petites douceurs pour faire le plein avant une balade.

Rock Chicken *(plan A2,* ***50****) : San Martín, 324.* ☎ *443-05-15. Tlj 9h-4h du mat.* Et pourquoi ne pas essayer le fast-food version Bariloche ? La taille des portions de frites ferait rougir nos fast-foods habituels ! Version « à emporter ».

Bon marché (moins de 120 $Ar / env 12 €)

Las Brasas *(plan A2,* ***51****) : Elflein, 163.* ☎ *443-16-28. Tlj 12h-15h30, 20h-minuit.* Une des *parrillas* qui a fait ses preuves à Bariloche, installée dans une salle très classique aux murs lambrissés. Tous les classiques : *lomo, matambre de cerdo, vacio, asado de tira...* Salades et pâtes. Fait régulièrement le plein (il faut dire que les prix sont particulièrement raisonnables).

I●I ***La Fonda del Tío*** *(plan B1,* ***52****)* **:** *Mitre, 1130. ☎ 443-50-11. Tlj sf dim jusqu'à minuit.* Prenez la peine de vous éloigner de quelques *cuadras* du va-et-vient de Mitre et vous trouverez ce resto populaire fréquenté par les locaux. Les salles, sans charme, possèdent néanmoins 2 fenêtres avec une vue superbe sur le lac. Côté assiette, le plat du jour vaut le coup pour son rapport qualité-prix et les plats traditionnels sont frais et copieux. Service comme autrefois. Il n'est pas rare de devoir faire la queue sur le trottoir avant d'obtenir une table. Juste à côté, *la Parrilla del Tío* (même maison ; *ouv tlj*) propose de bonnes grillades, mais c'est plus cher.

I●I ***Vegetariano*** *(plan A2,* ***53****)* **:** *20 de Febrero, 730. ☎ 442-18-20. Tlj sf dim 12h-15h, 20h-23h.* Pour ceux qui en auraient assez des *parrilladas* et autres grillades, voilà l'adresse qu'il vous faut ! Comme son nom l'indique, on vient dans cette maisonnette à l'écart du centre-ville, parce qu'on veut manger des légumes et de la cuisine végétarienne. Pas de carte, juste 1 ou 2 propositions du jour. Parfois du poisson (selon arrivage). Et si vous n'êtes pas calé au bout d'un plat, on vous ressert, sans supplément. Soupes, jus de fruits frais. Cadre soigné, intime et chaleureux. Une adresse inattendue et bienvenue.

I●I ***La Alpina*** *(plan A2,* ***49****)* **:** *Moreno, 98. ☎ 442-56-93. Tlj 9h-1h.* Un genre de taverne où l'on peut grignoter des *picadas* (sorte de tapas), manger une bonne fondue de viande ou de fromage. Déco originale avec ses bancs en cercle autour d'une grande cheminée. Bien aussi pour goûter une des bières artisanales servies à la pression.

De prix moyens à chic (120-220 $Ar / env 12-22 €)

I●I ***El Boliche « de Alberto »*** *(plan A2,* ***54****)* **:** *Villegas, 347. ☎ 443-14-33. Tlj 12h-15h, 20h-minuit. Ne pas arriver trop tard. Résa conseillée.* Une affaire qui marche pour Alberto, qui possède plusieurs restaurants spécialisés dans la viande grillée ou les pâtes. On fait littéralement la queue sur Villegas pour manger ses *parrilladas,* certes fameuses. Même son resto de pâtes maison, un peu plus haut, à l'angle d'Elfein, fait recette. Là, on est plus réservé sur le classicisme des plats et le cadre un peu froid. Mais Alberto est une véritable institution à Bariloche, alors...

I●I ***Jauja*** *(plan A2,* ***55****)* **:** *Elfein, 148. ☎ 442-29-52. Tlj 12h-15h30, 19h30-minuit.* Grande salle teintée de jaune, aux larges baies vitrées et une poignée de bambous au milieu. Pas mal de bois et du béton brut qui donne une touche moderne. C'est bon, du simple poulet-frites aux spécialités maison (truites, cerf) et *parrilladas* (*bife de chorizo, cordero patagónico,* etc.). Personnel attentionné.

I●I ***Familia Weiss*** *(plan B1,* ***56****)* **:** *Almirante O'Connor, 401. ☎ 443-57-89. Tlj service continu jusqu'à 23h30 env.* Une institution à Bariloche. Décor montagnard, bois massif et grandes baies vitrées pour admirer le lac. Entre autres : *picada (antipasti)* de charcuteries allemandes ou de fruits de mer, brochettes, fondues et pâtes. C'est bon et les prix n'ont rien d'abusifs.

I●I ***O Kostelo*** *(plan A1,* ***57****)* **:** *Quaglia, 111. ☎ 443-96-97. Tlj 12h30-16h, 20h-1h du mat.* Un resto de plain-pied dans son époque, avec des banquettes et tables de bistrot, un cadre épuré et moderne. En prime, une vue de choix sur le lac à travers de grandes vitres. Réjoui par le panorama, on se laisse d'autant plus séduire par une cuisine de belle tenue qui fait preuve d'originalité et d'un zest de créativité. Également des pizzas, pâtes ou sandwichs. Service parfois un peu longuet tout de même.

Où manger dans les environs ?

I●I ***El Boliche Viejo*** **:** *à 17 km au nord de Bariloche, sur la ruta 40, juste après le poste de contrôle de la gendarmerie (sur le bas-côté gauche en venant de Bariloche). ☎ 446-84-52. Tlj sf dim soir 12h-16h, 20h-minuit. Résa conseillée en* *saison et le w-e. Prix moyens.* Notre coup de cœur dans la région. Et pourtant, ce vieux hangar ne paie pas de mine. C'est là que les *gauchos* et les paysans faisaient halte, dans cette auberge-épicerie *(boliche)*, dès la fin du XIXe s. On raconte que Butch Cassidy y venait. Magnifiquement restauré à l'intérieur, l'empreinte des vieux cow-boys a marqué le lieu à jamais. Bois vernis, vieilles photos en noir et blanc, et une vraie ruche qui s'anime le week-end avec l'arrivée des familles et nombreux habitués. Il faut dire que les *parrilladas* et *asados* sont réputés, servis avec panache par les serveurs, plus tous jeunes en costume de *gaucho* d'opérette, de vrais milords, efficaces et adorables. Généreux avec ça : pour le dessert, on vous pose carrément les saladiers de crème et de *dulce de leche* sur la table pour accompagner les framboises ou le flan. On a craqué...

Où boire un verre ? Où sortir ?

Les principales boîtes se trouvent toutes dans le même quartier : sur la rive du lac, près du puerto San Carlos, en direction de Llao Llao.

🍸 ♫ ***Wilkenny*** *(plan A2,* ***70****) : San Martín, 435. ☎ 442-44-44. Tlj 18h30-4h (ou 5h) du mat. Tlj* happy hours *19h-21h.* Pub irlandais aux box en bois et à la clientèle jeune. On peut aussi y manger et parfois y danser après 2h du mat.

🍸 Voir aussi ***La Alpina*** *(plan A2,* ***49****)*, décrit plus haut dans « Où manger ? ».

♫ ***Grisu*** *(plan A1,* ***71****) : Rosas, 574. ☎ 442-22-69. Tlj en hte saison ; en basse saison, sam-dim. 1h-8h ; ouvre vers 23h, mais la foule n'arrive que vers 1h. Conso offerte avec l'entrée.* Surtout fréquentée par les « jeunes-jeunes ». C'est la boîte la plus délirante de la ville, avec ses 6 niveaux, dont 4 en sous-sol, entièrement décorés façon grottes ! 2 bars, 3 pistes de danse (1er étage réservé à la musique des années 1980) et des salons partout, dont un spécial câlins avec cheminée, pénombre calculée et peaux de bêtes... Un lieu immense, franchement réussi, qui vaut vraiment le coup d'œil.

🍸 ♫ ***Dusk*** *(plan A2,* ***72****) : San Martín, 490. Tlj sf lun 22h-6h. ☎ 440-04-50. Resto jusqu'à minuit (assiettes de charcuterie et de fromage, pizzas et pasta), boîte ensuite. Entrée parfois payante.* La tonalité musicale change selon les jours (musique des années 1980, rock ou plus électro). Parfois des concerts, soirées DJ's ou évènementiel.

Achats

🧺 ***Feria artesanal :*** *Villegas et Moreno. Tlj jusqu'à 21h.* Nombreux stands en haute saison.

À voir

📽 ***Centro cívico*** *(plan A1)* **:** le cœur administratif de la ville, mais aussi l'office de tourisme, le musée... Au bord du lac, une architecture de pierre et de bois. Tous les touristes argentins y passent pour se faire photographier : une photo devant la statue, une avec la vue sur le lac, une autre avec le canon... Voire éventuellement, et moyennant pesos, avec les saint-bernard, que les maîtres élèvent dans ce but. *No comment...*

📽 ***Museo de la Patagonia*** *(plan A1) : Centro cívico. ☎ 442-23-09. • bariloche.com.ar/museo • Mar-ven 10h-12h30, 14h-19h ; sam 10h-17h. Entrée : 20 $Ar.* Outre la galerie des grosses et petites bébêtes empaillées, on apprend une foule de choses sur la région et sur les Indiens Mapuche qui vivaient dans ces contrées.

📽 ***Catedral*** *(plan B1)* **:** jolie église gothique entourée d'un petit parc, au bord d'un lac, avec au loin des collines et montagnes enneigées.

DANS LES ENVIRONS DE BARILOCHE

➢ ***Randonnées dans le parc national Nahuel Huapi :*** avant de partir, rendez-vous au bureau du *Parque nacional Nahuel Huapi* et/ou au *Club Andino* (voir plus haut « Adresses utiles. Infos touristiques ») qui proposent des brochures avec les balades possibles, indiquant les horaires des différents bus permettant de rejoindre facilement les départs des randos, les campings et refuges. La durée moyenne des randonnées est de 4h. À noter qu'à l'intérieur du parc, on peut planter sa tente gratuitement autour des refuges (ailleurs, le camping sauvage est interdit).
– Quelques précautions : en hiver, s'informer au *Club Andino* ou au bureau du *Parque nacional Nahuel Huapi,* pour connaître les sentiers ou routes accessibles. Infos également sur le site • *tresparques.com.ar/nahuelhuapi* • Toute l'année, il est impératif de s'enregistrer auprès du bureau du *Parque nacional* avant d'entreprendre une randonnée. N'oubliez pas de repasser par le bureau pour prévenir de votre retour.

Cerro Campanario (circuito chico) : *depuis le centre-ville, bus urbains nos 10, 20 ou 22 ; descendre au Km 17,5. De là, les plus sportifs monteront à pied (accès gratuit ; env 30 mn), les autres prendront le télésiège (tlj 9h-18h ; 110 $Ar).* La plus spectaculaire de la région. En conséquence, beaucoup de monde en saison. Ceux qui sont véhiculés peuvent poursuivre en réalisant une belle boucle en une demi-journée, qui vous fait longer le lac Nahuel Huapi, visiter Colonia Suiza (descendants d'Helvètes, comme son nom l'indique) et la péninsule Llao Llao.

Cerro Catedral : *à 20 km env du centre-ville. Bus « Catedral » (la seule ligne pour laquelle on peut acheter le billet à l'intérieur du bus ; trajet env 30 mn). Téléphérique pour accéder au sommet : départs tlj ttes les 10 mn, 9h-18h (mar-sam slt hors saison, 9h-17h) ; env 150 $Ar/pers.* C'est la station de ski la plus populaire en Argentine et, n'ayons pas peur des mots, l'une des plus réputées de toute l'Amérique latine. Les Brésiliens y arrivent par charters entiers depuis Rio, São Paulo et Porto Alegre pour dévaler les pentes ! C'est aussi le rendez-vous du show-biz local. En hiver, la bourgeoisie vient s'y montrer et croiser les stars... Sans rivaliser avec les domaines skiables des Alpes, la station compte un nombre important de pistes pour tous les niveaux. Sur les 40 télésièges opérationnels en hiver, deux sont ouverts en été. Beau panorama depuis le sommet, mais moins spectaculaire que le cerro Campanario.

Cerro Otto : • *telefericobariloche.com.ar* • *Depuis le centre-ville, navette gratuite (départs ttes les 30 mn, 10h30-17h, angle Mitre et Villegas) jusqu'au pied du téléphérique : tlj 10h-18h30 (17h30 hors saison) ; env 150 $Ar/pers. Possibilité d'y grimper à pied (accès : env 80 $Ar/pers).* L'autre sommet fameux des environs de Bariloche. Mais de là-haut, la vue est également moins belle que du cerro Campanario. Cette fois, vous avez compris, non ? On y trouve un resto tournant, spécial touristes.

Cerro Tronador et cascadas los Alerces : *à l'intérieur du parc national. Accès : 80 $Ar. Pour ceux qui sont véhiculés, suivre la ruta 40 en direction d'Esquel, jusqu'à Villa Mascardi (à 35 km env de Bariloche), puis bifurquer à droite. Sinon, en été slt, bus tlj à 8h30 (trajet : 2h30) ; départ devant le* Club Andino *(plan A2,* **2***) ; il rejoint Pampa Linda, au pied du cerro. Compter la journée pour faire l'excursion dans le coin, mais pour l'ascension du cerro, il faut 3 jours : 1 jour de marche entre Pampa Linda et le refuge, 1 jour pour gravir le sommet (guide obligatoire), 1 jour pour redescendre.*
Après avoir payé l'entrée au parc national (à Villa Mascardi), on emprunte une route non goudronnée qui ouvre de 10h30 à 14h dans le sens de la montée (de 16h à 18h dans l'autre sens). Une suite de lacs et de forêts emmène jusqu'au pied du cerro Tronador (3 491 m) où l'on peut observer le Ventisquero Negro (glacier noir), et même toucher la neige à l'ombre. Vue grandiose sur la cordillère des Andes. Au retour, on peut prendre une autre route (ouverte de 14h à 17h) qui conduit aux grandioses chutes Los Alerces (les 3 derniers kilomètres se font à pied, la route étant coupée à la circulation ; il est question de la rouvrir, se renseigner). La route

qui revient ensuite sur Bariloche est accessible de 18h à 10h du mat. Attention, là encore, se renseigner avant de partir : ces horaires peuvent changer. Possibilité de faire cette excursion avec une agence en ville.

➢ ***Promenades à cheval :*** *à 6 km env de Bariloche, en direction de l'aéroport. 15-441-34-68. • arianepatagonia.com.ar • Une journée complète avec déj coûte env 100 € ; compter à partir de 150 €/j. pour une balade de plusieurs j. (guide, logement et repas inclus).* Ariane Helleman propose des balades à cheval accessibles à tous, avec possibilité de dormir chez des Indiens Mapuche. Elle emmène aussi les touristes dans des *estancias* pour assister au travail quotidien dans un ranch. Pour des sorties de plusieurs jours, elle vient chercher les touristes à Bariloche. Ariane, d'origine hollandaise et argentine, parle aussi le français.

Excursions en bateau sur le lac Nahuel Huapi

Trois excursions possibles. Les départs se font depuis Puerto Pañuelo, à Llao Llao (à 25 km de Bariloche), où vous emmène un service de bus compris dans l'excursion. Sinon, avec le bus urbain nº 20, départs de Moreno et angle Rolando toutes les 20 mn. Durée du trajet : 40 mn. Le lac faisant partie du parc national, il faut payer un droit d'entrée au bureau du parc, situé à Puerto Pañuelo *(65 $Ar/pers).*

Isla Victoria : *2 agences sont habilitées à réaliser l'excursion,* Espacio *(Mitre, 139 ; ☎ 443-13-72) et* Turistur *(Mitre, 219, ☎ 442-61-09 ; • turistur.com.ar •). 2 excursions/j., le mat et l'ap-m ; env 400 $Ar/pers, taxe de port (env 20 $Ar) et entrée au parc en sus ; durée : 6h30 env.* Après 40 mn de navigation, on arrive à la isla Victoria, au cœur du lac Nahuel Huapi. On peut déjeuner au resto de l'île ou pique-niquer. Le bateau repart en direction de Puerto Quetrihue à la découverte d'une forêt magnifique, celle des *arrayanes,* un arbre couleur cannelle dont il ne reste que très peu de spécimens (au Japon notamment). Cette forêt est accessible par voie terrestre depuis Villa La Angostura.

Puerto Blest et cascada de Los Cantaros : *avec l'agence* Espacio *(Mitre, 139 ; ☎ 443-13-72), 1 départ/j. le mat ; env 400 $Ar/pers, taxe de port (env 20 $Ar) et entrée au parc en sus. Durée : env 7h30.*
Encore un bain de verdure assuré. Avec ses pins denses à flanc de montagne, le *brazo* Puerto Blest (un bras du lac) ressemble étrangement à un fjord norvégien. Après avoir vogué dans un paysage de toute beauté, on rejoint la *cascade los Cantaros,* le clou de la journée. Au total, 720 marches en bois permettent de grimper le long de cette immense cascade jusqu'au point de départ de la chute, le *lago Cantaros,* à 850 m d'altitude. Le calme de ce lac majestueux est un moment rare. À quelques mètres du lac, un arbre vieux de 1 500 ans.

HONNEUR À UN GRAND HOMME

Sur une île située à l'entrée du brazo *Puerto Blest se trouvent les restes de Francisco Moreno, ce géographe né en 1852 qui donna son nom au célèbre glacier, le Perito Moreno (*perito *veut dire « expert »). Grand diplomate, il permit enfin de délimiter les frontières avec le Chili. Pour le remercier, le gouvernement argentin lui offrit un territoire. Il choisit Puerto Blest, région qu'il redonna à l'Argentine afin de créer le parc Nahuel Huapi.*

➢ De Puerto Blest, on peut aussi rejoindre le ***lago Frías*** (compter 1h supplémentaire d'excursion, A/R). On rejoint en voiture Puerto Alegre, sur les rives du lago Frías, pour une petite virée en bateau sur le lac. À Puerto Blest, il pleut jusqu'à 4 000 mm par an (seulement 600 mm à Bariloche). La végétation que l'on observe pendant le rapide trajet en voiture qui mène à l'embarcadère du lago Frías est impressionnante. Au printemps, ces bois

ont la densité d'une forêt équatoriale, alors qu'on est au pied de la cordillère des Andes. Un arrêt de quelques minutes permet d'aller contempler un *alerce* (de la même famille que les séquoias) vieux de quatre siècles. En voguant sur le lac, c'est la couleur de l'eau qui surprend avant tout. La densité des minéraux qu'elle contient lui donne un ton bleu ciel... Au loin, on discerne les neiges éternelles du cerro Tronador, à 3 491 m.
Pour les amateurs de tranquillité, possibilité de passer la nuit et le lendemain dans ce petit coin de paradis, en logeant à l'hôtel-resto de Puerto Blest (excellentes prestations pour un prix raisonnable). Il vous suffira de rejoindre Bariloche avec l'excursion du jour suivant.

***Cruce de los lagos** (traversée des lacs) : infos à Bariloche, Mitre, 219. ☎ 442-62-28. • cruceandino.com • Coût : env 310 US$ pour 1 j. Mai-août : excursion de 2 j. slt (nuit à Peulla ; ajouter alors 150-230 US$ pour 2 selon l'hôtel). Guide parlant l'anglais.* Cette excursion vous mène jusqu'au Chili en 12h environ, avec une succession de 3 bateaux et 4 bus. Même excursion que la précédente jusqu'au lago Frías. En bus, on passe ensuite la frontière chilienne au col Perez Rosales, à 972 m au cœur de la forêt. On gagne Peulla au Chili, on reprend un bateau pour traverser le magnifique lago Todos los Santos aux eaux bleu turquoise, entouré d'une forêt luxuriante et d'innombrables cascades. Arrivé à Petrohué, un dernier bus permet de rejoindre Puerto Varas ou Puerto Montt en longeant le lac Llanquihué dominé par le volcan Osorno. Le lendemain, un bus vous ramène à Bariloche (comptez 6h). Mais rien ne vous empêche de continuer au Chili vers l'île de Chiloe, ou bien de tenter la croisière sur les fjords chiliens proposée par la compagnie *Navimag (• navimag.com •)*, qui part de Puerto Montt jusqu'à Puerto Natales (pas loin d'El Calafate).

À voir encore dans les environs de Bariloche

La route des Sept Lacs et el Valle encantado : que vous découvriez cet itinéraire par vos propres moyens ou avec une excursion, la boucle (près de 400 km tout de même !) est réalisable en 2 jours, avec une nuit à San Martín. À noter qu'en hiver (juillet-août), la route est souvent fermée à cause de la neige (se renseigner auprès du bureau du *Parque nacional Nahuel Huapi* ; voir plus haut « Adresses utiles. Infos touristiques »). La route de Bariloche à Villa La Angostura (voir le chapitre suivant) longe la rive nord du lac Nahuel Huapi, dévoilant des points de vue magnifiques. C'est ensuite en continuant la *ruta* 40 en direction de San Martín de los Andes que vous verrez l'un après l'autre les fameux lacs, qui sont en fait 10, mais dont seuls 7 sont visibles de la route : Espejo, Correntoso, Villarino, Falkner, Hermoso, Machónico et Lacar. La descente vers San Martín de los Andes est magnifique.
Le retour vers Bariloche s'effectue par le paso Córdoba, puis par la *ruta* 237. Là, soyez bien éveillé pour découvrir un lieu inattendu, ***el Valle encantado*** (la Vallée enchantée) ! De virage en virage, on peut admirer le résultat de siècles d'érosion, qui ont laissé au hasard de multiples rassemblements de pics et rochers. Ensuite, le jeu est simple : imaginer des visages, des silhouettes ou des animaux dans chacune de ces formations rocheuses, comme on le fait d'habitude pour des nuages. La plupart ont d'ailleurs déjà un nom et une histoire...

VILLA LA ANGOSTURA

15 000 hab. IND. TÉL. : 0294

Sur la rive nord du lac Nahuel Huapi, à 90 km de Bariloche. La route offre de beaux points de vue sur le lac et les montagnes déchiquetées, puis sur le cerro Catedral dont on distingue les trois pics.

Très connue des Argentins, cette station de villégiature abritait l'ancienne résidence présidentielle. La famille Perón y passait ses vacances et Isabelita y vécut en résidence surveillée après le coup d'État de 1976. On peut d'ailleurs voir le manoir « normand » où elle s'était installée, devenu propriété du gouvernement provincial. Aujourd'hui, le show-biz local (connu comme la *farándula*) continue de fréquenter les lieux. Villa La Angostura se présente comme une agréable petite ville, plus charmante que Bariloche, plus chic, plus propre, moins touristique mais aussi moins animée. Le centre-ville se trouve au rond-point des avenues Siete Lagos (route 40), Arrayanes et Nahuel Huapi. À 3,5 km du centre, joli petit port sur le lac aux eaux translucides. Base idéale pour découvrir la forêt d'Arrayanes et une étape sur la route des Sept Lacs.

Arriver – Quitter

En bus

***Terminal de Ómnibus** (gare routière)* **:** *av. Siete Lagos, derrière l'office de tourisme.*

➢ ***Bariloche :*** en été, 6 bus/j. avec *Via Bariloche,* 1 bus avec *Transportes Koko* et 5 bus avec *Albus.* Fréquence réduite en basse saison. Trajet : env 1h15.

➢ ***San Martín de los Andes :*** env 5 bus/j. avec *Via Bariloche,* 2 bus/j. en janv-fév slt avec *Andesmar,* 3-4 bus/j. selon saison avec *Albus.* Trajet : 2h45.

➢ ***Puerto Montt et Valdivia via Osorno (Chili) :*** tte l'année, 2 bus/j. avec *Via Bariloche* pour Osorno et Puerto Montt ; 1 bus/j. en début d'ap-m pour Osorno avec *Andesmar* qui poursuit jusqu'à Puerto Montt 3 fois/sem, jusqu'à Valdivia 4 fois/sem. Trajet : 4h pour Osorno, 5h30 pour Puerto Montt et Valdivia.

En voiture

La route 40 est goudronnée jusqu'à Bariloche. Pour rejoindre San Martín de los Andes, il ne reste plus que 35 km de pistes. Les travaux vont bon train et la route devrait être totalement asphaltée courant 2014.
Pour rejoindre le Chili, poste-frontière de Paso Cardenal Samoré, à 40 km environ de Villa La Angostura (route goudronnée) : *☎ 449-49-96. Tlj 8h-20h (19h en hiver).*

Adresses utiles

ℹ *Oficina de informes* *(office de tourisme)* **:** *Arrayanes, 9. ☎ 449-41-24. • tourismvla@hotmail.com • À deux pas du rond-point. Tlj 8h-20h (21h janv-fév).* On y parle parfois le français. Peuvent appeler les établissements pour connaître les disponibilités.

ℹ *Oficina de informes del parque nacional de Nahuel Huapi :* *à Bahía Mansa. ☎ 449-41-52. • nahuelhuapi.gov.ar • En hte saison slt, lun-ven 9h-16h.* Ne pas confondre avec la *oficina de informes del parque nacional Los Arrayanes,* située 100 m plus loin, à Bahía Brava.

■ @ ***Téléphone et Internet :*** *plusieurs* locutorios *sur l'av. Arrayanes.* PC pour surfer, avec ou sans neige dehors.

■ ***Banques, change :*** *distributeurs automatiques sur l'av. Arrayanes. Bureau de change* ***Andina,*** *av. Arrayanes, 256. ☎ 449-51-97. Lun-ven 9h-13h30, 16h30-20h ; sam 10h-14h.*

Où dormir ?

Camping

Unquehué : *Siete Lagos, 727. ☎ 449-41-03. • campingunquehue.com.ar • À 1 km du centre, en direction de San Martín de los Andes (chemin sur la gauche, presque en face de la station-service). Ouv tte l'année. Compter 90-150 $Ar pour 2 pers selon* *saison, tente et véhicule inclus.* Sur 2 ha, un bloc sanitaire nickel, des emplacements ombragés mais un peu serrés les uns contre les autres. En revanche, le camping est suffisamment en retrait de la route pour ne pas être importuné par la circulation. Nombreux services, *fogón* sur chaque emplacement. Supermarché à 200 m.

De bon marché à prix moyens (moins de 350-650 $Ar / env 35-65 €)

Italian Hostel : *Los Maquis, 215 (2e rue parallèle à l'av. Arrayanes). ☎ 449-43-76. • italianhostel.com.ar • Fermé de Pâques à fin sept/mi-oct. Lits en dortoir env 110-130 $Ar selon saison (dégressif à partir de la 2e nuit), double env 350 $Ar. Petit déj inclus.* Cet *hostel* bâti par les propres mains du proprio (artisan orfèvre) dispose de dortoirs de 6 et 10 lits (solides, faits avec de gros troncs) au rez-de-chaussée et de 3 chambres mansardées à l'étage. Les miroirs très originaux en pneu de vélo parlent de la passion familiale, car les fils sont guides de trekking et de VTT (location sur place). Quant aux jolis tissages pendus au mur, ce sont des œuvres de la discrète patronne. Cheminée, beau jardin avec hamacs et des herbes aromatiques que l'on peut cueillir pour ajouter au ragoût. Sanitaires communs. Cuisine équipée, barbecue. Accueil chaleureux.

Hostel La Angostura : *Barbagelata, 157. ☎ 449-48-34. • hostellaangostura.com.ar • Dans la rue qui grimpe derrière l'espace vert avec la statue qui fait face à l'office de tourisme. Ouv tte l'année. Selon saison, lits en dortoir 130-150 $Ar ; doubles 400-450 $Ar ; également 2 apparts pour 2-6 pers avec cuisine équipée. Réduc à partir de 3 nuits. Petit déj inclus. Membre du réseau* Hostelling International. Une auberge de jeunesse très sympa avec des chambres pour 2 ou des dortoirs de 4 à 5 lits. Salle de bains privée pour tout le monde. Belle salle conviviale à l'entrée, avec billard. Coffre-fort à la réception. Cuisine ouverte de 10h à minuit. Eau chaude 24h/24, mais les serviettes ne sont pas incluses pour les dortoirs. Barbecue dans le jardin. Très bon accueil.

Hostería Verena's Haus : *Los Taiques, 268. ☎ 449-44-67. • verenashaus.com.ar • Fermé 1 sem en mai. Double avec sdb env 650 $Ar en hte saison, petit déj inclus.* Dans un quartier calme, une petite maison cosy au charme anglais. Pas plus de 6 chambres aux couleurs chaudes. Il règne une douce atmosphère de chambres d'hôtes. TV dans la salle commune. Location de VTT et possibilité de prendre ses repas le soir.

Où dormir ? Où manger dans les environs ?

Hotel Angostura : *Nahuel Huapi, 1911. ☎ 449-42-24/33. • hotelangostura.com • À 3 km de la ville, au bord du lac, sous le manoir* Messidor *où logea la veuve de Perón et à 500 m de Puerto Villa. Fermé de fin mai à début juin. Doubles env 470-620 $Ar selon saison, avec ou sans vue sur le lac. Loue aussi 3* cabañas *pour 4-6 pers. Petit déj inclus.* Grande maison en bois à l'atmosphère rustique, quelque peu désuète. La tête de cerf est bien vissée au dessus de la cheminée ! Une vingtaine de petites chambres avec une vue magnifique sur le lac ou... sur les arbres. L'emplacement est incontestablement le point fort de l'établissement. Propose des excursions en bateau sur le *lago* Nahuel Huapi. Location de VTT. Bon accueil. Fait aussi resto et salon de thé accessible à tous.

Casa del Bosque : *Los Pinos, 160, à* **Puerto Manzano.** *☎ 447-52-29. • casadelbosque.com • À 7 km de Villa La Angostura en direction de Bariloche ; tourner à droite (Puerto Manzano est indiqué). Ouv tte l'année. 3 types de logements :* monoambiente *(studio équipé) pour 2 pers env 150-230 US$,* *duplex pour 4 pers 170-250 US$ (petit déj inclus) ; également des suites. Spa compris.* 💻 📶 Au beau milieu d'une pinède avec accès à la délicieuse petite marina. Construction futuriste de chalets au toit d'ardoise et de plexiglas. Chambres en bois sur 2 niveaux, à la belle luminosité. Salles de bains avec hydromassage, kitchenette. Les suites profitent d'un balcon avec vue sur le lac, tout comme le spa. Salon commun avec TV, *parrilla,* table de ping-pong. Environnement paisible et verdoyant pour un repos mérité, loin de tout.

Où manger ?

Bon marché (moins de 120 $Ar / env 12 €)

🍴 ***El Esquiador :*** *Las Retamas, 146. ☎ 449-43-31. Tlj sf lun-mer hors saison.* Resto traditionnel à la déco un peu passée, il faut bien le reconnaître, mais qui a toujours autant de succès auprès des habitants de Villa La Angostura. La carte propose de tout (pizzas, pâtes, truite et, forcément, *parrillada*). Une adresse qui joue dans le registre de l'authenticité et des prix tassés.

De prix moyens à chic (120-220 $Ar / env 12-22 €)

🍴 ***La Luna Encatada :*** *Cerro Belvedere, 69. ☎ 482-59-99. Tlj midi et soir en hte saison, slt le soir sf lun hors saison. Prix moyens.* À deux pas de la rue principale, une petite bicoque en bois spécialisée dans les pizzas. Sinon quelques pâtes, salades, 2 ou 3 préparations de *lomo* et *trucha,* et voilà. Le cadre est sympathique et ce n'est pas l'usine comme dans la plupart des restos de la rue principale. Les prix sont tout de même un peu musclés, mais c'est vrai qu'on est à Villa La Angostura...

🍴 ***Tinto Bistro :*** *Nahuel Huapi, 34. ☎ 449-49-24. Dans la rue qui part en face de l'office de tourisme ; face à la station-service* YPF, *monter les quelques marches ; le resto est en léger retrait de la rue. Tlj sf dim 20h30-23h slt. Fermé en mai.* Menu aussi drôle à lire qu'à déguster, où la gastronomie du monde entier a trouvé sa place. *Ceviches,* currys, *woks* et autres riz pilaf côtoient le sempiternel agneau patagonien. Ça change des cartes conventionnelles, mais les prix s'en ressentent... Carte de vins généreuse. Le tout servi dans un cadre élégant et une ambiance cependant conviviale.

Où prendre un goûter ?

☕ ***La Casita de la Oma :*** *Cerro Inacayal, angle Los Taiques. ☎ 449-46-02. Tlj en saison (de mi-déc à Pâques et en juil) 16h-21h ; horaires et j. réduits le reste de l'année.* Le meilleur choix pour la pause gourmande. Magnifique jardin à l'anglaise (nombreux prix que la proprio est fière d'exhiber). Un délice en terrasse, mais la salle dans le petit chalet n'est pas mal non plus. Goûtez aux gâteaux à la framboise et à la fraise, les 2 fruits cultivés localement. Pas mal de choix aussi pour les amoureux du chocolat. Marmelades, liqueurs et chutneys en vente à emporter.

DANS LES ENVIRONS DE VILLA LA ANGOSTURA

🚶🚶 **Bosque de Arrayanes (parc nacional Los Arrayanes** ; *forêt d'Arrayanes)* **:** *entrée : 80 $Ar. À pied, compter 6h A/R sur un chemin balisé à travers les bois, qui débute au niveau de Bahía Brava, 100 m après Puerto Villa, à 4 km de Villa La Angostura. Sinon, possibilité d'y accéder en bateau depuis Puerto Villa : 2-3 bateaux/j. selon saison. Compter 3h d'excursion dont 2h de navigation et 1h* *de balade dans le* bosque *avec un guide. 2 compagnies :* Futaleufú *(☎ 449-44-05)* et Patagonia Argentina *(☎ 449-44-63). Tarif : env 250 $Ar/pers, droit d'entrée au parc national en sus. Déc-Pâques, 6 bus/j., 8h30-19h, relient Villa La Angostura à Puerto Villa.*

Les *arrayanes*, ce sont ces arbres couleur cannelle dont les habitants de la région sont si fiers – il faut dire que ce sont pratiquement les derniers au monde. La forêt se situe au bout de la péninsule de Quetrihué. Le plus agréable, par beau temps, est de s'y rendre en bateau et de rentrer à pied pour profiter de la très belle forêt.

Cerro Bayo *(station de ski) : à 3 km de Villa La Angostura en direction de Bariloche, bifurquer à gauche et continuer sur 6 km.* • *cerrobayoweb.com* • Au total, 12 remontées, 21 pistes. Une alternative au cerro Catedral, même si l'altitude est moindre.

➢ Nombreuses ***balades*** à faire dans les environs, notamment au *cerro Inacayal* et à la cascade du même nom ou encore au *cerro Belvedere*. Se renseigner auprès de l'office de tourisme.

SAN MARTÍN DE LOS ANDES

25 000 hab. IND. TÉL. : 02972

Dans un cadre naturel superbe entre le parc national Lanín et le lac Lácar, à 103 km de Villa La Angostura et à environ 200 km de Bariloche. C'est l'une des portes d'accès au couloir des Sept Lacs par la route 40. San Martín de los Andes concentre l'essentiel des hébergements et des services touristiques de Chapelco (à environ 10 km au sud), l'une des stations de ski les plus huppées des Andes. Ski, snow-board, motoneige, trekking, traîneaux tirés par des huskies... voici un programme hivernal très chargé pour ceux qui aiment la montagne en juillet-août et qui disposent d'un budget conséquent. Pendant l'été austral, loin de se reposer, la station offre des activités telles que rafting, VTT, canoë-kayak et trekking. Sans oublier les nombreuses possibilités de randonnées dans le parc national et la fantastique ascension du volcan Lanín.

Arriver – Quitter

En bus

Terminal de Ómnibus *(gare routière ; plan A2) : Villegas et Juez del Valle. ☎ 42-70-44.* Locutorio, casiers à disposition, snacks.

➢ ***Bariloche et Villa La Angostura :*** en été (janv-fév), *Via Bariloche (☎ 42-28-00)* assure 5 bus/j. par Villa La Angostura (route des Sept Lacs) et 2 bus/j. par Junín de los Andes. *Transportes Koko (☎ 42-74-22)* propose 1 bus/j. via Junín de los Andes (mars-déc) et 1 via Villa La Angostura (janv-fév). *Albus (☎ 42-81-00)* opère 3-4 bus/j. selon saison par Villa La Angostura. Trajet : 2h45 pour Villa La Angostura et env 4h-5h pour Bariloche.

➢ ***Cerro Chapelco*** (station de ski) **:** en janv-fév et juil-sept slt, 3 bus/j. avec *Transportes Koko*. Trajet : 1h.

En avion

✈ ***Aéroport*** *(hors plan par B2) : à Chapelco (env 20 km au sud du centre). ☎ 42-83-88.* Minibus *La Araucana (☎ 42-02-85)* qui attend à l'aéroport à chaque arrivée de vol ; vous amène directement à votre hôtel *(env 70 $Ar/pers)*. Pour le retour, ils viennent vous chercher à votre hébergement. Sinon, les bus *Castelli* entre San Martín et Junín de los Andes s'arrêtent à l'aéroport sur

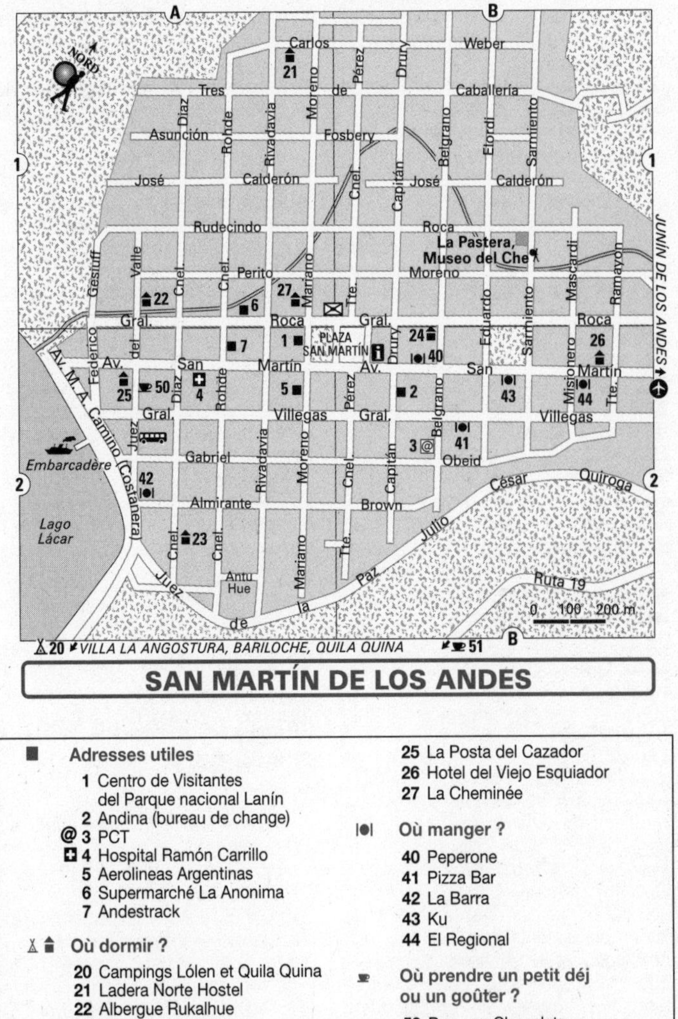

SAN MARTÍN DE LOS ANDES

Adresses utiles

1 Centro de Visitantes del Parque nacional Lanín
2 Andina (bureau de change)
3 PCT
4 Hospital Ramón Carrillo
5 Aerolineas Argentinas
6 Supermarché La Anonima
7 Andestrack

Où dormir ?

20 Campings Lólen et Quila Quina
21 Ladera Norte Hostel
22 Albergue Rukalhue
23 Naum Apart Hotel
24 Hotel Tunqueley
25 La Posta del Cazador
26 Hotel del Viejo Esquiador
27 La Cheminée

Où manger ?

40 Peperone
41 Pizza Bar
42 La Barra
43 Ku
44 El Regional

Où prendre un petit déj ou un goûter ?

50 Pan con Chocolate
51 Casa de té Arrayán

demande : en janv-fév, ttes les heures, 7h-22h ; fréquence réduite le reste de l'année *(env 10 $Ar/pers).*

➢ ***Buenos Aires :*** 3 vols/sem et jusqu'à 1 vol/j. en haute saison avec *Aerolineas Argentinas.*

Adresses utiles

Informes turisticos *(office de tourisme ; plan B2)* **:** *angle San Martín et Rosas.* ☎ *42-73-47.* • *sanmartindelosandes.gov.ar* • *Tlj 8h-21h.* Plan de la ville, listes des hôtels (disponibilité des chambres) et toutes les infos utiles pour organiser vos excursions dans le coin. Bon accueil.

■ **Centro de Visitantes del Parque nacional Lanín** (plan A2, **1**) : *Emilio Frey, 749, sur la pl. San Martín, à l'opposé de l'office de tourisme. ☎ 42-43-59 ou 42-06-64. • parquenacionallanin.gov.ar • ou • tresparques.com.ar/lanin • Lun-ven 8h-20h ; w-e 9h-14h, 19h-21h.* Infos sur les horaires et activités du parc. Cartes sur les sentiers de randonnée. Également une expo sur le parc.

✉ **Poste** (plan A-B1) : *Gral Roca, 690. Tlj sf dim 8h30 (9h sam)-13h.*

■ **Banques, change :** *plusieurs distributeurs sur San Martín. Un seul bureau de change :* **Andina** *(plan B2,* **2***), Cap. Drury, 876, entre San Martín et Villegas. ☎ 42-78-71. Lun-ven 9h-13h30, 15h-20h ; sam 10h-13h30, 17h-20h.*

@ **Internet et téléphone : PCT** *(plan B2,* **3***), Belgrano, 949. Tlj 9h30-23h.* Locutorios *sur San Martín.*

Hospital Ramón Carrillo (plan A2, **4**) : *angle San Martín et Coronel Rohde. ☎ 42-72-11.*

■ **Aerolineas Argentinas** (plan A2, **5**) : *Mariano Moreno, 859. ☎ 41-05-88 (en ville) ou 42-76-36 (à l'aéroport). Lun-sam 8h-22h, dim et j. fériés 9h-21h.*

■ **Supermarché La Anonima** (plan A1, **6**) : *av. Roca, entre Colonel Rohde et Rivadavia. Lun-sam 9h-21h30 ; dim 9h-13h30, 17h-21h.* Bien fourni.

■ **Andestrack** (plan A2, **7**) : *Colonel Rohde, 782 ; à l'angle avec San Martín. ☎ 42-05-88. • andestrack.com.ar •* Une agence spécialisée dans les randonnées et les trekkings, hiver comme été. Propose des programmes d'une demi-journée ou de plusieurs jours. Parmi les activités estivales : rafting, VTT, randonnées à cheval, canoë, etc. En hiver, possibilité de faire du ski de randonnée.

Où dormir ?

La haute saison se situe en janvier-février et juillet-août.

Campings

Lólen (hors plan par A2, **20**) : *ruta 40 ; à 5 km de San Martín, en direction de Villa La Angostura, peu après le Km 2208, fléché sur la droite. Pas de tél. • cabanaslolen.com.ar • Ouv tte l'année. Env 70 $Ar/pers.* Joli cadre, sur les rives du lac. Mais les emplacements sont peu (ou pas) ombragés, et les sanitaires pourraient être mieux entretenus. Eau chaude le matin et le soir, épicerie, *fogón*. Juste à côté, *Catritre* propose également un coin pour planter la tente *(ouv d'oct à mi-avr ; mêmes tarifs).*

Quila Quina (hors plan par A2, **20**) : *ruta 40 ; à 6 km de San Martín en direction de Villa La Angostura, piste carrossable sur la droite sur 12 km, c'est au bord du lac. ☎ 41-19-19. Ouv déc-avr. Env 70 $Ar/pers ; 20 $Ar pour la voiture.* Eau chaude 24h/24, épicerie et nombreux services. Également quelques dortoirs.

De bon marché à prix moyens (moins de 350-500 $Ar / env 35-50 €)

Ladera Norte Hostel (plan A1, **21**) : *Weber, 531. ☎ 41-14-81. • ladera-norte.com • À 600 m env du centre-ville ; suivre la rue Rivadavia en direction du versant boisé, c'est dans l'avant-dernière rue, sur la droite. Selon saison, dortoirs 4-6 lits avec sdb 110-150 $Ar/pers ; doubles avec sdb env 350-410 $Ar ; petit déj inclus.* Une auberge de jeunesse privée, récente et très bien tenue. Les parties communes aux murs blancs sont agrémentées de quelques touches de couleur bienvenues. Salle de bains privée pour tout le monde, cuisine à disposition, table de ping-pong, jardin avec possibilité de faire un BBQ par beau temps. Bien et sympa.

Albergue Rukalhue (plan A1, **22**) : *Juez del Valle, 682. ☎ 42-74-31. • rukalhue.com.ar • Lits en dortoir* *env 90-150 $Ar ; doubles avec sdb env 300-400 $Ar ; petits apparts pour 2 pers, avec kitchenette, env 390-500 $Ar selon saison ; petit déj inclus.* Un genre d'auberge de jeunesse correcte avec plusieurs types d'hébergements dont des dortoirs de 4 lits avec sanitaires communs, une salle TV avec cheminée, une grande cuisine, un jardin fleuri doté d'un barbecue. L'ensemble commence tout de même à vieillir doucement. Eau chaude et chauffage 24h/24. Possibilité de commander ses repas.

Naum Apart Hotel *(plan A2,* ***23****) : Colonel Díaz, 1120. ☎ 42-82-28. ● interpatagonia.com/naum ● Ouv tte l'année. Selon saison, appart env 350-500 $Ar pour 2 pers, certains peuvent accueillir jusqu'à 7 pers.* Une dizaine d'appartements en bois et pierre locale, avec mobilier rustique. Très bien équipées, cuisine avec micro-ondes, salle de bains nickel. Une formule intéressante pour des familles ou groupes d'amis.

De prix moyens à chic (500-1 000 $Ar / env 50-100 €)

Hotel Tunqueley *(plan B2,* ***24****) : angle Belgrano et Roca. ☎ 42-73-81. ● interpatagonia.com/tunqueley ● Ouv tte l'année. Doubles avec sdb env 500-700 $Ar selon saison, petit déj compris.* À deux pas du centre, un établissement proposant des chambres correctes. Déco simple et pas très moderne, il faut bien le dire, mais les chambres sont bien tenues et l'accueil est aimable. Éviter tout de même celles situées à proximité de l'ascenseur (l'isolation phonique n'est pas top).

La Posta del Cazador *(plan A2,* ***25****) : San Martín, 175 ; à l'angle de Juez del Valle. ☎ 42-75-01. ● postadelcazador.com.ar ● Fermé en mai. Doubles avec sdb env 550-850 $Ar selon saison, petit déj inclus. Parking.* Belle maison, type relais de chasse, rustique à souhait et chaleureuse avec sa cheminée en pierre dans le salon. Chambres moquettées, parfois avec un bout de vue sur le lac. Excellent accueil du proprio qui tient cette affaire familiale depuis plus de 30 ans.

Hotel del Viejo Esquiador *(plan B2,* ***26****) : San Martín, 1242. ☎ 42-76-90. ● delviejoesquiador.com ● Ouv tte l'année. Doubles 750-1 200 $Ar selon saison (!), petit déj-buffet inclus. Parking.* Petit hôtel classique et chambres *standard* bien équipées, avec TV, coffre-fort et minibar. Demandez-en une qui donne sur le côté ou à l'arrière, plus calme en saison. Salon commun doté d'une cheminée.

Beaucoup plus chic (plus de 1 400 $Ar / env 140 €)

La Cheminée *(plan A1,* ***27****) : à l'angle de Roca et Moreno. ☎ 42-76-17. ● hosterialacheminee.com.ar ● Ouv tte l'année. Doubles env 1 700-2 800 $Ar selon confort et saison ; suite encore plus chère. Petit déj compris. Parking.* Jolie bâtisse entièrement restaurée, entourée d'un jardin parsemé de fleurs. Chambres spacieuses et très confortables qui jouent dans un registre sobre, moderne et rétro à la fois. Les *suites superior* ont même une cheminée qui fonctionne et un jacuzzi ! Piscine couverte, sauna. Petit déj-buffet succulent et accueil adorable. L'hôtel chic et de charme de San Martín.

Où manger ?

Bon marché (moins de 80 $Ar / env 8 €)

Peperone *(plan B2,* ***40****) : San Martín, 820. ☎ 42-22-96. Tlj 12h-15h, 19h30-23h30.* Bien pour un repas sur le pouce. Hamburgers, sandwichs au poulet, au *lomo,* hot-dogs, croques... Terrasse au bord de la rue ou quelques tables dans le jardin dissimulé à l'arrière du bâtiment, lorsque le temps le permet. Service jeune.

Pizza Bar *(plan B2,* ***41****) : Villegas,*

987. ☎ *42-60-05. Tlj sf dim midi 12h-15h, 19h-minuit.* Petite adresse populaire où se presse une clientèle locale autour des quelques tables, non seulement pour les pizzas, mais aussi pour ses bonnes *empanadas.*

De prix moyens à chic (120-220 $Ar / env 12-22 €)

La Barra *(plan A2,* ***42****)* **:** *Brown et Costanera.* ☎ *42-54-59. Tlj 12h30-15h, 20h-minuit ; service continu en saison.* Belle salle en bois et en pierre disposant d'une vue de choix sur le lac. Pizzas, pâtes, *parrilladas* ou *picadas* à base de charcuteries locales. Beaucoup de monde en saison, *claro* !

Ku *(plan B2,* ***43****)* **:** *San Martín, 1053.* ☎ *42-70-39. Tlj sf dim 12h-15h, 20h-minuit.* Grande salle en bois, parquet patiné, et bouteilles de vin sur les étagères. Atmosphère chaleureuse et qui rassure pour des *parrillas* réputées. Une valeur sûre de San Martín.

El Regional *(plan B2,* ***44****)* **:** *San Martín, angle Mascardi.* ☎ *41-46-00. Tlj 12h-15h, 19h-minuit.* Un resto-brasserie en rouge et noir, à la déco volontairement chargée, un poil théâtrale. Les lustres en bois de cerfs nous ont paru quelque peu uniques en ville. L'ensemble est avenant avec ses différents espaces pour se poser (en salle, sur des tables hautes près du bar ou dans une cour paisible à l'arrière). Côté restauration, c'est du bon ! *Lomo* aux fruits rouges et sauce malbec, *trucha* à l'orange et aux herbes, *picadas* pour 2 à 5 personnes, *empanadas,* etc. Attention, c'est copieux. Commencez par un plat, vous verrez ensuite s'il vous reste de la place ! Nombreuses bières artisanales. Prix un peu plus élevés qu'ailleurs mais justifiés.

Où prendre un petit déj ou un goûter ?

Pan con Chocolate *(plan A2,* ***50****)* **:** *Juez del Valle.* ☎ *41-00-01. À deux pas de la gare routière. Mar-sam 8h-14h, 17h-20h ; dim 9h-13h.* Petite boulangerie-pâtisserie avec quelques tables pour savourer un gâteau au chocolat, noix et *dulce de leche,* par exemple, un crumble aux pommes et prunes, ou une p'tite tartelette aux framboises. C'est tout simplement à tomber ! Et puis les proprios, enthousiastes, parlent le français.

Casa de té Arrayán *(hors plan par B2,* ***51****)* **:** *Mirador Arrayán.* 📱 *15-34-73-14. À 4 km du centre-ville ; prendre la route qui monte sur la gauche, juste à la sortie de la ville (en direction de Villa La Angostura ; piste carrossable sur les 2 derniers km). En saison, tlj 13h30-21h ; hors saison, fermé mar et horaires réduits.* L'emplacement est tout bonnement spectaculaire, la déco très réussie, les tartes sont sublimes, et la carte des thés répertorie une bonne douzaine de *blend.*

À voir

La Pastera, Museo del Che *(plan B1)* **:** *angle Sarmiento et Roca.* ☎ *41-19-94.* • *lapastera.org.ar* • *Tlj sf mar 9h (10h hors saison)-13h, 17h-21h (20h hors saison). Entrée : 30 $Ar.* C'est dans ce hangar en bois que Ernesto Guevara et Alberto Granado trouvèrent refuge en janvier 1952, au cours de leur mythique périple à moto à travers une partie du continent sud-américain. Cette cahute est aujourd'hui transformée en petit musée qui évoque la vie et la pensée du Che. À l'extérieur, noter la pompe à essence de 1946, une vraie pièce de collection !

DANS LES ENVIRONS DE SAN MARTÍN

Cerro Chapelco : *station de ski à 2 400 m d'altitude et située à env 20 km au sud de San Martín.* • *chapelco.com* • *S'y rendre en bus (voir « Arriver – Quitter »)* *ou passer par une agence.* Une trentaine de pistes de ski et snow-board, quelques-unes assez pentues. Services et location de matériel bien plus chers qu'à cerro Catedral et à cerro Bayo, cela dit. En été, tyrolienne, trekking, VTT, activités pour enfants, etc.

Parque nacional Lanín : *infos au* Centro de Visitantes *(voir « Adresses utiles »). Accès : 90 $Ar ; gratuit moins de 16 ans. 3 types de campings au sein du parc : les campings libres,* agrestes et organizados.
– Accès à la partie nord : en janv-fév, bus Castelli *ttes les heures, 6h-22h, entre San Martín et Junín de los Andes (40 km ; env 45 mn) ; de là, 2 bus/j. rejoignent les rives du lago Paimún (2 liaisons/sem slt en basse saison), 2 bus/j. également entre Junín et le lago Tromen (point de départ pour l'ascension du volcan Lanín). En été, 2 bus/j. également entre San Martín et le lago Huechulafquen ; trajet en 2h.*
– Accès à la partie sud : Quila Quina (à 18 km de San Martín), sur les rives du lago Lácar, ou Hua Hum (env 30 km de San Martín), au bord du lago Nonthué, sont accessibles en voiture. En janv-fév, 2 bus/j. entre Hua Hum et San Martín de los Andes. Sinon, excursions en bateau avec Naviera Lácar & Nonthué *: à l'embarcadère de San Martín (plan A2), av. Costanera, ☎ 42-73-80 ; janv-fév, départ ttes les heures, 10h-19h pour Quila Quina, 1 départ pour Hua Hum ; fréquence réduite le reste de l'année ; entrée du parc en sus.*
L'un des parcs nationaux les plus vastes du pays. Bien entendu, beaucoup de sentiers balisés parcourent le parc. Mais attention, pour certaines randonnées (notamment celles de plus de 3h), il faut impérativement s'inscrire dans l'un des *centros de informes* du parc et ne pas oublier de signaler, à votre retour, que vous êtes rentrés. De toute façon, avant une rando, consultez le bureau du parc (voir « Adresses utiles ») pour connaître l'état des sentiers. Les agences de San Martín proposent aussi de nombreuses activités dans le parc : randonnées, canoë, rafting, balades à cheval, ascension du volcan Lanín, sans oublier un bain dans les eaux thermales de Lahuen-Co.
➢ Dans sa ***partie nord,*** les lacs Huechulafquen et Paimún rejoignent leurs eaux dans un environnement de carte postale idyllique, entourés de plages de sable noir volcanique et de cimes enneigées. Superbes chutes d'eau à El Saltillo. Possibilité de faire une excursion en bateau sur le lago Epulafquen depuis Puerto Canoa. Dans cette partie du parc vivent des communautés mapuches qui peuvent vous organiser des campements dans des coins reculés ainsi que des excursions à cheval. Mais le point d'orgue est sans doute le « jeune » volcan Lanín, culminant à 3 776 m.
– ***L'ascension du volcan :*** se fait seulement par le versant nord, du côté du lago Tromen, de novembre à mai (tout dépend de l'enneigement). Dans ce cas, on ne paye pas de droit d'entrée dans le parc. Il est possible de l'effectuer sans guide, si on a une bonne condition physique, ***l'expérience et l'équipement obligatoire*** adéquat (le sommet est couvert de glace). Avant le départ, il est, là aussi, obligatoire de ***s'enregistrer au centro de informes*** situé au pied du volcan qui vérifie votre état physique, votre équipement et donne le feu vert (ou rouge !) pour l'ascension.
Elle s'effectue en 2 jours : montée jusqu'au *refugio* le 1er jour ; réveil matinal le 2e jour pour l'ascension jusqu'au sommet du volcan avant de redescendre. On en prend plein la vue ! Bien entendu, les agences de San Martín proposent l'excursion. Depuis Puerto Canoa, on peut aller jusqu'à la base sud du volcan, mais pas plus loin (compter 6-7h A/R ; camping sauvage interdit).
➢ La ***partie sud*** du parc est la plus développée. Possibilité de faire une très belle randonnée de 3 jours sur les rives du lago Lácar et du lago Nonthué : départ de Quila Quina pour rejoindre le camping *libre* du lago Escondido ; le 2e jour (8h de marche env), rejoindre Pucará sur les rives du lago Nonthué (camping *libre* pour passer la nuit) ; le 3e jour, rejoindre Hua Hum pour attraper le bus de San Martín en fin d'après-midi.

EL BOLSÓN

30 000 hab. IND. TÉL. : 0294

Situé à 130 km au sud de Bariloche et à 180 km au nord d'Esquel, à la frontière entre les provinces de Río Negro et de Chubut. La route qui y mène est de toute beauté, longeant les lacs Gutiérrez et Mascardi pour ensuite emprunter une vallée encaissée bordée de forêts. El Bolsón occupe un val fertile traversé par la rivière Quemquemtreu (« Pierre qui roule » en langue mapuche) et entouré de deux grandes montagnes, les *cerros* Nevado et Piltriquitón.

Aujourd'hui, El Bolsón a poussé sans véritable urbanisme ni grand charme et s'est un peu embourgeoisé avec la manne touristique. Nombreux restaurants et *hospedajes* en ville ou dans les alentours. El Bolsón s'anime aux premiers jours de mars pour la *fiesta del Lúpulo,* la fête du Houblon, car la ville est aussi réputée pour ses bières artisanales.

– Foires : *mar, jeu, sam et dim 10h-15h, sur la pl. Pagano.*

OUVRE TES *CHACRAS* !

Attirés par le microclimat qui favorise la croissance d'arbres fruitiers, de nombreux hippies du monde entier s'y sont installés au début des années 1970, pour vivre en pleine nature. Des communautés consacrées à l'artisanat et à l'agriculture bio dans les fermes (chacras) *virent le jour. Et chaque samedi, on voit toujours de vieux babas descendre à la foire artisanale pour vendre leurs produits.*

Arriver – Quitter

Tous les bus entre Bariloche et Esquel s'y arrêtent. Pas de gare routière, mais arrêt sur l'av. San Martín (axe principal) en face de la pl. Pagano.

La compagnie *La Golondrina (angle Hube et Perito Moreno ; ☎ 49-25-57)* dessert les environs :

➢ ***Lago Puelo :*** en été, bus ttes les heures (ou ttes les 30 mn), 7h-22h45 (9h-21h le w-e) ; fréquence réduite le reste de l'année. Trajet : 30 mn env.

➢ ***Lago Epuyén :*** 3 bus/j. (7h15, 14h15, 20h15). Trajet : 1h env.

Adresses utiles

ℹ ***Oficina municipal de tourismo (office de tourisme) :*** *angle San Martín et Roca ; au bout de la pl. Pagano. ☎ 449-26-04. • elbolson.gov.ar • Tlj 9h-22h (20h hors saison).* Plan de la ville, infos sur les excursions (circuit de Mallín Ahogado au nord, miradors à l'ouest, le *río* Azul pour la pêche, Cajón Azul pour le trekking et même au Lago Puelo...).

✉ ***Poste :*** *San Martín, 2860, entre Dorrego et Roca. Lun-ven 8h30-13h, 16h-19h ; sam 9h-13h.*

■ ***Banque, change : Bancopatagonia,*** *San Martín, 2831 ; à côté de l'office de tourisme. Lun-ven 8h-13h. Change euros et traveller cheques.* Plusieurs distributeurs dans la rue principale.

@ ***Cyberia :*** *San Martín, 2869. Tlj 9h-23h (21h30 hors saison). Fermé dim hors saison. Kiosko* doté de nombreux postes et téléphones. D'autres centres Internet sur San Martín.

■ ***Agence de voyages Grado 42 :*** *Belgrano, 406. ☎ 449-31-24. • grado42.com •* Représentant de *Chaltén Travel* (voir à Bariloche, plus haut, « Arriver – Quitter. En bus. El Calafate »). Propose de nombreuses activités et excursions dans le coin.

Où dormir à El Bolsón et dans les environs proches ?

Plusieurs campings le long du *río* Azul.

De bon marché à prix moyens (moins de 550 $Ar / env 55 €)

Refugio Patagónico : *Islas Malvinas, angle Pastorino. ☎ 448-38-88. • refugiopatagonico.com.ar • De l'office de tourisme, prendre la rue Roca et, 3 cuadras plus loin, tourner à droite. Fermé de Pâques à sept. Compter env 60 $Ar/pers en camping, 90 $Ar/pers en dortoir de 6-7 lits ; 1 double env 300 $Ar. Petit déj en sus.* Camping dans un terrain de 6 ha donnant sur un cours d'eau, avec des espaces *fogón* (feu de camp) et des tables et bancs pour pique-niquer. Le tout étant bien ombragé. Eau chaude 24h/24. Le chalet abritant l'*hostel* est assez récent. On y trouve le confort habituel, plus une cuisine à disposition, un vieux billard et une cheminée dans la salle commune. Sanitaires communs. Bonne ambiance et super accueil.

Hostel El Bolsón : *Perito Moreno, 3038. ☎ 472-01-76. • hostelelbolson.com • Selon saison, dortoirs 4-8 lits (sanitaires communs) 90-130 $Ar/pers, doubles avec ou sans sdb 240-450 $Ar. Petit déj en sus.* Une auberge de jeunesse à l'ambiance cool, tenue par Sergio et Mauro. Prix plancher pour les lits calés sous les combles (attention à la tête le matin au réveil) ! Cuisine équipée, jardin à l'arrière avec barbecue dans lequel les soirées se prolongent souvent tard. Convivial et plein d'infos échangées.

La Casona de Odile : *Barrio Luján, à 5 km d'El Bolsón. ☎ 449-27-53. • odile.com.ar • À la sortie de la ville, en direction de Bariloche, prendre la piste à droite quelques centaines de mètres après le Km 1918 ; continuer ensuite 1 km (fléché). Mieux vaut être véhiculé, sinon colectivo qui passe à 100 m et rejoint le centre-ville, tlj sf dim, ttes les heures, 8h-20h. Résa impérative. Fermé mai-oct. Dortoirs 3-6 lits env 110 $Ar/pers ; doubles avec sdb env 450-550 $Ar selon saison. Petit déj compris.* Un petit nid douillet en pleine campagne, une cabane aux fonds des bois. Avec le petit cours d'eau qui gambade au bout du jardin ombragé, le cadre est bucolique à souhait ! Propose chambres et dortoirs tout en bois, aménagés avec goût et sobriété. Possibilité d'utiliser la cuisine. Prêt de VTT. Une adresse au charme certain.

De prix moyens à chic (550-1 000 $Ar / env 55-80 €)

La Escampada : *angle Azcuénaga et 25 de Mayo. ☎ 448-39-05. • laescampada.com • Fermé en mai. Doubles env 600-680 $Ar selon confort, petit déj inclus. Parking.* À l'écart de la rue principale, un établissement récent et de standing qui compte une dizaine de chambres confortables. L'ensemble a été construit en privilégiant les matériaux nobles comme le bois et la pierre. Les chambres *standard* au 1er étage, mansardées, sont pas mal du tout. Les *superior* sont juste un peu plus spacieuses. Salon commun avec cheminée. Calme assuré et accueil agréable.

La Posada de Hamelin : *Granollers, 2179. ☎ 449-20-30. • posadadehamelin.com.ar • Fermé mai-juin. Double env 720 $Ar en saison, petit déj compris. Résa indispensable.* Une adorable maison en brique, à la façade abondamment fleurie, un peu comme dans un tableau de Monet. Derrière le mur, une vraie *posada* de 4 chambres seulement. Beaucoup de bois, du parquet, pas mal de patine. Salle des petits déj où l'on peut utiliser le frigo à disposition. Bon accueil.

Où manger à El Bolsón et dans les environs proches ?

De bon marché à prix moyens (moins de 180 $Ar / env 18 €)

🍴 ***Jauja :*** *San Martín, 2867. ☎ 449-24-48. À deux pas de l'office de tourisme. Tlj 9h-1h du mat en saison (minuit le reste de l'année).* Cuisine prisée des familles ; principalement des pizzas et des pâtes. Cadre boisé et plaisant.

🍴 ***Restaurant de la Cervecería El Bolsón :*** ruta *40, à 4 km env du centre-ville, en direction de Bariloche (entre Km 1917 et Km 1918), sur le côté gauche. ☎ 449-25-95. Tlj midi et soir en saison ; hors saison, fermé lun.* Cette microbrasserie présente dans toute la Patagonie s'est doublée d'un restoroute où l'on peut déguster une cuisine à dominante germanique. Saucisses, choucroute, goulasch d'agneau, truite au vin blanc mais aussi des *picadas* à grignoter. En plus des bières artisanales classiques, d'autres au blé, au miel, au chocolat et au *chili,* chaud devant ! En version chope, pichet demi-litre ou en échantillon de 5 différentes pour les déguster toutes. En revanche, cadre sans véritable importance.

🍴 ***La Gorda :*** *25 de Mayo, 2709. ☎ 472-05-59. Tlj sf lun hors saison, 11h30-16h, 19h30-minuit. Réserver ou venir tôt, sous peine d'allonger la liste d'attente.* Un resto qui compte une dizaine de tables à l'intérieur, quelques autres en terrasse. Pas vraiment de fil conducteur en matière de déco, mais la salle est plaisante avec ses murs de briques, les autres teintés en rouge ou gris-bleu. Le chef, qui n'en est pas à son coup d'essai, a ses adeptes à El Bolsón. Cuisine généreuse, bien amenée, agrémentée de touches personnelles et parfois originales. Principalement des viandes. Chaque jour, 1 ou 2 propositions. Service jeune, souriant et efficace.

🍴 ***Patio Venzano :*** *av. Sarmiento, 2250. 📱 15-463-31-12. Tlj 12h-16h, 20h-minuit. Peu de tables, ne pas arriver trop tard.* Chalet de bois à l'intérieur élégant et chaleureux. Tables en bois massif recouvert de jolies nappes blanches, anciennes assiettes au mur. Quelques tables en terrasse si le temps le permet. Une bonne *parrilla* qui propose aussi des pâtes, comme presque partout.

Où s'offrir une glace ?

🍦 ***Jauja :*** *voir « Où manger ? ».* Vaste choix de glaces aux fruits rouges (*sauco, maqui,* framboise, cassis, hibiscus...), puis des mélanges originaux comme le *chocolate andino* (avec du *dulce de leche* et des noix), le *mate cocido* (!) et le *dulce de leche* avec des mûres.

Achats

🧺 ***Otto Tipp :*** *Islas Malvinas, angle Roca. ☎ 449-37-00. Resto-bar mar-dim à partir de 20h. Visite gratuite lun-sam, 10h-17h (9h-14h lun).* Une brasserie artisanale qui ouvre ses portes à la visite et qui produit des brunes, blondes et rousses, avec du caractère ou plus lisses, en vente sur place.

Festival

– ***Cerro El Bolsón Jazz Festival :*** *2-3 j. en déc.* Concerts de jazz avec des artistes assez connus en Argentine.

DANS LES ENVIRONS D'EL BOLSÓN

➢ Possibilités d'excursions au ***lago Puelo*** *(à 20 km au sud ; entrée payante en été slt)* ou au ***lago Epuyen*** *(à env 40 km sur la route d'Esquel).* Pas mal de randonnées à faire aussi dans les environs du village. Possibilité de grimper en 1 jour au ***cerro Piltriquitron*** qui culmine à 2 260 m (ce n'est pas une simple balade du dimanche, la 2e partie de l'ascension – au dessus du refuge – s'adresse aux marcheurs expérimentés) ; sur le chemin, on passe par ***el bosque Tallado,*** une forêt sculptée. Autres excursions très prisées dans le coin : la ***cabeza del Indio*** ou le ***mirador del Azul.*** Pour ces randos, demander conseil à l'office de tourisme ou au *Refugio del Lago,* un camping et une auberge qu'on aime bien :

El Refugio del Lago : *à Epuyen.* ☎ *(02945) 49-90-25.* ● *elrefugiodellago.com.ar* ● *À env 45 km au sud d'El Bolsón par la ruta 40, tourner à droite vers Epuyen ; compter env 8 km de l'embranchement à l'auberge en suivant la route goudronnée et la direction du lac ; bien fléché dans le village. En camping, env 50 $Ar/pers, 20 $Ar/véhicule. Dortoir env 220 $Ar, double 320 $Ar avec petit déj. 3 cabañas pour 4-8 pers, 370-640 $Ar.* Sur 15 ha plantés de noyers, noisetiers et de pommiers. L'emplacement se situe au bord du lac, en face du cerro Pirque, dans un endroit sauvagement beau. Le camping est bien ombragé, avec des coins barbecue. Sophie, la proprio, rythme ses journées entre ses plantations, ses brebis et chèvres (marmelades et fromages faits maison !) et ses hôtes qu'elle soigne au petit déj et à l'heure du thé. Quant à Jacques, guide de montagne, il propose des trekkings plus ou moins longs, les plus complets étant ceux qui rejoignent le Pacifique par lacs et cols de montagne ou encore des excursions en 4x4. Un endroit où l'on sent toute la force de la Patagonie majestueuse. Le resto au bout de la propriété *(fermé avr-oct)* est tenu par des jeunes du coin.

LELEQUE

En suivant la *ruta* 40 vers Esquel, après plusieurs kilomètres entre ciel et terre, on arrive à la localité de Leleque, seulement identifiable à sa pancarte signalant le musée local.

Museo Leleque : ruta *40, Km 1841, à 80 km d'El Bolsón.* ☎ *(02945) 45-51-51. Tlj sf mer : mars-déc 11h-17h, janv-fév 11h-19h. Fermé en mai, juin et sept. Entrée : 10 $Ar. Audioguide en espagnol et en anglais.* Sans entrer dans une polémique bien trop complexe de conflits d'intérêts, le résultat de ce musée implanté dans un vieux *almacén* (magasin) bien restauré se révèle plutôt réussi. Ces quatre salles retracent, tour à tour, la vie des peuples indigènes, les premières implantations sur le sol patagon, l'arrivée des Espagnols (qui n'introduisent rien moins que le cheval en Patagonie !), les conquêtes militaires sur le territoire mapuche au cours du XIXe s et enfin l'arrivée des immigrants (européens et du Moyen-Orient), sortes de pionniers sur ces terres peu hospitalières. Les objets des deux premières salles proviennent d'une donation faite à M. Benetton par un collectionneur de Puerto Madryn. Quant aux objets de la vie courante et les habits traditionnels, les

VOUS ME RECONNAISSEZ ?

En mai 2000, Leleque est sortie brutalement de l'anonymat avec l'inauguration d'un musée consacré aux peuples originaires de la région (à savoir, les Tehuelche puis les Mapuche). Ce musée est financé par un grand industriel italien du textile ayant acheté par ici d'énormes territoires (l'équivalent d'une superficie comme un département) où paissent ses dizaines de milliers de moutons. Pointé du doigt par les communautés mapuches qui lui imputent les expropriations (et l'accès aux ressources d'eau), l'homme d'affaires a décidé de célébrer ici leur culture...

chercheurs ont accompli un travail minutieux qui est mis en valeur par la muséographie et l'éclairage. La visite se termine par le *boliche* (l'ancien bar), qui sert aujourd'hui de café ou l'on peut grignoter des *empanadas.*

ESQUEL

36 000 hab. IND. TÉL. : 02945

À la fin du XIXe s, les descendants des premiers immigrants gallois de la côte atlantique partirent à la recherche de terres moins arides jusqu'à la précordillère et fondèrent la ville. Aussi rencontre-t-on encore dans Esquel des traces de l'époque galloise (petites maisons de brique rouge au gazon ras). L'arrivée de ces nouveaux immigrants est commémorée chaque 28 juillet, lors de la Fête galloise. Dans cette jolie vallée en forme de cuvette, quel que soit l'endroit d'où l'on regarde, il y a en face une colline puis une montagne. Le tout couvert de neige en hiver et verdoyant en été. Ici, les enseignes en bois sont particulièrement imaginatives. Pas grand-chose à faire en ville, mais elle constitue un bon point de départ pour des randos dans les montagnes alentour et surtout dans le parque de los Alerces, à 1h de route environ.

Arriver – Quitter

En bus

🚌 ***Terminal de Ómnibus** (gare routière ; plan B2) : Alvear, 1871.* ☎ *45-15-84.* On y trouve un bureau de l'office de tourisme, des *lockers,* un *locutorio* et un bar. Compagnies : *Transporte Jacobsen (☎ 45-46-76 ; • transportejacobsen.com.ar •)* ; *Don Otto (☎ 45-30-12)* ; *Mar y Valle (☎ 45-37-12)* ; *Andesmar (☎ 45-01-43)* ; *Via Bariloche (☎ 45-46-76)* ; *Transporte Esquel (☎ 45-35-29)* ; *El Rápido Argentino (☎ 00-333-19-70)* ; *Marga-Tasqa (☎ 45-67-55 ; • taqsa.com.ar •).*

➢ ***Trevelin** et **le poste-frontière avec le Chili (Paso Río Grande) :** Transporte Jacobsen* assure 1 bus/h (ou ttes les 30 mn) en sem 6h-23h ; fréquence réduite le w-e. Trajet : 30 mn pour Trevelin ; env 1h30 pour la frontière. À la frontière, changer de bus pour rejoindre Futaleufú, au Chili.

➢ ***Parque Los Alerces, Cholila, Epuyen et Lago Puelo :** Transportes Jacobsen* assure 2 départs/j. en déc-fév slt, un le mat, l'autre en début d'ap-m. Également avec *Transporte Esquel* même fréquence en été, 1 fois/j. en moyenne saison et 3 fois/sem le reste de l'année.

➢ ***El Bolsón et Bariloche :*** 1-2 départs/j. avec *Don Otto, Mar y Valle, Andesmar* et El Rápido Argentino ; 3-5 bus/j. avec *Via Bariloche,* 7h-17h. Trajet : env 2h40 pour El Bolsón, 4h30 pour Bariloche.

➢ ***Trelew et Puerto Madryn :*** env 3 départs/j. avec *Mar y Valle* et *Don Otto.* Trajet : env 10h jusqu'à Trelew, 14h pour Puerto Madryn.

➢ ***Buenos Aires :*** 1-3 bus/j. le mat avec *Andesmar, Via Bariloche* et El Rápido Argentino. Dans la plupart des cas, il faut changer à Bariloche. Trajet : un peu plus de 24h !

➢ ***Mendoza :*** 1 bus/j. tôt le mat avec *Andesmar.* Trajet : env 25h !

➢ ***El Calafate :*** départs en saison (nov-avr) avec les tours de *Chaltén Travel* par la *ruta* 40 (s'adresser à l'agence *Gales al Sur* à la gare routière ; départ d'Esquel en fin de matinée, les jours impairs slt ; compter 2 j. avec une nuit dans la ville de Perito Moreno) et avec la compagnie *Taqsa* par la *ruta* 40 (4 départs/sem, en fin de soirée ; trajet : 25h) ou par la *ruta* 3 (départ tlj en début d'ap-m ; trajet : 24h).

Vers le Chili en voiture

– ***Poste-frontière Paso Río Grande/ Futaleufú :*** *à 70 km d'Esquel. Ouv tlj 8h-21h (20h hiver).* Piste sur les 3 derniers km.

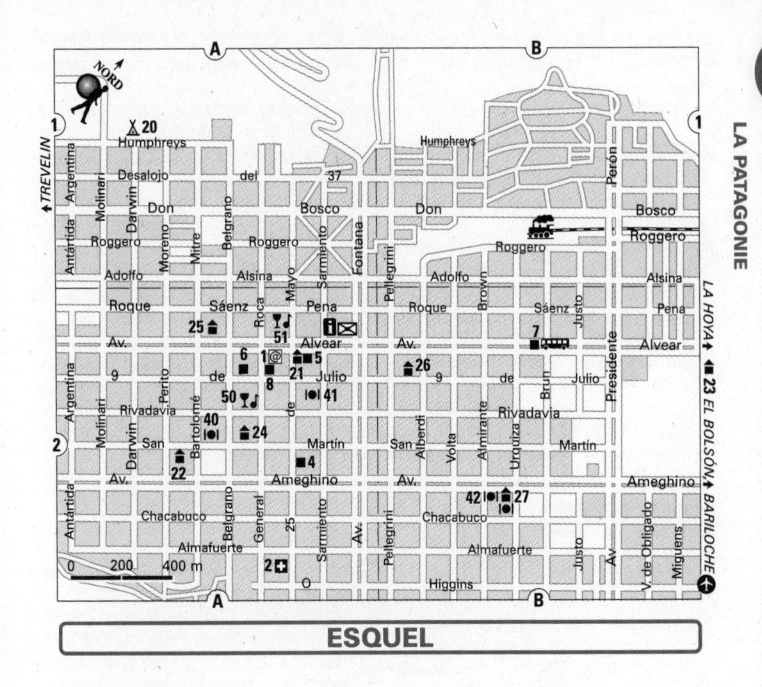

Adresses utiles	24 Los Ñires
1 Cyberclub	25 Hostería Angelina
2 Hospital Zonal Esquel	26 Del Sur Apart
4 Aerolineas Argentinas	27 Cumbres Blancas
5 LADE	**Où manger ?**
6 Supermarché La Anonima	27 Cumbres Blancas
7 Gales al Sur	40 La Colonial
8 Patagonia Verde	41 La Barra
Où dormir ?	42 Don Chiquino
20 La Colina	**Où boire un verre ? Où sortir ?**
21 Planeta Hostel	50 El Bodegón
22 Casa del Pueblo	51 Hotel Argentino
23 Hostel Sol Azul	

En avion

✈ ***Aéroport*** *(hors plan par B2)* **:** *à 22 km au nord.* ☎ *45-16-76.* Pour y aller, taxi ou *remis (env 80 $Ar/pers).*

➢ ***Buenos Aires :*** 4-5 vols/sem selon saison avec *Aerolineas Argentinas.*

➢ ***Bahía Blanca et Neuquén :*** 2 vols/sem avec *LADE.*

Adresses utiles

ℹ ***Oficina de Informes*** *(office de tourisme ; plan A2)* **:** *angle Alvear et Sarmiento.* ☎ *45-19-27 et 45-56-52.* • *esquel.gov.ar/turismo* • *Déc-fév, tlj 7h-23h ; mars-nov, tlj 8h-21h.* Doc très complète et personnel disponible, qui parle parfois l'anglais. Infos sur les horaires de bus, la station de ski, le parc national, etc. Également un bureau à la gare routière *(tlj 6h-8h, 19h-23h).*

✉ **Poste** *(plan A2)* **:** *Alvear, 1192. Lun-ven 8h30-13h, 16h-19h ; sam 9h-13h.*

■ @ **Cyberclub** *(plan A2,* ***1****)* **:** *Alvear, 961. Lun-ven 10h-12h30, 16h30-22h ; w-e 16h30-22h.* Accès Internet et appels internationaux.

■ ***Change, distributeurs :*** *plusieurs banques dans le centre, dans 25 de Mayo notamment.*

☐ ***Hospital Zonal Esquel*** *(plan A2,* ***2****)* **:** *25 de Mayo, 150. ☎ 45-02-22.*

■ ***Compagnies aériennes : Aerolineas Argentinas*** *(plan A2,* ***4****), 25 de Mayo, 445. ☎ 45-36-14 ; à l'aéroport, ☎ 45-26-88. ● aerolineas.com.ar ● Tlj 8h (9h le w-e)-21h.* ***LADE*** *(plan A2,* ***5****), av. Alvear, 1085. ☎ 45-21-24. ● lade.com.ar ● Lun-ven 9h-16h.*

■ ***Supermarché La Anonima*** *(plan A2,* ***6****)* **:** *angle 9 de Julio et Belgrano. Lun-sam 8h30-21h30 ; dim 8h30-13h, 18h-21h30.*

■ ***Agences de voyages : Gales al Sur*** *(plan B2,* ***7****), à la gare routière. ☎ 45-57-57. ● galesalsur.com.ar ●* Organise des excursions au parc Los Alerces et vend des billets des compagnies aériennes et les tours de *Chaltén Travel* vers El Calafate. Très bon accueil. ***Patagonia Verde*** *(plan A2,* ***8****), 9 de Julio, 926. ☎ 45-43-96. ● patagonia-verde.com.ar ●* Excursions notamment dans la région de Trevelin et à Los Alerces.

Où dormir ?

Camping

⛺ ***La Colina*** *(plan A1,* ***20****)* **:** *Darwin, 1400. ☎ 45-52-64. ● lacolinaesquel.com.ar ● Ouv tte l'année. Env 40 $Ar/pers ; 40 $Ar/voiture (payable une seule fois). Également des dortoirs et des chambres mais peu convaincants.* 📶 Certes un peu excentré, mais ce camping de taille modeste offre des emplacements ombragés par des arbres fruitiers et aménagés en terrasse sur un versant. Du coup, on bénéficie d'un petit panorama sur la ville. Sanitaires simples mais bien tenus (douche chaude 24h/24). Fait aussi resto le soir et au petit déj.

De bon marché à prix moyens (moins de 550 $Ar / env 55 €)

🏠 ***Planeta Hostel*** *(plan A2,* ***21****)* **:** *av. Alvear, 1021. ☎ 45-68-46. ● planetahostel.com ● Fait partie du réseau* Hostelling International. *Ouv tte l'année. Selon saison, dortoirs 3-8 lits env 90-150 $Ar/pers ; doubles sans sdb env 300-380 $Ar. Bon petit déj inclus.* 💻 📶 En plein centre, une auberge de jeunesse colorée, moderne et accueillante, fort bien tenue par un jeune couple, Gustavo et Macarena. Tout le confort nécessaire pour se ressourcer après un long périple. Couette sur les lits, salle de TV et cuisine équipée. Il y a aussi de quoi faire un *asado*. Bonne ambiance, bonne atmosphère.

🏠 ***Casa del Pueblo*** *(plan A2,* ***22****)* **:** *San Martín, 661. ☎ 45-05-81. ● esquelcasadelpueblo.com.ar ● Ouv tte l'année. Dortoirs 4-10 lits avec ou sans sdb 100-120 $Ar/pers ; doubles avec sdb env 350-370 $Ar selon période. Petit déj inclus* 💻 📶 Une auberge de jeunesse correctement tenue, dont le bâtiment se trouve au fond d'un jardin. Tout en bois rustique, y compris les casiers. Ambiance décontractée et jeune. Salon pour papoter, regarder la téloche ou échanger des bons plans. Grande cuisine à dispo. Tous les services habituellement proposés dans ce type d'hébergement.

🏠 ***Hostel Sol Azul*** *(hors plan par B2,* ***23****)* **:** *Rivadavia, 2869. ☎ 45-51-93. ● hostelsolazul.com.ar ● À une dizaine de cuadras de la gare routière. Ouv tte l'année. En tout, 24 places en dortoirs 6 lits slt, 120-130 $Ar selon saison. Petit déj en sus.* 💻 📶 Auberge de jeunesse aménagée dans 2 bâtiments récents. Le 1er bâtiment, partiellement construit en rondins de bois, abrite le salon commun avec une cheminée et une super cuisine équipée. Les dortoirs se trouvent dans la maison au fond du jardin, ce qui garantit la tranquillité des hôtes. Chauffage par le sol. Service de laverie, *lockers.* Bon accueil. Excentré (peuvent vous amener à la gare routière) mais bien sympa.

Los Ñires (*plan A2,* **24**) **:** *San Martín, 820. ☎ 45-25-89. ● hotelnires.com.ar ● Ouv tte l'année. Doubles avec sdb env 350-400 $Ar selon saison, petit déj inclus.* Un hôtel qui a eu son heure de gloire... L'ensemble commence à dater sérieusement. Les moquettes tirent un peu la tronche. Mais la nouvelle direction envisage de faire des travaux. Conviendra aux budgets modestes et à ceux qui ne sont pas adeptes des auberges de jeunesse.

De prix moyens à chic (550-1 000 $Ar / env 55-100 €)

Hostería Angelina (*plan A2,* **25**) **:** *Alvear, 758. ☎ 45-27-63. ● info@hosteriaangelina.com.ar ● Ouv tte l'année. Doubles env 600-850 $Ar selon confort et saison, petit déj inclus. Parking.* L'hôtellerie classique par excellence qui propose une dizaine de chambres (*standard* et *superior,* plus chères) et 2 appartements pour 5 à 6 personnes. Salon avec cheminée et petit jardin agrémenté d'une fontaine. Dans les chambres, moquette partout, TV et téléphone. Sans charme particulier, mais fonctionnel, bien tenu et l'accueil est fort aimable, alors...

Del Sur Apart (*plan B2,* **26**) **:** *9 de Julio, 1346. 15-69-97-16. ● delsurapart.com.ar ● Ouv tte l'année. Env 580-850 $Ar pour 2 pers ; ménage quotidien inclus. Pas de petit déj. Parking.* 4 pavillons en brique bordent une cour gravillonnée, dans un quartier résidentiel un peu excentré. Équipés d'une cuisine, de TV et DVD, et de 2 chambres mansardées à l'étage, chacun peut accueillir jusqu'à 6 personnes. Au fond de la cour, une salle commune aménagée pour faire une *parrilla.* Accueil sympa et dynamique. Une bonne alternative quand on voyage à plusieurs.

Plus chic (1 000-1 400 $Ar / env 100-140 €)

Cumbres Blancas (*plan B2,* **27**) **:** *Ameghino, 1683. ☎ 45-51-00. ● cumbresblancas.com.ar ● Ouv tte l'année. Doubles env 950-1 300 $Ar selon saison, petit déj compris. Parking.* À l'écart du centre, établissement récent d'une vingtaine de chambres. Intérieur plutôt cosy, rehaussé de bois brut et de cheminées en pierre. Les chambres jouent dans un registre classique et confortable. Couleurs assez chaudes, pas mal d'espace, tête de lit en fer forgé pour certaines, chauffage, TV câblée, téléphone. Salle de jeux et spa. Service attentionné. Bon resto (voir « Où manger ? »).

Où manger ?

De bon marché à prix moyens (moins de 180 $Ar / env 18 €)

La Colonial (*plan A2,* **40**) **:** *San Martín, 782. ☎ 45-33-61. Tlj sf mar 10h-16h, 18h-23h.* Une quinzaine de différentes *empanadas caseras* à emporter (pas de table). On passe la commande et on attend quelques minutes pour les déguster.

Barra (*plan A2,* **41**) **:** *Sarmiento, 638. ☎ 45-43-21. Tlj 12h-15h, 20h-minuit ; fermé dim soir et mer en basse saison.* Resto populaire vêtu d'orange, qui fait salle comble midi et soir. Plats traditionnels et roboratifs, comme les *parrilladas* (la spécialité de la maison). Un rapport honnête qualité-prix.

Don Chiquino (*plan B2,* **42**) **:** *Ameghino, 1641. ☎ 45-00-35. Tlj 12h-15h, 20h-minuit. Prix moyens.* Salle très chaleureuse où l'on mange au milieu d'un bric-à-brac ordonné et de quelques collectors : plaques minéralogiques, vieux postes de radio, clés, bouteilles, ustensiles... Pâtes maison extra-fraîches, accommodées à toutes les sauces. Quelques viandes également. Service attentif.

Chic (180-220 $Ar / env 18-22 €)

Cumbres Blancas *(plan B2, **27**)* **:** *voir « Où dormir ? ». Tlj 12h-15h, 20h-minuit.* Le resto chic d'Esquel. Salle avec ses bois blonds, ses baies vitrées et ses rideaux un tantinet théâtraux, sans oublier sa moquette rouge (éviter de renverser une cuillerée, ça ferait tâche !). Cuisine élaborée avec, en plat vedette, la truite. Les carnivores opteront pour le mouton. Carte plutôt limitée. En revanche, c'est l'une des caves les plus complètes de la ville.

Où boire un verre ? Où sortir ?

El Bodegón *(plan A2, **50**)* **:** *Rivadavia, 860. 15-42-81-17. Tlj 12h-15h, 18h (20h dim)-4h en saison ; slt le soir 20h-3h en basse saison. Concerts env 2 fois/sem en saison.* Bar aux murs rouges couverts d'affiches, de journaux, d'un écran géant. Une clientèle de tous âges assure l'animation, surtout les soirs de concert. En cas de grosse faim, opter pour les hamburgers géants ou les pizzas, correctes et assez grandes pour 2. Un endroit chaleureux.

Hotel Argentino *(plan A2, **51**)* **:** *25 de Mayo, 862. ☎ 45-22-37. Tlj 20h-3h (6h du mat le w-e).* Un véritable bric-à-brac de vieilleries, d'antiquités et autres objets vintage qui s'accumulent sur les murs, les étagères et même au plafond. Du vieil établi de menuiser, aux cloches et à l'encre marine suspendues au dessus du long comptoir, en passant par des maquettes de bateau. On sent de suite le p'tit grain de folie créatif du patron qui s'est bien fait plaisir. Billard. Bonne musique. Concerts gratuits parfois en fin de semaine, pas avant 22h. Un endroit qui a une âme, c'est peu dire...

À voir. À faire

Le train « La Trochita » *(plan B1)* **:** une vraie relique avec ses wagons en bois ! *La gare se trouve au nord de la ville, à la fin du goudron, à l'angle d'Urquiza et de Roggero. Les horaires variant selon la saison, mieux vaut les vérifier avt. Infos : ☎ 45-14-03. • patagoniaexpress.com/el_trochita.htm • En principe, de mi-déc à mi-fév, départs tlj sf dim à 10h et 14h ; pdt les vac scol de juil, à 10h slt ; le reste de l'année, 3 fois/sem. Prix du trajet : près de 250 $Ar ; gratuit moins de 5 ans. La Trochita,* un petit train à vapeur réhabilité, a été immortalisé dans le livre *L'Express de Patagonie,* de Paul Théroux. Cet Américain avait relié Boston à Esquel lors d'un long périple ferroviaire transaméricain dans les années 1970. Un trajet de 400 km reliait autrefois Esquel à Ingeniero Jacobacci. Il ne reste désormais qu'un trajet touristique de 20 km, jusqu'à la communauté Mapuche de Nahuel Pan. Durée : 2h45 pour 40 km A/R ; on a tout le temps pour s'imaginer en pionnier des temps anciens ! Pause de 45 mn à Nahuel Pan, le temps de visiter le musée.

➢ **Randonnées :** *infos à l'office de tourisme.* Prévoir une demi-journée pour grimper en haut du ***cerro La Hoya*** *(hors plan par B2),* 2h30 environ A/R pour atteindre le ***cerro La Cruz*** (accès par 25 de Mayo ; *hors plan par A2*). Pour ce dernier, on aperçoit d'ailleurs la croix depuis le centre d'Esquel, point d'arrivée de la balade.

DANS LES ENVIRONS D'ESQUEL

La Hoya *(hors plan par B2)* **:** *à 13 km du centre d'Esquel. • cerrolahoya.com •* Cette station de ski est réputée pour avoir des neiges de printemps. Le domaine skiable est certes plus modeste (10 remontées et une bonne vingtaine de pistes) que celui de Bariloche, mais aussi moins onéreux. De plus, on attend bien moins longtemps aux remontées mécaniques. Hors saison hivernale, ceux qui le souhaitent pourront faire une jolie balade et admirer le paysage du télésiège. Sur place, juste une *hostería, El refugio de la Montaña (☎ 0800-345-01-15. ● elrefugiodelahoya.com.ar ● ; ouv en saison de ski slt)* et un bar *(ouv en été et en juil-août, tlj 10h-17h).*

TREVELIN *(ind. tél. : 02945)*

Sur la ruta 259, à 25 km au sud d'Esquel. Un autre village marqué par ses immigrants gallois, où l'on retrouve aujourd'hui gazon et salons de thé. Suite à de nombreux conflits avec le Chili quant à l'emplacement de la frontière, un référendum ratifia en 1902 le désir de la population du village de conserver sa nationalité argentine. Trevelin est surtout connu pour son moulin *(el Molino de los Andes),* construit en 1922 mais partiellement détruit par un incendie. Le bâtiment abrite aujourd'hui le Musée régional.

➢ ***Pour y aller en bus :*** voir rubrique « Arriver – Quitter » à Esquel.

Adresse utile

Office de tourisme : *sur la pl. Fontana, l'unique place de Trevelin. ☎ 48-09-17 ou 48-01-20. ● trevelin.gob.ar ● Lun-ven 8h-21h ; w-e 9h-22h (20h l'hiver).*

Où dormir ? Où manger ?

Casa de Piedra : *à l'angle de Fontana et Brown. ☎ 48-03-57. ● casadepiedratrevelin.com ● À 100 m de l'office de tourisme. En principe, fermé en mai-juin. Doubles env 550-750 $Ar selon saison, petit déj inclus.* Grande maison en pierre et bois, massive et cossue. Une couleur miel d'où se dégage une belle sensation de chaleur. Chambres confortables. À l'étage, elles sont mansardées. Salon commun très lumineux avec cheminée. Accueil gentil.

Fonda Sur : *angle Sarmiento et John Daniel Evans. ☎ 48-05-82. 15-53-36-06. En face de l'église. Tlj sf mar 11h-15h, 17h-minuit. De bon marché à prix moyens.* Installé dans une ancienne et authentique petite maison en brique, avec le vieux plancher et le comptoir qui vont avec, ce bar-resto s'est spécialisé dans les *tablas* de charcuterie et de fromage. Sandwichs, de belles salades goûteuses ainsi que 1 ou 2 plats du jour. Bon pain fait maison. Quelques tables au bord de la rue pour grignoter sous les rayons de soleil. Vins et bières artisanales. Une adresse simple et chaleureuse.

La Muticia : *San Martín, 170. ☎ 48-01-65. 15-54-83-54. Tlj 15h30-21h30.* Maison moderne à la déco des plus classiques. La formule (unique) comprend du thé et 5 petites portions de gâteaux, fins et délicieux.

À voir

Museo regional de Molino Andes : *fléché depuis le centre-ville, non loin de la tombe de Malacara. Lun-ven 11h-20h ; w-e 14h-18h30 le reste de l'année. Entrée : 60 $Ar (!).* Situé dans le *Molino* (moulin) *de los Andes.* Il s'agit d'un grand bâtiment en brique rouge, pas d'un moulin à vent hollandais. Un musée assez vivant et agréable. Il retrace l'histoire de la région avec l'arrivée des premiers colons gallois à Trevelin en 1885. Noter le contraste entre le raffinement de la vaisselle et des vêtements (belles dentelles) et la rudesse du pays. Les premiers temps d'adaptation n'ont pas dû être faciles ! Quelques engins de grande taille, comme cette impressionnante machine à vapeur. Évocation des premiers habitants et de « la campagne du désert » (génocide plutôt) au cours de laquelle les Argentins massacrèrent les tribus Mapuche, à la fin du XIXe s.

La tombe de Malacara : *fléché depuis la grande place du village. En été, tlj 10h-12h30, 15h-20h (17h le reste de l'année). Entrée : env 30 $Ar ; gratuit moins de 12 ans.* Il s'agit d'une tombe insolite chez la famille Evans : celle du cheval, nommé *Malacara,* qui sauva la vie de son maître. Ce dernier était poursuivi par des Indiens, eux-mêmes pourchassés par l'armée argentine pendant la campagne du désert (« Quelle connerie la guerre ! », disait Prévert...).

PARQUE NACIONAL LOS ALERCES *(ind. tél. : 02945)*

Ce parc de 263 000 ha, créé en 1937 pour protéger une flore unique au monde, est le quatrième plus grand parc national du pays, l'un des plus vierges aussi. Outre ses paysages de lacs, rivières, cascades, et son glacier Torrecillas, son principal intérêt réside dans l'*Alerzal* (forêt d'*alerces* géants, sorte de mélèzes). Le climat très humide (plus de 3 000 mm de pluie par an) et tempéré de cette région de la précordillère a permis à l'*alerce* de se développer. Certains spécimens sont plusieurs fois millénaires, mais un seul est facilement accessible (lire « À voir. À faire »). On se sent vraiment bien petit à côté de ces arbres. Si le cœur vous en dit, imitez les Argentins et collez-vous aux arbres en les enlaçant, histoire de « sentir leur énergie »... Ce grand moment de zénitude passé, il est possible de poursuivre cette intense communion avec la nature en pratiquant les multiples activités, certes plus sportives, proposées dans le parc, comme la rando, bien sûr, mais aussi le kayak, l'équitation, le vélo ou... la pêche.

Avec sa nature préservée (imaginez : pas de fil électrique !), des constructions bien dispersées et qui, pour la plupart, ne défigurent pas le paysage, le parc représente un vrai paradis pour les randonneurs et amoureux de la nature.

Arriver – Quitter

À 45 km d'Esquel. Compter 1h de trajet env jusqu'à Villa Futalaufquen par une belle route goudronnée.

➢ ***En bus :*** voir rubrique « Arriver – Quitter » à Esquel.

➢ ***Par agence :*** la plupart des agences d'Esquel organisent des excursions à la journée. Mais ce n'est pas donné.

– ***Dans le parc :*** à partir de Villa Futalaufquen, une piste traverse le parc national. Prévoir 2h de route jusqu'à Cholila (près de 80 km), à la sortie nord. Mais elle devrait être goudronnée prochainement, du moins partiellement ; les travaux avancent bien. Un *pass* permet de prendre le bus une fois/j. et slt dans le sens sud-nord. Pas très pratique donc. Valable uniquement si on veut faire des sauts de puce sur plusieurs jours dans le parc.

Adresses et infos utiles

– ***Entrée du parc :*** *65 $Ar, valable 2 j. pour ceux qui sortent du parc (sinon, on peut rester autant de j. que l'on veut dans le parc) ; gratuit moins de 16 ans. Le péage (ouv 24h/24) se trouve à une dizaine de km avt le* Centro de Visitantes.

Centro de Visitantes : *à Villa Futalaufquen. ☎ 47-10-15. • parquesnacionales.gov.ar • Tlj 8h-21h janv-fév, 9h-16h le reste de l'année.* Avant d'entreprendre toute randonnée dans le parc, il est non seulement utile de venir prendre des infos ici, mais indispensable de s'enregistrer pour certaines d'entre elles. On remplit une fiche en laissant ses coordonnées. N'oubliez pas de repasser par le centre au retour pour signaler que vous êtes revenu, histoire d'éviter les recherches ! Possède également une liste des hébergements et des activités du parc.

■ **Épiceries :** *il y en a plusieurs à Futalaufquen, près du* Centro de Visitantes. Pour un ravitaillement en eau et biscuits, mais pas grand-chose à se mettre sous la dent. Mieux vaut s'approvisionner à Esquel. Ceux qui logent dans le parc peuvent se fournir auprès des campings équipés d'une *providuria.*

Où dormir ? Où manger ?

Il existe trois types de campings : les campings *libres,* sans commodités, à part un coin pour faire du feu (gratuits et ouverts toute l'année) ; les campings *agrestes,* plus confortables, avec bloc sanitaire mais juste 3h d'eau chaude par jour et pas de lumière aux emplacements (parfois une épicerie sur place) ; enfin, les campings *organizados,* les mieux équipés : eau chaude 24h/24, lumière partout, nombreux services sur place : le luxe, quoi ! Les campings *agrestes* et *organizados* sont ouverts de mi-décembre à fin mars. Quelques *hosterías* aussi le long de la route.
On indique les hébergements du sud au nord :

Las Rocas : *tt au début de la route qui bifurque vers Villa Futalaufquen, sur la droite, quasi à l'embranchement avec la route principale.* Un camping *libre* aux beaux emplacements dispersés en pleine nature et aménagés de tables de pique-nique. Coin pour le feu.

Los Maitenes : *au bord du lac Futalaufquen ; à 200-300 m env du* Centro de Visitantes. *☎ 47-10-06. • info@rossiski.com.ar • L'un des moins chers du parc ; env 70 $Ar/pers.* Camping *organizado* d'une bonne centaine de grands emplacements super bien ombragés et dispersés sur 5 ha. Pelouse à l'anglaise, location de VTT, épicerie, resto. Très bien tenu et agréable. Il dispose même d'une plage caillouteuse privée au bord du lac.

Quime-Quipan : *à la bifurcation qui mène au* Centro de Visitantes, *continuer tt droit en direction du nord, c'est 3-4 km plus loin. ☎ 47-10-21. 15-69-60-92. • quimequipan.patagoniaexpress.com • Ouv nov-avr. Doubles avec sdb env 575-685 $Ar avec ou sans vue et selon saison, petit déj compris.* Superbe situation au-dessus du lac, qui fait l'atout principal de cette *hostería.* Mais l'atmosphère des chambres est bien froide et la lumière crue des ampoules basse consommation n'arrange rien... Dommage ! Allez, un petit effort ! On peut aussi venir manger au *Mirador,* le resto un peu chic de l'auberge, qui porte bien son nom. Quelle vue !

Bahía Rosales : *à 12 km après la bifurcation qui mène au* Centro de Visitantes, *en direction du nord. 15-40-34-13. • bahiarosales.com • En bus, descendre à la pancarte* Complejo turístico Bahía Rosales *pour le camping* organizado *puis il reste 1,5 km de piste à parcourir à pied ; le camping* agreste *est à 1 km plus au nord (à 300 m env de la route principale ; là a.ussi, le bus s'arrête à l'embranchement, sur demande). Env 70-85 $Ar/pers selon le camping. Petit déj possible. (camping* organizado*).* Le camping *organizado* occupe un vaste terrain au bord du lac Futalaufquen. Vue magnifique sur le lac et les montagnes. Épicerie. Un emplacement de premier choix. Au nord, le camping *agreste,* également au bord du lac, est plus petit, venteux et moins ombragé. Pas mal quand même. Également une petite épicerie.

Lago Verde : *à 35 km env après la bifurcation qui mène au* Centro de Visitantes, *en direction du nord. ☎ (011) 43-13-74-15. À l'*agreste, *compter env 70 $Ar/pers et 15 $Ar pour la tente (voiture en sus) ; à l'*organizado *(prohibitif ; c'est le plus cher du parc : on paie la vue, forcément !), env 110 $Ar/pers et 20 $Ar pour la tente (voiture en sus).* Un des plus beaux endroits du parc pour camper, au bord du lac. Là encore, 2 campings de confort différent. Un café-resto chic entre les deux.

À voir. À faire

➢ ***Randonnées :*** nombreux sentiers balisés de 30 mn à 12h. Se renseigner auprès du *Centro de Visitantes* (voir « Adresses et infos utiles »). On rappelle que pour certains sentiers, l'enregistrement est obligatoire.

*** ***Glaciar Torrecillas :*** *excursion possible tte l'année, à faire obligatoirement avec une agence d'Esquel (voir plus haut). Les agences vendent ttes les prestations de l'agence* Glaxiar, *la seule habilitée à organiser l'excursion (📱 (02945) 15-41-09-57 ; ● glaxiar.com ●). Tarif : env 600 $Ar/pers, transport et entrée au parc en sus. Nombre de places limitées à 10 pers.* Compter de 4h30 à 6h d'excursion : 3h de marche A/R assez sportive et 3h de navigation sur le lago Menéndez (départ depuis le Puerto Chucao).

** ***Forêt des Alerces :*** *accessible par bateau de Puerto Chucao (lac Menéndez) ou Puerto Limonao (lac Futalaufquen ; dans ce cas, compter 30 mn de marche pour rejoindre le lac Menéndez). Env 400 $Ar/pers l'excursion de Puerto Chucao ; env 450 $Ar/pers depuis Puerto Limonao. Transport et entrée au parc en sus. 2 départs/j. en janv-fév, 3 fois/sem le reste de l'année. Durée : env 4h-4h30 (prévoir la journée entière de Puerto Limonao), dont 2h de marche en forêt (pas trop difficile). En hte saison, acheter son billet la veille auprès de l'agence* Glaxiar *(voir plus haut), ou* Safari Lacustre *: ☎ (02945) 45-21-19. S'il n'y a pas trop de monde, on peut aussi l'acheter directement aux ports d'embarquement. Balade guidée slt (parfois en anglais).* La navigation sur le lac, cerné par les montagnes couvertes de pins et autres arbres millénaires, fait entrevoir une nature dense et vierge au cours des 2h de balade. Un seul de ces séquoias millénaires est visible. Il atteint 70 m, un tronc d'un diamètre de 3 m et, tenez-vous bien, l'âge de 2 600 ans ! Un grand bain de nature, faute de jouvence.

LA CÔTE NORD-EST DE LA PATAGONIE

Cette région qui borde l'océan Atlantique marque l'entrée en Patagonie. Le paysage est austère, des plaines à perte de vue balayées par le vent et des petites villes modernes sans grand charme, nées de l'arrivée des migrants dans ce bout du monde au XIXe s. On ne vient pas ici pour les richesses architecturales ou culturelles, loin s'en faut, mais avant tout pour approcher une nature encore sauvage, en particulier la faune marine qui abonde le long de ce littoral et sur les rives de la péninsule Valdés. À pied, en voiture le long des pistes ou en bateau, le spectacle de milliers de manchots, otaries, lions de mer et autres éléphants de mer mérite à lui seul le voyage. Sans compter le clou du spectacle, de juillet à décembre, lorsque les baleines trouvent refuge dans les eaux glaciales au large de la péninsule, pour mettre bas et élever leurs baleineaux. ***À savoir :*** dans cette région la saison haute correspond grosso modo aux mois d'août à février inclus, la saison basse à ceux de mars à juillet.

TRELEW

120 000 hab. IND. TÉL. : 0280

À prononcer « Tréléou ». Son nom provient du gallois *tre,* village, et *Lew,* diminutif de Lewis (fondateur de la ville), ce qui nous donne une information sur

son origine galloise, cher Watson ! Sa création est liée à la mise en place d'une ligne ferroviaire reliant la vallée du Chubut au port de Rawson. C'est la ville la plus importante de la région (la fréquence des liaisons aériennes en témoigne), même si Puerto Madryn, plus proche de la péninsule Valdés et au bord de la mer, attire davantage de touristes.
Au XIXe s, les Argentins cédèrent 25 ha par famille d'immigrés gallois afin d'éviter que les Chiliens ne s'installent dans cette région. Plutôt prospère, Trelew est une éventuelle étape mais on ne s'y attarde pas.

Arriver – Quitter

En bus

Gare routière : *Urquiza, 150, face à la pl. Centenario, à 300 m du musée de la Préhistoire. ☎ 442-01-21.* Plusieurs compagnies, dont *28 de Julio* et *Mar y Valle.* En longue distance, mêmes services que depuis Puerto Madryn (voir plus bas).

➢ ***Buenos Aires :*** avec *Andesmar, El Pingüino, Via TAC, Quebus, Don Otto, El Condor...* Compter env 18h.

➢ ***Esquel, El Bolsón et Bariloche :*** bus de nuit avec *Mar y Valle, Via TAC* et *Don Otto.* Compter env 12h jusqu'à Bariloche et 8h30-9h jusqu'à Esquel. Pour Esquel, *Mar y Valle* part également ts les soirs, plus à 12h en sem.

➢ ***Puerto Madryn :*** bus *28 de Julio* et *Mar y Valle* ttes les 30 mn env 6h-23h. Trajet : env 1h.

➢ ***Gaiman :*** bus *28 de Julio* ttes les 30 mn env. Trajet : 20 mn.

➢ ***Rawson :*** env 1 bus/h avec *Bahia* et *28 de Julio*. Certains bus poursuivent jusqu'à Playa Union.

En avion

✈ ***Aéroport :*** *à 10 km de la ville.* À savoir, il faut s'acquitter d'une taxe d'aéroport au départ de Trelew. En 2014, elle était de 32 $Ar.

– Petit bureau de ***l'office de tourisme*** proposant quelques plans et des informations générales.

– Plusieurs ***loueurs de véhicule*** ont un petit comptoir à la sortie *(Hertz, Avis, Alamo).* Sachez toutefois que la caution exigée par les loueurs est très importante, en raison des « dommages » potentiellement causés sur les pistes de la péninsule. Cela peut poser problème si le plafond de votre carte bancaire n'est pas assez élevé. Pensez aussi à réserver à l'avance en haute saison, car le parc automobile est limité. Connexion wifi gratuite en échange d'un code, à retirer au bureau où on paie la taxe d'aéroport.

– Aux arrivées des vols, service de ***navette*** pour Puerto Madryn (60 km, 45 mn, 110 $Ar).

– Également des ***bus*** pour Puerto Madryn avec les compagnies *Mar y Valle* et *28 de Julio*. Liaisons toutes les 30 à 45 mn. De loin la solution la plus économique.

– ***Taxis :*** compter 50 $Ar pour le centre-ville de Trelew et autour de 450 $Ar pour Puerto Madryn.

À l'intérieur de l'aéroport (côté embarquement), une petite plaque a été apposée en l'honneur de Saint-Exupéry. Eh oui ! Trelew était une escale de l'*Aéropostale.* Antoine de Saint-Exupéry fut le premier homme qui survola la péninsule Valdés...

➢ Liaisons quotidiennes pour ***Buenos Aires,*** une également pour ***El Calafate*** et ***Ushuaia*** avec *Aerolineas Argentinas-Austral.* La compagnie *LADE* assure un à plusieurs départs par semaine vers ***Buenos Aires, Ushuaia, Río Gallegos.*** Bien moins de fréquences mais de meilleurs tarifs qu'*Aerolineas*.

Adresses utiles

Office de tourisme : *Mitre, 387, sur la pl. Independencia. ☎ 442-01-39 et 442-68-19. • trelew.gov.ar/produccion-turismo.php • Lun-ven 8h-20h ; w-e et j. fériés 9h-21h.* Dans une jolie maison coloniale. Fournit un plan de la ville. Une annexe à la gare routière *(pas de tél ; lun-ven 8h30-20h30, w-e et j. fériés 10h-18h)* et à l'aéroport.

✉ **Poste :** *à l'angle de Mitre et 25 de Mayo. Lun-ven 8h30-13h, 16h-19h ; sam 9h-13h.*

■ **Consulat honoraire de France de Chubut :** *edificio Villareal, Rivadavia 253, 2e étage, bureau 6. ☎ 444-24-34 ou Las Mutisias, 1890. ☎ 444-35-18. 📱 15-466-19-53. • keiranadriana@hotmail.com • En cas d'urgence (perte de passeport, vols, etc.).*

■ **Aerolineas Argentinas :** *Rivadavia, 548, à l'angle d'Immigrantes. ☎ 0810-222-86-527. • aerolineas.com.ar • Lun-ven 9h-17h ; sam 9h-12h30. Également un bureau à l'aéroport : ☎ 442-12-57.*

■ **LADE :** *Italia, 170. ☎ 443-57-40. • lade.com.ar • Lun-ven 8h30-12h30, 15h30-19h.*

Où dormir ? Où manger ? Où boire un verre ?

Il n'y a pas beaucoup de restaurants, et la vie nocturne est presque inexistante. Cependant, autour de la place centrale qui ressemble d'ailleurs à une oasis en plein désert de Patagonie, on trouve quelques commerces et *confiterías*.

🏠 🍷 ***Hotel Touring Club :*** *Fontana, 240. ☎ 443-39-98. • touringpatagonia.com.ar • Résa vivement conseillée. Double env 450 $Ar, petit déj inclus ; également des triples et quadruples.* En salle comme dans les chambres, rien ne semble avoir bougé depuis un siècle : chambres vieillottes, pas bien grandes et moquettées, salle de bains kitsch... Mais l'histoire de l'hôtel et sa situation en centre-ville en font une adresse incontournable au charme suranné. La salle à manger Belle Époque transformée en bar est en elle-même un monument à ne pas rater. Saint-Exupéry *himself* y a logé en son temps. Un monument historique qui mérite une petite étape, histoire de prendre un café ou un verre en profitant de l'atmosphère. D'ailleurs, comme dans un musée, une chambre a été recomposée telle qu'elle était en 1898. Finalement, pas de grosse mutation, il reste même le petit côté western...

🏠 ***La Casona del Río :*** *Chacra, 105, calle Capitán Murga, 3998. ☎ 443-83-43. 📱 15-453-87-09. • lacasonadelrio.com.ar • À 6 km du centre (panneau discret). Se faire indiquer la route avt de s'y rendre. Env 125 US$ la double avec sdb en hte saison, copieux petit déj inclus.* 📶 À l'extérieur de la ville. Cette belle demeure de la ferme familiale est devenue maison d'hôtes. Yanina et ses parents louent 3 chambres spacieuses et sobres, arrangées avec goût. On se croirait dans un petit manoir anglais, avec parquet qui craque, hauts plafonds et une déco cosy. Vieux meubles, gramophone et bibelots confèrent une âme à l'ensemble. Délicieux petit déj avec gâteaux maison. Sur la propriété, des arbres centenaires, un bassin d'irrigation où l'on peut faire trempette, des vélos et des chevaux. Propose des massages thaïs sur demande. Une adresse au charme rustique, presque insolite dans cette ville !

|●| ***Trattoria Miguel Angel :*** *Fontana, 246 ; entrée discrète, juste à côté du Touring Club. ☎ 443-04-03. Tlj sf lun et mar midi.* Comme son nom l'indique, on y sert une cuisine d'inspiration italienne, plutôt élaborée et goûteuse. Les pizzas ne sont pas inoubliables mais les plats de pâtes tiennent la route. Déco élégante en bois, personnel attentif et décontracté à la fois. Un peu plus cher que la moyenne, mais c'est justifié.

À voir

🚶 ***Centro histórico :*** quelques bâtiments Belle Époque, la plupart sur Fontana et San Martín. Ne manquez pas le *salón San David* (à l'angle de Belgrano et San Martín) et surtout la *Banco Nación*, à l'angle de 25 de Mayo et Fontana, célèbre pour avoir été attaquée par Butch Cassidy. Recherché par les chasseurs de prime aux États-Unis, il s'était exilé en Argentine, où il avait gardé ses mêmes bonnes habitudes.

★★ **Museo paleontológico** *(musée de la Préhistoire)* **:** *Fontana, 140. ☎ 443-21-00. • mef.org.ar • En hte saison (mi-sept à mars), tlj 9h-20h ; en basse saison lun-ven 10h-18h ; w-e et j. fériés 10h-19h. Entrée : 70 $Ar ; réduc. Brochures en anglais et en espagnol.*
Dans un bâtiment face à l'ancienne gare, ce petit musée retrace l'histoire géologique de la Patagonie, riche en fossiles notamment de dinosaures. Dans le hall principal, ne pas manquer ces deux œufs (dont un intact) dans lesquels on a trouvé du quartz et de l'opale... Ils datent de 70 millions d'années. Ce qui n'est rien comparé à ce fémur de 200 kg âgé de quelque 110 millions d'années ! On pénètre ensuite dans différentes salles à la muséographie claire, agréable et vivante. Chaque pièce est une reconstitution de la Patagonie à une époque particulière : animaux très bien reconstitués devant un décor peint, bruits d'ambiance, on s'y croirait. Les fans de *Jurassic Park* apprécieront les toujours impressionnants squelettes de dinosaures. Découverte aussi du monde marin avant de prendre de la hauteur sur toute cette histoire et de se retrouver avec les volatiles fossilisés, au-dessus de leurs congénères terrestres. Également une vidéo sous-titrée en anglais (7 mn) sur l'origine de la vie sur terre.
Si vous avez du temps, le site paléontologique ***Geoparc*** *(à 8 km de Gaiman ; rens au musée ; tlj sf lun 10h-18h ; entrée : 30 $Ar)* permet de découvrir des fossiles de plus de 40 millions d'années *in situ.*

★ ***Museo regional Pueblo de Luis*** **:** *9 de Julio (angle Fontana). ☎ 442-40-62. Lun-ven 8h-19h45 ; w-e et j. fériés 14h-19h45. Entrée : 2 $Ar.* Installé dans l'ancienne gare ferroviaire, ce petit musée retrace l'histoire de la région, depuis ses premiers occupants, les Indiens Tehuelche, puis Mapuche (au XVIIe s), jusqu'au XXe s, en passant par les explorateurs espagnols et les immigrants gallois. Vieux objets et reconstitution de la première école de Trelew, etc. Un musée modeste et attachant.

★ ***Museo de Artes Visuales*** **:** *Mitre, 351 ; juste à côté de l'office de tourisme. ☎ 443-37-74. Lun-ven 8h-20h ; w-e et j. fériés 14h-20h. Entrée : 2 $Ar.* Petit musée qui présente des expositions temporaires de photos, peintures ou céramiques d'artistes argentins.

DANS LES ENVIRONS DE TRELEW

★ ***Gaiman*** **:** *à 17 km à l'ouest de Trelew par la* ruta *25.* Souvent inclus dans l'excursion à Punta Tombo. C'est une petite ville sur les bords du *río* Chubut, fondée par les premiers colons d'origine galloise en 1884. Des maisons en brique rouge constituent les ultimes traces de ces premiers colons gallois. Mais les bords du *río* Chubut sont si verts et fleuris qu'on jurerait être dans une oasis. À part ça, la ville est célèbre pour ses salons de thé – ***casas de té,*** derniers lieux où perdurent les traditions galloises. D'ailleurs, la plupart des touristes n'y restent que le temps d'un goûter. Ces *casas de té* ouvrent tous les jours autour de 15h et ferment à 19h. Les noms sont évocateurs : *Ty Gwyn* (le meilleur à notre humble avis), *Ty Cymraeg, Ty Nain...* Le cérémonial est le même, on vous servira avec le thé toutes sortes de douceurs aux noms évocateurs : *torta negra* et *casera, pan galés* (pain gallois), *scones* et autres gâteaux plus ou moins crémeux aux couleurs très british... Mais sachez-le, les prix sont carrément délirants : pas moins de 100 $Ar/personne ! Autant vous dire qu'on ne vous conseille pas forcément l'expérience.
Quelques bâtisses historiques également, comme la première école de Gaiman et la première maison, rue Juan Evans, construite en 1874. Enfin, l'ancienne gare de Gaiman abrite le *Museo Galés (angle de Sarmiento et 28 de Julio ; ☎ 49-10-07 ; mar-dim 15h-19h (18h le sam) ; petit droit d'entrée).* Sans prétention, mais quelques belles pièces, notamment des photos intéressantes sur l'histoire de la colonisation de la vallée par les Gallois.

🥾 ***Rawson et Playa Unión :*** *à 22 km au sud-est de Trelew. Tourner à gauche avt d'y arriver. Possibilité de passer par une agence de Trelew (se renseigner à l'office de tourisme) ou de Puerto Madryn.* Port de pêche d'où l'on peut embarquer pour observer des jacobites *(toninas),* de surprenants animaux aux allures de bébés orques. Attention cependant, les sorties sont souvent annulées à cause du mauvais temps.

🥾🥾🥾 ***Punta Tombo :*** *à 120 km au sud de Trelew et à 180 km de Puerto Madryn. Si vous ne disposez pas d'un véhicule, il est conseillé d'y aller en excursion organisée, beaucoup moins coûteuse qu'un taxi ! La route asphaltée est en très bon état. Compter 2h30 de trajet depuis Puerto Madryn. Fermé de mi-avr à mi-sept. Accès (le portail est encore à 20 km du site !) tlj 8h-18h (dernier accès). Entrée du parc : 80 $Ar ; réduc moins de 12 ans ; gratuit moins de 6 ans. Infos : ☎ (0280) 448-52-72.*

|●| À l'entrée de la réserve et à côté du centre d'interprétation, un ***snack*** sert *empanadas* et *hamburgers* plutôt rabougris. De là, accès au site uniquement avec la navette.

Compter environ 1h pour faire le circuit de 3,5 km autorisé aux visiteurs (210 ha de réserve). On évolue sur des passerelles, au milieu des terriers avant d'atteindre une petite plage que l'on surplombe. Un fabuleux spectacle, parmi les plus émouvants de Patagonie. Certains prétendent que le nom *Tombo* (dérivé de *tumba,* « tombe ») aurait été donné parce que de nombreux Indiens sont enterrés ici. D'autres soutiennent que c'est en souvenir d'un navire français, le *Tombo,* qui aurait fait naufrage en face de la pointe. Le site est aujourd'hui célèbre pour son immense ***colonie de manchots.*** Ils sont arrivés là vers 1920, personne ne sait pourquoi. En tout cas, ils reviennent chaque année.

NID FAIT, NID À FAIRE !

Punta Tombo n'est pas une ville mais une réserve naturelle unique en son genre... On y trouve la plus grande colonie de manchots (manchots de Magellan) au monde. Les mâles arrivent à la fin du mois d'août et aménagent le même nid familial, utilisé année après année. En octobre, les femelles pondent deux œufs qu'elles surveillent avec leurs « conjoints » pendant les 40 jours de couvaison, chassent d'autres volatiles nettement plus ailés, à l'affût de nourriture... Les animaux évoluent en totale liberté dans cette réserve, et lorsqu'ils sont tous là (de septembre à février), on estime leur nombre à un million.

Aucun obstacle ne vous sépare des manchots, mais n'oubliez pas que vous êtes sur leur territoire ! Pas farouches, ils ne se gênent pas pour vous passer sous le nez en traversant la passerelle de leur pas gauche : une belle occasion d'observer quelques spécimens de près.

Quelques recommandations tout de même, qui vous seront rappelées sur place : ne sortez pas des passerelles, n'approchez pas les manchots de trop près (encore moins les nids), et surtout ne les touchez pas, non pas parce qu'ils sont dangereux (rien de plus inoffensif) mais parce que vous les dérangeriez... Vous êtes ici chez eux, et ils sont d'ailleurs prioritaires quand ils traversent inopinément la passerelle !

PUERTO MADRYN

75 000 hab. IND. TÉL. : 0280

Son nom est d'origine galloise, car la ville fut fondée en 1865 par Sir Jones Parry de Madryn. Avec le temps, Puerto Madryn s'est débarrassé de toute

influence celte et ressemble avant tout à une petite station balnéaire, avec sa promenade au bord de la mer, ses nombreux hôtels et ses magasins de souvenirs. C'est la ville la plus vivante de la Patagonie océanique, le point de départ pour aller visiter la péninsule Valdés et toute la région. Même si côté charme et nature, on préfère de loin loger à Puerto Pirámides, Puerto Madryn offre l'avantage d'être plus animée. Pour les amateurs de baleines, les mois les plus propices sont septembre, octobre, novembre, même si on peut en voir de fin juin à fin décembre.

Arriver – Quitter

En bus

Gare routière *(plan A1)* **:** *Ávila, entre Independencia et Necochea.* ☎ *45-17-89.* ● *terminalmadryn.com* ● *Un peu à l'écart du bord de mer et du centre. Compter env 15 $Ar pour y aller en taxi.* Guichets des compagnies, casiers, *locutorio,* postes Internet, une annexe de l'office de tourisme et un bureau pour les réservations d'*hostels*. Entre autres compagnies, *Via TAC (☎ 445-58-05), 28 de Julio (☎ 447-20-56), Andesmar (☎ 47-37-64), Don Otto (☎ 45-16-75), Mar y Valle (☎ 45-06-00), El Pingüino (☎ 445-62-56).*

➢ ***Puerto Pirámides :*** 1-3 bus/j. avec *Mar y Valle.* Env 100 km et 1h30 de trajet.

➢ ***Trelew :*** bus ttes les 30 mn 6h-23h, avec les compagnies *28 de Julio* et *Mar y Valle.* Compter 67 km et env 1h de trajet.

➢ ***Río Gallegos :*** 1 bus/j. avec *El Pingüino, Andesmar, Via TAC* ou *Tramat*. Env 17-19h de trajet jusqu'à Río Gallegos. De là, correspondances vers El Calafate et Ushuaia. Temps de trajet très très long.

➢ ***Esquel, El Bolsón et Bariloche :*** bus de nuit via Trelew avec *Mar y Valle, Via TAC* et *Don Otto.* Si vous faites le trajet de jour, superbes paysages par la route 25. Compter env 9h30-10h pour Esquel, 12-13h pour Bariloche.

➢ ***Buenos Aires :*** une dizaine de bus/j. avec plusieurs compagnies, dont *Via TAC* et *Don Otto.* Compter 18h de route.

En avion

✈ **Aéroport :** *à 3 km à l'ouest de la ville. En taxi, compter env 50 $Ar.* L'aéroport principal est celui de Trelew. Seuls quelques avions atterrissent ici :

➢ ***Buenos Aires :*** 4 vols/sem avec *Andes.*

➢ ***El Calafate et Ushuaia :*** 2 vols/sem avec *LADE.*

– *Aerolineas* dessert l'aéroport de Trelew, à 55 km de Puerto Madryn. Navettes aux arrivées et départs des vols de Trelew (📱 *15-487-30-00 ;* ● *transferpmy.com* ●*).* La navette vous dépose à l'hôtel et vient aussi vous chercher le jour de votre départ. Compter env 120 $Ar. Sinon, taxis à env 300 $Ar. Autrement, des agences de location de voitures sont présentes à l'aéroport de Trelew et de Puerto Madryn.

Adresses utiles

ℹ **Office de tourisme** *(plan A-B1)* **:** *Roca, 223.* ☎ *445-35-04 ou 445-60-67.* ● *madryn.gov.ar/turismo* ● *Tlj 7h-22h (21h mars-nov).* Horaires des bus, cartes, prospectus et guides. Projection de documentaires au 1er étage sur la faune marine. Ils parlent l'espagnol et l'anglais.

■ @ ***Téléphone et Internet :*** *dans le centre, sur l'av. Roca (front de mer) et sur Mitre, on trouve des* locutorios. *En général, 8h-minuit.*

■ **Banques, change :** *nombreuses banques sur Sáenz Peña et bureau de change* Thaler *av. Roca, 497.*

■ **Farmacias Patagónicas** *(plan B1)* **:** *Roca, 315 ; angle Belgrano.* ☎ *447-45-55. Ouv 24h/24.*

■ **Laverie** *(plan B2,* **2***)* **:** *Brown, 605, face à la mer. Lun-sam 8h-21h.* D'autres en ville.

Transports, agences de voyages

■ ***Aerolineas Argentinas*** *(plan B1, **1**) : Roca, 427. ☎ 445-19-98 ou 445-09-38. ● aerolineas.com.ar ● Lun-ven 9h-12h30, 16h-20h ; sam 9h-13h.*

■ ***Andes*** *: Roca, 624. ☎ 445-23-55. ● andesonline.com ● Lun-sam 9h-13h, 17h-21h.*

■ ***LADE*** *: Roca, 119. ☎ 445-12-56 ou 443-57-40. ● lade.com.ar ●*

■ Il existe une quarantaine d'***agences de voyages*** proposant des excursions à la journée de la péninsule Valdés avec observation des baleines en saison à Puerto Pirámides, des *toninas* (aux allures de bébés orques) à Playa Unión et des manchots à Punta Tombo. Presque tous les hébergements en proposent aussi (normal, c'est leur gagne-pain...). En tout cas, bien vérifier le sérieux et le respect des normes de sécurité, notamment pour les sorties en mer. Voici quelques agences ayant fait leurs preuves :

- ***All Peninsula Valdes*** *(plan B2) : à l'angle de Brown et Martín Fierro. ☎ 447-41-10. ● allpeninsulavaldes.com.com ●*
- ***Cuyun-Co*** *(plan A-B1) : Roca, 165 ; à l'angle de 28 de Julio. ☎ 445-18-45. ● cuyunco.com ●*
- ***Alora Viaggio*** *(plan A1) : Roca, 27 ; à l'angle de Yrigoyen. ☎ 445-51-06. ● aloraviaggio.com ●*
- ***Fugu Tours*** *: 28 de Julio, 66, local 3. ☎ 447-52-18. ● fugutours.com.ar ●*

■ ***Location de voitures : Centauro*** *(plan B2, **5**), av. Roca 733. ☎ 447-57-47 ; 📱 15-434-04-00. ● centaurorentacar.com.ar ●* Agence sérieuse, d'un bon rapport qualité-prix. Situé en centre-ville, mais possibilité de récupérer son véhicule à l'aéroport. ***Wild Skies,*** *📱 15-467-62-33 et 15-469-89-91 ; ● wildskies.com.ar ●*

Où dormir ?

Un bon plan à ne pas négliger si l'on est plusieurs et que l'on reste quelques jours dans la région : la location saisonnière meublée. L'office de tourisme possède une liste, de l'appartement pour 2 personnes à la villa avec piscine pour 12 personnes. Quant aux hôtels, l'offre abonde à Puerto Madryn. Sachez aussi que la plupart assurent le transfert gratuit depuis la gare routière (certes, proche du centre !).

Camping

⛺ 🏠 ***Complejo Turístico Punta Cuevas – Camping ACA*** *(hors plan par B3) : à Punta Cuevas, au sud de Puerto Madryn à 3 km du centre, près de l'Ecocentro et de la statue de l'Indien Tehuelche. Le camping est dans la montée, avt la statue. ☎ 445-29-52. ● acamadryn.com.ar ● Selon saison, env 120 $Ar l'emplacement pour 2 pers. Également des dortoirs à partir de 240 $Ar pour 2 pers, ainsi que des duplex avec cuisine, TV, etc. à partir de 815 $Ar pour 4.* 250 emplacements poussiéreux et plus ou moins ombragés. Pas vraiment le bon plan, le camping n'étant pas tenu au cordeau, comme on pourrait s'y attendre pour le prix.

De bon marché à prix moyens (moins de 650 $Ar / env 65 €)

🏠 ***Hostel La Casa de Tounens*** *(plan A1, **10**) : pasaje 1ro de Marzo, 432. ☎ 447-26-81. ● lacasadetounens.com ● Selon saison, lits en dortoir 4-6 pers env 100 $Ar ; doubles avec ou sans sdb privée env 280-350 $Ar. Petit déj compris.* 💻 📶 Dans une petite maison en brique à seulement 1 bloc de la gare routière, assez proche du centre et de la plage. Une adresse tenue par un Français. Seulement un dortoir de 6 lits avec salle de bains et un autre de 4 lits, ainsi qu'une poignée de chambres privatives. Atmosphère relax et assez conviviale, et plein de conseils sur les activités à faire dans la région. Une bonne petite adresse.

🏠 ***Hostel El Gualicho*** *(plan A2, **11**) : Marcos A. Zar, 480. ☎ (02965) 45-41-63. ● elgualicho.com.ar ●*

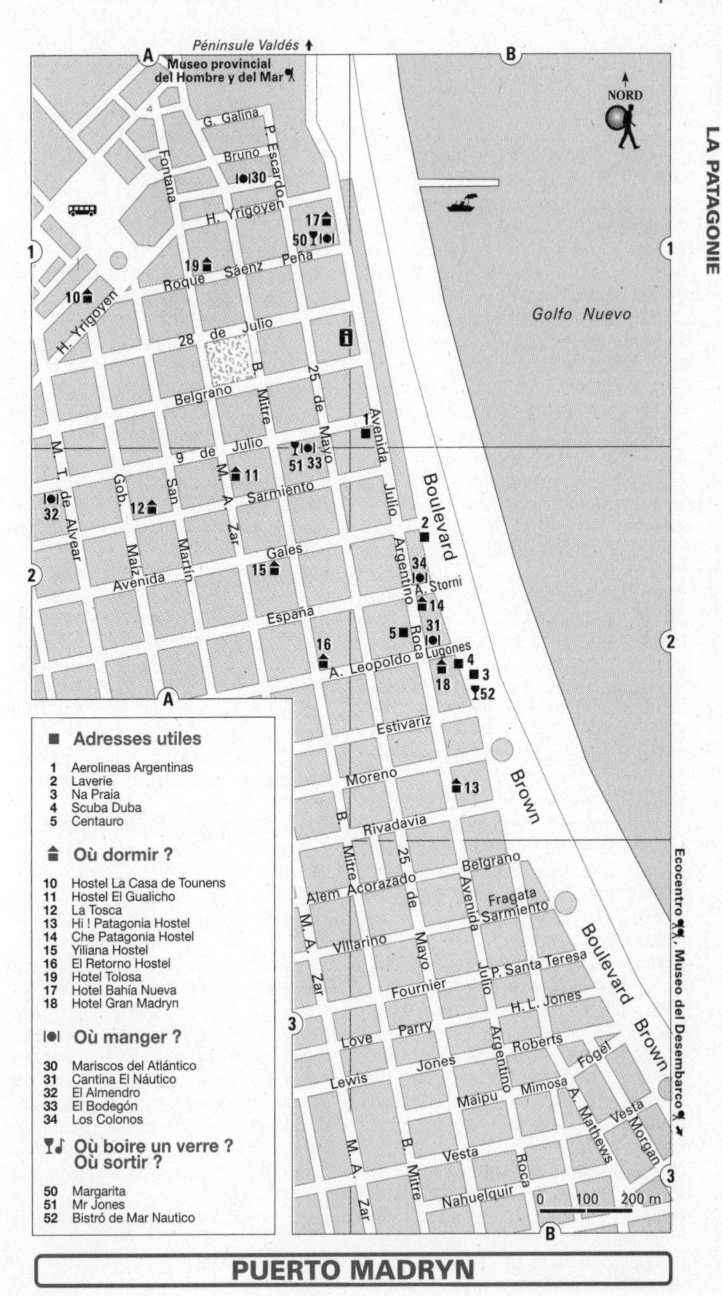
Péninsule Valdés
Museo provincial del Hombre y del Mar
NORD
Golfo Nuevo
Boulevard Brown
Ecocentro, Museo del Desembarco
Adresses utiles
1 Aerolineas Argentinas
2 Laverie
3 Na Praia
4 Scuba Duba
5 Centauro
Où dormir ?
10 Hostel La Casa de Tounens
11 Hostel El Gualicho
12 La Tosca
13 Hi ! Patagonia Hostel
14 Che Patagonia Hostel
15 Yiliana Hostel
16 El Retorno Hostel
19 Hotel Tolosa
17 Hotel Bahía Nueva
18 Hotel Gran Madryn
Où manger ?
30 Mariscos del Atlántico
31 Cantina El Náutico
32 El Almendro
33 El Bodegón
34 Los Colonos
Où boire un verre ? Où sortir ?
50 Margarita
51 Mr Jones
52 Bistró de Mar Nautico
0 100 200 m

PUERTO MADRYN

Dortoir 4-8 lits env 100 $Ar/pers ; double env 500 $Ar, petit déj inclus ; également des chambres privées de 3 à 6 lits, env 600-800 $Ar. Réduc avec la carte HI. On peut venir vous chercher à la gare routière. CB refusées. Espaces communs spacieux et bien tenus. L'ensemble a du caractère et dispose de nombreux services : petit jardin ensoleillé avec hamacs, billard, cuisine équipée, barbecue pour s'entraîner à faire l'*asado criollo*. Les chambres ont toutes une salle de bains privée, TV dans les doubles. L'ensemble est accueillant. Propose aussi plein d'activités (agence sur place) : balades à cheval, kayak, plongée...

La Tosca *(plan A2, **12**) : Sarmiento, 437. ☎ 445-61-33. • latoscahostel.com • Dortoir env 120 $Ar selon confort et capacité ; doubles env 270-450 $Ar. Petit déj, draps et serviettes inclus.* Cachée au bout d'un jardinet, derrière un grand portail, la maison accueille les routards du monde entier. Les chambres pour 2 à 4 personnes, réparties sur 2 niveaux, partagent la salle de bains avec la chambre voisine. Les dortoirs de 6-8 lits avec leur propre salle d'eau et des lits bien séparés les uns des autres (casiers en dessous) sont vraiment agréables. Aussi une chambre double avec salle de bains privée pour les amoureux, et bonne literie partout. Cuisine à disposition, hamacs, transats et barbecue. L'ensemble est très propre, fonctionnel, l'ambiance relax et l'accueil très sympa.

Hi ! Patagonia Hostel *(plan B2, **13**) : Roca, 1040. ☎ 445-01-55. • hipatagonia.com • Lit en dortoirs de 4-6 pers env 70 $Ar ; doubles env 420-520 $Ar selon confort et saison, avec petit déj.* Une AJ disposant de nombreuses chambres réparties dans une maison en brique. Ensemble assez basique mais beaucoup d'atouts : salles de bains très propres, salle à manger et cuisine spacieuses, jardin avec barbecue. La plage est aussi à deux pas. Surtout, le personnel est très serviable et se plie en quatre pour vous arranger des excursions, transports en bus, etc. Gaston et sa famille ont le sens de l'accueil et font de cet endroit un lieu de rencontres où il fait bon séjourner. On s'y sent comme à la maison !

Che Patagonia Hostel *(plan B2, **14**) : A. Storni, 16. ☎ 445-57-83. • chepatagoniahostel.com.ar • Dortoirs de 4-5 lits env 120 $Ar ; doubles avec sdb commune 360-400 $Ar selon saison. Petit déj inclus.* Très central et à une enjambée de la plage. Chambres un peu petites et sommaires, dortoirs agréables, salles de bains restreintes, mais l'ensemble est propre. Salon-TV convivial et cuisine équipée, très agréable avec sa terrasse donnant sur la mer. Prendre son petit déj avec le spectacle des baleines en saison est un must ! En prime, bon accueil et nombreux services sur place.

Yiliana Hostel *(plan A2, **15**) : Gales, 268. ☎ 447-59-56. • yilianahostel.com.ar • Nuit en dortoir 8 pers 130 $Ar ; doubles 400-450 $Ar, sdb commune ou privée, petit déj inclus.* Une adresse qui vaut autant pour son accueil que pour ses chambres, confortables, pour 2 à 8 personnes. Cuisine à disposition, barbecue, jardin et un bel espace pour de grandes tablées conviviales *(el quincho)*. Côté propreté, rien à redire, les propriétaires sont à cheval sur l'hygiène, ce qui n'est pas pour nous déplaire ! Très bon rapport qualité-prix.

El Retorno Hostel *(plan A2, **16**) : Mitre, 798, angle Albarracin. ☎ 445-60-44. • elretornohostel.com.ar • Lits en dortoir 6 lits env 130 $Ar ; doubles avec ou sans sdb 260-400 $Ar selon saison. Petit déj inclus.* Comme pour la plupart des *hostels* du pays, il s'agit d'une maison particulière dont les pièces ont été transformées en chambres doubles, quadruples ou en dortoirs, avec la salle de bains souvent à l'extérieur. Les doubles, pas bien grandes, ont aussi ventilo et TV. Loue aussi des appartements, face à la mer ou tout proches pour 6 personnes. Ensemble correct.

Chic (650-1 000 $Ar / env 65-100 €)

Hotel Bahía Nueva *(plan A1, **17**) : Roca, 67. ☎ 445-16-77 et 445-00-45.*

● bahianueva.com.ar ● Double env 670 $Ar. Un édifice en brique rouge idéalement situé sur le front de mer, avec un jardin attenant. Beaucoup de charme dans le lobby, un peu moins dans les chambres, toutefois spacieuses et agréables et réparties sur 3 étages (ascenseur). Tentez d'avoir l'une de celles avec vue sur mer, pour quelques pesos de plus. Aussi des chambres communicantes, pratiques pour les familles.

Hotel Gran Madryn *(plan B2,* ***18****) : Lugones, 40. ☎ 447-22-05 et 447-17-28. ● hotelgranmadryn.com ● Doubles 560-660 $Ar selon confort et saison, petit déj-buffet inclus.* Un hôtel classique à deux pas de la plage avec des chambres banales mais claires, avec TV, clim et chauffage central. Certaines au dernier étage disposent d'une terrasse avec vue partielle sur la mer. Rien d'éblouissant ni de rare pour le prix, qui ne se justifie que par l'emplacement.

Plus chic (1 000-1 400 $Ar / env 100-140 €)

Hotel Tolosa *(plan A1,* ***19****) : Sáenz Peña, 253. ☎ 447-18-50 et 445-61-22. ● hoteltolosa.com.ar ● Double env 120 US $, petit déj-buffet inclus.* L'adresse chic et moderne qui détonne parmi l'offre hôtelière de la ville. Hôtel lumineux et design, dans les tons gris, blanc et noir, aux lignes épurées. Chambres tout confort, impeccables et assez spacieuses, avec ventilo et clim. Également des suites vastes et lumineuses. Derrière la réception, salle TV ultramoderne et bar-resto.

LA PATAGONIE

Où manger ?

De bon marché à prix moyens (80-120 $Ar / env 8-12 €)

Mariscos del Atlántico *(plan A1,* ***30****) : Fennen, 43. ☎ 455-25-01 ou 457-34-58. Ouv ts les soirs. Résa conseillée.* Carnivores s'abstenir. Ici, vous trouverez essentiellement du poisson et des fruits de mer : grillés, en gratin, en cassolette ou en sauce. Normal, c'est une famille de pêcheurs qui tient la barre de ce resto tout simple. Difficile de faire circuit plus court, ce qui garantit une fraîcheur optimale ! Cadre ultra simple, c'est l'assiette qui prime. Beaucoup d'habitués.

Cantina El Náutico *(plan B2,* ***31****) : angle Roca et Lugones. ☎ 447-14-04. Tlj midi et soir. En saison, résa impérative.* Très prisé par les locaux et les touristes. Il faut dire qu'on est pris en main avec professionnalisme dans cette adresse à la déco marine, aux murs tapissés de photos. La carte est certes longue comme le bras, mais il n'y a pas de mauvais choix ! Service efficace. Les plats sont copieux, bien ficelés et les prix justes. Une véritable institution.

El Almendro *(plan A2,* ***32****) : angle Alvear et 9 de Julio. ☎ 447-05-25. Mar-sam à partir de 20h ; dim à partir de 12h.* Un resto de charme, à l'écart de l'animation du bord de mer. Bonne cuisine et service pro. Une des meilleures adresses de la ville.

Bodegón *(plan A1-2,* ***33****) : 25 de Mayo, 411. ☎ 447-25-47. Tlj.* Une jolie petite ambiance patinée, avec plancher, vieux carrelage, tables en bois et plats à l'ardoise, dans l'esprit bistrot rustique. Cuisine de bon aloi, alternant viandes, poissons, crevettes et salades gourmandes. Les sauces sont de trop sur les poissons, mais il suffit de le préciser.

Los Colonos *(plan B2,* ***34****) : angle Roca et Storni. ☎ 447-10-39. Tlj.* Repérable à sa façade en coque de bateau, son phare et ses cordages tendus au-dessus de la terrasse. C'est dans cette sympathique ambiance marine et un brin attrape-touriste que sont servis viandes et poissons. L'adresse jouit d'une bonne petite réputation, qui n'est pas usurpée.

Voir aussi **Margarita** dans la rubrique « Où boire un verre ? Où sortir ? ».

Où boire un verre ? Où sortir ?

Margarita (plan A1, **50**) **:** *Sáenz Peña, presque à l'angle de Roca. Tlj 19h-5h du mat.* Belle maison traditionnelle aux murs de briques joliment décorée. L'endroit idéal pour faire des rencontres. Mais aussi pour manger pas cher les belles pizzas, *pasta*, salades, plats de viande ou poissons.

Mr Jones (plan A1-2, **51**) **:** *9 de Julio, 116. Tlj de 13h (18h dim) à 2h.* Bonne sélection de bières artisanales en version brune, rousse ou blonde. Pour maintenir le cap, carte de salades, pizzas, hamburgers, etc. Bonne ambiance, mais service débordé.

Bistró de Mar Nautico (plan B2, **52**) **:** *Brown, 860 ; entre Lugones et Perlotti. Tlj 8h-minuit. ☎ 445-76-16.* On peut se contenter de venir boire un verre dans ce resto et profiter de sa belle terrasse en bord de mer, protégée par de grandes baies vitrées. Au resto, service continu, dans une ambiance bruyante.

À voir. À faire

Ecocentro (hors plan par B3) **:** *Julio Verne, 3784. ☎ 445-74-70. • ecocentro.org.ar • À 3 km au sud de Puerto Madryn, dans un site superbe en bord de mer. Horaires variables selon saison ; en principe, tlj sf mar (et lun en mars-avr) 15h-19h (17h-21h en janv-fév) ; en mai, ouv slt le w-e. Entrée : 70 $Ar ; réduc.* Ultramoderne et didactique, le Centre d'interprétation sur la faune marine de la région surplombe la mer. C'est un bon préambule avant d'aller explorer la Península Valdés ou voir les manchots à Punta Tombo. Squelette de baleine franche à l'extérieur, vidéos sur la faune locale (baleines, orques, manchots...) expliquant notamment les différences entre lions de mer et éléphants de mer. Explications assez simples et traduites en anglais. Du haut de la tour-bibliothèque ou de la terrasse du bar, vue imprenable sur le Golfo Nuevo. Un auditorium permet d'entendre les sons des baleines et des expositions temporaires complètent la visite. Cafétéria et boutique.

PINGOUINS OU MANCHOTS ?

Les pingouins habitent l'hémisphère nord et peuvent voler. Les manchots, eux, ne vivent que dans l'hémisphère sud et ne volent pas (ce sont de vrais manchots !). Mais les Anglais, qui ne font pas les choses comme les autres, appellent « penguin » les... manchots français. Confusing !

Museo del Desembarco (hors plan par B3) **:** *au sud de la ville, en longeant la côte. ☎ 445-17-50. Déc-fév, tlj 17h-21h (plus w-e 10h-13h) ; mars-nov, tlj sf mar 15h-19h. Entrée : 10 $Ar.* C'est ici que débarquèrent les premiers Gallois, avant de s'installer dans toute la région. Le musée, modeste, retrace l'histoire de ces colons.

Museo provincial del Hombre y del Mar (plan A1) **:** *Domecq Garcia y Jose Menendez. ☎ 445-11-39. Ouv lun-ven 9h-20h (19h mars-nov) et sam à partir de 15h (16h déc-fév). Entrée : 10 $Ar ; gratuit mar et moins de 12 ans. Explications en français, à demander à l'entrée.* Construit en 1915 par Agustin Pujol, le Chalet Pujol (tel qu'il est appelé) a été en son temps le bâtiment le plus prestigieux de la ville. Il abrite aujourd'hui sur 3 niveaux une intéressante collection océanographique et aborde les menaces qui pèsent sur l'environnement. Depuis le belvédère, vue dégagée sur la ville et le golfe.

– ***VTT dans le golfe :*** des circuits pour tous niveaux. Les parcours les plus attractifs sont ceux qui combinent bord de mer et steppe. Ils font de 17 à 40 km, et certaines traversées durent jusqu'à 4h. Pas évident, surtout quand on a le vent de face ! Attention, on se perd facilement dans ces contrées désertiques, empruntez les sentiers balisés. Infos et location de VTT auprès de *Na Praia*.

– ***Windsurf et kayak de mer :*** avec *Na Praia* (voir coordonnées ci-dessous). Location en saison et sorties accompagnées en kayak, notamment dans les aires réservées qui abritent la faune marine.

– ***Plongée sous-marine*** *(buceo)* **:** les eaux transparentes et sereines du golfe ont fait de Puerto Madryn le principal centre d'activités sous-marines du pays. Mais comme il est interdit de nager avec les baleines, phoques et autres manchots, les plongées se révèlent finalement assez banales. Puerto Madryn demeure toutefois un spot privilégié pour les plongeurs argentins et clubs et boutiques foisonnent à tous les coins de rue. En voici un sérieux, parmi d'autres :

■ ***Na Praia*** *(plan B2,* ***3****)* **:** *Brown, 860, entre Lugones et Perlotti. ☎ 445-56-33. • napraia.com.ar • Tlj 8h30-21h en été ; le reste de l'année, horaires plus restreints. Env 110 $Ar pour 1h de loc de kayak. VTT 100-150 $Ar/j. Pour les sorties organisées, résa de préférence la veille.* En saison (de décembre à mars), cette école de planche à voile propose diverses sorties guidées en kayak, des cours de windsurf et de catamaran.

■ ***Scuba Duba*** *(plan B2,* ***4****)* **:** *Brown, 893, en face de* Na Praia. *☎ 445-26-99. • scubaduba.com.ar • Env 450 $Ar pour un baptême.* Plongées tous niveaux et cours certifiés SSI et PADI. Enfants à partir de 8 ans. La sortie en mer pour rejoindre les spots de plongée permet aussi d'approcher la colonie de lions de mer de Punta Loma. Propose aussi du *snorkelling* pour nager avec les otaries (très cher). Les instructeurs sont habilités à encadrer les personnes handicapées en plongée.

■ ***Balades à cheval :*** *à 4 km au sud de Puerto Madryn avec Antonio Pereyra. ☎ 447-46-59 ou 📱 15-467-20-25.* Pour tous niveaux.

DANS LES ENVIRONS DE PUERTO MADRYN

👁👁 ***Punta Flecha :*** *à 10 km au nord de Puerto Madryn.* Un observatoire où on peut entendre les chants des baleines (en saison).

👁👁 ***El Doradillo :*** *à 19 km au nord de Puerto Madryn.* Très belle plage en été. À marée haute, de mi-juin à mi-décembre, les baleines viennent virevolter à quelques encablures du rivage. En septembre-octobre, les baleines mettent bas, on peut alors apercevoir leurs baleineaux très près de la plage.

VOS GUEULES LES MOUETTES !

Dès que les baleines sortent de l'eau pour respirer, les mouettes tentent de les attaquer pour dévorer leur chair. Les blessures sont parfois sérieuses. Du coup, la police n'hésite plus à abattre les volatiles les plus rapaces !

👁 ***Punta Loma :*** *à 17 km de Puerto Madryn vers le sud-est. Ouv tlj 8h-20h. Entrée : 50 $Ar ; réduc moins de 12 ans.* Une petite colonie de lions de mer *(lobería)* visible à marée basse. Le spectacle ne peut rivaliser avec ce que vous verrez à la péninsule Valdés. Au plus fort de la saison (octobre et novembre), jusqu'à un millier d'animaux.

👁👁👁 ***Punta Tombo*** *(colonie de manchots)* **:** *sept-mai. Voir plus haut « Dans les environs de Trelew ».* Plus proche de Trelew, cette excursion se réalise toutefois aisément depuis Puerto Madryn.

LA PÉNINSULE VALDÉS

👁👁👁 La péninsule, réserve naturelle inscrite au Patrimoine mondial de l'Unesco, est une énorme excroissance de 97 km de long sur 63 km de

large, reliée au continent par un isthme de 35 km d'où l'on peut voir les deux golfes qui la bordent, celui de San José au nord et le Nuevo au sud. Son nom est celui du ministre de la Marine qui parraina l'expédition ayant conduit à sa découverte. C'est peut-être le microclimat résultant du courant chaud arrivant du Brésil et le nombre impressionnant d'animaux marins qui donnent un caractère inoubliable à chaque visite. Le tour complet fait près de 250 km... sur piste. Prévoir une journée complète. On traverse des paysages sauvages de pampa, peuplés de *choiques* ou *ñandús* (cousins de l'autruche), de *guanacos* (cousins du lama), de *vizcachas* (apparentés au lièvre), de *zorros* (cavaliers masqués qui surgissent hors de la nuit... non, il s'agit simplement de renards), ou encore de tatous. On longe ensuite la côte pour admirer les animaux marins, échoués volontaires, sur les rives de la péninsule par centaines. C'est le seul endroit du monde qui accueille une éléphanterie marine continentale avec des spécimens de 6 m de long pouvant peser jusqu'à 3 t.

UNE NURSERY QUI EN FAIT DES TONNES !

Les deux golfes de la péninsule reçoivent environ 800 baleines de juillet à décembre, et leur nombre augmente chaque année. Elles se réfugient là pour mettre bas et élever leur baleineau, si bien que la péninsule Valdés est devenue la maternité de l'Atlantique Sud. Les scientifiques ne s'expliquent pas vraiment cette affluence, mais il est probable que ces géants des mers, ainsi que d'autres espèces, comme les phoques, s'y sentent en sécurité. Preuve – macabre – de cette confiance, les orques viennent jusque sur la plage pour happer les bébés phoques dont ils font leur repas : un phénomène presque unique au monde.

– ***À consulter :*** ● *peninsulavaldes.org.ar* ●

– ***Quelques conseils avant de partir en excursion :*** prévoir une excellente protection solaire (la couche d'ozone est très mince en Patagonie !), un chapeau, 2 l d'eau (peu d'endroits où se ravitailler) et de quoi vous couvrir tête, jambes, bras et oreilles. Quand le vent se lève, il ne pardonne pas !

Arriver – Quitter

➢ ***En bus :*** 1 à 3 bus/j. entre Puerto Madryn et Puerto Pirámides avec la compagnie *Mar y Valle.* Env 100 km et 1h30 de trajet. ● *terminalmadryn.com/horarios.html* ●

➢ ***En voiture :*** à savoir, l'unique station-service de la péninsule se trouve à Puerto Pirámides.

➢ ***En circuit organisé :*** voir ci-après.

Comment visiter la péninsule ?

– Pour ceux qui ont peu de temps, possibilité de passer par une agence de Trelew ou Puerto Madryn (voir les « Adresses utiles » des villes concernées). Compter environ 600 $Ar par personne (entrée non incluse) pour une journée complète, sans compter la sortie en mer pour observer les baleines (!). Autant dire que la meilleure solution consiste à louer son propre véhicule...

Les agences passent rarement par Punta Delgada, au sud de la péninsule. En effet, la pointe est en partie privatisée et le seul lieu d'observation public, très en hauteur, n'offre pas de meilleures conditions que ceux du centre et du nord. Elles passent par Puerto Pirámides pour l'excursion en bateau puis filent sur la Caleta Valdés et Punta Norte. Si vous êtes véhiculé et que le temps vous manque, optez pour

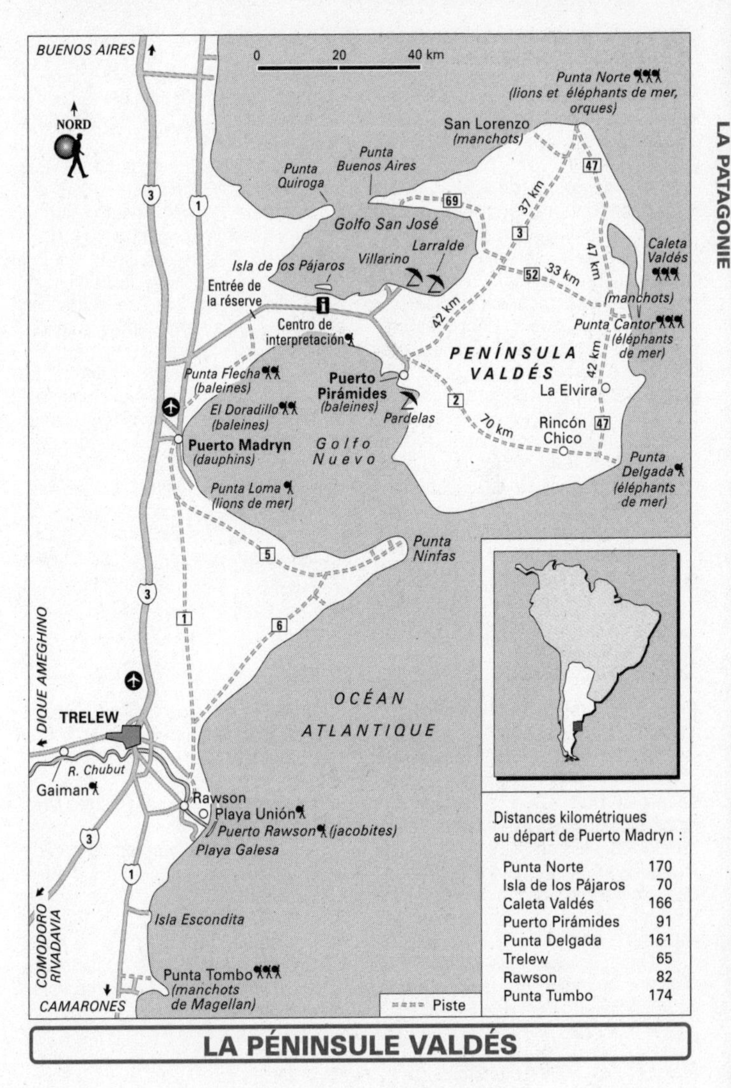

LA PÉNINSULE VALDÉS

le même itinéraire.

– En revanche, pour ceux qui veulent consacrer plusieurs jours à la péninsule et profiter de ce lieu unique, le mieux est de séjourner à Puerto Pirámides, qu'on rejoint en voiture ou en bus (voir plus haut « Arriver – Quitter »). Nombreuses possibilités d'hébergement. Sur place, des agences organisent des tours personnalisés (se renseigner sur ● *puertopiramides.gov.ar* ●), proposent des sorties en kayak de mer, des randos, du VTT, de la plongée, et bien sûr l'occupation principale en saison : l'observation des baleines.

Infos et conseils utiles

- **Entrée de la réserve :** *160 $Ar pour les visiteurs étrangers ; ½ tarif 6-11 ans. Compter en plus 12 $Ar/véhicule. CB refusées.*
- **Quand visiter la péninsule ?** Les périodes sont mentionnées à titre indicatif, elles varient d'ailleurs sensiblement selon les sources. Le meilleur moment pour observer la faune s'étire, en principe, de septembre à novembre : la majorité des espèces sont alors présentes dans la péninsule. Si à longueur d'année les *toninas* (dauphins) batifolent dans l'océan, les éléphants et lions de mer se prélassent sur les rivages de Valdés principalement d'août à mars. Les baleines sont visibles de juillet à décembre, on aperçoit les manchots en général de septembre à avril, tandis que les orques, plus rares, sont visibles entre février et avril (avec de la chance). Mai et juin sont les mois les plus « déserts ».
- La réserve est soumise à des ***règles strictes*** pour préserver cet environnement. Nous vous indiquons les principales :
- Depuis la terre, on observe les animaux marins du haut de sentiers qui surplombent les plages. Interdiction formelle de sortir des sentiers battus.
- Ne pas dépasser 60 km/h sur les pistes caillouteuses de la péninsule. Soyez très vigilant car de nombreux accidents sont à déplorer chaque année.
- Pique-nique autorisé uniquement dans sa voiture et sur un parking. Et bien sûr, ne laisser traîner aucun déchet. Sinon, il y a une cafétéria à Punta Cantor et un petit café à Punta Norte.
- Pas de camping sauvage ; il est toutefois toléré sur les plages de Pardelas, Larralde et Villarno (pas de commodités). Mieux vaut demander au préalable l'autorisation aux *rangers* de Puerto Pirámides.

Adresse utile

■ ***Centro de interpretación :*** *à 21 km après le péage, en direction de Puerto Pirámides. Tlj 8h-21h (20h en hiver).* Petite introduction à la visite de la péninsule. C'est ici, auprès des *rangers* de la réserve que vous obtiendrez les conseils de visite, une carte de la péninsule, les horaires de marées, des infos sur les animaux qu'on peut voir (calendrier et zones avec les espèces à observer selon la saison), etc. Des panneaux illustrent aussi l'histoire, la géologie et le peuplement de la péninsule, ainsi que les diverses espèces animales qui y vivent (oiseaux et petits mammifères empaillés). Moins complet que l'*Ecocentro* de Puerto Madryn, mais c'est gratuit, et on y voit un squelette de baleine. 2 petits films de 10' sur la faune marine. À noter également, un mirador qui permet de voir de chaque côté de l'isthme et d'apercevoir, au nord, la *isla de los Pájaros* (l'île aux Oiseaux). Pour la petite histoire, c'est la forme de cette île qui a inspiré le dessin du boa qui dévore un éléphant dans *Le Petit Prince* de Saint-Exupéry.

PUERTO PIRÁMIDES (500 hab. ; ind. tél. : 0280)

Le seul village de la péninsule. On le découvre peu à peu en descendant le long de la route. La plage est bien abritée et agréable ; en été (austral, soit janvier-février), on peut s'y baigner. Du village, sillonné par quelques pistes caillouteuses, se dégage un charme de bout du monde, et le cadre dans lequel il est niché est joli. Séjourner ici est une bonne option pour explorer la péninsule en prenant son temps, surtout que l'ambiance y est relax et beaucoup moins « balnéaire » qu'à Puerto Madryn. Et mis à part les estivants argentins en quête de soleil et de baignade, on vient ici surtout pour observer les baleines ! Cette activité – fort lucrative – permet, de juillet à décembre, d'approcher de très près les baleines franches du Sud et leurs baleineaux (lire, en introduction de « La Patagonie », la rubrique « Des animaux par milliers »). On observe également des éléphants et lions de mer, des dauphins, des orques (assez rare) et des cormorans qui viennent nicher dans les anfractuosités de la côte. Parfois, à l'approche du bateau, tous les oiseaux s'envolent dans un même élan. Du bateau, on comprend aussi la signification du nom du village en regardant la falaise, haute d'une centaine de mètres et qui présente la forme d'un triangle. D'où le terme *pirámide* !

Adresses utiles

Office de tourisme *(plan A1)* **:** *devant la plage, face à l'hôtel* Las Restingas. ☎ *449-50-48.* ● *puertopiramides.gov.ar* ● *Tlj 10h-18h (plus tard en saison).*

■ **@ Téléphone et Internet :** *1 adresse dans la rue principale, à l'entrée du village.* Cabines téléphoniques et Internet.

■ ***Distributeur automatique*** *(plan A1,* ***1****)* **:** **Banco del Chubut,** *dans la rue principale, en face du poste de police et près de la station-service.* Accessible 24h/24, cartes *Visa* et *MasterCard*.

■ ***Station-service ACA*** *(plan A1,* ***2****)* **:** la seule pompe à essence dans toute la péninsule, cela mérite d'être souligné. Fait aussi supermarché.

■ ***Agences :*** *entre autres,* ***Tito Bottazzi,*** *dans la 1re rue à droite en entrant dans le village.* ☎ *449-50-50.* ● *titobottazzi.com* ● *En face,* ***Southern Spirit,*** ☎ *449-30-43 ou* 📱 *15-457-23-40 ;* ● *southernspirit.com.ar* ● ***Whales Argentina*** *est aussi dans cette même rue qui descend vers la mer :* ☎ *449-50-15 ;* ● *whalesargentina.com.ar* ● Toutes proposent l'observation des baleines en saison. Compter env 500 $Ar/personne.

■ ***Patagonia Explorers :*** *av. de las Ballenas.* 📱 *15-434-06-19.* ● *patagoniaexplorers.com* ● *Résa conseillée à l'avance.* Sofia et Pablo proposent surtout des sorties d'une demi-journée ou d'une journée en kayak de mer à la découverte de la faune locale, ainsi que des randonnées à Las Pardelas ou dans le golfe de San José. Excursions en petits groupes dans un grand respect de l'environnement. Les plus aventuriers peuvent tenter des expéditions de 3 à 10 j. en kayak.

– ***Balades à cheval :*** *avec* ***Criollos de Valdes.*** ☎ *449-50-04.* ● *criollosdevaldes.com.ar* ●

Où dormir ?

Il y a sans doute plus d'hôtels que de maisons particulières. L'ambiance est plutôt routarde et décontractée, mais les prix dépassent souvent ceux de Puerto Madryn, à catégorie égale, en particulier pendant la saison d'observation des baleines. Pensez d'ailleurs à réserver à l'avance. Par ailleurs, presque tous les hôtels font resto.

Camping

⛺ ***Camping municipal*** *(plan A-B1,* ***10****)* **:** *dans les dunes et donnant sur la plage. Compter 80 $Ar/pers avec la douche et 60 $Ar pour la voiture (gratuit en sem).* Site abrité par des tamaris. Douches avec eau en quantité limitée. Pas le grand luxe mais bien entretenu. Supermarché pas trop loin. On peut faire son barbecue sur place. Hyper bondé en haute saison.

Bon marché (moins de 350 $Ar / env 35 €)

🏠 ***Hostel Bahia Ballenas*** *(plan A1,* ***11****)* **:** *à l'entrée du village, sur la gauche.* 📱 *15-456-71-04. Env 100 $Ar/pers.* Une des adresses les moins chères de la ville, très *roots*. 2 dortoirs mixtes de 14 lits chacun. Pas folichon. TV et bar dans la salle commune, cuisine et épicerie à côté.

🏠 ***Aloha Hostel*** *(plan B1,* ***12****)* **:** *av de las Ballenas.* ☎ *449-50-40. Env 100 $ Ar/pers en dortoir ; double env 400 $Ar pour 2 pers, petit déj inclus.* 📶 Au bout du village, c'est la maison en tôle orangée. Les dortoirs pour 6 personnes laissent logiquement un peu plus d'espace vital que ceux pour 10. Ils sont propres, climatisés et avec salle de bains privée. Aussi des chambres avec un grand lit et un lit superposé, où l'on peut donc loger à 4. Grand living avec TV, vraiment agréable.

De prix moyens à chic (350-1 000 $Ar / env 35-100 €)

☗ ***El Refugio*** *(plan A1, **13**) : av. de las Ballenas, presque en face de la station-service, à côté du magasin de souvenirs. ☎ 449-50-31. Env 400 $Ar pour 2 pers, petit déj inclus.* Derrière le resto, l'hôtel aligne quelques doubles au rez-de-chaussée et chambres familiales à l'étage, dans une ambiance très Far West. Ces dernières, avec mezzanine, ont frigo et micro ondes, et depuis d'une d'elles, on aperçoit même la mer.

☗ |●| ***The Paradise*** *(plan B1, **14**) : au bout du village. ☎ 449-50-30. • hosteriatheparadise.com.ar • Doubles avec sdb à partir de 650 $Ar (plus cher juil-déc).* Maison en brique et bois sur 2 niveaux, située derrière le restaurant. Chambres de 3 lits à la déco soignée, agréables et bien équipées. Bon resto, ce qui ne gâche rien (voir ci-dessous « Où manger ? »).

☗ ***Motel ACA*** *(plan A1, **15**) : à l'entrée du village à droite. ☎ 449-50-04. • motelacapiramides.com • Compter env 670 $Ar pour 2 pers en saison, avec sdb, TV, AC.* Une sorte de motel américain, simple mais pratique et propre. Certaines chambres avec vue sur la mer (même prix). Aussi une cafétéria dominant la plage. Le proprio organise des balades à cheval.

Plus chic (plus de 1 000 $Ar / env 100 €)

☗ ***Las Restingas*** *(plan A1, **16**) : à l'entrée de la plage, à côté des loueurs de bateaux. ☎ 449-51-01. • lasrestingas.com • Doubles 220-280 US$ selon saison, petit déj inclus.* L'hôtel chic de Puerto Piramides, avec un resto sur la plage, ce qui est son principal atout. Les chambres les plus chères possèdent un balcon ou une terrasse avec vue sur la mer. Petite consolation pour les chambres qui donnent sur l'arrière, leur salle de bains est bien plus grande. Spa, piscine couverte, gym, sauna... Accès direct à la plage.

☗ ***Hosteria del Nomade*** *(plan A1, **17**) : av. de las Ballenas, après la station-service sur la gauche. ☎ 449-50-44. • ecohosteria.com.ar • Double env 180 US$, petit déj inclus ; promos sur Internet. Pique-nique sur demande (à commander la veillle).* Un hôtel écolo et discret, un peu cher mais qui vaut le coup. Les panneaux solaires sur le toit permettent de chauffer l'eau, qui est recyclée. Une petite dizaine de chambres joliment aménagées, avec bureau en bois naturel, grands placards, vaste salle de bains et balcon donnant sur l'arrière. Pas de télé, ce qui permet de s'entretenir avec le personnel de l'hôtel, vraiment adorable. Le petit déj privilégie la qualité des produits. Il flotte d'ailleurs à toute heure une délicieuse odeur de pain et de gâteaux...

☗ Voir aussi plus loin les adresses à l'extrémité de la péninsule.

Où manger ? Où boire un verre ?

De bon marché à prix moyens (80-180 $Ar / env 8-18 €)

|●| ***La Estación*** *(plan A1, **20**) : en face de la station-service. ☎ 449-50-47. Tlj 10h-17h, 20h30-3h.* Joli chalet dont la déco retrace la musique populaire des années 1970 à nos jours. Tables en bois peint, fauteuils, on se sent d'emblée à l'aise ! En fond sonore et sur les murs, ça va de *The Wailers* à *The Wall*. Sur la carte, les pâtes maison sont à retenir, agrémentées de la sauce de votre choix. Les pizzas sont moins réussies. Cela reste l'endroit le plus animé de Puerto Pirámides, qui vaut aussi pour son ambiance bohème.

|●| 🍸 ***La Covacha*** *(plan A1, **21**) : dans la rue qui descend vers la plage, sur la gauche (en surplomb). 📱 15-424-08-38. Tlj 12h-minuit env.* Un resto-snack agrémenté d'une petite terrasse ensoleillée, avec vue sur la mer au loin. Sandwichs, hamburgers, *milanesa*, pâtes maison et pêche du jour à l'ardoise. On profite

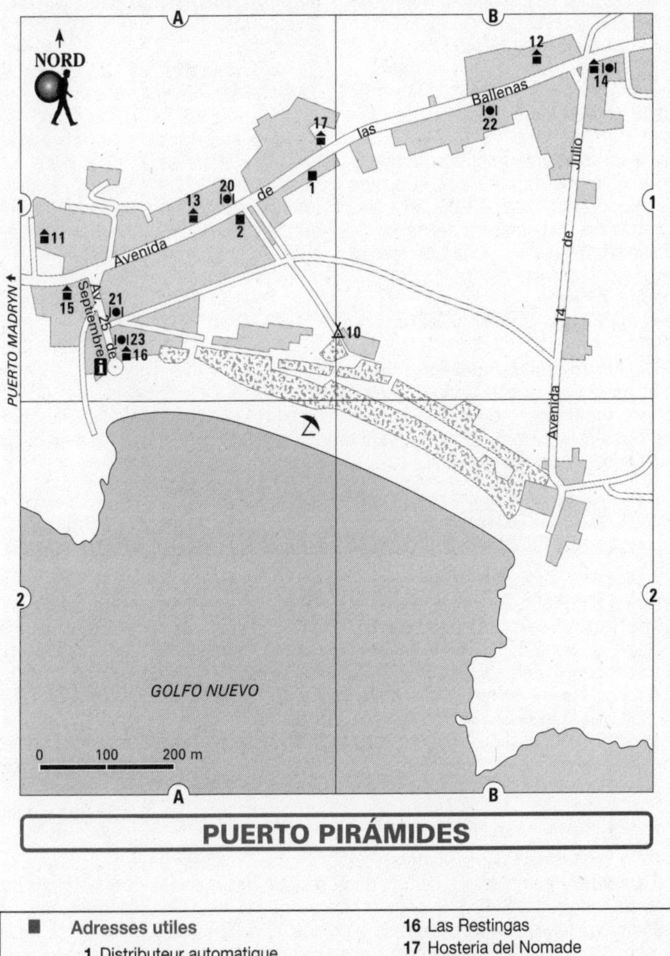

PUERTO PIRÁMIDES

■ **Adresses utiles**

1 Distributeur automatique
2 Station-service ACA

Où dormir ?

10 Camping municipal
11 Hostel Bahia Ballenas
12 Aloha Hostel
13 El Refugio
14 The Paradise
15 Motel ACA
16 Las Restingas
17 Hosteria del Nomade

Où manger ? Où boire un verre ?

14 The Paradise
20 La Estación
21 La Covacha
22 Guanaco
23 Towanda

donc des tables à l'extérieur si le temps le permet ou on se rabat sur la petite salle colorée, qui évoque une cabane de pêcheur rasta. Bon marché et ambiance très relax... comme souvent ici !

The Paradise *(plan B1, **14**)* **:** *voir « Où dormir ? ».* Le resto, situé dans une maison indépendante de l'hôtel, a une jolie déco, entre maison de pêcheur et pub irlandais. Carte variée et bonne cuisine.

|●| ***Guanaco*** *(plan B1,* ***22****)* **:** *av. de las Ballenas, au bout du village à droite. Ouv slt le soir, tlj sf mar.* Une petite salle derrière les murs de cette maison colorée, une véranda accueillante, un bar forcément sympathique, le cadre est chaleureux. Comme le service d'ailleurs. Et ce n'est pas la cuisine qui viendra ternir cette bonne impression générale : pâtes maison, pizzas, fruits de mer *(vieiras)*, à accompagner d'une bonne bière artisanale.

Towanda *(plan A1,* ***23****)* **:** *dans la 1re rue à droite en arrivant dans le village, face à l'office de tourisme. Tlj 8h-2h du mat.* Agréable de venir y boire une bière artisanale en fin de journée... la terrasse a vue sur la mer. On peut aussi y manger un morceau à l'heure du déj ou s'y attabler pour une pause sucrée (cookies, muffins, gâteaux...).

À voir. À faire dans la péninsule Valdés

– ***Observation des baleines*** *(avistaje de ballenas)* **:** les baleines prennent leur quartier d'hiver dans le Golfo Nuevo de juin à décembre. Compter environ 500 $Ar pour un spectacle vraiment inoubliable en bateau (durée : environ 1h30). Plusieurs agences spécialisées à Puerto Pirámides, dans la rue qui descend vers la plage (voir aussi « Adresses utiles »).

– ***Observation des lions de mer depuis la côte :*** à Punta Pirámide ; *avt d'arriver à Puerto Pirámides (à 2 km), dans le dernier tournant à droite, suivre la piste sinueuse et pentue jusqu'au bout (env 5 km).* Beau panorama sur la falaise et les lions de mer.

Plage : si l'eau à 18 °C ne vous effraie pas, profitez d'un bain dans l'océan Atlantique à Puerto Pirámides. Mais vous pouvez aussi vous contenter de lézarder sur la plage et de regarder les familles boire le *mate* ou jouer aux palets. Pour une balade, on vous conseille de pousser jusqu'à la ***Playa del Molino.*** Juste avant l'hôtel *Paradise,* tournez à droite et garez-vous au bout. En regardant la mer, prenez à gauche, sur les rochers (à marée basse, attention à ne pas vous faire piéger !), et poursuivez le long de l'immense plage de 3 km ! D'un côté, la mer, de l'autre, les falaises. C'est sauvage, magnifique et facilement accessible. Au bout de la baie, des grottes ont été formées par le va-et-vient de la mer. Magnifique au crépuscule.

– Si vous avez opté pour une excursion, laissez-vous guider. En revanche, si vous avez loué une voiture, voici l'***itinéraire en boucle*** qui permet de découvrir la péninsule.

➢ En venant de Puerto Madryn, l'asphalte vous mène à travers l'isthme jusqu'à Puerto Pirámides. En dehors de la période des baleines et si vous n'avez pas besoin d'essence, vous pouvez bifurquer 2 km avant Puerto Pirámides. Là commence réellement la boucle de la péninsule Valdés... et la piste *(ripio)*. En le faisant dans le sens trigonométrique (sens inverse des aiguilles d'une montre pour les non-mathématiciens), on prend soit la RP2 jusqu'à Punta Delgada, à condition de vouloir y déjeuner, sinon on peut monter directement sur Punta Cantor et la Caleta Valdés. Cela dit, comme on rencontre moins de monde sur la piste qui mène à Punta Delgada, on aperçoit plus facilement tatous, lamas et autres nandous (petites autruches) en liberté. On découvre également des salines, au blanc aveuglant. À certaines heures de la journée, la couleur vire au rose. Superbe. La plus grande saline, qui descend à moins de 24 m au-dessous du niveau de la mer, est l'une des plus importantes dépressions du pays.

Punta Delgada : *à 79 km de Puerto Pirámides.* Pour avoir accès au site et voir la colonie d'éléphants de mer qui se prélassent sur le rivage d'août à mars à marée montante, il n'y a malheureusement pas d'autre moyen pour les voyageurs individuels que de passer par l'*estancia* (**Faro Punta Delgada,** *☎ 445-84-44. 15-440-63-04. • puntadelgada.com •*) qui programme des tours pour les clients du resto (sur résa et cher !) ou de l'hôtel (prix résolument élitistes et pas justifiés, env 310 US$/nuitée). Dommage ! Si on ne se soumet pas à ce racket organisé, le détour par Punta Delgada est inutile. De toutes façons, la richesse de la faune marine est si riche qu'on s'en passe aisément.

Punta Cantor et la Caleta Valdés : *à 42 km au nord de Punta Delgada. Accès tlj 8h-20h.* De Punta Cantor, on aperçoit une immense langue de terre et de galets qui se détache de la péninsule, c'est ce qu'on appelle la *caleta.*
Deux sentiers partent du resto *La Elvira,* à Punta Cantor. Jalonnés de panneaux explicatifs, ils mènent à des colonies d'éléphants de mer. À cet endroit, c'est de juillet à novembre qu'on en voit le plus. Se baladent aussi parfois quelques manchots isolés, échoués sur la plage. Magnifique perspective sur la Caleta Valdés. Petit mirador avec longue vue (1 $Ar).
Quelques kilomètres plus au nord se trouve la colonie de manchots de Caleta Valdés, qu'on peut observer de septembre à mars. On en dénombre bien moins qu'à Punta Tombo, mais ils sont parfois très proches du parking. On les voit donc de près.

La Elvira : *à Punta Cantor.* ☎ *447-42-48.* • *laelvira.com.ar* • *L'estancia se trouve à 6 km à gauche de la route, donc pas au bord de la mer. Fermé avr-juil. Compter env 400 US$ pour 2 pers en ½ pens ou pens complète, activités incluses.* Au cœur de la pampa, une belle *estancia* aux chambres impeccables dotées de 2 grands lits. Beaucoup de goût dans la déco. Piscine. Une magnifique expérience pour qui ne craint ni le calme absolu, ni l'isolement !

El Parador : *à Punta Cantor, surplombant la mer. Ouv slt fin juil-avr, tlj 10h-16h. Env 200 $Ar le* cordero patagonico *(mouton) avec boisson.* Mêmes proprios que l'*estancia La Elvira.* Cafétéria avec une vue magnifique sur la Caleta Valdés. Au buffet, salades, tourtes, *empanadas* et quelques bons desserts. Pas de la grande gastronomie mais ça nourrit. Du resto partent 2 sentiers pour observer la faune locale (voir plus haut).

Punta Norte : *encore 50 km depuis Caleta Valdés (env 1h). Réserve accessible tlj 8h-20h.* Éléphants et lions de mer. Sans doute la plus grande colonie. Le *ranger* a sa maison ici. On ne peut descendre sur la plage, mais il y a une vue panoramique depuis un mirador, tandis qu'un sentier descend doucement vers la plage, sans l'atteindre. Un télescope très puissant (et gratuit) permet de voir les animaux comme si on pouvait les toucher. De temps à autre, les mères se jettent à l'eau et appellent leurs petits pour leur apprendre à nager. Ça évite les galères au moment de la migration ! Puis, en mars-avril, les orques assurent le spectacle en venant chasser par ici et croquer les bébés directement sur la plage. Il faut de la patience et de la baraka pour les voir, mais le spectacle est impressionnant ! Pour augmenter vos chances d'apercevoir au moins la queue d'un orque, privilégiez la marée montante. Bien se renseigner sur les marées, car elles ne sont pas aux mêmes heures à Caleta Valdés et à Punta Norte. Sur place, toilettes et un petit café *(tlj 9h-19h).*

LE SUD DE LA PATAGONIE

RÍO GALLEGOS

100 000 hab. IND. TÉL. : 02966

Cette ville porte le nom du capitaine du bateau qui transportait Magellan. C'est un centre agricole important, spécialisé dans l'élevage de moutons, et un port très actif où transitent le charbon et le pétrole extraits dans la région. C'est aussi une base militaire qui a joué un rôle important lors du conflit des Malouines en 1982. La ville a donné en outre deux présidents à l'Argentine : Cristina Kirchner, l'actuelle présidente, et le précédent, son mari Néstor (décédé en 2010). D'où leur surnom de *pingüinos.*

Mais soyons clairs : la capitale de la région de Santa Cruz ne présente que peu d'intérêt. Les voyageurs y échouent parfois, faute d'avoir trouvé un vol direct pour El Calafate, et prennent, de là, une correspondance en bus pour les célèbres glaciers. C'est aussi le point de départ de deux routes vers le Chili, l'une vers Punta Arenas, l'autre vers Puerto Natales.
On peut dans la plupart des cas éviter d'y passer une nuit. Mais on vous a tout de même trouvé de quoi meubler votre passage ici.

Arriver – Quitter

En bus

🚌 ***Gare routière :*** *à 3 km au sud-ouest du centre-ville.* La connexion à Río Gallegos est incontournable pour aller de Puerto Madryn à El Calafate, d'El Calafate à Ushuaia, ou même de Punta Arenas (Chili) à Ushuaia.
Pour aller de la gare routière à la ville, prendre les *colectivos A* et *B* (*☎ 44-23-11).* Sinon, les taxis ne sont pas trop chers.
– Un hypermarché *Carrefour* se trouve en face de la gare routière. On y trouve aussi un distributeur de billets.
➢ Plusieurs départs quotidiens pour ***El Calafate,*** notamment avec *El Pingüino (☎ 44-21-69), Marga (☎ 44-26-71)* et *Taqsa (☎ 44-21-94).* Trajet : 4h.
➢ ***Punta Arenas :*** départs tlj avec *Buses Ghisoni (☎ 45-70-47), Pacheco (☎ 44-27-65)* ou *El Pingüino.*
➢ ***Bariloche et Córdoba :*** avec *Andesmar (☎ 44-21-95)* et *Marga.*
➢ ***Neuquen :*** 1 bus/j. avec *Tramat (☎ 45-72-83)* et *Andesmar.*
➢ ***Ushuaia :*** 1 bus/j. avec *Tecni Austral (☎ 44-24-47)* et *Marga.* Départ vers 8h30 et 9h ; trajet : env 12-13h. Préparez-vous à 4 passages de douane où les produits frais sont confisqués par les douaniers chiliens ! N'en achetez pas avant le départ ou consommez-les avant la frontière.

En avion

✈ ***Aéroport Norberto Fernández de Río Gallegos :*** *à 5 km de la ville. ☎ 44-23-40.* C'est une escale de la ligne Buenos Aires – Ushuaia. Intéressant seulement si les vols vers El Calafate affichent complet. Dans ce cas, compter 4h de bus pour rejoindre la capitale des glaciers :
– Plusieurs agences dans l'aéroport proposent des transferts ou excursions vers El Calafate. Vente également de billets pour les lignes de bus régulières.

Adresses utiles

ℹ ***Centro de turismo :*** *au terminal de bus, ou en ville, av. Beccar, 126. ☎ 54-29-66 ou 43-69-20. • turismo.mrg.gov.ar •*
■ @ ***Téléphone, Internet :*** *nombreux locutorios en ville.*
✚ ***Hôpital régional :*** *à l'angle de 25 de Mayo et Buenos Aires. ☎ 42-54-11.*
■ ***Aerolineas Argentinas :*** *San Martín, 545. ☎ 810-222-86-527.*
■ ***Location de voitures :*** ***Avis*** *à l'aéroport (☎ 45-71-71) ; ou en ville, notamment* **Localiza** *(Sarmiento, 245 ; ☎ 43-67-17).* Il peut être intéressant de louer une voiture, selon le nombre de passagers, pour aller à El Calafate. Ce qui permet, une fois là-bas, d'éviter les tours organisés. Assez cher cependant.

Où dormir ?

Bon marché (moins de 350 $Ar / env 35 €)

🏠 ***Hotel Colonial I :*** *angle Urquiza et Rivadavia. ☎ 42-00-20 et 42-23-29. Doubles env 220 $Ar avec douches communes et 280 $Ar avec sdb ; quadruple env 450 $Ar.* Wifi. Un peu à l'extérieur du centre. C'est sans aucun doute le moins cher parmi les hôtels décents. Chambres simplissimes, calmes et très bien tenues par la charmante Iñes.

Hotel Nevada : *Zapiola, 480 ; en face de la station-service YPF. ☎ 42-59-90. Double env 320 $Ar avec sdb, sans petit déj. Parking.* Entrée pleine de plantes vertes. Chambres claires et propres, pour 2 à 4 personnes, mais accueil grisâtre, hélas. Prix toutefois intéressants pour sa catégorie, surtout à 4.

Chic (à partir de 650 $Ar / env 65 €)

Hotel Santa Cruz : *av. Presidente Kirchner, 701. ☎ 42-06-01/02. • hotelsantacruzrgl.com.ar • Double env 660 $Ar, petit déj en sus.* Hôtel 3 étoiles agréable et de bon confort. Accueil sympathique. Chambres petites mais bien équipées. Bar chaleureux et resto pour ceux qui ont la flemme de sortir. Bon rapport qualité-prix.

Où manger ?

De bon marché à prix moyens (moins de 180 $Ar / env 23 €)

Fábrica de sandwiches : *sur Zapiola ; entre Sarfield et Rivadavia. Tlj 10h-minuit.* Comptoir de sandwichs bien appétissants, préparés sous vos yeux. Il y en a même au roquefort.

Restaurante Círculo Policía : *Loqui, 73 ; entre Roca et Alcorta. ☎ 43-54-88.* Comme son nom l'indique, c'est le resto de la police, ouvert à tout le monde (sauf aux voleurs !). Repas super copieux et très bon marché. Si vous étiez membre de la police locale, ce serait encore moins cher !

Don Bartolo : *Sarmiento, 124. ☎ 42-71-97. Tlj midi et soir.* Pizzas au feu de bois (pâte bien fine, produits frais) et grillades, servies dans une salle bien aérée. Salades à confectionner soi-même. Belle ambiance.

De chic à plus chic (180-220 $Ar et plus / env 18-22 €)

La Guanacazul : *Gobernador Lista y Sarmiento ; près de l'estuaire. ☎ 44-41-14. Ouv mar-dim midi et soir.* Un ovni dans le paysage gastronomique patagon. Joli cabanon peint en bleu pétant, non loin de la promenade face à l'estuaire. Déco colorée un tantinet bohème, mais service très comme il faut. On y vient de loin et nombreux (résa conseillée) pour découvrir une cuisine locale revisitée. Produits locaux comme la truite, l'agneau, le lapin, le canard, le veau ou les langoustines, accommodés avec originalité et joliment présentés. Il y a bien une carte, mais le chef préfère vous énumérer les plats du jour établis en fonction du marché. Addition assez élevée, surtout si on se laisse tenter par un vin d'appellation. Allez, on ne va pas bouder son plaisir, car on ne trouve rien d'équivalent à 500 km à la ronde !

À voir. À faire

➢ En dehors des heures d'ouverture des musées, une petite balade digestive sur l'***avenida Costanera Almirante Brown,*** le long de l'estuaire du *río* Gallegos, pourra meubler votre étape ici.

Museo Los Pioneros : *sur Alberdi ; entre Mendoza et El Cano. ☎ 43-77-63. Près de l'office de tourisme. Tlj 10h-14h, 16h-20h. Gratuit.* Dans une charmante petite maison en bois, reconstitution d'un intérieur de pionniers, avec tout un tas d'objets anciens.

Reserva Costera urbana : réserve d'oiseaux en bordure de l'estuaire du *río* Chico, au sud de la ville. Petit centre d'infos sur les espèces aviaires qui peuplent les plages.

Laguna Azul : par la *ruta* 3, à 63 km au sud de Río Gallegos, mais seulement pour ceux qui sont motorisés (ou via une agence de Río Gallegos). On y découvre une magnifique lagune, nichée au fond d'une ancienne caldeira volcanique. Elle doit son nom à l'exceptionnelle couleur bleue de ses eaux profondes. Belles randos dans le secteur.

Ceux qui ont du temps peuvent visiter les ***estancias*** des environs, et même y résider. Certaines proposent diverses activités et des excursions à cheval. S'adresser à l'office de tourisme. La plus connue est *Monte Dinero,* près de l'immense colonie de manchots (d'octobre à avril) de Cabo Virgines, à 135 km au sud de Río Gallegos. Infos : • *montedinero.com.ar* •

EL CALAFATE

21 000 hab. IND. TÉL. : 02902

Pour le plan d'El Calafate, se reporter au cahier couleur.

À 80 km du Perito Moreno, au pied de la cordillère des Andes et au bord du lago Argentino, El Calafate est avant tout une ville-étape d'où l'on part pour visiter le parc naturel des Glaciers. Au cœur d'une pampa venteuse, son nom lui vient d'un arbuste à fleurs jaunes et baies noires (proches de la myrtille), très répandu dans la région. On en fait d'ailleurs d'excellentes confitures qu'on peut acheter en ville.
À sa fondation, en 1927, ce n'était qu'un modeste village de pionniers entouré de champs plats. El Calafate connaît un développement fulgurant grâce au tourisme. Une étape décisive a été franchie en 2001, avec la création d'un nouvel aéroport, renforcée par le goudronnage de la route menant au Perito Moreno. Les glaciers sont désormais facilement accessibles et El Calafate est la seule ville à bénéficier de cette manne touristique. Elle est horizontale, quadrillée comme toutes les villes nouvelles de Patagonie, avec des constructions basses souvent en rondins de bois. Petits restos sympas, bars et ambiance décontractés où l'on s'échange ses bons plans. Une étape agréable, quoi !
Quant au climat, il est très changeant dans cette région. Il pleut cependant trois fois moins à El Calafate qu'au glacier Perito Moreno. Gare aussi aux subites rafales de vent, fréquentes l'été et qui décoiffent sacrément ! Si la température peut atteindre une vingtaine de degrés en janvier-février, le thermomètre descend facilement sous la barre du 0 °C en hiver. S'équiper notamment d'un bon coupe-vent, d'un sur-pantalon et d'une housse de protection pour sac à dos.
Enfin, les autorités locales œuvrent depuis quelque temps pour développer le tourisme hivernal (de mai à août). Alors si le froid ne vous décourage pas ou si vous aimez les ambiances hors saison avec peu de visiteurs, sachez que les principales attractions restent ouvertes (Perito Moreno, Upsala...), ainsi qu'environ 30 % des hôtels.

Arriver – Quitter

En avion

✈ ***Aéroport*** *(hors plan couleur par D3) : à 18 km à l'est d'El Calafate.* ☎ *49-12-20.* • *aeropuertoelcalafate.com* • Une taxe d'aéroport de 38 $Ar est à payer au départ. Surbooking fréquent pour la plupart des compagnies. Si vous ne voulez pas rester en carafe à El Calafate, n'arrivez pas parmi les derniers ou bien reconfirmez votre vol 1 ou 2 jours avant. Les annulations de vol ne sont pas rares non plus ; dans ce cas, la compagnie vous héberge (et vous nourrit) à titre gracieux.

– *Liaisons avec le centre-ville :* ***shuttle*** avec la compagnie *Ves Patagonia.* ☎ *49-43-55.* • *reservas@vespatagonia.com* • *Pas de bureau en ville. Départs en fonction des vols.* Ils vous amènent et viennent vous chercher à votre hôtel. Compter 30 mn de trajet et env 50 $Ar. Possibilité de réserver son billet pour le retour dès l'arrivée. Très pro.

À partir de 3 passagers, le ***taxi*** est plus intéressant : compter 150 $Ar.

– *Liaisons avec* ***El Bolsón*** *:* 2-4 bus/j. selon saison avec *Las Lengas* (départs en fonction des vols). Vous dépose à votre hôtel. Près de 220 $Ar/pers.

➢ ***Buenos Aires et Ushuaia :*** vols directs quotidiens avec *Aerolineas Agentinas* ou *LAN.* Également 2 fois/sem avec *LADE.*

– ***Bariloche :*** vol quotidien avec *Aerolineas Argentinas,* sept-fév slt ; 1 vol/sem tte l'année avec *LADE.*

– ***Puerto Madryn et Río Gallegos :*** quelques vols avec *LADE.*

– Divers loueurs de voitures *(Alamo, Budget, Localiza, National, Hertz)* ont leur comptoir dans le hall des arrivées, mais la plupart ont un bureau en ville et viennent vous chercher si vous avez effectué une réservation.

En bus

🚌 ***Terminal de Ómnibus*** *(gare routière ; plan couleur B2) : Julio A. Roca, 1004.* Plusieurs compagnies de bus : *Cootra (☎ 49-14-44)* ; *Bus Pacheco (☎ 49-18-42)* ; *Turismo Zaahj (☎ 49-16-31)* ; *Taqsa-Marga (☎ 49-18-43)* ; *Interlagos (☎ 49-11-79)* ; *Andesmar (☎ 49-34-41)* ; *Caltur (☎ 49-18-42)* ; *Chaltén Travel (☎ 49-18-33)* ; *Sportsman (☎ 49-26-80).*

➢ ***Puerto Natales (Chili) :*** 1 bus/j. (mar, jeu et dim) le mat en été avec *Cootra* ; 3 bus/sem avec *Bus Pacheco* et *Turismo Zaahj* ; moins en hiver. Trajet : 4-5h. Changement à Puerto Natales pour le parc ***Torres del Paine.***

➢ ***Río Gallegos et Ushuaia :*** env 5 bus/j. en tout avec *Taqsa-Marga, Interlagos, Sportsman* et *Andesmar.* Trajet : env 4h. De là, correspondance pour ***Ushuaia*** (passages en douane et franchissement d'un détroit en ferry, donc horaires élastiques).

➢ ***El Chaltén :*** 2-3 bus/j. *Caltur* et *Chaltén Travel.* Également 1 bus/j. le mat avec *Taqsa-Marga.* Trajet : 3h. *Caltur* et *Chaltén Travel* vendent un package transport + nuit assez avantageux dans leur auberge de jeunesse à El Chaltén.

➢ ***Bariloche :*** 1 bus/j. avec *Taqsa-Marga* et *Chaltén Travel.* Par la *ruta* 3, trajet 38h. Par la *ruta* 40, trajet 36h (les j. impairs ; départ à 8h avec *Chaltén Travel*), 48h si vous faites un arrêt au Perito Moreno (la ville, pas le glacier).

Adresses utiles

Infos touristiques

Attention, en été, stationnement payant sur Libertador *(lun-ven 10h-13h, 17h-21h55 ; sam 15h-21h50).* Des agents avec un gilet orange fluo viennent directement vous faire payer le stationnement dans votre voiture. Un tuyau : sur certaines rues parallèles et adjacentes, c'est... gratuit !

ℹ ***Secretaría de turismo*** *(plan couleur C2) : à l'entrée de la ville, à l'intersection de Rosales et Libertador. ☎ 49-10-90 ou 49-14-66.* • *elcalafate.gov.ar* • *Tlj 8h-20h.* Bonne doc et accueil pro. Peuvent passer un coup de fil pour connaître les disponibilités des hôtels (mais ne font pas de réservation). *Annexe dans le terminal des bus, Julio A. Roca, 1004 (plan couleur B2). ☎ 49-14-76. Tlj 8h-20h.* Résa possible de chambres d'hôtels. Nombreux conseils.

■ ***Oficina de informes del Parque nacional*** *(plan couleur B2,* ***1****) : Libertador, 1302. ☎ 49-10-05.* • *losglaciares.com* • *Déc-fév, lun-ven 8h-20h, w-e 9h30-20h ; le reste de l'année 8h-19h (18h juin-juil).* Infos pratiques et halte obligatoire pour connaître l'actualité des glaciers et les possibilités de navigation.

LA PATAGONIE

Banques, change

Plusieurs distributeurs dans Libertador, la rue principale. Si vous comptez vous rendre par la suite à El Chaltén, faites le plein de liquidités pour couvrir vos dépenses, hébergement compris, le seul distributeur sur place étant souvent à court de billets.

■ ***Banco de Tierra del Fuego*** (plan couleur B2, **2**) **:** *25 de Mayo, 34. Lun-ven 10h-15h.* Distributeur de billets. Change.

■ ***Thaler Cambio*** (plan couleur B2, **3**) **:** *Libertador, 963. ☎ 49-32-45. Lun-ven 10h-14h, 18h30-20h ; sam 18h30-21h30.* Change devises et chèques de voyage.

Poste, télécommunications

✉ ***Poste*** (plan couleur B2) **:** *Libertador, 1133. Lun-ven 8h-16h ; sam 9h-13h.*

■ @ ***Téléphone*** (plan couleur B2, **4**) **:** locutorio, *Libertador, 996. Tlj 9h-22h30 ; w-e 10h-22h30.* Fait également Internet.

Transports, agences de voyages

■ ***Aerolineas Argentinas*** (plan couleur A2, **8**) **:** *Libertador, 1361. ☎ 0810-222-86-527. Lun-ven 9h30-12h30, 15h30-19h30 ; sam 10h-13h.*

■ ***LADE*** (plan couleur C2, **9**) **:** *Jean Mermoz, 160, à l'angle de Marambio. ☎ 49-12-62 ou 0810-810-52-33. Lun-ven 10h-16h.*

■ ***Location de voitures : Hertz,*** *Libertador, 1822. ☎ 49-30-33 ;* ***Avis,*** *Libertador, 1078. ☎ 49-28-77. 📱 15-63-80-48.* ***Alamo,*** *Libertador, 1341. ☎ 49-53-30.*

■ ***Agences de voyages :*** *très nombreuses sur Libertador (plan couleur A-B2).* Les prix des excursions sont quasiment les mêmes partout. Voici les principales :

- ***Caltur :*** *terminal de Ómnibus, et Libertador, 1080. ☎ 49-22-17 ou 49-13-68. ● caltur.com.ar ●* La grosse usine, mais des prix intéressants aussi...
- ***Taqsa :*** *terminal de Ómnibus, local 3. ☎ 49-18-43. ● taqsa.com.ar ●*
- ***Chaltén Travel :*** *Libertador, 1174. ☎ 49-22-12. ● chaltentravel.com ●* Plein de promos ou d'excursions pas chères, couplées avec des nuits en AJ.
- ***Hielo y Aventura*** (plan couleur B2, 3) **:** *Libertador, 935. ☎ 49-22-05. ● hieloyaventura.com ●* La seule agence habilitée pour les excursions au Perito Moreno dont les minitrekkings sur le glacier.

■ ***Excursions à cheval :***

- ***Cabalgata en Patagonia :*** *Libertador, 4315. ☎ 49-32-78. À 2,5 km env du centre-ville, en direction du parc national des Glaciers.* Sorties à cheval de 2h à plusieurs jours, pour tous les niveaux.
- ***Cabalgatas del Glaciar :*** estancia *Lago Roca. ☎ 49-84-47. ● cabalgatasdelglaciar.com ● Résas notamment auprès de Caltur.*

Divers

■ ***Pharmacies :*** *plusieurs sur Libertador.*

🏥 ***Hôpital*** (plan couleur A2, **5**) **:** *Julio A. Roca, 1487. ☎ 49-11-73.*

■ ***Laverie*** (plan couleur B1, **6**) **: Suavecito,** *Gobernador Gregores, 1114. ☎ 49-44-32. Lun-sam 9h-13h, 16h-20h30 ; dim 10h-13h, 18h-21h.*

■ ***Supermarchés : La Anonima*** *(plan couleur B2,* ***7****), angle Libertador et Perito Moreno ; lun-dim 9h-22h.* Le mieux approvisionné du centre-ville. ***Tostadora Moderna,*** *sur Libertador, à deux pas du casino (plan couleur B2). Ouv tlj.* Tout au fond du magasin, vend des sandwichs pas chers et des *empanadas.* L'idéal pour les randos et un pique-nique lors de la visite au Perito Moreno (sur place, c'est cher).

■ ***Stations-service :*** il y en a 2 seulement, aux extrémités de la ville, sur Libertador. Grosse affluence à la fin du week-end, quand les Argentins rentrent chez eux.

Où dormir ?

Il y a l'embarras du choix à El Calafate, même s'il est conseillé de réserver à l'avance en haute saison, pendant les grandes vacances argentines, en janvier et février. Attention : lors de la Fiesta del Lago, pendant 10 jours à la mi-février, tous les hôtels sont pleins ; réserver impérativement à l'avance ! La majorité d'entre eux ferment en hiver, en général de mai à août ; passer un coup de fil est un conseil avisé.

Camping

El Ovejero (*plan couleur C2*, **20**) **:** *José Pantín, 64. ☎ 49-34-22. • campingelovejero.com.ar • Le long de la rivière, à l'entrée de la ville. Fermé avr-sept. Nuitée env 65 $Ar/pers ; 30 $Ar pour la voiture. Dortoirs 5-6 lits env 120 $Ar/pers, petit déj compris ; également quelques doubles.* Un camping ombragé pouvant accueillir tentes, caravanes et camping-cars. Tables de pique-nique et barbecue (pour les emplacements les plus chers). Eau chaude 24h/24, mais sanitaires vieillissants. En outre, bondé et potentiellement bruyant en été. Comporte également une partie *hostel* avec des dortoirs sommaires. Resto-bar avec *parrilla libre* le soir, musique et danses folkloriques le samedi, olé !

De bon marché à prix moyens (moins de 650 $Ar / env 65 €)

Pas de mystère, pour dormir bon marché à El Calafate, il faut partager sa chambre avec ses compagnons de route. Seuls les dortoirs restent bon marché. Les chambres doubles, même dans les auberges de jeunesse *(hostales)*, font tout de suite basculer les prix dans la catégorie « Prix moyens ».

Hostel I Keu Ken (*plan couleur B3*, **21**) **:** *Pontoriero, 171. ☎ 49-51-75. • patagoniaikeuken.com.ar • À flanc de colline. Fermé juin-août. Selon saison, nuit en dortoir de 4 pers env 100-130 $Ar ; doubles avec sdb env 350-450 $Ar. Petit déj inclus.* Une AJ intime de 32 lits à peine, à l'ambiance conviviale. Salon à la belle patine, avec ses canapés face à la baie vitrée, tournés vers le lac au loin. Bonne ambiance musicale, décontractée. Jardin de plantes médicinales et équipement pour faire un barbecue. Cuisine équipée, laverie. Bons plans d'excursions au meilleur prix.

Albergue Lago Argentino (*plan couleur B2*, **22**) **:** *Campaña del Desierto, 1061. ☎ 49-14-23. • interpatagonia.com/lagoargentino • À 150 m de la station de bus. Fermé juin-juil. Selon saison, nuit en dortoir de 3-4 pers env 80-100 $Ar ; doubles avec ou sans sdb 250-550 $Ar.* Une petite auberge de jeunesse privée, toute simple. Dortoirs de 4 lits vraiment exigus et qui font un peu cellule, mais bien tenus. Sanitaires communs. Cuisine, barbecue et consigne à disposition. Possibilité de laver son linge. Les chambres doubles se trouvent dans les petites maisons en brique rouge situées de l'autre côté de la rue. Et là, c'est carrément plus sympa ! Chambres colorées et coquettes avec *baño privado* reparties autour d'un jardin super fleuri et tranquille. Plus chères que les dortoirs, certes, mais elles valent vraiment la différence de prix.

Hostel del Glaciar Pioneros (*plan couleur C3*, **23**) **:** *Los Pioneros, 251. ☎ 49-12-43. • glaciar.com • Ouv oct-fév. Dortoir 4 lits env 105 $Ar/pers ; doubles env 385-450 $Ar avec sdb. Petit déj inclus. Affilié à HI (réduc pour les membres).* C'est le point de chute de beaucoup de montagnards et de randonneurs, même si l'auberge est un peu loin du centre et commence à dater un petit peu. L'ensemble est bien tenu. Cuisine équipée et laverie. Leur agence, *Patagonia Backpackers*, organise toutes les excursions.

Las Cabañitas (*plan couleur A2*, **24**) **:** *Valentin Feilberg, 218. ☎ 49-11-18. • lascabanitascalafate.com • Fermé en juin. Selon saison, doubles env 400-450 $Ar, petit déj inclus.* Une poignée de cabanes au fond d'un jardin parfumé par des bouquets de lavande à la belle saison. Pas bien spacieuses, un peu serrées les unes contre les autres, mais elles sont en bois et pleines de charme. On peut même y loger à 4 (grand lit en mezzanine et lit superposé au rez-de-chaussée) ! Idéal en famille ou entre amis. Micro-ondes pour le petit déj (le patron fournit les cookies). Cuisine à dispo, avec thé et café en libre-service.

Laverie. Également des chambres dans la maison, mais on n'a pas été conquis. Très bon accueil de Gerardo et de son papa.

Hostel America del Sur *(plan couleur C1,* ***25****) : Puerto Deseado, 153. ☎ 49-35-25. • americahostel.com.ar • Ouv tte l'année. Selon période, dortoir 4 lits 120-140 $Ar/pers. Doubles env 320-450 $Ar avec sdb commune ou privée. Petit déj compris.* Sur une colline dominant la ville, une grande auberge de jeunesse propre et lumineuse, avec vue sur le lago Argentino et la ville. Dortoirs mixtes avec draps fournis. Quelques chambres doubles privées. Laverie, cuisine collective. Transport assuré depuis et vers la station de bus. Bonne adresse et accueil souriant.

Hostel del Glaciar Libertador *(plan couleur C2,* ***26****) : Libertador, 587. ☎ 49-24-92. • glaciar.com • Fermé mai-juin. Lits en dortoir 150-190 $Ar/pers selon saison ; doubles avec sdb env 410-545 $Ar. Petit déj inclus. Réduc avec la carte* Hostelling International. Joli chalet en bois à l'entrée d'El Calafate. Une auberge récente qui n'a rien à envier aux hôtels de catégorie supérieure. Les chambres, très fonctionnelles, sont réparties autour d'une cour intérieure. Très bonnes prestations et excellent confort. *Lockers*, chauffage par le sol, cuisine équipée et agréable salon commun à l'étage. Même gestion que l'*hostel* précédent, ils ont aussi en commun l'agence de voyages.

Che Lagarto Hostel *(plan couleur B1,* ***27****) : 25 de Mayo, 311. ☎ 49-66-70. • chelagarto.com • Fermé mai-sept. Selon saison, dortoirs 4-8 lits 80-130 $Ar/pers avec sdb ; doubles avec sdb env 350-550 $Ar (un peu chères en saison...). Petit déj inclus.* Dans une grande bâtisse moderne en bois et parpaings (laissés bruts à l'extérieur). Le bâtiment a été construit dans un esprit moderne, un poil design. Cuisine équipée. Bar-snack. Billard. Ambiance sympa et joviale, grande cheminée dans le patio central où l'on se retrouve entre *mochileros*. Mais les volumes sont importants et l'acoustique n'est pas top, du coup, ça peut être bruyant.

Los Dos Pinos *(plan couleur B1,* ***28****) : 9 de Julio, 358. ☎ 49-12-71. • losdospinos.com • Fermé de fin mars à mi-oct. Camping env 50 $Ar/pers, lits en dortoir 80-110 $Ar/pers selon saison ; doubles avec sdb 400-450 $Ar, petit déj inclus. Également des cabañas avec cuisine équipée 4-7 pers. (payant).* Un complexe familial au calme, qui propose une large gamme d'hébergements à portée de différentes bourses. Si le camping manque un peu d'espace, les chambres sont d'un confort et d'une tenue convenable, même si la déco n'est pas guillerette. Cuisine, laverie, eau chaude à dispo pour le *mate* ! Peuvent venir vous chercher au terminal des bus. Organisent des excursions. Accueil souriant. Un bon rapport prix-qualité.

Chic (650-1 000 $Ar / env 65-100 €)

À noter : dans cette catégorie et la suivante, la majorité des prix sont en fait exprimés en dollars.

Hostería Cauquenes de Nimez *(hors plan couleur par B1,* ***29****) : à env 800 m du centre et à 200 m du lac Nimez. ☎ 49-23-06. • cauquenesdenimez.com.ar • De Libertador, prendre Ezechiel Bustillo vers le nord ; au rond-point, suivre Leandro N. Alem ; au bout, prendre la rue sur la gauche, puis 2e à droite, vers le lac. Fermé de mi-avr à début sept. Doubles env 90-130 US$ selon saison, petit déj inclus.* Dans une maison en bois peinte en rouge, une vingtaine de chambres douillettes (quelques-unes avec TV), pas bien grandes dans le bâtiment principal, plus spacieuses dans la nouvelle annexe. Et quelle vue depuis celles situées à l'étage ! Vous voici en face de la réserve écologique d'El Calafate, avec pour voisins de chambrée des... flamants roses ! Belle déco soignée qui met en valeur des objets d'autrefois comme cet ancien banc d'écolier ou cette lourde cuisinière. Possibilité de dîner sur place (sur réservation, menu fixe). Le goût et le charme sont au rendez-vous. Accueil gentil. Très romantique. Une de nos adresses préférées.

Hostería Roble Sur *(plan couleur D3,* ***30****) : Glaciar Río Tunel, 210, Villa Parque ; dans le quartier de Los Glaciares.* ☎ *49-55-59. • roblesur.com.ar • Selon saison, doubles avec sdb env 85-130 US$, petit déj compris.* À 10 mn du centre, dans un quartier en hauteur qui se développe petit à petit. Construction moderne avec tour panoramique et vue sur le lac. Confortable bar-salon TV avec belle cheminée de grosses pierres. Une petite dizaine de chambres spacieuses et 1 suite avec jacuzzi décorées dans le style Alpes autrichiennes. Une impression de confort douillet qui donne envie de traîner sous la couette. Petit déj avec confitures maison. Fait resto pour les hôtes. Accueil fort aimable. Une adresse de charme et de goût.

Hostería Rukahué *(plan couleur D3,* ***31****) : Glaciar Murallón, 77, Villa Parque, Los Glaciares.* ☎ *49-39-64. Ouv tte l'année. Doubles avec sdb 100-120 US$, petit déj inclus.* Les 9 chambres tout en boiseries se répartissent de chaque côté d'un couloir traversant le rez-de-chaussée. Déco plaisante et soignée. Ambiance familiale. On prend le petit déj dans une vaste salle où crépitent les bûches et on s'isole dans un espace-jeux-TV en mezzanine. Service de restauration. Accueil aux petits soins.

Miyazato Inn *(hors plan couleur par B1,* ***32****) : Egidio Feruglio, 150 ; dans le quartier de Las Chacras, non loin de la Laguna Nimez.* ☎ *49-19-53. Ouv tte l'année. Doubles env 90-120 US$ selon saison, petit déj inclus.* Dans une maison de quartier en brique, un *B & B* de 5 chambres tenu par un couple charmant. On voit à la déco l'influence japonaise, alliant simplicité et harmonie. Salon lumineux et plaisant pour se poser. Gentillesse et disponibilité sont le credo permanent de vos hôtes, qui se mettront en quatre pour rendre votre séjour agréable.

Kau Kaleshen *(plan couleur B1,* ***33****) : Gobernador Gregores, 1256, entre Bustillo et 25 de Mayo.* ☎ *49-11-88. • losglaciares.com/kaukaleshen • Fermé en juin. Selon saison, doubles avec sdb env 85-130 US$, petit déj compris.* Très bien situé, à 200 m de Libertador mais au calme. L'hôtel porte bien son nom, qui signifie « maison du soleil levant » en tehuelche. Dans un petit jardin très agréable, des chambres coquettes aux briques apparentes, aux teintes ocres et jolis meubles, mais pas bien grandes. Petit déj un peu riquiqui, servi dans la *casa de té* où sont exposés des objets d'artisanat indien. Atmosphère intime et personnel avenant. Resto le soir.

Plus chic (1 000-1 400 $Ar / env 100-140 €)

Madre Tierra *(plan couleur B1,* ***34****) : 9 de Julio, 239.* ☎ *49-88-80. 15-45-94-50. • madretierrapatagonia.com • Double env 130 US$, petit déj inclus.* C'est un jeune couple aimable et serviable qui tient ce boutique-hôtel récent. L'établissement est de taille modeste puisqu'il ne compte que 6 chambres, au rez-de-chaussée. L'ameublement provient d'*hosterías* de la région : tous les meubles (sauf les lits), anciens, retapés ou détournés, sont à vendre ! On aimerait juste un peu plus d'espace dans les chambres. Autre détail, dommage qu'il n'y ait ni jardin, ni de vrai salon pour se poser.

Cabañas Nevis *(plan couleur A2,* ***35****) : Libertador, 1696.* ☎ *49-31-80. • cabanasnevis.com.ar • Selon saison, compter 130-160 US$ pour 4-5 pers ; 170-230 US$ pour 7-8 pers.* Dans un grand espace, une douzaine de beaux et spacieux bungalows en bois, bien tenus. Les plus grands peuvent accueillir jusqu'à 8 personnes (2 chambres). TV, cuisine et barbecue. Intéressera les familles et groupes d'amis. Très bon accueil.

Sierra Nevada Hotel *(plan couleur A2,* ***36****) : Libertador, 1888.* ☎ *49-31-29. • sierranevada.com.ar • Selon saison, doubles env 110-150 US$ selon saison, petit déj compris. Parking.* Bâtiment ouvrant sur une grande pelouse, abritant une quarantaine de chambres claires, spacieuses, confortables mais sans originalité particulière. La plupart d'entre elles ont un balcon et donnent sur le lac. L'établissement manque d'une petite touche de personnalité et joue dans un registre très classique. Le salon, quant à lui, est aéré et accueillant, avec une vue superbe. Prêt de vélos.

La Cantera *(plan couleur B3, **37**) : calle 306, 173. ☎ 49-59-98. • hotellacantera.com • À 700 m du centre, sur les hauteurs. Fermé mai-juil. Doubles env 130-160 US$ hors taxes, selon saison et vue (sur la montagne ou le lac). Excellent petit déj gourmet inclus et transfert depuis l'aéroport.* Installés en terrasses, plusieurs chalets coquets en bois, arrangés avec goût, déclinant le symbole des ceintures des *gauchos,* la Guarda Pampa. Une vingtaine de chambres à la déco chaleureuse, avec DVD et écran plat. Du balcon, vue imprenable sur la ville et le lac. Ambiance intime et conviviale au bar. Possibilité d'y dîner sur résa (peu de tables). Une belle adresse, à l'architecture originale, malheureusement un peu loin du centre. Accueil exquis. Au resto, cuisine de chef sachant vraiment cuisiner !

Beaucoup plus chic (à partir de 300 US$)

Hotel Posada Los Alamos *(plan couleur B1, **38**) : angle Gobernador Moyano et Bustillo. ☎ 49-11-44. • posadalosalamos.com • Double env 350 US$ en hte saison ; ½ tarif juin-juil.* L'hôtel 5 étoiles de la ville, le plus ancien et le plus central. Architecture locale (bois et brique), avec 150 chambres somptueuses et douillettes à souhait. En face, au milieu d'une pelouse verdoyante (normal, c'est le golf de l'hôtel, et les clubs vous seront prêtés, ouf !), le spa propose piscine, sauna, soins, salle de sport, billard et bar pour se remettre... En face, le resto de l'hôtel, *La Posta,* ouvert seulement le soir (dès 19h), a une excellente réputation mais reste cher, ça va de soi. La grande classe.

Où manger ?

L'avenue Libertador concentre toutes les activités commerciales de la ville ; les restaurants aussi. Mais pour être franc, on a préféré ceux situés un peu à l'écart. N'oubliez pas de goûter au *cordero a la parrilla* (agneau grillé), spécialité locale, et pour les grosses faims, aux *parrillas tenedor libre.* Attention, certains restaurateurs, histoire de vous appâter, présentent une carte des prix de basse saison mais vous facturent les plats au tarif haute saison... Soyez vigilant.

Bon marché (80-120 $Ar / env 8-12 €)

Viva la Pepa *(plan couleur B2, **50**) : Emilio Abado, 833. ☎ 49-18-80. Tlj 10h-minuit. Fermé en juin.* Des crêpes comme s'il en pleuvait ! Dans une jolie salle très colorée à la déco fraîche et amusante. Également un petit jardin appréciable en été. Une quarantaine de crêpes salées, pas mauvaises du tout, au poulet, au jambon et même au roquefort (entre autres). Propose aussi salades, pizzas, soupes et sandwichs. La crêpe au *dulce de leche* est diaboliquement délicieuse. Donne sur une petite place, avec la statue de Perito Moreno. Service gentil.

Estilo Campo *(plan couleur B1, **51**) : angle Gobernador Gregores et 9 de Julio. ☎ 49-24-40. Tlj 12h-15h30, 19h30-minuit.* On ne vient surtout pas pour le décor digne d'une banale cafétéria, mais pour le grand buffet chinois et argentin à volonté, où on ne fait pas vache maigre... Évidemment, on fait un peu la queue devant l'*asador* aux heures de pointe, mais le rapport qualité-prix est bon, avec des légumes en quantité. En revanche, les desserts ne valent pas tripette.

Cambalache *(plan couleur B1, **52**) : Gobernador Moyano, 1258. ☎ 49-26-03. Tlj 12h-minuit.* Happy hours *tlj 17h-19h.* Sympathique restaurant aux murs colorés tenu par une jeune équipe. L'atmosphère est conviviale. Principalement des viandes et des pizzas. Un plat, et on est repu ! Propose également des menus avec plat, dessert et boisson à prix intéressants. Quelques tables dans un jardin à l'arrière ou en terrasse au bord de la rue. Une adresse plaisante, pas chère et généralement efficace. Service parfois un peu longuet.

Prix moyens (jusqu'à 180 $Ar / env 18 €)

🍴 ***Pura Vida*** *(plan couleur A2,* ***53****)* **:** *Libertador, 1876 ; à la sortie de la ville. ☎ 49-33-56. Ts les midis sf mer 19h30-23h30. Fermé en hiver.* Une adresse revigorante avec sa façade vert anis et mauve, ses lampions colorés, ses rideaux et ses différents niveaux. En salle, une équipe jeune et dynamique. À la carte, une cuisine copieuse, comme cette *carbonada en calabaza,* un potiron généreusement garni, qu'on sauce gloutonnement avec le délicieux pain maison. Pas mal de plats végétariens avec céréales complètes. Très copieux. Mais aussi une très bonne viande d'agneau et de nombreux plats cuits à l'étouffée. La carte des desserts est rédigée dans le vocabulaire amoureux... Le tout dans une ambiance musicale propice aux doux tête-à-tête. Une de nos meilleures adresses en ville.

🍴 ***Mi Rancho*** *(plan couleur B1,* ***54****)* **:** *angle Moyano et 9 de Julio. ☎ 49-05-40. Fermé juin-juil. Tlj sf dim 19h-23h30. Mieux vaut réserver. Dans la partie supérieure de la fourchette.* Cette réjouissante maisonnette en brique flanquée d'une pelouse, d'un pommier et d'un bouquet de lavande, date de 1944. Elle figure parmi les premières habitations de la ville. À l'intérieur, les 3 salles de taille modeste contribuent au charme et à l'intimité du lieu. La cuisine tient toutes ses promesses. Bien entendu, la carte propose pâtes et pizzas, comme presque partout. Mais laissez-vous plutôt tenter par une viande ou par la *trucha,* préparée de manière appliquée. Copieux et goûteux. Quant aux vins, la sélection est très réussie. Bon accueil.

🍴 ***Ricks*** *(plan couleur B2,* ***55****)* **:** *Libertador, 1091. ☎ 49-21-48.* Resto spécialisé dans la bidoche ! Beaucoup de tables et de monde le soir. Les carnassiers ne manqueront pas de s'empiffrer au buffet de viandes à volonté. Mais on sert aussi de la truite.

🍴 ***La Cocina*** *(plan couleur B2,* ***56****)* **:** *Libertador, 1245. ☎ 49-17-58. Tlj 12h-15h, 18h30-minuit.* Salle au cadre plaisant, orné d'ustensiles de cuisine. La spécialité de la maison, ce sont les pâtes, à accompagner d'une sauce au choix. On sert aussi de bonnes soupes, salades, risottos, pizzas et pièces de viande. Ne vous attendez pas à de la grande gastronomie, mais c'est plus que correct et puis, ça change... Service efficace et agréable.

De chic à plus chic (180-220 $Ar et plus / env 18-22 €)

🍴 ***El Cucharón*** *(plan couleur B1,* ***57****)* **:** *9 de Julio, 145. ☎ 49-53-15. Tlj sf dim 12h30-14h30, 19h-23h30. Dans la partie supérieure de la fourchette. Résa conseillée.* Salle sous charpente de bois, plutôt banale. Ne pas se fier au libellé convenu des plats de la carte, le secret est dans la qualité des produits et le savoir-faire du chef. Par exemple, cet *ahumado de lomo* (bœuf fumé) se révèle être la quintessence en matière de préparation de viande de bœuf. La truite sauce citron et légumes grillés remporte aussi pas mal de suffrages. Au dessert, le *semi-freddo* à la lavande ponctuera avec bonheur ce bon moment culinaire. Une cuisine savoureuse avec une pointe d'originalité. Service attentif. Une adresse courue.

🍴 ***La Tablita*** *(plan couleur C2,* ***58****)* **:** *Coronel Rosales, 28. ☎ 49-10-65. À l'entrée de la ville, en face de l'office de tourisme. Tlj 12h-15h30, 19h-minuit.* Dans une grande salle élégante avec ses tables recouvertes de nappes blanches, voilà l'un des meilleurs restos de la ville pour sa *parrilla asador,* archicopieuse. Les viandes fondantes à souhait cuisent au feu de bois. Agneau grillé *(cordero)* excellent. Et ça fait quelques années que ça dure...

Don Pichón *(plan couleur C1, **59**) : Puerto Deseado, 242. ☎ 45-29-77. Tlj sf lun 19h-minuit. Navette gratuite possible de et vers votre hôtel.* Sur la colline qui surplombe le lac, deux bonnes raisons pour recommander ce resto-grill : la vue et la viande, mais sur ce dernier point, ce n'est pas une surprise, on est bien en Argentine ! Salle pseudo-rustique avec large véranda panoramique pour se perdre dans le bleu du lago Argentino avec les montagnes en toile de fond. La viande préparée ici se hisse à la hauteur de la situation, l'*asador* sous vitrage donne d'ailleurs le ton dès l'entrée. N'hésitez pas à commander la *parrillada* pour 2, qui rassasiera 4 personnes, ou le *cordero patagónico,* le must de la carte. Excellente bière artisanale pour changer du vin rouge. Service souriant.

Où s'offrir une pâtisserie ou une glace ? Où acheter de bons chocolats ?

Panadería Don Luís *(plan couleur B1, **34**) : 9 de Julio, 265. ☎ 49-15-50. Tlj 7h-21h30.* L'une des boulangeries-pâtisseries les plus réputées d'El Calafate. Nombreux biscuits (*criollitos de Grasa, bizcochitos, chipacitos,* etc.), *croissantes* et autres viennoiseries... Délicieux ! Quelques tables pour se poser. Un bon plan aussi pour le petit déjeuner.

Ovejitas de la Patagonia *(plan couleur B2, **56**) : Libertador, 1197 ; en face de 25 de Mayo. ☎ 42-28-24. Tlj 10h-1h du mat.* Des glaces bien crémeuses aux parfums enchanteurs. La *dulce de leche con nuez* est à se damner...

Casa Guerrero *(plan couleur B2, **70**) : Libertador, 1249. ☎ 49-12-11. Tlj sf dim 9h30-13h, 16h-20h30.* Au fond de la boutique, on peut observer le travail de fabrication du chocolat et des délicieux *alfajores,* qui n'ont rien d'étouffant ici.

Dulce Lugar *(plan couleur B2, **7**) : Libertador, 960. ☎ 49-18-62. En été, tlj 10h-13h, 15h30-21h ; en hiver, fermé mer.* En plus des chocolats, la boutique propose de diaboliques confitures maison. Un vrai supplice !

Où boire un verre ? Où sortir ?

La Zaina *(Cafe Criollo ; plan couleur B1-2, **80**) : Gobernador Gregores, 1057. ☎ 49-67-89. Tlj sf dim 14h-20h.* On s'étonnerait à peine d'entendre hennir un cheval, tant cette ancienne écurie en tôle bleue a du caractère avec ses bottes de paille perdues sur le toit de l'entrée. La déco est celle d'une ancienne maison de campagne rustique : vaisseliers, tables en bois, lourd plancher... Un endroit charmant pour boire un thé, un verre de vin ou une bière artisanale, à accompagner d'*empanadas* ou d'une tarte aux pommes, selon l'heure, sur fond de musique tranquille. Également des jeux de société si vous vous sentez d'humeur, et des tables dans le petit jardin. Et pour ne rien gâter, accueil charmant.

Borges & Alvarez Librobar *(plan couleur B2, **81**) : Libertador, 1015. ☎ 49-14-64. Au 1er étage. Tlj 10h-3h.* Un café-librairie où l'on peut prendre le temps de feuilleter des bouquins, tout en sirotant un verre, confortablement installé au fond de vénérables fauteuils. Intérieur en bois avec pas mal de patine. Bon choix de cocktails, de whiskys et, dans un autre registre, de belles cartes postales. Aussi sympa en journée qu'en soirée, on peut aussi y manger un morceau.

Pub La Toldería *(plan couleur B2, **82**) : Libertador, 1177. ☎ 49-14-43. Tlj sf lun 16h-5h. Entrée gratuite.* Bar de nuit musical. On y passe un peu de tout (latino, pop, électro, cumbia...). L'animation commence après 1h, et l'arrière-salle se transforme même en boîte de nuit. Noir de monde les nuits de fin de semaine. Possibilité d'y casser la croûte avec des pizzas, des *milanesas* ou des sandwichs.

🍸 🎵 ♫ ***Don Diego de la Noche*** *(plan couleur A2,* ***83****)* **:** *av. Libertador, 1603. ☎ 49-32-70. Tlj sf mar-mer 18h-6h env. Entrée gratuite.* L'autre bar de nuit d'El Calafate ! Musique dans la même veine, un peu plus d'espace et clientèle un peu plus jeune. Là encore, on peut y caler une faim avec des *picadas,* pizzas ou sandwichs. Parfois des concerts. Le week-end, à une heure avancée de la nuit, on y guinche.

À voir. À faire à El Calafate et dans les proches environs

Museo del Hielo patagónico *(***Glaciarium*** ; hors plan couleur par A2)* **:** *à 5 km du centre-ville, en direction du parc national des Glaciers, sur une colline. Depuis El Calafate, bus payant qui part ttes les heures du parking de l'angle Libertador et 1ro de Mayo (plan couleur B2). ☎ 49-79-12. • glaciarium.com • Oct-avr tlj 9h-20h ; le reste de l'année, tlj 11h-19h. Entrée : env 140 $Ar ; réduc.*
L'architecture du musée, bien visible depuis la *ruta* 11, rappelle les moraines des glaciers. Sur 60 000 m², il abrite trois pavillons, un auditorium et un café de glace, avec une vue splendide sur le lago Argentino. On vous conseille de le visiter avant de partir vers le parc des glaciers, histoire d'engranger quelques infos intéressantes sur la formation des glaciers andins.
Le complexe muséal se veut un centre d'information et d'interprétation des glaciers de Patagonie. Spectaculaires photos des innombrables formes générées par la glace. Tout au long de la visite, ce thème est un fil conducteur qui permet d'aborder des sujets plus vastes et plus complexes liés à la préservation de l'environnement terrestre. Grâce aux calottes de glace extraites du *permafrost* en Antarctique, on découvre que notre bonne vieille Terre a vécu des milliers de cycles climatiques où réchauffement et glaciation ont toujours alterné. On découvre aussi la personnalité de Francisco Pascasio Moreno (Perito pour les intimes), ce naturaliste géographe et héros de l'Argentine, qui contribua à fixer la ligne des frontières entre le Chili et l'Argentine.
Vous assisterez, comme en direct, au reportage de la dernière et spectaculaire rupture de l'arche (en 2008) reliant l'extrémité du Perito Moreno et l'île en face. Pour terminer, un montage audiovisuel assez effrayant, intitulé « Il est moins cinq », véritable plaidoyer écologique pour nous faire comprendre, pour ceux qui en douteraient encore, à quel point l'activité humaine est le facteur majeur de la dégradation de notre environnement et, par conséquent, du réchauffement climatique.

UN PAPE GLACIER !

Dans le massif des Andes australes, un glacier porte le nom du pape Pie XI (élu en 1922). En fait, on doit ce nom de baptême inhabituel à l'hommage rendu à ce pape passionné d'alpinisme dans sa jeunesse. Au moins, là, il s'éloignait des fournaises de l'enfer.

À la fois technique et grand public, l'expo se veut ludique et interactive. Outre l'exposition permanente, l'espace culturel abrite des expositions temporaires d'art, notamment de photographie. L'auditorium, quant à lui, projette des films en 3D et devrait accueillir un festival du film. Pour finir, on peut prendre un verre au *Glaciobar,* un bar en glace et dans lequel il fait – 10 °C ! Mais entrée chère *(près de 120 $Ar !).*

Centro de Interpretación histórica *(plan couleur B1)* **:** *Almirante Brown, 1050 ; angle Bonarelli. ☎ 49-27-99. • museocalafate.com.ar • Sept-avr, tlj, 10h-20h ; mai-août, tlj sf mar, 10h-17h. Entrée : env 50 $Ar ; réduc. Brochure détaillée en français.* Ce petit musée retrace l'évolution géologique et anthropologique de la Patagonie depuis 14 000 ans. Un vaste programme ! Divers panneaux assez denses suivent une frise chronologique. Tout commence par une section paléontologie avec squelettes impressionnants de dinosaures, comme cet *austroraptor* sorti tout droit de *Jurassic Park*. Ensuite, place à la vie rupestre, aux indiens de Patagonie, aux pionniers, etc. jusqu'à l'économie des années 2000.

Museo « 100 años jugando » *(musée du Jouet ; plan couleur B2)* **:** *Libertador, 975. ☎ 49-14-00. • museoargentinodeljuguete.com • En été, tlj 10h-22h ; le reste de l'année, 10h-13h, 17h-21h. Entrée : env 100 $Ar ; gratuit moins de 8 ans. Photos interdites.* Ce musée rassemble une imposante collection de jouets (14 322 exactement !) en provenance du monde entier. Pour tous les nostalgiques de leur enfance ou celle de leurs arrière-grands-parents, puisque les pièces les plus anciennes datent de la fin du XIXe s. Également une petit expo qui rend hommage à Eva Perón, épouse du président Juan Perón et véritable icône en Argentine.

Reserva ecológica municipal Laguna Nimez *(hors plan couleur par B1)* **:** *réserve d'oiseaux proche du lago Argentino, à 800 m du village. De Libertador, prendre Ezechiel Bustillo vers le nord ; au rond-point, suivre Leandro N. Alem ; tt au bout, tourner à droite, puis 1re à gauche. ☎ 49-55-36. Tlj 9h-19h (9h30-18h30 en automne-hiver). Entrée : env 30-50 $Ar ; gratuit moins de 14 ans.* On peut faire le tour du lac en 1h30. Si vous êtes chanceux, pas mal de flamants roses (entre autres). On peut louer des jumelles sur place.

Punta Walichu *(grottes de Gualicho)* **:** *à 7 km au nord-est d'El Calafate, juste avt l'aéroport. Accès par ses propres moyens (éviter le vélo, ça grimpe raide !) ou passer par une agence. Entrée : env 80 $Ar ; ½ tarif moins de 12 ans. Compter 2h de visite guidée.* Grottes célèbres pour leurs peintures rupestres de plus de 10 000 ans représentant personnages et animaux, laissées par les Indiens tehuelche. Ces fresques se situent dans des cavernes à l'air libre, juste au bord du lago Argentino. Au soleil couchant (un jour ensoleillé, bien sûr), la lumière donne directement sur les peintures et en magnifie la beauté.

Fête

– ***Fiesta del bautismo del Lago* :** *10 j., mi-fév. • fiestadellago.com •* Chaque année, on fête le lago Argentino. Pour l'occasion, raids nautiques, concerts gratuits et *asado popular* où l'on fait rôtir 200 moutons, à partager et à arroser, bien évidemment !

LE PARC NATIONAL DES GLACIERS

Bien indiqué, à 50 km d'El Calafate. Créé en 1937, le parc national a été inscrit au Patrimoine mondial de l'Unesco en 1981. S'étendant sur 350 km du nord au sud et large de 50 km, il couvre une superficie de 600 000 ha et englobe deux grands lacs : au nord, le *lago Viedma* et au sud, le *lago Argentino,* qui est le troisième d'Amérique du Sud et le premier d'Argentine par sa superficie (1 560 km²).
Tous ces glaciers (Perito Moreno, Upsala, Viedma...) ne sont que les terminaisons du gigantesque *Hielos Continentales,* un immense glacier de 500 km de long, à cheval entre Argentine et Chili. D'ailleurs, la ligne frontière fait l'objet de querelles incessantes entre les deux pays.
Les eaux du lago Argentino sont d'un bleu laiteux inoubliable que les Argentins appellent, par comparaison gastronomique, le *dulce de glaciar.* En effet,

la glace qui constitue les glaciers est tellement dense et vieille qu'elle a une couleur bleu turquoise. En fondant, elle donne cette jolie coloration à l'eau (avec l'aide d'une grosse dose de sédiments). En parcourant ses rives, on a l'impression d'être dans un monde surréaliste car la plupart des arbres sont morts, n'ayant pu résister aux inondations successives provoquées par les glaciers. Il est possible de pêcher la truite et le saumon, à condition de demander l'autorisation aux gardes, à l'entrée.

Comment y aller ?

L'entrée du parc se trouve à 50 km à l'ouest d'El Calafate, mais il faut faire encore 28 km pour arriver au bout de la route, face au glacier. À 32 km d'El Calafate, la route qui bifurque à droite mène à Punta Bandera (embarcadère pour le glacier Upsala).

➢ ***En bus :*** la solution la plus économique pour ceux qui ne sont pas véhiculés. Bus depuis la gare routière d'El Calafate : 2 bus/j. avec *Caltur,* 8h et 13h ; 1 départ/j. vers 8h avec *Chaltén Travel* et *Taqsa ;* 1 départ/j. à 9h30 avec *RP Transporte.* Prix : env 200 $Ar (un peu plus cher avec *RP Transporte* et *El Chaltén Travel*), entrée du parc non incluse. Trajet : 1h15. Les bus s'arrêtent d'abord à l'embarcadère « Bajo de las Sombras » (pour ceux qui veulent faire le *Safari Náutico,* voir plus loin), puis déposent les passagers au parking des passerelles *(superior estacionamento).* Ils repartent entre 14h30 et 19h30.

➢ ***Avec une agence :*** on peut acheter une excursion dans une auberge de jeunesse, à l'hôtel ou dans l'une des innombrables agences. Trajet en bus avec un groupe, guide souvent inclus. Compter env 350 $Ar/pers (entrée du parc en sus) pour l'excursion la moins chère. Après, à peu près toutes les agences proposent les options suivantes : bateau, minitrekking... Prévoir un pique-nique avant de partir.

➢ ***En taxi :*** à partir de 650 $Ar pour louer un taxi pour la journée. Forfait à négocier avec le chauffeur. Avantage : on peut se regrouper (jusqu'à 4 personnes).

Infos utiles

– ***Entrée au parc :*** *ouv tlj 8h-19h. Tarif : 215 $Ar ; gratuit moins de 16 ans. Valable 1 j.*

– Sur place, on trouve un resto au stationnement inférieur, mais aussi une cafét en self-service au parking supérieur. Ce n'est pas donné. Mieux vaut apporter son pique-nique.

Où dormir ? Où manger ?

Trois endroits rêvés près du lago Roca, pour ceux qui ont soif de nature et de silence (les bus en provenance d'El Calafate passent devant) ainsi qu'une adresse de charme à proximité du glacier Upsala.

Campings

⛺ ***Camping El Huala*** *(plan Le parc national des Glaciers) **:** à 50 km d'El Calafate. Au bord du lac Roca. Gratuit.* Il n'y a rien si ce n'est la force et toute la beauté d'une nature sauvage. On plante au sein de petits espaces parmi les bosquets. Pas de sanitaires, camping-gaz autorisé. Silence et solitude totale.

⛺ 🏠 🍴 ***Camping Lago Roca*** *(plan Le parc national des Glaciers) **:** à 51 km d'El Calafate. ☎ (02902) 49-95-00. • losglaciares.com/campinglagoroca • Au bord du lac Roca. Ouv de nov à Pâques. Compter 80 $Ar/adulte. Cabanes avec sanitaires communs env 350 $Ar pour 2 pers, 500 $Ar pour 4. Wifi (payant).* Camping de rêve dans un cadre privilégié. Très bien aménagé et bien équipé : électricité, resto-bar, salon commun, épicerie, ping-pong, billard, etc. Tables de pique-nique avec barbecue en pierre. Sanitaires impeccables avec eau chaude (8h-23h). Emplacements pour tentes et caravanes au sein d'une belle clairière. Éviter ceux qui sont proches du groupe électrogène (bruyant). À l'écart, également des maisonnettes pour 2 à 4 personnes, toutes avec barbecue. Organise des excursions, location de VTT et de matériel de pêche. Du camping, départ de plusieurs sentiers balisés.

Plus chic

Estancia Nibepo Aike *(plan Le parc national des Glaciers) : à env 3 km du camping* Lago Roca, *au bout de la route. Infos et résas à El Calafate : ☎ (02902) 49-27-97. • nibepoaike.com.ar • Fermé mai-sept. Compter 180-200 US$/pers selon confort en ½ pens ; 220-240 US$/pers en pens complète, activités comprises (balade à cheval). Transfert inclus depuis El Calafate.* Au milieu d'un vaste jardin, une adorable maison disposant d'une dizaine de chambres pour 2 ou 3 personnes, toutes avec douche. Décorées avec goût et très bien tenues. Parquet et meubles anciens. Salon à la disposition des hôtes et salle à manger. Grande cheminée pour les soirées fraîches dans cette campagne superbe. Beaucoup de charme.

El Galpón del Glaciar *(plan Le parc national des Glaciers) : à 22 km d'El Calafate, sur la* ruta *11 en direction du Perito Moreno. ☎ 49-77-93 ou 49-75-03. • elgalpondelglaciar.com.ar • Ouv oct-début avr. Doubles env 180-210 US$ selon saison, petit déj inclus. Package 2 nuits, env 350 US$/pers en pens complète, activités comprises. Resto accessible aux non-résidents.* Une quinzaine de chambres boisées cosy et douillettes ; seule la moitié d'entre elles bénéficie d'une vue sur le lac (mêmes tarifs). Idéal pour vivre au rythme des *gauchos,* au milieu des moutons mérinos. Le *package* comprend les repas (jolie vue du resto) et différentes activités (une vraie « prise en main » !) dont une balade à cheval, de la pêche et une sortie ornithologique. On peut aussi n'y passer que la journée ou une demi-journée et y observer les oiseaux. Soirées folkloriques, musique et danse. Très bon accueil.

À voir. À faire

LE GLACIER PERITO MORENO

C'est le clou du voyage ! À ne pas confondre avec le village ni le parc du même nom, situés à 400 km au nord ! Le glacier Perito Moreno, du nom de l'explorateur du XIXe s Francesco Moreno (qui a arpenté la Patagonie mais n'a jamais vu le glacier portant son nom), est le plus spectaculaire des glaciers andins et le plus facile d'accès. Si vous n'avez que peu de temps et ne pouvez voir tous les glaciers, c'est celui-ci qu'il faut privilégier. Véritable monstre de 14 km de longueur sur 4 km de large, il culmine à 50-60 m au-dessus du niveau du lac. Difficile d'être insensible à cette majestueuse beauté. On l'aperçoit de loin, et dès le premier tête-à-tête, il en impose ! Classé au Patrimoine mondial de l'humanité par l'Unesco, c'est l'un des glaciers les plus vivants du monde, une vraie force de la nature ! C'est d'ailleurs l'un des seuls de la région à gagner de l'espace : près de 2 m par jour !

La glace se forme en haut des montagnes, à 2 000 m d'altitude, puis descend peu à peu en épousant les reliefs des versants, ce qui explique les nombreux pics acérés et cassés qui témoignent de la vie du glacier. L'eau qui s'écoule en permanence sous la glace contribue à son déplacement.

Il grince, craque, gronde, résonne : le moindre bloc qui s'en détache sous une formidable poussée s'effondre avec fracas. Le bruit se répercute contre les

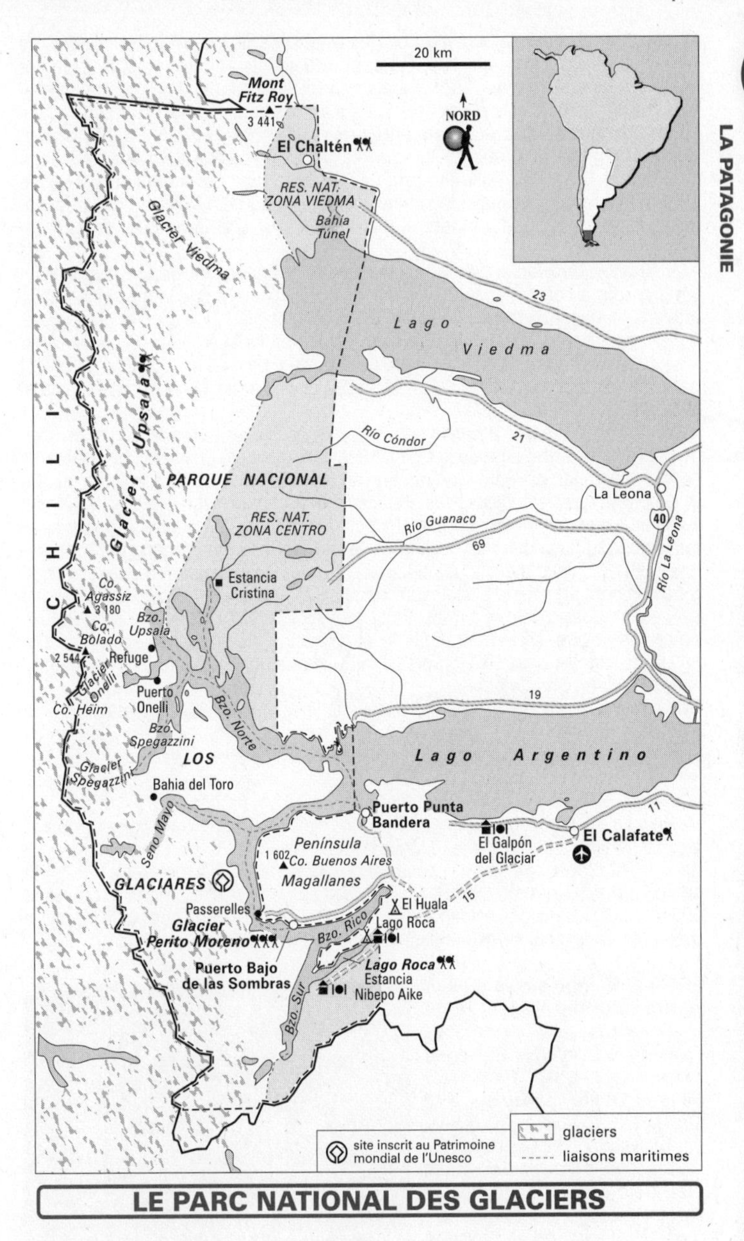
20 km
NORD
Mont Fitz Roy
3 441
El Chaltén
RES. NAT. ZONA VIEDMA
Bahia Túnel
Glacier Viedma
23
Lago Viedma
Glacier Upsala
CHILI
Río Cóndor
21
PARQUE NACIONAL
La Leona
40
Río La Leona
RES. NAT. ZONA CENTRO
Río Guanaco
69
Estancia Cristina
Co. Agassiz
3 180
Co. Bolado
Bzo. Upsala
2 544
Refuge
Glacier Onelli
Puerto Onelli
Co. Heim
Bzo. Norte
Bzo. Spegazzini
LOS
Glacier Spegazzini
19
Lago Argentino
Bahia del Toro
Puerto Punta Bandera
11
El Galpón del Glaciar
El Calafate
Seno Mayo
Península Magallanes
1 602
Co. Buenos Aires
GLACIARES
Passerelles
Glacier Perito Moreno
El Huala
15
Lago Roca
Bzo. Rico
Puerto Bajo de las Sombras
Lago Roca
Estancia Nibepo Aike
Bzo. Sur
site inscrit au Patrimoine mondial de l'Unesco
glaciers
liaisons maritimes

LE PARC NATIONAL DES GLACIERS

montagnes et résonne à l'infini. La glace tombée forme un petit iceberg qui part à la dérive, et le glacier reprend ses grincements et craquements. Lorsque le pan de glace est important, il peut, en tombant dans l'eau, provoquer un minitsunami qui recouvre alors les rives sur plusieurs dizaines de mètres. Les chutes de blocs sont plus fréquentes en fin d'après-midi, lorsque le glacier a été réchauffé par le soleil. On pourrait passer des heures à l'observer sans s'en lasser. En outre, il est très rare de voir un glacier de si près et à si basse altitude, dans un paysage de vallée boisée. Dans l'hémisphère nord (Alaska, Islande, Norvège), il faut monter à plus de 3 000 m d'altitude pour admirer un tel phénomène.

- ***La rupture du glacier :*** dans ses bonnes périodes, le glacier peut avancer de 2 m par jour au centre et de 70 cm sur les côtés. Il arrive que la masse de glace atteigne la masse rocheuse de la péninsule de Magellan face à lui, et bloque peu à peu l'écoulement de la rivière en se transformant ainsi en pont de glace. L'eau s'accumule dans le Brazo Rico, la pression devient de plus en plus intense et finit par briser cette digue naturelle dans un fracas gigantesque. Ce phénomène naturel s'appelle la « rupture ».
- ***Découvrir le glacier à pied :*** depuis la colline qui se trouve à 300 m en face du glacier (de l'autre côté de l'étroit passage où s'écoule la rivière), on a une vue surplombante sur le Perito Moreno. En voiture, on se gare au parking inférieur. De là, on prend des petites navettes gratuites (9h-18h) pour gagner le stationnement supérieur (uniquement accessible aux bus de groupes). On peut ensuite marcher facilement sur le versant en suivant un réseau parfaitement aménagé de passerelles et d'escaliers métalliques qui mènent à des belvédères et à des terrasses, d'où l'on peut admirer le glacier sans risque. Les passerelles rejoignent le parking inférieur. Impossible de se perdre. Tout est bien balisé. Ne pas oublier de s'enduire de crème solaire, son appareil photo et pourquoi pas ses jumelles, même si à 300 m du glacier, on a déjà l'impression de le toucher. Ses aspérités et ses crevasses sont fascinantes.
- ***Découvrir le glacier en bateau*** *(Safari Náutico) :* *avec* ***Hielo y Aventura*** *(voir « Adresses utiles » à El Calafate, plus haut), depuis l'embarcadère « Bajo de las Sombras », situé 7 km avt les passerelles. De déc à Pâques, 5 départs/j., 10h-15h (pas de résa ; se présenter directement au port) ; 2 départs en basse saison. Balade de 1h env. Billet : env 150 $Ar ; gratuit moins de 12 ans (transport et entrée au parc en sus).* Une autre façon de voir le glacier de près, du moins son impressionnante façade dominant comme une muraille bleutée les eaux du lac. D'en bas, le point de vue est différent, et on est au cœur de l'action quand un morceau de glace se décroche. Néanmoins, sachez que le bateau ne peut s'approcher à moins de 300 m, pour des raisons évidentes de sécurité. De plus, avec l'entrée du parc et le transport, ça finit par revenir cher...

➢ ***Minitrekking sur le glacier Perito Moreno :*** *avec* ***Hielo y Aventura*** *(voir « Adresses utiles » à El Calafate) ; là encore, c'est la seule agence habilitée. Se pratique tte l'année sf début juin-août. Compter 850 $Ar/pers (transport inclus, mais pas l'entrée du parc ; les agences d'El Calafate vendent ttes la même excursion, au même prix). Possibilité de se rendre à l'embarcadère Bajo de las Sombras avec sa propre voiture. Acheter son billet au moins la veille.* À ne pas manquer si vous avez le temps ! La balade est accessible à tous,

POURQUOI LES GLACIERS SONT-ILS BLEUS OU BLANCS ?

C'est simple (enfin presque !). Non compactée, la glace laisse filer les bulles d'air dans lesquelles pénètrent les grandes longueurs d'onde de la lumière ; la glace reste donc blanche. Dans la glace compactée, seuls les rayons bleus (les ondes courtes) passent et donnent ces teintes bleutées si spectaculaires.

même aux enfants à partir de 10 ans environ. La marche sur le glacier dure en elle-même 1h30 à 2h, mais compter une journée d'excursion. Il faut emporter son pique-nique (et sa crème solaire !).
D'abord, un petit bateau traverse le lac. On laisse son casse-croûte dans une cabane, puis on marche dans une belle forêt pour arriver au pied du glacier. Des guides expérimentés fournissent les crampons pour marcher sur la glace. Chaussures de marche conseillées, mais les baskets s'adaptent aussi aux crampons. On aperçoit les crevasses et les grottes aux reflets bleutés à l'intérieur du glacier. On note aussi qu'il est traversé par de véritables cours d'eau, avec parfois de petites chutes.

➢ ***Big Ice :*** *avec* ***Hielo y Aventura.*** *Se pratique de mi-sept à fin avr. Comme pour le minitrekking, départ depuis l'embarcadère Bajo de las Sombras. Compter env 1 200 $Ar/pers, transport inclus, sans l'entrée du parc. Durée : env 12h avec les transferts. Pique-nique sur le glacier (à emporter).* Demande une bonne condition physique. Plus technique que la balade précédente, cette excursion est aussi beaucoup plus exigeante physiquement. Chaussures adaptées indispensables (on peut en louer dans les boutiques spécialisées). Moins de monde également, ça va sans dire...

LE GLACIER UPSALA

Plus étendu que la ville de Buenos Aires, c'est l'un des plus grands glaciers de l'hémisphère sud. *Upsala* vient du nom du bateau de l'expédition suédoise de l'université d'Uppsala, qui navigua dans ces eaux au début du XXe s. Le lac fait plus de 1 000 m de profondeur à cet endroit. Le front du glacier s'élevant à environ 70 m, il y aurait donc 490 m de glace sous l'eau (la partie émergée ne représentant qu'un huitième de la hauteur totale) ! Par temps dégagé, on remarque deux zones sur le flanc des montagnes, juste au-dessus du glacier et au-dessous du mont Bertrand, l'une couverte de végétation, l'autre sans. À la différence du Perito Moreno, le glacier recule progressivement. En outre, il peut arriver qu'il ne soit pas accessible par bateau du fait des icebergs flottant sur le lac. Avant d'acheter un billet, renseignez-vous bien au bureau du parc à El Calafate.

➢ ***Balade en bateau sur le lago Argentino :*** cette excursion dure la journée entière. Elle s'effectue de septembre à avril. Il faut s'acquitter du droit d'entrée au parc *(215 $Ar).* Plusieurs compagnies de navigation la proposent :

■ ***Solo Patagonia :*** *Libertador, 867. ☎ 49-12-98. • solopatagonia.com • Compter env 500 $Ar + le transfert d'El Calafate à Punta Bandera et l'entrée du parc ; réduc moins de 16 ans ; gratuit moins de 12 ans.* Propose également une excursion qui inclut aussi le Perito Moreno.

■ ***Estancia Cristina*** *(plan Le parc national des Glaciers) : rens et résa à El Calafate, Libertador, 1033. ☎ 49-11-33. • estanciacristina.com • Fermé de mi-avr à mi-oct. Compter 800-1 400 $Ar selon l'excursion + l'entrée du parc, le transport à Puerto Bandera et le déjeuner à l'*Estancia Cristina *(mais on peut amener son pique-nique).* Proposent plusieurs options : navigation classique, mais aussi, une balade en 4x4 ou à pied jusqu'au mirador donnant sur le glacier Upsala (durée : 5h, bon niveau demandé, mais vue sublime !). Il est également possible de passer 1 ou 2 nuits à l'*Estancia Cristina.*

■ ***Marpatag :*** *9 de Julio, 57. ☎ 49-21-18. • crucerosmarpatag.com • Près de 1 600-2 300 $Ar selon saison, transfert d'El Calafate à Punta Bandera et repas inclus ; entrée au parc en sus.*

La navigation sur le bras nord du lac commence à ***Puerto Punta Bandera,*** un embarcadère situé à environ 50 km (1h de route) d'El Calafate. Le droit d'entrée au parc national des Glaciers se paye au port. Les bateaux partent habituellement

vers 8h30 et reviennent à Punta Bandera vers 19h30, et à El Calafate vers 20h30. L'escale au glacier Upsala (si elle est au programme) dure environ 20 mn, puis autre escale de 20 mn au glacier Spegazzini.
En chemin, vous rencontrerez quelques icebergs d'un bleu dense. N'oubliez pas les jumelles pour être aux premières loges car le bateau ne s'approche pas trop près : on n'est pas sur le *Titanic* !
Attention, suite à un phénomène de rupture massive du glacier, le canal qui mène au glacier Upsala est parfois bloqué, ce qui réduit l'intérêt de l'excursion. Mais comme les compagnies ne veulent pas perdre la poule aux œufs d'or, elles peuvent laisser penser que le bateau pourra peut-être passer...
On le répète, renseignez-vous bien avant de partir. En outre, tout est payant à bord, emportez donc boissons et sandwichs.

➢ ***Le canal et le glacier Spegazzini :*** le canal s'avance entre les montagnes, qui sont désertes d'un côté et très boisées de l'autre. On croise de temps en temps des icebergs à la dérive, de couleur bleue. Le bateau s'arrête pour quelque temps à moins de 100 m du glacier.

LE LAGO ROCA

➢ *En voiture : prendre la route goudronnée en direction du Perito Moreno ; à 35 km, bifurquer à gauche et suivre la piste carrossable (30 km env). Liaison en bus depuis El Calafate avec* Caltur *et* RP Transporte *(2-3/sem, voire tlj en hte saison) ; possibilité aussi d'organiser la balade à la journée avec une agence d'El Calafate incluant généralement la visite de l'*estancia Nibepo Aike.

Lot de consolation pour ceux qui ne peuvent s'offrir la navigation vers le glacier Upsala. Une demi-journée suffit si votre temps est limité. Tout au long du trajet, de nombreux rapaces attendent patiemment leur repas sur le bord de la piste, au cas où le véhicule écraserait un lièvre ou tout autre animal... C'est un paysage d'arbres vivants et morts recouverts de lichen, de contrastes entre cette plaine verte, le lago Roca et la montagne aux cimes enneigées. En toile de fond (par beau temps), le glacier Perito Moreno que l'on entend soudainement gronder. Le lago Roca n'a pas la couleur bleue du lago Argentino, car il ne reçoit pas directement les sédiments des glaciers. La piste se termine à l'*estancia Nibepo Aike,* adorable petite maison transformée en auberge et qui propose des balades à cheval.

EL CHALTÉN (MONT FITZ ROY)

3 000 hab. IND. TÉL. : 02962

Sans doute l'un des plus beaux coins de Patagonie. Au moindre rayon de soleil, tout devient magique. D'abord, la traversée de la steppe désertique, troublée de temps à autre par l'apparition de quelques *guanacos* et nandous ; ensuite, ce petit village au bout de tout, au cœur des Andes et au pied du Fitz Roy. Loin des touristes d'El Calafate, El Chaltén est surtout visité par les amateurs de marche ou d'alpinisme (ici, on dit « andinisme »). C'est notamment le point de départ de toutes les excursions autour du Fitz Roy (3 441 m) et du cerro Torre (3 138 m). Les Indiens appelaient le Fitz Roy *Chaltén* (« Volcan ») ; en effet, les pics souvent cachés dans d'épais nuages font penser à des volcans en éruption. Avec leurs parois de granit, les deux monts restent un défi pour les alpinistes.

Ainsi El Chaltén n'a pas en soi grand intérêt, mais ses environs sont superbes. On vient ici pour la marche essentiellement. Pour les novices, ce sera de longues balades dans un décor de rêve ; pour les plus aguerris, pourquoi pas, une véritable expédition de 2 semaines sur les plus grands glaciers du monde.

– Bon à savoir : de décembre à février, c'est la haute saison. Sachez aussi que de nombreux établissements ferment leurs portes, grosso modo, de mai (parfois avril) à septembre.

LE « PETIT PRINCE » ARGENTIN

Entre Antoine de Saint-Exupéry et l'Argentine, c'est d'amour qu'il s'agit ! Que reste-t-il de cette fabuleuse aventure aujourd'hui ? L'immeuble Güemes dans Florida, à Buenos Aires, où l'écrivain habita une année ; son avion conservé au Musée aéronautique de Morón. À Pacheco et à Bahía Blanca, les hangars de l'aéropostale toujours debout ; à San Antonio Oeste (province du Río Negro), un aérodrome qui porte son nom. Mais le plus beau de cette légende est en Patagonie, à côté du célèbre Fitz Roy : le pic Saint-Exupéry, baptisé ainsi en hommage au célèbre aviateur !

Arriver – Quitter

En voiture

➢ Superbe route asphaltée de 220 km. Bon à savoir : il n'y a aucune station-service en dehors d'El Calafate ! Compter 3 petites heures de route (arrêts photo inclus !).

En bus

🚌 ***Terminal de Ómnibus*** *(gare routière ; plan B3)* **:** *à l'entrée de la ville.* Les compagnies de bus y ont leur comptoir : *Las Lengas* *(☎ 49-30-23 ; • transportelaslengas.com.ar •)* ; *Taqsa-Marga* *(☎ 49-33-70 ; • taqsa.com.ar •)* ; *TPS* *(☎ 49-33-70)* ; *Caltur* *(☎ 49-30-79 ; • caltur.com.ar •)* ; également une agence *Caltur* en ville *(plan A2,* ***25****), San Martín, 520.*

■ ***Chaltén Travel*** *(plan B3,* ***2****)* **:** *Güemes, angle Lago del Desierto ☎ 49-30-92. • chaltentravel.com •* Bus pour El Calafate notamment. C'est aussi une agence de voyages qui organise des excursions vers le Perito Moreno avec A/R depuis El Chaltén dans la journée, des trekkings, etc. Dispose d'une auberge *El Rancho Grande* (voir « Où dormir ? »).

➢ ***Aéroport d'El Calafate :*** 2-4 bus/j. selon saison avec *Las Lengas* (départs en fonction des vols). Viennent vous chercher (ou vous déposer) à votre hôtel (pratique !). Env 220 $Ar/pers. En saison, réserver au moins la veille. En principe, les bus de *Caltur* et de *Chaltén Travel* à destination d'El Calafate s'y arrêtent également. Trajet : 2h45.

➢ ***El Calafate :*** avec *Taqsa-Marga, Caltur* et *Chaltén Travel.* Chaque compagnie propose 2-3 bus/j. en été (vers 7h30 ou 8h, 13h et 18h) ; une seule rotation/j. le reste de l'année. Durée : 3h.

➢ ***Bariloche :*** env 3-4 bus directs/sem avec *Taqsa-Marga,* de mi-nov à mi-avr slt. Trajet : env 28h. Avec *Chaltén Travel,* là encore en été slt, départs les jours impairs, le mat, pour la ville de Perito Moreno (ne pas confondre avec le célèbre glacier du même nom !) ; arrivée en début de soirée et nuit à Perito Moreno. Départ tôt le mat de Perito Moreno et arrivée à Bariloche en début de soirée.

➢ ***Rio Gallegos :*** 2 bus/sem, très tôt le mat, tte l'année avec *TPS.* Trajet : 5h.

➢ ***Puerto Natales et Punta Arenas :*** pas de bus direct. Passer par El Calafate.

Adresses et infos utiles

ℹ ***Office de tourisme*** *(plan B3)* **:** *dans la gare routière, au fond à gauche. ☎ 49-33-70. Tlj 8h (10h w-e)-22h, en saison ; horaires réduits le reste* *de l'année.* Petit bureau avec peu de doc mais plein de bonne volonté. Infos très complètes et photos des hébergements sur le site : • *elchalten.com* •

■ ***Centro de Visitantes del parque nacional*** *(centre d'information du parc national ; plan B3,* ***1****)* **:** *à l'entrée du village, sur la gauche. ☎ 49-30-04. Tlj 9h-17h en été (parfois jusqu'à 20h si l'équipe d'intervention d'urgence dans le parc est sur place), 10h-17h le reste de l'année.* Bureau efficace. Infos sur le parc national des Glaciers, sur les nombreuses randonnées et les treks (caractéristiques, points de départ, dénivelées, temps de route, météo, etc.). Conseils divers. Expo.

■ ***Distributeur de billets*** *(plan B3)* **:** *un seul distributeur à El Chaltén, dans le terminal des bus, face à l'office de tourisme.* Régulièrement vide pendant 2 jours... Dans ce cas, change possible dans de nombreux hébergements. Dans la mesure où beaucoup d'hôtels ne prennent pas les cartes de paiement, il vaut mieux s'être muni de suffisamment de liquide à El Calafate.

■ ***Station-service*** *(plan B3)* **:** il n'y en a pas vraiment. On trouve cependant un abri à l'entrée de la ville qui dispense de l'essence pour un prix inférieur à la moyenne dans le pays. Paiement en espèces seulement et pompe accessible 8h-12h, 14h-18h.

✉ ***Poste*** *(plan B3)* **:** *Andreas Madsen. Lun-ven 9h-16h ; sam 9h-13h.*

■ @ **Locutorio** *(plan B3,* **3***)* **:** *Güemes, 127. Tlj 9h-22h.* Téléphone public et Internet. Plusieurs autres endroits où se connecter, notamment dans Güemes, à l'angle de Lago del Desierto.

■ ***Achats / ravitaillement :*** ***La Tostadora*** *(plan B2,* ***4****), San Martín, 36. Un vrai supermarché (lun-sam 9h30-22h ; dim 10h-13h, 18h-21h30). Également* ***El Gringuito*** *(plan A2,* ***5****), Cerro Solo, 108 (lun-sam 9h30-13h, 17h-22h ; dim 10h30-13h, 18h30-21h).* En prévision du casse-croûte en altitude, par exemple.

■ ***Location de matériel :*** ***Viento Oeste*** *(plan A1,* ***6****), San Martín, 898. ☎ 49-32-00. Tlj 10h-22h.* Le plus complet de la ville : location de tout ce dont vous pourriez avoir besoin pour bivouaquer 1 ou 2 nuits : sac de couchage *(bolsa de dormir)*, tente, chaussures, etc. Livres et artisanat également. Sinon deux autres boutiques : ***Camping Center*** *(plan A-B2,* ***7****), angle San Martín et Riquelme, lun-ven 10h-19h30, sam 10h-17h ;* ***Patagonia Hikes*** *(plan A3,* ***8****), Lago del Desierto, 250, tlj 7h-14h, 17h-22h.*

■ ***Laverie*** *(plan A2,* ***9****)* **:** *San Martín, 351. Tlj 9h-13h, 15h-20h. Fermé mars-sept.*

■ **Adresses utiles**

- **1** Centro de Visitantes del parque nacional
- **2** Chaltén Travel
- @ **3** Locutorio (téléphone et Internet)
- **4** La Tostadora (supermarché)
- **5** El Gringuito (minimarché)
- **6** Viento Oeste
- **7** Camping Center
- **8** Patagonia Hikes
- **9** Laverie
- **10** Casa de guías
- **11** ECMG (El Chaltén Mountain Guides)
- **12** Fitz Roy Expediciones et Patagonia Aventura
- **25** Agence Caltur

Où dormir ?

- **20** El Relincho
- **21** El Refugio
- **22** Albergue Patagonia
- **23** Lo de Trevi Hostel
- **24** El Rancho Grande
- **25** Hostel Pioneros del Valle
- **26** Cóndor de los Andes
- **27** B & B Nothofagus
- **28** Posada La Base
- **29** Posada Altas Cumbres
- **30** Posada Inlandsis
- **31** Cabañas Austral
- **32** Cumbres Nevadas

Où manger ?

- **40** Patagonicus
- **41** Techado Negro
- **42** Aonikenk
- **43** El Muro
- **44** La Senyera
- **45** Estepa
- **46** La Tapera
- **47** Fuegia Bistró
- **48** Ruca Mahuida

Où prendre un goûter ?

- **62** Chocolatería Josh Aike

Où boire un verre ?

- **60** Cervecería El Chaltén
- **61** La Vinería

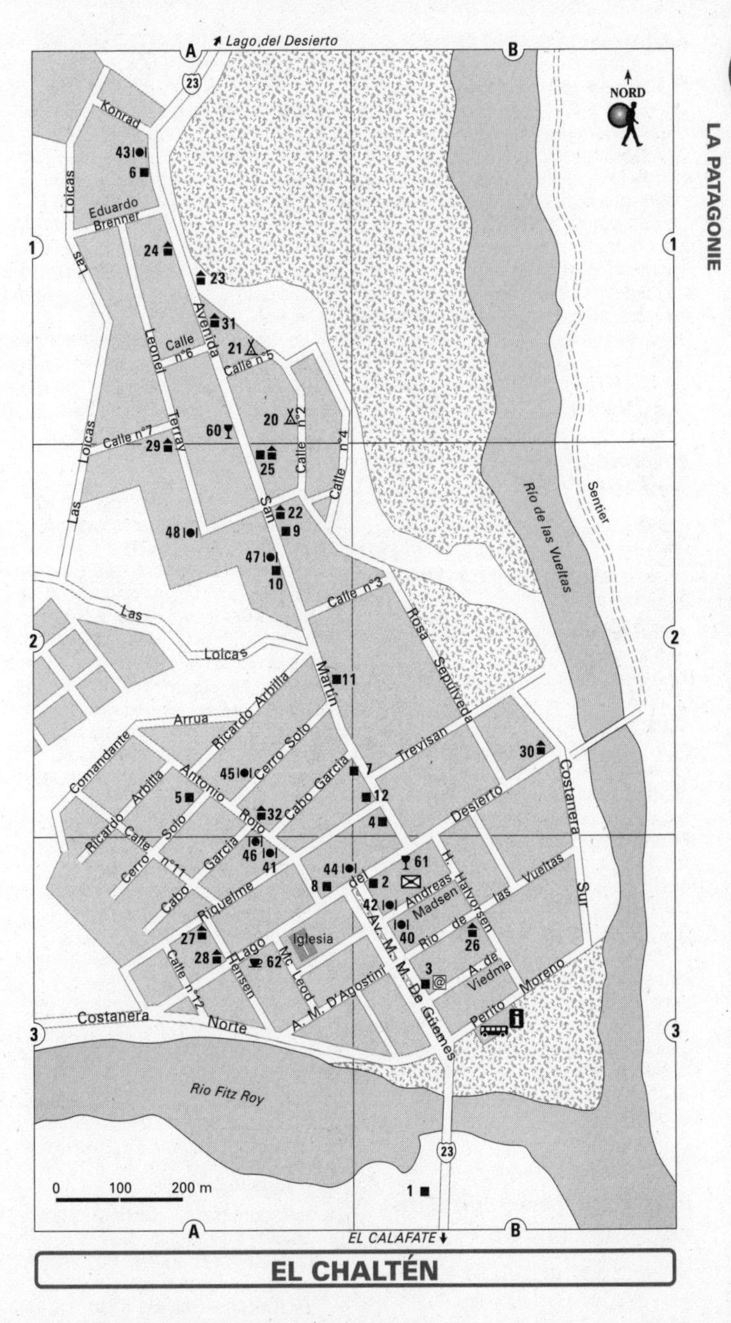
Lago del Desierto
NORD
Konrad
Las Loicas
Eduardo Brenner
Avenida
Leonel Terray
Calle n°6
Calle n°5
Calle n°7
Calle n°2
Calle n°4
Calle n°3
San Martín
Rosa Sepulveda
Las Loicas
Río de las Vueltas
Sentier
Arrua
Ricardo Arbilla
Comandante
Cerro Solo
Antonio Rojo
Cabo García
Trevisan
Desierto
Costanera Sur
Calle n°11
Riquelme
H. Halvorsen
Andreas Madsen
Río de las Vueltas
Av. M. M. De Güemes
Lago del
Iglesia
Hensen
Mc Leod
A. M. D'Agostini
A. de Viedma
Perito Moreno
Calle n°12
Costanera Norte
Río Fitz Roy
0 100 200 m
EL CALAFATE

EL CHALTÉN

Agences de tourisme

■ ***Casa de guías*** *(plan A2, **10**) : av. San Martín, 310. ☎ 49-31-18. • casadeguias.com.ar • Tlj 10h-13h, 16h30-21h.* Demander Yamila qui parle le français. Organise des expéditions en petits groupes (max 6 pers) d'un ou plusieurs jours, sur mesure. Mieux vaut les contacter 1 à 2 semaines avant. Vraiment de bon conseil. Juste à côté de l'agence, propose une jolie maison récemment restaurée avec 2 chambres et une cuisine équipée, idéale en petit groupe *(jusqu'à 7 pers ; compter 400-600 $Ar selon la saison pour 4).*

■ ***ECMG*** *(El Chaltén Mountain Guides ; plan A2, **11**) : San Martín, 187. ☎ 49-33-29. • ecmg.com.ar • Ouv fin oct-fév, tlj 10h-13h, 16h-21h.* Agence sérieuse qui propose de nombreuses excursions et expéditions dans la région.

■ ***Fitz Roy Expediciones*** *(plan B2, **12**) : San Martín, 56. ☎ 49-31-78. • fitzroyexpediciones.com.ar • Ouv oct-avr.* Une grosse agence d'El Chaltén. Expéditions et excursions d'un à plusieurs jours dans le parc national, avec prêt de matériel.

■ Voir aussi ***Caltur*** et ***Chaltén Travel*** citées plus haut (« Arriver - Quitter. En bus ») ; elles organisent pas mal d'excursions à prix raisonnables.

Où dormir ?

Campings

On vous prévient, ils sont en plein vent quand ça souffle !

⛺ ***El Relincho*** *(plan A1, **20**) : San Martín. ☎ 49-30-07. Ouv oct-avr. Camping env 50 $Ar/pers, 15 $Ar/véhicule ; lit en dortoir de 6 pers env 80 $Ar ; cabañas équipées env 660-880 $Ar pour 4-6 pers.* Le camping le mieux équipé. Grande pelouse avec un coin arboré, sanitaires impeccables. Barbecue. Coin salon et cuisine équipée. Pour les familles, les *cabañas* récentes et confortables sont une option intéressante.

⛺ ***El Refugio*** *(plan A1, **21**) : San Martín, à côté du Relincho. ☎ 49-32-21. Compter 60 $Ar l'emplacement.* Dans une prairie, confort basique, voire précaire par mauvais temps. Vraiment à la cool. Quelques douches (eau chaude) et de quoi faire un barbecue. Si le patron n'est pas là, installez-vous, il viendra vous voir plus tard... Loue aussi une *cabaña.*

De bon marché à prix moyens (moins de 550 $Ar / env 55 €)

🏠 ***Albergue Patagonia*** *(plan A2, **22**) : San Martín, 493. ☎ 49-30-19. • patagoniahostel.com.ar • Ouv sept-mars. Résa indispensable. Lit en dortoir de 4 pers, env 110 $Ar ; doubles env 360-500 $Ar selon saison, sans ou avec sdb, petit déj inclus pour les plus chères. Réduc avec la carte* Hostelling International. 💻 📶 Une excellente AJ dans un joli chalet en bois. Douches communes impeccables avec eau chaude pour les dortoirs. Les chambres doubles, pimpantes et confortables, dignes d'un vrai hôtel, sont dans une autre aile et jouissent d'une belle vue sur la montagne. Elles sont même coquettes. Il n'y règne pas vraiment l'atmosphère traditionnelle d'une auberge de jeunesse. Cuisine équipée. Laverie, location de vélos. Propose des excursions. Accueil adorable.

🏠 ***Lo de Trevi Hostel*** *(plan A1, **23**) : San Martín, 675. ☎ 49-32-55. • lodetrivi@hotmail.com • Ouv tte l'année. Nuitée en dortoir 2-6 pers, env 95-105 $Ar/pers selon saison ; doubles env 300-420 $Ar/pers avec ou sans sdb. Petit déj en sus.* 💻 📶 Une adresse sans chichis, mais la bonne humeur est communicative dans le salon en commun. Cuisines équipées. Éviter peut-être les dortoirs qui donnent à côté de la réception et de la salle commune. À l'arrière, quelques chambres aménagées dans des préfabriqués en tôle ondulée. Pas vraiment de charme mais peu onéreux.

🏠 ***El Rancho Grande*** *(plan A1, **24**) : San Martín, 724. ☎ 49-30-05. À*

El Calafate : ☎ *49-18-33.* • *ranchograndehostel.com* • *Au fond du village. Le bus s'arrête devant. Ouv tte l'année. Nuitée 100-130 $Ar/pers en dortoir 4 lits, avec ou sans sdb ; double env 550 $Ar avec sdb. Petit déj pour les doubles. Dépend du réseau* HI. Une grande auberge de jeunesse, type ranch. Dortoirs pas vraiment grisants, mais les chambres doubles sont plaisantes. Vaste salle à manger et petite restauration. Eau chaude tout le temps, laverie, consigne à bagages, etc. Derrière, un café, le *Zafarrancho,* avec musique le soir. Un autre repaire de routards où l'on mange plutôt bien, mais qui fait un peu « usine » certains jours d'affluence. D'ailleurs, c'est assez bruyant. Propose aussi tous les services, le change, les excursions et les billets de bus de l'agence *Chaltén Travel* (vous dormirez ici si vous prenez le package bus + nuit depuis El Calafate).

Hostel Pioneros del Valle *(plan A2,* ***25****) : San Martín, 451.* ☎ *49-13-68 ou 49-22-17.* • *caltur.com.ar/pioneros/hostel.html* • *Ouv tte l'année. Lits en dortoir de 6 pers avec sdb privée 95-120 $Ar selon saison, petit déj en sus. Doubles env 470-550 $Ar selon saison, petit déj inclus (un peu chères).* Une auberge qui propose près de 140 lits, dépendant de l'agence *Caltur* (c'est ici que vous dormirez si vous prenez le package bus + nuit proposé depuis El Calafate). Grands dortoirs, tous avec salle de bains et casiers fermant à clé. Dans une aile récente, chambres doubles ou triples pour plus de confort. Cuisine équipée. Barbecue. Grande salle commune carrelée et parfois bruyante. Laverie, location de serviettes. Une grande structure, c'est un peu l'usine, mais c'est propre, et il y a pas mal de place. Propose les excursions maison.

Posada Inlandsis *(plan B2,* ***30****) : Lago del Desierto, 480.* ☎ *49-32-76.* • *inlandsis.com.ar* • *Fermé de mi-avr à oct. Doubles avec sdb env 350-450 $Ar selon confort et saison, petit déj inclus.* Un établissement qui ressemble davantage à une petite maison de quartier. Propose 2 types de chambres, la *clásica* avec de vrais lits et la *low cost,* moins spacieuse et dotée de 2 lits superposés, comme dans un dortoir. Il règne une atmosphère familiale et on apprécie les petites touches de déco qui donnent un côté soigné. Pas mal du tout.

Cóndor de los Andes *(plan B3,* ***26****) : angle Río de las Vueltas et Halvorsen.* ☎ *49-31-01.* • *condordelosandes.com* • *Fermé mai-sept. Dortoirs de 4-6 lits avec sdb (mais sans petit déj) 110-130 $Ar/pers ; réduc avec la carte* Hostelling International. *Double avec sdb env 500 $Ar, petit déj inclus.* Une auberge de jeunesse construite en partie en bois, offrant un bon confort et des prestations correctes. À noter toutefois que certains dortoirs et chambres sont un peu sombres. Chauffage central, cuisine équipée, possibilité de laver son linge, salon avec cheminée, etc. Vend aussi des billets de bus et des excursions.

B & B Nothofagus *(plan A3,* ***27****) : angle Riquelme et Hensen.* ☎ *49-30-87.* • *nothofagusbb.com.ar* • *Fermé de mi-mars à sept. Doubles env 300-480 $Ar selon saison et confort (avec sdb ou sans).* Une jolie bâtisse bleue avec des chambres claires et impeccables, aussi coquettes que l'ensemble de la maison. Au 1er étage, elles sont mansardées. Certaines ont même vue sur le Fitz Roy. Très bon accueil. Une belle adresse tenue par Eva et Gerardo, prêts à vous donner pleins d'infos utiles. Un bon rapport qualité-prix, indiscutablement.

Prix moyens (jusqu'à 650 $Ar / env 65 €)

Posada La Base *(plan A3,* ***28****) : Lago del Desierto, 97.* ☎ *49-30-31.* • *labase@elchaltenpatagonia.com.ar* • *Fermé avr-sept.* Cabañas *env 420-630 $Ar pour 2 pers selon saison, petit déj inclus. Réduc dès la 2e nuit.* Légèrement excentré, un petit établissement intime et sympathique, façon chalets répartis autour d'un jardin. Propriétaires charmants, aux petits soins pour leurs hôtes. Chambres simples sans véritable déco, avec douche et w-c, dans 6 maisonnettes en bois, avec entrée indépendante. À chaque fois, une cuisine équipée pour

2 chambres. Possibilité de cuisiner, *asador* dans le jardin. Salon commun avec des dizaines de DVD pour les soirées pluvieuses (certains en français). On se sent un peu comme à la maison.

Posada Altas Cumbres *(plan A1-2, **29**) : Lionel Terray, 342. ☎ 49-30-60. • altascumbreschalten.com.ar • Fermé avr-oct. Doubles env 490-600 $Ar avec sdb, petit déj inclus. CB refusées.* Un hôtel d'une douzaine de chambres, tenu par une très gentille famille. Sandra, artiste dans l'âme, et Hector accueillent vraiment bien leurs hôtes. Le bâtiment est en bois. Mais les chambres sont relativement classiques avec leur carrelage et leurs murs blancs (parfois en brique). Spacieuses et confortables, toutes de plain-pied. Certaines manquent peut-être d'un peu de clarté. Salon avec cheminée. Une excellente adresse.

Cabañas Austral *(plan A1, **31**) : San Martín, 649. ☎ 49-30-29. • cabaustral.com.ar • Fermé juin-sept. Env 450-550 $Ar selon saison pour 2 pers. Pas de petit déj.* Au bord d'une calme prairie, 2 jolis chalets coquets avec 6 petits appartements propres et bien tenus, en bois blanc, dotés chacun d'une chambre et d'un salon avec cuisine équipée. Un bon rapport qualité-prix.

Cumbres Nevadas *(plan A2, **32**) : Rojo, 131. ☎ 49-32-10. • elchalten.com/cumbresnevadas • Hôtel fermé mai-oct ;* cabañas *ouv tte l'année. Doubles avec sdb env 550-700 $Ar. Cabañas 430-550 $Ar pour 2 ; 600-750 $Ar pour 4 pers.* De jolies *cabañas* jaunes, spacieuses et lumineuses. Dans chacune, 2 chambres, avec vue sur le Fitz Roy pour certaines, coin séjour avec TV et cuisine. Accueil cordial. Dans la partie hôtel, chambres carrelées à l'atmosphère classique. Celles à l'étage, mansardées, ont un petit supplément d'âme.

Où manger ?

Bon marché (80-120 $Ar / env 8-12 €)

Patagonicus *(plan B3, **40**) : angle Güemes et Madsen. ☎ 49-30-25. Tlj sf mar hors saison 11h-23h.* Cadre chaleureux en bois, vieilles photos des temps héroïques de l'andinisme. Les grimpeurs adorent venir s'y régaler d'excellentes pizzas. Pâte croustillante et fromage dégoulinant avec pas mal de variantes : *anchoas, espárragos,* etc. De copieuses viandes également et de délicieux jus de fruits naturels, sandwichs et pâtes. Pour finir, on peut se régaler de gâteaux ou de crêpes au *dulce de leche.* Bière maison.

Techado Negro *(plan A3, **41**) : angle Rojo et Riquelme. ☎ 49-32-68. Ouv oct-mars, tlj 7h-20h30 (service continu).* Petit resto sans trop de prétention mais dont le cadre, très coloré, met de bonne humeur. Sur les murs, des expos temporaires. C'est frais et sympa. Sandwichs, pâtes, plats végétariens, *trucha, lomo, cazuelas,* etc. Jus de fruits de saison. On peut y prendre un petit déjeuner. Les habitants d'El Chaltén apprécient aussi !

Aonikenk *(plan B3, **42**) : Güemes, 23. ☎ 49-30-70. Tlj 11h30-2h du mat.* Un resto apprécié des routards pour sa simplicité et son atmosphère conviviale. Les tables étant relativement proches les unes des autres, on ne vient pas ici pour une soirée intime, mais pour se caler à prix serrés. Des pizzas et des pâtes principalement. Les portions sont copieuses, n'hésitez pas à partager un plat.

Prix moyens (jusqu'à 180 $Ar / env 22 €)

El Muro *(plan A1, **43**) : San Martín, 912. ☎ 49-32-48. Fermé mai-juin. Tlj 12h-minuit. Dans le haut de la fourchette.* Tout au bout de la rue principale, petite salle aux murs en brique et banquettes sous un toit pentu. Mur d'escalade sur le côté de la façade, d'où le nom... Pizzas et grillades comme un peu partout, mais aussi quelques plats labellisés « cuisine de montagne ». Bières artisanales. Service jeune et décontracté.

La Senyera *(plan A-B3,* ***44****)* **:** *Lago del Desierto. ☎ 49-30-63. Fermé mai-sept. Tlj 12h-15h, 19h-23h.* Une des plus anciennes adresses du village et toujours aussi populaire. On lui est fidèle, d'autant plus que sa cuisine régionale de bonne facture, comme le ragoût d'agneau, est servie avec le sourire. Sandwichs ou *empanadas* pour les petites faims, également des plats végétariens. Bref, tout le monde y trouve son bonheur. On y va aussi pour boire un verre. Tiens, un étrange client dans la salle...

Estepa *(plan A2,* ***45****)* **:** *Cerro Solo y Rojo. ☎ 49-30-69. Ouv tte l'année. Tlj 12h-minuit. De bon marché (le midi) à prix moyens (le soir).* Petite salle peinte en jaune, 6 box avec banquettes, déco des plus simples, contrastant avec une cuisine inventive (en soirée) qu'on ne s'attend pas à trouver ici, surtout à prix raisonnables. Le midi, la carte reste très classique (sandwichs, pâtes et pizzas). Les végétariens ne sont pas oubliés. Bières artisanales. Si vous avez aimé, sûr que vous y retournerez.

La Tapera *(plan A3,* ***46****)* **:** *Rojo, 74. ☎ 49-31-95. Ouv oct-avr, tlj 12h-15h, 18h-23h. Pas beaucoup de tables ; ne pas venir tard, sinon il faudra patienter...* Un joli chalet montagnard construit entièrement en bois, avec une cheminée ouverte qui trône au milieu de la salle. On vient ici pour le cadre chaleureux, la cuisine généreuse et soignée, sans oublier l'accueil à la hauteur. Quelques plats typiques de la carte : *locro* (une soupe protéinée et bien consistante), *cazuela de lentejas* et différentes viandes. Beaux desserts. On ressort repu !

Chic (jusqu'à 220 $Ar / env 22 €)

Fuegia Bistró *(plan A2,* ***47****)* **:** *San Martín, 342. ☎ 49-32-43. Ouv fin oct-début avr, tlj 19h-23h. L'addition peut approcher la catégorie « Chic ».* Salle colorée, cosy et chaleureuse qui met en confiance. La carte est peut-être restreinte, mais la cuisine est assez recherchée et bien présentée. Spécialités locales, sans oublier quelques plats plus originaux. Une adresse qui fait l'unanimité à El Chaltén.

Ruca Mahuida *(plan A2,* ***48****)* **:** *Lionel Terray, 104. ☎ 49-30-18. Fermé de mi-mars à mi-oct. Tlj 12h-15h, 19h-23h. Résa conseillée. Catégorie « Chic ».* Le rendez-vous préféré des fins becs d'El Chaltén se niche discrètement à l'écart de la rue principale. De l'extérieur, on croirait une maison de particulier. À l'intérieur, banquettes couvertes de peaux de mouton, gros poêle bedonnant... On s'attend à une cuisine rustique, c'est tout le contraire ! Courte carte, mais chaque plat est digne d'éloges. Deux exemples pour vous faire saliver à l'avance : *lomo* en sauce cassis avec quinoa et croquant de *cordero* au jus de cardamone et aux noix de cajou. Les desserts ne sont pas en reste. Et bien sûr, un éventail des plus fins crus argentins. *Riquíssimo !*

Où prendre un goûter ?

Chocolatería Josh Aike *(plan A3,* ***62****)* **:** *Lago del Desierto, 105. ☎ 49-30-08. Ouv d'oct à la Semaine sainte, tlj 11h-23h.* Adorable cabane en rondins à l'intérieur chaleureux, décorée de multiples objets patinés par les années. Collection complète de la revue *Alpinist* ! On peut aussi bien y boire un thé que savourer de bons gâteaux et acheter le chocolat maison (parfait pour les randos). Accueil souriant, musique tranquille. Un vrai p'tit coup d'cœur !

Où boire un verre ?

Cervecería El Chaltén *(plan A1,* ***60****)* **:** *San Martín, 564. ☎ 49-31-09. Ouv tlj 12h30-3h du mat.* Une microbrasserie qui élabore une bière artisanale (pas donnée tout de même) que l'on savoure dans une salle tapissée de coupures de journaux et sur de solides tables en bois. On peut aussi se poser dans le petit jardin. Étape obligatoire après une bonne marche ! On peut aussi y manger un morceau, la cuisine est correcte. Spécialité de *locro,* soupe à base de légumes, viande et haricots.

🍷 ***La Vinería*** *(plan B3, **61**) : Lago del Desierto, 265. ☎ 49-33-01. Ouv oct-avr, tlj 16h-2h du mat.* Un bar à vin et à bière que l'on peut déguster avec des *picadas* de charcuterie et de fromage. Le patron est un vrai connaisseur des vins argentins et le choix est large ! C'est le moment de découvrir un vin de Patagonie, si ce n'est déjà fait. Quelques tables à l'extérieur. Un endroit animé en soirée et apprécié des habitants d'El Chaltén.

EXCURSIONS AU DÉPART D'EL CHALTÉN

Quelques conseils

- Toujours se renseigner sur la météo auprès du *Centro de Visitantes (plan B3, **1**)* avant de partir.
- Ne pas faire de camping sauvage. Cela peut se révéler dangereux. Tente solide de rigueur compte tenu de la force du vent, qui se lève parfois soudainement, et à ne planter qu'aux endroits autorisés (en principe assez protégés).
- Avoir des vêtements vraiment chauds, car même si la température ne tombe pas nécessairement en dessous de zéro, les vents violents sont glacés.
- PAS DE FEU, seuls les camping-gaz sont autorisés.
- Bien entendu, emporter les déchets avec vous jusqu'à votre retour à El Chaltén.

➢ ***Randonnées :*** la plupart des sentiers ne nécessitent pas de guide et sont bien balisés. Le *Centro de Visitantes* distribue une carte avec des indications détaillées sur les balades les plus faciles. Bien entendu, les randos sont à éviter après de fortes pluies, les chemins devenant alors boueux. Si l'on veut vraiment en profiter, il faut rester au moins 2 jours. Prévoyez même un peu plus large et un équipement adapté : des chaussures de marche et des vêtements de pluie qui sèchent vite. On boit et cuisine avec l'eau des torrents. Faire des provisions de nourriture avant de partir. Au cours de ces balades, on découvre une flore et une faune abondantes. Il n'est pas rare d'apercevoir des renards gris et roux, des lièvres, des pics verts, des cygnes à col noir, des aigles, des condors et, avec un peu plus de chance, des pumas.
Toutes les promenades décrites vont de la plus proche à la plus éloignée.

AU SUD

🚶 ***Promenade vers Los Condores et Las Águilas :*** départ au niveau du *Centro de Visitantes* du parc national *(plan B3, **1**)*. Très facile. Vue panoramique sur El Chaltén. Il suffit de continuer un petit peu jusqu'à Las Águilas pour avoir une vue sur le lac Viedma et la steppe alentour. *Compter 2h A/R jusqu'à Las Águilas.*

🚶🚶🚶 ***Loma del Pliegue Tumbado :*** départ au niveau du *Centro de Visitantes*. Pas de difficulté majeure mais mieux vaut être bon marcheur. Les connaisseurs parlent de la plus belle vue sur la région. Au fur et à mesure que vous prenez de la hauteur, le panorama se révèle. Depuis le sommet à 1 490 m d'altitude, et par beau temps, vue littéralement enivrante sur le lago Viedma, la vallée d'El Chaltén, le glaciar Grande qui se jette dans le laguna Torre et sur le Fitz Roy. *Prévoir 8h A/R.*

🚶🚶 ***El glaciar Viedma en bateau :*** *avec* **Patagonia Aventura** *(plan B2, **12**), San Martín, 56. ☎ 49-31-10. • patagonia-aventura.com • Oct-avr, 1-2 excusions/j. ; départ depuis Bahía Túnel, à 18 km env d'El Chaltén. Tarif : env 360 $Ar/pers (transport en sus).* Après 30 mn de navigation sur le lago Viedma, on approche le glacier Viedma qui, du haut de ses 40 m de haut, n'est certes pas aussi impressionnant que le Perito Moreno, mais quand même !

PLANS ET CARTES EN COULEURS

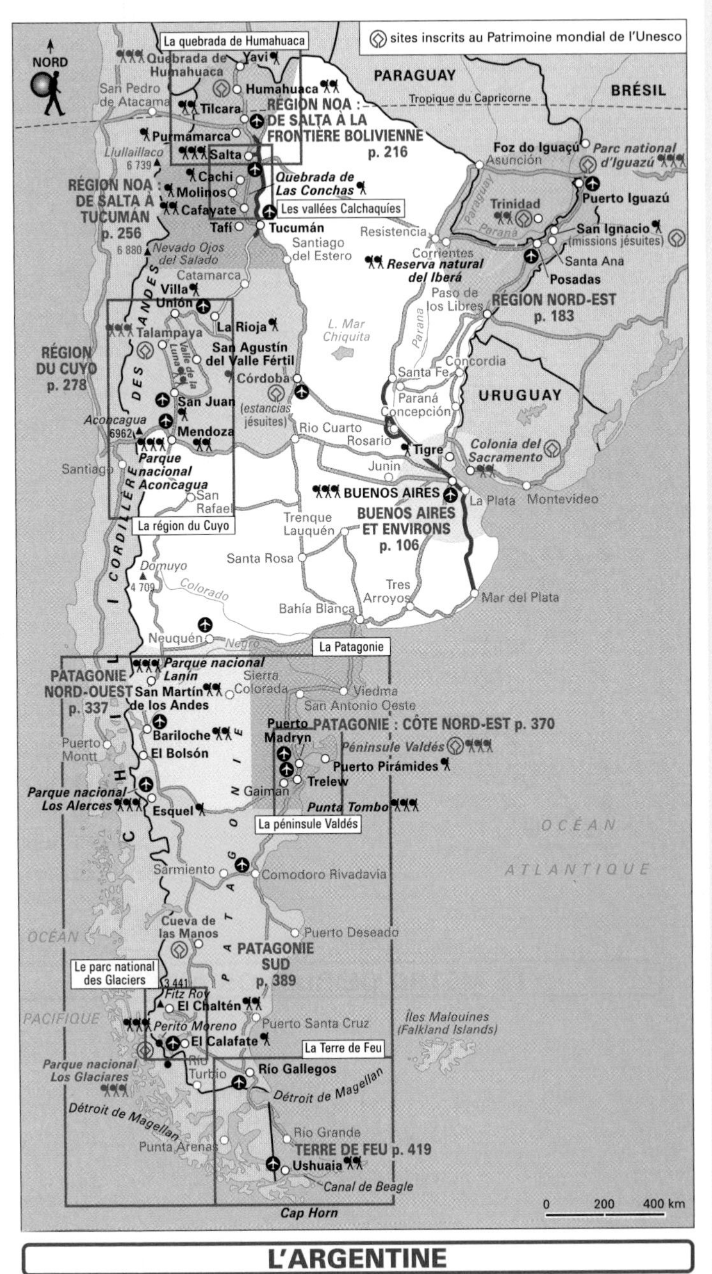

sites inscrits au Patrimoine mondial de l'Unesco
NORD
La quebrada de Humahuaca
Quebrada de Humahuaca
Yavi
San Pedro de Atacama
Humahuaca
Tilcara
Purmamarca
Salta
RÉGION NOA : DE SALTA À LA FRONTIÈRE BOLIVIENNE p. 216
PARAGUAY
BRÉSIL
Tropique du Capricorne
Llullaillaco
6 739
Cachi
Molinos
Cafayate
Tafí
Tucumán
RÉGION NOA : DE SALTA À TUCUMÁN p. 256
Quebrada de Las Conchas
Les vallées Calchaquíes
Foz do Iguaçú
Parc national d'Iguazú
Asunción
Trinidad
Puerto Iguazú
San Ignacio
(missions jésuites)
Santa Ana
Posadas
Paraguay
Paraná
Resistencia
Corrientes
Santiago del Estero
Reserva natural del Iberá
6 880
Nevado Ojos del Salado
Catamarca
Villa Unión
Paso de los Libres
RÉGION NORD-EST p. 183
La Rioja
Talampaya
Valle de la Luna
San Agustín del Valle Fértil
L. Mar Chiquita
Paraná
RÉGION DU CUYO p. 278
CORDILLÈRE DES ANDES
Córdoba
(estancias jésuites)
San Juan
Aconcagua
6962
Mendoza
Santa Fe
Concordia
Paraná
Concepción
URUGUAY
Rio Cuarto
Rosario
Tigre
Colonia del Sacramento
Parque nacional Aconcagua
Santiago
Junin
BUENOS AIRES
La Plata
Montevideo
San Rafael
La région du Cuyo
Trenque Lauquén
BUENOS AIRES ET ENVIRONS p. 106
Santa Rosa
Domuyo
4 709
Colorado
Tres Arroyos
Mar del Plata
Bahía Blanca
Neuquén
Negro
La Patagonie
PATAGONIE NORD-OUEST p. 337
Parque nacional Lanín
San Martín de los Andes
Sierra Colorada
Viedma
San Antonio Oeste
Bariloche
Puerto Madryn
PATAGONIE : CÔTE NORD-EST p. 370
Puerto Montt
El Bolsón
Péninsule Valdés
Puerto Pirámides
Trelew
Gaiman
Parque nacional Los Alerces
Esquel
Punta Tombo
La péninsule Valdés
OCÉAN ATLANTIQUE
PATAGONIE
Sarmiento
Comodoro Rivadavia
OCÉAN PACIFIQUE
Cueva de las Manos
Puerto Deseado
PATAGONIE SUD p. 389
Le parc national des Glaciers
3 441
Fitz Roy
El Chaltén
Perito Moreno
Puerto Santa Cruz
Îles Malouines (Falkland Islands)
El Calafate
La Terre de Feu
Parque nacional Los Glaciares
Río Turbio
Río Gallegos
Détroit de Magellan
Détroit de Magellan
Río Grande
Punta Arenas
TERRE DE FEU p. 419
Ushuaia
Canal de Beagle
Cap Horn
0
200
400 km

L'ARGENTINE

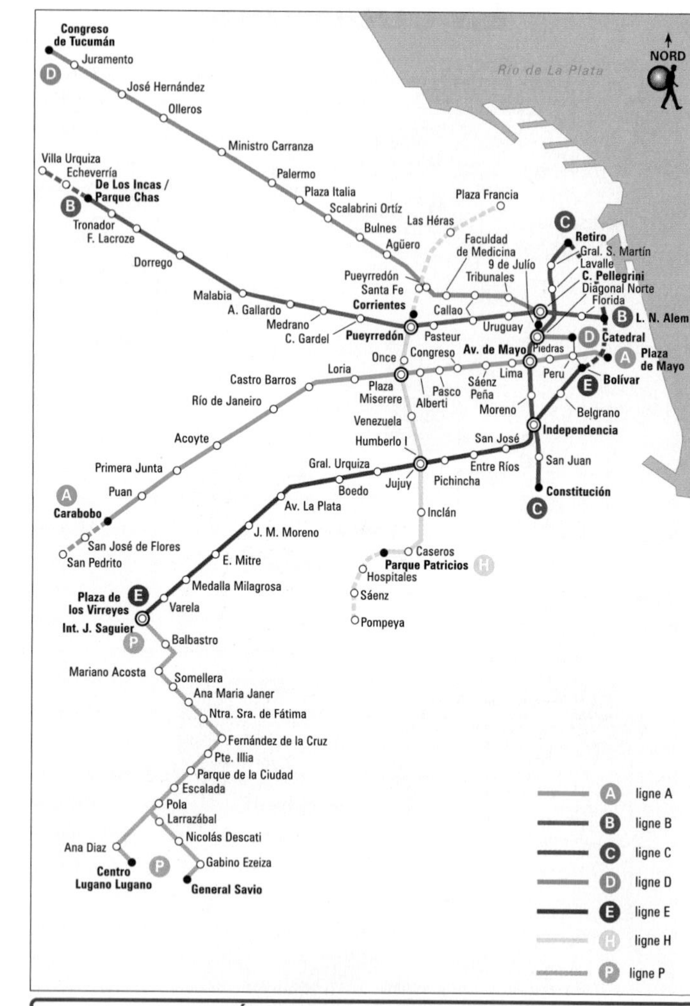

LE MÉTRO DE BUENOS AIRES

Adresses utiles

1 Consulat de France
2 Ambassade de France
3 Ambassade de Belgique
5 Librairie El Ateneo
6 Air France
7 Aerolineas Argentinas
8 LAN
9 Terminal Manuel Tienda León
10 Equinoxe
11 Ambassade de Suisse
12 Oficio de turismo
13 Centre d'infos touristiques
14 Administración de los Parques nacionales

Où dormir ?

20 Hostel Suites Obelisco
21 Hotel Parada
22 Hostel Colonial
23 Hotel Uruguay
24 Gran Hotel España et Portal del Sur
25 B.A. Stop
26 Hostel Suites Florida
27 ChillHouse
28 Milhouse Hostel
29 Pension Yira Yira
30 Buenos Aires V & S Hostel Club
31 Grand Hotel Hispano
32 Hotel Waldorf
33 Castelar Hotel
34 Moreno Hotel Buenos Aires
35 Hi Recoleta Hostel
36 Hotel Lion d'Or
37 Prince Hotel
38 Ayacucho Palace Hotel
39 Art Hotel
57 Art Factory

Où manger ?

22 La Posada de 1820
100 La Americana
101 Vita Eco Deli Market
102 Natura
103 Pizzeria Guerrin
104 Sattva
105 El Patio
106 Lalo de Buenos Aires
107 Chan Chan
108 Doña
109 Filo
110 Los Inmortales
111 El Palacio de la Papa Frita
112 Centro Vasco Francés
113 El Imparcial
114 Palacio Español
115 El Cuartito
116 La Cocina
117 La Querencia
118 La Rambla
119 Piola
120 Los Pinos
121 Tea Connection
122 Restaurante Teodoro
123 Santé Bar
124 Brut Nature
125 Oviedo
127 Madero Buenos Aires
128 Cabaña Las Lilas

Où s'offrir une glace ?

229 Volta
231 El Vesuvio

Où boire un verre ? Où écouter de la musique ? Où voir un spectacle de tango ? Où sortir ?

199 Mar Azul
200 El Revolucionario
201 The Sensi
202 Café Tortoni
203 Confitería Ideal et Tango Ideal
204 Gato Negro
205 Café La Caravelle
206 Los 36 Billares
207 La Puerto Rico
208 Clásica y Moderna Libros
209 Milion
210 Gran Bar Danzón
211 La Biela
212 Notorious
213 The Shamrock
214 Floreria Atlantico
223 La Trastienda
224 Rey Castro
229 El Morán et La Catedral
234 Sanata Bar
235 Esquina Carlos Gardel
237 Piazzolla Tango
240 Las Morochas et El Beso
241 Porteño y Bailarín
242 La Bomba de Tiempo
245 Milonga en Rojo

Achats

5 Librairie El Ateneo
250 Comme il faut
252 Neo Tango
253 Pepe Lopez Shoes

BUENOS AIRES – REPORTS DU PLAN I

BUENOS AIRES – REPORTS DU PLAN I

BUENOS AIRES – CENTRO, PUERTO MADERO ET RECOLETA (PLAN I)

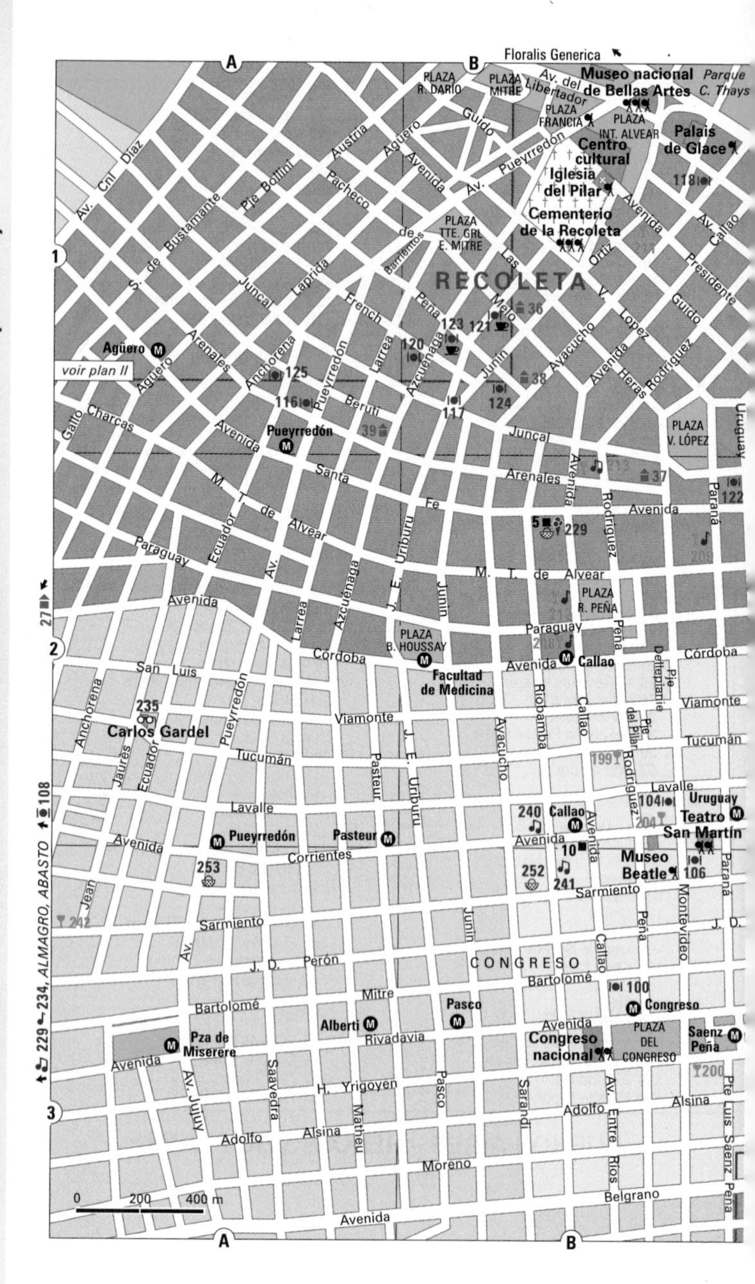
A
B
Floralis Generica
Museo nacional de Bellas Artes
Parque C. Thays
PLAZA R. DARÍO
PLAZA MITRE
Av. del Libertador
PLAZA FRANCIA
PLAZA INT. ALVEAR
Palais de Glace
Centro cultural
Iglesia del Pilar
Cementerio de la Recoleta
PLAZA TTE. GRL E. MITRE
RECOLETA
Agüero
voir plan II
Pueyrredón
PLAZA V. LÓPEZ
PLAZA R. PEÑA
PLAZA B. HOUSSAY
Facultad de Medicina
Callao
Carlos Gardel
Pasteur
Uruguay
Teatro San Martín
Museo Beatle
CONGRESO
Pasco
Alberti
Congreso
Pza de Miserere
Congreso nacional
PLAZA DEL CONGRESO
Saenz Peña
229, 234, ALMAGRO, ABASTO
108
27
0
200
400 m

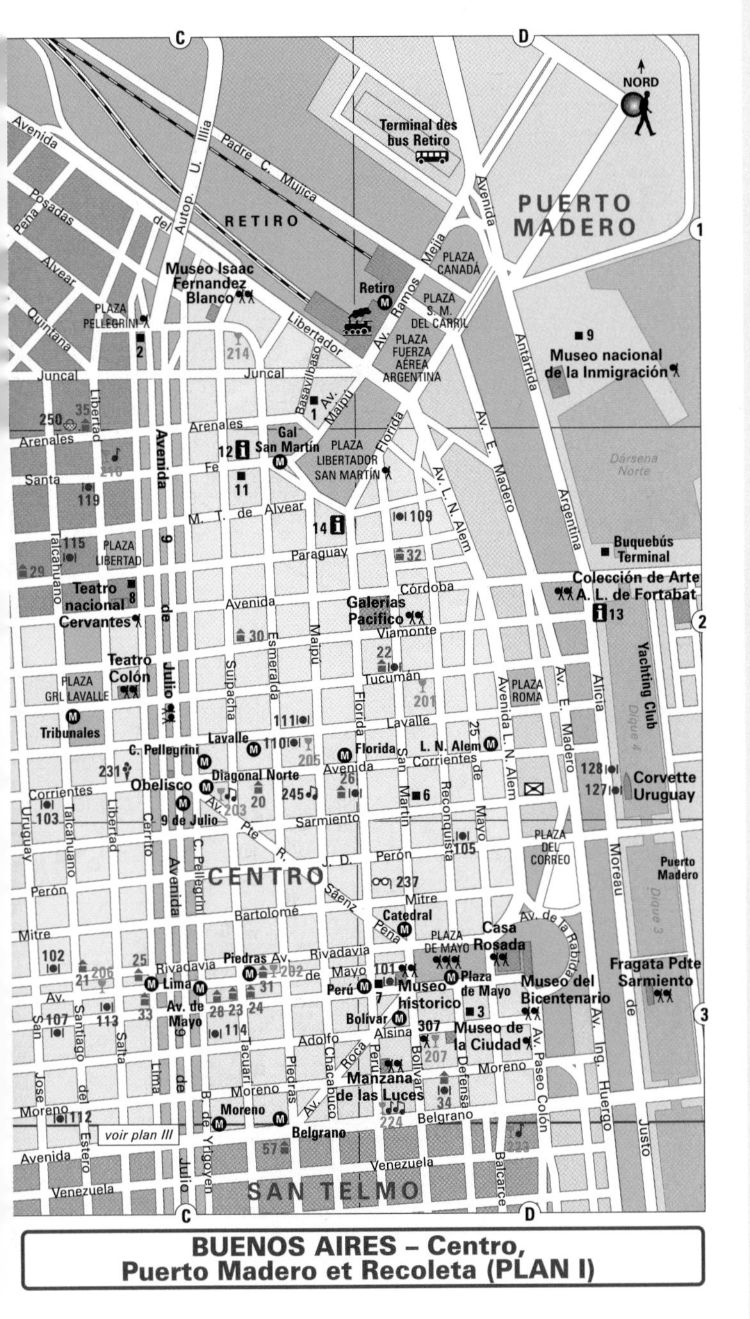

BUENOS AIRES – Centro, Puerto Madero et Recoleta (PLAN I)

BUENOS AIRES – PALERMO, LAS CAÑITAS (PLAN II)

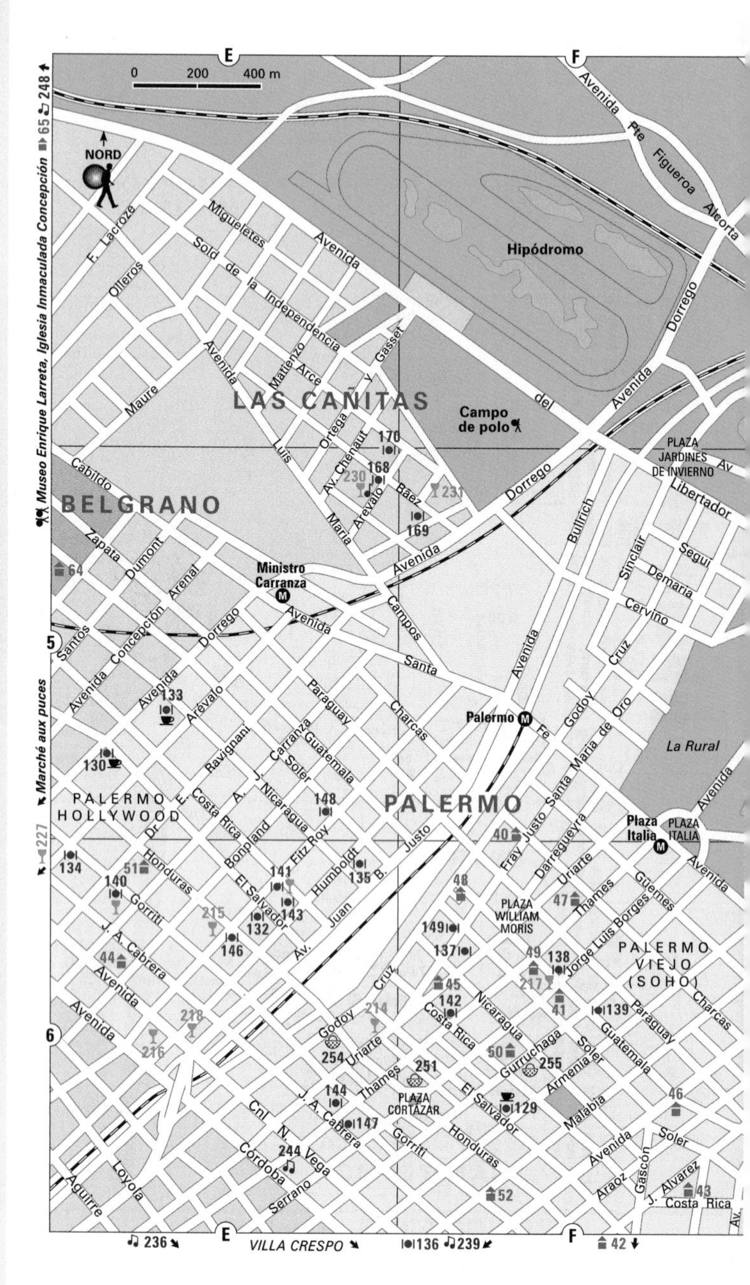
E
F
0 200 400 m
NORD
Museo Enrique Larreta, Iglesia Inmaculada Concepción 65 248
Marché aux puces
227
5
6
236
VILLA CRESPO
136 239
42
Hipódromo
Campo de polo
LAS CAÑITAS
BELGRANO
PALERMO
PALERMO HOLLYWOOD
PALERMO VIEJO (SOHO)
PLAZA JARDINES DE INVIERNO
PLAZA ITALIA
PLAZA WILLIAM MORIS
PLAZA CORTÁZAR
La Rural
Ministro Carranza
Palermo
Plaza Italia
Avenida Pte Figueroa Alcorta
Avenida Dorrego
Avenida del Libertador
Avenida Santa Fe
Avenida Cabildo
Avenida Luis María Campos
Avenida Córdoba
Av. Juan B. Justo
Avenida Sold de la Independencia
Miguelete
Ortega y Gasset
Av. Chenaut
Arce
Matienzo
Báez
Arévalo
F. Lacroze
Olleros
Maure
Zapata
Dumont
Arenal
Concepción
Santos
Ravignani
J. A. Carranza
Soler
Guatemala
Paraguay
Charcas
Nicaragua
Costa Rica
Dr. E.
Honduras
Gorriti
J. A. Cabrera
El Salvador
Bonpland
Fitz Roy
Humboldt
Godoy Cruz
Fray Justo Santa María de Oro
Bullrich
Sinclair
Seguí
Demaría
Cerviño
Darregueyra
Uriarte
Thames
Güemes
Jorge Luis Borges
Gurruchaga
Armenia
Malabia
Araoz
Gascón
J. Álvarez
Cnl N. Vega
Serrano
Loyola
Aguirre
130 133 134 140 51 215 132 146 141 143 135 148 44 218 216 214 254 144 147 244 251 149 137 142 45 50 255 129 52 48 40 47 49 138 217 41 139 46 43 64 168 169 170 230 231

■ Adresse utile

4 Ambassade du Canada

Où dormir ?

40 Hostel Suites Palermo
41 Eco Pampa Hostel
42 Hostel de la Liberté
43 Hotel Costa Rica
44 Rendez-Vous Hotel
45 Rugantino Hotel Boutique
46 Duque Hotel Boutique
47 Vain Boutique hotel
48 Che Lulu Guest House
49 BoBo Hotel
50 Legado Mitico
51 Home
52 Malabia House
64 Caserón Porteño
65 Tango Cozy Home

Où manger ?

129 Mark's
130 Cusic
131 Farinelli
132 Las Cabras
133 Oui Oui
134 Artemisia
135 Morelia
136 1893 Pizza & Pasta
137 La Lechuza
138 El Preferido
139 Don Julio
140 Olsen
141 Miranda
142 Lelé de Troya
143 La Dorita
144 La Flor Azteca
145 Voulez Bar
146 Campo Bravo
147 La Cabrera
148 Osaka
149 Unik
168 Parrilla El Primo
169 Eh ! Santino
170 Las Cholas

Où s'offrir une glace ?

230 Persico
249 Jauja

Où boire un verre ? Où écouter de la musique ? Où sortir ?

140 Olsen
215 Único
216 Carnal
217 Caracas
218 Ferona Club Social
227 Frank's
230 Antares
231 La Bodeguita del Medio
236 Milonga 10
239 Parakultural et La Viruta
244 El Motivo Tango, Fruto Dulce Tangos, ZUM et Viva La Pepa
248 La Glorieta

Achats

251 Perro Vaca
254 Tienda Palacio
255 Sabater Hnos et Elementos Argentinos

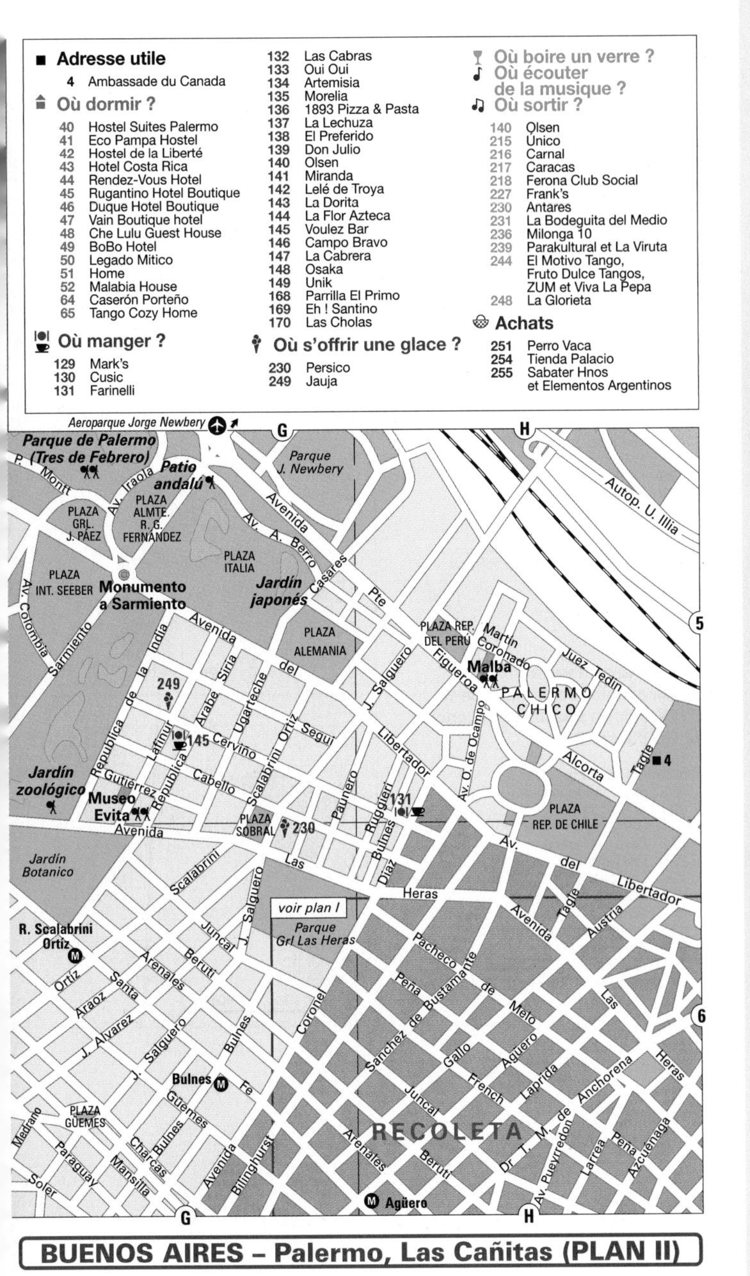

Où dormir ?

- 53 Asterion House Hostel
- 54 Che Lagarto Hostel
- 55 America del Sur Hostel
- 56 Circus Hostel & Hotel
- 58 Hostel Ostinatto
- 59 Telmho Hotel Boutique
- 60 Tiana Buenos Aires
- 61 Patios de San Telmo
- 62 Mansion Dandi Royal
- 63 Casa Bolívar

Où manger ?

- 126 Siga la Vaca
- 150 La Parrilla de Freddy
- 151 Hierbabuena
- 152 El Refuerzo
- 153 Territorio
- 154 Via Via
- 155 L'Atelier de Céline
- 156 Naturaleza Sabia
- 157 El Desnivel
- 158 La Brigada
- 159 Brasserie Pétanque
- 160 Casal de Catalunya
- 161 Taberna Baska
- 162 Café San Juan
- 163 Antigua Tasca de Cuchilleros
- 164 El Obrero
- 165 Don Carlos
- 166 Il Matterello
- 167 La Perla

Où boire un verre ?
Où écouter de la musique ?
Où voir un spectacle de tango ?
Où danser ?

- 152 El Refuerzo
- 219 Plaza Dorrego Bar
- 220 El Balcón
- 221 Bar Seddon
- 222 Café El Féderal
- 225 Bar Britanico
- 226 La Poesía
- 228 Doppelgänger
- 232 Torquato Tasso
- 233 Tango-bar La Cumparsita
- 238 Rojo Tango
- 246 Club Gricel et Cachirulo
- 247 Milonga de los Zucca et Yira Yira

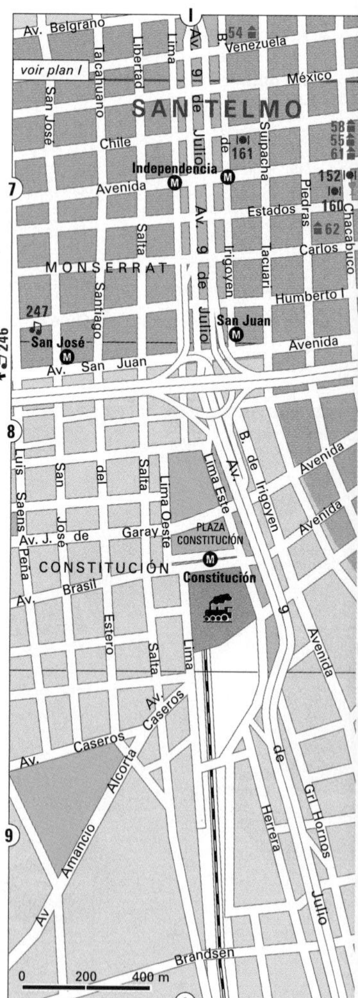

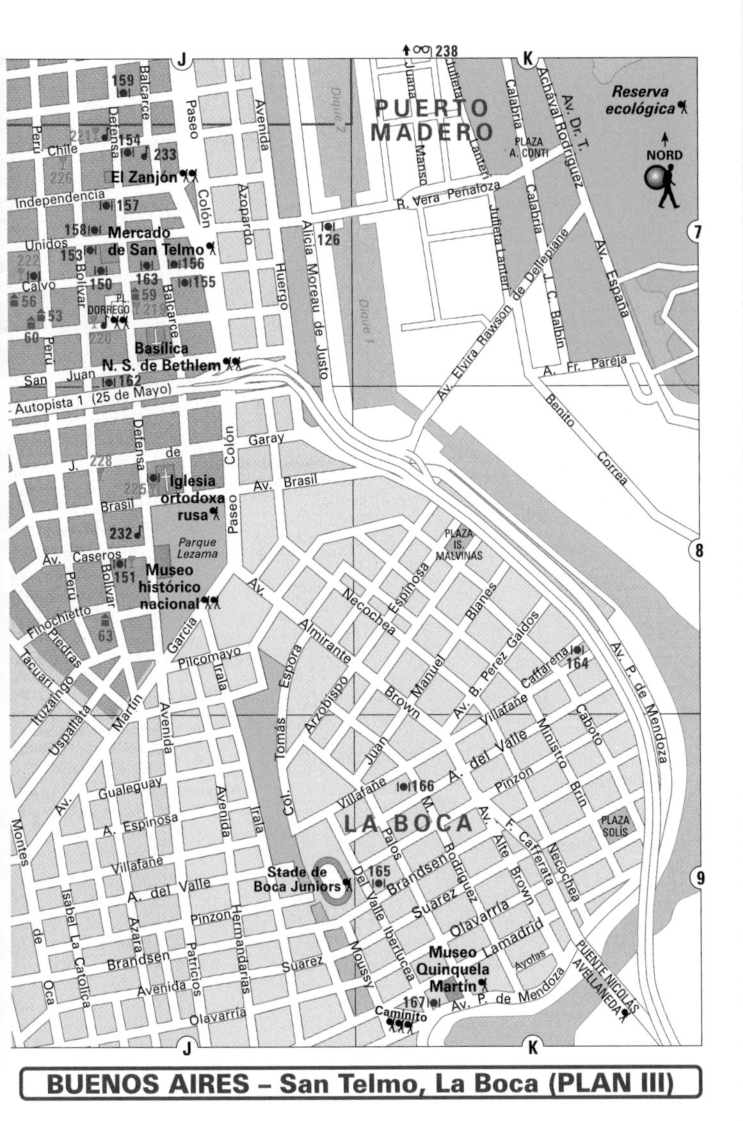

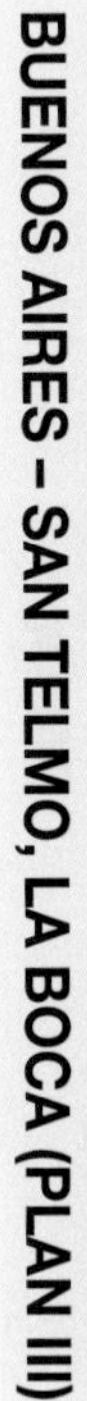

BUENOS AIRES – San Telmo, La Boca (PLAN III)

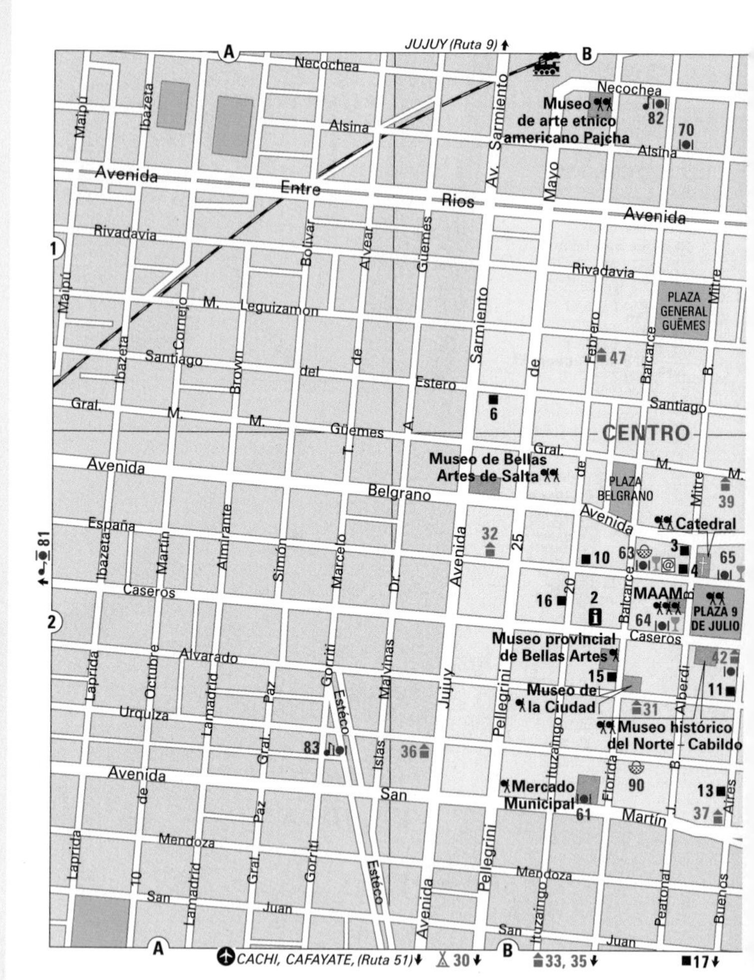

■	Adresses utiles
1	Office de tourisme régional
2	Office de tourisme municipal
@	Impreta Paratz
3	Banco de la Nación Argentina
4	Cambio Dinar et Farmacity
5	Consulat de Bolivie
6	Consulat du Chili
7	Avis
8	Budget
9	Hertz
10	Mundo Gaucho
11	La Posada
12	Cielos Andinos
13	Paradigma Travel
14	Alliance française
15	Supermarché Super Vea
16	Carrefour
17	Lavandería El Rey
18	Consulat honoraire de France

Où dormir ?

- 30 Camping y Balneario municipal Carlos Xamena
- 31 Hotel Ferienhaus
- 32 Posada Casa de Borgogna
- 33 Hostal Salta por Siempre
- 34 Hostal La Salamanca
- 35 Backpacker's Home
- 36 Backpacker's Suites
- 37 Residencial Elena
- 38 Chambres d'hôtes Evelia Aguilera
- 39 Las Rejas Hostel B & B
- 40 Petit Hotel

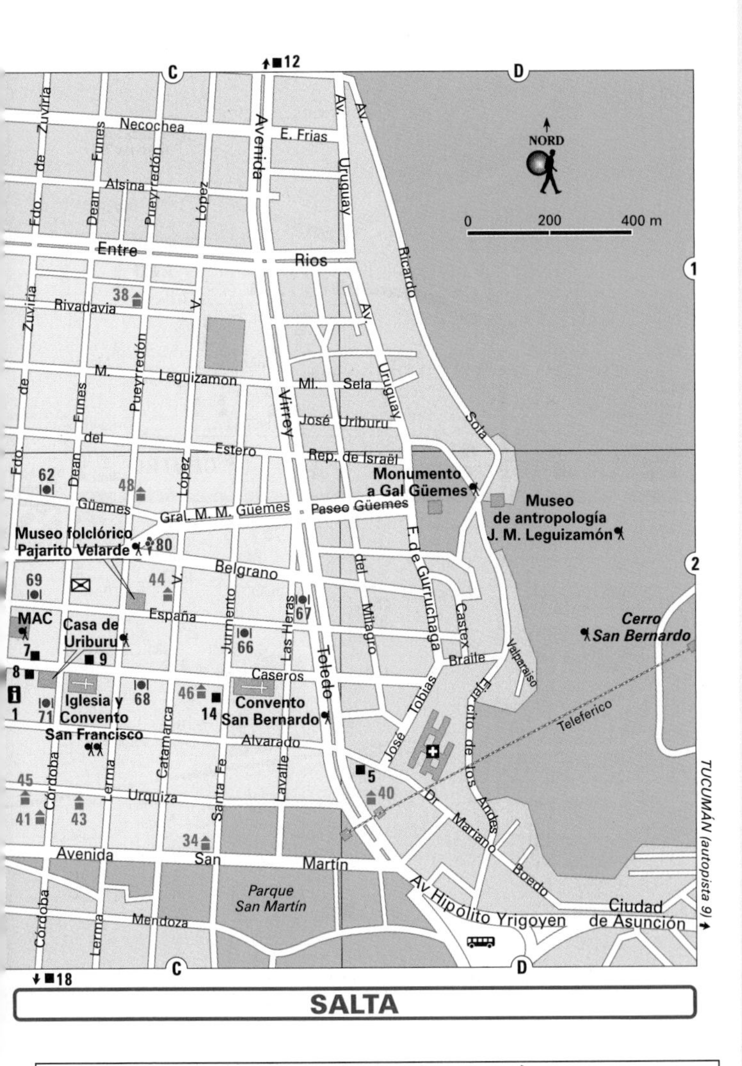

41 Posada Las Farolas
42 Hotel Regidor
43 Carpe Diem
44 Bloomer's Bed & Brunch
45 Hotel Bonarda
46 Hotel del Antiguo Convento
47 Hotel del Virrey
48 La Candela

Où manger ?

42 El Farito
61 Mercado municipal San Miguel
62 La Criollita
63 Casa Moderna
64 MAAM Salta Bar
65 Van Gogh
66 Ma Cuisine
67 Viejo Jack
68 El Charrúa
69 La Posta
70 La Leñita
71 Doña Salta

Où s'offrir une glace ?

80 Rosmari

Où boire un verre ? Où sortir ? Où écouter de la musique ?

63 Casa Moderna
64 MAAM Salta Bar
65 Van Gogh
81 La Casona del Molino
82 La Vieja Estación
83 Boliche Balderrama

Achats

63 Casa Moderna
90 Talabartería Barquín

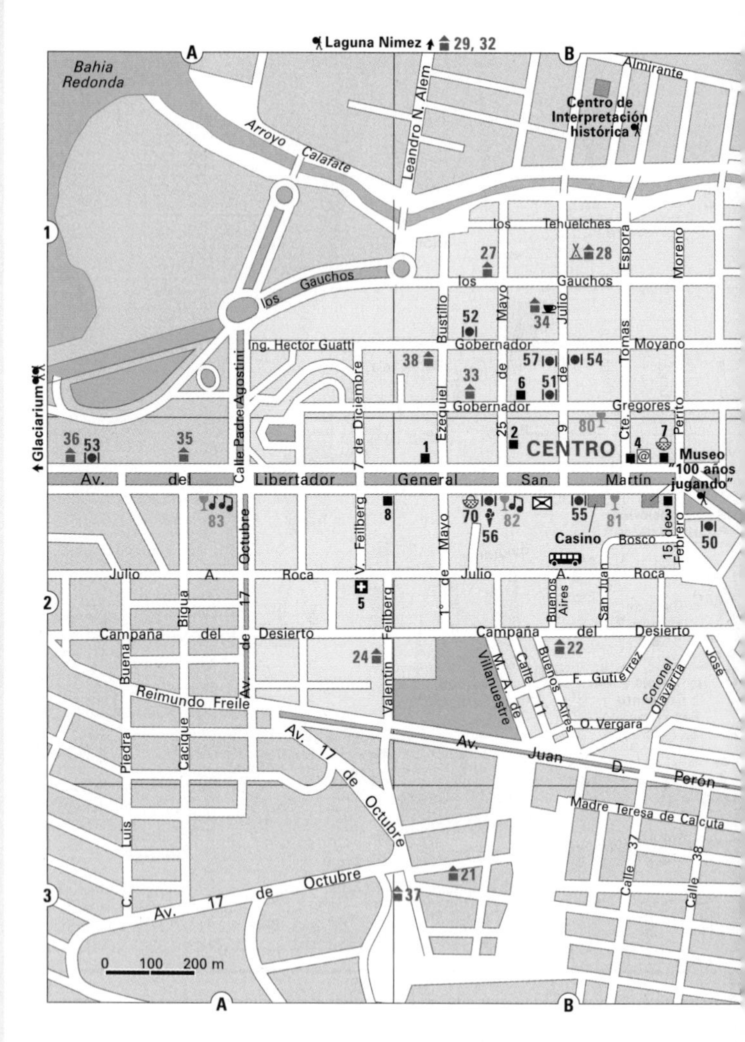

■ **Adresses utiles**

1 Oficina de informes del Parque nacional
2 Banco de Tierra del Fuego
3 Thaler Cambio et Hielo y Aventura
@ 4 Téléphone et Internet
5 Hôpital
6 Laverie Suavecito
7 Supermarché La Anonima
8 Aerolineas Argentinas
9 LADE

Où dormir ?

20 El Ovejero
21 Hostel I Keu Ken
22 Albergue Lago Argentino
23 Hostel del Glaciar Pioneros
24 Las Cabañitas
25 Hostel America del Sur
26 Hostel del Glaciar Libertador
27 Che Lagarto Hostel
28 Los Dos Pinos
29 Hostería Cauquenes de Nimez
30 Hostería Roble Sur
31 Hostería Rukahué
32 Miyazato Inn
33 Kau Kaleshen
34 Madre Tierra

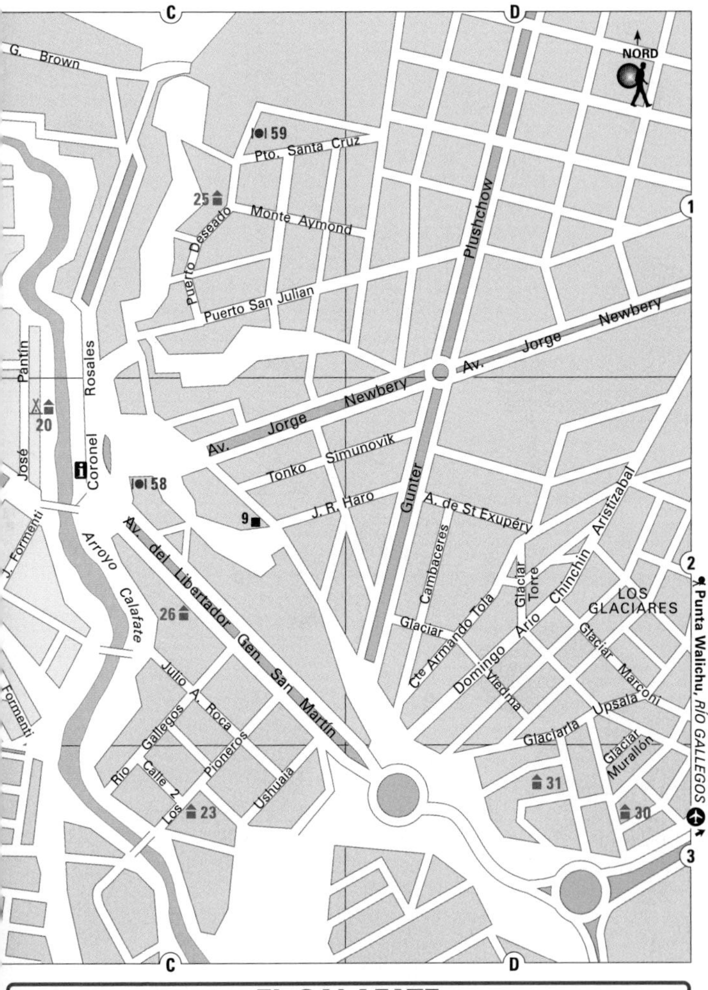

EL CALAFATE

35 Cabañas Nevis
36 Sierra Nevada Hotel
37 La Cantera
38 Hotel Posada Los Alamos

Où manger ?

50 Viva la Pepa
51 Estilo Campo
52 Cambalache
53 Pura Vida
54 Mi Rancho
55 Ricks
56 La Cocina
57 El Cucharón
58 La Tablita
59 Don Pichón

Où s'offrir une pâtisserie ou une glace ? Où acheter de bons chocolats ?

7 Dulce Lugar
34 Panadería Don Luís
56 Ovejitas de la Patagonia
70 Casa Guerrero

Où boire un verre ? Où sortir ?

80 La Zaina
81 Borges & Alvarez Librobar
82 Pub La Toldería
83 Don Diego de la Noche

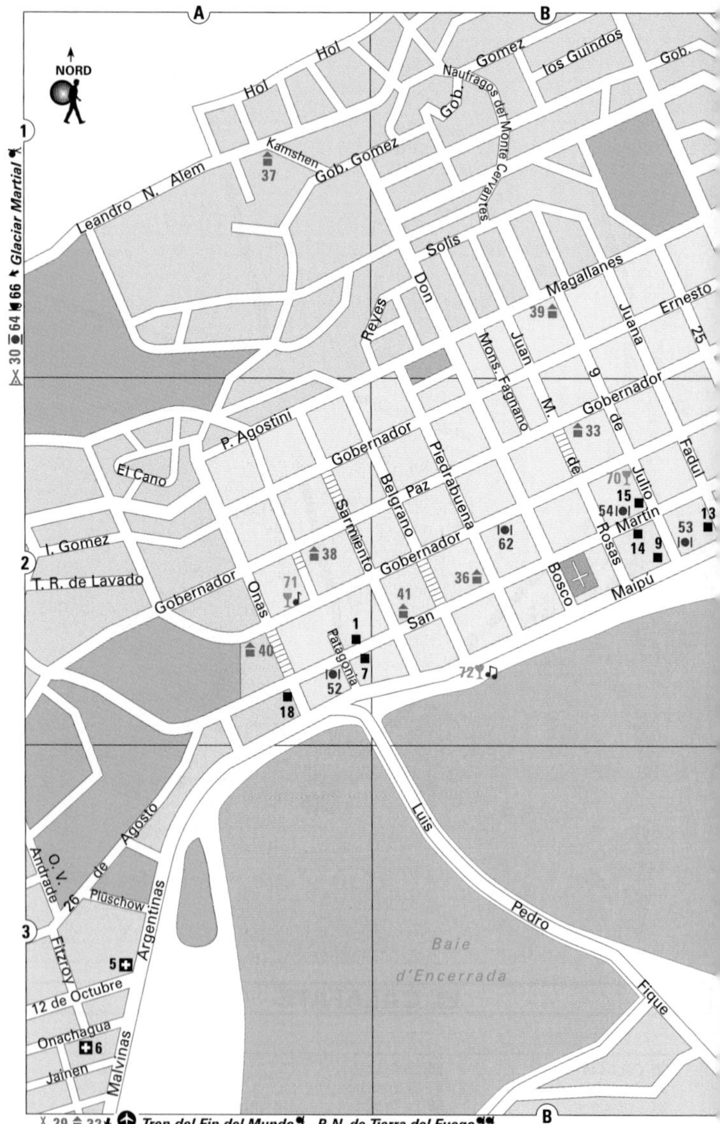
NORD
Glaciar Martial
30 64 66
Leandro N. Alem
Hol
Kamshen
37
Gob. Gomez
Náufragos del Monte Cervantes
los Guindos
Solis
Magallanes
Don
Reyes
39
Juana
Ernesto
25
Mons. Fagnano
Juan
M.
9 de Julio
Gobernador
33
P. Agostini
El Cano
Gobernador Paz
Belgrano
Piedrabuena
Sarmiento
70
15
54
Martin
Rosas
53
13
14
9
62
I. Gomez
T. R. de Lavado
Gobernador
38
Gobernador
Onas
71
36
41
San
Bosco
Maipú
Fadul
1
40
Patagonia
7
52
72
18
Luis
Pedro
Fique
Baie d'Encerrada
26 de Agosto
O. V. Andrade
Plüschow
Argentinas
Malvinas
Fitzroy
5
12 de Octubre
Onachagua
6
Jainen
29 32
Tren del Fin del Mundo, P. N. de Tierra del Fuego
A
B
1
2
3

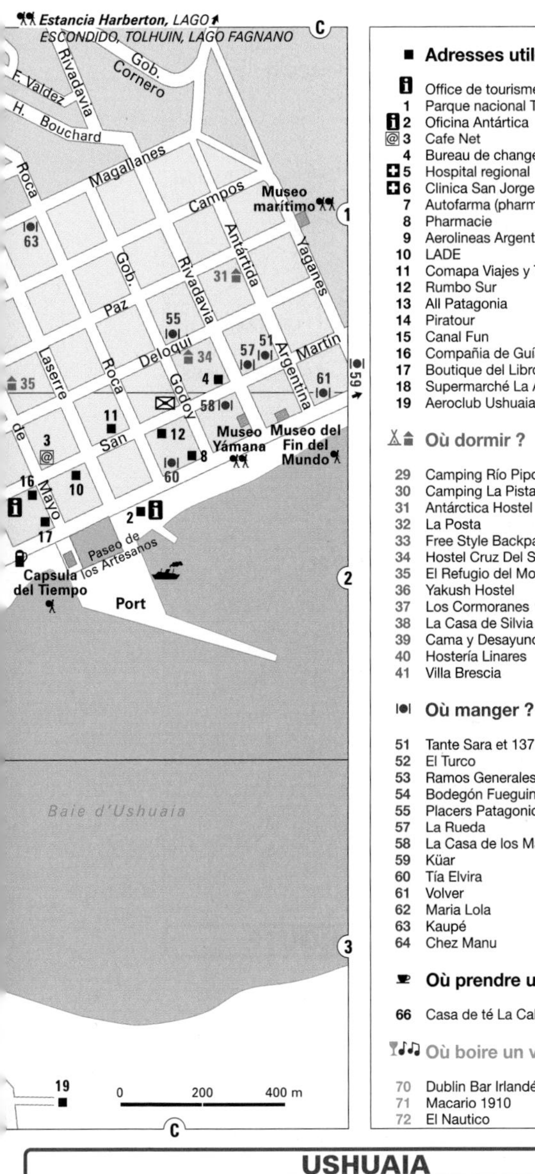

■ Adresses utiles

- Office de tourisme
- 1 Parque nacional Tierra del Fuego
- 2 Oficina Antártica
- 3 Cafe Net
- 4 Bureau de change Thaler
- 5 Hospital regional
- 6 Clinica San Jorge
- 7 Autofarma (pharmacie)
- 8 Pharmacie
- 9 Aerolineas Argentinas
- 10 LADE
- 11 Comapa Viajes y Turismo
- 12 Rumbo Sur
- 13 All Patagonia
- 14 Piratour
- 15 Canal Fun
- 16 Compañia de Guías de Patagonia
- 17 Boutique del Libro
- 18 Supermarché La Anonima
- 19 Aeroclub Ushuaia

Où dormir ?

- 29 Camping Río Pipo
- 30 Camping La Pista del Andino
- 31 Antárctica Hostel
- 32 La Posta
- 33 Free Style Backpackers Hostel
- 34 Hostel Cruz Del Sur
- 35 El Refugio del Mochilero
- 36 Yakush Hostel
- 37 Los Cormoranes
- 38 La Casa de Silvia Casalaga
- 39 Cama y Desayuno de las Artes
- 40 Hostería Linares
- 41 Villa Brescia

Où manger ?

- 51 Tante Sara et 137
- 52 El Turco
- 53 Ramos Generales El Almacén
- 54 Bodegón Fueguino
- 55 Placers Patagonicos
- 57 La Rueda
- 58 La Casa de los Mariscos
- 59 Küar
- 60 Tía Elvira
- 61 Volver
- 62 Maria Lola
- 63 Kaupé
- 64 Chez Manu

Où prendre un goûter ?

- 66 Casa de té La Cabaña

Où boire un verre ? Où sortir ?

- 70 Dublin Bar Irlandés
- 71 Macario 1910
- 72 El Nautico

USHUAIA

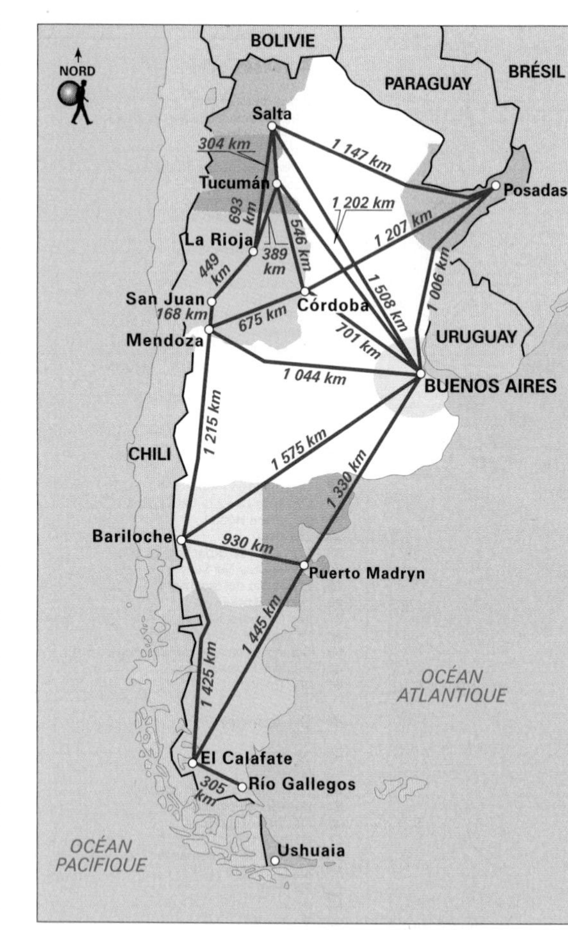

DISTANCES PAR LA ROUTE

AU NORD ET À L'OUEST

Promenade à la cascade Chorrillo del Salto : départ au nord de la ville, suivre le *río* Las Vueltas jusqu'à un petit sentier fléché sur la gauche. Très facile. La moitié de la balade se fait sur une piste empruntée l'été par les véhicules (il peut y avoir pas mal de poussière...). *Compter 3 km et 1h de marche A/R.*

Promenade à la laguna Capri : départ du sentier au nord de la ville, à la fin du village, près de la maison au toit jaune. À la belle saison, cette lagune est fréquentée par de nombreuses variétés de canards. Au bout d'1h de balade environ, on commence à profiter de beaux points de vue sur le Fitz Roy. *Compter 3-4h et 7 km de marche A/R.*

Trekking vers la laguna de los Tres *(au pied du Fitz Roy)* **:** *compter 8-9h A/R ; pour marcheur en bonne condition physique et mentale.* Après 2h30 à 3h de marche, on atteint d'abord le *camping Poincenot,* gratuit (du nom du premier Français membre de l'expédition à avoir escaladé le Fitz Roy). Un peu plus haut, on trouve le *camping Río Blanco,* camp de base du Fitz Roy (c'est de là que partent les grandes cordées à l'assaut des ténors de la chaîne). Par un sentier assez pentu et caillouteux, on atteint en 1h la *laguna de los Tres*. Là-haut, on est vraiment récompensé de ses efforts. Panorama extraordinaire sur le Fitz Roy. En contournant le monticule de pierres, à gauche, on a un superbe point de vue sur la *laguna Sucia,* en contrebas.
- Du *campamento Río Blanco,* possibilité également de rejoindre la ***Piedra del Fraile,*** en 5h de marche. On suit un temps le *río Blanco*, on admire au passage le glacier *Piedras Blancas.* Beaux paysages boisés et, surtout, une vue superbe sur la paroi nord-est du Fitz Roy. Sur place, un *campamento* équipé (*Los Troncos* ; ouv nov-mars), refuge avec dortoirs, douches et la possibilité de se restaurer. À savoir : la *Piedra del Fraile* est un site privé situé à l'extérieur du parc et dont l'accès est payant.

Trekking à la laguna Torre : bonne condition physique exigée. *Compter 6-7h A/R.* Départ au milieu du village et arrivée au pied du cerro Torre en 3h environ (pas de dénivelé). Pour dormir, il y a le *campamento de Agostini,* gratuit mais sommaire (équipé de simples toilettes rustiques).

Trekking à la laguna Toro : départ près du *Centro de Visitantes (plan B3,* ***1****).* Pour marcheurs expérimentés. S'enregistrer obligatoirement auprès du parc national avant de partir. *Compter 6-7h de montée. Sur place,* campamento *gratuit pour passer la nuit.*

Lago del Desierto : *à 37 km d'El Chaltén (piste). Pour ceux qui ne sont pas véhiculés, la compagnie* Las Lengas *et les agences* Caltur *et* Chaltén Travel *(voir « Arriver – Quitter. En bus ») proposent 1-3 minibus/j. oct-mars (compter env 210 $Ar/pers A/R). Trajet : 1h30 ; le bus attend 2h sur place avt de retourner à Chaltén.* La route 23 traverse de jolis paysages de bois et forêts, avec vue sur la paroi nord du Fitz Roy. Au sud du lac, on peut pousser jusqu'à la *laguna del Huemul* (entrée payante). Sinon, trois fois par jour d'octobre à mars, un bateau traverse le lac de la rive sud à la rive nord en 45 mn, et fait le trajet retour. De l'autre côté, possibilité de rejoindre la *estancia Candelario Mansilla,* sur les rives du lago O'Higgins, au Chili ; compter 6h de marche depuis le lago del Desierto (sinon, on peut parcourir la partie argentine à cheval ; côté Chili, on trouve des 4x4). Depuis la *estancia Candelario Mansilla,* possibilité de rejoindre Villa O'Higgins en bateau *(1-4 fois/sem, déc-mars slt).*

Expéditions sur le campo de hielo Sur : plusieurs agences proposent de véritables expéditions sur les plus grands glaciers du monde. Elles valent à elles seules un voyage en Argentine (certains le font), mais elles ne sont pas accessibles à tout le monde. Ces expéditions nécessitent une bonne condition physique et un moral d'acier (il n'est pas rare de se retrouver plusieurs jours sous la tente à se relayer toutes les 3h pour déblayer la neige). Elles imposent aussi un portefeuille bien garni. La « classique » dure de 6 à 8 jours, selon les conditions climatiques. Départ d'El Chaltén. On remonte à travers les montagnes pendant 2 jours jusqu'au *paso Marconi* par le *lago Eléctrico*. Ensuite, on continue sur le désert de glace jusqu'au *circo de los Altares* (3e jour) où l'on peut admirer la face ouest du massif, puis jusqu'au *paso del Viento* (4e jour), avant d'entamer la descente jusqu'à la *laguna Torre* (5e jour). Le retour vers El Chaltén s'effectue le 6e jour. Bien entendu, il existe des expéditions encore plus longues.

– ***Escalade sur glace :*** c'est le must en Patagonie. À faire absolument avec un guide expérimenté, car ici, ce n'est pas du gâteau. Voir avec les agences en ville. On peut la pratiquer sur le glacier Torre (en petits groupes) ou sur le glacier Viedma (groupes plus conséquents). Il existe des parcours d'initiation. Celui du glacier Torre est particulièrement apprécié. On accède au glacier par une tyrolienne.

– L'***escalade sur paroi rocheuse*** se pratique également (se renseigner auprès des agences d'El Chaltén) !

LA TERRE DE FEU

L'Argentine n'occupe qu'un tiers de l'île de la Terre de Feu, dont la superficie est comparable à celle de l'Irlande. Le détroit de Magellan sépare la *Tierra del Fuego* du reste de l'Amérique du Sud. C'est en fait un véritable archipel, quasiment inhabité et encore loin d'avoir été totalement exploité. De ce groupe d'îles, la plus vaste est l'île Grande, et c'est généralement à elle qu'on pense quand on évoque la Terre de Feu. Ushuaia est la capitale de la région, à laquelle sont rattachées quelques îles de l'Atlantique Sud. Pour faire des randonnées, du trekking, pour explorer les sentiers non battus, admirer les lions de mer, les cormorans ou les éléphants de mer en liberté... et la liste est loin d'être complète, la Terre de Feu est un endroit privilégié.

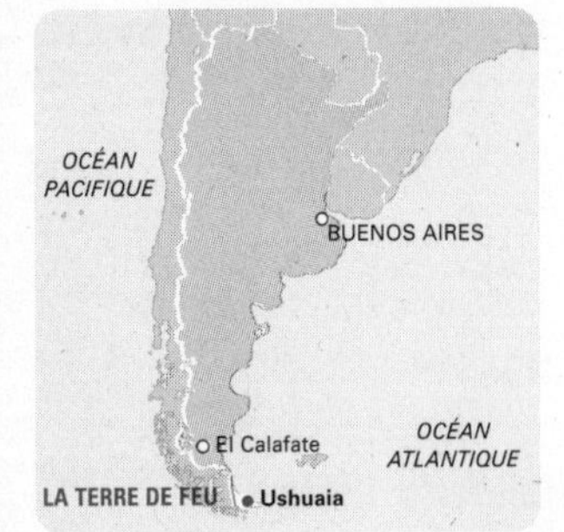

– ***Pour toute info avant le départ,*** consulter le site ● *tierradelfuego.org.ar* ●

UN PEU D'HISTOIRE

Il semblerait que les premiers habitants de la Terre de Feu se soient installés voilà 10 000 ans, alors que le groupe d'îles n'était pas encore séparé du continent, ou, si l'on préfère, que le détroit de Magellan n'était pas encore constitué.

Quand les Européens la découvrirent, il y avait principalement quatre groupes ethniques amérindiens présents dans la région depuis 12 000 ans. Au nord et au centre vivaient les ***Onas*** ou Selknams. Les ***Haushs*** (« mangeurs d'algues » en yámana) étaient à l'est. Les ***Alakalufe*** à l'ouest, dans la partie chilienne. Enfin, les ***Yámana,*** ou Yaghan, occupaient le Sud, à l'embouchure du canal de Beagle. Ils arrivaient à se protéger du froid grâce aux peaux de guanacos pour les uns, aux graisses d'animaux marins pour les autres.

C'est en novembre 1520 que le navigateur portugais ***Magellan*** arriva dans la région. En raison d'une mer démontée, il mit 5 semaines pour traverser le détroit qui porte à présent son nom. Naviguant pour le compte du roi d'Espagne Charles Quint, Magellan ne termina jamais son tour du monde comme on le croit souvent. Il fut, en effet, assassiné à son retour par un chef rebelle, aux Philippines. Un seul bateau sur les cinq embarqués dans cette aventure revint en Espagne.

Le voyage de Magellan eut d'énormes répercussions, puisque de nombreux marins espagnols, hollandais, français, anglais (dont Francis Drake) suivirent ses traces. L'Anglais ***James Cook*** rencontra des Yámana en 1774 sur l'île de la Navidad. ***Charles Darwin,*** lors de son voyage autour du monde de 1831 à 1836, navigua dans la région qui conserve la marque de son passage : le canal de ***Beagle,*** dans la baie d'Ushuaia, porte le nom de son bateau.

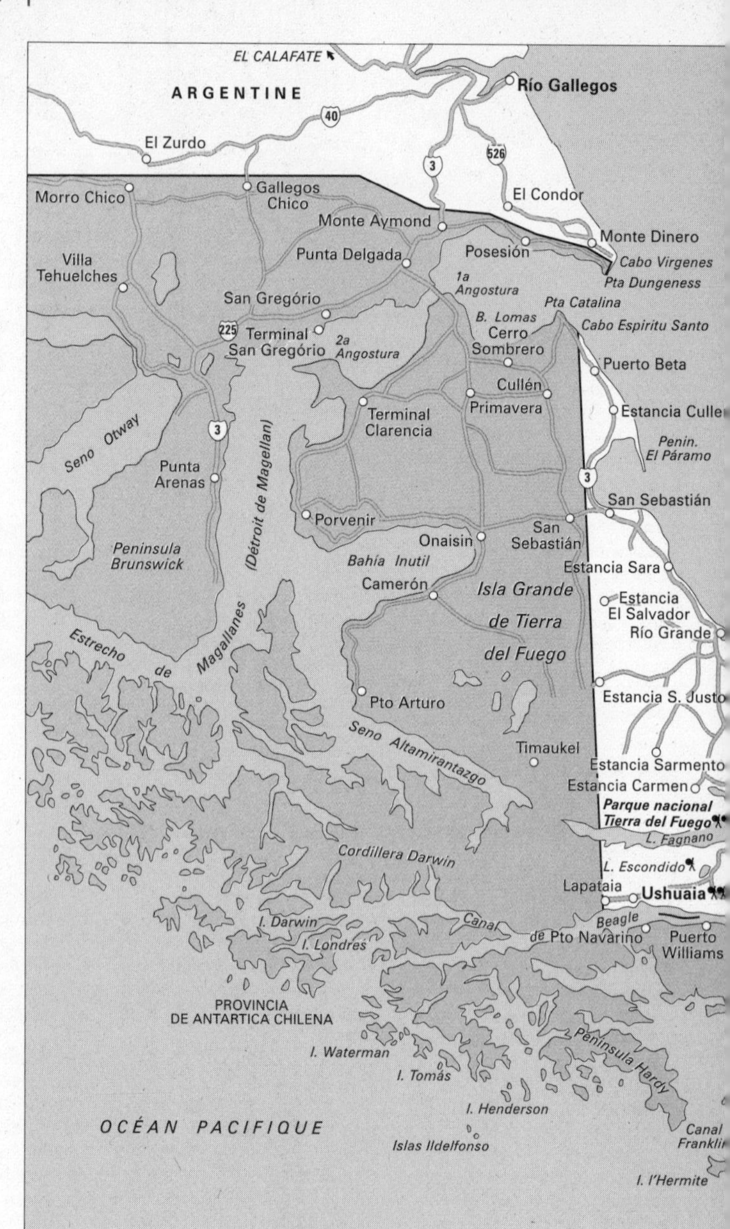

EL CALAFATE
ARGENTINE
Río Gallegos
40
El Zurdo
3
526
Morro Chico
Gallegos Chico
El Condor
Monte Aymond
Monte Dinero
Posesión
Cabo Virgenes
Villa Tehuelches
Punta Delgada
Pta Dungeness
1a Angostura
San Gregório
Pta Catalina
B. Lomas
Cabo Espiritu Santo
225
Terminal San Gregório
2a Angostura
Cerro Sombrero
Puerto Beta
Cullén
Primavera
Terminal Clarencia
Estancia Culle
Seno Otway
Penin. El Páramo
Punta Arenas
(Détroit de Magellan)
San Sebastián
Porvenir
San Sebastián
Onaisin
Peninsula Brunswick
Bahía Inutil
Estancia Sara
Camerón
Isla Grande de Tierra del Fuego
Estancia El Salvador
Río Grande
Estrecho de Magallanes
Pto Arturo
Estancia S. Justo
Seno Altamirantazgo
Timaukel
Estancia Sarmento
Estancia Carmen
Parque nacional Tierra del Fuego
L. Fagnano
Cordillera Darwin
L. Escondido
Lapataia
Ushuaia
Canal Beagle
I. Darwin
de Pto Navarino
Puerto Williams
I. Londres
PROVINCIA DE ANTARTICA CHILENA
Peninsula Hardy
I. Waterman
I. Tomás
I. Henderson
OCÉAN PACIFIQUE
Canal Frankli
Islas Ildelfonso
I. l'Hermite

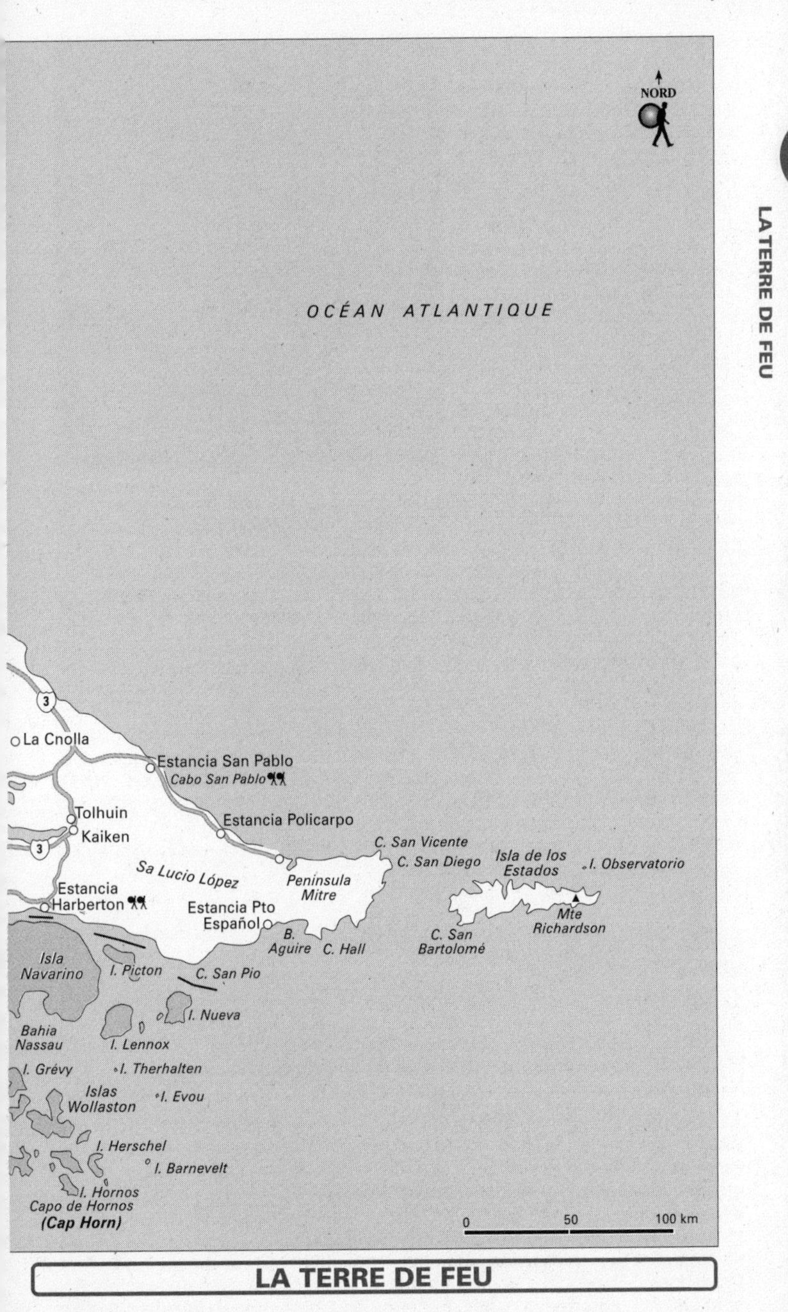
NORD
OCÉAN ATLANTIQUE
3
La Cnolla
Estancia San Pablo
Cabo San Pablo
Tolhuin
Kaiken
Estancia Policarpo
C. San Vicente
C. San Diego
Isla de los Estados
I. Observatorio
Sa Lucio López
Peninsula Mitre
Estancia Harberton
Estancia Pto Español
Mte Richardson
B. Aguire
C. Hall
C. San Bartolomé
Isla Navarino
I. Picton
C. San Pio
I. Nueva
Bahia Nassau
I. Lennox
I. Grévy
I. Therhalten
Islas Wollaston
I. Evou
I. Herschel
I. Barnevelt
I. Hornos
Capo de Hornos
(Cap Horn)
0
50
100 km

LA TERRE DE FEU

Pendant plusieurs siècles, ces confins de l'Amérique du Sud portèrent le nom de « Terres Magellaniques », nom géographique oublié aujourd'hui qui inspira naguère ***Jules Verne*** pour son beau roman *En Magellanie.* Un autre de ses livres, *Le Phare du bout du monde,* raconte aussi une histoire qui se passe en Terre de Feu. Une édition originale de la première parution de ce livre est conservée à la bibliothèque du Musée maritime d'Ushuaia.

PAS DE FUMÉE SANS FEU ?

D'où vient l'origine du nom « Terre de Feu » ? Cela remonterait à l'époque de Magellan. En novembre 1520, lorsque celui-ci arriva à l'extrême sud de l'Amérique, il vit des feux de camps indiens et nomma ce lieu Tierra del Humo *(« Terre de Fumée »). Ces feux étaient allumés par les Yámana qui vivaient nus, même en hiver... Charles Quint, à qui les exploits de Magellan avaient été contés, pensa, en toute logique, qu'il n'y avait pas de fumée sans feu, et rebaptisa l'île Terre de Feu. D'autres soutiennent que ce nom provient simplement de la couleur rouge des montagnes de l'île.*

La Terre de Feu connut un essor économique à la fin du XIXe s avec la découverte de l'or en Californie. Avant le percement du canal de Panamá et la liaison ferroviaire transaméricaine, les navires (les fameux cap-horniers) contournaient le continent par le sud pour relier la côte est des États-Unis à la Californie. Punta Arenas, au Chili, devint un port important. En 1881, le Chili, embourbé dans une guerre avec le Pérou et la Bolivie, décida de définir ses frontières avec l'Argentine. Elles ne furent définitives qu'en 1902. Du côté argentin, la première ferme s'installa dans les années 1880.
Au XIXe s et au début du XXe s, la Terre de Feu attira des chasseurs de peaux de phoque, des pêcheurs de baleines, des chercheurs d'or, une ribambelle d'aventuriers européens ou nord-américains qui apportèrent aussi avec eux des maladies (tuberculose, typhoïde, rougeole). Celles-ci décimèrent petit à petit les Indiens Fuégiens. La chasse à l'homme menée par les *estancieros* (éleveurs et propriétaires des grands domaines) accéléra leur extermination. Les Yámana étaient encore environ 2 500 individus en 1860. Ils n'étaient plus que 300 en 1893. En 1930, ils avaient quasiment disparu de la Terre de Feu. La dernière survivante Yámana était une grand-mère de Puerto Williams (Chili), en face d'Ushuaia, qui s'est éteinte en 2003.
Aujourd'hui, c'est sur le tourisme que l'on mise pour soutenir le développement de la région, qui attire de plus en plus de voyageurs.

USHUAIA

70 000 hab. IND. TÉL. : 02901

▶ Pour le plan d'Ushuaia, se reporter au cahier couleur.

Au bout de la Patagonie, il y a la Terre de Feu, et au bout de la Terre de Feu, il y a Ushuaia, pointe de la cordillère et du continent, mais aussi porte d'entrée vers l'Antarctique et le pôle Sud... La ville la plus australe du monde, surnommée par les Argentins « el fin del mundo » (le bout du monde), ne l'est pas tout à fait, puisque Puerto Williams, la Chilienne, de l'autre côté du canal de Beagle, est encore plus au sud – mais moins connue qu'Ushuaia, surtout depuis sa médiatisation via Nicolas Hulot ! Ville mythique par excellence, donc très touristique, les prix des hébergements, restos et boutiques de souvenirs y sont élevés... comme les reliefs. Par endroits, on se croirait presque dans les rues de San Francisco ! Mais non, on est (presque) au bout du monde...

UN PEU D'HISTOIRE

Mission protestante à l'origine, fondée en 1862 par le pasteur Thomas Bridges, qui fut le premier homme blanc à Ushuaia, la ville a connu un développement spectaculaire. En 1884, le gouvernement argentin décida de récupérer Ushuaia et la Terre de Feu. En échange, il proposa à Bridges de lui donner les terres de son choix en Argentine. Bridges choisit Harberton où il s'installa, y transportant sa maison d'Ushuaia en 1886. L'*estancia Harberton,* la plus ancienne de la Terre de Feu, est aujourd'hui complètement vouée au tourisme.
Pendant longtemps, Ushuaia a été port franc. Cependant, comme c'est hélas souvent le cas, cette évolution a entraîné d'un côté, à la périphérie, la croissance de quartiers résidentiels chic, et de l'autre, de quartiers pauvres. Et pour couronner le tout, la ville a construit un casino donnant directement sur le port, et le centre-ville se remplit de boutiques de souvenirs assez quelconques. Mais comme on n'est pas venus pour faire du shopping, on n'en parlera plus !

Arriver – Quitter

En bus

Pas de gare routière à Ushuaia. Les bus partent très tôt le mat devant les agences (privées) de transports ou a proximité de la station service sur Maipú (demander à l'agence lors de l'achat du billet). Il est conseillé de réserver 2 à 3 j. à l'avance. Les compagnies *Montiel* et *Lider* utilisent des bus « combi » (microbus) qui ne circulent qu'en Terre de Feu. Les autres compagnies utilisent de plus gros véhicules et vont plus loin (Río Gallegos, El Calafate, Punta Arenas et Puerto Natales au Chili).

– **Compagnies d'autobus :** *Transporte Tecni Austral (chez Tolkar, Roca, 157 ; ☎ 43-14-08)* ; *Bus Pacheco (San Martín, 1267 ; ☎ 43-70-73 ; • busespacheco.com •)* ; *Lider (Gob. Paz, 921 ; ☎ 43-64-21)* ; *Transporte Montiel (Gob. Paz, 605 ; ☎ 42-13-66)* ; *Taqsa-Marga (Gob. Godoy, 41 ; ☎ 43-54-53).*

➢ **Tolhuin (Terre de Feu) :** une petite dizaine de bus/j. avec *Lider* ou *Transporte Montiel.* Trajet : 1h30.

➢ **Río Grande (Terre de Feu) :** plusieurs bus/j. avec *Tecni Austral, Transporte Montiel, Lider* ou *Taqsa.* Trajet : 3h30.

➢ **Río Gallegos :** par Punta Delgada. 2 bus/j., tôt le mat, l'une avec *Tecni Austral,* l'autre avec *Taqsa.* Trajet : 12h30. De Río Gallegos, changement de bus pour El Calafate, Comodoro Rivadavia, Puerto Madryn, Bariloche.

➢ **El Calafate :** 1 bus/j. tôt le mat, avec *Tecni Austral.* Changement de bus à Río Gallegos. Trajet : 18h.

➢ **Punta Arenas (Chili) :** *Transport Tecni Austral* et *Pacheco* proposent chacune 3 bus/sem, tôt (voire très tôt) le mat. Trajet : 12h.

➢ **Puerto Natales (Chili) :** 3 bus/sem avec *Pacheco.* Départs tôt le mat. Trajet : 15h.

En bateau

➢ **Puerto Williams (Chili) :** nov-mars, liaisons régulières avec *Ushuaia Boating (Gobernador Paz, 213 ; kiosque sur le port ; ☎ 43-61-93 ; • ushuaiaboating.com.ar •)* et *Fernández Campbell (sur le port ; 📱 15-48-61-61 ; • fernandezcampbell.com •).* Prix (élevé !) : env 150 US$ l'aller ; taxe de port en sus (env 50 $Ar). Durée de la traversée : 35 mn. Le *Zodiac* vous dépose à Puerto Navarino et on rejoint Puerto Williams en bus (trajet inclus dans le tarif ; env 1h).

➢ **Punta Arenas (Chili) :** avec l'agence *Comapa (plan couleur C2, **11**), San Martín, 409. ☎ 43-07-27. • comapa.com • Sept-avr, croisières de 4-5 j. via le Cap Horn.* Pas donné mais exceptionnel.

En avion

Arrivée à l'aéroport

✈ **Aéroport Malvinas Argentinas** *(hors plan couleur par A3) :* *à 5 km du* *centre-ville.* ☎ *43-12-32.* Un point d'infos vous fournira un plan de la ville, la liste des hôtels et des infos touristiques. Distributeur de billets. Pas de bus pour faire la liaison entre l'aéroport et la ville, mais des taxis (env 60 $Ar).

– ***Taxe d'aéroport :*** 30 $Ar pour les vols nationaux, 20 US$ pour les vols internationaux.

➢ ***Buenos Aires :*** 2-6 vols/j. selon saison avec *Aerolineas Argentinas,* avec ou sans escale. Compter 3h20 de vol (direct). *LAN* et *LADE* proposent aussi des vols avec escale.

➢ ***Río Gallegos :*** 1 vol/j. avec *Aerolinas Argentinas.* Également des vols avec *LADE* (moins fréquents).

➢ ***El Calafate :*** 1-3 vols/j. (directs) avec *Aerolinas Argentinas* et *LAN.*

➢ ***Río Grande :*** 2 vols/sem avec *LADE.*

➢ ***Puerto Williams (Chili) :*** nov-mars, plusieurs vols/sem avec l'*Aeroclub Ushuaia* et *Aerovías DAP.*

Quand y aller ?

Couloir entre les deux océans, Ushuaia est, en hiver, la proie de rafales de vent très violentes qui sont beaucoup plus contraignantes que la neige, le brouillard ou le froid. En effet, le climat est moins rigoureux qu'on ne le croit souvent. En été, le thermomètre peut atteindre une vingtaine de degrés. En hiver (juin à septembre), les températures oscillent de -12 °C à + 5 °C. Les jours sont courts et la neige peut bloquer certaines routes.

À moins de vouloir faire du ski ou de la motoneige, mieux vaut donc y aller en été ou à la fin du printemps (de novembre à mars). En été, le temps change très vite, au point que les habitants ont l'habitude de dire qu'il y a les quatre saisons par jour ! Si vous arrivez par mauvais temps, il est donc inutile de vous inquiéter. Mais même en été, prévoyez des vêtements chauds ! Ne serait-ce qu'un gros pull, un bonnet et un coupe-vent...

Dans cette contrée proche du pôle Sud, la durée des journées est très variable : en été, il fait jour de 5h à 23h30, alors que l'hiver, le soleil n'est présent que de 10h à 16h. En été, si vous le pouvez, offrez-vous le luxe d'une nuit blanche, pour admirer l'incroyable lumière qui baigne les nuages... en pleine nuit !

Adresses utiles

Infos touristiques

🅸 ***Office de tourisme*** *(plan couleur C2) : San Martín, 674.* ☎ *42-44-50. Un autre bureau d'info sur le port, av. Prefectura Naval Argentina, 470 (plan couleur C2).* ☎ *43-76-66. • tierradelfuego.org.ar • turismoushuaia.com • En été, lun-ven 8h-22h, w-e et j. fériés 9h-21h (en alternance entre les 2 bureaux) ; horaires réduits le reste de l'année.* Une équipe très accueillante, en français (demandez Celia), et efficace. Plan de la ville, infos sur les activités et les hébergements (peuvent passer un coup de fil pour connaître les disponibilités, mais pas de résas). Demandez les itinéraires de randos balisées. Le must : repartir avec son coup de tampon « *Ushuaia the Southernmost city in the world* », du plus bel effet sur les cartes postales ! Également un bureau à l'aéroport.

■ ***Parque nacional Tierra del Fuego*** *(plan couleur A2,* **1***) : San Martín, 1395.* ☎ *42-13-15. • tierradelfuego@apn.gov.ar • Lun-ven 9h-16h.* Toutes les infos utiles et nécessaires pour préparer une petite virée dans le parc national.

🅸 ***Oficina Antártica*** *(plan couleur C2,* **2***) : sur le port.* ☎ *42-33-40 ou 43-00-15. Lun-ven 9h-17h (19h quand des bateaux de croisière arrivent d'Antarctique).* Bureau d'information sur le continent Antarctique : doc, cartes, infos pratiques.

Poste et télécommunications

✉ ***Poste*** *(plan couleur C2) : angle San Martín et Godoy. Lun-ven 9h-17h30 ;*

sam jusqu'à 13h. Assure le service Western Union.

@ **Cafe Net** (plan couleur C2, **3**) **:** *San Martín, 565. Fait également* locutorio. *Lun-sam 9h-22h ; dim 9h-12h.*

Argent, change

■ ***Bureau de change Thaler*** (plan couleur C1, **4**) **:** *San Martín, 209.* ☎ *42-19-11. Lun-sam 10h-20h.*

■ ***Distributeurs de billets* :** *plusieurs sur San Martín et sur Maipú.*

Représentations diplomatiques

■ ***Consul honoraire de France* :** *Jose O. Retamar, 1337.* ☎ *43-00-25.* • *consulat.ushuaia@gmail.com* •

Santé

⊞ ***Hospital regional*** (plan couleur A3, **5**) **:** *angle 12 de Octubre et Malvinas.* ☎ *44-10-00.*

⊞ ***Clinica San Jorge*** (plan couleur A3, **6**) **:** *Onachaga, 184.* ☎ *42-26-35.*

■ ***Pharmacies* :** *nombreuses sur San Martín. L'une des mieux fournies,* **Autofarma,** *San Martín, 1336 (plan couleur A2,* **7***). Tlj 8h-minuit. Une autre sur Maipú, 323, à l'angle de Gobernador Godoy (plan couleur C2,* **8***). Lun-sam 10h-21h.*

Transports

■ ***Compagnies aériennes* :**

– ***Aerolineas Argentinas*** (plan couleur B2, **9**) **:** *angle Maipú et 9 de Julio.* ☎ *0810-222-86-527 ou 42-12-18. Lun-ven 9h30-17h (sam 12h).*

– ***LADE*** (plan couleur C2, **10**) **:** *San Martín, 542.* ☎ *42-11-23. Lun-ven 9h-15h.*

– ***Aeroclub Ushuaia*** (plan couleur C3, **19**) **:** *Luis Pedro Fique, 151.* ☎ *42-17-17.* • *aeroclubushuaia.org.ar* • *Tlj 8h-20h.*

– ***Aerovías DAP* :** *représentée par l'agence* Comapa *(plan couleur C2,* **11***), San Martín, 409.* ☎ *43-07-27.*

■ ***Location de voitures* :**

– ***Alamo* :** *Belgrano, 96.* ☎ *43-11-31.*

– ***Avis* :** ☎ *43-02-69 (à l'aéroport slt).*

– ***Budget* :** *Gobernador Godoy, 49.* ☎ *43-73-73.*

– ***Hertz* :** *San Martín, 409 (dans les locaux de l'agence* Comapa Viajes y Turismo*).* ☎ *43-24-29 (à l'aéroport) et 43-75-29 (en ville).*

– ***Localiza Rent a Car* :** *Sarmiento, 81.* ☎ *43-77-80. Lun-sam 9h-21h ; dim 10h-15h.*

Agences

Ushuaia est l'endroit rêvé pour le trekking et les randonnées en tout genre. Il y a dans le centre des dizaines d'agences qui vous proposent des excursions. Elles fournissent tout le matériel mais demandent quand même d'apporter de bonnes paires de chaussettes ! Divers programmes selon les agences (liste disponible à l'office de tourisme).

■ ***Rumbo Sur*** (plan couleur C2, **12**) **:** *San Martín, 350.* ☎ *42-22-75 et 42-24-41.* • *rumbosur.com.ar* • *Lun-ven 8h-20h ; sam 8h-13h, 17h-20h ; dim 17h-20h. Annexe au port.* Propose une grande variété d'excursions sur le canal de Beagle avec son propre catamaran, ainsi que des croisières en Antarctique et des excursions terrestres.

■ ***All Patagonia*** (plan couleur B2, **13**) **:** *Juana Fadul, 40.* ☎ *43-36-22.* • *allpatagonia.com* • *Lun-ven 10h30-17h30 ; sam 10h-14h.* Agence sérieuse. Pour le reste, même genre d'excursions que les précédentes.

■ ***Piratour*** (plan couleur B2, **14**) **:** *San Martín, 847, sur le quai également.* ☎ *43-55-57* • *piratour.com.ar* • *Lun-ven 9h-21h ; sam 9h-13h, 17h-21h.* La seule agence qui soit autorisée, depuis la *estancia Harberton,* à aborder en *Zodiac* sur la isla Martillo et, donc, à se promener au milieu des palmipèdes (début nov-fin mars). Compter 15 mn de traversée et 1h de balade sur l'île. Départ d'Ushuaia vers 8h, retour vers 14h30. Prévoir env 600 $Ar au départ d'Ushuaia, et env 500 $Ar depuis l'*estancia Harberton,* mais sans garantie, du fait de la limitation du nombre de personnes autorisées (en principe, 20 max à la fois ; droit d'entrée à la *estancia* en sus : env 80 $Ar). Résa impérative, donc.

■ ***Canal Fun*** (plan couleur B2, **15**) **:**

9 de Julio, 118 ; presque à l'angle de San Martín. ☎ *43-57-77.* • *canalfun.com* • *Lun-sam 10h-20h30 ; dim 16h-20h.* Pour une approche sportive de la Terre de Feu. Excursions en kayak vers le canal de Beagle ou en *Zodiac* vers l'isla Redonda, par exemple. Encadrement professionnel.

■ ***Compañía de Guías de Patagonia*** *(plan couleur C2,* ***16****) : San Martín, 628.* ☎ *43-77-53.* • *companiadeguias.tur.ar* • *Lun-ven 10h-13h, 15h30-20h30 ; sam 16h-20h.* Une agence spécialisée dans les excursions pédestres. Peut organiser des treks à la carte, comme la traversée de la Terre de Feu en 7 jours. Possibilité, entre autres, d'y trouver un billet de dernière minute à prix réduit pour embarquer vers l'Antarctique. Accueil parfois en français.

Divers

■ ***Matériel de camping : Popper Store,*** *San Martín, 740.* Cher, mais pas mal de choix. *Également* ***DTT,*** *San Martín, 903, lun-sam 9h30-13h, 16h-21h ;* ***VRAIE,*** *San Martín, 595. Lun-sam 10h-21h.* Grand magasin de textile. *Et* ***Extrema Patagonia,*** *San Martín, 858.*

■ **Boutique del Libro** *(plan couleur C2,* ***17****) : 25 de Mayo, 62.* ☎ *43-21-17. Lun-dim 10h-21h.* Beaux livres, cartes, guides et récits de voyages en espagnol, en anglais... et quelques rares titres en français ! À ne pas confondre avec l'autre adresse de la maison sur San Martín, beaucoup plus généraliste.

■ ***Supermarché La Anonima*** *(plan couleur A2,* ***18****) : San Martín, 1506. Tlj 9h30-22h.* De quoi faire ses provisions avant de partir en randonnée.

Où dormir ?

Attention, beaucoup d'adresses ferment en juillet et août. Bien se renseigner avant. Nombreuses possibilités également de logement chez l'habitant *(casas de familia).* Le problème, c'est que ces adresses changent souvent.

Campings

⛺ ***Camping Río Pipo*** *(hors plan couleur par A3,* ***29****) : H. Yrigoyen, 2490 ; à 4 km du centre-ville, en direction du parc national, sur la gauche, juste après le* Rugby Club. ☎ *44-04-95. Ouv nov-fév. Compter env 60 $Ar/pers, 20 $Ar en sus pour l'électricité. Douches chaudes 24h/24.* 💻 📶 Agréable, dans une forêt près d'une rivière. Sanitaires rénovés et propres. Grande salle-cuisine commune tout équipée, pour se réchauffer en bonne compagnie. Laverie. Supermarché à 20 mn de marche. Accueil adorable.

⛺ ***Camping La Pista del Andino*** *(hors plan couleur par A1,* ***30****) : Leandro N. Alem, 2873.* ☎ *43-58-90. À 3 km env du centre. Ouv de mi-nov à début avr. Compter 55 $Ar/pers ; 15 $Ar pour la voiture.* 📶 En lisière de forêt et au pied de l'ancien remonte-pente des pistes de ski. Emplacements sur des pelouses au milieu des massifs de lupins. *Confitería* pour se restaurer, petite épicerie en dépannage. Douches chaudes (8h-minuit), mais sanitaires pas terribles. Salle avec cuisine équipée pour se faire la popote. Bon accueil.

⛺ ***Campings du parc national :*** voir « Dans les environs d'Ushuaia ».

De bon marché à prix moyens (moins de 650 $Ar / env 65 €)

Dans cette rubrique, on trouve des *hostales* type auberges de jeunesse avec dortoirs à prix modestes et salles de bains communes. Les chambres doubles de ces adresses, avec sanitaires privés, entrent plutôt dans la catégorie « Prix moyens ».

🏠 ***Antárctica Hostel*** *(plan couleur C1,* ***31****) : Antártida Argentina, 270.* ☎ *43-57-74.* • *antarcticahostel.com* • *Fermé mai-juil. Lit en dortoir env 150 $Ar ; double env 400 $Ar. Petit déj inclus.* 💻 📶 Une auberge de jeunesse en bois, type chalet, tenue par Gabriel, qui parle un peu le français. Au choix, dortoirs de 6 personnes assez vastes, ou chambres pour 2. Sanitaires communs. Atmosphère conviviale propice aux échanges dans le grand salon doté de banquettes pour s'affaler. On peut boire un verre au bar ou s'attabler en mezzanine. Jardin avec barbecue. Laverie. Cuisine équipée. Vraiment sympa.

La Posta *(hors plan couleur par A3,* ***32****) : Perón Sur, 864 ; à 3,5 km du centre (bus A). ☎ 44-46-50. Fermé d'avr à mi-juin. Dortoirs 4-6 lits env 150 $Ar/pers (douches communes) ; double env 450 $Ar ; apparts 2-6 pers avec cuisine 650-950 $Ar. Petit déj compris.* Un peu en dehors de la ville, au niveau du rond-point de l'aéroport (rue de droite), mais à 5 mn à peine en bus. Une AJ privée à caractère familial, aux prestations dignes d'un 3-étoiles ! Chambres hyper confortables et dortoirs au-dessus de la moyenne. Environnement tant intérieur qu'extérieur vraiment agréable, propreté nickel. 2 cuisines à dispo, barbecue. TV câblée. Pas vraiment destiné aux fêtards, mais conviendra bien aux séjours de longue durée. Un coup de cœur, doublé d'un rapport prix-qualité imbattable.

Free Style Backpackers Hostel *(plan couleur B2,* ***33****) : Gobernador Paz, 866. ☎ 43-28-74 ou 42-28-33. • ushuaiafreestyle.com • Ouv tte l'année. Dortoirs de 4-6 lits avec sdb commune ou privée env 150-200 $Ar/pers. Pas de chambre double.* Un peu planquée au bout d'un couloir, cette auberge réserve une belle surprise. Pour quelques pesos de plus qu'une auberge basique, le niveau de confort est supérieur. Beaucoup de bois dans les matériaux utilisés. Au 2e étage, un agréable salon, avec canapés face à la vue imprenable sur la baie. Billard, table de ping-pong, salon TV et DVD, bibliothèque. Laverie, snack, cuisine équipée.

Hostel Cruz del Sur *(plan couleur C1,* ***34****) : Gobernador Deloqui, 242. ☎ 43-40-99. • xdelsur.com.ar • Ouv tte l'année. Dortoirs 4-6 lits env 120 $Ar/pers ; double avec sdb 380 $Ar ; possibilité de louer une tente. Petit déj compris.* Une vraie auberge de jeunesse privée et peinturlurée de toutes les couleurs, avec une quarantaine de lits en dortoirs mixtes ou chambres doubles. Casiers avec cadenas. Cuisine à disposition, laverie. Très propre. Jardin avec balancelle, ping-pong. Bon accueil. Une adresse plaisante.

El Refugio del Mochilero *(plan couleur C1,* ***35****) : 25 de Mayo, 231. ☎ 43-48-95. Fermé avr-juin. Lits en dortoir env 120-160 $Ar ; double env 400 $Ar ; cabaña env 520 $Ar pour 4 pers.* Une cinquantaine de lits en chambres de 4 à 6 personnes. Salles de bains communes. Très propre. Petit coup de cœur pour la petite cabane aménagée au fond du couloir, avec cuisine et salle de bains privée, d'un très bon rapport qualité-prix. Ambiance jeune et gentiment bohème. Cuisine et living-room. Thé, café, chocolat et *mate* offerts par la maison. Laverie.

Yakush Hostel *(plan couleur B2,* ***36****) : Piedrabuena, 118 (angle San Martín). ☎ 43-58-07. Dortoirs 4-6 lits env 150-200 $Ar/pers ; doubles env 450-550 $Ar avec sdb commune ou privée ; petit déj inclus.* De l'extérieur, une AJ à la face en tôle ondulée qui donne sur la rue principale et ne paie pas de mine. Mais à l'intérieur, c'est une tout autre affaire. La déco est mignonne, colorée et chaleureuse. Il plane même une touche de fantaisie. Une quarantaine de lits en chambres spacieuses et bien entretenues, tout comme les douches communes. Cuisine équipée. Atmosphère ultraconviviale et détendue dans le living-room en mezzanine, et accueil super-pro. Jardin, échanges de livres.

Los Cormoranes *(plan couleur A1,* ***37****) : Kamshen, 788. ☎ 42-34-59. • loscormoranes.com • Ouv tte l'année. Dortoirs 6-8 lits avec ou sans sdb 150-220 $Ar/pers ; double env 570 $Ar selon saison, petit déj compris. Réduc avec la carte* HI. *Transfert gratuit depuis l'aéroport ou la station de bus à condition de passer 3 nuits en dortoir ou de loger en chambre privée (à l'arrivée slt).* Sur les hauteurs de la ville, une petite auberge avec 5 dortoirs et 7 chambres dont des familiales, installés côte à côte façon motel. Quelques rares chambres bénéficient d'une vue sur le canal de Beagle (même tarif). Grande pièce commune avec drapeaux

aux murs, mais aussi cuisine équipée à disposition. Laverie, bibliothèque. Très bon accueil. Un peu excentrée, c'est le point faible de l'adresse.

La Casa de Silvia Casalaga *(plan couleur A2,* ***38****) : Gobernador Paz, 1380. ☎ 42-32-02. • silviacasalaga.com.ar • Fermé mai-oct. Env 550 $Ar pour 2 pers, petit déj délicieux compris.* Silvia (une charmante Argentine qui parle un excellent français) habite un joli chalet d'architecte en bois jaune surplombant la ville, à 200 m à peine de la rue San Martín. 6 chambres impeccables, pas bien grandes (3 salles de bains à partager) mais qui donnent l'impression d'être comme chez soi. On prend le petit déj dans une salle chaleureuse, sur fond de musique tranquille, pour un réveil tout en douceur.

Cama y Desayuno de las Artes *(plan couleur B1,* ***39****) : 9 de Julio, 462. ☎ 43-18-62. • bbdelasartes.com.ar • Doubles avec ou sans sdb env 400-480 $Ar, petit déj compris. Parking.* Au calme, un *B & B* discret proposant 5 chambres confortables et spacieuses (avec ou sans douche et w-c). Cuisine, laverie, CD et films à disposition dans le salon. Des textiles imprimés des quatre coins du monde habillent les murs. Accueil très prévenant de Marcos. Ambiance un poil baba. On peut garder vos bagages si vous partez en excursion.

Chic (650-1 000 $Ar / env 65-100 €)

Hostería Linares *(plan couleur A2,* ***40****) : Gobernador Deloqui, 1522. ☎ 42-35-94. • hosterialinares.com.ar • Ouv tte l'année. Doubles env 650-900 $Ar selon saison, petit déj inclus (10 % de réduc en payant cash).* Beaucoup de cachet pour cet hôtel d'une dizaine de chambres d'où l'on a une superbe vue sur la baie. Seules 2 chambres sont privées du panorama. Cadre chic avec joli plancher et déco raffinée. Services au grand complet. Idéal pour les amoureux.

Villa Brescia *(plan couleur B2,* ***41****) : San Martín, 1299. ☎ 43-13-97 ou 32-76. • villabresciahotel.com • Ouv tte l'année. Doubles env 750-980 $Ar selon saison et confort, petit déj inclus.* Hôtel de standing aux chambres confortables, cela va de soi. On les aimerait juste un peu plus grandes. Celles qui donnent à l'arrière sont plus calmes (la rue San Martín est animée en soirée les week-ends). Dans les *superior,* on peut régler le chauffage, pas dans les autres.

Où manger ?

Les prix y sont un peu plus élevés que dans le reste de l'Argentine, en particulier pour les fruits et légumes. Ushuaia étant principalement un port, les spécialités sont, logiquement, le poisson et les fruits de mer, tout particulièrement les *centollas* (araignées de mer) dont vous nous direz des nouvelles !

De bon marché à prix moyens (moins de 180 $Ar / env 18 €)

Tante Sara *(plan couleur C1,* ***51****) : San Martín, 175. ☎ 43-37-10. Dim-jeu 8h-20h30 ; ven-sam 8h-23h.* Il y a plusieurs *Tante Sara* à Ushuaia ; ne pas se tromper. Ce café-bar au cadre moderne est à mi-chemin entre le salon de thé et le bistrot. On y mange très bien, principalement des pizzas et des pâtes, mais aussi des sandwichs, viandes et poissons. Également de bons gâteaux pour le goûter. Pas mal pour le petit déj aussi. L'autre *Tante Sara,* à l'angle de San Martín et Fadul, dégage une atmosphère de bistrot à la française avec ses nombreuses boiseries. On s'y pose plutôt en journée pour prendre un verre.

El Turco *(plan couleur A2,* ***52****) : San Martín, 1410. ☎ 42-47-11. Tlj sf dim 12h-15h, 20h-minuit.* Un peu à l'écart. La décoration est classique et banale, les tables sont un peu les unes sur les autres, mais il faut reconnaître que la cuisine fait preuve d'une régularité réjouissante. Rapide, économique et copieux. *Pasta* maison, pizzas maousses à la pâte bien croustillante. Atmosphère familiale. Plein tous les soirs.

|●| 137 *(plan couleur C1,* ***51****) : San Martín... 137 ! ☎ 43-50-05. Tlj 12h-15h, 19h-minuit.* Dans une grande et jolie salle aérée avec ses banquettes de bois blond. Spécialités de la péninsule essentiellement (cannellonis, gnocchis, lasagnes – végétariennes notamment). Succulentes pâtes, dont celles aux fruits de mer. L'originalité de la maison, ce sont ses pizzas où chaque ingrédient n'est pas mélangé mais cuit séparément. Portions possibles pour les petits appétits. Pour les becs sucrés, le pancake au *dulce de leche,* un délice.

Prix moyens (120-180 $Ar / env 12-18 €)

|●| *Ramos Generales El Almacén* *(plan couleur B2,* ***53****) : Maipú, 749. ☎ 42-43-17. Tlj 9h-minuit. Fermé en mai.* Une vieille épicerie où le temps a suspendu son vol. À l'intérieur : vénérable plancher, jardin d'hiver au fond et même un piano, objets hétéroclites, portraits, ustensiles, jouets anciens. Rien d'aujourd'hui donc, hormis les viennoiseries qui sont faites tous les jours (quand même !) et qui fondent dans la bouche... Cuisine de snack (sandwichs, paninis), mais aussi jolies salades, poissons fumés ou marinés, pâtes. À accompagner d'une bonne pinte de *Cap Horn.* Formule goûter et bar à vins pour l'apéro. Très bien pour le petit déj également.

|●| *Bodegón Fueguino* *(plan couleur B2,* ***54****) : San Martín, 859. ☎ 43-19-72. Tlj sf lun 11h-14h, 20h-23h. Prix raisonnables.* Installé dans une maison en bois jaune de la fin du XIXe s, ce resto est surtout prisé pour son cadre tout en bois, rustique et patiné, adouci par les peaux de mouton sur les banquettes. On y partage des *picadas* variées, à l'espagnole. Spécialité de *cordero,* correct sans plus, et de pâtes maison. Chaude ambiance, comme à la montagne.

|●| *Placeres Patagonicos* *(plan couleur C1,* ***55****) : Gob Godoy, 289. ☎ 43-37-98. Tlj 12h-15h30, 20h-1h ; service continu pour sandwichs et* tablas. *En sem, menus à prix intéressants pour le déjeuner.* Un peu excentré et, du coup, un peu plus calme. On aime bien ce cadre chaleureux aux lourdes tables en bois blond. *Tablas* de charcuterie et de fromage à *compartir* et à accompagner d'un vin sélectionné par la maison. Sinon, la carte propose essentiellement des viandes. La *seleccion de carnes* comblera deux appétits (n'hésitez pas à partager).

|●| *La Rueda* *(plan couleur C1,* ***57****) : angle San Martín et Rivadavia. ☎ 43-65-40. Tlj sf lun hors saison 12h-15h, 19h-23h.* Petite salle lambrissée assez cosy. Une adresse populaire, connue pour ses beaux buffets *(tenedor libre)* servis midi et soir, au rapport qualité-prix intéressants et souvent appréciés des groupes. Entrées élaborées, parfois une *parrillada*... et dessert compris (mais boisson obligatoire).

|●| *La Casa de los Mariscos* *(plan couleur C2,* ***58****) : San Martín, 232. ☎ 42-19-28. Tlj 11h30-15h, 18h-minuit. L'addition peut rejoindre la catégorie « Chic ».* Cette « Maison des Fruits de mer » abrite une petite salle en bois, bien tenue et accueillante, avec nappes à carreaux. On y mange de très bons *mariscos,* parmi les meilleurs de la ville (pas donnés). Goûter notamment à la succulente *cazuela de pulpo y centolla*.

– Le proprio tient un autre resto, à deux pas de là : **Chicho's,** *Rivadavia, 72. ☎ 42-34-69.* Même cuisine, avec davantage de viandes.

Chic (jusqu'à 220 $Ar / env 22 €)

|●| *Tía Elvira* *(plan couleur C2,* ***60****) : Maipú, 349. ☎ 42-47-35. Tlj sf dim 12h-15h, 19h-23h30. Résa conseillée.* Ici, on affiche la couleur dès l'enseigne : la spécialité, c'est le crabe *(centolla),* sous toutes ses formes (en escabèche, à la provençale, etc.). Plein d'autres spécialités de la mer. Petite salle à la déco d'autrefois, avec vieilles cartes, gravures de crustacés et autres photos de canoës. Nombreuses bouteilles de vin qui remplissent les étagères. Service rapide. Au fait, *Tía Elvira,* c'est « La Grand-mère ». Des secrets d'antan transmis avec talent !

Volver *(plan couleur C1-2,* ***61****) : Maipú, 37. ☎ 42-39-77. Tlj sf dim midi et lun 12h-15h, 19h30-23h30.* Au bout du port, un endroit hors du temps où l'incroyable bric-à-brac accumulé depuis des décennies donne l'impression de pénétrer dans un minimusée, avec serveurs en tenue d'époque. Mais on ne vient pas ici pour visiter mais bien pour se passer la serviette autour du cou et se payer (c'est pas donné) une de ces énormes bestioles aperçues dans l'aquarium à l'entrée. Le crabe royal s'accommode à tous les modes et toutes les sauces, et se déguste avec un plaisir non dissimulable, même si en fond sonore, les chansons de Piaf, Trenet et Gréco risquent de vous flanquer un coup de blues. Pour les autres plats de poisson, la préparation peut se révéler un peu inégale.

Küar *(hors plan couleur par C2,* ***59****) : av. Perito Moreno, 2232. ☎ 42-73-96. À 2,5 km du centre-ville. Tlj sf dim en mai 12h30-15h, 20h30 (18h w-e)-1h du mat.* La zone portuaire dans laquelle se trouve le resto n'est pas très glamour, on en convient. Mais dès le pas de la porte franchi, on oublie tout. Le cadre en bois est séduisant et le regard se porte inévitablement sur la grande baie vitrée qui donne sur le canal de Beagle et les montagnes chiliennes. L'ambiance électro-*lounge* est idéale en amoureux (demander une table au bord de la fenêtre). Dans les assiettes, on savoure une cuisine de belle tenue, préparée avec soin. Viandes fondantes. Bon accueil.

Plus chic (plus de 220 $Ar / env 22 €)

Maria Lola *(plan couleur B2,* ***62****) : Gob. Deloqui, 1048. ☎ 42-11-85. Tlj sf dim 12h30-14h30, 19h-23h30. Menu avantageux le midi.* Perchée sur la colline, dans une jolie architecture qui marie la tôle, le bois et le verre, une double salle à la déco design avec tables hautes et tabourets côté fenêtre sur la baie (les plus prisées, pensez à réserver). Spécialité de cuisine de la mer, où le *king crab* règne en maître, sans faire trop d'ombre à tous ses sujets marins : poulpe, crevettes, moules, merlan, saumon, haddock, truite, etc. Le risotto de fruits de mer généreusement servi est un régal. Pour chaque plat, un vin au verre est suggéré en harmonie. Service pro.

Kaupé *(plan couleur C1,* ***63****) : Roca, 470. ☎ 42-27-04. Tlj sf dim 12h-14h, 18h30-23h.* Dans une demeure particulière, une des adresses en vue de la ville. Cadre sobre et assez classieux, nappes blanches, mais pas guindé pour autant. Demander une table près de la fenêtre pour la vue sur le canal de Beagle (toutefois un peu gâchée par les antennes...). Cuisine tout en finesse et poisson d'une belle fraîcheur. Probablement le meilleur *king crab* de la ville (nature ou cuit dans une sauce à la crème). Magnifiques desserts et vins choisis.

Chez Manu *(hors plan couleur par A1,* ***64****) : Luis Marcial, 2135. ☎ 43-22-53. À env 4,5 km du centre-ville, sur la route du glacier Martial. Ouv 12h-15h, 20h-minuit en hte saison ; slt le soir en basse saison. Résa recommandée.* Y aller pour dîner. La vue sur la baie et la ville éclairée la nuit justifie à elle seule le détour. Si on y ajoute l'accueil du chef français qui concocte des plats de saison inventifs et raffinés, parfaite harmonie entre la « French touch » et de superbes produits argentins, on touche au sublime. Dégustation de fumaison maison (hmm !). Prix vraiment raisonnables pour la qualité. Entre *cordero* fondant et *centolla* juste pêchée, notre cœur balance encore... Une précision, c'est le seul resto d'Ushuaia où l'on peut goûter du castor !

Où prendre un goûter ?

Casa de té La Cabaña *(hors plan couleur par A1,* ***66****) : av. L. F. Martial, 3560. ☎ 42-47-79. Sur les hauteurs de la ville, au-delà de l'*Hotel del Glaciar et *au pied du téléphérique* (aerosilla). *Pour y aller, prendre un taxi. Tlj 8h-20h.* Ce charmant salon de thé aux allures de maison de poupée *so British,* perdu au milieu des arbres, fait partie de l'hôtel luxueux *Cumbres del Martial.* Propose un onctueux chocolat chaud, de bons gâteaux, cakes, *panecillos,* etc. Les plus gourmands craqueront pour une fondue au chocolat. Vente de thé dans de jolies boîtes maison.

Où boire un verre ? Où sortir ?

🍸 ***Dublin Bar Irlandés*** *(plan couleur B2,* ***70****) : 9 de Julio, 168. ☎ 43-07-44. Tlj sf lun de 9h à 3-4h du mat.* Le bar irlandais le plus austral de la planète ! Pour siroter une *Beagle* avec d'autres routards, assis dans ses alcôves ou au comptoir. Beaucoup de monde à partir de 21h.

🍸 ♩ ***Macario 1910*** *(plan couleur A2,* ***71****) : San Martín, 1485. ☎ 42-27-57. Tlj sf lun 12h-3h du mat.* Sympathique bar à l'esprit un tantinet british, sur 2 étages. Terrasse au bord d'un jardin à l'arrière pour prendre le frais. Parfois des concerts et soirées DJs.

🍸 ♫ ***El Nautico*** *(plan couleur B2,* ***72****) : Maipú, 1210. ☎ 43-04-15. Ouv w-e à partir de minuit. Entrée payante (1 boisson incluse).* La boîte la plus connue d'Ushuaia.

À voir

★★ ***Museo marítimo*** *(plan couleur C1) : au carrefour de Gobernador Paz et Yaganes. ☎ 43-63-21/74-81. • museomaritimo.com • Tlj 9h (10h mai-oct)-20h. Entrée : env 110 $Ar ; réduc. Billet valable pour le lendemain. Visite guidée en espagnol à 11h30, 16h30 et 18h30. Audioguide en français.*

Le musée est aménagé dans l'ancien bagne d'Ushuaia. En construisant en 1902 ce pénitencier, les autorités argentines avaient comme objectif de peupler la zone suivant un processus comparable à celui de la Guyane. Cas unique, les familles des prisonniers habitaient à proximité. Mais les résultats furent mitigés et, pendant longtemps, il y eut plus de bagnards que d'habitants !

UN NAUFRAGE MÉMORABLE

En juillet 1930, un paquebot allemand, le Monte Cervantes, *quitta Ushuaia. Une demi-heure après, il s'échoua sur les rochers dans le canal de Beagle et sombra lentement. Les 1 200 passagers et les 350 membres d'équipage furent sauvés en grimpant dans les chaloupes. Seul le capitaine resta à bord et périt avec son navire. L'arrivée de si nombreux naufragés posa de gros problèmes de logistique à la petite ville. Un grand nombre d'entre eux trouvèrent refuge dans la... prison. Le paquebot fut affublé par les médias du nom de « Titanic des mers du Sud ».*

Le bâtiment est construit selon une architecture pénitentiaire classique avec des ailes rayonnantes et un pavillon central pour les surveiller. La plupart des bagnards étaient des prisonniers politiques. L'un des plus fameux fut l'anarchiste ukrainien Simon Radowitzky, emprisonné à l'âge de 18 ans après avoir tué le directeur de la police de Buenos Aires, incarcéré pendant 21 ans à Ushuaia et dont Bruce Chatwin raconte l'histoire dans *In Patagonia.*

Une seule évasion se solda par un succès. Fermé en 1947, ce bagne est devenu une importante base militaire pour asseoir la présence argentine dans la région. Quelques bateaux sont partis de là durant la guerre des Malouines.

Aujourd'hui, le musée comprend plusieurs parties aménagées dans les anciennes cellules. La visite débute par une petite salle consacrée aux Indiens Yámana. Puis, au rez-de-chaussée et à l'étage, expo sur les travaux réalisés par les prisonniers, maquettes de bateaux de toutes les époques, cartes retraçant les expéditions

légendaires en Terre de Feu et au pôle Sud. Photos et dessins évoquent les expéditions vers le Continent de Glace, la faune antarctique, la chasse aux phoques et aux baleines, etc. D'autres salles abordent les immigrations croate et italienne, les monnaies frappées à l'effigie de Julius Popper, la guerre des Malouines, la marine de guerre argentine, la vie sociale au début du XXe s, les pionniers de l'aviation, l'histoire d'Ushuaia, etc.
Dans la section *Museo de Arte Marino (à l'étage ; ouv tlj sf dim 14h-20h),* plusieurs tableaux d'artistes argentins. Une partie accueille des expos temporaires. À l'extérieur, un phare du bout du monde dont on apprécie la reconstitution derrière une petite vitre.

☛ ***Museo del Fin del Mundo*** (plan couleur C2) **:** *Maipú, 173 (angle Rivadavia).* ☎ *42-18-63. Lun-ven 10h-19h ; w-e et j. fériés 14h-20h. Entrée : env 70 $Ar ; réduc. Ticket combiné avec l'ancienne maison du gouvernement. Visites guidées à 11h et 15h30 (env 45 mn).* Un tout petit musée consacré essentiellement à la Terre de Feu des premières occupations jusqu'à nos jours. La salle principale, dominée par la tête de proue d'un bateau, le *Duchess of Albany,* évoque le quotidien des Indiens, les différents navigateurs qui se sont succédé et l'installation des Anglais et des Salésiens. Une pièce rappelle que cet ancien édifice abrita la succursale de la *Banco nacionale Agentina.* Petite collection ornithologique pour découvrir une partie des oiseaux de l'île.

☛☛ ***Museo Yámana*** (plan couleur C2) **:** *Rivadavia, 56.* ☎ *42-28-74. Oct-mars, tlj 10h-20h ; le reste de l'année, 12h-19h. Entrée : 60 $Ar ; réduc.* Petit musée privé avec une poignée de salles seulement, mais qui résument bien la culture yámana. Documents et photos sur l'habitat et les traditions, notamment la chasse aux guanacos et aux cormorans ou la fabrication des canoës. Nomades, les Yámana construisaient des huttes sommaires qui n'étaient pas imperméables. Ainsi, plutôt que de se vêtir de vêtements qui n'auraient jamais séché, ils s'enduisaient simplement le corps de graisse et se réchauffaient devant le feu, constamment allumé dans leur hutte comme dans les canoës. Les seules photos existantes des Yámana, reproduites dans les musées et sur les cartes postales, proviennent de la Mission scientifique française du cap Horn, embarquée à bord du trois-mâts *La Romanche,* qui séjourna en Terre de Feu en 1882 et 1883.

☛ ***Capsula del Tiempo*** (plan couleur C2) **:** *sur la petite pl. des Artisans (paseo de los Artesanos).* Cet étrange petit monument ne sera ouvert qu'en 2492 ! Il contient six disques vidéo laser et les copies des émissions de télé diffusées en 1992. Le tout destiné aux générations futures, pour qu'elles sachent comment nous vivions 500 ans plus tôt...

☛ ***El Faro :*** *sur une île, au milieu du canal de Beagle.* On peut approcher le fameux phare *Les Éclaireurs* sans pour autant faire l'excursion en bateau sur le canal de Beagle. Un chemin longe la baie à partir de la sortie est de la ville, à droite de la *ruta* 3. Compter environ 3h30 aller-retour jusqu'à l'*estancia Túnel,* d'où l'on voit bien le joli phare rouge et blanc. On peut aussi aller en voiture jusqu'à la balise *Esearpedos,* à Playa Larga. Prévoir des jumelles pour voir le phare.

À faire

➢ ***Excursions sur le canal de Beagle et autour :*** la plupart des agences possèdent un kiosque sur le port. Elles proposent toutes une balade sur le canal plus une activité spécifique (on débarque pendant 30 mn sur telle île et pas une autre, approche plus nature, visite de telle *estancia,* etc.). À vous de choisir celle qui vous correspond. Les excursions se font toute l'année. Mais attention, en hiver, elles ne vont que jusqu'à l'île ***Les Éclaireurs*** (en français

dans le texte) ; de mi-oct à mi-avr, on peut naviguer jusqu'à la ***isla Martillo*** située face à la ***estancia Harberton.***
Deux types de navires :
– En catamaran à moteur, moderne, silencieux et plus rapides, comme ceux de ***Rumbo Sur*** *(☎ 42-24-41 ; ● rumbosur.com.ar ●)* et ***Tolkeyen*** *(☎ 43-43-41 ; ● tolkeyenpatagonia.com ●).* Mais il peut y avoir jusqu'à plusieurs centaines de personnes sur la même embarcation. Seuls les catamarans vont jusqu'à la *isla Martillo* et l'*estancia Harberton.*
– En bateau à voile ou à moteur, en groupe de 8 à 20 personnes. Ils s'approchent bien plus près du bord (et des lions de mer). Avec **Patagonia Adventure** *(📱 15-46-58-42 ; ● patagoniaadvent.com.ar ●)* et ***Tres Marias*** *(☎ 43-64-16 ; ● tresmarias web.com ●).* La compagnie *Tres Marias* est la seule à pouvoir s'amarrer sur l'île H, une réserve naturelle. En revanche, petits navires de 10-12 passagers, donc dur en cas de pluie et moins confortable que les autres bateaux plus classiques.
– Toutes les agences ont les mêmes ***horaires*** de départ : vers 9h-9h30 et vers 14h30-15h. Certaines proposent aussi une balade le soir en été (départ à 18h ou 19h). Elles pratiquent toutes les mêmes prix. Compter 300-500 $Ar/pers et 2h30-4h A/R selon l'embarcation pour une excursion jusqu'à l'île *Les Éclaireurs* ; env 550 $Ar/pers et 5h30 A/R pour l'excursion jusqu'à la *isla Martillo.* Près de 650 $Ar/pers avec la visite de l'*estancia Harberton* (compter 9h A/R). À noter qu'une ***taxe de sortie*** du port de 10 $Ar/pers s'ajouter au prix de l'excursion.
Que voit-on ? En s'éloignant d'Ushuaia, on se rend mieux compte que la baie est entourée de montagnes : voici la queue des Andes ! Dans un coin, on aperçoit l'***estancia Túnel,*** fondée en 1900, derrière laquelle on a retrouvé des vestiges indiens. Une fois les balises dépassées, on navigue dans le canal de Beagle proprement dit. Ce canal (185 km de long !) est le plus grand cimetière de bateaux du monde. Il relie le Pacifique à l'Atlantique et se situe à 150 km du cap Horn. Sa rive nord est argentine, tandis que sa rive sud est chilienne.
À quelques variantes près, le trajet est le même d'une agence à l'autre. On passe, dans cet ordre ou dans le sens inverse : les ***îles Bridges,*** du nom du premier Anglais qui est venu vivre avec les Indiens ; la ***isla de los Pájaros*** avec ses centaines de cormorans royaux (au cou blanc) et de cormorans Magellan (au cou noir) ; la ***isla de los Lobos,*** refuge pour une importante colonie de lions de mer. En général, on débarque quelques instants pour une petite marche sur une île. Plus loin, l'***île Les Éclaireurs*** qui porte le phare du même nom que l'on croirait tout droit sorti du roman de Jules Verne. C'est ici que le paquebot allemand *Monte Cervantes* s'échoua en 1930 et sombra en 24h (voir encadré plus haut). Attention à ne pas le confondre avec le *Phare du Bout du monde,* celui qui inspira le roman éponyme, et dont la reconstitution se dresse sur l'île des États, à l'est de la Terre de Feu. En continuant la navigation, on arrive aux abords de la ***isla Martillo*** qui abrite, de début novembre à fin mars, une colonie de manchots de Magellan et de manchots Papous. On y recense de 5 000 à 6 000 individus. Cette dernière excursion dépend des conditions météo. Le catamaran s'arrête à quelques dizaines de mètres du rivage pour observer les palmipèdes. Seule l'agence *Piratour (plan couleur B2,* ***14****),* voir « Adresses utiles », plus haut, est autorisée à accoster en *Zodiac.*
Un troisième type d'excursion inclut la visite de l'*estancia Harberton* (dans ce cas, retour à Ushuaia par la route).
– ***Conseil :*** pour pouvoir monter sur le pont durant l'excursion, il faut vraiment être bien couvert, car le vent est parfois fort et glacial.

Tren del Fin del Mundo : *☎ 43-16-00. ● trendelfindelmundo.com.ar ● La gare « del Fin del Mundo » se trouve à 8 km d'Ushuaia, sur la route nationale 3, en direction du parc national de la Terre de Feu. Depuis Ushuaia, départs de minibus sur Maipú, près de la station-service (plan couleur C2) ; trajet : 15 mn env pour rejoindre la gare. Billet : 290 $Ar l'A/R ; réduc ; gratuit moins de 5 ans. Tte l'année, départs à 9h30 (10h mai-août) et 15h (départ supplémentaire à 12h selon demande) ; retour du parc, 1h15 plus tard.*

Important : se fait généralement par agence, avec visite du parc ensuite. À faire également dans cet ordre-là si vous voyagez en individuel, car pour réaliser votre petit tour en train dans le parc national, on vous demande aussi d'en payer l'entrée *(110 $Ar/pers).* Vous pouvez aussi opter pour la 1re classe avec repas-sandwichs, mais aussi champagne (deux fois plus cher !).
À la gare, quelques photos d'époque pour l'ambiance. On embarque dans un petit train reconstitué à l'identique de celui qu'utilisaient les bagnards au début du XXe s, loco à vapeur incluse. Durant 45 mn environ, le train longe la rivière et traverse une partie du parc national de la Terre de Feu. Mais si vous n'êtes pas sensible à sa dimension historique, la balade risque de vous paraître un peu longue...

El glaciar Martial : *à 7 km du centre-ville, sur les hauteurs. Pour s'y rendre, 2 bus/j. sur Maipú, à côté de la station-service (plan couleur C2), un le mat, l'autre l'ap-m. Sinon, en taxi. Arrêt au pied du télésiège. Pour atteindre le glacier, départ du télésiège* (aerosilla) *tlj 10h-16h ; dernière descente à 15h45. Billet : env 80 $Ar. Depuis la station supérieure du téléphérique, compter un peu plus de 30 mn pour arriver au glacier. Les plus sportifs peuvent y accéder à pied depuis le centre-ville en suivant un sentier balisé (jaune) qui longe le cours d'eau, à travers la forêt (compter 4-5h A/R ; accès gratuit).* Une jolie grimpette qui peut se révéler bien sportive, si la pluie ou le vent s'en mêlent. Le glacier en lui-même n'a rien d'extraordinaire (surtout si on le compare à ceux d'El Calafate), mais on jouit d'une belle vue sur la baie.

➢ ***Balades à cheval :*** *au* ***centro hípico Fin del Mundo,*** ruta *3, valle del Río Pipo, en direction du parc national.* ☐ *15-45-99-36.* Balades de 2h *(env 350 $Ar)* ou 4h *(env 650 $Ar)* autour du Monte Susana et au bord du canal de Beagle, transfert en *remis* compris.

➢ ***Survol de la région en avion :*** avec *Aeroclub Ushuaia (plan couleur C3,* ***19****), dans l'ancien aéroport.* ☎ *42-17-17.* • *aeroclubushuaia.com.ar* • *Infos sur place, tlj 8h-20h. Compter env 235 US$/pers pour 1h, mais 180 US$/pers si vous êtes 2. Prévoir env 105 US$/pers pour 30 mn sur une base d'au moins 2 pers (sinon, même principe, un peu plus cher, 140 US$). Possibilité de négocier les prix pour des vols plus longs.* Inoubliable ! Survoler le canal de Beagle dans un coucou de 3 à 5 places, apercevoir le Chili et embrasser d'un regard la queue de la cordillère des Andes, le bout du monde ! Le vol le plus court survole l'extrémité du parc national ; de là, par temps clair, on aperçoit les glaciers chiliens et le canal Murray, qui mène directement au cap Horn. Ensuite, on remonte le canal de Beagle jusqu'au phare *Les Éclaireurs* d'où l'on aperçoit Puerto Williams. Vous pouvez négocier d'autres trajets avec l'aéroclub et payer en fonction de la durée approximative du vol. Vous pouvez même aller survoler le cap Horn en une journée, pour un prix quand même élevé. Seul inconvénient, la météo, forcément capricieuse...

➢ On peut aussi faire un ***tour d'hélicoptère*** avec *Heliushuaia* : *Lasserre, 108.* ☎ *44-44-44.* • *heliushuaia.com.ar* • *À partir de 200 US$/pers env pour 15 mn de vol.*

DANS LES ENVIRONS D'USHUAIA

PARQUE NACIONAL TIERRA DEL FUEGO

Le parc national de la Terre de Feu est le seul parc argentin ayant une côte marine... et quelle côte ! On pourrait y rester des heures tellement l'endroit est tranquille et pur, encore préservé de toute influence humaine.
Le long de la route, les arbres coupés sont le résultat de plusieurs années de travail des bagnards. Ces paysages d'arbres morts aux couleurs gris clair, sur fond de montagnes verdoyantes, donnent à cette promenade un petit côté fantastique.

Faune et flore

Vous remarquerez que certains *arbres* présentent des nœuds plus ou moins gros. C'est là une réaction de défense contre les champignons parasites *(llao llao)*, appelée *pan de Indio.* Dès qu'un arbre est infecté, on constate la présence d'un nœud, qui subsiste même après la disparition du champignon. De nombreux objets-souvenirs d'Ushuaia sont réalisés dans ces protubérances qui peuvent atteindre plus de 1 m de diamètre. En plus des *castors* – on ne les voit que la nuit –, d'autres animaux dans le parc : renards, rongeurs et autres. Mais vous verrez surtout des lapins et des oiseaux !

UNE DENT CONTRE LE CASTOR

En 1946, le ministère de la Marine importa du Canada 25 couples de castors, pour développer le commerce de la fourrure. La tentative se solda par une catastrophe : les castors se sont reproduits comme des lapins, et on en compte aujourd'hui plus de 100 000 ! Ils sont responsables de dégâts considérables dans toute la Terre de Feu : forêts décimées, rivières détournées, inondations, destruction de routes... Pour éradiquer le fléau, les chercheurs préconisent de consommer leur viande, à haute valeur nutritionnelle... À quand du pâté de castor au menu des restos d'Ushuaia ?

Arriver – Quitter

➢ ***Depuis Ushuaia :*** en voiture, en bus ou en minibus d'excursion (qui fait plusieurs arrêts). Prendre la direction de Lapataia par la *ruta nacional 3.* L'entrée du parc se trouve à 12 km d'Ushuaia, et le terminus de la *ruta 3* à 25 km. Faire le plein d'essence avant de partir. Une petite dizaine de minibus « Linea Regular » partent de Maipú, près de la station-service *(plan couleur C2),* tlj 9h-18h. Trajet : env 30 mn. Compter 120 $Ar A/R. 3 arrêts principaux : bahía d'Ensenada Zaratiegui, bahía Lapataia et près du *Centro de Visitantes Alakush,* au bord du lago Roca. Mais en principe, ils s'arrêtent un peu partout, sur demande. Depuis le parc, départs 10h-19h.

Adresses et infos utiles

– ***Entrée :*** *140 $Ar, sept-avr ; gratuit moins de 16 ans et pour ts le reste de l'année. Valable 2 j. à condition de ne pas sortir du parc.*

– Ne pas hésiter à passer au bureau du ***Parque nacional Tierra del Fuego*** *(plan couleur A2,* ***1****),* à Ushuaia. Voir « Adresses utiles ».

– ***Centro de Visitantes Alakush :*** *à 10 km env de l'entrée du parc. ☎ 15-51-97-27. Tlj 10h-15h (16h en hiver). Au bord du lago Roca.* Info sur le parc. Expos sur les Indiens, la faune et la flore, mirador pour l'observation des oiseaux sur le lac, petit sentier d'interprétation. Dispose d'un self-service avec grande baie vitrée. Également un petit centre d'infos, juste à l'entrée du parc *(tlj 8h-20h).*

– ***Pour les randonnées :*** munissez-vous de la carte éditée par le parc, qui n'est pas très précise mais qui contient des infos (distance, durée, niveau de difficulté) sur les randonnées balisées. Pour des raisons de sécurité, pour les randonnées hors des sentiers balisés, déclarez-vous auprès de l'office de tourisme d'Ushuaia. Les sentiers nord sont les plus intéressants.

À voir. À faire

➢ ***Randonnées :*** de superbes balades le long de sentiers balisés vous attendent ! Une première possibilité consiste à rejoindre la ***bahía Ensenada Zaratiegui*** en bus, puis de parcourir la *senda costera* jusqu'au lago Roca, où l'on peut reprendre le bus en fin d'après-midi pour retourner à Ushuaia. Bien entendu, dans l'autre sens, ça marche aussi. Aucune difficulté. *Longueur : 8 km. Durée : env 4h.* Le chemin longe la petite crique Ensenada Zaratiegui, bordée par la forêt avant de rejoindre la baie de Lapataia. C'est ici que vécurent les derniers Indiens, comme en témoignent ces buttes, visibles au bord du sentier, formées par l'accumulation de coquilles de moules laissées par les Indiens. Autre balade qui vaut le coup : l'ascension du ***cerro Guanaco,*** qui permet de monter jusqu'à 970 m et de bénéficier d'une vue mémorable. Départ depuis le *Centro de Visitantes Alakush. Longueur : 8 km A/R. Durée : env 7h A/R.* On peut aussi faire une balade de 2 j. par le *Paso de la Oveja* avec une nuit sous tente, mais dans ce cas, contacter obligatoirement une agence (la *Compañía de Guías de Patagonia,* voir « Adresses utiles » à Ushuaia, organise l'excursion).

➢ ***Bahía Lapataia :*** au bout de la *ruta 3.* Là se rencontrent la forêt australe, la montagne et la mer. La *ruta 3* traverse le parc d'est en ouest et aboutit à une sorte de cul-de-sac : Buenos Aires est à 3 000 km, et l'Alaska à 12 000 km ! Au parking, des passerelles en bois permettent de marcher (5 mn) jusqu'à un mirador surplombant le canal de la baie de Lapataia. Vue superbe sur le fjord, à l'eau bleu turquoise. Tout autour, un paysage d'herbes jaunies, d'arbres pliés par le vent, de monts rocailleux aux cimes enneigées. Attention à ne pas marcher dans les zones d'herbes rouges : ce sont des marécages...

➢ ***Excursion vers isla Redonda :*** *départ en* Zodiac *depuis* bahía *Ensenada Zaratiegui (en venant de l'entrée du parc par la* ruta 3, *indiqué sur la gauche). Oct-avr slt, tlj 11h-16h30. 📱 15-56-14-55 (résa possible la veille). Env 300 $Ar/pers.* Après 15 mn de navigation, on débarque sur l'île (possibilité de rando).

Où camper ?

Il existe quatre aires de camping *libre* (et gratuits) dans le parc (mais il faudra payer le prix d'entrée du parc de toute façon) et un camping organisé. Pour faire du feu (attention : interdit en cas de grand vent), apporter son charbon ou son réchaud depuis Ushuaia.

⛺ ***Camping municipal*** gratuit juste à côté de la gare du train du Bout du Monde. Mais les équipements sont sommaires et l'emplacement n'est pas top. Mieux vaut planter sa tente au sein de l'un des campings *libres* du parc, pour vraiment profiter du cadre exceptionnel et du calme. Il y en a 2 à proximité du *río* Ovando.

⛺ ***Camping Lago Roca :*** *peu après le* Centro de Visitantes Alakush, *au bord du lago Roca. Pas de n° de tél. Ouv tte l'année. Env 40 $Ar/pers. Compter 80 $Ar/pers pour un lit au refuge.* Le seul camping équipé du parc, le plus fréquenté aussi. On plante la tente sous les grands arbres, dans un environnement agréable. Douches chaudes 17h-19h, w-c, tables de pique-nique, BBQ, etc. Dispose d'un refuge (vraiment) sommaire de 15 lits (cuisine équipée). Cafétéria *(ouv 9h-2h)* pour casser la croûte.

EN REMONTANT LA RUTA 3

Estancia Harberton : *à 85 km à l'est d'Ushuaia.* • *estanciaharberton.com* • *Pas de bus. D'Ushuaia, accessible en voiture par la* ruta nacional 3 *(direction* Río Grande*), puis, après le Km 3018, suivre une piste en bon état (*ruta J*). Certaines excursions en bateau au départ d'Ushuaia y font escale. De mi-oct à mi-avr, tlj 10h-19h. Visites guidées (1h) en anglais ou en espagnol à 11h, 14h30, 16h30 et 18h. Entrée : env 80 $Ar.*

Située au bord de l'eau dans une crique abritée des vents du canal de Beagle, entourée de basses collines d'herbes rases, l'*estancia* Harberton (du nom du

village de Mme Bridges) est la plus ancienne *estancia* de la Terre de Feu (voir introduction de ce chapitre). Ce grand domaine (20 000 ha) fut fondé en 1886 par le pasteur anglican Thomas Bridges, le premier Européen à vivre (avec succès) en Terre de Feu. À 21 ans, Bridges parlait la langue des Yámana dont il devint un connaisseur et un défenseur. Il écrivit même un dictionnaire yámana. Les Indiens Yámana persécutés pouvaient se réfugier sur ses terres sans craindre les rafles des *estancieros*.
Harberton est restée dans la même famille au fil des générations. Elle appartient aujourd'hui à Thomas Goodall, un arrière-petit-fils du pasteur. Jusqu'en 1992, la ferme vivait essentiellement de l'élevage des moutons. Elle tire à présent ses revenus du tourisme. Ses habitants s'éclairent grâce à un groupe électrogène et boivent de l'eau de pluie conservée dans un réservoir. L'histoire de ce lieu unique est racontée en détail dans le superbe livre de Lucas Bridges, *Uttermost part of the Earth*. L'écrivain-voyageur Bruce Chatwin, qui séjourna à Harberton, l'évoque dans son récit *En Patagonie*.
La visite guidée comprend un tour au cimetière où s'entremêlent les tombes des Bridges et celles des Indiens Fuégiens, détaille les plantations importées, passe par la grange où avait lieu la tonte des moutons, un hangar à bateaux où trônent deux condors empaillés et finit dans le jardin de la maison (mais pas à l'intérieur) qui est, en fait, un authentique cottage anglais, démonté pierre par pierre, transporté par bateau et remonté ici. À remarquer aussi la plaque minéralogique de la jeep Willys (001) la première attribuée dans la province après l'ouverture de la route.
– Voir aussi le tout petit ***museo Acatushún*** *(● acatushun.com ● ; tlj 10h-19h ; inclus dans le prix d'entrée à l'estancia)*, consacré aux oiseaux et aux mammifères marins des mers australes. Situé à 300 m du groupe principal de maisons, au bord du chemin d'accès. Petit musée privé très bien fait. Des étudiants peuvent accompagner la visite jusqu'au labo d'étude. Dès qu'un mammifère marin s'échoue sur le littoral de la Terre de Feu, les experts du musée viennent le recueillir pour l'étudier. Les ossements lavés et décapés sont classés puis exposés au public.

Campings et chambres d'hôtes : *possibilité de camper sur le domaine (sans commodités), sur simple demande. Infos et résas sur place ou par e-mail : ● ngoodall@tierradelfuego.org.ar ● Ouv de mi-oct à mi-avr. Compter env 280-350 $Ar/pers (et sur la base de 2 pers) en ½ pens ou pens complète, visite de l'estancia comprise.* Quelques chambres dans des annexes de l'*estancia*, avec douche et w-c. Vraiment spartiates ; pour les fans du pasteur Bridges exclusivement.

Confitería Manacatush : *ouv 10h-19h.* Thé, café, gâteaux maison. Possibilité d'y manger des petits plats le midi. Légumes et fruits du jardin.

LAGO ESCONDIDO

À 65 km d'Ushuaia, sur la *ruta* 3, entièrement goudronnée. Quelques km avant d'arriver au lac, on passe le *col Garibaldi*, seul endroit en Argentine où l'on peut traverser la cordillère sans passer par le Chili.

TOLHUIN ET LAGO FAGNANO

À une centaine de kilomètres d'Ushuaia, le bleu profond du lac Fagnano apparaît devant les monts enneigés. Sur la rive, Tolhuin (nom qui signifie « en forme de cœur ») accueille de bonne grâce le trop-plein de touristes d'Ushuaia en haute saison, bien qu'il n'y ait strictement rien à voir. Pas mal de lieux et d'habitations à l'abandon rendent toutefois l'environnement un peu triste.

Où dormir ? Où manger ?

⛺ ***Camping Hain :*** *au bord du lac Fagnano.* 📱 *(02964) 15-60-36-06.* ● *robertoberbel@hotmail.com* ● *À 3 km de Tolhuin ; si vous êtes à pied, appelez Roberto, il passera vous prendre. Compter env 40 $Ar/pers pour camper ; cabanes en bois env 300-350 $Ar pour 3 pers.* Roberto est un phénomène (il est fier d'avoir fait le tour du lac sur une sorte d'embarcation à pédales, en 8 jours !), et son camping est à son image, chaleureux et sympathique : des emplacements protégés du vent pour les tentes et une salle commune pour faire la tambouille et faire connaissance autour du poêle. Sanitaires un peu spartiates. Les *cabañas,* rustiques mais chauffées et équipées d'une cuisine, offrent une bonne solution de repli en cas de déchaînement climatique... même si des palissades de bois atténuent les effets du vent. Le tout est un peu bricolé, brinquebalant mais attachant.

🏠 🍽 ***Hostería Kaiken :*** *à 100 km d'Ushuaia, sur la ruta 3.* ☎ *(02901) 49-23-72.* ● *hosteriakaiken.com* ● *Doubles env 550-900 $Ar selon confort et saison, petit déj compris ; bungalows 2 pers env 600-650 $Ar.* 💻 📶 L'hôtel se trouve en contrebas de la route, au bord du lac Fagnano, et offre une vue imprenable. Les chambres sont vastes, propres et confortables, avec parquet, petite terrasse, et même baignoire à hydromassage. À l'extérieur, bungalows en bois pour 2 ou 4 personnes, tout confort, simples, balayés par les vents assez sévères. Fait aussi resto, très prisé pour son *asador* 5 fois par semaine à midi (réserver), dans une jolie salle panoramique. Une adresse paisible, sobre et assez classe, au bout du bout du monde, doublée d'un bon accueil.

🍽 ***Panadería La Unión :*** ☎ *49-22-02. Tlj jusqu'à minuit env.* le centre névralgique du village. À la fois boulangerie-pâtisserie, centre d'appels et cafétéria. Tout le monde s'y retrouve, les touristes en premier, pour les *empanadas* ou les *churros.* Proprio français, avec photos de tous ses amis aux murs.

CABO SAN PABLO

👀👀 À 192 km au nord-est d'Ushuaia, sur la *ruta 3,* prendre sur la droite la bifurcation de la *ruta complementaria « A »* (pancarte « Cabo San Pablo ») ; commencent alors 50 km de piste, tout à fait carrossable en été. On traverse diverses *estancias* avec leurs troupeaux, et les paysages sont très variés. Quelques animaux en cours de chemin : *zorros* (renards), *guanacos,* cerfs, grands éperviers dévorant une charogne de mouton... En arrivant sur la baie de San Pablo, ni un village, ni un hameau, seulement une ancienne *hostería* abandonnée. Après le *río* San Pablo, prendre la première piste à gauche. Là, on tombe sur l'épave du *Desdemonia,* qui rouille tranquillement, à quelques dizaines de mètres du rivage, entourée par des nuées d'oiseaux.

L'ANTARCTIQUE

Bon nombre de touristes partent d'Ushuaia pour rejoindre l'Antarctique. La glace séduit de plus en plus les habitants des régions tempérées du globe. À Ushuaia, on peut s'informer sur les croisières en bateau (bateau à moteur ou voilier). La majorité des croisières longent la côte nord-ouest du continent Antarctique, la plus proche de la Terre de Feu, mais elles ne vont pas plus loin au sud. La raison en est simple : c'est le secteur le plus proche d'Ushuaia. En outre, c'est dans cette zone de l'Antarctique que se concentre la majorité des animaux visibles par les hommes, comme les manchots, et cela en

raison du climat plus doux qui y règne. Instinctivement, les gentilles bêtes ont plutôt tendance à migrer vers ces rebords glaciaires du nord-ouest du continent blanc.

UN PEU D'HISTOIRE

Sur les cartes anciennes, cette immense tache blanche (aussi grande que l'Europe) était notée « Terra Incognita ». Inconnu, l'Antarctique l'est resté très longtemps ; jusqu'à ce jour de 1773 où le navigateur britannique ***James Cook*** parvient pour la première fois à passer en bateau le cercle polaire austral. En 1820, un Russe, ***von Bellingshausen,*** pousse plus en avant : il serait le premier vrai découvreur des terres du Sud. Dans la foulée, attirés par l'aventure, d'autres explorateurs accourent vers ce monde fascinant. En 1909-1910, le ***commandant Charcot,*** à bord du *Pourquoi pas ?,* conduit une grande expédition scientifique. Mais le pôle Sud n'est pas encore découvert. L'Irlandais ***Shackleton*** tente sa chance en 1908, mais il commet l'erreur d'emmener (à la place des chiens) des poneys de Mandchourie qui s'enfoncent dans la neige. Il doit rebrousser chemin. Finalement, en 1911, ***Roald Amundsen*** atteint pour la première fois le pôle Sud et y plante le drapeau norvégien. Sous une tente de soie dressée à l'endroit de sa découverte, il laisse une lettre pour le roi de Norvège et une autre pour le Britannique Scott dont l'expédition rivale, arrivée peu de temps après, se termine tragiquement. En 1929, l'Américain ***Richard Evelyn Byrd*** survole le continent austral en avion. Il faut attendre 1958 pour que la première traversée terrestre de l'Antarctique soit accomplie par ***Edmund Hillary*** et ***Vivian Fuchs.***
D'autres aventuriers du pôle Sud, comme le docteur ***Jean-Louis Étienne*** et l'Américain ***Will Steger,*** ont réitéré cet exploit (1989-1990), avec une équipe composée de plusieurs nationalités, 36 chiens attelés à 3 traîneaux et un équipement très sophistiqué. L'expédition Transantarctica est un record : 6 300 km de glisse en 7 mois ! Ces nombreux pionniers du désert blanc n'avaient vraiment pas les mêmes objectifs que les chasseurs. Ceux-ci, dès les années 1800, accompagnés d'équipages de délinquants et de forçats, ont entamé le massacre des baleines et des phoques à grande échelle. Ce commerce animalier a engendré une industrie lucrative mais peu écologique. Aujourd'hui, elle est sévèrement contrôlée.
Pour freiner la disparition des espèces et empêcher une conquête inégale du gâteau austral (la plus grande glace du monde !), un traité de l'Antarctique a été signé en 1959 par 12 pays (dont l'Argentine, le Chili, l'ex-URSS, les États-Unis, la Norvège, la France, la Belgique...). Article 1 : « Seules les activités pacifiques sont autorisées. » Autrement dit, l'Antarctique n'appartient à personne. Il est en quelque sorte la propriété de tous, à condition de ne rien revendiquer. Les États présents s'engagent ainsi à protéger l'environnement et à coopérer dans le domaine scientifique. En fait, aucun des signataires n'a renoncé à d'éventuelles revendications territoriales, mais selon ce traité, celles-ci sont « gelées ». Difficile pourtant, pour les nations implantées en Antarctique, de rester insensibles ad vitam æternam aux immenses réserves en pétrole et en gaz enfouies sous les eaux glaciales ! Un autre accord, signé à Madrid en 1991, a fait du grand continent blanc une réserve naturelle mondiale. L'exploitation minière y est interdite pour les 50 années à venir. Le tourisme (haut de gamme, car très cher) et les activités humaines y sont autorisés. Un signe révélateur : le premier enfant né en Antarctique est un Argentin.

Comment aller en Antarctique ?

Si vous avez du temps et de l'argent (plus de 4 000 US$/pers, quand même !), c'est le moment ou jamais d'en profiter... Enfin, faut pouvoir... Vous n'êtes qu'à un millier de km, autant dire juste à côté ! Le « continent blanc » reçoit les visiteurs pas frileux de novembre à mars. Quelle est la meilleure solution pour ce sacré défi ? À la voile, bien sûr, monsieur Hulot !

En bateau

Durée : de 8-10 j. (en bateau de croisière) à 3-4 sem (en voilier).

- Des marins français très réputés en Argentine s'en sont fait une spécialité, avec des voiliers spécialement équipés. Résa par Internet (s'y prendre longtemps à l'avance). Pour y aller en bateau de croisière, s'adresser aux agences de voyages d'Ushuaia (plusieurs départs par semaine). Ne pas hésiter à comparer les prix et les prestations, mais en général, les tarifs sont assez proches car les agences travaillent toutes avec la même compagnie.
- ***Tarifs :*** dans tous les cas, cela reste très cher ; compter min 4 000 US$/pers en bateau de croisière, tout compris (logement en chambre de 3-4 pers, repas, excursions à terre). On peut avoir des tarifs plus intéressants en prenant son billet au dernier moment. À partir de 6 000 US$/pers en voilier.

Mais ce voyage n'a pas de prix, on en prend plein la vue : baleines, phoques, banquise, icebergs aux formes hallucinantes...

➢ *Kekilistrion :* ☎ *43-25-96.* ● *kekilistrion.com.ar* ● Le skipper est français (Popof pour les intimes). Il a construit le bateau lui-même et organise des excursions de 7 ou 14 j. vers le cap Horn, les glaciers chiliens, l'Antarctique. Très bonnes prestations.

➢ *Bateau Europa (Bark Europa) :* ● *barkeuropa.com* ● *Croisière de 22 j.* En été, ce magnifique trois-mâts hollandais avec coque métallique, datant de 1910, assure, avec une quinzaine de membres d'équipage, la liaison jusqu'au continent antarctique en accueillant une cinquantaine de passagers.

En avion

Pas d'avion au départ d'Ushuaia. Il faut se rendre à Punta Arenas, au Chili, d'où un avion (très cher) de la compagnie *DAP (● aeroviasdap.cl ●)* assure des liaisons avec la base antarctique chilienne.

Adresses et infos utiles

ℹ *Oficina Antártica :* *à Ushuaia, Maipú, 505.* ☎ *42-33-40 ou 43-00-15.* ● *tierradelfuego.org.ar* ● *Voir la rubrique « Adresses utiles » du chapitre « Ushuaia ».* Leur site est très complet et traduit en français. Y figurent notamment l'ensemble du planning de la saison (tous les bateaux !), les trajets respectifs et toute information utile pour ce voyage.

■ ***Agence AFASYN :*** *à Ushuaia.* ☎ *43-78-42.* ● *afasyn.org.ar* ● *Fermé dim.* Donne des infos pratiques sur les voiliers pour l'Antarctique.

- Enfin, un très bon site : ● *ushuaiaturismoevt.com.ar* ● Recense tous les départs, les bateaux, les dates, les itinéraires et les tarifs.

les ROUTARDS sur la FRANCE 2015-2016

(dates de parution sur • *routard.com* •)

Découpage de la FRANCE par le ROUTARD

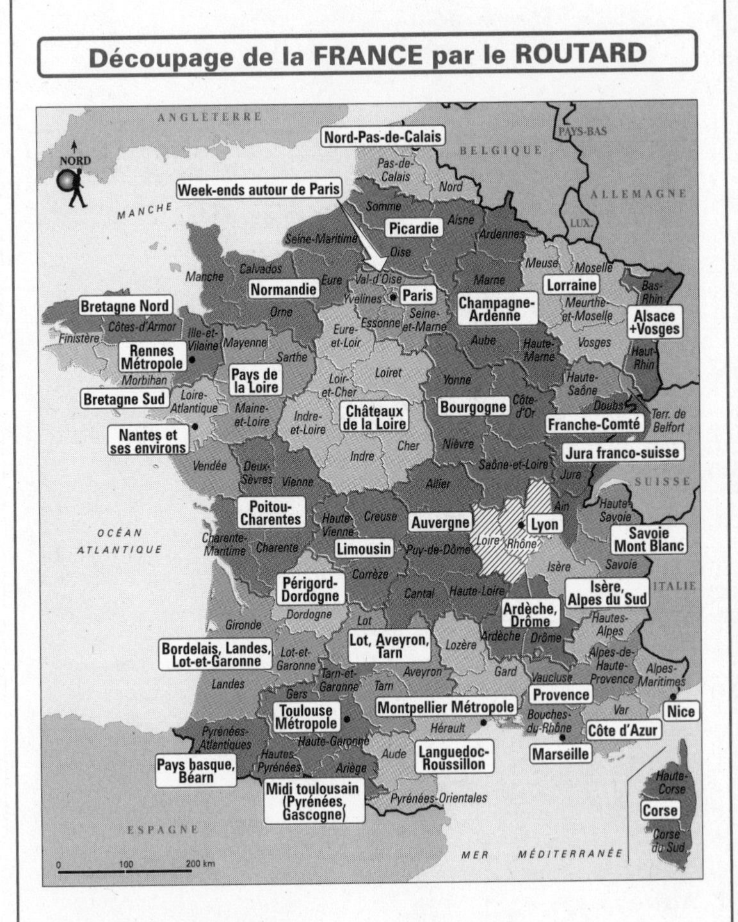

Autres guides nationaux

- La Loire à vélo (février 2015)
- Les grands chefs du Routard
- Nos meilleurs campings en France
- Nos meilleures chambres d'hôtes en France
- Nos meilleurs hôtels et restos en France
- Nos meilleurs sites pour observer les oiseaux en France
- Tourisme responsable

Autres guides sur Paris

- Paris
- Paris à vélo
- Paris balades
- Restos et bistrots de Paris
- Le Routard des amoureux à Paris
- Week-ends autour de Paris

les ROUTARDS sur l'ÉTRANGER 2015-2016

(dates de parution sur • **routard.com** •)

Autres pays européens

- Allemagne
- Angleterre, Pays de Galles
- Autriche
- Belgique
- Budapest, Hongrie
- Crète
- Croatie
- Danemark, Suède
- Écosse
- Finlande
- Grèce continentale
- Îles grecques et Athènes
- Irlande
- Islande
- Madère (mai 2015)
- Malte
- Norvège
- Pologne
- Portugal
- République tchèque, Slovaquie
- Roumanie, Bulgarie
- Suisse

Villes européennes

- Amsterdam et ses environs
- Berlin
- Bruxelles
- Copenhague
- Dublin
- Lisbonne
- Londres
- Moscou
- Prague
- Saint-Pétersbourg
- Stockholm
- Vienne

les ROUTARDS sur l'ÉTRANGER 2015-2016

(dates de parution sur • *routard.com* •)

Découpage des ÉTATS-UNIS par le ROUTARD

Autres pays d'Amérique

- Argentine
- Brésil
- Canada Ouest
- Chili et île de Pâques
- Équateur et les îles Galápagos
- Guatemala, Yucatán et Chiapas
- Mexique
- Montréal
- Pérou, Bolivie
- Québec, Ontario et Provinces maritimes

Asie

- Bali, Lombok
- Bangkok
- Birmanie (Myanmar)
- Cambodge, Laos
- Chine
- Hong-Kong, Macao, Canton
- Inde du Nord
- Inde du Sud
- Israël et Palestine
- Istanbul
- Jordanie
- Malaisie, Singapour
- Népal
- Shanghai
- Sri Lanka (Ceylan)
- Thaïlande
- Tokyo, Kyoto et environs
- Turquie
- Vietnam

Afrique

- Afrique de l'Ouest
- Afrique du Sud
- Égypte
- Kenya, Tanzanie et Zanzibar
- Maroc
- Marrakech
- Sénégal
- Tunisie

Îles Caraïbes et océan Indien

- Cuba
- Guadeloupe, Saint-Martin, Saint-Barth
- Île Maurice, Rodrigues
- Madagascar
- Martinique
- République dominicaine (Saint-Domingue)
- Réunion

Guides de conversation

- Allemand
- Anglais
- Arabe du Maghreb
- Arabe du Proche-Orient
- Chinois
- Croate
- Espagnol
- Grec
- Italien
- Japonais
- Portugais
- Russe
- G'palémo (conversation par l'image)

Le Routard Express

- Amsterdam (nouveauté)
- Barcelone
- Berlin
- Bruxelles (nouveauté)
- Lisbonne (nouveauté)
- Londres
- Madrid
- New York
- Prague
- Rome
- Venise

Nos 1200 coups de cœur

- France (octobre 2014)
- Monde

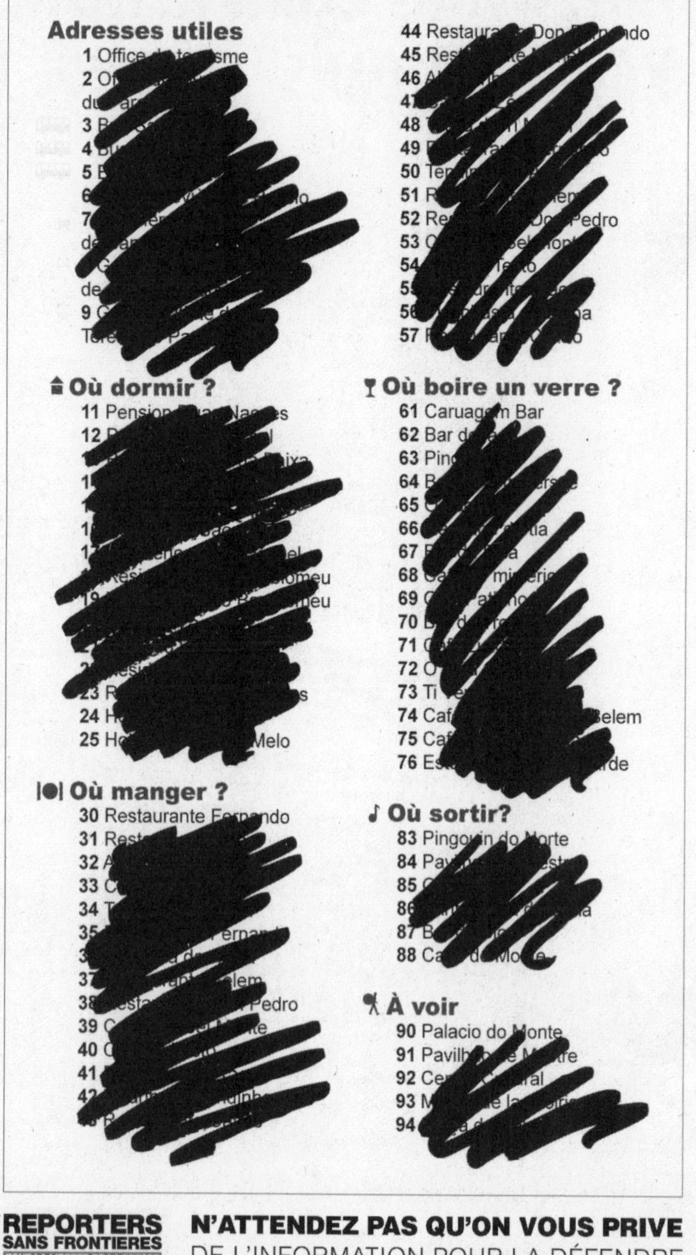
COMMENT Y ALLER
COMMENT Y ALLER?
Adresses utiles
Où dormir ?
Où manger ?
Où boire un verre ?
Où sortir?
À voir
90 Palacio do Monte
REPORTERS SANS FRONTIERES
POUR LA LIBERTE DE LA PRESSE
www.rsf.org
N'ATTENDEZ PAS QU'ON VOUS PRIVE
DE L'INFORMATION POUR LA DÉFENDRE

INDEX GÉNÉRAL

A

B

INDEX GÉNÉRAL

C-D

E

F

G-H

I-J

L

M

N-O

P

Q-R

S

T

U

V-W

Y

OÙ TROUVER LES CARTES ET LES PLANS ?

IMPORTANT : DERNIÈRE MINUTE

Sauf rare exception, le *Routard* bénéficie d'une parution annuelle à date fixe. Entre deux dates, des événements fortuits (formalités, taux de change, catastrophes naturelles, conditions d'accès aux sites, fermetures inopinées, etc.) peuvent intervenir et modifier vos projets de voyage. Pour éviter les déconvenues, nous vous recommandons de consulter la rubrique « Guide » par pays de notre site • ***routard.com*** • et plus particulièrement les dernières ***Actus voyageurs.***

Les **Routards** *parlent aux* **Routards**

Faites-nous part de vos expériences, de vos découvertes, de vos tuyaux. Indiquez-nous les renseignements périmés. Aidez-nous à remettre l'ouvrage à jour. Faites profiter les autres de vos adresses nouvelles, combines géniales... On adresse un exemplaire gratuit de la prochaine édition à ceux qui nous envoient les lettres les meilleures, pour la qualité et la pertinence des informations. Quelques conseils cependant :

- Envoyez-nous votre courrier le plus tôt possible afin que l'on puisse insérer vos tuyaux sur la prochaine édition.
- N'oubliez pas de préciser l'ouvrage que vous désirez recevoir.
- Vérifiez que vos remarques concernent l'édition en cours et notez les pages du guide concernées par vos observations.
- Quand vous indiquez des hôtels ou des restaurants, pensez à signaler leur adresse précise et, pour les grandes villes, les moyens de transport pour y aller. Si vous le pouvez, joignez la carte de visite de l'hôtel ou du resto décrit.
- N'écrivez si possible que d'un côté de la lettre (et non recto verso).
- Bien sûr, on s'arrache moins les yeux sur les lettres dactylographiées ou correctement écrites !

En tout état de cause, merci pour vos nombreuses lettres.

Les Routards parlent aux Routards :
122, rue du Moulin-des-Prés, 75013 Paris

e-mail : • *guide@routard.com* •
Internet : • *routard.com* •

Routard Assurance *2015*

Née du partenariat entre *AVI International* et le *Routard*, *Routard Assurance* est une assurance voyage complète qui offre toutes les prestations d'assistance indispensables à l'étranger : dépenses médicales, rapatriement médical, caution et défense pénale, responsabilité civile vie privée et bagages. Présent dans le monde entier, le plateau d'assistance d'*AVI International* donne accès à un vaste réseau de médecins et d'hôpitaux. Pas besoin d'avancer les frais d'hospitalisation ou de rapatriement. Numéro d'appel gratuit, disponible 24h/24. *AVI International* dispose par ailleurs d'une filiale aux États-Unis qui permet d'intervenir plus rapidement auprès des hôpitaux locaux. *AVI International* est un courtier reconnu qui gère lui-même ses dossiers et garantit une réponse rapide et simple. C'est aussi la filiale d'un groupe (SPB) présent à l'international. Pour toutes vos questions : ☎ 01-44-63-51-00 ou par mail • *routard@avi-international.com* • Conditions et souscription sur • *avi-international.com* •

Édité par Hachette Livre (43, quai de Grenelle, 75905 Paris Cedex 15, France)
Photocomposé par Jouve (45770 Saran, France)
Imprimé par Jouve 2 (Quai n° 2, 733, rue Saint-Léonard, BP 3, 53101 Mayenne Cedex, France)
Achevé d'imprimer le 26 septembre 2014
Collection n° 13 - Édition n° 01
21/2222/8
I.S.B.N. 978-2-01-001816-9
Dépôt légal : septembre 2014

hachette s'engage pour l'environnement en réduisant l'empreinte carbone de ses livres. Celle de cet exemplaire est de :
700 g éq. CO_2
Rendez-vous sur www.hachette-durable.fr